KB166160

# 한국주역대전 5

고괘·림괘·관괘·서합괘·비괘·박괘

이 저서는 2012년 대한민국 교육부와 한국학중앙연구원(한국학진흥사업단)의 한국학분야 토대연구지원사업의 지원을 받아 수행된 연구임(AKS-2012-EAZ-2101)

5

# 한국주역대전

한국주역대전 편찬실

고괘 · 림괘 · 관괘 · 서합괘 · 비괘 · 박괘

學古房

# 한국주역대전을 펴내며

2012년 9월 첫 작업을 시작한 '『한국주역대전』편찬·표점·번역·주해·해제'라는 방대한 사업이 이제 출판의 결실을 보게 되었다. 지난 수 십 년간 유교경학과 한국학의 급속한 성장에도 불구하고 한국역학은 여전히 불모의 상태를 벗어나기 어려웠다. 개별 연구들이 적지 않게 축적되어 왔고, 이에 고무되어 한국역학사를 공동으로라도 엮어보자는 호기로운 시도가 없었던 것은 아니지만, 그것이 아직 시기상조라는 자각과 함께 무산되곤 하였다. 한국역학 원전자료는 한국경학자료 가운데 단연 방대한 양을 자랑한다. 반면 전문연구자는 턱없이 부족하다. 사정이 이러하니 한국역학이 우뚝 서기까지는 아직 갈 길이 멀기만 하다. 이러한 정황 속에서 『한국주역대전』의 출간은 매우 기쁜 일이 아닐 수 없다.

이번에 출간되는 『한국주역대전』은 한국학자의 역학관련 자료 가운데 주요한 것을 가려 뽑아 『주역전의대전』 체제에 맞추어 집해(集解)형식으로 편찬한 것이다. 『주역전의대전』은 중국은 물론 조선시대 역학사상 형성에 무엇보다 영향력이 큰 문헌이라 할 수 있다. 이번 『한국주역대전』은 먼저 『주역전의대전』을 소주까지 모두 번역하여, 주역에 대한 중국학자들의 이해와 한국학자들의 해석을 비교해 볼 수 있도록 하였다. 편찬 체재는 경문－정전－본의－중국대전－한국대전으로 구성하였다. 편찬과 표점, 그리고 번역을 동반한 『한국주역대전』을 통해 한국학자들의 『주역전의대전』에 대한 깊은 이해 및 새로운 해석의 지평을 볼 수 있을 것이다. 또한 한국학자들의 저작을 시대별로 배열하였으므로 그 흐름을 일목요연하게 파악할 수 있을 것이다.

이번 『한국주역대전』을 편찬하면서 연구기간은 짧고 작업은 방대하여 아쉬운 점이 한 둘이 아니었다. 제한된 연구기간으로 인해 연구 범위를 제한할 수밖에 없었으며, 따라서 작자 미상의 자료, 연대 미상의 자료, 『주역전의대전』과 유사하여 별다른 특징을 볼 수 없는 자료는 편찬 범위에 포함시키지 않았다. 또한 다산의 『주역사전』처럼 중요한 자료일지라도 별도로 번역되어 시중에 유통되고 있는 책은 자료에 포함시키지 않았다. 특히 상수학 관련 자료들에 대한 번역은 앞으로 더 정치한 번역이 필요할 것이라고 생각되며, 그에 대한 별도의 연구도 필요할 것이다. 그럼에도 불구하고 이번 『한국주역대전』의 출간은 한국역학연구의 획기적인 토대를 제공하여, 많은 후속연구를 가능하게 하리라는 기대로 그 아쉬움을 상쇄하고자 한다.

이와 같이 방대한 토대사업은 실상 국가적 지원이 아니고서는 실행되기 어렵다. 이 사업의 지원을 결정해 주신 한국학중앙연구원과 한국학진흥사업단에 감사드린다. 그리고 제한된 연구기간의 압박 속에 과도한 업무를 사명감으로 감당해 준 연구진들의 노고에 고마운 마음을 전한다.

오늘날과 같은 출판시장의 현실에서 『한국주역대전』과 같은 방대한 분량의 책을 간행해 줄 출판사를 찾는다는 것은 결코 쉽지 않은 일이다. 모든 어려움에도 불구하고 조금의 망설임도 없이 흔쾌하게 이 책의 출판을 결정해 주신 도서출판 학고방의 하운근 사장님께 깊은 감사를 드린다.

2017년 1월
한국주역대전편찬 연구책임자
성균관대학교 유악대학 교수/한국주자학회 · 율곡학회 회장
최 영 진

# 목차

# 18

고괘

蠱卦䷑

# 中國大全

## 傳

蠱, 序卦, 以喜隨人者, 必有事, 故受之以蠱, 承二卦之義, 以爲次也. 夫喜悅以隨於人者, 必有事也, 无事則何喜何隨. 蠱所以次隨也. 蠱, 事也, 蠱非訓事, 蠱乃有事也. 爲卦, 山下有風, 風在山下, 遇山而回則物亂. 是爲蠱象, 蠱之義, 壞亂也. 在文, 爲蟲皿, 皿之有蟲, 蠱壞之義. 左氏傳云, 風落山, 女惑男, 以長女下於少男, 亂其情也. 風遇山而回, 物皆撓亂, 是爲有事之象. 故云蠱者事也, 旣蠱而治之, 亦事也. 以卦之象言之, 所以成蠱也, 以卦之才言之, 所以治蠱也.

고괘(蠱卦䷑)는 「서괘전」에 "기쁨으로 남을 따르는 자는 반드시 일이 있기 때문에 고괘(蠱卦)로 받았다"라고 하였으니, 예괘(豫卦䷏)와 수괘(隨卦䷐) 두 괘의 뜻을 이어 다음 차례가 되었다. 기쁘게 남을 따르는 자는 반드시 일이 있게 마련이니, 일이 없다면 무엇을 기뻐하고 무엇을 따르겠는가? 고괘(蠱卦)가 이 때문에 수괘(隨卦䷐) 다음이 되었다. 고(蠱)는 일이니, '고(蠱)'자의 뜻이 일이 아니고, 좀먹어서[蠱] 일이 있게 된다. 괘는 산 아래에 바람이 있으니, 바람이 산 아래에 있다가 산을 만나 돌면 사물들이 어지러워진다. 이것이 '고'의 상이니, '고'의 뜻은 허물어지고 어지러운 것이다. 글자는 충(蟲)과 명(皿)으로 이루어져 있으니, 그릇에 벌레가 있는 것은 벌레 먹어서 허물어진다는 뜻이다. 『춘추좌씨전』에 "바람이 산에 있는 것을 떨어뜨리고 여자가 남자를 유혹한다"[1]라 하였으니, 나이 많은 여자가 젊은 남자에게 낮추는 것은 남녀의 바른 정(情)을 어지럽힌 것이다. 바람이 산을 만나 돌면 사물이 모두 흔들리고 어지러워지니, 이는 일이 있는 상이 된다. 그러므로 '고(蠱)'는 일이라고 말하였고, 이미 좀먹어서 이를 다스리는 것 또한 일이다. 괘의 상으로 말하면 '고(蠱)'를 이루는 것이 되고, 괘의 재질로 말하면 '고(蠱)'를 다스리는 것이 된다.[2]

---

1) 『春秋左氏傳·昭公』元年: 趙孟曰, 何謂蠱. 對曰, 淫溺惑亂之所生也. 於文, 皿蟲爲蠱, 穀之飛亦爲蠱. 在周易, 女惑男, 風落山, 謂之蠱䷑, 皆同物也. 趙孟曰, 良醫也, 厚其禮而歸之.

2) 고(蠱)의 의미는 풀을 소재로 만든 그릇을 오래 방치하여 벌레가 먹어 손상되는 '일'이다. 이 괘에서 '고'는 '좀먹어 허물어지는 일' '어지러운 일' '혼란한 일'등을 뜻하므로, 번역용어를 이 가운데에서 적절히 골라 사용하였다. 『정전』에서는 이 괘의 상으로 볼 때 '고'는 벌레가 먹어 손상되는 일이지만, 괘의 재질로 볼 때 '고'는 그러한 일을 다스리는 일의 의미까지 포함하는 것으로 보았다.

**小註**

東坡蘇氏曰, 器久不用, 則蠱生之謂蠱. 人久宴溺而疾生之謂蠱. 天下久安无爲而弊生
之謂蠱.

동파소씨가 말하였다: 그릇을 오래도록 쓰지 않아 벌레가 생기는 것을 '고(蠱)'라고 한다.
사람이 오래 즐기는데 빠져있어 병이 생기는 것을 '고'라고 한다. 세상이 오래 편안하고 일이
없어 폐단이 생기는 것을 '고'라고 한다.

蠱, 元亨. 利涉大川,

고(蠱)는 크게 형통하다. 큰 내를 건너는 것이 이로우니,

## ‖中國大全‖

### 傳

旣蠱則有復治之理. 自古, 治必因亂, 亂則開治, 理自然也. 如卦之才以治蠱, 則能致元亨也. 蠱之大者, 濟時之艱難險阻也, 故曰, 利涉大川.

이미 좀먹었으면 다시 다스려지는 이치가 있다. 예로부터 다스림은 반드시 혼란하기 때문이니, 혼란해지면 다스리는 길이 열리는 것은 이치가 저절로 그러함이다. 괘의 재질로 ‘좀먹은 것[蠱]’을 다스리면 크게 선하여 형통함을 이룰 수 있다. ‘고(蠱)’가 큰 것은 세상의 어려움과 험준함을 구제하는 것이므로, “큰 내를 건너는 것이 이롭다”고 하였다.

### 小註

朱子曰, 皿蟲爲蠱, 言器中盛那蟲, 敎他自相倂, 便是那積蓄到那壞爛底意思. 一似漢唐之衰, 弄得來到那極弊大壞時, 所以言元亨. 蓋極弊則將復興, 故言元亨.

주자가 말하였다: “그릇이 벌레 먹은 것이 ‘고(蠱)’가 된다”[3]란 그릇 가운데 그 벌레가 매우 많아 서로 다투게 함을 말하니, 그릇이 망가질 때까지 쌓여간다는 의미이다. 마치 한나라와 당나라가 쇠퇴할 때와 같으니, 폐단이 지극해지고 크게 망가지는 때가 도래하게 되었기 때문에 그래서 “크게 형통한다”고 하였다. 대체로 폐단이 지극해지면 장차 부흥하게 되기 때문에 “크게 형통한다”고 하였다.

○ 問, 蠱是壞亂之象, 雖亂極必治, 如何便會元亨. 曰, 亂極必治, 天道循環自是如此. 如五胡亂華以至於隋, 亂之極, 必有唐太宗者出. 又如五季, 必生太祖. 若不如此, 便无天道了. 所以象只云蠱元亨而天下治也.

물었다: ‘고(蠱)’는 허물어지고 어지러운 상인데, 아무리 혼란이 지극해지면 반드시 다스려

---

3) 『春秋左氏傳·昭公』: 元年: 趙孟曰, 何謂蠱. 對曰, 淫溺惑亂之所生也. 於文, 皿蟲爲蠱, 穀之飛亦爲蠱.

진다고 할지라도 어떻게 크게 형통할 수가 있습니까?

답하였다: 혼란이 지극해지면 반드시 다스려지게 되는 것은 천도의 순환이 저절로 이와 같기 때문입니다. 오호십육국(五胡十六國) 시대의 다섯 오랑캐가 중화를 어지럽혀 수나라에 이르렀으니, 지극한 혼란에 반드시 당태종이 나왔습니다. 또 후량(後梁), 후당(後唐), 후진(後晉), 후한(後漢), 후주(後周)의 오대(五代)와 같은 경우라면 반드시 우리 태조[4]가 나왔습니다. 만약 이렇지 않다면 천도는 없는 것입니다. 그러므로 「단전」에 "고(蠱)는 크게 형통하여 천하가 다스려진다"고 하였을 뿐입니다.

○ 雙湖胡氏曰, 蠱者, 事也, 壞也. 事鬱而不發者, 謂之蠱. 草之鬱也, 其久必腐, 木之鬱也, 其久必蠱, 未有事而不壞者也. 蠱之所以元亨者, 以能飭之爾. 飭之則不壞矣. 易窮則變, 變則通. 是以事之壞者, 又當振而起之.

쌍호호씨[5]가 말하였다: '고(蠱)'는 일이며, 허물어지는 것이다. 일이 꽉 차있어서 일으키지 못하는 것을 '고(蠱)'라고 한다. 풀이 꽉 차있는 채로 오래되면 썩기 마련이고, 나무가 꽉 차있는 채로 오래되면 반드시 좀먹기 마련이니, 일마다 썩지 않은 경우가 없다. '고'가 크게 형통하게 되는 까닭은 조심할 수 있기 때문이다. 조심한다면 허물어지지 않는다. 『주역』은 궁하면 변하고, 변하면 통한다. 그래서 일이 허물어지면 또 마땅히 떨쳐 일어나게 된다.

○ 臨川吳氏曰, 蠱之時不可靜俟. 當往濟險難, 故利涉大川也.

임천오씨가 말하였다: '고(蠱)'의 때에는 조용히 기다려서는 안 된다. 가서 험난함을 구제하는 것이 마땅하기 때문에 큰 내를 건너는 것이 이롭다.

## ‖韓國大全‖

### 조호익(曹好益) 『역상설(易象說)』

隆山李氏曰, 蠱升鼎大有皆曰元亨, 九居二, 六居五, 故皆曰元亨. 損元吉, 蓋主陽剛之畫, 有應乎上而言也.

---

4) 태조: 송나라 태조를 말함.

5) 호일계(胡一桂, 1247~?): 원대의 성리학자이다. 자는 정방(庭芳), 호는 쌍호(雙湖), 안휘성 무원 출신이다. 평생 강학으로 일생을 마쳤다. 주자의 『주역본의』에 주자의 문집과 어록 중에서 취하여 부록을 만들고, 다른 학자들의 학설 중 주역본의와 부합되는 것을 모아 "『주역본의부록찬소(周易本義附錄纂疏)』를 저술했다.

융산이씨가 말하였다: 고괘(蠱卦䷑), 승괘(升卦䷭), 정괘(鼎卦䷱), 대유괘(大有卦䷍)에 모두 '원형(元亨)'이라고 하였는데[6], 구(九)가 이효의 자리에 있고 육(六)이 오효의 자리에 있으므로 모두 '원형'이라고 하였다. 손괘(損卦䷨)에는 "크게 길하다[元吉]"라고 하였는데,[7] 이는 굳센 양의 획이 상효에 호응하고 있음을 위주로 하여 말하였다.

○ 利涉, 下卦巽木, 自三至五震木, 又自三至上, 頤體中虛舟象. 大川, 自二至四兌澤, 又自初至四坎體, 自三至上離體, 伏坎體, 皆大川象.

"건너는 것이 이롭다[利涉]"는 하괘가 손괘(巽卦☴)의 나무이고, 삼효부터 오효까지가 진괘(震卦☳)의 나무이며, 또 삼효부터 상효까지가 이괘(頤卦䷚)의 몸체로 가운데가 빈 배의 상이기 때문이다. '큰 내[大川]'는 이효부터 사효까지가 태괘(兌卦☱)의 못[澤]이고, 또 초효부터 사효까지가 감괘(坎卦☵)의 몸체이며, 삼효부터 상효까지가 리괘(離卦☲)의 몸체로 감괘(坎卦☵)의 몸체를 숨기고 있는 것이 모두 '큰 내'의 상이기 때문이다.

### 이익(李瀷) 『역경질서(易經疾書)』

蠱病也. 敗則無不病, 如人虫在腹中曰蠱也. 卦象風在山下, 虫生於風, 故家語所謂風主虫是也. 風鬱生虫. 故風積山下, 鬱而不通, 所以爲蠱. 以人事言, 事必亂而後治, 不亂則无事矣. 故序卦云, 蠱者事也, 卽治其亂之意, 非以事訓蠱也. 物必敗而後飾, 故說卦云, 蠱飾也. 至上九變蠱言事, 高尙之事, 豈容病敗. 可以爲證.

'고(蠱)'는 병드는 것이다. 손상되면 병들지 않을 수 없으니, 사람의 경우 마치 배 속에 벌레가 있는 것을 '고'라고 하는 것과 같다. 괘의 상은 바람이 산 아래에 있으니, 그 바람에서 벌레가 생겨나기 때문에 『가어(家語)』에 "바람이 벌레를 주관한다"는 말이 이것이다. 바람이 막히면 벌레가 생겨난다. 그러므로 바람이 산 아래 쌓여서 막혀 통하지 않으니, '고(蠱)'가 되는 이유이다. 사람의 일로 말하면 일은 반드시 어지러워진 후에 다스려지게 되니, 어지럽지 않다면 일도 없다. 그러므로 「서괘전」에 "고(蠱)는 일이다"라 하였으니, 곧 이 때의 일은 그 어지러움을 다스린다는 의미이지 일로써 '고(蠱)'를 풀이한 것은 아니다. 사물은 반드시 손상된 후에 삼가게 되므로, 「설괘전」에서 "고는 삼감이다[飾]"라고 하였다[8]. 상구에 이르러서는 '고(蠱)'를 바꿔 '일[事]'이라고 말하였으니, 높이고 숭상하는 일인데 어찌 병들고 손상된다는 뜻으로 받아들일 수 있겠는가? 이로써 증거를 삼을 수 있다.

---

6) 『周易·升卦』: 升, 元亨, 用見大人, 勿恤, 南征, 吉. ; 『周易·鼎卦』: 鼎, 元(吉)亨. ; 『周易·大有卦』: 大有, 元亨.

7) 『周易·損卦』: 損, 有孚, 元吉, 无咎, 可貞, 利有攸往, 曷之用. 二簋, 可用享.

8) 「설괘전」에는 이와 같은 내용이 보이지 않으며, 「잡괘전(雜卦傳)」에 "蠱則飭也"라고 하였다.

李光地曰, 以卦則陽上陰下, 以爻則剛上柔下, 六十四卦中, 惟此一卦, 陰陽剛柔不相交, 尊卑上下不相接, 則百弊生, 萬事隳.

이광지(李光地)[9]가 말하였다: 괘로 보면 양이 위에 있고 음이 아래 있으며, 효로 보면 굳센 양이 위에 있고 부드러운 음이 아래에 있으니, 육십사괘 가운데 오직 이 한 괘만이 굳센 양과 부드러운 음이 서로 사귀지 않고 존귀한 것과 비천한 것이 서로 접촉하지 않아 온갖 폐단이 생겨나고 만사가 무너진다.

## 유정원(柳正源) 『역해참고(易解參攷)』

蠱元 [至] 大川.

고(蠱)는 크게 … 큰 내를 건너는 것이 이로우니.

左僖十五年, 秦伯伐晉, 筮遇蠱. 曰, 千乘三去, 三去之餘, 獲其雄狐, 夫狐蠱必其君也〈案, 荀九家艮爲狐〉. 蠱之貞風也, 其悔山也, 歲云秋矣. 我落其實而取其材, 所以克也. 三敗及韓, 秦[10]獲晉矦歸.

『춘추좌씨전(春秋左氏傳)·희공(僖公)』15년에서 말하였다: 도보(徒父)가 말하기를 "진(秦)나라 임금이 진(晉)을 칠 때에 점을 치니 고괘(蠱卦䷑)가 나왔습니다. 그 점사(占辭)에 '전차 천 대의 병력으로 세 번을 패주할 것이니, 세 번을 패주한 뒤에 그 우두머리 여우를 잡는다'고 하였으니, 그 숫여우[狐蠱]는 분명코 진(晉)나라 임금입니다. 〈내가 살펴보았다: 『순구가역』에서는 간괘(艮卦☶)가 여우가 된다고 하였다.〉 고괘(蠱卦䷑)의 내괘[貞]는 바람이고, 그 외괘[悔]는 산이니,[11] 계절은 가을이라 하겠습니다. 우리가 그 나무의 열매를 떨어뜨리고 그 목재를 취하므로 이깁니다"라고 하였다. 세 번 패하여 한(韓) 땅에 이르렀으나, 진(秦)나라 임금이 진(晉)나라 임금을 잡아 돌아갔다.

○ 昭元年, 晉矦求醫, 醫和曰, 疾如蠱, 淫溺惑亂之所生也. 於文皿蟲爲蠱, 穀之飛亦爲蠱. 在周易女惑男〈長女少男非匹, 蠱惑之象〉, 風落山〈山木爲風所落蠱壞之象〉, 謂之蠱.

---

 9) 이광지(李光地, 1642~1718): 청나라 복건(福建) 사람. 자는 진경(晉卿)이고, 호는 용촌(榕村), 시호는 문정(文貞)이다. 경학(經學)과 악률(樂律), 역산(曆算), 음운(音韻) 등에 정통했으며, 황제의 칙명으로 『성리정의(性理精義)』와 『주자대전(朱子大全)』 등을 편수했다. 정주학(程朱學)을 추숭하여 강희제의 신임으로 청나라 초기 주자학의 대표적 인물이 되었지만, 절충적인 태도를 취하여 육왕학(陸王學)도 배척하지 않았다.

10) 秦: 경학자료집성DB와 경학자료집성 영인본에 '춋'으로 되어 있으나, 『춘추좌씨전』에 근거하여 '秦'으로 바로잡았다.

11) 『주자어류』 권66에는 정(貞)과 회(悔)에 대한 여러 가지 문답이 있다. 대체로, 내괘를 정(貞), 외괘를 회(悔)로 보는 경우와 본괘를 정(貞), 지괘를 회(悔)로 보는 경우가 있다.

『춘추좌씨전(春秋左氏傳)·소공(昭公)』원년에서 말하였다: 진(晉)나라 임금이 의원을 구하니, 의원 화(和)가 말하기를 "이 질병은 마음이 어지러운 병[蠱]과 같습니다"라고 하였고, "음란하고 좋아하는 데에 빠져 미혹되어 마음이 어지러워 생긴 병입니다. 글자로 보면 그릇[皿]에 벌레[蟲]가 있는 것이니, 곡물에 생기는 날벌레 또한 '고(蠱)'가 됩니다. 『주역』에서 여자가 남자를 유혹하고, 〈나이 든 여자와 젊은 남자는 짝이 아니므로 미혹시키는 상이다.〉 바람이 산의 잎들을 떨어뜨리는 것을 〈산의 나무가 바람에 쓰러지는 것이 벌레 먹어서 허물어지는 상이다.〉 '고(蠱)'라고 합니다"라고 하였다.

○ 厚齋馮氏曰, 醫家病水與氣血者, 皆謂之蠱. 蠱象不一端. 巽在下舟之象, 艮之四五中虛乘木, 舟虛之象. 舟實則溺, 舟虛則濟, 故爲利涉也.
후재풍씨가 말하였다: 의학에서는 물과 기혈에 병이 든 것을 모두 '고(蠱)'라고 한다. 고괘(蠱卦䷑)의 상은 그 단서가 하나만 있는 것이 아니다. 손괘(巽卦☴)가 아래에 있으니 배의 상이고, 간괘(艮卦☶)인 상괘에서 사효와 오효는 가운데가 비어 있으면서 손괘(巽卦☴)인 나무를 타고 있으니 빈 배의 상이다. 배가 가득 차면 가라앉게 되고, 배가 비면 건널 수 있으므로 건너는 것이 이롭게 된다.

○ 案, 元亨以九二言也. 以剛居中, 上應六五, 故有大亨之道.
내가 살펴보았다: "크게 형통하다"는 것은 구이를 말한다. 굳센 양으로서 가운데 있으면서 위로 육오와 호응하기 때문에 크게 형통하는 도리가 있다.

### 김규오(金奎五)「독역기의(讀易記疑)」

元亨, 本義未嘗下大亨字. 先生又嘗曰, 大善而亨, 諺解當如傳.
'원형(元亨)'에 대하여 『본의』에서 "크게 형통하다[大亨]"라는 글자를 쓴 적이 없다. 이천(伊川) 선생이 또한 "크게 선하여 형통한다"[12]라고 하였으므로, 『주역언해』도 마땅히 『정전』과 같아야 한다.

○ 利涉大川, 以隨之三上包四五謂有中實之象. 以此例之, 蠱之初四包二陽亦有川象. 但此等說, 終有通不去處, 如頤五之不利涉, 是也.
"큰 내를 건너는 것이 이롭다"란 수괘(隨卦䷐)에서는 육삼과 상육이 구사와 구오를 품고 있는 것을 가운데가 꽉 차있는[實]는 상이 있다고 하였다. 이러한 사례로 보면, 고괘(蠱卦䷑)의 초육과 육사가 두 개의 양을 품고 있는 것에도 '내'의 상이 있다. 다만 이런 식의 설명

---

12)『周易傳義大全·蠱卦·程傳』: 其道大善而亨也, 如此則天下治矣.

이 끝까지 다 통하지는 않는다. 예컨대 이괘(頤卦䷚) 육오가 "건넘이 이롭지 않다"[13]는 것이 이러한 경우이다.

## 김귀주(金龜柱) 『주역차록(周易箚錄)』

傳, 旣蠱則, 云云.
『정전』에서 말하였다: 이미 고(蠱)라고 하였으니, 운운.

小註雙湖胡氏曰, 蠱者, 云云
소주에서 쌍호호씨가 말하였다: '고(蠱)'란, 운운.

○ 按, 蠱本是壞亂之義. 物壞亂則有事, 故因謂蠱爲事. 程傳所謂蠱非訓事, 蠱乃有事者是矣. 今胡說以蠱訓事, 又訓壞. 有若事外有壞, 壞外有事者, 然恐失本旨. 欝而不發云云, 亦似不襯於蠱字之義.
내가 살펴보았다: '고(蠱)'는 본래 허물어지고 어지러운 의미이다. 사물이 허물어지고 어지러우면 일이 있게 되므로, 이로 인하여 '고'는 일이 된다고 하였다. 『정전』에서 이른바 "고(蠱)'자의 뜻이 일이 아니고, 좀먹어서[蠱] 일이 있게 된다"고 한 것이 이 말이다. 이제 호씨의 설명은 '고(蠱)'자의 뜻을 일이라고 보고, 또 "허물어지다"라는 의미로 본 것이다. 만약 일 바깥에 허물어짐이 있고, 허물어짐 바깥에 일이 있는 경우가 있다면, 아마도 본래의 의미를 잃은 듯하다. "꽉 차있어서 일으키지 못한다"고 운운한 것도 역시 '고(蠱)'자의 의미에는 근접하지 않는 듯하다.

## 이진상(李震相) 『역학관규(易學管窺)』

利涉大川.
큰 내를 건너는 것이 이롭다.

厚齋曰, 巽在下舟象, 四五中虛乘木, 舟虛之象, 故爲利涉也.
후재풍씨가 말하였다: 손괘(巽卦☴)가 아래에 있으니 배의 상이고, 사효와 오효는 가운데가 비어 있으면서 손괘(巽卦☴)인 나무를 타고 있으니 빈 배의 상이기 때문에 건너는 것이 이롭게 된다.

---

13) 『주역(周易)·이괘(頤卦)』 육오에는 "不利涉"이라는 말은 없으며, "六五, 拂經, 居貞吉, 不可涉大川"라고 하였다.

## 박문호(朴文鎬) 「경설(經說)·주역(周易)」

本義於隨卦, 則先言卦變, 而此則歸之於餘意者, 以上下不交之意, 不可不先明也. 此
蓋發程子之所未發也. 象傳註所云, 卦體二字, 是也.

『본의』는 수괘(隨卦䷐)에서 먼저 괘의 변화를 말하였는데도 여기에서는 말 속에 함축되어
있는 속뜻을 밝히는 데로 돌린 것은 위와 아래가 서로 사귀지 않는 뜻을 먼저 밝히지 않을
수 없었기 때문이다. 이는 정자(程子)가 미처 밝히지 못한 것이다. 「단전」의 주석에서 '괘의
몸체[卦體]'[14]라는 두 글자를 말한 것이 이것이다.

傳義卦變之說不同. 傳則二爻互易, 義則一爻自易而無與於他爻. 以占法觀之, 本義爲
長. 卦體卽上註所云, 上下不交也. 於此, 朱子以成蠱之義言之, 而程子但以治蠱之道
言之者, 蓋成蠱之象, 上已言之, 而於此治蠱爲急, 故但言治蠱耳.

『정전』과 『본의』의 괘의 변화에 관한 설명이 같지 않다. 『정전』에서는 두 효가 서로 바뀌고,
『본의』에서는 한 효가 스스로 바뀌고 다른 효와 관계 하지 않는다. 점법으로 살펴보면 『본의』
가 더 좋다. 괘의 몸체는 곧 위 『본의』의 주석에서 "위아래가 사귀지 않는다"고 한 것이다.
이에 대하여 주자는 '고(蠱)'가 되는 뜻으로 말하였는데도, 정자가 다만 '고(蠱)'의 상황을 다
스리는 도리로써 말한 것은 '고(蠱)'가 되는 상을 위에서 이미 말하였고 여기에서는 '고(蠱)'
를 다스리는 일이 급하다고 여겼기 때문에 단지 '고'를 다스리는 도리를 말하였을 뿐이다.

## 이정규(李正奎) 「독역기(讀易記)」

蠱, 壞亂之義也, 而卦辭, 曰元亨利涉大川何也. 程子曰, 亂則開治, 理自然也. 朱子曰,
亂極必治, 天道循環, 自是如此. 然則亂極之時, 已含必治之象, 故曰元亨. 治亂故曰,
利涉大川. 如純坤之時, 已含復之意也.

'고(蠱)'는 허물어져 어지럽다는 의미인데, 괘사에서 "크게 형통하다. 큰 내를 건너는 것이
이롭다"고 한 것은 어째서인가? 정자가 말하기를 "어지러우면 다스릴 길이 열리는 것은 이치
가 저절로 그러하다"라고 하였다. 주자는 말하기를 "혼란이 극에 달하면 반드시 다스려지니,
천도가 순환하는 것은 본래 이러하다"라고 하였다. 그렇다면 혼란이 지극한 때에 이미 반드
시 다스려질 상을 포함하고 있기 때문에, "크게 형통하다"고 하였다. 혼란을 다스리기 때문
에 "큰 내를 건너는 것이 이롭다"라고 하였다. 마치 순수한 곤괘(坤卦䷁)의 때에 이미 하나
의 양이 회복되는 복괘(復卦䷗)의 의미가 함축되어 있는 것과 같다.

---

14) 괘체(卦體): 주자가 고괘 「단전」 "彖曰, 蠱剛上而柔下, 巽而止蠱"에 대하여 "以卦體卦變卦德, 釋卦名義.
蓋如此則積弊而至於蠱矣"라고 주석한 것을 말한다.

# 先甲三日, 後甲三日.

정전 갑(甲)보다 앞으로 삼일 동안 하고, 갑보다 뒤로 삼일 동안 한다.
본의 갑(甲)보다 삼일 앞서서 하고, 갑보다 삼일 뒤에서 한다.

## ▌中國大全▌

### 傳

甲, 數之首, 事之始也, 如辰之甲乙甲第甲令, 皆謂首也, 事之端也. 治蠱之道, 當思慮其先後三日, 蓋推原先後, 爲救弊可久之道. 先甲, 謂先於此, 究其所以然也, 後甲, 謂後於此, 慮其將然也. 一日二日, 至於三日, 言慮之深, 推之遠也. 究其所以然則知救之之道, 慮其將然則知備之之方, 善救則前弊可革, 善備則後利可久. 此古之聖王, 所以新天下而垂後世也. 後之治蠱者, 不明聖人先甲後甲之誡, 慮淺而事近, 故勞於救世而亂不革, 功未及成而弊已生矣. 甲者, 事之首, 庚者, 變更之首. 制作政教之類則云甲, 擧其首也, 發號施令之事則云庚, 庚, 猶更也, 有所更變也.

'갑(甲)'은 수(數)의 첫 번째이고 일의 시작이니, 시간의 순서에서 갑을(甲乙)과 갑제(甲第),[15] 갑령(甲令)[16]과 같은 것이 모두 첫 번째를 말하니, 일의 단서이다. 허물어지고 혼란함[蠱]을 다스리는 방법은 마땅히 그 앞뒤로 사흘을 생각하여야 하니, 근원의 앞과 뒤를 잘 추리하여 헤아리는 것이 폐단을 바로잡아 오래가게 할 수 있는 도리가 된다. '선갑(先甲)'은 이보다 먼저 하는 것을 말하니, 그렇게 된 까닭을 연구하는 것이고, '후갑(後甲)'은 이보다 뒤에 하는 것을 말하니, 장차 그렇게 될까 염려하는 것이다. 하루, 이틀로부터 사흘에까지 이르는 것은 사려가 깊고 멀리까지 미루어 봄을 말하는 것이다. 그렇게 된 까닭을 연구하면 그것을 바로잡을 방법을 알게 되고, 장차 그렇게 될까를 염려하면 대비할 방법을 알 것이니, 잘 바로잡으면 지난날의 병폐를 개혁할 수 있고, 잘 대비하면 뒷날 오래도록 이로울 수 있다. 이는 옛날 성왕(聖王)이 세상을 새롭게 하고 후세에 가르침을 드리운 방

---

15) 갑제(甲第): 과거시험에서의 장원 급제. 또는 귀족의 집으로 으뜸가는 집.
16) 갑령(甲令): 법률의 제 1조. 가장 중요한 법령.

법이다. 후세에 허물어지고 어지러움을 다스리는 이들은 성인의 선갑(先甲)하고 후갑(後甲)하는 경계에 밝지 못하여 생각이 얕고 가까운 것만 일삼기에 세상을 구제하기에 힘쓰지만 어지러움이 개혁되지 않고, 일의 효과도 이루어지지 않은 채 폐단이 이미 생겨버리게 된 것이다. '갑(甲)'은 일의 첫머리이고 '경(庚)'은 변경(變更)의 첫머리이다. 정치와 교화를 만드는 부류는 '갑'이라고 하니, 그것은 가장 우선적으로 해야 할 일을 든 것이고, 명령을 내려서 시행하는 일을 '경'이라고 하니, 경(庚)은 "고친다[更]"는 말과 같아서 변경함이 있는 것이다.

程子曰, 先甲三日, 以窮其所以然而處其事, 後甲三日, 以究其將然而爲之防. 甲者事之始也, 庚者, 有所革也. 自甲乙至于戊己, 春夏生物之氣已備. 庚者秋冬成物之氣也. 故有所革, 別一般氣.

정자가 말하였다: '선갑삼일(先甲三日)'은 일이 그렇게 된 까닭을 잘 살펴서 그 일을 처리하는 것이고, '후갑삼일(後甲三日)'은 장차 그렇게 될 것을 헤아려서 방비를 하는 것이다. '갑(甲)'이란 일의 시작이고, '경(庚)'이란 개혁하는 것이다. 갑을(甲乙)로부터 무기(戊己)에 이르기까지는 봄, 여름의 만물을 생육하는 기운이 이미 갖추어진다. '경'이란 가을과 겨울의 만물을 완성하는 기운이다. 그러므로 개혁하는 바가 있으니, 또 하나의 기운이다.

**本義**

蠱, 壞極而有事也. 其卦艮剛居上, 巽柔居下, 上下不交, 下卑巽而上苟止. 故其卦爲蠱. 或曰 剛上柔下, 謂卦變. 自賁來者, 初上二下, 自井來者, 五上上下, 自旣濟來者, 兼之, 亦剛上而柔下, 皆所以爲蠱也. 蠱壞之極, 亂當復治. 故其占爲元亨而利涉大川. 甲, 日之始, 事之端也. 先甲三日, 辛也, 後甲三日, 丁也, 前事過中而將壞, 則可自新以爲後事之端, 而不使至於大壞, 後事方始而尙新, 然更當致其丁寧之意, 以監其前事之失而不使至於速壞, 聖人之戒深也.

'고(蠱)'는 허물어짐이 지극하여 일이 있는 것이다. 이 괘는 굳센 양인 간괘(艮卦☶)가 위에 있고 부드러운 음인 손괘(巽卦☴)가 아래에 있어서 위와 아래가 사귀지 못하고, 아래는 낮추어 공손하며 위는 구차하게 멈춰있다. 그러므로 그 괘가 '고(蠱)'가 되었다. 어떤 이는 "굳센 양이 위에 있고 부드러운 음이 아래에 있는 것을 괘의 변화라고 한다. 비괘(賁卦☲)로부터 온 것은 초구가 올라가고 육이가 내려온 것이고, 정괘(井卦☵)로부터 온 것은 구오가 올라가고 상육이 내려온 것이며, 기제괘(旣濟卦☲)로부터 온 것은 비괘(賁卦☲)와 정괘(井卦☵)의 괘의 변화를 겸하여 또한 굳센 양이 올라가고 부드러운 음이 아래로 내려왔으니, 모두 '고(蠱)'가 된 까닭이다"라고 하였다. 벌레 먹어서 허물어지는 것이 극도에 달하면 혼란스러움은 마땅히 다시 다스려진다. 그러므로 그 점(占)이 크게 형통하여 큰 내를 건너는 것이 이롭다. '갑(甲)'은 날의 시작이자 일의 처음이다. 갑(甲)에서 앞선 삼일은 신(辛)이고, 갑(甲)보다 뒤의 삼일은 정(丁)이다. 앞의 일이 중간을 지나 장차 무너지려 하면 스스로 새롭게 하여 뒷일의 처음으로 삼아서 크게 허물어지는 지경까지는 이르지 않도록 해야 하고, 뒷일이 막 시작되어 아직 새롭지만 다시 마땅히 그 간곡한 뜻을 다하여 지난 일의 잘못을 거울삼아 급속히 허물어지는 지경에 이르지 않게 하여야 하니, 성인이 경계함이 깊다.

### 小註

朱子曰, 先甲後甲, 言先甲之前三日, 乃辛也. 是時前段事已過中了, 是那欲壞之時, 便當圖後事之端, 略略撑拄則箇. 雖終歸於弊, 且得支吾幾時.
주자가 말하였다: '선갑후갑'은 갑보다 앞선 삼일을 말하는 것이니 곧 신(辛)이다. 이 때는 앞의 단계에 있는 일이 이미 중간을 넘어 허물어지려고 하는 때이니, 바로 뒷일의 처음을 마땅히 도모하여 그럭저럭 지탱할 뿐이다. 비록 끝내 허물어지고 말지라도 어느 정도의 시간 동안은 버틸 수 있을 것이다.

○ 問, 先甲辛也, 後甲丁也. 辛有新意, 丁有丁寧意, 其說似出月令注. 曰, 然. 但古人祭祀, 亦多用先庚先甲. 先庚, 丁也, 先甲, 辛也, 如用丁亥辛亥之類.
물었다: 갑보다 앞으로 삼일은 신(辛)이고, 갑보다 뒤도 삼일은 정(丁)입니다. 신(辛)에는 새롭게 하는 의미가 있고, 정(丁)에는 간곡하게 하는 의미가 있으니, 그 설이 「월령」의 주석[17]에서 나온 듯합니다.
답하였다: 그렇습니다. 다만 옛사람들이 제사를 지낼 때 또한 '선경(先庚)', '선갑(先甲)'이란 말도 많이 사용하였습니다. 경(庚)보다 앞으로 삼일은 정(丁)이고, 갑(甲)보다 앞으로 삼일은 신(辛)이니, 정해(丁亥)와 신해(辛亥) 등을 쓰는 부류와 같습니다.

○ 雲峰胡氏曰, 先甲後甲之說不一. 愚以爲蠱由巽艮而成, 當從艮巽看. 先天甲在東之離, 由甲逆數離震坤三位得艮, 先甲三日也. 自甲順數離兌乾三位得巽, 後甲三日也. 然則上艮止下卑巽, 所以爲蠱. 於艮得先甲三日之辛, 於巽得後甲三日之丁, 又所以治蠱也.
운봉호씨[18]가 말하였다: '선갑후갑'에 대한 설은 일치하지 않는다. 내가 보기에 고괘(蠱卦

---

17) 『禮記集說・月令』: 此月上旬之丁日. 必用丁者, 以先庚三日後甲三日也.
18) 호병문(胡炳文, 1250~1333): 원대의 경학자이다. 자는 중호(仲虎), 호는 운봉(雲峯)이다. 안휘성 무원출신으로 주자의 『주역본의』를 근거로 여러 설을 절충・시정하여 『주역본의통석』12권을 지었다. 처음 이름은

☶)는 손괘(巽卦☴)와 간괘(艮卦☶)로 이루어지니, 간괘(艮卦☶)와 손괘(巽卦☴)를 따라서 보는 것이 마땅하다. 「복희팔괘방위도」에서 갑(甲)은 동방의 리괘(離卦☲)에 있는데, 갑으로부터 거꾸로 세면 리괘(離卦☲), 진괘(震卦☳), 곤괘(坤卦☷)의 세 자리 다음에 간괘(艮卦☶)를 얻으니 갑보다 앞으로 삼일이다. 갑으로부터 순차적으로 세면 리괘(離卦☲)・태괘(兌卦☱)・건괘(乾卦☰)의 세 자리 다음에 손괘(巽卦☴)를 얻으니 갑보다 뒤로 삼일이다.[19] 그러하니 위에서는 그칠만하면 그치고[20] 아래에서는 낮추어 겸손하기 때문에 고괘(蠱卦)가 된다. 간괘(艮卦☶)에서 '갑보다 앞으로 삼일'인 신(辛)을 얻고, 손괘(巽卦☴)에서 '갑보다 뒤로 삼일'인 정(丁)을 얻어서 또한 허물어지고 어지러운 일[蠱]을 다스린다.

## ┃韓國大全┃

### 이익(李瀷) 『역경질서(易經疾書)』

此卦名蠱之第一義, 其說亦得方術家有二十四方三合之說, 先後甲庚恐出於此. 易曰參天兩地. 天干則乾甲丁爲木, 先甲爲乾, 後甲爲丁, 巽庚癸爲金, 先庚爲巽, 後庚爲癸也. 地支亦當準此, 故天有十二次舍, 其理卽然. 亥卯未爲木, 寅午戌爲火, 巳酉丑爲金, 申子辰爲水, 其義源於周禮.

이 괘를 '고(蠱)'라고 이름 지은 것에 대한 첫 번째 의미는, 그 설이 방술가의 이십사방, 삼합

---

『주역본의정의(周易本義精義)』였고, 『통지당경해(通志堂經解)』에 들어있다. 이밖에 『서집해(書集解)』, 『춘추집해(春秋集解)』, 『예서찬술(禮書纂述)』, 『사서통(四書通)』, 『대학지장도(大學指掌圖)』, 『오경회의(五經會義)』, 『이아운어(爾雅韻語)』 등이 있다.

19)

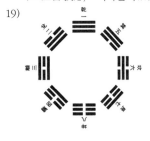

伏羲八卦圖

20) 『周易・艮卦』: 象曰, 艮止也. 時止則止, 時行則行, 動靜不失其時, 其道光明, 艮其止, 止其所也.

의 설에서 얻은 것으로, '선갑·후갑', '선경·후경'은 아마 여기에서 나왔을 것이다. 『주역』에서 "하늘에서 셋을 취하고 땅에서 둘을 취한다[參天兩地]"[21]라고 하였다. 천간(天干)의 경우 건·갑·정(乾甲丁)이 목(木)이 되는데, 선갑(先甲)은 건괘가 되고 후갑(後甲)은 정(丁)이 되며, 손·경·계(巽庚癸)가 금(金)이 되는데, 선경(先庚)은 손괘(巽卦☴)가 되고 후경(後庚)은 계(癸)가 된다. 지지(地支) 역시 마땅히 여기에 준하기 때문에 하늘에는 열두 별자리가 있으니, 그 이치가 곧 그러하다. 해·묘·미(亥卯未)가 목(木)이 되고 인·오·술(寅午戌)은 화(火)가 되고, 사·유·축(巳酉丑)은 금(金)이 되고, 신·자·진(申子辰)은 수(水)가 되니, 그 뜻은 『주례』에 연원한다.

按, 大司樂應夾林三鍾, 亥卯未之合也. 仲南大三呂[22], 巳酉丑之合也. 其餘六支以例推之, 則申子辰皆鍾, 寅午戌皆呂, 而黃鍾特其發凡也. 且臘本於蜡, 蜡起於黃帝, 祖旺而臘葬, 與生爲三合, 歷代遵用, 非但方術家爲然也. 三合出於六合, 六合出於縫針. 내가 살펴보았다: 『주례·대사악』에서의 응종(應鍾)·협종(夾鍾)·임종(林鍾)인 삼종(三鍾)은 해(亥)·묘(卯)·미(未)가 서로 맞는 것이다. 중려·남려·대려인 삼려(三呂)는 사(巳)·유(酉)·축(丑)이 서로 맞는 것이다. 그 나머지 여섯 지(支)를 이러한 사례로 미루어 보면 신·자·진(申子辰)이 모두 종(鍾)이 되고, 인·오·술(寅午戌)이 모두 려(呂)가 되는데, 황종만이 그 요지가 특별하다. 한 해를 마치며 선조께 제사 드리는 납제(臘祭)[23]는 본래 한 해를 마치며 신들에게 제사를 드리는 사제(蜡祭)[24]에 뿌리를 두는데, 사제는 황제(黃帝)에 기원하니 왕(旺)의 때에 조신(祖神)에게 제사를 지내고,[25] 장(葬)의 때에 납제를 지내 왕(旺)과 장(葬)은 생(生)과 더불어 삼합(三合)이[26] 되어, 역대로 따라서 썼으므로 비

---

21) 『周易·說卦傳』: 參天兩地而倚數, 觀變於陰陽而立卦, 發揮於剛柔而生爻, 和順於道德而理於義, 窮理盡性以至於命.

22) 呂: 경학자료집성 DB와 영인본에 모두 '品'으로 되어 있으나, 문맥을 살펴 '呂'로 바로잡았다.

23) 납제(臘祭): 고대에 한 해를 마치며 선조에게 드리는 제사이다. 『예기·월령』에서는 "선조 오대를 제사한다[臘先祖五祀]"라 하였다. 송대 오증(吳曾)은 『능개재만록(能改齋漫錄)·변오이(辨誤二)』에서 "납제(臘祭)라는 명칭은 삼대(三代)에서 시작하여 진시황 대(代)에 폐하여 졌다가 한대(漢代)에 흥성하였다"라고 하였다.

24) 사제(蜡祭): 고대에 한 해를 마치며 여러 신들에게 드렸던 제사이다. 『옥촉보전(玉燭寶典)』에서는 "납제(臘祭)은 선조를 제사하는 것이고, 사제(蜡祭)는 모든 신들[百神]을 제사하는 것이다. 납제는 짐승을 잡아 제사하였고, 사제는 농사가 끝난 다음에 제사를 드렸다. 납제는 묘(廟)에서 드리고 사제는 교(郊)에서 드린다"라고 하였다.

25) 12운성 포태법에서 생(生), 왕(旺), 장(葬)을 삼합이라 한다. 일례로 申·子·辰은 生[申], 旺[子], 葬[辰]이다. 여기에서 조왕의 왕(旺)은 춘하추동 사계절의 왕절(旺節)인 동지, 하지, 춘분, 추분의 자·오·묘·유(子午卯酉)라 할 것이다. 따라서 여기에서는 사중(四仲), 즉 자·오·묘·유에 해당하는 중춘(仲春)·중하(仲夏)·중추(仲秋)·중동(仲冬)에 사냥하여 짐승을 잡아 조신(祖神)에게 지내는 제사를 의미하는 것으로 보인다.(『五禮通考』: 漢又有祖旺曰祖衰曰臘, 周以前無所謂伏與祖者, 蜡之名, 則自神農至周不變.)

26) 삼합(三合): 보통은 음양가에서 전해 내려오는 것으로 12지를 오행에 배치할 때 생(生)·왕(旺)·장(葬, 墓)

단 방술가에서만 그러한 것은 아니다. 삼합은 육합(六合)에서 나왔고, 육합은 방술가들이 쓰는 나침반에서 나왔다.

按, 大司樂, 奏黃鍾歌大呂, 則子丑之合也. 奏大簇歌應鍾, 則寅亥之合也. 奏姑洗歌南呂, 則辰酉之合也. 奏夷則歌小呂, 則巳申之合也. 奏無射歌夾鍾, 則卯戌之合也. 其故何也. 古者土圭正日而磁針指南針, 鑱直午丙之間, 術家所謂縫針是土圭, 而正針是磁針也. 當時蓋以磁針爲正午, 故縫在針鋒之東, 而直子丑午未之間, 此六合之說所由起. 故曰子丑合, 寅亥合, 卯戌合, 辰酉合, 巳申合, 午未合, 而從兩地之義也. 以地支推之, 寅亥合, 卯戌合, 乾甲居間與丁相參, 巳申合, 辰酉合, 巽庚居間與癸相絫, 彼合則此合可見. 此皆源於天縫也.

내가 살펴보았다: 『주례·대사악』에서 "황종을 연주하고 대려(大呂)를 노래한다"[27]는 것은 자(子)와 축(丑)이 서로 맞는 것이다. "태주(太簇)를 연주하고 응종(應鍾)을 노래한다"[28]는 것은 인(寅)과 해(亥)가 서로 맞는 것이다. "고선(姑洗)을 연주하고 남려(南呂)를 노래한다"[29]는 것은 진(辰)과 유(酉)가 서로 맞는 것이다. "이칙(夷則)을 연주하고 소려(小呂)를 노래한다"[30]는 것은 사(巳)와 신(申)이 서로 맞는 것이다. "무역(無射)을 연주하고 협종(夾鍾)을 노래한다"[31]는 것은 묘(卯)와 술(戌)이 서로 맞는 것이다. 그 까닭은 무엇인가? 예전에 토규(土圭)[32]로 해의 위치를 바로잡고, 자침(磁針)은 늘 남쪽을 가리키는 지남침(指南針)으로 바늘은 오·병(午丙)의 사이에서 곧으니,[33] 이것이 술가들이 봉침이 토규(土圭)이고, 정침(正針)이 자침(磁針)[34]이라고 하는 것이다. 당시에 자침으로 정오(正午)를 삼았으

---

세 가지를 맞추어 보는데 이를 삼합(三合)이라 한다. 이에 대한 이익(李瀷)의 언급은 『성호사설(星湖僿說)·인사문(人事門)·조납(祖臘)』에 나오는 "十二方衰旺之說, 源於三合, 三合者, 謂生旺葬也."에 보인다.

27) 『周禮·大司樂』: 奏黃鍾, 歌大呂, 舞雲門, 以祀天神.

28) 『周禮·大司樂』: 乃奏大蔟, 歌應鍾, 舞咸池, 以祭地示.

29) 『周禮·大司樂』: 乃奏姑洗, 歌南呂, 舞大韶, 以祀四望.

30) 『周禮·大司樂』: 乃奏夷則, 歌小呂, 舞大濩, 以享先妣.

31) 『周禮·大司樂』: 乃奏無射, 歌夾鍾, 舞大武, 以享先祖.

32) 토규(土圭): 방위를 측정하는 기구.

33)
| 天盤(縫針) | 丙 | | 午 | | 丁 | | 未 | |
|---|---|---|---|---|---|---|---|---|
| 地盤(正針) | | 丙 | | 午 | | 丁 | | |

그림에서 남방만 볼 때 지반 정침의 오(午)를 천반의 오(午)와 미(未)가 봉합(縫合)하고 있는 형국이어서 꿰맨다는 뜻의 봉(縫)을 써서 천반을 봉침이라 한다. 오·미가 봉합되므로 자연히 그 아래 사신, 진유, 묘술, 인해, 자축은 자연히 꿰매진다. 여기에서 이익이 "오(午)가 오병(午丙)의 사이에 있다"고 한 것은 천반의 오(午)가 지반의 오(午)와 병(丙)의 사이에 있다는 의미이다.

34) 전체 24방위의 구성을 보면, 천간 10개에서 중앙 무기(戊己)를 제외하고 8개, 지지(地支) 12개, 후천팔괘에서 정방위인 진·태·감·리 제외하고 4개로 총합 24개를 쓰는데 1개당 15도(360÷24)가 된다. 쇠(패철, 나경,

므로 봉침은 침봉의 동쪽에 있고 바로 자·축(子丑)과 오·미(午未)의 사이에서 곧으니, 이것이 육합의 설이 일어나게 된 유래이다. 그러므로 자(子)와 축(丑)이 서로 맞고 인(寅)과 해(亥)가 서로 맞고 묘(卯)와 술(戌)이 서로 맞고 진(辰)과 유(酉)가 서로 맞고 사(巳)와 신(申)이 서로 맞고 오(午)와 미(未)가 서로 맞아, "하늘에서 셋을 취하고 땅에서 둘을 취한다[參天兩地]"에서 "땅에서 둘을 취한다[兩地]"의 뜻을 따르는 것이다. 지지(地支)로 미루어 보면 인(寅)과 해(亥)가 서로 맞고, 묘(卯)와 술(戌)이 서로 맞는데, 건괘(乾卦☰)와 갑(甲)이 사이에 있으면서 정(丁)과 서로 참여하며, 사(巳)와 신(申)이 서로 맞고 진(辰)과 유(酉)가 서로 맞는데, 손괘(巽卦☴)와 경(庚)이 그 사이에 있으면서 계(癸)와 함께 서로 참여하니, 저것이 합하면 이것도 합하는 것을 알 수 있다. 이는 모두 봉침(縫針)에서 근원하였다.

夫天地之脈絡瓣理, 不可以意度而識, 不可以手摸而別, 必待[35]其物然後證明, 土圭南針是不可誣者也. 聖人作易, 範圍天地, 亦豈外此也哉. 且五行納音, 惟木金自有聲, 故鍾呂之名, 只擧亥卯未之木, 巳酉丑之金也. 縫直南北, 木金對判, 故巽蠱之辭, 只擧乾甲丁之木, 巽庚癸之金, 其義亦明矣. 其必於蠱象巽五發之者何也.

천지의 맥락과 판리(瓣理)는 마음으로 헤아려 알 수도 없고 손으로 더듬어 분별할 수도 없으며 반드시 마땅한 사물이 갖춘 다음에야 증명할 수 있으니, 토규(土圭)나 지남침(指南針)은 속일 수 없는 것이다. 성인이 역을 지을 때에 천지를 범위로 하였으니, 또한 어찌 여기서 벗어나겠는가? 또한 오행의 납음(納音)은 오직 목·금이 저절로 소리가 있으므로 종(鐘)과 려(呂)라는 이름은 단지 해·묘·미의 목(木)과 사·유·축의 금(金)을 들었다. 봉침이 남북으로 곧아 목과 금이 분명하게 갈라지므로 손괘(巽卦☴)·고괘(蠱卦䷑)의 괘효사에서 단지 건·갑·정(乾甲丁)의 목(木)과 손·경·계(巽庚癸)의 금(金)을 들었으니,[36] 그 의미가 역시 분명하다. 그런데 굳이 고괘(蠱卦)의 괘사와 손괘(巽卦☴)의 오효에서 드러낸 것은 어째서인가?

後天亦出於河圖, 坎离震兌生數之卦也, 乾坤艮巽成數之卦也. 生數居方而不動, 成數居偶而互易, 體主四方, 用主四隅也. 縫直南北而艮巽東, 東, 木也, 乾坤西, 西, 金也. 天道左旋, 故艮之遇巽曰蠱, 坤之遇乾曰泰. 甲乙居艮巽之間, 而甲爲陽木, 庚辛居乾坤之間, 而庚爲陽金.

---

지남(指南)에는 삼침(三針)을 쓰는데 실제 바늘이 세 개가 아니라 용도에 따라 방위각에 약간 차이가 있으며, 쇠의 가장 밖에 있는 것이 천반, 중간이 인반, 맨 안쪽이 지반으로 천지인 삼반으로 구성된다. 지반은 지구 자기장에 따른 지남철의 방위로 좌향을 정할 때 쓰이며, 이것이 여기에서 이익이 말하는 자침(磁針)이다.

35) 待: 경학자료집성DB와 영인본에 모두 '侍'로 되어 있으나, 문맥을 살펴 '待'로 바로잡았다.

36) 『周易·巽卦』: 九五, 貞, 吉, 悔亡, 无不利, 无初有終. 先庚三日, 後庚三日, 吉.

문왕의 「후천팔괘」도 「하도」에서 나온 것으로, 감괘(坎卦☵)·리괘(離卦☲)·진괘(震卦☳)·태괘(兌卦☱)가 생수(生數)의 괘이고, 건괘(乾卦☰)·곤괘(坤卦☷)·간괘(艮卦☶)·손괘(巽卦☴)는 성수(成數)의 괘이다. 생수는 동서남북 정방위에 있으면서 움직이지 않고, 성수는 모퉁이에 있으면서 서로 바뀌니, 체(體)는 사방을 위주로 하고 용(用)은 모퉁이를 위주로 한다. 봉침이 남북으로 곧아 간괘(艮卦☶)와 손괘(巽卦☴)는 동쪽에 있는데, 동쪽은 목(木)이고, 건괘(乾卦☰)와 곤괘(坤卦☷)는 서쪽에 있는데 서쪽은 금(金)이다. 천도는 왼쪽으로 돌기 때문에 간괘(艮卦☶)가 손괘(巽卦☴)를 만나므로 고괘(蠱卦䷑)라 하였고, 곤괘(坤卦☷)가 건괘(乾卦☰)를 만나므로 태괘(泰卦䷊)라 하였다. 갑과 을이 간괘(艮卦☶)와 손괘(巽卦☴)의 사이에 있는데 갑은 양목(陽木)이 되고, 경(庚)과 신(辛)은 건괘(乾卦☰)와 곤괘(坤卦☷)의 사이에 있는데 경(庚)은 양금(陽金)이 된다.

以例推之, 蠱象言先後甲, 則泰象亦有先後庚之象也. 重巽之五, 言先後庚, 則重乾之五, 亦有先後甲之象也. 聖人豈不云乎. 先後甲終始天行也, 先後庚無初有終也. 先後甲起於辛壬之際, 終於癸, 又始於甲, 此終始天行也. 先後庚起於乙丙之際, 終於癸而不及甲, 此無初有終也. 四隅之卦, 居兩干之間, 故通謂之日也. 說卦云, 帝出乎震, 成言乎艮. 故甲爲始, 癸爲終也. 泰之小往大來非無初有終乎. 此不言者, 泰不須著其有終也. 乾五之飛龍在天, 非終始天行乎. 此不言者, 乾不須著其天行也. 蠱泰兩卦之合, 故象有此象, 巽乾一卦之專, 故爻有此象, 而巽乾之中正得位, 惟九五也.

이러한 사례로 미루어 보면 고괘(蠱卦)의 괘사에서 선갑·후갑을 말하였으면 태괘(泰卦)의 괘사에도 역시 선경·후경의 상이 있다. 손괘(巽卦䷸) 오효에서 선경·후경을 말하였으면 건괘(乾卦䷀)에서도 선갑·후갑의 상이 있다. 그런데 성인이 어찌 말하지 않았는가? 선갑·후갑은 하늘의 운행을 마치고 시작하지만, 선경·후경은 시작은 없고 마침만 있다. 선갑·후갑은 신(辛)과 임(壬)의 사이에서 일어나서 계(癸)에서 마치고 또 갑(甲)에서 시작하니, 이것이 하늘의 운행을 마치고 시작하는 것이다. 선경·후경은 을(乙)과 병(丙)의 사이에서 일어나 계(癸)에서 마치고 갑(甲)에는 이르지 못하니, 이것이 처음은 없고 마침만 있는 것이다. 네 모퉁이의 괘가 두 지간(支干)과 천간(天干) 사이에 있으므로 통틀어 '일[日]'이라고 하였다. 「설괘전」에서 "제왕이 진괘(辰卦)에서 나온다"라고 하고, "간괘(艮卦☶)에서 이룬다"[37]라고 하였다. 그러므로 갑(甲)이 시작이 되고 계(癸)가 마침이 된다. 태괘(泰卦䷊)에서 말한 "작은 것이 가고 큰 것이 온다"[38]가 처음은 없고 마침만 있는 것이 아니겠는가? 그런데 여기에서 말하지 않는 것은 태괘(泰卦)에 마침이 있음을 드러낼 필요가 없기 때문이

---

37) 『周易·說卦傳』: 帝出乎震, 齊乎巽, 相見乎離, 致役乎坤, 說言乎兌, 戰乎乾, 勞乎坎, 成言乎艮.
38) 『周易·泰卦』: 象曰, 泰, 小往大來, 吉亨, 則是天地交而萬物通也, 上下交而其志同也.

다. 건괘(乾卦䷀) 오효의 "나르는 용이 하늘에 있다"[39]란 하늘의 운행을 마치고 시작하는 것이 아니겠는가? 그런데 여기에서 말하지 않은 것은 건괘(乾卦䷀)에 하늘의 운행을 드러낼 필요가 없기 때문이다. 고괘(蠱卦䷑)와 태괘(泰卦)는 두 괘가 서로 합쳐졌기 때문에 「단전」에 이러한 상이 있고, 손괘(巽卦䷸)와 건괘(乾卦䷀)는 오롯이 하나의 괘이므로[40] 효사에 이러한 상이 있는데, 손괘(巽卦䷸)와 건괘(乾卦䷀)에서 중정하고 지위를 얻은 것은 구오뿐이기 때문에 오효에 있다.

斯義也, 文王發之於蠱, 周公演之於巽, 孔子明之於傳而其源又祖於黃帝之世. 鍾呂南針皆黃帝所剙也. 推之於古而合, 考之於經而不違, 愚以爲可信. 風上之山爲其吹動有振之象, 山下之風畜而不散, 有育之象. 卦以振民育德爲名, 君子以之, 則可振者民, 可育者德.

이러한 뜻을 문왕이 고괘(蠱卦䷑)에서 드러내고, 주공이 손괘(巽卦䷸)에서 부연하였으며, 공자가 『십익』에서 밝혔으나 그 근원은 황제(黃帝)의 시대에서 비롯된다. 종(鍾)·려(呂)와 나침반은 모두 황제가 만들어 사용하기 시작한 것이다. 고대의 일들을 미루어 살펴보아도 그에 부합하고, 경전의 기록들을 살펴보아도 어긋나지 않으므로 나는 그것을 믿을 수 있다고 여긴다. 바람 위에 있는 산은 바람이 불어 움직여서 진작시키는 상이 되고, 산 아래에 있는 바람은 모여서 흩어지지 않으므로 기르는[育] 상이 있어서, 괘는 "백성들을 진작시키고 덕을 기른다"는 것으로 이름을 삼았고 군자가 그것을 본받았으니, 진작시킬 수 있는 것은 백성들이고 기를 수 있는 것은 덕이다.


### 유정원(柳正源) 『역해참고(易解參攷)』

先甲 [至] 三日.

[정전] 갑(甲)보다 앞으로 … 삼일 동안 한다.

[본의] 갑(甲)보다 삼일 앞서서 … 뒤로 삼일을 한다.

鄭氏玄曰, 甲者, 造作新令之日. 甲前三日, 取改過自新, 故用辛也. 甲後三日, 取丁寧之義, 故用丁也.

정현이 말하였다: '갑(甲)'이란 새로운 법령을 만드는 날이다. 갑보다 앞으로 삼일이란 허물을 고쳐서 스스로 새롭게 된다는 의미를 취한 것이므로 신(辛)을 썼다. 갑보다 뒤로 삼일이란 간곡하게 하는 의미를 취한 것이므로 정(丁)을 썼다.

---

39) 『周易·乾卦』: 九五, 飛龍在天, 利見大人.

40) 손괘(巽卦䷸)는 두 개의 손괘가 겹쳐 이루어졌고, 건괘(乾卦䷀) 역시 두 개의 손괘가 겹쳐서 이루어졌다는 뜻이다.

○ 雙湖胡氏曰, 震居正甲之位, 巽艮居其後先. 蠱巽下艮上而三至五互震. 巽三爻恰在震甲之先, 艮三爻恰在震甲之後, 故云先甲三日, 後甲三日也. 先後三日, 究其弊之始終, 則所以飭蠱有道矣. 或曰, 漸亦合巽艮成, 何以不言於漸. 曰, 漸不互震故也.

쌍호호씨가 말하였다: 「후천팔괘도」에서 진괘(震卦☳)은 바로 갑(甲)의 자리에 있고, 손괘(巽卦☴)와 간괘(艮卦☶)가 그 앞뒤로 있다. 고괘(蠱卦)는 손괘(巽卦☴)가 아래에 있고 간괘(艮卦☶)가 위에 있으며 삼효에서 오효까지의 호괘가 진괘(震卦☳)이다. 손괘(巽卦☴)의 삼효는 마치 진괘(震卦☳)인 갑의 앞에 있는 것 같고, 간괘(艮卦☶)의 삼효는 마치 진괘(震卦☳)인 갑의 뒤에 있는 것 같으므로 "갑보다 앞으로 삼일 동안하고, 갑보다 뒤로 삼일 동안한다"라고 하였다. 앞뒤로 삼일을 한다는 것은 그 폐해가 왜 시작되었고 어떻게 끝날 것인지를 연구하는 것이니, 이로써 허물어지고 어지러운 상황을 다스릴 수 있는 방도가 있게 된다. 어떤 이가 "점괘(漸卦☶☴)도 손괘(巽卦☴)와 간괘(艮卦☶)가 합하여 이루어진 것인데 어째서 점괘(漸卦☶☴)에서는 이런 일을 말하지 않았습니까?" 하기에, "점괘는 호괘가 진괘(震卦☳)가 아니기 때문입니다"라 답하였다.

傳, 甲第

『정전』에서 말하였다: 갑제(甲第).

史記, 田蚡治宅, 甲諸第.

『사기』에서 말하였다: 전분[41]이 집을 수리하여 여러 귀족들의 저택 가운데 으뜸으로 하였다[42].

○ 案, 如甲舍丙舍之類.

내가 살펴보았다: 갑사(甲舍)·병사(丙舍)와 같은 부류일 것이다

甲令

『정전』에서 말하였다: 갑령(甲令).

史記, 長沙王著甲令.

---

41) 전분(田蚡, 미상 ~ BC. 131): 전한 내사(內史) 장릉(長陵) 사람이다. 외척의 신분으로 무제(武帝)의 총애를 받아 태위(太尉)를 지냈고, 무안후(武安侯)에 봉해진 뒤 태위(太尉)를 거쳐 승상(丞相)이 되었다. 주청하는 일마다 모두 들어줘 권력이 막강해졌고, 화려한 저택과 희첩(姬妾)만 백여 명이 넘었다. 미천할 때 두영(竇嬰)을 섬겼는데, 출세하고 두영이 세력을 잃자 무고하여 두영과 관부(灌夫)를 살해했다. 유가 사상을 숭상했지만 황로(黃老) 사상도 좋아한 두태후(竇太后)에 의해 파직되었다. 그녀가 죽은 뒤 복직되어 무제의 유학 장려 정책에 크게 기여했다.

42) 『史記·魏其武安侯列傳』: 무안후가 이로부터 더욱 교만해져서, 집을 수리하여 여러 귀족들의 저택에서 으뜸가게 하였다[武安由此滋驕, 治宅甲諸第].

『사기』에서 말하였다: 장사왕(長沙王)이란 오예(吳芮)에 대해 가장 중요한 명령[甲令]을 분명하게 내린 것이다[43].

○ 漢書, 有令甲令乙令丙),

『한서』에서 말하였다: 영갑(令甲) · 영을(令乙) · 영병(令丙)이 있다

本義小註, 朱子說, 月令註.

『본의』에 대한 소주에서 주자가 말하였다: 『예기(禮記) · 월령(月令)』 주(註).

禮月令上丁註, 必用丁者, 以先庚三日, 後甲三日也.

『예기(禮記) · 월령(月令)』의 '상정(上丁)'에 대하여 주(註)에서 말하였다: 반드시 '정(丁)'을 쓰는 것은 경(庚)보다 삼일 앞서고, 갑(甲)보다 삼일 뒤에 있기 때문이다.

丁亥辛亥.

『본의』에 대한 소주에서 주자가 말하였다: 정해(丁亥)와 신해(辛亥).

案, 丁亥謂或丁或亥. 儀禮少牢筮日云, 來日丁亥, 是也. 辛亥亦謂或辛或亥, 左傳云十月上辛, 有事于上帝先王之類, 是也.

내가 살펴보았다: 정해(丁亥)는 정일(丁日)이거나 해일(亥日)이라는 말이다. 『의례』에서 '소뢰' 제사를 지낼 날을 점치면서 내일이 정해(丁亥)라고 한 것[44]이 이것이다. 신해(辛亥) 역시 신일(辛日)이거나 해일(亥日)이라는 말이다. 『좌전』에서 10월 첫 번째 신일(辛日)에 상제와 선왕께 제사지내려고 하였다[45]고 한 부류가 이것이다.

## 김상악(金相岳) 『산천역설(山天易說)』

蠱壞之極, 亂當復治而卦變剛上而柔下, 二與上主卦於上下, 故元亨在二, 利涉在上. 甲者, 事之始也. 先後甲三日, 六爻之始終也, 終則有始, 治蠱之道也.

벌레 먹어서 허물어지는 것이 극도에 달하면 혼란스러움은 마땅히 다시 다스려지며, 괘의 변화로 보면 굳센 양이 위에 있고 부드러운 음이 아래로 있으면서, 이효와 상효가 상괘와 하괘에서 주인이 되기 때문에 '크게 형통함'은 이효에 있고, '건너는 것이 이로움'은 상효에 있다. '갑(甲)'은 일의 시작이다. 갑보다 삼일 앞서고 뒤에 있는 날은 여섯 효가 시작하고

---

43) 『史記』: "夫長沙王者, 著令甲稱其忠焉〈曰, 漢以芮忠, 故特王之, 以非制, 故特著令〉.

44) 『儀禮 · 少牢饋食禮』: 少牢饋食之禮. 日用丁己. 筮旬有一日. 筮于廟門之外. 主人朝服, 西面于門東. 史朝服, 左執筮, 右抽上韇, 兼與筮執之, 東面受命于主人. 主人曰, 孝孫某, 來日丁亥, 用薦歲事于皇祖伯某, 以某妃配某氏, 尚饗.

45) 이러한 내용은 『춘추좌씨전(春秋左氏傳) · 애공(哀公)』 13년에 보인다.

마치는 지점이다. 끝나자 시작하는 것이 '고(蠱)'를 다스리는 도리이다.

○ 蠱者隨之反也. 故隨全四德, 蠱得其半, 猶乾坤之義也. 艮象之取涉川者, 一陽涉二陰而上也. 甲者日之始也, 先甲爲始, 後甲爲終, 而後甲之終, 又爲先甲之始也. 故治蠱者, 必原其始而推其終. 先甲而遇巽則矯之以剛果, 後甲而遇艮則矯之以奮發, 終而復始, 乃治蠱之道也. 先天卦位, 艮巽前後三卦, 其方爲甲, 所以文王因先天而演周易. 故蠱之象言其事之首. 造巽則五變爲艮, 後天卦位巽艮前後三卦, 其方爲庚. 所以周公由後天而係爻辭. 故言其事之變更. 以十干配六爻, 則初甲乙, 二丙丁, 三戊, 四己, 五庚辛, 六壬癸. 故蠱之先後甲主初六, 巽之先後庚在九五.

고괘(蠱卦䷑)는 수괘(隨卦䷐)의 음양이 바뀐 괘이다. 그러므로 수괘(隨卦䷐)는 원·형·이·정의 네 덕이 온전하게 있고 고괘(蠱卦)는 그 절반[元亨]을 얻었으니, 건괘(乾卦☰)와 곤괘(坤卦☷)의 뜻과 같다. 간괘(艮卦☶)의 상이 내를 건너는 것을 취한 것은 하나의 양이 두 개의 음을 건너서 위로 올라가기 때문이다. '갑'이란 날의 시작이므로, '선갑(先甲)'은 시작이 되고 '후갑(後甲)'은 마침이 되며, '후갑'의 마침은 또한 '선갑'의 시작이 된다. 그러므로 '고'를 다스리는 사람은 반드시 그 시작을 거슬러 찾아보고 그것이 어떻게 마쳐질 것인지를 미루어 헤아려 본다. 갑에 앞서서 손괘(巽卦☴)를 만나면 굳세고 과감하게 잘못을 바로잡고, 갑을 지나서 간괘(艮卦☶)를 만나면 분발하여 잘못을 바로 잡으니, 마치자마자 다시 시작하는 것이 '고(蠱)'를 다스리는 도리이다. 「복희팔괘방위도」의 괘의 자리에서 간괘(艮卦☶)와 손괘(巽卦☴)의 앞과 뒤에 있는 세 괘의 방위가 갑(甲)이 되므로 문왕은 선천괘를 바탕으로 주역을 연역해 내었다. 그러므로 고괘(蠱卦)의 괘사에서 그 일의 시작을 말하였다. 손괘(巽卦☴)로 나아가 오효가 변하면 간괘(艮卦☶)가 되니, 「문왕팔괘방위도」에서 손괘(巽卦☴)와 간괘(艮卦☶)의 앞뒤 세 괘의 방위가 경(庚)이 되므로, 주공은 후천괘로 말미암아 효사를 붙였다. 그러므로 그 일의 변경을 말하였다. 십간을 여섯 효에 배치하면, 초효는 갑(甲)·을(乙)이고, 이효는 병(丙)·정(丁)이고, 삼효는 무(戊)이고, 사효는 기(己)이고, 오효는 경(庚)·신(辛)이고, 상효는 임(壬)·계(癸)이다. 그러므로 고괘(蠱卦)에서의 '선갑'과 '후갑'은 초육을 위주로 하고, 손괘(巽卦䷸)에서의 '선경'과 '후경'은 구오에 있다.

### 김규오(金奎五) 「독역기의(讀易記疑)」

先甲後甲, 雲峯以先天艮巽當之好矣. 但恐換卻二卦, 蓋先三爲內卦, 後三爲外卦, 在离之後者爲後. 何必以逆順數爲先後.

'선갑'과 '후갑'에 대해서 운봉이 「복희팔괘방위도」에서의 간괘(艮卦☶)와 손괘(巽卦☴)로 해당시킨 것이 좋다. 다만 두 괘를 바꿔놓은 것 같으니, 앞으로 세 번째가 내괘가 되고 뒤로 세 번째가 외괘가 되어 리괘(離卦☲)의 뒤에 있는 것이 '뒤'가 되기 때문이다. 어째서 반드시 거스르면서 세거나[逆數] 순차적으로 세는[順數] 것을 가지고 '선(先)'과 '후(後)'를 삼아야 하겠는가?

○ 本義.
『본의』.

壞極有事, 至亂當復治, 統釋元亨利涉之意也. 前事過中以下, 又就蠱壞之中說出隨時扶救之道, 所以語意不同. 然象釋先後, 以終則有始, 則還是亂極復治之說, 與所謂支吾幾時相違. 竊疑, 先後甲云云, 專言治蠱之道, 未必低一頭爲補苴之意也. 癸卽亂之極也, 甲乃回治之始也. 治雖始於此而推原其壞亂未極之前而作新之, 所謂先三也. 治之旣始, 端緖將成而又必丁寧致力於後, 所謂後三也. 如是則象與傳義皆可以通. 但略略撐拄之說, 實與大壞速壞之文表裏, 亦難遽敢謂然.

"허물어짐이 지극하여 일이 있는 것이다"라고 하고 "지극한 혼란스러움은 마땅히 다시 다스려진다"라는 한 것은 "크게 형통하다"와 "건너는 것이 이롭다"라는 의미를 통괄하여 풀이하였다. "앞의 일이 중간을 지나" 이하는 또한 벌레 먹어서 허물어지는 상황 가운데에 나아가 때에 알맞게 도와주고 구제하는 도리를 설명해 내었으므로 말의 뜻이 같지 않다. 그러나 「단전」에서 '선'과 '후'를 "마치면 다시 시작이 있다"고 풀이하였으니, 이는 도리어 혼란스러움이 지극하면 다시 다스려진다는 설명이 되어 주자가 "어느 정도의 시간 동안은 버틸 수 있을 것이다"라고 한 것과는 서로 어긋난다. 내가 의심해 보건대, '선갑'과 '후갑'이라고 운운한 것은 오로지 '고'를 다스리는 도리를 말할 뿐이지, 반드시 한 단계를 낮추어 잘못된 것을 메운다는 뜻으로 여길 필요는 없다. 계(癸)는 혼란이 극에 이른 것이고, 갑(甲)은 다스림을 회복하기 시작하는 것이다. 다스려짐이 비록 여기에서 시작하더라도, 그 허물어지고 혼란함이 아직 지극하지 않았을 때를 미루어 고찰하여 새롭게 만드는 것이 이른바 '삼일 앞서서 하는 것'이다. 이미 다스려지기 시작하여 그 실마리가 완성되어 가더라도 또 반드시 간곡하게 그 뒤에까지 힘써야 하는 것이 이른바 "삼일 뒤에서 한다"는 것이다. 이와 같이 한다면 괘사와 『정전』과 『본의』가 모두 통할 수 있다. 다만 "그럭저럭 지탱한다"고 한 설명은 참으로 크고 신속하게 허물어진다고 한 문장과 안팎이 되기는 하지만, 갑자기 감히 그렇다고 말하기는 어렵다.

### 서유신(徐有臣) 『역의의언(易義擬言)』

蠱, 壞也. 元亨, 可治之會也. 治蠱如治亂. 絲其必有頭緖條理, 肯綮會通而絲可解也. 蠱亦自有元亨之會, 故蠱可治也. 不然, 蠱益深矣. 涉川喩治蠱也. 先甲爲蠱之由也,後甲治蠱之道也. 月令, 冬其日壬癸, 先甲三日也. 夏其日丙丁, 後甲三日也. 初至四有坎象, 屬冬, 三至上有離象, 屬夏. 甲則互震, 春日元亨之會也.

'고(蠱)'는 허물어짐이다. "크게 형통하다[元亨]"는 것은 다스릴 수 있는 때이기 때문이다. '고'를 다스린다는 것은 혼란을 다스린다는 말과 같다. 실에는 그 두서(頭緖)와 조리가 있기 마련이어서, 관건이 되는 곳을 잘 알게 되면 실을 풀 수 있다. '고(蠱)'에는 또한 그 자체에 크게 형통할 수 있는 기회가 있으므로, 허물어지고 혼란한[蠱] 상황이 다스려질 수 있다. 그렇지 않으면 허물어지고 혼란함은 더욱 심각해질 것이다. "내를 건넌다"는 것은 허물어지고 혼란한[蠱] 상황이 다스려짐을 비유한 것이다. '선갑'은 허물어지고 혼란함[蠱]이 생기게 된 유래가 되고, '후갑'은 허물어지고 혼란함[蠱]을 다스리는 도리가 된다. 「월령」에 "겨울에는 그 일진이 임(壬)과 계(癸)이다"[46]라고 한 것이 "갑보다 삼일 앞서서 한다"는 것이다. "여름에는 그 일진이 병(丙)과 정(丁)이다"[47]라고 한 것이 "갑보다 삼일 뒤에서 한다"는 것이다. 초효에서 사효까지는 감괘(坎卦☵)의 상이 있으므로 겨울에 속하고, 삼효에서 상효까지는 리괘(離卦☲)의 상이 있으므로 여름에 속한다. 갑(甲)은 호괘인 진괘(震卦☳)에 해당하니, 봄날은 크게 형통하는 때이다.

### 백경해(白慶楷) 『독역(讀易)』

蠱卦小註, 童溪王氏曰, 以天下爲無事而不事, 事則後不勝事矣. 誠哉, 言也.

고괘(蠱卦䷑) 소주에서 동계왕씨가 "세상에 별 일이 없다고 여겨 일하지 않다가, 일이 생기고 난 후에는 그 일을 감당할 수 없다"고 하였으니, 참으로 훌륭한 말이다.

### 김귀주(金龜柱) 『주역차록(周易箚錄)』

先甲三日, 云云.

갑보다 앞으로 삼일 동안 하고, 운운.

○ 按, 先甲, 是亂之終, 後甲, 是治之始. 亂之終治之始卽蠱之時也. 以卦象觀之, 一卦之體, 便是甲, 內三爻便是先甲三日, 外三爻便是後甲三日也. 六爻爻辭固無此義, 而文王於此, 特設此喩, 使治蠱者, 就先甲中取其自新之義, 就後甲中取其丁寧之義. 其旨意深密, 有難驟曉, 而以象傳推之, 蓋或如此. 或曰先天方位, 辛屬兌, 丁屬震, 而

---

46) 『禮記·月令』: 孟冬之月, 日在尾, 昏危中, 且七星中, 其日壬癸.
47) 『禮記·月令』: 孟夏之月, 日在畢, 昏翼中, 且婺女中. 其日丙丁.

此卦內巽卽兌之反, 外艮卽震之反, 故借先甲之辛後甲之丁爲喩, 而其意則實指巽艮也. 此說似備一義, 然於先庚後庚之說, 便推不去, 則亦未知其必然也. 當更商.

내가 살펴보았다: '선갑'은 혼란이 끝나는 시점이고, '후갑'은 다스림이 시작되는 시점이다. 혼란이 끝나고 다스려지기 시작하는 것이 '고'의 때이다. 괘의 상으로 보면 한 괘의 몸체가 바로 '갑'이고, 내괘의 세 효가 "갑보다 앞으로 삼일 동안 한다"이며, 외괘의 세 효가 "갑보다 뒤로 삼일 동안 한다"이다. 여섯 효의 효사에서는 진실로 이러한 뜻이 없는데, 문왕이 괘사에서 특별히 이러한 비유를 제시한 것은 '고'의 상황을 다스리는 사람으로 하여금 '선갑' 중에 나아가 스스로 새롭게 하는 뜻을 취하도록 하고, '후갑' 중에 나아가 그 간곡히 하는 뜻을 취하도록 한 것이다. 그 뜻이 깊고 세밀하여 얼른 깨닫기 어려운 점이 있으나, 「단전」으로 미루어 보면 아마도 대체로 이와 같다. 어떤 이는 「선천도(先天圖)」[48]의 방위에서 신(辛)은 태괘(兌卦☱)에, 정(丁)은 진괘(震卦☳)에 속하는데, 이 괘의 내괘는 손괘(巽卦☴)이지만 태괘의 음양이 바뀐 괘이고, 외괘는 간괘(艮卦☶)이지만 진괘(震卦☳)의 음양이 바뀐 괘이므로 선갑의 신(辛)과 후갑의 정(丁)을 빌려 비유하였으니, 그 의미는 실상 손괘(巽卦☴)와 간괘(艮卦☶)를 가리킨 것이라고 하였다. 이 설은 하나의 뜻을 갖춘 듯하지만, '선경'과 '후경'의 설에 대하여는 이와 같이 미루어 갈 수 없으니, 그 설이 반드시 그런지는 알 수가 없다. 다시 잘 살펴야 할 것이다.

### 윤행임(尹行恁) 『신호수필(薪湖隨筆)·역(易)』

幹蠱之幹卽木之幹也. 巽爲木而木德在東, 東爲甲方而六甲之首也, 四方之先也. 故有先甲後甲之喩.

"일을 주관한다[幹蠱]"[49]라고 할 때 '주관함[幹]'은 나무 기둥의 뜻이다. 손괘(巽卦☴)는 나무가 되고, 나무의 덕은 방위로는 동쪽이며, 동쪽은 갑의 방위가 되고 육갑의 처음이니, 사방의 첫머리가 된다. 그러므로 '선갑'과 '후갑'이라는 비유가 있다.

### 강엄(康儼) 『주역(周易)』

蠱, 元亨 [止] 後甲三日.

고는 그게 형통하니 … 갑외 뒤로 산일을 한다.

---

48) 「복희팔괘방위도」를 말한다.
49) 『周易·蠱卦』: 초효에 "아버지의 일을 주관한다[幹父之蠱]"고 하였다.

本義, 前事過中 [止] 不使至於速壞.

『본의』에서 말하였다: 앞의 일이 중간을 지나 … 급속히 허물어지는 지경에 이르지 않게 하여야 하니.

按, 以一事譬之, 如屋子年久而將壞, 則當略略修補, 以爲後日重創之端, 而不使至於 大壞. 及其重創, 則是後事也. 方始而尙新, 然更當致其丁寧之意, 以監舊屋之壞, 而不 使至於速壞.

내가 살펴보았다: 하나의 일로 비유하자면, 집이 오래되어 무너지려할 때 대략 보수하여서 뒷날 새로 지을 수 있는 실마리를 만들어 놓고, 크게 무너지는 지경에 이르러 집을 새로 짓는 데에 이르지 않도록 하는 것과 같으니, 이것이 뒤의 일이다. 이제 막 시작하여 오히려 새롭지만 마땅히 다시 그 간곡한 뜻을 다하여 옛날 집이 무너졌던 일을 경계삼아 빨리 허물 어지지 않도록 하여야 한다.

或曰, 如是則本義所謂前事後事, 當作一事看. 然若果一事, 則本義何以前事後事相對 說乎. 曰, 一事而分新舊看, 則當云前事後事.

어떤 이가 말하였다: 이와 같다면『본의』에서 '앞의 일'이라고 하고 '뒤의 일'이라고 한 것은 마땅히 한 가지 일로 보아야 합니다. 만약 과연 한 가지 일이라면『본의』에서는 어찌하여 '앞의 일'과 '뒤의 일'을 상대하여 말하였습니까?

답하였다: 한 가지 일이라도 새로 시작하는 함과 옛 일을 고찰함으로 나누어 본다면 당연히 '앞의 일'과 '뒤의 일'을 말할 수 있습니다.

○ 又按, 蠱之元亨, 雖是天運之自然, 而亦豈不待人事之飭治而自至元亨耶. 利涉大 川, 正是飭治之事而飭治之道. 又當有自新之圖丁寧之意, 故又言先甲後甲之戒, 蓋必 如此而後, 乃有以應天運, 而至元亨也.

내가 또 살펴보았다: '허물어지고 혼란스러운 일[蠱]'이 크게 형통하게 됨은 천운이 저절로 그러한 것이지만, 역시 어찌 사람이 신중하게 다스리는 일을 기다리지 않고 저절로 크게 형통하게 될 수가 있겠는가? "큰 내를 건넌다"는 것이 바로 경계하며 다스리는 일이며 경계 하여 다스리는 도리이다. 또한 마땅히 스스로 새로워지려는 목적과 간곡한 뜻을 가지고 있 기 때문에 '선갑'과 '후갑'으로 경계하였으니, 반드시 이와 같이 한 다음에야 천운에 호응하여 크게 형통한 데 이를 수 있을 것이다.

## 『주역연의(周易衍義)』

陽進處上, 其道大亨也. 先甲三日, 謂辛壬癸, 此日則終於上. 後甲三日謂乙丙丁, 此日則始於下也.

양이 나아가 위에 있으니 그 도가 크게 형통하다. '선갑삼일(先甲三日)'은 신(辛)·임(壬)·계(癸)를 말하니, 이 날에 위에서 마친다. '후갑삼일(後甲三日)'은 을(乙)·병(丙)·정(丁)을 말하니, 이 날에 아래에서 시작한다.

〈問, 利涉大川, 曰, 陽進處上, 故有利涉之象. 曰, 陰蠱陽矣, 何取元亨利涉之義. 曰, 陰雖蠱陽, 處高乎下, 而有所警備, 故取此義也. 曰, 然則何取窮上反下之義. 曰窮上反下, 理之自然, 非因陰蠱陽而就下也. 此與需之卦辭互考, 則可見其義也.

물었다: "큰 내를 건너는 것이 이롭다"는 무슨 뜻입니까?

답하였다: 양이 나아가 위에 있으므로 건너는 것이 이로운 상이 있습니다.

물었다: 음이 양을 좀먹어 들어가는데, 어찌하여 크게 형통하고 건너는 것이 이롭다는 뜻을 취하였습니까?

답하였다: 음이 비록 양을 좀먹어 들어가지만 양이 위에 있으면서 아래를 믿고, 경계하여 대비하는 바가 있으므로 이러한 뜻을 취하였습니다.

물었다: 그렇다면 "위에서 다하면 아래로 돌아온다"[50]는 의미를 취한 까닭은 무엇입니까?

답하였다: "위에서 다하면 아래로 돌아온다"는 이치가 본래 그러한 것이지, 음이 양을 좀먹어서 아래로 내려가는 것이 아닙니다. 이 부분과 수괘(需卦䷄)의 괘사를 함께 잘 살펴보면 그 뜻을 알 수 있을 것입니다.〉

〈○ 問, 先甲三日, 後甲三日. 曰, 甲庚相對, 戊己居中, 則先甲三日, 卽辛壬癸也, 爲天幹之終. 後甲三日, 卽乙丙丁也, 爲天幹之始. 辛壬癸三日, 終於上, 而乙丙丁三日, 始於下也. 此六日取成卦之數, 卽終上始下之期也. 曰, 不言吉凶何. 曰, 蠱與隨俱是元亨也.

물었다: '선갑삼일(先甲三日)'과 '후갑삼일(後甲三日)'은 무슨 뜻입니까?

답하였다: 갑(甲)과 경(庚)은 상대되고, 무(戊)와 기(己)는 가운데 있으니, 갑보다 앞선 삼일은 곧 신(辛)·임(壬)·계(癸)로써 천간의 끄트머리가 됩니다. 갑보다 뒤로 삼일은 곧 을(乙)·병(丙)·정(丁)으로써 천간(天干)의 첫 부분이 됩니다. 신·임·계 삼일은 위에서 마치고, 을·병·정 삼일은 아래서 시작합니다. 이 여섯 날은 괘를 이루는 수(數)에서 취하였으니, 곧 위에서 마치고 아래에서 시작하기를 기간입니다.

---

50) 『周易·序卦傳』: 剝者, 剝也, 物不可以終盡, 剝, 窮上反下. 故受之以復.

물었다: 길흉을 말하지 않은 것은 어째서입니까?

답하였다: 고괘(蠱卦䷑)와 수괘(隨卦䷐)는 모두 크게 형통하기 때문입니다.〉

### 이지연(李止淵) 『주역차의(周易箚疑)』

隨於人者, 必有事, 此蠱之所以次隨也. 觀於伊尹之隨湯, 太公之隨文王, 武侯之隨昭烈, 可知隨人有事之義也. 二五得中而强柔相應, 故云元亨. 除上九一爻, 則爲重體之坎, 坎川也. 三者天圓之數也. 畫至三則成一卦數, 以三計之而至三則爲老陽之數, 三者小數之極也. 甲者, 事之始終也. 凡事之始也, 未有三愼而不成者, 事之終也, 未有三壞而不敗者. 先甲三日者, 難其事而審愼之謂也. 後甲三日者, 慮其事而无緩之意也. 然則謀事之始者, 必再三思量, 見可而後行之. 慮事之終者, 必斯速圖之, 无至於再三, 錯誤也.

남을 따르는 사람에게는 반드시 일이 생기기 마련이니, 이것이 고괘(蠱卦䷑)가 수괘(隨卦䷐) 다음에 오는 까닭이다. 이윤이 탕(湯)임금을 따르고, 강태공이 문왕을 따르고, 제갈량이 유비를 따른 예를 살펴보면, 남을 따르는 이에게는 일이 있다는 의미를 알 수 있다. 구이와 육오가 알맞음을 얻으면서 굳센 양과 부드러운 음이 서로 호응하므로 "크게 형통한다"라고 하였다. 상구의 한 효를 없애고 보면 큰 몸체인 감괘(坎卦☵)가 되니, 감괘(坎卦☵)는 내[川]이다. 삼(三)이란 천원(天圓)의 숫자이다. 획이 세 개가 되면 한 괘의 수를 이루고, 획을 세 번 헤아려 양이 세 번에 이르면 노양의 수가 되니, 삼(三)은 작은 수의 지극함이다. '갑(甲)'이란 일의 시작이자 마침이다. 일을 시작할 때 세 번 신중하게 생각하였는데도 이루지 못하는 경우는 없고, 일이 끝날 때 세 번 허물어지고도 실패하지 않는 경우는 없다. '선갑삼일(先甲三日)'이란 그 일을 어렵게 여기고 신중하게 살피는 것을 말한다. '후갑삼일(後甲三日)'이란 그 일을 염려하여 안일하게 하지 않는다는 의지이다. 그렇게 한다면 어떤 일을 도모하기 시작하는 사람은 반드시 두 번 세 번 잘 생각하여서, 괜찮겠다고 여겨진 후에 행해야 한다. 일을 마치기를 염려하는 사람은 반드시 급하게 도모하기 마련이니, 두 번 세 번 생각하지 않으면 일이 잘못된다.

### 김기례(金箕澧) 「역요선의강목(易要選義綱目)」

蠱, 事也. 壞極而有事.

고(蠱)는 일이다. 허물어짐이 지극하면 일이 생기게 된다.

○ 罘不用, 則蟲生, 久於安, 則弊生.

그물을 쓰지 않으면 벌레가 생기고, 오래도록 편안하면 폐단이 생긴다.

○ 風遇山而回, 則物亂.

바람이 산에 부딪혀 돌면 사물들이 어지러워진다.

○ 亂極則必有治,

어지러움에 지극하면 반드시 다스려짐이 있다.

元亨. 利涉大川.

크게 형통하다. 큰 내를 건너는 것이 이롭다.

事有壞亂, 必治而恢復, 故曰元亨.

어떤 일이 허물어지고 어지러워지면 반드시 다스려져 회복되므로 "크게 형통하다"고 하였다.

○ 蠱, 不可不治, 而往濟險難, 故曰利涉大川.

'허물어지고 혼란스러움[蠱]'은 다스려지지 않을 수 없어서 가서 험난함을 구제하기 때문에 "큰 내를 건너는 것이 이롭다"라고 하였다.

先甲三日, 後甲三曰.

갑(甲)보다 삼일 앞서서 하고, 갑보다 삼일 뒤에서 한다.

胡雲峯曰, 先天甲在離, 自離逆數, 震坤至艮爲三位, 則此先甲三日也. 自離順數, 兌乾至巽爲三位, 則此後甲三日也. 據艮巽二體而言也.

호운봉이 「선천팔괘방위도」에서 갑은 리괘(離卦☲)에 있는데, 리괘(離卦☲)로부터 거꾸로 세면 진괘(震卦☳)와 곤괘(坤卦☷) 다음에 간괘(艮卦☶)에 이르러 세 번째 자리가 되니, 이것이 '갑보다 삼일 앞서서 하다'이다. 리괘(離卦☲)로부터 순차적으로 세면 태괘(兌卦☱)와 건괘(乾卦☰) 다음에 손괘(巽卦☴)에 이르러 세 번째 자리가 되니, 이것이 '갑보다 삼일 뒤에서 한다'이다"라고 하였는데, 이는 간괘(艮卦☶)와 손괘(巽卦☴) 두 몸체에 근거하여 말한 것이다.

○ 蓋甲前三日爲辛, 辛卽新. 甲後三日爲丁, 丁卽丁寧. 自首事日, 前期三日而思, 所以易新之, 後及三日而思, 所以丁寧之, 戒臨事之謹愼也.

갑보다 앞으로 삼일은 신(辛)이니, 신은 곧 새롭다는 뜻이다. 갑보다 뒤로 삼일은 정(丁)이니, 정은 곧 간곡하다는 뜻이다. 일을 시작할 날로부터 앞으로 삼일동안 생각함은 바꾸어 새롭게 할 수 있는 바이고, 뒤로 삼일에 이르도록 생각함은 간곡하게 하는 바이니, 신중하게 일에 임해야 한다고 경계한 것이다.

○ 甲, 首也.

갑은 처음이라는 뜻이다.

## 이항로(李恒老) 「주역전의동이석의(周易傳義同異釋義)」

按, 十干之位, 戊己居中, 八干環外. 甲乙丙丁, 主陽, 主始事之方, 而甲爲其君. 庚辛壬癸, 主陰, 成終事之方, 而庚爲其長. 象傳曰, 終則有始, 天行也. 又曰, 反復其道, 七日來復, 天行也, 正謂此也. 故始事之初, 先乎甲, 而逆數三日則至于庚, 後乎甲而順數三日則至于庚. 然則慮始圖終, 少旡不□之地, 而事合乎天道之全矣. 若先庚三日則至于甲, 後庚三日則至于甲, 其周旋旡缺之義同, 而但造事, 更事有陰陽之異耳.

내가 살펴보았다: 십간의 자리는 무(戊)와 기(己)가 가운데 있고, 나머지 팔간(八干)이 그 밖을 둘러싸고 있다. 갑·을·병·정은 양을 주관하고, 일을 시작하는 방위를 주관하는데, 갑(甲)이 그 임금이 된다. 경·신·임·계는 음을 주관하고, 일을 마치는 방위를 이루는데, '경'이 그 우두머리가 된다. 「단전」에 "마치면 시작이 있는 것이니, 하늘의 운행이다"[51]라고 하였고, 복괘(復卦) 「단전」에 "'그 도를 반복하여 칠 일만에 와서 회복함'은 하늘의 운행이다"라고 한 것이 바로 이것을 말한다. 그러므로 일을 시작하는 초기에는 갑(甲)보다 먼저 하여 거슬러 삼일을 세어 경(庚)에 이르고, 갑(甲)보다 뒤로 하여 순차적으로 삼일을 세어 경(庚)에 이른다. 그렇다면 일을 시작하고 마칠 것을 도모하는 데에 조금도 □하지 못한 구석이 없어서, 일이 천도의 온전함에 부합하게 된다. 경(庚)보다 앞으로 삼일을 세면 갑(甲)에 이르고, 경(庚)보다 뒤로 삼일을 세어 갑(甲)에 이르니, 갑(甲)을 위주로 셈하든, 경(庚)을 위주로 셈하든 두루 펼쳐져 결여되지 않은 뜻은 같지만, 단지 일을 행할 때에 일에 따라 음양의 차이가 있을 뿐이다.

或曰, 十干以方位言, 則固如此矣. 以日干言, 則不計戊己者, 亦有說歟. 曰, 月令, 春曰其日甲乙, 夏曰其日丙丁, 秋曰其日庚辛, 冬曰其日壬癸, 而戊己之日屬之中央, 則四時循環之序, 不數居中之干, 亦可見矣. 況此甲庚之說, 乃八卦循環, 互相始終之象也. 以先天圖言之, 則乾爲陽首而坤爲陰首. 先乎乾而逆數三卦, 兌离震則至于坤, 後乎乾而順數三卦, 巽坎艮則至于坤. 由坤而逆數順數, 則亦如此. 以後天圖言之, 則震爲事始, 而兌爲事終. 先乎震而逆推三卦, 艮坎乾則至于兌, 後乎震而順推三卦, 巽离坤則至于兌. 由兌而逆推順推則亦如此. 此乃借此八干之名, 以象天道循環之義而已. 又何屑屑於計日之爲耶. 六十四卦三百八十四爻之中, 旡非發明此箇道理, 而蠱爲壞極更始之卦, 巽爲申命行事之卦, 故備說原始反終之象. 然其實, 卦卦此象, 爻爻此說也. 管見如此, 竊附於尾, 以備籌筭一說云爾.

어떤 이가 물었다: 십간을 방위로 말한 것은 참으로 이와 같습니다. 그러면 일간(日干)을

---

51) 『周易·蠱卦』: 象曰, … 先甲三日, 後甲三日, 終則有始, 天行也.

말하면서 무(戊)와 기(己)를 셈하지 않은 것에 대한 어떤 설명이 있습니까?

답하였다: 「월령」에 보면 봄에는 "그 일진이 갑과 을이다"라고 하고, 여름에는 "그 일진이 병과 정이다"라고 하며, 가을에는 "그 일진이 경과 신이다"라고 하고, 겨울에는 "그 일진이 임과 계이다"라고 하였고, 무(戊)는 단지 일간(日干)의 중앙에 속하였으니, 이렇게 본다면 네 계절이 순환하는 질서에서 가운데에 있는 일간은 셈하지 않는 것을 알 수 있습니다. 더군다나 이 갑과 경에 대한 설명은 팔괘가 순환하여 서로 처음이 되고 끝이 되는 상에 근거합니다. 「복희팔괘방위도」를 가지고 말한다면 건괘(乾卦☰)는 양의 첫머리이고 곤괘(坤卦☷)는 음의 첫머리입니다. 건괘(乾卦☰)보다 앞서서 세 괘를 거슬러 세면 태괘(兌卦☱)・리괘(離卦☲)・진괘(震卦☳)를 거쳐 곤괘(坤卦☷)에 이르고, 곤괘(坤卦☷)보다 뒤로 하여 순차적으로 세 괘를 세면 손괘(巽卦☴)・감괘(坎卦☵)・간괘(艮卦☶)를 거쳐 곤괘(坤卦☷)에 이릅니다. 곤괘(坤卦☷)로부터 거슬러 세고, 순조롭게 세어도 역시 이와 같이 됩니다. 「문왕팔괘방위도」를 가지고 말한다면, 진괘(震卦☳)가 일의 시작이 되고, 태괘(兌卦☱)가 일의 마침이 됩니다. 진괘(震卦☳)보다 앞서서 세 괘를 거슬러 미루어보면 간괘(艮卦☶)・감괘(坎卦☵)・건괘(乾卦☰)를 거쳐 태괘(兌卦☱)에 이르고, 진괘(震卦☳)보다 뒤로 하여 순차적으로 세 괘를 미루어 보면 손괘(巽卦☴)・리괘(離卦☲)・곤괘(坤卦☷)를 거쳐 태괘(兌卦☱)에 이릅니다. 태괘(兌卦☱)로부터 거슬러 미루어보거나 순차적으로 미루어 보아도 역시 이와 같습니다. 이에 이 팔간(八干)의 명칭을 빌려 천도가 순환하는 뜻을 상징하였을 뿐입니다. 또한 어찌 자질구레하게 날짜를 따지겠습니까? 육십사괘 삼백팔십사효 가운데 이 도리를 드러내 밝히고 있지 않은 것이 없지만, 고괘(蠱卦䷑)는 허물어짐이 지극하여 다시 시작하는 괘가 되고, 손괘(巽卦䷸)는 명을 내려 일을 시행하는 괘가 되므로 시원을 찾고 끝을 돌이켜 보는 상을 갖추어 말하였습니다. 그러나 실은 괘마다 이 상이 있고 효마다 이러한 설명이 있는 것입니다. 저의 좁은 소견이 이러하니, 가만히 말미에 붙여서 은재[籠箭]의 한 가지 이야기로 갖추어 둘까 합니다.

### 심대윤(沈大允) 『주역상의점법(周易象義占法)』

執事以事長上者, 人道之始, 而必因是以大, 故曰元亨. 能治事則可以濟險難, 故曰利涉大川. 上下有剛而中虛, 有乘舟泛空之象. 坎疊爲大川. 甲, 始也. 坎先离後, 震甲. 巽二坎离互震遞動, 有晝夜行動之象. 故曰先甲三日後甲三日, 言前事纔了後事又生也. 亂之端在治之終, 治之始在亂之極. 倚伏相因而不斷慎其始, 而圖其終也.

일을 맡아서 어른을 섬기는 것은 사람의 도리의 첫 걸음이니, 반드시 이로 인하여 크게 되므로 "크게 형통하다"라고 하였다. 일을 잘 처리할 수 있으면 험난함도 구제할 수 있으므로 "큰 내를 건너는 것이 이롭다"라고 하였다. 위와 아래에 굳센 양이 있고 그 가운데가 비었으니, 빈 배에 타는 상이 있다. 감괘(坎卦☵)가 겹쳐져서 큰 내의 상이 된다. 갑은 시작이다. 감괘(坎卦☵)가 앞에 있고[52] 리괘(離卦☲)가 뒤에 있으며[53] 진괘(震卦☳)[54]는 갑이 된다. 하괘인 손괘(巽卦☴)의 삼효는 감괘(坎卦☵)도 되고 리괘(離卦☲)도 되며, 호괘가 진괘(震卦☳)라서 바뀌어 움직이니, 밤낮으로 끊임없이 움직이는 상이 있다.[55] 그러므로 "갑(甲)보다 앞으로 삼일 동안 하고, 갑보다 뒤로 삼일 동안 한다"고 하였으니, 앞의 일이 겨우 완료되자마자 뒤의 일이 또 생겨남을 말한다. 혼란의 시초는 잘 다스려진 시대의 끝머리에 있고, 다스림의 시작은 혼란이 지극할 때에 있다. 잠복한 채로 서로 기대어 있어 서로의 원인이 되어, 일을 시작할 때에 끊임없이 신중하게 하여야 그 마치는 일을 도모할 수 있다.

### 이진상(李震相) 『역학관규(易學管窺)』

先甲三日.

갑(甲)보다 삼일 앞서서 한다.

雲峰, 以先天卦位, 離當甲推之, 而雙湖, 以後天卦位, 震居甲言之, 二說不同. 然卦互震而不互離. 夫震始陽生之始, 甲爲十干之始, 震之當甲, 亦豈非先天卦氣乎. 蓋先甲三日辛壬癸也, 後甲三日乙丙丁也. 一爻各直一日, 在事之始而慮先圖後之審也.

운봉호씨는 「복희팔괘방위도」에 있는 괘의 자리를 가지고 리괘(離卦☲)를 갑(甲)에 해당시켜 미루어 나갔고, 쌍호호씨는 「문왕팔괘방위도」에 있는 괘의 자리를 가지고 진괘(震卦☳)에 갑(甲)이 있다고 하였으니, 두 설이 다르다. 그러나 괘는 호괘가 진괘(震卦☳)이지 리괘(離卦☲)가 호괘가 되지 않는다. 진괘(震卦☳)는 비로소 양이 생기는 시작이고, 갑은 십간의 시작이 되니, 진괘(震卦☳)가 갑에 해당하는 것이 어찌 「복희팔괘방위도」에서의 괘기(卦氣)가 아니겠는가? '선갑삼일(先甲三日)'은 신(辛)·임(壬)·계(癸)이고, '후갑삼일(後甲三日)'은 을(乙)·병(丙)·정(丁)이다. 한 효가 각기 바로 하루가 되니, 이는 일을 시작할 때에 앞서 벌어진 일을 잘 생각하고 뒷일을 잘 도모하는 주도면밀한 태도이다.

---

52) 초효에서 사효까지가 감괘(坎卦☵)의 상이 된다.
53) 이효에서 상효, 또는 삼효에서 상효까지가 리괘(離卦☲)의 상이 된다.
54) 삼효에서 오효까지가 진괘(震卦☳)이다.
55) 고괘(䷑)의 괘상을 보면, 초효에서 오효까지를 보면 중간에 두 양이 음효사이에 끼어 있어 감괘(坎卦☵)의 상이 된다. 구삼에서 상효까지를 보면 두 음이 두 양 사이에 끼어있어 리괘(離卦☲)의 상이 된다. 또한 삼효에서 오효까지를 보면 진괘(震卦☳)가 된다. 이와 같이 구삼효는 감괘(坎卦☵), 리괘(離卦☲), 진괘(震卦☳)에 걸쳐 있다.

象曰, 蠱剛上而柔下, 巽而止蠱.

「단전」에서 말하였다: 고(蠱)는 굳센 양이 올라가고 부드러운 음이 내려오니, 공손하고 멈추어 있는 것이 고이다.[56]

## ┃中國大全┃

### 傳

以卦變及二體之義而言. 剛上而柔下, 謂乾之初九上而爲上九, 坤之上六, 下而 爲初六也. 陽剛, 尊而在上者也, 今往居於上, 陰柔, 卑而在下者也, 今來居於下. 男雖少而居上, 女雖長而在下, 尊卑得正, 上下順理, 治蠱之道也. 由剛之上, 柔 之下, 變而爲艮巽, 艮, 止也, 巽, 順也. 下巽而上止, 止於巽順也, 以巽順之道, 治蠱, 是以元亨也.

괘의 변화와 두 몸체의 뜻으로 말하였다. "굳센 양이 올라가고 부드러운 음이 내려온다"는 것은 건괘(乾卦䷀)의 초구가 올라가 상구가 되고, 곤괘(坤卦䷁)의 상육이 내려와 초육이 됨을 말한다. 굳센 양은 본래 높아서 위에 있는 자인데 이제 가서 위에서 거쳐하고, 부드러운 음은 본래 낮아서 아래에 있는 자인데 이제 와서 아래에 있다. 남자는 비록 어리지만 위에 거하고 여자는 비록 어른이지만 아래에 있어서, 높고 낮음이 바름을 얻고 위와 아래가 이치를 순하게 따르니, '고(蠱)'를 다스리는 도리이다. 굳센 양이 올라가고 부드러운 음이 내려옴으로 말미암아 변하여 간괘(艮卦䷳)와 손괘(巽卦䷸)가 되었으니,[57] 간괘(艮卦☶)는 멈춤이고, 손괘(巽卦☴)는 유순함이다. 아래에서는 유순하고

---

56) 「단전」 경문의 해석 자체로는 『정전』과 『본의』의 해석의 차이가 드러나지 않는다. 그러나, 「단전」의 의미에 대한 양자의 차이는 크다. 『정전』의 경우 외괘가 어린 남자이지만 양으로 강하고, 내괘가 나이 많은 여자이지 만 음으로 공손하므로, 상하가 이치를 순하게 따라서 크게 형통하다고 보았다. 그러나 『본의』의 경우, 위의 양은 너무 높이 있어 아래와 사귀지 않고 그저 멈추어 있어서 일을 처리해 가지 못하고, 아래의 음은 그저 공손하게만 있을 뿐이어서, 이러한 형세로는 아무 일도 할 수 없기 때문에 좀 먹어 허물어지고 마는 '고(蠱)'의 지경에 이르는 것이라고 보았다.

57) 양효가 위로 올라가 상구가 됨으로써, 고괘(蠱卦䷑)의 외괘가 곤괘(坤卦☷)에서 간괘(艮卦☶)로 바뀌었다. 또한 음효가 아래로 내려가 초육이 됨으로써, 고괘(蠱卦)의 내괘가 건괘(乾卦☰)에서 손괘(巽卦☴)로 바뀌 었다.

위에서는 멈추어서 공손하고 유순한 데에 머무니, 공손하고 유순한 도리로 허물어지고 혼란스러움을 다스리기 때문에 크게 형통하다.

### 小註

或問, 巽而止蠱, 莫是遇事巽順, 以求其理之所止, 而後爲治蠱之道. 朱子曰, 非也. 大抵資質柔巽之人, 遇事, 便不能做, 无奮迅之意, 所以事遂至於蠱壞了. 蠱只是事之壞者, 大凡看易, 須先看成卦之義. 險而健則成訟, 巽而止則成蠱. 蠱艮上而巽下. 艮剛居上, 巽柔居下, 上高亢而不下交, 下卑巽而不能救, 此所以蠱壞也. 巽而止, 只是巽順便止了, 更无所施爲, 如何治蠱.

어떤 이가 물었다: 공손하고 그치는 것이 '고'이니, 혹시 만나는 일마다 공손하고 유순하게 하여 그 이치가 머무는 곳을 구한 후에야 '허물어지고 혼란스러움[蠱]'을 다스리는 도가 되는 것입니까?

주자가 답하였다: 그렇지 않습니다. 자질이 유약하고 공손한 사람이 어떤 일을 만났을 때, 처리할 수 없고 신속히 해결하려는 의지가 없기 때문에 일이 마침내 좀 먹어 허물어지는 지경에 이르게 됩니다. '고(蠱)'는 단지 일이 허물어지는 것이니, 『주역』을 볼 때 반드시 그 괘를 이루는 뜻을 먼저 살펴보아야 합니다. 험하고 굳건하니 송사를 이루고,[58] 공손하고 멈추어 있는 것이니 고(蠱)가 됩니다. 고괘(蠱卦䷑)는 간괘(艮卦☶)가 위에 있고 손괘(巽卦☴)가 아래에 있습니다. 굳센 양인 간괘(艮卦☶)가 위에 있고, 부드러운 음인 손괘(巽卦☴)가 아래에 있어서, 위에서는 너무 높아서 아래와 사귀지 않고, 아래에서는 낮고 공손하여 위험을 구제할 수 없으니, 이것이 좀먹어 허물어지는 까닭입니다. "공손하고 멈추어 있는 것이다"란 단지 공손하고 유순하여 곧 멈추고 말뿐이라면, 다시 무엇을 시행하는 바가 없으니, 어떻게 허물어지고 혼란스러움을 다스릴 수 있겠습니까?

○ 易要分內外卦看, 伊川卻不甚理會. 如巽而止則成蠱, 止而巽便不同. 蓋先止後巽, 卻是有根株了, 方巽將去, 故爲漸.

『주역』은 내괘와 외괘를 나누어 보아야 하는데, 이천(伊川)은 도리어 깊이 이해하지 못하였다. 예컨대 공손하여 멈추는 것이 고(蠱)가 되지만, 멈추어서 공손한[59] 것은 같지 않다. 대체로 먼저 멈춘 후에 공손하면 도리어 이는 그루터기가 있게 되어야 나무[巽卦]가 자라가는 것이므로 점괘(漸卦䷴)가 된다.

---

58) 『周易·訟卦』: 彖曰, 訟, 上剛下險, 險而健, 訟.
59) 『周易·漸卦』: 彖曰, … 止而巽, 動不窮也.

○ 剛上柔下, 巽而止. 此是言致蠱之由, 非治蠱之道.

굳센 양이 올라가고 부드러운 음이 내려가 공손하고 멈춘다. 이것은 허물어지고 혼란스러움[蠱]에 이르는 이유를 말한 것이지, 허물어지고 혼란스러움을 다스리는 도리가 아니다.

**本義**

以卦體卦變卦德, 釋卦名義. 蓋如此則積弊而至於蠱矣.

괘의 몸체와 괘의 변화와 괘의 덕으로 괘 이름을 해석하였다. 이와 같이하면 폐단이 쌓여 좀먹어 허물어지는데 이른다는 것이다.

**小註**

朱子曰, 龜山說巽而止乃治蠱之道, 言當柔順而止, 不可堅正. 必爲此說, 非惟不成道理, 且失易象文義. 巽而止蠱, 猶順以動豫, 動而說隨, 皆言卦義. 趙德莊說下面人只務巽, 上面人又懶惰不肯向前, 上面一向剛, 下面一向柔, 倒塌了, 這便是蠱底道理.

주자가 말하였다: 구산(龜山)[60]은 공손히 하고 멈추는 것이 허물어지고 어지러움을 다스리는 도리라고 하였는데, 이는 유순하게 하고 멈추어야지 고집스럽게 바름을 주장하여서는 안 된다고 한 것이다. 그러나 반드시 이 설을 견지하려고 하면 도리에 맞지 않을 뿐만 아니라, 『주역』「단전」 문장의 뜻을 잃게 된다. "공손하고 멈추어 있는 것이 고(蠱)이다"라는 말은 "순응하여 움직임이 예(豫)이다"[61], "움직이고 기뻐함이 수(隨)이다"[62]라고 한 것과 같으니, 모두 괘의 뜻을 말하였다. 조덕장(趙德莊)이 "아랫사람은 그저 공손하려고만 하고, 윗사람은 나태하여 앞으로 나아가려 하지 않으며, 위에서는 줄곧 강하기만 하고 아래서는 줄곧 유약하기만 하여 무너져 내린다"고 하였는데, 이것이 바로 고괘(蠱卦)의 도리이다.

○ 盤澗董氏曰, 卦之爲蠱有數義. 剛在上柔在下, 此卦體也. 下卑巽而上苟止, 所以爲蠱, 此卦德也. 又自賁井旣濟來, 皆剛上而柔下, 此卦變也.

반간동씨가 말하였다: 이 괘가 고괘(蠱卦䷑)가 되는 데에는 몇 가지 의미가 있다. 굳센 양이

---

60) 양시(楊時,1053~1135): 북송 말기 인물. 자는 중립(中立), 호는 구산(龜山)이다. 왕안석(王安石)의 학문을 극력 배척했다. 정호(程顥)와 정이(程頤) 형제에게 사사(師事)했으며, 그들의 도학을 발전시켰다. 그 문하에서 장식(張栻), 여조겸(呂祖謙) 등 뛰어난 학자가 많이 배출되었다.

61) 『周易 · 豫卦』: 象曰, 豫, 剛應而志行, 順以動, 豫.

62) 『周易 · 隨卦』: 象曰, 隨, 剛來而下柔, 動而說, 隨,

위에 있고 부드러운 음이 아래에 있는 것이 이 괘의 몸체이다. 아래가 낮추어 공손하고 위에서 구차하게 멈추어 있는 것이 고괘(蠱卦)가 되는 까닭이니, 이것이 괘의 덕이다. 또 비괘(賁卦䷃)·정괘(井卦䷯)·기제괘(旣濟卦䷾)로부터 왔다는 것은 굳센 양이 올라가고 부드러운 음이 내려오는 것이니, 이것이 괘의 변화이다.

○ 童溪王氏曰, 夫蠱非事也. 以天下爲无事而不事, 事則後有不勝事矣, 此蠱之所以爲事也. 剛上艮也, 柔下巽也. 在上者有止息而无動作, 在下者有巽順而无違忤, 則禍亂之萌乃在於已安已治之中, 遂至於敗壞而不可勝矣. 此剛上而柔下, 巽而止, 所以成蠱也.
동계왕씨가 말하였다: '고(蠱)'는 일이 아니다. 세상에 별 일이 없다고 여겨 일하지 않다가, 일이 생기고 난 후에는 그 일을 감당할 수 없으니, 이것이 '고(蠱)'가 일이 되는 까닭이다. 굳센 양이 위로 올라가 간괘(艮卦☶)가 되고, 부드러운 음이 아래로 내려가 손괘(巽卦☴)가 된다. 위에 있는 자가 멈추어 움직임이 없고, 아래 있는 자는 공손히 따르기만 해서 윗사람을 어기는 일이 없으니, 화란의 싹이 이미 편안하고 다스려지는 가운데에 있다가 마침내 허물어져 감당할 수 없는 지경에 이르게 된다. 이는 굳센 양이 위에 있고 부드러운 음이 아래에 있어서 공손하고 멈추는 것이니, '고'가 되는 까닭이다.

○ 雲峰胡氏曰, 諸解以巽而止爲治蠱之道. 夫苟下卑巽而上苟止, 豈所以治蠱哉. 先儒云, 通其變則爲隨, 不能通其變則爲蠱. 蓋剛來而下柔, 剛柔之情交兼, 此動而彼應故曰隨. 剛上而柔下, 上下不交, 且下卑巽而上苟止, 故曰蠱. 蠱隨之相反以此. 凡卦德當分內外先後. 如隨則我先動而彼說, 歸妹則先說而後動, 歸妹之凶又與隨反. 蠱則內卑巽而外苟止, 漸則內靜止而外卑巽, 漸之吉又與蠱反.
운봉호씨가 말하였다: 여러 사람들이 풀이하기를 '공손하고 멈추는 것이 허물어지고 어지러움을 다스리는 도리'라고 하였다. 그러나 만약 아래에서 낮추어 공손하고 위에서 구차하게 멈춘다면 어떻게 허물어지고 어지러움을 다스리는 방법이 되겠는가? 선배 유학자가 "변화하여 통할 수 있으면 수괘(隨卦䷐)가 되고, 변화하여 통할 수 없으면 고괘(蠱卦)가 된다"라고 하였다. 굳센 양이 와서 부드러운 음에게 낮추어 굳센 양과 부드러운 음이 정답게 잘 사귀니, 이것이 움직이자 저것이 호응하므로 '쉬(隨䷐: 따른다)'라고 하였다. 강한 양이 올라가고 부드러운 음이 내려와서 위아래가 사귀지 않는데다가 아래에서는 낮추어 공손하고 위에서는 구차하게 멈추어 있으므로 '고(蠱䷑: 좀먹어 무너짐)'라고 하였다. 이 때문에 고괘(蠱卦)와 수괘(隨卦䷐)가 서로 반대되는 것이다. 괘의 덕으로 보면 마땅히 안팎과 앞뒤를 분별해야 한다. 수괘(隨卦䷐)는 내가 먼저 움직이니 저쪽에서 기뻐하는 것이고, 귀매괘(歸妹卦䷵)는 먼저 기뻐한 후에 움직이는 것이니, 귀매괘(歸妹卦䷵)의 흉함이 또한 수괘(隨卦䷐)

와 반대가 된다. 고괘(蠱卦)는 안에서 낮추어 공손하고 밖에서 구차하게 그치며, 점괘(漸卦䷴)는 안에서 고요히 멈추고 밖에서 낮추어 공손하니, 점괘(漸卦䷴)의 길함이 또한 고괘(蠱卦)와 서로 반대가 된다.

## ‖韓國大全‖

유정원(柳正源) 『역해참고(易解參攷)』[63]

巽而止.

공손하고 멈추어 있는 것.

朱子曰, 汪聖錫曾言, 某人別龜山, 往赴召. 龜山送之云, 且緩下手, 莫去折倒人屋子, 謂屋弊不可大段整理, 他只得且撑拄過. 因言, 龜山解蠱卦, 以巽而止解治蠱之道, 所以有此說.

주자가 말하였다: 왕성석(汪聖錫)이 일찍이 말하기를 "어떤 사람이 양구산과 이별하려고 가서 그를 부르자, 구산이 그를 전송하면서 말하기를, '일을 느슨하게 하여서 다른 사람의 집을 부숴버리지 않는다'라고 하였으니, 그 집이 너무 낡아서 크게 손 볼 수 없어서 그저 겨우 지탱하게 할 수 있을 뿐이라는 말이다"라고 하였고 이러한 구산의 말에 대하여 말하기를 "구산이 고괘(蠱卦)를 풀이하면서 공손히 하고 멈추어 있는 것으로써 허물어지고 어지러움을 다스리는 도리라고 설명했기 때문에 이러한 설이 있었다"고 하였다.

案, 朱子曰, 龜山言, 否之世當包承小人. 蓋欲解說他從蔡京父子之失. 此又以巽而止解治蠱之道, 恐亦此意.

내가 살펴보았다: 주자가 말하기를 "구산은 '비색한[否] 세상에서는 소인을 포용하여야한다'고 하였는데, 대체로 그가 채경(蔡京) 부자의 잘못을 따라 해명하고자 했던 듯하다"라고 하였다. 여기에서 또한 '공손하고 멈추어 있는 것'으로써 허물어지고 어지러움을 다스리는 도리를 설명한 것은 아마도 이러한 뜻 때문일 것이다.

---

63) 경학자료집성DB에서는 고괘(蠱卦) 괘사에 해당하는 것으로 분류했으나, 내용에 살펴 이 자리로 옮겼다.

## 김상악(金相岳) 『산천역설(山天易說)』

以卦變卦德釋卦名義. 剛謂九二, 上九, 柔謂初六, 六五也. 剛柔不交, 巽懦止息, 所以 爲蠱.

괘의 변화와 괘의 덕으로 괘 이름을 말하였다. 굳센 양은 구이와 상구를 말하고, 부드러운 음은 초육과 육오를 말한다. 굳센 양과 부드러운 음이 사귀지 않고, 나약하게 공손하며 멈추어 있으므로 '고(蠱)'가 된다.

## 서유신(徐有臣) 『역의의언(易義擬言)』

漸變爲蠱而艮上巽下也. 剛上而柔下, 則志不通矣. 巽而止則事不擧矣, 所以爲蠱也

점괘(漸卦䷴)가 변하여 고괘(蠱卦)가 되어 간괘(艮卦☶)가 위가 되고 손괘(巽卦☴)가 아래가 된다. 굳센 양이 올라가고 부드러운 음이 내려와 뜻이 소통하지 않는다. 공손하고 멈추어 있으면 일을 일으킬 수 없는 것이 고괘(蠱卦)가 되는 이유이다.

## 박문건(朴文健) 『주역연의(周易衍義)』

剛上柔下則不交, 巽而止則不進, 蠱之道也. 此以卦變卦德釋卦名.

굳센 양은 올라가고 부드러운 음은 내려가 서로 사귈 수가 없고, 공손한데다 멈추어 있어서 앞으로 나아갈 수 없는 것이 '고(蠱)'의 도리이다. 이는 괘의 변화와 괘의 덕으로 괘의 이름을 설명한 것이다.

## 김기례(金箕澧) 「역요선의강목(易要選義綱目)」

卦變自既濟來. 九五往居上六, 二來居初. 剛亢而太剛, 柔卑而太柔. 以剛止巽, 上下 不交, 事至壞亂.

괘의 변화는 기제괘(既濟卦䷾)로부터 왔다. 구오가 올라가 상육에 있고, 이효가 내려와 초효에 있다. 굳센 양이 꼭대기에 있으니 지나치게 굳세고, 부드러운 음이 낮은데 있으니 지나치게 유약하다. 굳센 양은 멈추어 있고 공손하여 위아래가 서로 사귀지 못하므로, 일이 허물어지고 혼란한 데에 이르게 된다.

## 이항로(李恒老) 「주역전의동이석의(周易傳義同異釋義)」

象曰, 蠱剛上而柔下, 巽而止蠱

「단전」에서 말하였다. 고(蠱)는 굳센 양이 올라가고 부드러운 음이 내려오니, 공손하고 멈추어 있는 것이 고(蠱)이다.

傳, 男雖少而居上, 女雖長而在下, 尊卑得正, 上下順理, 治蠱之道也.
『정전』에서 말하였다: 남자는 어리지만 위에 거하고 여자는 비록 더 어른이지만 아래에 있어서, 높고 낮음이 바름을 얻고, 위아래가 이치를 순하게 따르니, '고(蠱)'를 다스리는 도리이다.

本義, 蓋如此則積弊而至於蠱矣.
『본의』에서 말하였다: 이와 같이하면 폐단이 쌓여 좀먹어 허물어지는데 이른다는 것이다.

按, 小註朱子曰或問及辨龜山說則得失可見. 蓋先言所以成蠱之由, 則所以治蠱者, 亦在其中. 今不言蠱而只言治道, 則正如醫者不診其病而先命其藥, 可乎. 故此段說成蠱之由, 下段說治蠱之方.
내가 살펴보았다: 소주에서 "주자가 말하였다"고 한 데와 "어떤 이가 물었다"고 한 데에서 구산의 설을 논변한 곳에 이르러서는 득실을 알 수 있다. 먼저 '고(蠱)'가 되는 이유를 말하였으니, '고(蠱)'를 다스릴 수 있는 방법 또한 그 가운데 있다. 이제 구산(龜山)의 경우는 '고(蠱)'는 말하지 않고 단지 '다스리는 도리'를 말하여, 마치 의사가 그 병은 진단하지도 않은 채 먼저 그 약을 처방하는 것과 똑같으니, 되겠는가? 그러므로 이 단락에서는 '고(蠱)'가 되는 이유를 말하였고, 아래 단락에서는 '고(蠱)'를 다스리는 방법을 말하였다.

### 심대윤(沈大允) 『주역상의점법(周易象義占法)』

艮剛上而巽柔下, 陽爻上而陰爻下也.
굳센 양인 간괘(艮卦☶)는 올라가 있고, 부드러운 음인 손괘(巽卦☴)는 내려가 있으니, 양효가 맨 위에 있고, 음효가 맨 아래에 있는 것이다.

### 이진상(李震相) 『역학관규(易學管窺)』

巽而止.
공손하고 멈추어 있다.

陽剛固宜居上, 陰柔固宜居下, 而造化交易而後成. 故乾上坤下則爲否, 剛上柔下則爲蠱, 其義一也. 巽而止, 所以爲蠱, 非所以治蠱. 如險而健訟, 不成險以決訟. 然象經直言治蠱之道, 蓋亂極必治, 而治蠱之道, 亦非別求人於治世, 特在乎用之以道也. 取巽之風而奮發威令, 取艮之山而鎭壓頹俗, 順於當順而不至於懦弱, 止於當止而不至於委靡, 則蠱時之才德優, 可以治蠱矣.

굳센 양은 본래 위에 있는 것이 마땅하고, 부드러운 음은 본래 아래에 있는 것이 마땅하지만, 조화(造化)는 서로 바뀐 후에야 이루어진다. 그러므로 건괘(乾卦☰)가 위에 있고 곤괘(坤卦☷)가 아래에 있으면 비괘(否卦)가 되고, 굳센 양이 올라가 있고 부드러운 음이 내려가 있으면 고괘(蠱卦)가 되는데 그 뜻은 같다. 공손하고 멈추어 있는 것은 ‘고(蠱)’가 되는 까닭이지, ‘고(蠱)’를 다스릴 수 있는 방도는 아니다. 마치 “험하고 굳건한 것[64]이 송사[訟卦☰]이지만”[65] 험난함으로 송사를 해결할 수는 없는 것과 같다. 그러나 「단전」에서는 직접적으로 “‘고’를 다스리는 도리이다”라고 말하였으니 혼란이 극에 달하면 반드시 다스려지는 것이지만, ‘고’를 다스리는 도리는 역시 잘 다스려진 세상에서 특별히 인재를 구해오는 것이 아니라, 단지 바른 도리를 그들을 잘 쓰는 데에 있다. 손괘(巽卦☴)의 바람을 취하여 위엄스러운 명령을 떨쳐 일으키고, 간괘(艮卦☶)의 산을 취하여 쇠퇴한 풍속을 진압하여 순종하여야 할 경우 순종하지만 나약함에는 이르지 않고, 멈추어야 할 때는 멈추지만 내버려 방치하는 데에는 이르지 않음은 ‘허물어지고 어지러움[蠱]’이 있는 때의 자질과 덕이 우월함이니, ‘고(蠱)’를 다스릴 수 있다.

### 최세학(崔世鶴) 「주역단전괘변설(周易象傳卦變說)」

象曰, 蠱剛上而柔下.
「단전」에서 말하였다: 고(蠱)는 굳센 양이 올라가고 부드러운 음이 내려오니.

蠱泰之二體變也, 初與上二爻爲主. 故象以剛上柔下言之. 否初來居於下體之下, 否上往居於上體之上也.
고괘(蠱卦)는 태괘(泰卦)의 두 몸체가 변한 것인데, 초효와 상효 두 효를 위주로 하였다. 그러므로 「단전」에서 “굳센 양은 올라가고 부드러운 음은 내려간다”고 하였다. 비괘(否卦)의 초효가 와서 아래 몸체의 아래쪽에 있고, 비괘(否卦)의 상효가 가서 위 몸체의 위쪽에 있다.

---

64) 천수 송괘(☰)에서, 아래는 감괘(坎卦☵)로 험난한 물, 구덩이에 빠지는 형상이고, 위는 건괘(乾卦☰)로 강건한 모양을 나타낸다.
65) 『周易·訟卦』: 象曰, 訟, 上剛下險, 險而健, 訟.

蠱元亨而天下治也.

고(蠱)는 크게 형통하여 천하가 다스려진다.

## ‖中國大全‖

### 傳

治蠱之道, 如卦之才, 則元亨而天下治矣. 夫治亂者, 苟能使尊卑上下之義正, 在下者巽順, 在上者能止齊安定之, 事皆止於順, 則何蠱之不治也. 其道大善而亨也, 如此則天下治矣.

허물어지고 어지러움[蠱]을 다스리는 도리에서, 괘의 재질로 보자면 크게 착하고 형통해서 천하가 다스려질 것이다. 어지러움을 다스리는 자는 참으로 높고 낮음, 위아래의 뜻을 바르게 하여 아래에 있는 사람은 공손하고 순하게 하고, 위에 있는 사람은 멈추어서 가지런하고 안정되게 하여 일이 모두 공손한데 머물게 할 수 있다면, 어떤 환란인들 다스리지 못하겠는가! 그 도리가 크게 선하여 형통하니, 이와 같이 하면 천하가 다스려질 것이다.

### 小註

南軒張氏曰, 由朝廷至閭里, 孰非事也, 而卦之治, 蠱獨擧父子何也. 蓋天下之本在國, 國之本在家, 一家之責莫重於子, 能盡父道, 則家齊矣. 由是而之焉, 則國可治而天下可平. 故曰, 蠱元亨而天下治也.

남헌장씨가 말하였다: 조정으로부터 마을에 이르기까지 무엇인들 일이 아니겠는가마는, 괘의 다스림에 있어서 고괘(蠱卦)는 유독 부모와 자식의 일로 예를 든 것은 무엇 때문인가? 대체로 천하의 근본은 나라에 있고, 나라의 근본은 가정에 있고, 한 가정의 책임은 사식을 기르는 것보다 더 중요한 것이 없으므로, 부모의 도리를 다 할 수 있어야 가정이 제자리를 잡는다. 이로부터 나아가면 나라가 다스려질 수 있어야 천하가 평안할 수 있는 것이다. 그러므로 "고괘는 크게 착하고 형통하여 천하가 다스려질 것이다"라고 하였다.

# ┃韓國大全┃

## 유정원(柳正源) 『역해참고(易解參攷)』[66]

蠱, 元 [至] 治也.

고(蠱)는 크게 … 다스려진다.

案, 上剛而不下交, 下柔而不上行. 卑巽苟止, 委靡燕安之習成, 剛果奮迅之志亡, 則天下事蠱壞而不可爲矣. 事旣蠱壞, 何以謂元亨, 又何謂天下治也. 否極則回泰, 剝盡則來復, 天理之當然也. 天下蠱壞則天必生治蠱之人, 人必有治蠱之道. 以卦才言則巽風足以號令天下, 艮山足以靜鎭頹俗, 剛上而得其止, 柔下而順於理. 先甲三日究事之由, 後甲三日慮事之終, 此所以天下治也. 聖人於蠱壞之世, 必曰, 元亨而天下治, 其勉人之有爲也, 深矣.

내가 살펴보았다: 위는 굳센 양이어서 아래와 사귀지 않고, 아래는 부드러운 음이어서 위로 올라가지 않는다. 낮추어 공손하고 구차하게 멈추어 있으니, 편한대로 내맡기는 습성이 이루어지고, 과단성 있게 분투하는 뜻이 없어지면 천하의 일은 좀먹어 허물어져서 어떻게 해볼 수가 없을 것이다. 일이 이미 좀먹어 허물어졌는데, 어째서 "크게 형통하다"고 하였으며, 또 어째서 "천하가 다스려진다"고 하였는가? 비색함[否]이 극에 달하면 다시 태평한[泰] 때로 돌아서고, 깎여나감[剝]이 다하게 되면 다시 회복하게[復] 되는 것이 당연한 천리이다. 온 세상이 병들어 허물어지면 하늘이 반드시 '고(蠱)'를 다스릴 사람을 내려주고, 그 사람은 반드시 '고(蠱)'를 다스릴 방도를 갖고 있다. 괘의 재질로 말하면 손괘(巽卦☴)의 바람은 천하를 호령하기에 충분하고, 간괘(艮卦☶)의 산은 조용히 퇴폐한 풍속을 진압할 수 있으며, 굳센 양이 위에서 멈출 수 있고 부드러운 양이 아래에서 이치에 따른다. 갑(甲)보다 앞으로 삼일 동안 그렇게 된 이유를 연구하고, 갑보다 뒤로 삼일 동안 일이 어떻게 끝날지를 숙고하니, 이것이 천하가 다스려지는 까닭이다. 성인이 좀먹어 허물어지는 세상에서 반드시 "크게 형통하여 천하가 다스려진다"고 하여 사람이 뭔가 해볼 수 있도록 격려하였으니, 그 뜻이 깊다.

## 박문건(朴文健) 『주역연의(周易衍義)』

蠱, 事也. 事大亨則天下自治. 此釋蠱元亨三字之義.

---

66) 경학자료집성DB에서는 고괘(蠱卦) 괘사에 해당하는 것으로 분류했으나, 내용에 살펴 이 자리로 옮겼다.

'고'는 일이다. 일이 크게 형통하면 천하가 저절로 다스려진다. 이는 '고원형(蠱元亨)' 세 글자의 뜻을 풀이하였다.


### 김기례(金箕澧) 「역요선의강목(易要選義綱目)」

元亨而天下治也.
크게 형통하여 천하가 다스려진다.

本義曰, 亂之終, 治之始. 蓋大善以亨, 治天下之道.
『본의』에서 "혼란이 끝나는 것이 다스려지기 시작하는 것이다"라고 말하였으니, 크게 착하여 형통한 것이 천하를 다스리는 도리이다.[67]

---

[67] 여기에서의 '원형(元亨)'을 '크게 선하여 형통하니'로 풀이한 것은 『정전』이고, 『본의』에서는 '원형'을 '크게 형통하니'로 보았는데, 김기례의 경우는 『본의』의 해석을 '크게 선하여 형통하니'로 보았다.

# 利涉大川, 往有事也.

큰 내를 건너는 것이 이로움은 가서 일함이 있는 것이다.

## ‖中國大全‖

### 傳

方天下壞亂之際, 宜涉艱險以往而濟之. 是往有所事也.

온 세상이 허물어져 어지러운 때를 만났으니, 마땅히 어려움과 험함을 건너가서 구제하여야 한다. 이는 가서 일하는 바가 있는 것이다.

### 小註

臨川吳氏曰, 蠱之時, 當勇往有所事以濟險難. 若巽懦而止, 則終於蠱而已, 豈能元亨哉.

임천오씨가 말하였다: 고괘(蠱卦)의 때에는 용감하게 나아가 일하여 험난한 데에서 구제하는 것이 마땅하다. 나약하게 공손하여 멈추어 버린다면 허물어지는데서 끝나고 말 것이니, 어찌 크게 착하고 형통하겠는가?

## ‖韓國大全‖

심조(沈潮) 「역상차론(易象箚論)」

彖, 利涉大川.

「단전」에서 말하였다: 큰 내를 건너는 것이 이로움은.

自初至四有坎象, 又互有兌震. 故稱大川, 說而動, 故曰利涉.
초효로부터 사효까지에는 감괘(坎卦☵)의 상이 있고, 또 호괘로는 태괘(兌卦☱)와 진괘(震卦☳)가 있다. 그러므로 '큰 내'라 하였고, 기뻐하여 움직이므로 "건너는 것이 이롭다"라고 하였다.

### 서유신(徐有臣) 『역의의언(易義擬言)』

無事所以致蠱, 有事所以治蠱也. 然治蠱, 涉川, 皆當戒懼, 不敢忽易也.
아무 일이 없는 것이 '고(蠱)'에 이르는 이유이고, 무슨 일이 있는 것이 '고(蠱)'를 다스릴 수 있는 까닭이다. 그러나 '고(蠱)'를 다스림과 큰 내를 건넘은 모두 마땅히 경계하고 두려워해야 하니, 감히 가벼이 여겨 소홀하게 해서는 안 된다.

### 김기례(金箕澧) 「역요선의강목(易要選義綱目)」

往有事也.
가서 일함이 있는 것이다.

治蠱, 不宜懦巽. 當勇往以濟, 豈不元亨乎.
'고(蠱)'를 다스리려면 마땅히 나약하고 공손해서는 안 된다. 마땅히 용감하게 나아가 구제해야하니, 어찌 크게 형통하지 않겠는가?

先甲三日, 後甲三日, 終則有始, 天行也.

"선갑삼일, 후갑삼일"은 마치면 시작이 있는 것이니 하늘의 운행이다

## ║中國大全║

### 傳

夫有始則必有終, 旣終則必有始, 天之道也. 聖人知終始之道, 故能原始而究其所以然, 要終而備其將然, 先甲後甲而爲之慮, 所以能治蠱而致元亨也.

시작이 있으면 반드시 마침이 있고, 이미 마치면 반드시 시작이 있는 것이 하늘의 도이다. 성인은 마치고 시작하는 도리를 안다. 그러므로 시작의 근원을 찾아 일이 그렇게 되는 까닭을 연구하고, 마침을 알아 장차 그렇게 될 것에 대비하여 '갑(甲)'보다 앞으로 삼일 동안 하고, 갑보다 뒤로 삼일 동안 하여[先甲後甲] 생각하니, 이 때문에 '고(蠱)'를 다스려 크게 선하여 형통하게 될 수 있다.

### 本義

釋卦辭. 治蠱至於元亨, 則亂而復治之象也. 亂之終, 治之始, 天運然也.

괘사를 해석하였다. '고(蠱)'를 다스려 크게 형통함에 이르니, 혼란하였다가 다시 다스려지는 상이다. 혼란함이 끝나는 것이 다스려짐이 시작하는 것이니, 하늘의 운행이 그러하다.

#### 小註

朱子曰, 蠱元亨而天下治, 須是大善以亨, 方能治蠱也.

주자가 말하였다: "고(蠱)는 크게 착하여 형통해서 천하가 다스려진다"고 하였으니, 크게 선하여 형통해야 '고(蠱)'가 다스려질 수 있다는 것이다.

○ 臨川吳氏曰, 數日以甲者, 以其爲十日之始也. 先乎甲之三日者, 辛也. 由辛歷壬癸而十日終, 終則又始於甲. 歷乙丙以至于丁, 而爲後乎甲之三日矣. 終始循環天之運行也. 治蠱者亦當終前事始後事, 如天之行也.

임천오씨가 말하였다: 갑(甲)으로 날짜를 세는 것은 갑(甲)은 십일의 시작이 되기 때문이다. 갑보다 삼일을 앞서는 것은 신(辛)이다. 신에서 임계를 거치면 십일이 끝나고, 끝나면 다시 갑에서 시작한다. 을(乙)·병(丙)을 지나 정(丁)에 이르러 갑보다 뒤로 삼일이 된다. 마치면 시작하여 순환하는 것이 하늘의 운행이다. '고(蠱)'를 다스리는 것 역시 마땅히 앞의 일을 마치고서 뒤의 일을 시작하는 것이니, 하늘의 운행과 같다.

○ 古爲徐氏曰, 先三後三者, 六爻也. 爻終于六, 七則更爲之端矣, 所謂終則有始天行也. 七日得, 七日來復, 皆其義也.

고위서씨가 말하였다: 앞으로 셋, 뒤로 셋은 여섯 효이다. 효는 여섯에서 마치고, 일곱은 다시 시작이 되니, 이른바 "마치면 시작이 있는 것이 하늘의 운행이다"라는 말이다. "칠일만에 얻으리라"[68]라거나 "칠 일만에 와서 회복한다"[69]는 것이 모두 그 뜻이다.

○ 雲峰胡氏曰, 諸卦皆言往有功, 蠱獨曰往有事, 蠱者事也. 事雖已治, 不可以无事視之也. 前事過中而將壞, 卽當爲自新之圖, 後事方始而尙新, 卽當致丁寧之意. 亂之極而治之始, 雖天運然也, 亦人事致然也.

운봉호씨가 말하였다: 여러 괘에서 모두 "가면 공(功)이 있다"고 하였는데, 고괘(蠱卦)에서는 유독 "가서 일함이 있는 것이다"고 한 것은 '고(蠱)'라는 것이 '일'이기 때문이다. 일이 비록 이미 다스려졌더라도 아무 일도 없다고 여겨서는 안 된다. 앞의 일이 절반을 넘어서면 장차 무너지게 되어 있으므로 마땅히 스스로 새롭게 하기를 도모하여야 하고, 뒷일이 막 시작하여 아직 새로울 때, 간곡하게 정성을 다하여야 한다. 혼란이 극한에 이르면 다스려지기 시작하는 것은 비록 하늘의 운행이 그러한 것이지만, 또한 사람의 일이 그렇게 이룬다.

---

68) 『周易·震卦』: 六二, 震來厲, 億喪貝, 躋于九陵, 勿逐, 七日得.
69) 『周易·復卦』: 象曰, 反復其道, 七日來復, 天行也.

# ‖韓國大全‖

## 권근(權近) 『주역천견록(周易淺見錄)』

程傳以爲治蠱之道, 本義以爲積弊而至於蠱, 二說不同.

『정전(程傳)』은 '고(蠱)'를 다스리는 도리로 보았고, 『본의(本義)』는 폐단이 쌓여 '고(蠱)'에 이르는 것으로 보아 두 설이 같지 않다.

愚謂, 剛上而柔下, 猶否之上下不交也. 下柔巽而不能爲, 上苟止而不肯爲, 此所以積弊而成蠱也. 然所以元亨而天下治者, 乱極則必治, 聖人之心无不可爲之時. 故又言可以元亨, 而治蠱之道. 所謂利涉大川, 先甲後甲, 是也. 故曰, 終則有始, 乱終則治必始也.

내가 살펴보았다: "굳센 양이 올라가고 부드러운 음이 내려온다"는 것은 비괘(否卦)에서 "위 아래가 교류하지 않는다"[70]라고 한 것과 같다. 아랫사람이 부드럽고 공손하기만 하여 어떤 일을 할 수가 없고, 윗사람은 구차하게 멈춰 기꺼이 하려하지 않으니, 이는 폐단이 쌓여 '고(蠱)'가 된다. 그러나 크게 형통해서 천하가 다스려지는 이유는 혼란이 극에 이르면 반드시 다스려지고, 성인의 마음에는 훌륭한 일을 할 수 없는 때가 없기 때문이다. 따라서 다시 크게 형통하여 '고'를 다스릴 수 있는 도리를 말하였다. 이른바 "큰 내를 건너는 것이 이롭다"란 "갑보다 삼일 앞서서 하고 갑보다 뒤로 삼일을 한다"는 것이 그것이다. 그러므로 "마치면 시작이 있는 것이다"라고 하였으니, 이는 혼란이 그치면 반드시 다스림이 시작된다는 뜻이다.

## 박광일(朴光一) 「고괘선갑삼일후갑삼일도병설(蠱卦先甲三日後甲三日圖並說)」

䷑蠱. 〈巽下艮上.〉

고괘(蠱卦䷑). 〈손괘(巽卦☴)는 아래에 있고 간괘(艮卦☶)는 위에 있다.〉

彖辭曰, 先甲三日, 後甲三日.

괘사에서 말하였다. 갑(甲)보다 앞으로 삼일 동안 하고, 갑보다 뒤로 삼일 동안 한다.

○ 象傳曰, 先甲三日, 後甲三日, 終則有始, 天行也.

「단전」에서 말하였다. "선갑삼일, 후갑삼일"은 마치면 시작이 있는 것이니, 하늘의 운행이다.

---

70) 『周易·否卦』: 象曰, 否之匪人不利君子貞大往小來, 則是天地不交而萬物不通也, 上下不交而天下无邦也.

山下有風, 女之惑男, 皆亂象. 故言其治之之事, 亂極必治, 終始之義而天運然也. 先甲
終於甲申之巽方, 則甲午之後甲始焉. 後甲終於甲寅之艮方, 則甲子之先甲始焉. 先甲
三日, 後甲三日, 終則有始, 天行者, 蓋如此. 甲子乙丑, 從天行順數, 至癸酉則乃甲戌
也. 六甲之逐,[71] 蓋亦歲之逐[72]天而成之, 義非以人力用意安排者也. 因其象作圖如左.
산아래 바람이 있는 것은 여자가 남자를 유혹하는 것으로 모두 어지러운 상이다. 그러므로
그 다스리는 일을 말하였으니, 어지러움이 극에 달하면 반드시 다스려지는 것으로, 이는 마
치면 시작함이 있다는 뜻을 담고 있으며, 하늘의 운행이 그러함을 말하였다. '선갑'이 갑신
(甲申)의 손괘(巽卦☴) 방위에서 마치면 갑오(甲午)의 '후갑'이 시작된다. 후갑이 갑인(甲
寅)의 간괘 방위에서 마치면 갑자(甲子)의 선갑이 시작된다. '선갑삼일, 후갑삼일'이란 마치
면 시작이 있는 것으로 하늘의 운행이 이와 같은 것이다. 갑자 · 을축은 하늘의 운행을 따라
순하게 헤아리는 것으로 계유(癸酉)에 이르면 이어서 갑술(甲戌)이 된다. 육갑이 이루어지
는 것은 해[歲]가 하늘의 운행을 따라 이루어지는 것으로 그 뜻이 인력으로 애써서 안배하는
것이 아니다. 그 상을 따라 그림을 그리면 다음과 같다.

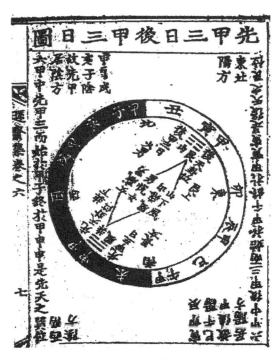

［先甲三日後甲三日圖］

---

71) 逐: 경학자료집성DB에 '逆'으로 되어 있으나, 경학자료집성 영인본의 글자는 '逐'으로 파악된다.
72) 위와 같음.

按, 天行循環而甲爲始也. 治亂相尋而治爲始也. 是故, 於其將治之先而圖所以自新.
於其既治之後而又致其丁寧之意, 此蠱之先甲三日後甲三日之義也. 蓋先甲三日辛也,
而禮註曰, 辛有新意, 後甲三日丁也, 而禮註曰丁有丁寧之意. 先於甲三日而圖所以自
新, 則亂已窮也. 後於甲三日而又致其丁寧之意, 則治益著也. 故曰終則有始天行也.
其所以必以三日爲言者, 非但取象於卦之前三爻後三爻也. 陽之數經一而圍三, 故少
陽之位居三而老陽之數三三之積也. 是以古人所謂三致意, 所謂三歎者, 皆以三爲言.
如冠之前三日戒賓, 婚之後三日見廟, 喪之後三日殯斂, 祭之前三日齋戒, 莫不以三日
爲禮. 今此先甲三日後甲三日, 亦此意. 況先甲三日是辛, 而後甲三日是丁乎. 姑記管
見以待知者云.

내가 살펴보았다: 천도가 순환하는데 갑이 시작이 된다. 혼란을 다스려 서로 방도를 찾는
것이 다스림의 시작이다. 그러므로 다스리기에 앞서서 스스로 새롭게 하기를 도모하고, 이
미 다스려진 뒤에도 간곡하게 하는 뜻을 다하니, 이것이 고괘(蠱卦) '선갑삼일, 후갑삼일'의
뜻이다. 갑보다 삼일 앞서면 신(辛)이니, 『예기』 주석에 "신(辛)은 새롭게 하는 뜻이다"라고
하였다. 갑보다 삼일 뒤는 정(丁)이니, 『예기』 주석에 "정(丁)은 간곡하게 하는 뜻이다"라고
하였다. 갑보다 삼일 앞서서 스스로 새롭게 하기를 도모하니, 혼란은 이미 끝난 것이다. 갑
보다 뒤로 삼일 동안 하여 다시 간곡하게 하는 뜻을 다 하니, 다스림이 더욱 확고해진다.
그러므로 "마치면 시작함이 있으니, 하늘의 운행이다"라고 하였다. 굳이 '삼일'을 가지고 말
한 이유는 단지 괘의 앞의 삼효와 뒤의 삼효에서 상을 취했기 때문만은 아니다. 양의 수는
지름이 하나이고 둘레가 셋이므로 소양의 자리는 삼(三)에 있고, 노양의 수는 삼(三)과 삼
(三)을 곱한 것이다. 그러므로 옛 사람들이 "세 번 뜻을 다한다"거나 "세 번 감탄한다"고
하여 모두 셋으로 말하였다. 예컨대 관례를 올리기 삼일 전에 관례를 집행할 어른을 모시고,
혼인한지 사흘 뒤에 사당에 뵈며, 상을 당한지 삼일 후에 시신을 염(斂)하고, 제사 지내기
전 삼일 동안 재계하여 삼일을 예(禮)로 삼지 않는 경우가 없다. 지금 여기서 말하는 '선갑삼
일, 후갑삼일' 역시 이러한 뜻이다. 하물며 갑보다 삼일 앞선 날이 신(辛)이고, 갑보다 삼일
뒤가 정(丁)임에랴! 짐짓 좁은 소견을 기록하여 지혜로운 이를 기다린다.

## 강석경(姜碩慶) 『역의문답(易疑問答)』

問, 蠱之象曰, 剛上而柔下, 巽而止, 蠱. 先儒謂之卦變, 而程子以乾坤爲主, 本義以井
既濟爲主, 是何不同乎. 且這箇卦變之義, 既無關先天生卦底法, 又不自後天求卦中出.
其於觀象玩占之時, 少無緊關可用之義, 而卦卦皆有解者各異, 何所用, 而若是不一乎.
물었다: 고괘의 「단전」에 "고괘(蠱卦)는 굳센 양이 올라가고 부드러운 음이 내려오니, 공손
하고 멈추어 있는 것이 고이다"라고 하였습니다. 이전의 유학자들은 이를 괘의 변화로 설명

하였는데, 정자(程子)는 건괘와 곤괘를 위주로 하였고, 『본의』에서는 정괘(井卦䷯)와 기제괘(旣濟卦䷾)를 위주로 하였으니, 이는 어째서 같지 않습니까? 또 이 괘의 변화라는 뜻이 이미 복희의 선천역에서 괘를 내는 법과 무관하고, 문왕의 후천역에서 괘를 구하는 가운데 나오는 것도 아닙니다. 상을 관찰하고 점을 완미할 때 조금도 긴밀히 연관되어 쓸 수 있는 뜻이 없고, 괘마다 모두 설명하는 것이 각기 다르다면 무슨 소용이 있겠습니까? 이와 같이 일치하지 않는단 말입니까?

曰, 程子嘗云, 聖人始畫八卦, 三才之道備矣. 因而重之, 以成六十四卦. 又因賁自泰來之說而論之曰, 乾坤變而爲六子, 八卦重而爲六十四卦, 是皆由乾坤之變也. 豈有乾坤重而爲泰, 又由泰而變之理乎. 朱子論程子之說曰, 他說聖人始畫八卦, 不知聖人畫八卦時先畫甚卦, 此處便曉他不得. 又云說, 兩儀四象, 自不分明. 蓋譏他不知兩儀四象加倍而爲生卦之序也. 余竊想程子之意, 必以爲乾坤爲易之門, 而六十四卦之陰陽剛柔, 皆出於此. 故聖人畫卦時, 連疊三陽以爲乾, 並累三陰以爲坤, 乾坤既成之後, 復以乾坤初爻相交, 而爲震巽, 中爻相交而爲坎离, 上爻相交而爲艮兌, 以至重卦而六十四卦之成, 亦如此矣. 故卦變之說, 必以乾坤爲主也.

답하였다: 정자(程子)가 이렇게 말한 적이 있습니다. "성인이 처음 팔괘를 긋자, 삼재의 도가 갖추어졌다. 이로써 중첩하여 육십사괘가 이루어졌다." 또, 비괘(賁卦䷕)가 태괘(泰卦)로부터 왔다는 설에 대하여 이렇게 논하였습니다. "건괘와 곤괘가 변하여 여섯 자식이 되고, 팔괘가 중첩하여 육십사괘가 이루어지니, 이는 모두 건괘와 곤괘의 변화로부터 온 것이다. 어찌 건괘와 곤괘가 중첩하여 태괘(泰卦)가 되었는데, 또 태괘로 말미암아 변하는 이치가 있겠는가?" 주자는 정자의 설에 대해 이렇게 논하였습니다. "정자가 성인이 처음 팔괘를 그었음을 말하면서, 성인이 팔괘를 그을 때 무슨 괘를 먼저 그었는지 알지 못하였으니, 여기에서 정자가 능통하지 못하였음을 알 수 있다."[73] 또 "정자의 양의(兩儀)와 사상(四象)에 대한 설명은 분명하지 않다"[74]라고도 하였습니다. 이는 양의에서 사상이 되는 원리는 배수를 더하여 괘를 낳는 순서가 된다는 것을 정자가 알지 못하였다고 비판한 것입니다. 제가 정자의 뜻을 가만

---

[73] 『朱子語類·易三』: 問: "易傳如何看?" 曰: "且只恁地看." 又問: "程易於本義如何?" 曰: "程易不說易文義, 只說道理極處, 好看." 又問: "乾繇辭下解云: '聖人始畫八卦, 三才之道備矣. 因而重之, 以盡天下之變, 故六畫而成卦.' 據此說, 卻是聖人始畫八卦, 每卦便是三畫, 聖人因而重之爲六畫. 似與邵子一生兩, 兩生四, 四生八, 八生十六, 十六生三十二, 三十二生六十四, 爲六畫, 不同." 曰: "程子之意, 只云三畫上疊成六畫, 八卦上疊成六十四卦, 與邵子說誠異. 蓋康節此意不曾說與程子, 程子亦不曾問之, 故一向只隨他所見去. 但他說'聖人始畫八卦', 不知聖人畫八卦時, 先畫甚卦? 此處便曉他不得."

[74] 『朱子語類·易七』: 伊川說: "乾坤變爲六子", 非是. 卦不是逐一卦畫了, 旋變去, 這話難說. 伊川說兩儀四象, 自不分明.

히 살펴보니, 반드시 건괘(乾卦☰)와 곤괘(坤卦☷)를 역의 문으로 삼아 육십사괘의 음양·강유가 모두 여기에서 나왔다고 여기는 것입니다. 그러므로 성인이 괘를 그을 때 세 양을 연달아 중첩하여 건괘(乾卦☰)를 삼고, 세 음을 누적하여 곤괘(坤卦☷)를 삼았다고 보았습니다. 건곤괘가 이미 이루어진 후에는 다시 건괘(乾卦☰)와 곤괘(坤卦☷)의 초효를 서로 사귀게 하여 진괘(震卦☳)와 손괘(巽卦☴)를 삼고, 가운데 효를 서로 사귀게 하여 감괘(坎卦☵)와 리괘(離卦☲)를 삼고, 상효를 서로 사귀게 하여 간괘(艮卦☶)와 태괘(兌卦☱)를 삼았으니, 괘를 중첩하여 육십사괘가 이루어지는데 이르러서도 역시 이와 같습니다. 그러므로 괘의 변화에 대한 설에서도 반드시 건괘(乾卦☰)와 곤괘(坤卦☷)를 위주로 하였습니다.

然而生卦之序, 實不知此. 夫兩儀四象加一倍法而六十四卦, 一齊俱生, 本非先有乾坤之卦, 而由乾坤之變以成諸卦也, 則卦變之不可主乾坤, 斷可識矣. 至如朱子特破程子主乾坤之說, 此最卻是, 而其自爲說, 則反主比爻相易之例. 如訟之剛來得中, 則以爲訟自遯來, 謂其遯之九三來居二位, 六二之柔, 進爲六三, 而爲訟之卦也. 此旣非先天生卦之序, 又非後天觀變之法, 此變從何生而此義何所用乎. 夫卜筮之法, 旣有本卦, 又有之卦, 所謂之卦, 卽變卦也. 假如本卦遇乾, 而初九變則爲姤, 九二變則爲同人, 九三變則爲履, 九四變則爲小畜, 九五變則爲大有, 上九變則爲夬. 至於二三四五幷疊互變, 而以至六爻變盡則可變爲六十四卦, 而終爲純坤之卦矣. 然則本卦難一而變卦無窮, 六十四卦至有四千九十六卦之變. 安知某卦之變來爲此卦乎. 且旣云卦變, 則九六之變, 周流六虛, 上下无常矣, 而朱子只以比爻陰陽變而易位者爲例. 然則六十四卦之變, 只有比爻一例外, 夐無他可變之路乎. 若無他例, 則卦之變只一矣. 何可變爲六十四卦乎. 由是觀之, 程傳之主乾坤, 本義之主比爻, 旣非先天生爻立卦之法, 又非後天觀變玩占之術, 玆豈非所謂楚雖失而齊亦未爲得者耶.

그러나 괘를 낳는 순서가 실로 이런지는 모르겠습니다. 양의에서 사상이 되는 것은 배수로 더하는 원리에 의한 것으로 육십사괘가 모두 균등하게 생겨나니, 본래 먼저 건곤괘가 있고 건곤괘의 변화로부터 다른 괘들이 이루어지는 것이 아닙니다. 그러므로 괘의 변화는 건곤괘를 중심으로 할 수 없다는 것을 단적으로 알 수 있습니다. 주자는 특히 정자의 건곤괘를 위주로 한 설을 변파하였으니, 이는 매우 옳습니다만 그가 스스로 설로 삼은 것은 도리어 비효(比爻)가 서로 바뀌는 예를 주로 하고 있습니다. 예를 들어 송괘(訟卦䷅)에서 "굳센 양이 와서 중을 얻었다"는 것은 송괘가 돈괘(遯卦䷠)로부터 왔다고 여기는 것으로, 돈괘의 구삼이 와서 이효의 자리에 있고, 부드러운 육이가 나아가 육삼이 되어 송괘가 된다는 말입니다. 이는 「복희선천도」에서 괘를 낳는 순서도 이미 아니고, 또 「문왕후천괘도」에서 변화를 보는 법도 아니니, 이 변화는 어디서부터 생겨났으며, 이 의미가 무슨 소용이 있는 것입니까? 점치는 법은 이미 본괘가 있고, 또 '지괘(之卦)'가 있으니, '지괘'란 변한 괘입니다.

가령 본괘로 건괘를 만났는데 초구가 변하면 구괘(姤卦䷫)가 되고, 구이가 변하면 동인괘
(同人卦䷌)가 되고, 구삼이 변하면 리괘(履卦䷉)가 되고, 구사가 변하면 소축괘(小畜卦䷈)
가 되고, 구오가 변하면 대유괘(大有卦䷍)가 되고, 상구가 변하면 쾌괘(夬卦䷪)가 됩니다.
이효, 삼효, 사효, 오효에 이르기까지 중첩하여 서로 변하여 여섯 효가 변화를 다하는 데까
지 이르면 육십사괘로 변할 수 있지만, 끝내 순건괘(純乾卦), 순곤괘(純坤卦)인 것입니다.
이미 괘의 변화라고 하였으니, 구·륙(九六)이 변하여 육허(六虛)를 두루 흘러서 위아래가
일정하지 않은데, 주자는 단지 비효(比爻)의 음양이 변하는 것으로 자리를 바꾸는 것을 사
례로 삼았습니다. 그러니 육십사괘의 변화는 단지 비효(比爻)의 한 가지 사례 외에 다시
달리 변할 수 있는 방법이 없습니다. 만일 다른 방법이 없다면 괘의 변화는 단지 한 가지
길만 있게 됩니다. 어떻게 변하여서 육십사괘가 될 수 있겠습니까? 이로부터 본다면『정전』
에서 건·곤괘를 위주로 하는 것이나,『본의』에서 비효를 중심으로 하는 것이 이미「복희선
천도」에서 효를 내고 괘를 세우는 법이 아니며, 또 후천에서 변화를 관찰하고 점을 완미하
는 방법도 아닙니다. 이것이 어찌 초나라가 잃어버렸다고 해서 제나라도 얻지 못하였다고
하는 경우가 아니겠습니까?

問, 子於傳義之說, 兩非而俱不取, 則必自有折衷之說, 願一聞之. 曰, 經前後兩大賢,
皆有所未能透, 則其在後人, 雖自謂透祗取誚耳. 曷余信乎.
물었다: 당신은『정전』과『본의』의 설명이 둘 다 그르다고 여겨 모두 취하지 않으니, 그렇
다면 반드시 스스로 절충한 설이 있을 것입니다. 한번 들려주십시오.
답하였다: 앞뒤로 두 분의 훌륭한 현인들이 모두 통달하지 못한 바가 있는데, 뒷사람이 스스
로 통달하였다고 한다면 책망을 들을 뿐입니다. 제가 어찌 확신할 수 있겠습니까.

曰, 信得及者, 固是希有, 而知猶不言, 則何貴於知. 言不言在己, 信不信在人. 萬世之
後, 若有大聖知其解者, 是亦朝暮遇之也.
물었다: 진리를 얻었다고 확신할 수 있는 경우는 매우 드문 것이지만, 알고도 말하지 않는다
면 앎이 무엇이 귀하겠습니까? 말하고 말하지 않음은 자기에게 달린 것이고, 믿고 믿지 않음
은 남에게 달린 것입니다. 만세 뒤에 성인이 나와 그 설을 알아준다면, 이 역시 아침 저녁사
이에 만나는 것과 다름이 없을 것입니다.

曰, 卦有內外之兩體, 內者下卦也, 外者上卦也. 故九六之在於上卦者, 謂之進, 謂之
往. 九六之在於下卦者, 謂之退, 謂之來. 其所謂來往者謂當求卦之際, 一索再索而得
陽, 則謂之陽來, 得陰則謂之陰來. 四索五索而得陽, 則謂之陽進, 得陰則謂之陰進. 豈
爲自某卦某爻而來於此往於彼之謂乎. 如蠱之象, 所謂剛上而柔下者, 謂其艮剛在上,

巽柔在下而爲蠱卦也, 卽是一索得女而柔在下, 六索得男而剛在上. 是說卦體之所以
爲蠱也. 夫豈謂先自柔上剛下之卦而互換其爻爲此剛上柔下之蠱乎.

답하였다: 괘에는 안팎의 두 몸체가 있으니, 안의 것이 하괘이고, 밖의 것이 상괘입니다.
그러므로 구·륙(九六)이 상괘에 있는 것을 나아간다[進], 간다[往]라고 합니다. 구·륙이
하괘에 있는 것을 물러난다[退], 온다[來]라고 합니다. 이른바 왕래한다는 것은 괘를 구할
때에 건괘와 곤괘가 한 번 사귀고 두 번 사귀어 양을 얻으면 양이 온다고 하고, 음을 얻으면
음이 온다고 합니다. 네 번 사귀고 다섯 번 사귀어 양을 얻으면, 양이 나아간다고 하고, 음을
얻으면 음이 나아간다고 합니다. 어찌 어떤 괘 어떤 효가 여기로 오고 저기로 가는 것을
말하는 것이겠습니까? 고괘의 「단전」에서 "굳센 양이 위에 있고 부드러운 음이 아래 있
다"[75]는 것은 굳센 간괘가 위에 있고, 부드러운 손괘가 아래에 있어 고괘가 된다는 말입니
다. 즉 첫 번 사귀어 딸을 얻으니 부드러운 음이 아래에 있고, 여섯 번째 사귀어 아들을
얻어 굳센 양이 위에 있습니다. 이것이 괘의 몸체가 '고(蠱)'가 되는 까닭에 대한 설명입니
다. 어찌 먼저 부드러운 음이 위에 있고 굳센 양이 아래에 있는 괘로부터 서로 그 효를 바꾸
어 굳센 양이 위에, 부드러운 음이 아래에 있는 고괘가 된다고 하겠습니까?

曰, 子不知易也. 易以交易變易爲主, 則互換往來, 正是易之道也. 曰, 若言交易變易之
義, 則一卦可變爲六十四卦, 而今必指定某卦變爲此卦, 則其變不亦狹乎. 吾請, 歷陳
卦變之說, 破舊說之礙而不通, 證吾說之通而不礙.

물었다: 당신은 역(易)을 모르시는군요. 역은 교역(交易), 변역(變易)을 위주로 하여 서로
바꾸어 왕래하니, 이것이 바로 역의 도입니다.

답하였다: 교역, 변역의 의미로 말한다면, 한 괘가 육십사괘로 변할 수 있는 것인데, 이제
하필 어떤 괘를 지정해서 이 괘로 변한다고 하니, 그 변화가 협소하지 않습니까? 제가 괘의
변화에 대한 설을 펼쳐서 옛 학설들이 막혀 통하지 않음을 변파하고 제 설이 통하여 막힘이
없음을 증명해 보이고자 합니다.

子其聞之, 澤山之象曰, 柔上剛下. 此言其兌柔在上艮剛在下也. 雷風之象曰, 剛上柔
下, 此言其震剛在上巽柔在下也. 又如言柔進而上行者, 凡四卦大有晉與睽鼎, 是也.
此四卦, 皆以六居五, 六是陰柔之稱, 五是人君之位也. 陰本在下之物, 而居在君位之
尊, 故曰柔進而上行, 非謂自下卦而進居五位也. 又非謂自某卦而來居, 此卦也.

당신은 택산 함괘(咸卦)의 「단전」에 "부드러운 음이 올라가고 굳센 양이 온다"라고 하였음
을 들었을 텐데, 이는 부드러운 태괘(兌卦☱)가 위에 있고 굳센 간괘(艮卦☶)가 아래에 있

---

75) 강석경의 해석이 아닌 다른 곳에서는 모두 "굳센 양이 올라가고, 부드러운 음이 내려간다"는 취지로 보았다.

음을 말합니다. 뇌풍 항괘(恒卦)의 「단전」에서는 "굳센 양이 올라가고 부드러운 음이 내려온다"라고 하였는데, 이는 굳센 진괘가 위에 있고, 부드러운 손괘가 아래에 있는 것입니다. 또 "부드러운 음이 나아가 위로 간다"라고 한 경우는 대유괘(大有卦䷍)·진괘(晉卦䷢)·규괘(睽卦䷥)·정괘(鼎卦䷱)의 네 괘가 이것입니다. 이 네 괘는 육(六)이 오효에 있는데, 육(六)이란 부드러운 음을 가리키는 것이고, 오효는 임금의 자리입니다 음은 본래 아래에 있는 것인데 존귀한 임금의 자리에 있으므로 "부드러운 음이 나아가 위로 간다"라고 하였지, 하괘로부터 나아가 오효의 자리에 있다는 말이 아닙니다. 또 이 괘는 어떤 괘로부터 와서 있게 되는 것이라고 말하는 것도 아닙니다.

本義, 則以爲蠱自井旣濟來, 咸自旅來, 恒自豊來, 此皆以比爻兩位互換者爲法也. 又如否泰之爲卦, 專由乾坤之下上而, 本義以爲否自漸來, 泰自歸妹來, 有甚義理. 是亦拘於比爻互換之法, 是果象傳之義乎. 又如風水之象曰, 剛來而不窮, 柔得位乎外而上同, 此言九之剛不窮極於下來而止於下卦之中, 六之柔得位於外卦之四位, 而上同乎五之君位也. 象傳之意分明如此, 而本義則必以二三爻位之互換爲主以爲渙, 自漸來夫六往居三, 則本非得位矣. 三在內卦則又非外矣. 三之於五, 非應非比則亦不可謂上同矣. 違於象辭有若此者, 而自不暇顧, 創立孤論, 吁亦異矣. 凡象傳言卦體, 多言柔進剛來, 剛上柔下之說. 後之說易者, 因此遂生卦變之論, 而象意之不然, 則已言之矣.

『본의』에서는 고괘(䷑)가 정괘(井卦䷯)와 기제괘(旣濟卦䷾)에서 오고, 함괘(䷞)는 려괘(旅卦䷷)에서, 항괘(恒卦䷟)는 풍괘(豊卦䷶)에서 온다고 하였으니, 이는 모두 비효(比爻)의 두 자리를 서로 바꾸는 것을 법칙으로 삼은 것입니다. 또한 비괘와 태괘 같은 괘의 성립은 건곤괘가 위에 있거나 아래에 있는데 따른 것인데, 『본의』에서는 비괘(否卦䷋)는 점괘(漸卦䷴)에서, 태괘(泰卦䷊)는 귀매괘(歸妹卦䷵)에서 온다고 보았으니, 여기에 무슨 의미가 있는 것입니까? 이 역시 비효끼리 서로 바꾸는 법에 얽매여 있는 것이니, 이것이 과연 「단전」의 뜻이라고 하겠습니까? 또 풍수 환괘(渙卦)의 「단전」에 "굳센 양이 와서 다하지 않고 부드러운 음이 위에서 자리를 얻어 위로 함께 한다"라고 하였으니, 이는 구(九)의 굳센 양이 아래에서 꽉 막혀있지 않고 하괘의 가운데에서 멈추어 있으며, 육(六)의 부드러운 음이 외괘의 네 번째 자리에 자리를 얻어 위로 구오의 임금 자리와 함께 하는 것입니다. 「단전」의 뜻이 이처럼 분명한데, 『본의』에서는 굳이 이삼효의 자리를 바꾸는 것을 위주로 환괘(渙卦䷺)를 삼아, 점괘(漸卦䷴)로부터 육이가 가서 삼효의 자리에 있다고 하였으니, 이는 본래 제 자리를 얻은 것이 아닙니다. 삼효는 내괘에 있으니 바깥이 아닙니다. 육삼은 구오에 대하여 호응하는 것[應]도 친밀한 것[比]도 아니므로, 역시 위와 함께 한다고 할 수가 없습니다. 이처럼 「단전」과 어긋나는데 스스로 돌아보지 않고 자기만의 이론을 창립하였으니, 아, 이상하지 않습니까? 「단전」에서 괘의 몸체를 말하면서 "부드러운 음이 나아가고 굳센 양이 온다"거나 "굳센 양이 올라가고 부드러운 음이 내려온다"라고 한 곳이 많습니다. 후세에 역을 해설하는 사람이 이로 인하여 마침내 괘의 변화에 대한 이론을 만들어 내었지만, 「단전」의 의미는 그렇지 않다는 것은 제가 이미 말하였습니다.

至若文王損益名卦之意, 周公三人損一之義, 疑若眞有卦變之事, 而此亦有不然者. 六十四卦生則俱生, 元非先有否泰之卦而因變以成損益之體也. 只自成卦後觀之, 自有如此意思, 此所謂後天之學也. 後之論卦變者, 與其主象傳以爲欛柄, 寧主文王周公之辭, 庶或有可證, 而第非三陽三陰均適之卦, 則程傳不言卦變者, 以其無可證乾坤也. 又無比爻九六互換之象, 則朱子不言卦變者, 以其比爻無互換也. 朱子嘗謂程子卦變, 只可行於陰陽三位均適之卦, 而餘則不通, 其所以譏程傳之失, 則正是矣, 而至於自說卦變, 則卻說九六二爻相比之卦. 夫卦之變遷, 不專由於乾坤, 而其變無常, 又不止於比爻, 則甲乙兩論, 雖不同而拘而不通, 豈有異乎, 且如山火之象曰, 柔來文剛, 分剛上而文柔. 蓋以柔爻在下卦二剛之間, 故曰柔來文剛, 剛爻在上卦二柔之上, 故曰分剛文柔. 其所謂來者, 非自彼而來此也, 其所謂上者, 非自下而進上也, 觀其卦象, 自有如此意思云爾, 何必言由乾坤損旣濟來然後, 可合於象傳之意乎. 吾以是知古今論卦變者, 雖各不同而勿論優劣, 皆是載鬼之說也.

문왕이 손괘(損卦), 익괘(損卦)라고 괘의 이름을 붙인 뜻과 주공이 손괘(損卦) 육삼 효사에서 "세 사람이 가면 한 사람을 덜어낸다"라고 한 뜻이 참으로 괘의 변화에 있는가 생각해보면 이 역시 그렇지 않습니다. 육십사괘가 생길 때에는 다 같이 생기지, 원래 비괘(否卦), 태괘(泰卦)가 먼저 있어서 이로 인하여 변해서 손괘(損卦䷨), 익괘(損卦䷩)의 몸체가 되는 것이 아닙니다. 단지 스스로 괘를 이룬 후에 보면 저절로 이러한 의미가 있으니, 이것이 이른바 후천의 공부입니다. 후세에 괘의 변화를 논하는 이들은 「단전」을 중심으로 하기보다는 문왕과 주공이 지은 괘효사를 위주로 하는데, 혹 증거가 될 만합니다. 다만 음효가 셋, 양효가 셋으로 균형이 맞는 괘가 아닌 경우 『정전』에서는 괘변을 말하지 않았는데, 건괘와 곤괘로 그 괘의 변화를 증명할 수 없기 때문입니다. 또 비효(比爻)에서 음・양효를 바꾸는 상이 없는 경우 주자는 괘의 변화를 말하지 않았는데, 이는 그 비효를 서로 바꿀 수 없기 때문입니다. 주자가 "정자가 말한 괘의 변화는 단지 음양이 세 자리씩 고르게 균형을 이룬 괘에서만 적용할 수 있고 나머지는 통하지 않는다"라고 하였는데, 그가 『정전』의 부족한 점을 비판한 것은 참으로 옳습니다. 그러나 그 자신이 괘의 변화를 설명한데 있어서는 도리어 음양 두 효가 서로 비(比)의 관계에 있는 괘를 말합니다. 괘가 변하여 옮겨가는 것은 건・곤괘에서만 말미암는 것이 아니어서 그 변화가 무상하고 또 비효(比爻)에만 그치는 것이 아니니, 갑을 양론이 비록 같지 않지만 모두 얽매여 통하지 않으니 어찌 이상하지 않습니까? 또 산화 비괘(賁卦䷕)「단전」에서 "부드러운 음이 와서 굳센 양을 꾸민다"고 하고, "굳센 양을 나누어 올라가서 부드러운 음을 꾸민다"라고 하였습니다. 하괘에서 음효가 두 양 사이에 있으므로 "부드러운 음이 와서 굳센 양을 꾸민다"라고 하였고, 상괘에서 양효가 두 음효의 위에 있으므로 "굳센 양을 나누어 올라가서 부드러운 음을 꾸민다"라고 한 것입니다. 그 이른바 "온다"는 것은 저 괘에서 이 괘로 오는 것이 아니고, 그 이른바 "올라간다"는 것은 아래로부터 위로 나아가는 것이 아니니, 그 괘상을 보면 저절로 이와 같은 뜻이 있을 뿐입니다. 어찌 반드시 건·곤괘나, 손괘(損卦), 기제괘(既濟卦䷾)로부터 온 다음에라야 「단전」의 뜻에 부합하겠습니까? 저는 이로써 고금의 괘의 변화에 대한 논의들이 비록 각기 같지 않지만, 우열을 말할 것도 없이 모두 규괘(睽卦) 상구효에서 말한 '귀신을 한 수레 실은' 것과 같은 설임을 알게 되었습니다.

曰, 卦變諸說, 固有優劣, 而皆本象傳以釋其義, 則必有其理, 豈可謂無乎. 曰, 先言卦體卦德之所以成其卦, 而次學卦辭解釋其義, 又推極其說, 至於天地聖人, 而贊其義者, 此乃象傳之文體也. 古之解易者, 不達象意, 論列卦體而誅無責有, 指爲卦變, 以疑傳疑, 其來已久. 雖以程朱之學, 眩於謂之之語而習熟見聞, 認爲實有. 雖有爲說各有不同而以無爲有則皆不免焉, 可勝歎哉.

물었다: 괘의 변화에 대한 여러 설들이 참으로 우열이 있지만, 모두 「단전」에 근거하여 그 뜻을 풀이하였으므로 반드시 그 이치가 있을텐데, 어찌 없다고 하겠습니까?

답하였다: 먼저 괘의 몸체와 괘의 덕이 그 괘를 이루게 되는 이유를 말하고, 그 다음 괘사를 가지고 그 의미를 풀이합니다. 또한 그 설명을 끝까지 미루어 천지와 성인에게까지 이르도록 그 의미를 찬탄하는데, 이것이 「단전」의 문체입니다. 옛날 역을 해석하는 이들이 「단전」의 뜻에 통달하지 못하였기에 괘의 몸체를 벌여 놓고 논할 때에 없는 것을 굳이 있다고 따져들면서 이를 괘의 변화라고 지목하였으니, 의문스러운 설을 그대로 전해온 세월이 이미 오래되었습니다. 비록 정자와 주자의 학문이라 할지라도, "그렇게 말씀하셨다"는 말에 눈이 어둡고, 평소에 보고 들은 것을 익숙히 여겨 참으로 괘의 변화가 있다고 여깁니다. 비록 각각의 설들이 같지 않은 점이 있지만, 없는 것을 있다고 여긴 오류는 모두 벗어날 수 없습니다. 그러니 탄식을 이길 수 있겠습니까?

易曰, 蓍之德圓而神, 卦之德方而知, 神以知來, 知以藏往. 此言蓍之所以變, 而卦之所以靜也. 又曰, 君子居則觀其象而翫其辭, 動則觀其變而翫其占. 此言君子居而論易, 則只可卽其卦而觀象玩辭, 動而諏筮則方始假乎蓍而觀變翫占也. 當孔子贊易之時, 蓍在櫝矣, 卦在竹矣. 正是卽其卦而明其義, 以述先聖所畫之卦所繫之辭而已. 又奚假乎蓍而論其變, 以著自己經驗之卦乎.

『주역』에 "시초의 덕은 둥글어 신묘하며, 괘의 덕은 모나서 지혜롭다", "신묘함으로 올 것을 알고 지혜로 간 것을 간직한다"라고 하였습니다. 이는 시초는 변화하고 괘는 정태적이라는 말입니다. 또 "군자는 거처할 때에는 그 상을 보고 그 말을 살펴보며, 움직일 때에는 그 변화함을 보고 그 점(占)을 살펴본다"라고 하였습니다. 이는 군자가 평소 기거하면서 역을 논할 때는 단지 그 괘에서 상을 관찰하고 그 말씀을 완미하며, 행동하려할 때 점치기를 도모하여 비로소 시초를 빌려 그 변화를 관찰하고 점사를 완미한다는 말입니다. 공자가 『역전』을 지었을 시기에는 시초가 상자 속에 있었고, 괘는 죽간에 있었습니다. 바로 그 괘에 나아가 그 의미를 밝히고, 옛 성현이 그은 괘와 거기에 기록한 말씀을 잘 받들 뿐입니다. 또 어찌 시초를 빌려 그 변화를 논하여 이미 지나온 괘를 드러내겠습니까?

或曰, 若如子說, 則朱子所著啓蒙卦變之圖, 亦可謂無用之作乎. 曰, 卦變次序, 最有條理, 三十二圖反覆觀之, 六十四圖卽在其中. 旣非先天又非後天, 而次序條理井井不紊, 與先後天絫爲三圖, 亦可見其妙極道數矣. 況卜其十卦前後, 定其貞悔所主, 實是卜筮之指南也. 豈可謂無用, 而第以此圖證彼卦變, 則非其旨也.

어떤 이가 물었다: 당신의 설대로라면 주자가 『역학계몽』에서 「괘변도」를 지은 것 역시 쓸데없는 일이라는 말이오?

답하였다: 괘의 변화는 순서가 매우 조리가 있어서, 삼 십 이개의 그림을 반복해서 보면 육십사개의 그림이 그 가운데 있습니다. 이미 선천도 아니고 또 후천도 아니며, 순서와 맥락이 반듯하여 어지럽지 않습니다. 선천·후천과 함께 셋이 되어 세 그림이 되니, 지극히 신묘한 도와 수를 볼 수 있습니다. 더군다나 그 열 개 괘의 앞뒤를 분변하여 그 본괘[貞]와 지괘[悔]가 주장하는 것을 정하니,[76] 실로 점치는데 나침반을 제시한 것과 같습니다. 어찌 무용하다고 하겠습니까? 다만 이 그림으로 특정 괘의 변화를 증명하고자 한다면 그 취지가 아닐 것입니다.

## 김상악(金相岳) 『산천역설(山天易說)』

蠱, 元亨而天下治也. 利涉大川, 往有事也. 先甲三日, 後甲三日, 終則有始, 天行也.

고(蠱)는 크게 형통하여 천하가 다스려진다. 큰 내를 건너는 것이 이로움은 가서 일함이 있는 것이다. "갑(甲)보다 앞으로 삼일동안 하고, 갑보다 뒤로 삼일동안 한다"는 것은 마치면 시작이 있는 것이니 하늘의 운행이다

---

76) 『朱子語類·易二』: 貞是事之始, 悔是事之終. 貞是事之主, 悔是事之客. 貞是在我底, 悔是應人底. 三爻變, 則所主不一, 以二卦象辭占, 而以本卦爲貞, 變卦爲悔. 六爻俱不變, 則占本卦象辭, 而以內卦爲貞, 外卦爲悔. 凡三爻變者有二十卦, 前十卦爲貞, 後十卦爲悔. 後十卦是變盡了, 又反來. 有圖. 見啓蒙.

釋卦辭. 蠱之元亨, 亂而復治也. 事者, 治蠱之事也. 巽而止, 所以成蠱, 終則有始, 所以治蠱也. 終始相承, 天運然也.

괘사를 풀이하였다. '고(蠱)'가 "크게 형통하다"는 것은 혼란이 다시 다스려진다는 말이다. 일이란 '혼란(蠱)'을 다스리는 일이다. 공손하고 멈추어 있으므로 '고'가 된다. 마치면 시작이 있으므로 '고'를 다스릴 수 있다. 끝과 시작이 서로 이어지는 것은 하늘의 운행이 그러하다.

○ 蠱之元亨, 從乾甲而來, 故天下治與乾用九同辭. 往有事者, 釋蠱之爲事也. 艮之德, 終始萬物而巽爲進退, 故曰終則有始, 所以蠱巽二卦皆言先後三日. 爻終于六, 則七爲更之始, 故復卦曰七日來復, 天行與剝復象傳同辭, 剝復亦有終始之義也.

고괘가 크게 형통한 것은 건괘의 갑(甲)으로부터 온 것이다. 그러므로 "천하가 다스려진다"는 말은 건괘 「문언전」의 용구(用九)에 대한 말과 같다.[77] "가서 일함이 있다"는 '고'가 일이 된다는 의미를 풀이하였다. 간괘의 덕은 만물을 끝마치고 시작하는 것이고, 손괘는 나아가고 물러가서기 때문에 "마치면 시작이 있다"고 말했다. 그러므로 고괘(蠱卦)와 손괘(巽卦䷸)에서 모두 앞뒤로 삼일을 말하였다.[78] 효는 육에서 마치므로 칠은 새로운 시작이 된다. 그러므로 복괘(復卦)에서 "칠일만에 와서 회복한다"라고 하였다. "하늘의 운행이다"라고 한 것은 박괘(剝卦)와 복괘(復卦)의 「단전」의 말이 같지만, 박괘 다음에 복괘가 되는 것 역시 마치면 시작하는 의미가 있다.

### 김규오(金奎五) 「독역기의(讀易記疑)」[79]

隨蠱卦變, 傳皆以乾坤初上爲言. 蓋主反對之體而以剛來下柔爲男下於女, 以剛上柔下爲男上於女, 其說亦不可廢矣. 本義則於隨, 只言卦變而不言相交於蠱. 先言不交而後言卦變, 蓋以往來字爲卦變之證, 而隨言來蠱不言故也.

수괘(隨卦䷐)와 고괘(蠱卦)의 괘의 변화에 대하여 『정전』에서는 모두 건괘와 곤괘의 초효와 상효를 가지고 말하였다. 음양이 바뀐 괘의 몸체를 주관하는데, 굳센 양이 와서 부드러운 음에게 낮추는 것으로 남자가 여자에게 낮추는 것으로 보았고, 굳센 양이 올라가고 부드러운 음이 내려가는 것으로 남자가 여자보다 위에 있는 것으로 보았으니, 그 설명 또한 폐기할 수 없다. 『본의』는 수괘(隨卦䷐)에 대하여 단지 괘의 변화만을 말하고 고괘(蠱卦)와 서로 사귄다고는 하지 않았다. 먼저 사귀지 않는다고 하고 뒤에 괘의 변화를 말한 것은, 오고간다

---

77) 『周易·乾卦·文言傳』: 乾元"用九", 天下治也.
78) 고괘와 손괘(巽卦䷸)에서 모두 앞뒤로 삼일을 말하였다. 巽卦, 九五: 貞吉, 悔亡, 无不利, 无初有終, 先庚三日, 後庚三日, 吉.
79) 경학자료집성DB에서는 고괘(蠱卦) 괘사에 해당하는 것으로 분류했으나, 내용에 살펴 이 자리로 옮겼다.

[往來]는 글자로 괘의 변화에 대한 증거를 삼은 것으로, 수괘(隨卦䷐) (「단전」 경문)에서는 "온다[來]"고 하였지만 고괘(蠱卦) 경문에서는 말하지 않았기 때문이다.

○ 蠱互歸妹, 歸妹人之終始也. 又初至四爲坎, 三至上爲离, 亦互未濟, 未濟物不可以終窮也. 此象終則有始, 頗有二卦之意.
고괘(蠱卦)의 호괘는 귀매괘(歸妹卦䷵)가 되니, 시집가는 일을 상징하는 귀매괘는 인간사의 끝이자 시작이다. 또한 고괘의 초효에서 사효까지는 감괘(坎卦☵)가 되고, 삼효에서 상효까지는 리괘(離卦☲)가 되니, 미제괘(未濟卦䷿)도 호괘가 된다. 미제괘는 만물이 결국 끝나버릴 수 없음을 의미하니, 이는 「단전」에서 "마치면 시작이 있다"고 한 것으로 자못 두 괘와 상통하는 의미가 있다.

○ 象只言元亨, 而不言所以元亨之故, 與隨无異. 然隨則二體卦變, 皆有易通之意, 元亨自在其中矣. 蠱則體變與德, 皆言致蠱之由, 這元亨字, 似无來歷. 竊疑此元亨, 實主二五而言. 傳義以无中字正字之屬, 故不欲質言, 而天下治三字. 蓋指君臣本位而言也, 二五相應之卦多言亨.
「단전」에서는 단지 "크게 형통하다[元亨]"라고만 하였고, 그렇게 되는 까닭에 대해서는 말하지 않은 것이 수괘(隨卦䷐)와 다름이 없다. 그러나 수괘는 두 몸체의 괘의 변화에 모두 변하여 통하는 의미가 있으므로, '크게 형통하는 것'은 저절로 그 가운데 있게 된다. 고괘(蠱卦)는 몸체의 변화와 덕이 모두 그 자체로 '고'가 되는 이유를 말하고 있어서, 여기에서 '원형'이라는 글자는 어디로부터 온 내력(來歷)이 없는 것 같다. 아마도 이 '원형'은 실제로는 구이와 육오를 중심으로 말한 것이 아닌가 한다. 『정전』과 『본의』에서는 '중(中)'자나 '정(正)'자 등을 말하지 않았으므로 딱 잘라 말할 수는 없으나 "천하가 다스려진대[天下治]"는 말이 있다. 이는 임금과 신하가 제 자리에 있음을 가리켜 말한 것으로 이효와 오효가 서로 호응하는 괘에서는 "형통하다"고 한 경우가 많다.

### 서유신(徐有臣) 『역의의언(易義擬言)』

先甲三日, 後甲三日, 終則有始, 天行也
'선갑삼일, 후갑삼일'은 마치면 시작이 있는 것이니 하늘의 운행이다.

二三爲壬癸, 四五爲丙丁, 三四之間爲甲, 終則有始之象也. 四時之序, 故曰天行也. 有終有始, 所以治蠱也.
이효, 삼효는 임(壬)과 계(癸)가 되고, 사효, 오효는 병(丙)과 정(丁)이 되니, 삼효와 사효의 사이가 갑(甲)이 되어 마치면 시작하는 상이 있다. 마치면 시작하는 것은 네 계절의 질서이 므로 하늘의 운행이라 하였다. 끝마침이 있고 시작함이 있으므로 '일'을 다스릴 수 있다.

## 김귀주(金龜柱) 『주역차록(周易箚錄)』

象曰, 蠱剛上而柔下, 云云.

「단전」에서 말하였다. 고괘는 강한 양이 올라가고 부드러운 음이 내려오니, 운운.

○ 按, 剛上柔下, 有二義, 一則艮剛居上, 巽柔居下也. 一則卦變之說也. 巽而止有二 義, 一則下卑巽而上苟止, 分上下而言也. 一則旣柔巽而又便止了, 以一人而言也.

내가 살펴보았다: "굳센 양이 올라가고 부드러운 음이 내려온다"는 것에는 두 가지 뜻이 있 다. 하나는 굳센 간괘가 위에 있고 부드러운 손괘가 아래에 있다는 것이다. 다른 하나는 괘의 변화로 설명하는 것이다. "공손하며 멈추어 있다"는 것에 두 가지 뜻이 있다. 하나는 아래에서 비굴하게 공손하고 위에서는 구차하게 멈추어 있는 것으로 위아래를 나누어 말하 는 방식이다. 다른 하나는 이미 유순하고 공손한데 거기에다 또 멈추어 있다고 하여 한 사람 으로 말하는 방식이다.

本義, 釋卦辭, 云云.

『본의』에서 말하였다: 괘사를 풀이하였다, 운운.

小註, 臨川吳氏曰, 數日, 云云

소주에서 임천오씨가 말하였다: 갑(甲)으로 날짜를 셀 때, 운운.

○ 按, 由辛歷壬癸而十日終, 則當復始於辛, 何謂復始於甲乎. 此說, 極未瑩.

내가 살펴보았다: "신(辛)에서 임·계를 거치면 십일이 끝난다"라고 하였으니, 그렇다면 신 (辛)에서 다시 시작하는 것이 마땅한데, 어찌 갑(甲)에서 다시 시작한다고 하였는가? 이 설 은 매우 밝지 못하다.

古爲徐氏曰, 先三, 云云

고위서씨가 말하였다: 앞으로 셋, 운운.

○ 按, 爻終于六, 七則更爲之端, 何獨此卦爲然. 此說, 亦未通.

내가 살펴보았다: '효가 여섯에서 마치고, 일곱이면 다시 시작하는 것'은 어찌 이 괘에서만 그렇겠는가? 이 설 역시 통하지 않는다.

## 박문건(朴文健) 『주역연의(周易衍義)』

利涉大川, 往有事也. 先甲三日後甲三日, 終則有始, 天行也.

큰 내를 건너는 것이 이로움은 가서 일함이 있는 것이다. '선갑삼일, 후갑삼일'은 마치면 시작이 있는 것이니 하늘의 운행이다.

終而復始, 天之行也, 此以卦變釋卦辭三句.

'마치면 다시 시작하는 것'은 하늘의 운행이니, 여기에서는 괘의 변화로 괘사 세 구절을 풀이하였다.

〈問, 往有事. 曰, 往而處上, 則蠱壞, 蠱壞則有事, 有事則有成. 故謂之往有事也, 往則必有利也.

물었다: "가서 일함이 있다"는 것은 무슨 뜻입니까?

답하였다: 올라가 위에 있으면 문제가 생겨 무너지게 되고, 문제가 생겨 무너지면 일이 있게 되고, 일이 있으면 일이 이루어집니다. 그러므로 "가서 일함이 있다"고 하였으니, 가면 반드시 이로움이 있습니다.〉

〈○ 問, 終則有始. 曰, 蠱反爲隨, 則終始不間斷也.

물었다: "마치면 다시 시작한다"고 한 것은 왜 그런 것입니까?

답하였다: 고괘를 거꾸로 하면 수괘(隨卦䷐)가 되니, 마치면 시작하여 끊어지지 않기 때문입니다.〉

## 김기례(金箕澧)「역요선의강목(易要選義綱目)」

終則有始, 天行也.

마치면 시작이 있는 것이니 하늘의 운행이다

原始反終, 亂而復治, 天運也.

처음의 시작을 거슬러 보고 그 결말을 반추해 보면, 혼란스러웠다가 다시 다스려지는 것이 하늘의 운행이다.

## 윤종섭(尹鍾燮) 『경(經)·역(易)』

蠱之先甲後甲與巽之先庚後庚, 皆有正義. 蠱之五變爲巽, 而於此兩卦, 有甲庚之辭, 豈無所據而諸家說紛紛, 無一得其經義. 蓋象莫大於日月, 旣曰, 先三日後三日,[80] 則月在其中. 庚者月之生明位也, 甲者月之圓滿位也. 卦肖坎有月象, 又巽爲生魄之月. 又巽爲先天生明之位, 甲庚相對日月出入之門.

고괘(蠱卦)의 '선갑·후갑'과 손괘의 '선경·후경(先庚後庚)'에는 모두 바른 뜻이 있다. 고괘(蠱卦)의 오효가 변하면 손괘(巽卦䷸)가 되고, 이 두 괘에 '갑(甲)', '경(庚)'에 대한 말[辭]이 있으니, 어찌 근거하는 바가 없겠는가마는 여러 학자들의 설이 분분하여 하나같이 그 경문의 뜻을 얻지 못하였다. 상은 해와 달보다 큰 것이 없는데, 이미 삼일을 앞서서 하고, 뒤로 삼일을 한다고 하였으니 달은 그 가운데 있다. 경(庚)은 달빛이 생기는 자리이고, 갑(甲)은 달이 둥글게 가득 차는 자리이다. 괘는 감괘에 달의 상이 있는 것을 그렸고,[81] 또 손괘는 그림자를 내기 시작한 달이 된다. 또한 손괘는 선천에서 밝은 빛이 생기는 자리이고, '갑', '경'은 서로 마주하여 해와 달이 드나드는 문이다.

以先天位言之, 艮巽在庚之左右, 以後天位言之, 艮巽在甲之左右, 而以日之先後言者, 取象於月之生明生魄而分陰陽言之也. 蠱者, 壞也. 陽壞於陰而巽者遜也. 陰遜於陽, 蠱之艮, 取象於喪明之月, 而先甲三日, 明漸盛陽極, 而至於後甲, 則魄生而陰長, 所謂陽壞於陰也. 巽之五爻, 取象於生魄之月, 而先庚三日, 魄旣盛陰極, 而至於後庚, 則明生而陽長, 所謂陰遜於陽也. 蠱曰終則有始, 巽曰无初有終.

선천의 위치로 말하자면, 간괘와 손괘는 경(庚)의 좌우에 있고, 후천의 위치로 말하자면 간괘와 손괘는 갑(甲)의 좌우에 있다. 해[日]를 기준으로 하여 삼일 앞서서 하고 뒤로 삼일을 한다고 한 것은 달이 빛을 내고 그림자를 내는 것에서 상을 취하여 음양을 나누어 말한 것이다. '고'란 허물어진다는 뜻이다. 양이 음에 의해 허물어지니, 손괘(巽卦䷸)는 물러나는 뜻이 된다. 음이 양에 의해 밀려나는 것이 고괘에서의 간괘이니, 빛을 잃은 달에서 상을 취하였다. "갑(甲)보다 삼일 앞서서 한다"는 말은 빛이 점점 왕성하여져서 양이 극에 이른 것이고, "갑(甲)보다 뒤로 삼일을 한다"는데 이르러서는 달 그림자가 생겨 음이 자라나는 것으로 양이 음에 의해 허물어짐을 말한다. 손괘의 오효는 그림자가 생기기 시작한 달에서 상을 취하였다. "경보다 삼일 앞선다"는 말은 그림자가 이미 왕성하여 음이 극에 달한 것이고, "경보다 뒤로 삼일을 한다"는 말은 빛이 생겨나 양이 자라나는 것으로 음이 양에게 밀려남을 말한다. 이것을 고괘에서는 "마치면 시작이 있다"고 하였고, 손괘에서는 "처음은 없지만 끝은 있다"고 하였다.

又以納甲推之, 月之一陽生於庚而爲震, 震是後天, 日出之位也. 月之三陽盛於甲而爲

---

80) 後三日: 경학자료집성DB와 영인본에 모두 '後三月'로 되어 있으나, '後三日'의 오류이므로 바로 잡는다.
81) 고괘의 상(䷑)을 보면 초효와 사오효는 음효이고, 그 사이 이·삼효가 양이어서 크게 보면 감괘의 상이 된다.

乾, 乾是先天日中之位也. 故先三日, 後三日, 震變爲巽, 巽爲生魄之月. 乾變爲坤, 坤亦生魄之月也.

小畜之月幾望, 巽在上也. 中孚之幾望, 亦巽在上, 而中孚之无咎, 巽得正也, 小畜之征凶, 巽過極也. 歸妹亦曰幾望, 而震變爲巽, 兌反爲巽, 又互坎离爲日月相望之象.

또한 납갑(納甲)으로 미루어 보면 달은 한 개의 양이 경(庚)에서 생겨서 진괘(震卦☳)가 되는데, 진괘는 「문왕후천방위도」에서 해가 뜨는 자리이다. 달의 세 양은 갑(甲)에서 극성하여 건괘(乾卦☰)가 되는데, 건괘는 「복희선천방위도」에서 해가 중천에 뜬 자리이다. 그러므로 '갑보다 앞선 삼일', '갑보다 뒤로 삼일'이란 진괘가 변하여 손괘가 되고, 손괘는 그림자를 내기 시작한 달이 된다. 건괘가 변하여 곤괘가 되는데, 곤괘 역시 그림자를 내는 달이다. 소축괘(小畜卦☴)의 '월기망(月幾望)'에서는 손괘가 위에 있다. 중부괘(中孚卦☴)의 '기망(幾望)'에서도 손괘가 위에 있는데, 중부괘에서 허물이 없는 것은[82] 물러남[巽] 바람을 얻었기 때문이고, 소축괘에서 나아가서 흉한 것은 물러남[巽]이 너무 지나쳤기 때문이다. 귀매괘(歸妹卦☳)에서도 '기망(幾望)'을 말하였는데, 진괘가 변하면 손괘가 되고, 태괘를 거꾸로 하여도 손괘가 된다. 또한 호괘인 감괘와 리괘가 해와 달로 서로 바라보는 상이 된다.

### 이항로(李恒老) 「주역전의동이석의(周易傳義同異釋義)」

先甲三日後甲三日, 終則有始, 天行也.

'선갑삼일, 후갑삼일'은 마치면 시작이 있는 것이니 하늘의 운행이다.

傳, 聖人知終始之道. 故能原始而究其所以然, 要終而備其將然, 先甲後甲而爲之慮, 所以能治蠱而致元亨也.

『정전』에서 말하였다: 성인은 마치고 시작하는 도리를 안다. 그러므로 시작의 근원을 찾아 일이 그렇게 되어지는 까닭을 연구하고, 마치는 도리를 알아 장차 그렇게 될 것에 대비하여 갑보다 앞으로 삼일, 갑보다 뒤로 삼일동안 생각하니 이 때문에 어지러움을 다스려 크게 형통하다.

本義, 釋卦辭. 治蠱至於元亨, 則亂而復治之象也. 亂之終, 治之始, 天運然也.

『본의』에서 말하였다: 괘사를 해석하였다. 어지러움을 다스려 크게 형통함에 이르니, 어지러움이 다시 다스려지는 상이다. 어지러움이 끝나는 것이 다스려짐의 시작이니, 하늘의 운행이 그러하다.

---

82) 『周易 · 中孚』: 六四, 月幾望, 馬匹亡, 无咎.

按, 先甲三日, 原成蠱之由, 後甲三日, 圖治蠱之方.

내가 살펴보았다: '선갑삼일'은 '일[蠱]'이 생기게 된 이유를 추적하는 것이고, '후갑삼일'은 일을 다스릴 방도를 모색하는 것이다.

## 심대윤(沈大允) 『주역상의점법(周易象義占法)』

蠱, 元亨而天下治也. 利涉大川, 往有事也. 先甲三日, 後甲三日, 終則有始, 天行也.

고는 크게 형통하여 천하가 다스려진다. 큰 내를 건너는 것이 이로움은 가서 일함이 있는 것이다. '선갑삼일, 후갑삼일'은 마치면 시작이 있는 것이니 하늘의 운행이다.

人之生也, 有事然後, 有利, 有利然後有道, 有道然後, 人得相養而保存, 天下治而萬物用. 故獨釋元也. 事以成利, 利以成道, 道以成人.

사람이 살아가는데 있어서, 일이 있는 이후에 이로움이 있고, 이로움이 있은 이후에 도리가 있고, 도리가 있는 이후에 사람이 서로 길러서 삶을 보존할 수 있으니, 천하가 다스려져 만물이 쓰여진다. 그러므로 특별히 "크다[元]"고 풀이하였다. 일로써 이로움을 이루고, 이로움으로써 도리를 이루고, 도리로써 사람다움을 이룬다.

## 오치기(吳致箕) 「주역경전증해(周易經傳增解)」

象曰, 蠱剛上〈卦反上九〉而柔下〈卦反初六〉, 巽〈巽〉而止〈艮〉蠱, 蠱元亨而天下治也. 利涉大川往有事也. 先甲三日, 後甲三日, 終則有始, 天行也.

「단전」에서 말하였다: 고괘는 굳센 양이 올라가고〈괘의 음양이 바뀐 상구〉 부드러운 음이 내려오니〈괘의 음양이 바뀐 초육〉, 공손하고〈손괘〉 멈추어 있는 것이〈간괘〉 고이다. 고는 크게 형통하여 천하가 다스려진다. 큰 내를 건너는 것이 이로움은 가서 일함이 있는 것이다. '선갑삼일, 후갑삼일'은 마치면 시작이 있는 것이니 하늘의 운행이다.

此, 以卦反卦德, 釋卦名義也. 隨之下體震剛, 上而居本卦上體爲艮剛. 隨之上體兌柔, 下而居本卦下體爲巽柔, 蓋蠱者隨之反也. 以剛下柔, 剛柔相交, 此動而彼說, 則爲隨之義. 剛上柔下, 剛柔不交, 下卑巽而上苟止, 則爲蠱之義, 故取卦反而明之也. 終則有始卽是天道之循環, 故言天行也. 餘見上.

이는 괘의 음양이 바뀐 것과 괘의 덕으로 괘의 이름과 뜻을 설명하였다. 수괘(隨卦䷐)의 하체는 굳센 양인 진괘(震卦☳)로, 올라가서 본괘의 상체로 나아가 굳센 양인 간괘가 된다. 수괘(隨卦䷐)의 상체는 부드러운 음인 태괘(兌卦☱)로, 내려가서 본괘의 하체에 있으면서 부드러운 음인 손괘가 되니, 고괘는 수괘가 음양을 바꾼 것이다. 굳센 양으로서 부드러운 음에게 내려가 굳셈과 부드러움이 서로 사귀어서, 이쪽에서는 움직이고 저쪽에서는 기뻐하는 것이 수괘의 뜻이다. 굳센 양이 올라가고 부드러운 음이 내려가서 굳셈과 부드러움이 서로 사귀지 않고, 아래에서는 비루하게 공손하며 위에서는 구차하게 멈추어 있는 것이 '고'의 뜻이다. 그러므로 괘의 음양이 바뀐 것을 취한 것이 분명하다. 마치면 시작이 있는 것이 천도의 순환이므로 '하늘의 운행'이라고 하였다. 나머지는 위에 보인다.


## 이병헌(李炳憲) 『역경금문고통론(易經今文考通論)』

蠱, 事也.

'고'는 일이다.


鄭曰, 甲者造作新令之日. 甲前三日, 取改過自新, 故用辛也. 甲後三日, 取丁[83]寧之義, 故用丁也.

정현이 말하였다: 갑이란 새로운 명령을 제정하여 시행하는 날이다. 갑 앞의 삼일은 허물을 고쳐서 스스로 새롭게 하는 뜻을 취하였으므로 신(辛)을 썼고, 갑 뒤의 삼일은 간곡하게 하는 뜻을 취하였으므로 정(丁)을 썼다.


按, 先儒以象之剛上而柔下爲卦, 自泰來之證. 然隨與蠱爲一對, 蠱從隨之一轉而來也. 何必遠自泰來. 內卦之自否來者, 亦自乾坤來. 甲爲始策準中數.

내가 살펴보았다: 선배 유학자들은 「단전」에서 말한 '굳센 양이 올라가고 부드러운 음이 내려옴'이 고괘가 되는 것이라고 보고, 이는 태괘(泰卦)에서 온다고 설명하였다. 그러나 수괘(隨卦䷐)와 고괘는 상대가 되니, 고괘는 수괘로부터 한 번 변하여 온 것이다. 어찌 하필 멀리 태괘(泰卦)로부터 오겠는가! 내괘가 비괘(否卦)로부터 온다는 것도 역시 건곤괘에서 온 것이다. 갑은 시책을 처음 시행할 때 기준이 되는 가운데 수이다.

---

83) 丁: 한국경학자료집성DB에 '于'로 되어 있으나 영인본에 근거하여 '丁'으로 바로잡는다.

象曰, 山下有風, 蠱, 君子以, 振民育德.

「상전」에 말하였다: 산 아래에 바람이 있는 것이 고(蠱)이니, 군자가 그것을 본받아 백성들을 진작하고 덕을 기른다.

## ｜中國大全｜

### 傳

山下有風, 風遇山而回, 則物皆散亂. 故爲有事之象. 君子觀有事之象, 以振濟於民, 養育其德也. 在己則養德, 於天下則濟民, 君子之所事, 无大於此二者.

산 아래 바람이 있으니, 바람이 산을 만나 돌면 사물이 다 흩어져 어지러워진다. 그러므로 일이 있는 상이 된다. 군자가 일이 있는 상을 보아 백성들을 진작하고 자신의 덕(德)을 기른다. 자신에 대해서는 덕을 기르고 세상에 대해서는 백성들을 구제하니, 군자가 일삼는 바가 이 두 가지보다 더 큰 것이 없다.

### 小註

程子曰, 蠱之象, 君子以振民育德. 君子之事, 惟有此二者, 餘无他. 爲二者爲已爲人之道也.

정자가 말하였다: 고괘의 상은 군자가 그것을 본받아 백성들을 진작하고 덕을 기르는 것이다. 군자의 일은 오직 이 두 가지가 있을 뿐 다른 것이 없다. 이 두 가지는 나를 위하고 남을 위하는 도리이다.

○ 童溪王氏曰, 於民務振作其氣, 使力其所謂相生相養之道, 无廢惰自安之人. 於已務涵養其德, 便日新又新, 尤逸豫且止之意.

동계왕씨가 말하였다: 백성들에 대하여 그 기운을 진작할 수 있도록 힘쓰는 것은 이른바 서로 살리고 서로 기르는 도리에 힘을 쓰는 것이니, 게을리 자기만 편하게 하지 않는 사람이다. 자기 자신에 대하여 그 덕을 함양하기에 힘쓰면 나날이 새로워지니, 안일하게 기뻐하여 멈추지 않는 의미가 있다.

### 本義

山下有風, 物壞而有事矣, 而事莫大於二者, 乃治己治人之道也.

산 아래에 바람이 있으니 물건이 허물어져 일이 있는 것이고, 일은 백성들을 진작하고 덕을 기르는 일 두 가지보다 더 큰 것이 없으니, 이는 바로 자신을 다스리고 남을 다스리는 도리이다.

### 小註

或問振民育德如何. 朱子曰, 當蠱之時, 必有以振起聳動民之觀聽, 而在己進德不已. 必須有此二者, 則可以治蠱矣.

어떤 이가 물었다: 백성을 진작하고 덕을 기른다는 것이 무슨 말입니까?

주자가 말하였다: 고괘의 때를 만났을 때 반드시 백성이 보고 듣는 것을 진작하여 높이 일으켜야 하고 자기 자신도 덕을 진작시키기를 그치지 말아야 합니다. 반드시 이 두 가지가 있어야 어지러움[蠱]을 다스릴 수 있습니다.

○ 隆山李氏曰, 山下有風, 則風落山之謂. 山木摧落蠱敗之象. 飭蠱者必須有以振起之, 振民者, 猶巽風之鼓爲號令也. 育德者猶艮山之養成材力也. 易中育德, 多取於山, 故蒙亦曰果, 行育德.

융산이씨가 말하였다: 산 아래 바람이 있으니, 바람이 산에 떨어지는 것을 말한다. 산의 나무가 꺾이고 벌레 먹어 무너지는 상이다. 이러한 '고'의 상황을 경계하는 사람은 반드시 떨쳐 일으키는 것이 있으니, 백성을 진작하는 자는 손괘의 바람소리가 울리는 것을 백성을 진작해야 할 호령으로 여긴다. 덕을 기르는 자는 간괘의 산이 목재를 기르는 도리를 배운다. 『주역』에서 덕을 기르는 것에 대해 말할 때 산에서 교훈을 취하는 경우가 많다. 그래서 몽괘(䷃)에서도 "과감히 행하며 덕을 기른다"[84]라고 하였다.

○ 臨川吳氏曰, 蠱之象非美也, 君子以之則取其美. 風在內而能振動外物, 則象之以振動其民, 山在外而能涵育內氣, 則象之以涵育其德. 振者, 作興彼之善, 新民之事也. 育者, 培養己之善, 明德之事也.

임천오씨가 말하였다: 고괘의 상은 아름답지 않지만, 군자가 이를 본받아 거기에서 아름다움을 취한다. 바람이 안에 있으면서 바깥 사물을 흔들어 움직이는 데에서 그 백성들을 진작

---

84) 과감하게 행하며 덕을 기른다: 몽괘「대상전」에서 "산 아래에 샘이 솟아남이 몽이니, 군자가 그것을 본받아 과감하게 행하며 덕을 기른다[山下出泉, 蒙, 君子以, 果行育德]"라고 하였다.

하여 움직이는 모습을 그려내고, 산이 밖에 있으면서 안으로 기운을 함양하는 것에서 그 덕을 함양하여 길러내는 모습을 그려낸다. "진작한다[振]"는 것은 저들의 선함을 불러일으키는 것이니, 백성을 새롭게 하는 일[新民]이다. "기른다[育]"는 것은 자기의 선함을 배양하는 것이니, 덕을 밝히는[明德] 일이다.

## ┃韓國大全┃

### 권근(權近) 『주역천견록(周易淺見錄)』[85]

愚謂, 山下有風, 振動其草木, 而養育之. 振如孟子振德之振, 使民皷舞而振起之, 如風之動振之.[86] 育如育其才之育. 有德者養育而成就之, 如山之長物也. 然草木長茂, 則山亦深蔚, 民德旣新, 則己德亦大, 故又兼人己而觀之也.

내가 살펴보았다: 산 아래 바람이 있으면 초목을 진동시키고 양육한다. '진(振)'은 『맹자』에서 "진작하고 덕을 베푼다"고 할 때의 '진'으로, 백성들을 고무하고 떨쳐 일어나게 하는 것이 마치 바람이 초목을 움직이고 진작하는 것과 같다는 것이다. "기른다[育]"는 것은 그 재주를 기른다고 할 때의 '육[育]'이다. 덕 있는 사람이 양육하고 완성시키는 것이 마치 산이 만물을 기르는 것과 같다는 것이다. 그러나 초목이 자라 무성하면 산 또한 깊고 울창해지며, 백성의 덕이 새로워지면 자기의 덕 역시 커지므로 타인과 자신을 아울러 보아야 한다.

### 조호익(曺好益) 『역상설(易象說)』

愚謂, 山本靜而風亂之, 性本善而欲汨之. 故君子觀象, 在己則培養之, 在人則作新之. 或曰漸摩巽入象, 定靜艮止象.

내가 살펴보았다: 산은 본래 고요한데 바람이 그것을 어지럽히고, 성품은 본래 선한데 욕심이 그것을 어지럽힌다. 그러므로 군자가 이 상(象)을 보고서 자신에게 그런 것이 있으면 배양하고, 남에게 그런 것이 있으면 새롭게 진작해 준다. 어떤 이가 "가르쳐서 교화시키는 것[漸摩]은 손괘의 들어가는[入] 상이고, 머물러서 고요한 것[定靜]은 간괘의 멈추어 있는 상이다"라고 하였다.

---

85) 경학자료집성DB에서는 고괘(蠱卦) 「단전」에 해당하는 것으로 분류했으나, 내용에 살펴 이 자리로 옮겼다.

86) 也: 경학자료집성DB와 영인본에 '之'로 되어 있으나 '也'의 필사 착오이므로 바로 잡는다.

○ 風遇山而回, 則物皆散亂而有事. 觀散亂而有事之象, 於民則振之而濟亂, 於己則育之而無失. 先言民者, 以治蠱而言也, 畜德者振民之本也.

바람이 산을 만나서 돌면 물건이 다 흩어져서 어지럽게 되어 일이 생기게 된다. 흩어져서 어지럽게 되어 일이 생기는 상을 보고는, 백성들에 대해서는 덕을 진작해서 어지러움을 구제하고, 자신에 대해서는 덕을 길러서 잘못됨이 없게 한다. 먼저 백성들을 말한 것은 어지러운 일을 우선 다스려야 하기 때문에 말한 것이다. 덕을 기르는 것은 백성들을 진작하는 근본이다.

○ 本義註, 李氏, 云云.

『본의』의 주(註)에서 융산이씨가, 운운.

風落山, 證遇山物亂之語, 因此兼釋下一句, 非連上義也.

"바람이 산에 떨어진다風落山"라고 하였는데, 이는 "산을 만나면 물건이 어지러워진다"는 말을 증명하고 이로 인하여 아래의 한 구절을 해석한 것이지, 윗글의 뜻에 연결되는 것은 아니다.

### 김도(金濤) 「주역천설(周易淺說)」

愚按, 程傳下程子所釋惟一條, 王氏所釋又惟一條. 本義下朱子惟一條, 王氏吳氏凡二條而皆合於大象之旨矣. 蓋天道循環, 治亂无常, 治則生亂, 亂則生治, 自然之理也. 蠱之爲卦, 艮山居上, 巽風在下, 而風遇山而回, 則物皆散亂, 此亂之極而治之兆也. 君子以之振民育德, 則亂可變而治可回矣. 大槪君子之所事, 莫大於斯二者, 大學之自新新民, 皆不外於此矣. 然此非二事也. 先自治而後治人, 後治人而又反於己, 則本末一致而始終无端矣. 爲人上者苟能極涵育之功, 而推以及物, 振作其自新之民, 則於爲治也何有.

내가 살펴보았다:『정전』아래 정자가 풀이한 것이 한 조목이고, 동계왕씨가 풀이한 것이 또 한 조목이다. 『본의』아래 주자의 풀이가 한 조목이고, 왕씨[87]와 임천오씨가 풀이한 것이 두 조목이니, 모두 「대상전(大象傳)」의 뜻에 부합한다. 천도는 순환하기 때문에 다스려짐과 혼란함이 무상하니, 다스려지면 혼란이 생기고 혼란스러우면 다스려지는 것이 자연스런 이치이다. 고(蠱)라는 괘는 간괘의 산이 위에 있고, 손괘의 바람이 아래에 있는데, 바람이 산에 부딪혀 돌면 사물이 모두 흩어져 어지러워지게 된다. 이 어지러움이 극에 달하는 것이 다스려질 조짐이다. 군자가 그것을 본받아 백성들을 진작하고 덕을 기르니, 혼란함을 변화하여 다스림을 회복할 수 있다. 군자가 일삼는 것이 이 두 가지보다 더 큰 것이 없으니, 『대학』에서 스스로 새롭게 하고 백성을 새롭게 하는 것이 모두 여기에서 벗어나지 않는다.

---

87) 융산이씨(隆山李氏)를 잘못 기록한 듯하다.

그러나 이것은 별개의 일이 아니다. 먼저 스스로 다스린 후에 남을 다스리고, 남을 다스린 후에 다시 자기에게로 돌이키니, 본말이 일치하고 처음과 끝의 실마리가 없다. 남의 윗사람이 된 이가 참으로 함육하는 공을 극진히 하여 타자에게로 미루어가고, 스스로 새롭게 하는 백성들을 진작한다면, 다스리는데 무슨 어려움이 있겠는가?

### 이만부(李萬敷) 「역통(易統)·역대상편람(易大象便覽)·잡서변(雜書辨)」

傳曰, 山下有風, 風遇山而回, 則物皆散亂. 故爲有事之象. 君子觀有事之象, 以振濟於民, 養育其德也. 在己則養德, 於天下則濟民, 君子之所事, 无大於此二者.
『정전』에서 말하였다: 산 아래 바람이 있으니, 바람이 산을 만나 돌면 사물이 다 흩어져 어지러워진다. 그러므로 일이 있는 상이 된 것이다. 군자가 일이 있는 상을 보아 백성들을 구제하고 자신의 덕(德)을 기른다. 자신에 대해서는 덕을 기르고 세상에 대해서는 백성들을 구제하니, 군자가 일삼는 바가 이 두 가지보다 더 큰 것이 없다.

本義曰, 山下有風, 物壞而有事矣, 而事莫大於二者, 乃治己治人之道也.
『본의』에서 말하였다: 산 아래에 바람이 있으니 물건이 허물어져 일이 있는 것이고, 일은 백성들을 진작하고 덕을 기르는 일 두 가지보다 더 큰 것이 없으니, 이는 바로 자신을 다스리고 남을 다스리는 도리이다.

臣謹按, 善俗必以居德爲本, 振民者必育己德, 此所以明德然後可以新民也.
신이 삼가 살펴보았습니다: 좋은 풍속은 반드시 덕에 거처하는 것이 근본이 되고, 백성을 진작하려는 이는 반드시 자신의 덕을 길러야 하니, 이는 자신의 덕을 밝힌 뒤에야 백성을 새롭게 할 수 있기 때문입니다.

### 유정원(柳正源) 『역해참고(易解參攷)』[88]

山下 [至] 育德.
산아래 … 덕을 기른다.

正義, 風能搖動, 散布潤澤. 君子能以恩澤下振, 育養以德. 振民象山下有風, 育德象山在上也
『주역정의』에서 말하였다: 바람은 흔들어서 은택을 흩어 줄 수 있다. 군자는 은택을 베풀어

---

88) 경학자료집성DB에서는 고괘(蠱卦) 괘사에 해당하는 것으로 분류했으나, 내용에 따라 이 자리로 옮겨 바로잡는다.

아랫사람들을 진작할 수 있고 덕으로써 기를 수 있다. 백성을 진작하는 일은 산 아래 바람이 있는 모습으로 나타내었고, 덕을 기르는 일은 산이 위에 있는 모습으로 나타내었다.


## 김상악(金相岳) 『산천역설(山天易說)』

山下有風, 物壞而有事也. 振民取巽, 育德取艮. 治人則鼓舞作興以振起之, 治己則操存省察以涵育之. 所以救其巽而止也.

산 아래 바람이 있으면 사물이 손상되어 일이 있게 된다. 백성을 진작하는 일은 손괘에서 취하였고, 덕을 기르는 일은 간괘에서 취하였다. 남을 다스리는 일은 고무하고 흥기시켜서 떨쳐 일으키는 것이고, 자기를 다스리는 일은 보존하고 성찰하여 함양해 기르는 것이니, 그저 공손하게 멈추어 있음을 막는 것이다.


## 서유신(徐有臣) 『역의의언(易義擬言)』

山下有風, 則山之草木有摧落者, 亦有振起者, 是爲蠱也. 振民去其害民者, 育德去其害德者, 亦有摧落其惡振起其善之義也. 振民巽風象, 育德艮山象.

산 아래 바람이 있으면 산의 풀과 나무가 꺾어지고 쓰러짐이 있어서 역시 떨쳐 일으키는 것이 있으니, 이것이 ‘고’가 된다. 백성을 진작함은 백성들에게 해를 끼치는 것을 없애는 것이고, 덕을 기름은 덕을 해치는 것을 없애는 것이니, 또한 그 악을 꺾고 떨어뜨리며 그 선을 떨쳐 일으키는 뜻이 있다. 백성을 진작하는 것은 손괘 바람의 상이고, 덕을 기르는 것은 간괘 산의 상이다.


## 김귀주(金龜柱) 『주역차록(周易箚錄)』

象曰, 山下有風, 云云

「상전」에서 말하였다: 산 아래 바람이 있으니, 운운.

○ 按, 振民言振作其民, 如勞來匡直輔翼便是.

내가 살펴보았다: ‘진민[振民]’이란 그 백성을 진작하는 것이니, 애써서 곧고 바르게 보필하는 것 같은 일이 이것이다.


傳, 山下有風, 云云.

『정전』에서 말하였다: 산 아래 바람이 있으니, 운운.

小註童溪王氏曰, 於民, 云云.

소주에서 동계왕씨가 말하였다: 백성들에 대하여, 운운.

○ 按, 生養之道, 亦在振民之中. 然專以此爲說, 則意恐褊狹.

내가 살펴보았다: 살리고 기르는 도리 역시 백성을 진작하는 일 가운데 하나이다.[89] 그러나 전적으로 이것으로만 설명한다면 의미가 좁고 치우칠 듯하다.

本義, 山下有風, 云云,

『본의』에서 말하였다: 산 아래 바람이 있다, 운운.

小註臨川吳氏曰, 蠱之, 云云.

소주에서 임천오씨가 말하였다: 고(蠱)의 상은, 운운.

○ 按, 山在外, 涵育內氣, 語未穩.

내가 살펴보았다: "산이 밖에 있으면서 안으로 기운을 함양한다"[90]고 한 것은 말이 온당하지 않다.

### 박문건(朴文健) 『주역연의(周易衍義)』

〈問, 山下有風蠱. 曰, 山下有風, 則草木敗折, 沙土飛揚, 故成解. 君子象風之□□, 振作其萬民, 使之養育其德, 此乃治事之大者也.

물었다: 산 아래 바람이 있는 것이 '고'라는 말은 무슨 뜻입니까?

답하였다: 산 아래 바람이 있으면 풀과 나무가 꺾여 넘어지고 흙먼지가 날리게 되므로 그러한 풀이가 성립됩니다. 군자는 바람이 □□하는 것을 본받아 만백성을 진작시켜 그 덕을 기르게 하니, 이것이 다스리는 일 가운데 큰 것입니다.〉

### 이지연(李止淵) 『주역차의(周易箚疑)』

凡人之性情, 外剛而止, 內巽而入, 則鮮有不生事. 外剛而止者, 不諒己之曲直, 不察事之可否, 躁暴妄動, 觸忤於人, 旋卽沮喪而退. 內巽而入者, 旣已觸忤生事, 而又不能彌縫其失虛, 忸縮首者也. 如是則天下之事, 其有可治之日乎.

사람의 성정이 밖으로 굳세어 그쳐있거나 안으로 공손하게 들어가면 일이 생기지 않는 경우가 드물다. 밖으로 굳세어 멈춰있는 사람은 자기의 옳고 그름을 헤아리지 않고, 일의 가부를 살피지 않은 채 힘부로 움직여서 남들을 거슬리므로 하는 일마다 실패하여 물러나게 된다.

---

89) 동계왕씨는 이 부분의 주석에서 "백성들에 대하여 그 기운을 진작할 수 있도록 힘쓰는 것은 이른바 서로 살리고 서로 기르는 도리에 힘을 쓰는 것"이라고 하였다.

90) 임천오씨는 이 부분의 주석에서, "산이 밖에 있으면서 안으로 기운을 함양하는 것에서 그 덕을 함양하여 길러내는 모습을 그려낸다"라고 하였다.

안으로 공손하게 들어가는 사람은 이미 남들을 거슬러 일이 발생한데다 그 잘못을 봉합하지 못하고 겁을 내어 머리를 조아린다. 이와 같다면 세상의 일이 다스려질 날이 있겠는가?

## 김기례(金箕澧) 「역요선의강목(易要選義綱目)」

君子以, 振民育德.
「상전」에서 말하였다: 군자가 그것을 본받아 백성들을 진작하고 덕을 기른다.

風動, 振作新民之意, 山止涵育明德之事.
바람은 움직이니 백성을 진작하고 새롭게 하는 뜻이고, 산은 멈추어 있으니 밝은 덕을 머금어 기르는 일이다.

○ 易中, 育德, 多取山.
『주역』에서는 덕을 기르는 상을 산에서 취하는 경우가 많다.

## 이항로(李恒老) 「주역전의동이석의(周易傳義同異釋義)」

傳, 山下有風, 風遇山而囬, 則物皆散亂. 故爲有事之象.
『정전』에서 말하였다: 산 아래 바람이 있으니, 바람이 산을 만나 돌면 사물이 다 흩어져 어지러워진다. 그러므로 일이 있는 상이 된다.
本義, 山下有風, 物壞而有事矣.
『본의』에서 말하였다: 산 아래에 바람이 있으니 물건이 허물어져 일이 있는 것이고.

或問, 山下有風爲蠱壞之象, 而振民育德亦取艮巽之象焉. 夫山風一也而一爲成蠱之由, 一爲治蠱之才何也.
어떤 이가 물었다: 산 아래 바람이 있어 좀먹어 허물어지는 상이 되는데, 백성을 진작하고 덕을 기르는 일 역시 간괘와 손괘의 상에서 취하였습니다. 산이고 바람인 상은 같은데, 하나는 '고(蠱)'가 이루어지는 이유가 되고, 하나는 '고'를 다스리는 재질이 되는 것은 무슨 까닭입니까?

曰, 此易之大義也. 蓋太極一而已矣, 或爲動而陽之本體, 或爲靜而陰之本體. 陽固根於太極, 而陰亦根於太極矣. 陰固具一太極而陽亦具一太極矣. 是以天下之物, 纔有一吉則卽此一吉之中, 已含起凶之兆. 亦有一疾, 則卽此一疾之中, 已蓄可治之藥.
답하였다: 이는 역의 큰 뜻입니다. 태극은 하나일 뿐인데, 혹 움직여 양(陽)의 본체가 되기

도 하고, 혹 고요하여 음(陰)의 본체가 되기도 합니다. 양은 본래 태극에 뿌리내리고 있는데, 음도 태극에 뿌리내리고 있습니다. 음은 본래 태극을 갖추었는데, 양 역시 태극을 갖추고 있습니다. 그러므로 천하의 사물은 어떤 길함이 있으면 바로 이 길함의 가운데 이미 흉함이 일어날 조짐을 품고 있습니다. 또한 어떤 질병이 있으면 바로 이 질병의 가운데 이미 다스릴 수 있는 처방을 간직하고 있습니다.

天與水一也, 違行則窒惕遁竄, 上行則飲食宴樂. 天與地一也, 相交則君子彙征, 不交則小人包羞. 澤水困象也, 酒食赤紱, 尙在其中, 雷火豊卦也, 折肱蔀家, 亦不外是. 城復爲隍, 其土則一, 射鮒冽食, 其泉則一. 譬如澤産之根, 自持禦濕之才, 海長之葉, 不乏耐風之性. 尺蠖屈以爲伸, 橄欖苦<sup>91)</sup>以爲甘. 是以善觀象者, 卽其物而求其則焉, 素其位而行其禮焉, 如斯而已矣. 蓋象也者, 形而下之器也, 以也者, 形而上之道也. 器有吉凶, 道无不吉. 有象必有以, 以之者君子也, 故曰, 君子以.

하늘이고 물인 상은 같은데, 어긋나게 행하면 막혀서 두렵거나 도망하여 숨게 되지만,<sup>92)</sup> 위로 행하면 마시고 먹으며 잔치를 벌여 즐기게 됩니다.<sup>93)</sup> 하늘이고 땅인 상은 같은데, 서로 사귀면 군자가 무리로 나아가지만,<sup>94)</sup> 사귀지 않으면 소인이 속에 품은 것이 부끄러운 것입니다.<sup>95)</sup> 택수 곤괘(困卦)의 상에서 "군자가 백성들에게 먹고 마시는 은택을 베풀지 못하는 곤경에 처해 있으나 곧 임금의 부름이 있을 것은 그가 중도(中道)를 지켜서이다"라고 하였고,<sup>96)</sup> 뇌화 풍괘(豊卦)에서 "오른팔이 부러지고, 집에 가리개를 쳐놓는다"라고 하였는데, 이와 같은 사례도 여기에서 벗어나지 않습니다.<sup>97)</sup> 성이 허물어져 다시 해자의 흙으로 돌아감에 그 흙은 같은 것이고,<sup>98)</sup> 두꺼비에게 대 주는 탁한 물이나 맑고 차가운 샘물이나<sup>99)</sup> 샘물이

---

91) 苦: 경학자료집성DB에 '若'으로 되어 있으나 영인본에 근거하여 '苦'로 바로 잡는다.

92) 천수(天水) 송괘(訟卦)를 말한다.

93) 수천(水天) 수괘(需卦)를 말한다.

94) 지천(地天) 태괘(泰卦) 초구에 "拔茅茹, 以其彙, 征吉"이라 하였다.

95) 천지(天地) 비괘(否卦) 육삼효에 "包羞"라 하였다.

96) 택수(澤水) 곤괘(困卦) 구이(九二)효에 "困于酒食이나 朱紱이 方來하리니 利用亨(享)祀니 征이면 凶하니 无咎"라 하고, 「상전」에서 "困于酒食은 中이라 有慶也"라 하였다. 이에 대해 『정전』에서는 "군자가 백성들에게 먹고 마실 수 있게 하는 은택을 베풀 수 없는 곤궁한 처지에 있으나, 곧 왕의 부름을 받으리라'는 의미로 해석하였다. 그러나 『본의』에서는 "술과 밥을 지나치게 먹어 곤란해지지만, 곧 왕의 부름을 받으리라"는 뜻으로 풀이하였다.

97) 『周易·豊卦』: 구삼효에서, "豊其沛(旆), 日中見沫, 折其右肱, 无咎"라고 하고, 상육에서 "豊其屋, 蔀其家, 闚其戶, 闃(闐)其无人, 三歲, 不覿, 凶"이라 하였다.

98) 『周易·師卦』: 上六爻에 "城復于隍이라 勿用師요 自邑告命이니 貞이라도 吝"이라 하였다.

99) 『周易·井卦』: 구이효에 "井谷, 射鮒, 甕敝漏"라 하고, 九五는 "井冽寒泉食"이라 하였다. 전자는 산골짜기 샘물이지만 아래로 흘러서 두꺼비에게나 대주는 탁한 물이 되고, 후자는 위로 솟아올라 맑은 샘물이 되어

기는 마찬가지입니다. 비유하자면, 연못에서 생겨난 뿌리는 스스로 습기를 막는 자질이 있고, 바다에서 자란 잎새는 바람을 견디는 성질이 부족하지 않습니다. 자벌레는 구부려서 나아가고, 감람나무는 쓴 맛으로 단 맛을 냅니다. 그러므로 상을 잘 보는 사람은 그 사물에 직면하여 그 법칙을 구하고, 그가 처한 자리에 맞게 그 예(禮)를 행하니, 이와 같을 뿐입니다. 상이란 형이하의 기(器)이고, '본받는 것[以之者]'은 형이상의 도(道)입니다. 기(器)에는 길흉이 있으나, 도에는 길하지 않음이 없습니다. 상이 있으면 반드시 본받음이 있는데, 본받는 이는 군자입니다. 그러므로 "군자가 본받는다"고 한 것입니다.

### 심대윤(沈大允) 『주역상의점법(周易象義占法)』

振民, 巽象, 育德, 艮象. 振民以趨事, 育德以坐享.
백성을 진작하는 것은 손괘의 상이고, 덕을 기르는 것은 간괘의 상이다. 백성을 진작하여 일을 해나가고, 덕을 길러서 누린다.

### 오치기(吳致箕) 「주역경전증해(周易經傳增解)」

山下有風, 物壞而有事. 君子觀其象, 振作其民而養育其德, 卽新民之事也. 治蠱之大莫過於此. 振動而作興, 象乎巽風之皷噓, 涵育而培養, 象乎艮山之蓄積也.
산 아래 바람이 있으니 사물이 손상되어 일이 있게 된다. 군자가 그 상을 관찰하여, 그 백성을 진작하고 그 덕을 기르는 것이 바로 백성을 새롭게 하는[新民] 일이다. '고'를 다스리는 방도는 이보다 큰 것이 없다. 떨쳐 움직여 흥성하게 일으킴은 손괘의 바람이 부는 상에서 본받았고, 머금어 길러 배양함은 간괘의 산이 축적하고 있는 상에서 본받았다.

### 이진상(李震相) 『역학관규(易學管窺)』

振, 風象, 育, 山象. 民屬陰, 德屬陽.
'진작시킴'은 바람의 상이고, '기름'은 산의 상이다. 백성은 음에 속하고 덕은 양에 속한다.

### 이정규(李正奎) 「독역기(讀易記)」

蓋山上風下則爲壞亂之象. 若各取上下卦之才, 則山止而風動, 君子取其才之美而以之, 則亦是治蠱之事, 無過於此也.

---

마실 수 있는 것을 말한다.

산이 위에 있고 바람이 아래에 있으니, 허물어져 어지러운 상이 된다. 위아래 괘의 재질을 취해보면 산은 멈춰있고 바람은 움직인다. 군자가 그 재질의 아름다운 것을 취하여 본받는다면, 역시 '고(蠱)'를 다스리는 일은 이에 지나지 않을 것이다.


### 이병헌(李炳憲) 『역경금문고통론(易經今文考通論)』

姚曰, 振, 奮也. 育, 養也. 橈萬物者, 莫疾乎風也.

요신이 말하였다: '진(振)'은 "분발한다[奮]"는 것이고, '육(育)'은 "기른다[養]"는 뜻이다. 만물을 흔드는 것은 바람보다 빠른 것이 없다.

初六, 幹父之蠱. 有子, 考无咎. 厲, 終吉.

초육은 아버지의 일을 주관하는 것이다. 훌륭한 자식을 두면 아버지가 허물이 없을 것이다. 위태롭게 여겨야 마침내 길할 것이다.

‖中國大全‖

傳

初六, 雖居最下, 成卦由之, 有主之義. 居內在下而爲主, 子幹父蠱也. 子幹父蠱之道, 能堪其事, 則爲有子而其考得无咎, 不然則爲父之累. 故必惕厲則得終吉也. 處卑而尸尊事, 自當兢畏. 以六之才, 雖能巽順, 體乃陰柔, 在下无應而主幹, 非有能濟之義. 若以不克幹而言, 則其義甚小, 故專言爲子幹蠱之道. 必克濟則不累其父, 能厲則可以終吉, 乃備見爲子幹蠱之大法也.

초육이 비록 가장 낮은 곳에 거하였으나, 괘가 이 효로 말미암아 이루어져서 주관하는 뜻이 있다. 내괘에 거하고 아래에 있으면서 주체가 되니, 이는 자식이 아버지가 남긴 ‘어지러운 일[蠱]’을 주관하는 것이다. 자식이 아버지의 일을 주관하는 도리에 있어서, 그 일을 감당할 수 있으면 훌륭한 자식을 둔 것이 되어 아버지가 허물이 없을 것이지만, 그렇지 않으면 아버지에게 누가 된다. 그러므로 반드시 두려워하고 조심하면 마침내 길할 수 있다. 낮은 자리에 처하여 높은 분의 일을 주관하면 스스로 마땅히 조심하고 두려워하여야 한다. 육(六)의 재질로 비록 공손하지만 몸체가 음으로 유약하고, 아래에 있으며 호응이 없이 주관하기 때문에 이룰 수 있는 뜻이 없다. 만약 주관할 수 없는 것으로 말하면 그 뜻이 매우 작기 때문에, 오로지 자식으로서 아버지가 남긴 일을 주관하는 도리를 말하였다. 반드시 이룰 수 있으면 아버지에게 누를 끼치지 않고, 위태롭게 여기면 마침내 길할 것이라고 하였으니, 이는 바로 자식으로서 아버지가 남긴 일을 주관하는 큰 법을 여러 가지로 갖추어 보여준 것이다.

本義

幹, 如木之幹, 枝葉之所附而立者也. 蠱者, 前人已壞之緖. 故諸爻皆有父母之

象, 子能幹之, 則飭治而振起矣. 初六, 蠱未深而事易濟. 故其占爲有子則能治
蠱而考得无咎, 然亦危矣. 戒占者宜如是, 又知危而能戒則終吉也.

간(幹)은 나무의 줄기와 같으니, 가지와 잎이 그에 붙어 설 수 있는 것이다. 고(蠱)는 앞사람이 이미
허물어 놓은 끄트머리이다. 이 때문에 여러 효가 모두 부모의 상이 있으니, 자식이 일을 주관할 수
있으면 신중히 다스려서 진작될 것이다. 초육은 어지러움[蠱]이 아직 심하지 않아서 일을 쉽게 해결
할 수 있다. 그러므로 그 점(占)에 훌륭한 자식이 있으면 일을 다스려서 아버지가 허물이 없을 수
있으나 또한 위태롭다고 한 것이니, 점치는 자가 마땅히 이와 같이 해야 하며, 또 위태로움을 알아
조심하면 마침내 길하리라고 경계하였다.

### 小註

或問, 有子考无咎與意承考之考, 皆是指父在, 父在而得云考, 何也. 朱子曰, 古人多通
言, 如康誥, 大傷厥考心, 可見.

어떤 이가 물었다: "훌륭한 자식을 둔 아버지[考]는 허물이 없다"고 할 때와 "아버지[考]의
뜻을 계승하는데 뜻을 둔다"고 할 때의 아버지는 모두 살아계신 아버지를 말하는 것인데,
아버지가 살아계신데도 '고[考:돌아가신 아버지]'라고 쓴 것은 왜 그렇습니까?
주자가 답하였다: 옛사람들은 통용해서 쓰는 경우가 많이 있었습니다. 『서경·강고』편에
"그 아버지[考]의 마음을 크게 상하게 하였다"라고 한데서 그런 경우를 볼 수 있습니다.

○ 南軒張氏曰, 艮止於上, 巽順於下. 无爲而尊於上者, 父道也. 服勞而順於下者, 子
道也. 故蠱多言幹父之事.

남헌장씨가 말하였다: 간괘는 위에서 멈추어 있고 손괘는 아래에서 공손하다. 일하지 않지
만 위에 있으면서 존귀한 것은 부모의 도이다. 수고롭게 일하고 아래에 있으면서 공손한
것은 자식의 도이다. 그러므로 고괘에서 부모의 일을 주관한다고 여러 번 말하였다.

○ 雲峰胡氏曰, 爻辭有以時位言者, 有以才質言者. 如蠱初六以陰在下, 所應又柔, 才
不足以治蠱. 以時言之, 則爲蠱之初, 蠱猶未深, 事猶易濟. 故其占爲有子則其考可无咎
矣. 然謂之蠱, 則已危厲, 不可以蠱未深而忽之也. 故又戒占者, 知危而能戒, 則終吉.

운봉호씨가 말하였다: 효사에서는 때와 자리를 가지고 말한 것이 있고, 재질을 가지고 말한
것이 있다. 고괘 초육의 경우는 음으로서 아래에 있으면서 호응하는 자도 또한 유약하니,[100]
고괘의 상황을 다스리기에는 부족한 재질이다. 때로 말하면 고괘의 시작이기 때문에 어지러

---

100) 초육과 호응관계에 있는 사효도 역시 음이기에 유약하다는 뜻이다.

움이 그렇게 심하지 않아서 일을 오히려 쉽게 해결할 수 있다. 그러므로 그 점에 훌륭한 자식이 있으면 그 아버지가 허물이 없을 수 있다고 하였다. 그러나 '고[蠱], 좀 먹어 허물어진 다'라고 한 것은 이미 위태롭다는 말이므로 어지러움이 아직 심하지 않다고 해서 소홀하게 여겨서는 안 된다. 그러므로 또 점치는 이에게 '위태로움을 알아 조심할 수 있으면 마침내 길할 것'이라고 경계하였다.

○ 藍田呂氏曰, 父母之蠱, 人子所難治也. 幹者, 以身任其事而不敢避也. 以子之難, 故初則厲, 二則不可貞, 三則小有悔. 然, 卒任其事爲功, 故初終吉, 三无咎, 五用譽也.
남전여씨가 말하였다: 부모가 남긴 어지러운 일들은 자식이 처리하기 어려운 법이다. "주관 한다[幹]"고 한 것은 스스로 그 일의 책임을 맡아서 감히 회피하지 않는 것이다. 부모가 남긴 일을 자식이 처리하기가 어렵기 때문에 고괘의 초효에서는 "위태롭다"고 하였고, 이효에서 는 "곧게 할 수 없다"고 하였으며, 삼효에서는 "조금 후회가 있다"고 하였다. 그러나 끝내 그 일의 책임을 맡아 해결하였으므로 초효에서는 "마침내 길하다"고 하였고, 삼효에서는 "허 물이 없다"고 하였으며, 오효에서는 "명예롭다"고 하였다.

○ 瓜山潘氏曰, 程傳云, 初居內而在下, 故取子幹父蠱之象. 本義云, 蠱者前人已壞之 緖, 故諸爻皆以子幹父蠱爲言. 若如程說, 惟初爻爲可通, 若他爻則說不行矣. 本義之 說, 則諸爻皆可通也.
과산반씨가 말하였다: 『정전』에서는 초효는 안에 있고 아래에 있으므로 자식이 부모의 일을 맡아서 하는 상을 취하였다고 하였다. 『본의』에서는 '고'란 앞 사람이 이미 허물어 놓은 끄 트머리이므로 여러 효에서 모두 자식이 부모의 일을 맡아서 하는 것이라고 하였다. 『정전』 의 설의 경우에는 초효는 통할 수 있지만, 다른 효의 경우에는 통하지 않는다. 『본의』의 설이라야 여러 효에 모두 통할 수 있다.

## ‖韓國大全‖

### 조호익(曺好益) 『역상설(易象說)』

自初至四, 似坎體, 自三至五, 震體. 或曰, 巽之伏震, 三變則艮, 皆子之象. 考指乾體, 厲陰柔象. 終對始之辭. 猶書言愼終于始.

초효부터 사효까지가 감괘의 몸체와 비슷하고, 삼효부터 오효까지는 진괘의 몸체이다. 어떤 이가 "손괘의 숨은 몸체[伏體]가 진괘이고, 삼효가 변하면 간괘인데, 모두 아들의 상이 있다"라고 하였다. '아버지[考]'는 건괘의 몸체를 가리키고, '위태롭게 여김[厲]'은 유약한 음의 상이다. '마침내[終]'는 시작과 상대가 되는 말로, 『서경』에서 "시작할 때 끝을 삼간다[愼終于始]"라고 한 것과 같다.

### 송시열(宋時烈) 『역설(易說)』

幹蠱說見上, 有子則其考无咎. 傳義已言之, 初則幹父, 二則幹母, 分言父母. 三則重剛故能幹, 四則以柔居柔故格而不能幹. 五則君位故能幹, 上九高尙其事, 幹之極高者也.

'일을 주관함'에 대한 설명은 위에 보였으니, '훌륭한 자식이 있으면 그 아버지가 허물이 없는 것'이다. 『정전』과 『본의』에서 이미 말하였듯이, 초효는 아버지 일을 주관하고, 이효는 어머니 일을 주관한다고 하여 아버지와 어머니를 나누어 말하였다. 삼효는 양으로서 양의 자리에 있어 거듭 굳세므로 일을 주관할 수 있고, 사효는 부드러운 음으로 음의 자리에 있기에 바르기는 하지만 주관해낼 수 없다. 오효는 임금의 자리에 있으므로 주관할 수 있고, 상구는 그 일을 숭상하므로 주관함이 가장 높다.

### 이현익(李顯益) 「주역설(周易說)」

蠱之幹父幹母, 雖以一家事言, 其實通父子君臣家國天下言, 而其義有三樣. 主臣而言, 則一家父子之事, 主君而言, 則國君繼述之事. 又合而言, 則父卽君, 子卽臣也. 以上九一爻看, 其不專以一家事言者可見, 臨川吳氏說泥矣.

고괘에서 아버지의 일을 주관하고 어머니의 일을 주관함은 비록 한 집안의 일로 말한 것이지만, 실상 부모와 자식, 임금과 신하, 집안·국가와 천하를 통틀어 말한 것으로 그 의미는 세 갈래이다. 신하를 위주로 말하면 한 집안의 부모와 자식의 일이지만, 임금을 위주로 말하면 나라의 임금이 왕통을 잇는 일이다. 또 합하여 말하면 아버지는 곧 임금이고, 자식은 곧 신하이다. 상구 한 효를 보면 그것이 전적으로 한 집안의 일로만 말한 것이 아님을 알 수 있으니, 임천오씨의 설은 고착되었다.

### 유정원(柳正源) 『역해참고(易解參攷)』

王氏曰, 處事之首, 始見任者也. 以柔巽之質, 幹父之事, 能承先軌, 堪其任者也. 故曰有子也. 當事之首, 是以危也, 能堪其事, 故終吉.

왕씨가 말하였다: 일에 대처하기 시작할 때 처음 임무를 맡은 자이다. 유약한 재질로 아버지의 일을 주관하지만, 앞의 규범을 잘 계승하여 그 임무를 감당하는 자이다. 그러므로 ‘훌륭한 아들을 두면[有子]’이라고 하였다. 일을 처음 시작할 때를 맞이하였으므로 위태롭지만 그 일을 감당할 수 있어서 마침내 길하다.

○ 涑水司馬氏曰, 子能蓋父之愆, 臣能掩君之惡. 秦皇漢武奢泰驕暴相去尢幾, 始皇以胡亥爲子李斯爲臣, 不旋踵而亡, 天下之惡歸焉. 武帝得昭帝爲子霍光爲臣, 而國家安寧, 後世稱之爲明君. 故必有子然後, 考得尢咎.

속수사마씨가 말하였다: 자식은 아버지의 허물을 덮을 수 있고, 신하는 임금의 잘못을 가릴 수 있다. 진시황과 한무제는 사치스럽고 교만하며 포악하기가 거의 차이가 없었으나, 진시황은 호해(胡亥)를 아들로 두고, 이사(李斯)를 신하로 삼아 발꿈치를 돌릴 새도 없이 망하였으니, 천하의 오명이 그에게 돌아갔다. 한무제는 소제(昭帝)를 아들로 두고 곽광(霍光)을 신하로 삼아 국가가 편안하였으므로 후세에 훌륭한 임금으로 일컬어졌다. 그러므로 훌륭한 자식을 둔 후에 아버지는 허물이 없을 수 있다.

○ 丹陽都氏曰, 考言其成德也. 必幹其蠱, 必要其成, 故言尢咎, 則稱考也.

단양도씨가 말하였다: ‘돌아간 아버지’는 그 덕을 완성할 것을 말한다. 기필코 그 일을 주관하여 반드시 그것을 완성하고자 하므로, 허물이 없는 것을 말하려면 ‘고(考)’라고 칭한다.

### 김상악(金相岳) 『산천역설(山天易說)』

爻取治蠱之義, 而天下之本在於國, 國之本在於家, 家之責莫重於子. 故諸爻皆言子幹蠱, 而艮止于上, 猶父道之无爲而尊于上也. 巽順于下, 猶子道之服勞而順于下也. 初雖陰柔居得陽位, 蠱未深而事易濟. 故有子能幹而考得无咎, 與四无應, 去上最遠, 雖危厲, 與二相比, 用剛而治蠱, 故終吉也.

효는 ‘고’를 다스리는 뜻을 취하였다. 천하의 근본은 나라에 있고, 나라의 근본은 가정에 있고, 가정의 책무는 자식이 가장 막중하다. 그러므로 여러 효에서 모두 자식이 일을 주관한다고 하였다. 간괘가 위에서 멈추어 있는 것은 아버지의 도리가 하는 일이 없어도 위에서 존엄하게 있음과 같다. 손괘가 아래에서 공손한 것은 자식의 도리가 애써 일하면서 아래에서 순종함과 같다.

○ 幹者, 木之莖幹, 枝葉之所附而立者也. 震巽二木之象. 有子者, 幸哉. 有子, 如此之謂也. 隨六二所係之子, 至蠱而能幹其父蠱, 故考得无咎也. 又巽木生於坎水, 反其所由生而爲蒙. 蒙之二曰, 子克家, 故此曰, 有子, 考无咎. 三又曰, 幹父之蠱, 三變則又爲蒙也. 又艮得離之成數而爲鼎, 鼎之初曰, 得妾以其子, 故本爻之象如此. 厲終吉, 與漸初曰, 小子厲无咎, 同占.

'간(幹)'이란 나무의 줄기로, 가지와 잎새가 붙어 있는 곳이다. 진괘와 손괘는 두 나무의 상이다. 자식을 둔 이는 다행스럽지 않은가! "훌륭한 자식을 두었다[有子]"함은 이같은 것을 말한다. 수괘(隨卦䷐) 육이의 '매인 어린 아들'이 고괘(蠱卦)에 이르러 그 아버지의 일을 주관할 수 있으므로 아버지가 허물이 없을 수 있다. 또 손괘의 나무는 감괘인 물에서 생기므로 그 생겨나는 근원을 돌이켜 보면 산수 몽괘(䷃)가 된다. 몽괘의 이효에 "자식이 집을 다스린다"고 하였으므로 여기에서는 "훌륭한 자식을 두면, 아버지가 허물이 없다"라고 하였다. 삼효에서 또 "아버지의 일을 주관한다"고 하였는데, 삼효가 변하면 또한 몽괘가 된다. 또 간괘는 리괘의 성수(成數)를 얻어 화풍 정괘(鼎卦䷱)가 되는데, 정괘의 초효에 "첩을 얻어 자식까지 얻으니 허물이 없을 것이다"라 하였다.[101] 그러므로 본효의 상이 이와 같다. "위태롭게 여겨야, 마침내 길하다"고 한 것은 점괘(漸卦䷴) 초효에 "어린이는 위태로워서 말은 있지만 허물은 없다"[102]라고 한 것과 점(占)이 같다.

### 김규오(金奎五) 「독역기의(讀易記疑)」

初六[103]終吉, 始之不吉, 以已壞之緒故也. 此爻柔居剛位, 故有克幹之才, 又非得位而任大事, 故有危厲之象. 如是則考之有咎, 可以无咎, 而子至於吉也. 然以有子觀之, 子而不能使父无咎, 則不可爲有子也.

초육에서 "마침내 길하다"고 한 것은 이미 허물어지는 실마리로써 불길하게 시작하였기 때문이다. 이 효는 부드러운 음이 굳센 양의 자리에 있으므로 주관할 능력이 있는 재질이다. 또한 제 자리를 얻지 못하였는데 큰 일을 맡았으므로 위태로운 상이 있다. 이렇다면 아버지는 허물이 있더라도 허물이 없을 수 있고 자식은 길함에 이르게 된다. 그러나 자식의 입장에서 보자면, 자식으로서 아버지가 허물이 없도록 하지 못한다면 훌륭한 자식이 될 수 없다.

### 서유신(徐有臣) 『역의의언(易義擬言)』

蠱之初, 故言治蠱之道. 是謂初辭擬之, 爻才非所論也. 凡云蠱者, 蓋幹父事之謂也. 有子恐當作承幹蠱之道, 克承厥考, 方得无咎. 不可一切反之, 故所以懼厲, 以是心而

---

101) 『周易·鼎卦』: 初六, 鼎顚趾, 利出否, 得妾以其子, 无咎.
102) 『周易·漸卦』: 初六, 鴻漸于干, 小子厲, 有言, 无咎. 象曰, "小子之厲", 義无咎也.
103) 六: 경학자료집성DB와 영인본에 모두 '九'로 되어 있으나, 문맥을 살펴 '六'으로 바로잡았다.

行之, 故終致濟事之吉也.

'일[蠱]'이 생긴 초기이므로, 일을 다스리는 도리를 말하였다. 이는 초효의 효사로 살핀 것으로, 효의 재질은 논할 바가 아니다. '일[蠱]'라고 한 것은 아버지의 일을 주관함을 말한다. 훌륭한 자식은 주관하는 도리를 계승하기를 조심스럽게 여겨 그 아버지를 계승할 수 있으므로 비로소 허물이 없을 수 있다. 일체를 뒤바꿀 수 없으므로 두렵고 위태롭게 여기니, 이 마음으로 해나가기 때문에 마침내 일을 잘 마치는 길함을 이룬다.

### 김귀주(金龜柱) 『주역차록(周易箚錄)』

本義, 幹如木之幹, 云云.

『본의』에서 말하였다: 간(幹)은 나무의 줄기, 운운.

○ 按, 父母年老, 不任家事, 以致百務懈弛者, 便是蠱之象. 故本義謂諸爻皆有父母之象, 非直嗅父母爲蠱也. 此蓋大網說, 若必欲就各爻上討得父母之象, 則不免穿鑿附會之弊.

내가 살펴보았다: 부모가 연로하여 집안일을 감당하지 못해서 여러 일들이 느슨해지는 것이 '고(蠱)'의 상이다. 그러므로 『본의』에서 여러 효에 모두 부모의 상이 있다고 한 것은 곧바로 부모가 어지러운 일이 됨을 탄식한 것이 아니다. 이는 대체적으로 말한 것이어서, 만약 각 효에 나아가 반드시 부모의 상을 찾아내고자 한다면 천착하고 견강부회하는 폐단에서 벗어날 수 없다.

### 박문건(朴文健) 『주역연의(周易衍義)』

懼而盡誠, 故有幹父蠱之象. 幹木幹也. 子當爲承有承考之志也, 故旡咎.

두렵게 여겨 정성을 다하므로 아버지가 남긴 어지러운 일을 주관하는 상이 있다. '간(幹)'은 나무의 줄기이다. 자식이 마땅히 아버지의 뜻을 잇게 되고 이음이 있으므로 허물이 없다.

〈問, 幹義. 曰, 幹木幹, 任事有骨, 子之謂也.

물었다: 간(幹)은 무슨 뜻입니까?

답하였다: 간(幹)은 나무줄기이니, 일을 맡아하는 데에는 뼈대가 있는 법이니 자식을 말합니다.〉

〈○ 問, 幹父之蠱. 有子, 考旡咎. 厲, 終吉. 曰, 初六有恐懼之心, 故能幹蠱而有承考之志也, 所以旡咎. 始雖相疑而危厲, 終必相信而致吉也.

물었다: "초육은 부모가 남긴 어지러운 일을 주관하는 것이다. 훌륭한 자식을 두면 아버지가 허물이 없을 것이다. 위태롭게 여겨야 마침내 길할 것이다"는 무슨 뜻입니까?

답하였다: 초육은 조심하고 두려워하는 마음이 있으므로 일을 주관할 수 있고, 아버지를 계승하려는 뜻이 있기에 아버지가 허물이 없게 됩니다. 처음에는 비록 서로 의심하여 위태롭지만 마침내 서로 믿어 길함을 이룹니다.〉

〈○ 問, 諸爻互取父母王侯之義何. 曰, 艮獨在上巽陰在下, 天地之位定矣. 故諸爻互取父子君臣之義也. 曰九二一爻, 獨言幹母蠱何. 曰蠱之諸爻, 皆用剛而獨六五居中用柔, 故稱母也. 若九二則困而反中道者也, 故有不可貞之戒也.
물었다: 여러 효에서 번갈아 부모와 왕후의 의미를 취한 것은 무슨 뜻입니까?
답하였다: 간괘가 홀로 위에 있고 손괘의 음이 아래에 있어 하늘과 땅이 자리를 잡았으므로 여러 효에서 번갈아 부모와 자식, 임금과 신하의 뜻을 취하였습니다.
물었다: 구이 한 효에서만 어머니의 일을 주관한다고 한 것은 왜입니까?
답하였다: 고괘의 여러 효는 모두 굳센 양을 썼는데, 육오만 가운데 있으면서 부드러운 음을 썼으므로 어머니라고 칭하였습니다. 구이의 경우는 곤고하면서도 중도(中道)에 반하는 자이므로, 고집하여서는 안 된다는 경계가 있습니다.〉

〈○ 問, 初謂四爲父, 四謂初亦爲父, 於義未安. 曰, 六爻之時, 不同故也. 在初則四用剛而有父道, 在四則初用剛而有父道. 在二則五用柔而有母道, 在五則二用剛而有父道. 在三則上用剛而有父道, 在上則三用剛而甚焉, 故有王侯之道也. 易非懸空說也, 而解得懸空, 故多不得本義也.
물었다: 초효는 사효가 아버지가 된다고 하고, 사효에서는 초효가 아버지가 된다고 하니, 그 뜻에 맞지 않습니다.
답하였다: 육효의 때가 같지 않기 때문입니다. 초효에 대해 사효가 굳센 양을 쓰니 아버지의 도가 있고, 사효에 대해서 초효가 굳센 양을 쓰니 아버지의 도가 있습니다. 이효에서는 오효가 부드러운 음을 쓰니 어머니의 도가 있고, 오효에서는 이효가 굳센 양을 쓰므로 아버지의 도가 있습니다. 삼효에서는 상효가 굳센 양을 쓰므로 아버지의 도가 있습니다. 상효에서는 삼효가 굳센 양을 심하게 쓰기 때문에 왕후의 도가 있습니다. 『주역』에는 공허한 설명이 없는데, 그에 대한 해석이 공허하기 때문에 본래 의미를 얻지 못하는 경우가 많습니다.〉

## 이지연(李止淵) 『주역차의(周易箚疑)』

初六, 以柔居剛, 內剛而外柔, 以養志爲幹者也. 陰在他卦則以陰不中正爲義, 在此卦則柔聲而下氣爲吉者也. 居剛故志則可觀也.
초육은 부드러운 음으로 굳센 양의 자리에 있으니, 안으로는 굳세고 밖으로 부드러워서 뜻을 기르는 것[養志]을 근간으로 삼는 자이다. 초육의 음은 다른 괘의 경우 음으로서 중정(中正)하지 못함을 의미로 삼겠지만, 이 괘에서는 말소리를 부드럽게 하고 기운을 낮춤을 길한 것으로 여긴다.

### 김기례(金箕澧) 「역요선의강목(易要選義綱目)」

巽爲木, 故曰幹, 如枝葉之附而立.
손괘는 나무이므로 줄기라고 하였으니, 가지와 잎새가 붙어있는 것과 같다.

○ 蠱, 是隨之反而巽變則爲震, 故取主子. 此非應四而謂父. 艮剛居上, 巽順居下, 汎稱上謂父.
고괘는 수괘와 음양을 바꾸었고, 손괘가 변하면 진괘가 되므로 아들을 위주로 하는 뜻을 취하였다. 여기에서 초효는 사효와 호응하지 않으므로 아버지라고 하였다. 굳센 간괘가 위에 있고, 순종하는 손괘가 아래에 있으니, 위에 있는 것을 폭넓게 아버지라고 칭하였다.

○ 生云父, 死云考, 而此言父考同辭. 蓋父在, 觀其志, 父歿, 觀其行, 子不可以父存歿有間於幹事, 故曰父. 康誥曰, 大傷厥考心, 于父不能字厥子. 古人不以存歿, 異稱於考與父.
살아있을 때에는 '부(父)'라고 하고 돌아갔을 때에는 '고(考)'라 하는데, 여기에서는 '부(父)'와 '고(考)'를 구별하지 않고 같은 말로 썼다. "아버지가 살아계실 때에는 그 자식의 뜻을 보고, 아버지가 돌아갔을 때에는 그 자식의 행동을 본다"고 하였으니, 자식은 일을 주관함에 있어서 아버지가 살아계시든 돌아가셨든 다름이 있어서는 안 될 것이다. 그러므로 '부(父)'라고 하였다. 『서경·강고』에 "아버지[考]의 마음을 크게 상하니, 아버지[父]가 자식을 보살펴 줄 수 없다"고 하였다. 옛 사람들은 살아있고 돌아간 것으로 '고'와 '부'를 달리 부르지 않았던 것이다.

○ 蓋子幹父事, 當惕厲, 不歸咎於父, 故終吉. 意承考, 善繼人之志也.
자식이 아버지의 일을 주관하니, 마땅히 두렵고 위태롭게 여겨 아버지에게 허물이 돌아가지 않도록 하므로 마침내 길하다. '뜻이 아버지를 잇는데 있음'은 남의 뜻을 잘 계승하는 것이다.

### 이항로(李恒老) 「주역전의동이석의(周易傳義同異釋義)」

傳, 居內在下而爲主, 子幹父蠱也.
『정전』에서 말하였다: 내괘에 거하고 아래에 있으면서 주체가 되니, 이는 자식이 아버지가 남긴 '어지러운 일[蠱]'을 주관하는 것이다.

本義, 蠱者, 前人已壞之緖. 故諸爻皆有父母之象, 子能幹之, 則飭治而振起矣.

『본의』에서 말하였다: (蠱)는 앞사람이 이미 허물어 놓은 끄트머리이다. 이 때문에 여러 효가 모두 부모의 상이 있으니, 자식이 일을 주관할 수 있으면 신중히 다스려서 진작될 것이다.

按, 傳義不同之義, 瓜山潘氏說已備可考.

내가 살펴보았다: 『정전』과 『본의』의 뜻이 같지 않음에 대해서는 과산반씨가 이미 잘 살폈다.

或問, 蠱極復治天運然也. 然臣之於君, 妻之於夫, 弟之於兄, 朋友之於所親, 聖賢之於國家天下, 无非治蠱之地, 而獨以子幹父蠱言之何也. 曰, 臣幹君事, 有進退之義焉. 妻幹夫事, 有內外之別焉. 兄弟朋友或有蓋底之方圓, 或有情誼之厚薄, 聖賢之救世, 時有遇不遇, 道有合不合, 則皆非斷斷自任之事也. 惟子之於父, 有盡心幹蠱而已, 且艮止於上而有老尊安息之象, 巽行於下而有承順勤勞之象, 則非子幹父蠱而何哉. 諸卦二五, 皆君臣之位也, 諸卦剛柔皆夫婦之道也. 隨象取義, 各自不同, 非一卦之所專也. 故此卦專以子幹父蠱爲主.

어떤 이가 물었다: 어지러운 일이 극에 달하였다가 다시 다스려지는 것은 하늘의 운행이 그러한 것입니다. 그렇다면 신하가 임금에 대해서, 아내가 남편에 대해서, 동생이 형에 대해서, 친구가 그 친한 이에 대해서, 성현이 천하와 국가에 대해서 모두 일을 다스리는 터전이 아님이 없는데, 유독 자식이 아버지 일을 주관하는 사례로 말한 것은 왜 그렇습니까? 답하였다: 신하가 임금의 일을 주관할 때 나아가고 물러나는 의리가 있고, 아내가 남편의 일을 주관할 때 안팎의 구별이 있습니다. 형제와 친구는 간혹 뚜껑은 네모진데 바닥은 둥근 것처럼 맞지 않는 경우가 있고, 혹 정분과 의리에 두텁고 엷음이 있으며, 성현이 세상을 구원할 때, 때를 만나고 만나지 못함이 있고, 도가 합하고 합하지 못함이 있어서 모두 결연히 자임할 수 있는 일이 아닙니다. 오직 자식이 아버지에 대해서 마음을 다하여 일을 주관할 뿐입니다. 또 간괘는 위에서 멈추어 있어서 어른이 편안하게 쉬는 상이 있고, 손괘는 아래에서 행하여 순하게 받들고 애써 일하는 상이 있으니, 자식이 아버지의 일을 주관하는 것이 아니고 무엇이겠습니까? 여러 괘에서 이효와 오효는 모두 임금과 신하의 자리이고, 여러 괘에서 굳셈과 부드러움은 모두 남편과 아내의 도리입니다. 상에 따라 의미를 취하여 각기 자연히 같지 않으니, 어떤 한 괘에서 적용한 사례만이 유일한 것은 아닙니다. 그러므로 이 괘에서는 오로지 자식이 아버지의 일을 주관함을 위주로 하였습니다.

### 심대윤(沈大允) 『주역상의점법(周易象義占法)』

蠱之義, 執事, 事上也. 執事非君道也. 故不取君位也. 蠱之爻位, 居剛以勤力爲勞者也, 居柔以謀慮爲事者也.

'고(蠱)'의 의미는 일을 집행하여 윗사람을 섬기는 것이다. 일을 집행하는 것은 임금의 도가 아니다. 그러므로 임금의 자리를 취하지 않았다. 고괘의 효 자리는 굳센 양의 자리에 있으면 애써 노력하는 자이고, 부드러운 음의 자리에 있으면 잘 생각하여 도모하는 자이다.

蠱之大畜䷙, 事業之畜也. 方蠱之初, 多事委積, 初六以柔居剛, 而藉於剛夫, 以柔巽敬慎而勤力執役者, 幼賤事長上之道也. 故曰, 幹父之蠱, 坎巽爲大木曰幹, 言勞事也. 有子考言爲有子於其考也, 不失其道, 故曰无咎. 勞苦勤力爲厲也. 蠱之一陽, 高居于上, 下有二陽, 相承, 有父子之象. 故以父子言也. 兌巽爲子, 推子道以事天下之長上也

고괘가 대축괘(大畜卦䷙)로 바뀌었으니, 사업이 축적되는 것이다. 일을 처리하려는 초기에 많은 일들이 쌓여 있는데, 초육은 부드러운 음으로 굳센 양의 자리에 있어서 굳센 사내를 의지하고 있으니, 부드럽고 공경하는 태도로 신중하게 노력하여 일을 집행하는 자이다. 어리고 낮은 지위의 사람이 어른을 섬기는 도리이므로 아버지의 일을 주관한다고 하였다. 감괘와 손괘는 큰 나무가 되기에 줄기[幹]라고 하였으니, 힘써 일함을 말한다. "훌륭한 자식이 있으면 아버지가 허물이 없다"라고 한 것은 훌륭한 자식은 그 아버지에 대하여 그 도리를 잃지 않으므로 "허물이 없다"고 한 것이다. 애써 노력하는 것이 위태롭게 여기는 태도[厲]이다. 고괘(蠱卦)에서 하나의 양이 꼭대기에 높이 있고, 아래에 두 양이 있어 계승하니 아버지와 자식의 상이 있다. 그러므로 아버지와 자식을 가지고 말하였다. 태괘와 손괘는 자식이 되니, 자식의 도리를 미루어 세상의 어른을 섬긴다.

〈蠱獨有父子之象, 爻辭獨言幹父, 不言事君何也. 凡天下之事, 無非爲己者也. 爲己卽爲父也, 事君亦爲父也. 有子考者, 言爲己卽爲父也. 終身之事皆爲父也, 故曰, 孝者百行之源也.

고괘(蠱卦)에 유독 아버지와 자식의 상이 있고, 효사에 유독 아버지 일을 주관한다고 하고 임금 섬기는 일은 말하지 않은 것은 왜 그런가? 천하의 일은 자기를 위하지 않는 것이 없다. 자기를 위하는 것이 곧 아버지를 위하는 것이고, 임금을 섬기는 것 역시 아버지를 위한 것이다. "훌륭한 아들을 두면 아버지가 허물이 없다"는 것은 자기를 위하는 것이 곧 아버지를 위한 것임을 말한다. 죽을 때까지 해야 할 일은 모두 아버지를 위한 것이므로, 효(孝)는 모든 행실의 근원이라고 하였다.〉

## 오치기(吳致箕) 「주역경전증해(周易經傳增解)」

初六以柔居下, 有巽順之德, 而在蠱之初, 承父之意而主治其蠱者也. 有子而克蓋前愆, 則厥考可以无咎. 然恐質柔而不能堪任, 故戒言能惕厲其心, 則終得其吉也.

초육은 부드러운 음으로 아래에 있으니, 공손하게 순종하는 덕이 있다. 일이 발생한 초기에 아버지의 뜻을 계승하여 그 일을 주관하여 다스리는 자이다. 훌륭한 아들이 있어 아버지가 앞에서 저지른 허물을 덮을 수 있으면 그 아버지는 허물이 없을 수 있다. 그러나 재질이 유약하여 그 임무를 감당할 수 없을까 염려하였으므로, 그 마음을 두렵고 위태롭게 할 수 있어야 마침내 길함을 얻을 수 있다고 경계하였다.

○ 幹者主也, 草木莖幹爲枝葉之所附而立者也, 取於巽爲木也. 爻位上九最高, 爲父位之象. 故諸爻言父而初在最下爲子之象, 亦以對體之震爲子也. 考者, 父歿後尊稱也.
간(幹)이란 중심이 되어 주장하는 것이니, 초목의 줄거리가 되는 줄기는 가지와 잎새가 붙어 있는 것으로, 손괘가 나무가 되는데서 취하였다. 효의 자리는 상구가 가장 높아 아버지 자리의 상이 된다. 그러므로 여러 효에서 아버지를 말하였는데, 초효는 제일 아래에 있어서 아들의 상이 되니, 역시 상대하는 몸체인 진괘를 아들로 삼은 것이다. '고(考)'는 아버지가 돌아가신 뒤에 쓰는 존칭이다.
〈上九在外卦而不應, 故言考.
상구는 바깥 괘에 있어서 호응하지 않으므로 '돌아가신 아버지[考]'라고 하였다.〉

## 이진상(李震相) 『역학관규(易學管窺)』

爻變乾爲父而巽體爲幹, 陰木象也. 中互震男, 故稱子, 而初上相易, 有子幹父蠱之義. 然以爻象言之, 則初六少子之未成, 而老父之所鍾愛, 能用剛中之柔, 服事晉勞於前者也.
효의 변화로 보면 건괘는 아버지가 되고 손괘의 몸체는 줄기[幹]가 되니, 음목(陰木)의 상이다. 가운데 호괘가 진괘인 장남이므로 아들이라고 하였고 초효와 상효가 서로 바뀌어, "훌륭한 자식이 있어 아버지의 일을 주관한다"는 뜻이 있다. 그러나 효의 상으로 말하면 초육은 어린 아들이 아직 자라지 못하였으나, 늙은 아버지가 사랑하는 바 되어 굳세고 알맞음을 쓰는 음이 될 수 있으니, 미리 앞에서 잠잠히 노력하고 애써 일하는 자이다.

## 박문호(朴文鎬) 「경설(經說)·주역(周易)」

蠱之言父者凡有四, 而言母者纔有一者, 以婦人事在閨門之內而已故也. 若母好巫而諫之不得, 則姑順從之, 此等事, 卽不可貞之一也.
고괘에서 아버지는 네 번 말하였는데, 어머니는 겨우 한 번 말한 것은 부인의 일이란 규방 안에 있을 뿐이기 때문이다. 만약 어머니가 무속을 좋아하여 간하여도 듣지 않는다면, 짐짓 순종할 일이다. 이런 등속의 일은 고집 일변도로 나가서는 안 된다.

象曰, 幹父之蠱, 意承考也.

「상전」에서 말하였다: "아버지의 일을 주관함"은 아버지를 계승하려는 뜻을 갖는 것이다.

## 中國大全

### 傳

子幹父蠱之道, 意在承當於父之事也. 故祗敬其事, 以置父於无咎之地, 常懷惕厲, 則終得其吉也. 盡誠於父事, 吉之道也.

아들이 아버지의 일을 주관하는 도리는 뜻이 아버지의 일을 계승하여 맡으려는데 있다. 그러므로 그 일을 공경스럽게 하여 아버지를 허물이 없는 자리에 놓이게 하고, 항상 두렵고 위태롭게 여기면 마침내 길함을 얻을 것이다. 아버지의 일에 정성을 다함은 길한 도리이다.

### 小註

鄭氏曰, 子改父道, 始雖厲而終則吉, 事若不順而意則順也.
정씨가 말하였다: 자식이 부모가 하던 방식을 고치는 것이 처음에는 비록 위태롭지만 마침내 길하게 되니, 이는 부모가 하던 일의 방식은 따르지 않는 듯하지만, 부모의 뜻은 따르기 때문이다.

○ 中溪張氏曰, 不承其事而承其意, 此善繼父之志者也.
중계장씨가 말하였다: 그 일의 방식은 계승하지 않더라도 그 뜻을 계승하는 것, 이것이 부모의 뜻을 잘 잇는 것이다.

# ‖韓國大全‖

## 유정원(柳正源) 『역해참고(易解參攷)』

王氏曰, 幹事之首, 時有損益, 不可盡承, 故意承而已.
왕필이 말하였다: 일을 계승하기 시작 할 때, 그 때의 사정이 있어서 모두 다 계승할 수가 없으므로 뜻이 계승하는데 있다고 하였다.

## 김상악(金相岳) 『산천역설(山天易說)』

初六, 與上相遠, 故以意承之. 二則與五爲應, 故五曰承以德也. 皆以卦變言也.
초육은 상효와 멀리 있으므로 뜻으로 계승한다. 이효는 오효와 호응하므로 오효에 "덕으로써 계승한다"라고 하였다. 모두 괘의 변화로 말하였다.

## 서유신(徐有臣) 『역의의언(易義擬言)』

幹蠱, 雖不得不損益通變, 而若其大意, 則未嘗不承其父也.
어지러운 일을 맡아하여 비록 부득이 가감하고 바꾸더라도, 그 큰 뜻은 아버지를 계승하려 하지 않은 적이 없다는 말이다.

## 김귀주(金龜柱) 『주역차록(周易箚錄)』

傳, 子幹父蠱, 云云.
『정전』에서 말하였다: 자식이 아버지의 일을 주관하는, 운운.

小註, 中溪張氏曰, 不承, 云云.
소주에서 중계장씨가 말하였다: 계승하지 않는다, 운운.

○ 按, 不承其事之云, 似指改父之道. 然可改而改之者, 亦是承其事, 何謂不承其事耶.
내가 살펴보았다: "그 일을 계승하지 않는다"라고 하였으니, 아버지가 하던 방식을 고쳤다는 말인 듯하다. 그러나 고칠만해서 고치는 것 역시 그 일을 계승하는 것이니, 어찌 그 일을 계승하지 않는 것이라고 하겠는가?

### 심대윤(沈大允) 『주역상의점법(周易象義占法)』

象曰, 幹父之蠱, 意承考也.

「상전」에 말하였다: 아버지의 일을 주관하는 것은 아버지를 계승하려는 뜻을 갖는 것이다.

〈凡人終身之事, 皆承父而爲父之事也.

사람이 죽을 때까지 해야 할 일은 모두 아버지를 계승하여 아버지를 위하는 일이다.〉

### 오치기(吳致箕) 「주역경전증해(周易經傳增解)」

承父之意, 而治前事之生蠱者也.

아버지의 뜻을 계승하여 앞의 일에서 생긴 어지러움을 다스리는 자이다.

### 이진상(李震相) 『역학관규(易學管窺)』

象, 意承考也.

「상전」에서 말하였다: 아버지를 계승하려는 뜻을 갖는 것이다.

卦體厚坎, 坎爲心, 而意者, 心之發也. 意陰而志陽, 意順而志剛. 人子之於親, 當先意承志, 故必曰意承.

괘의 몸체는 두터운 감(坎)인데, 감은 마음이 되고, '의(意)'는 마음이 발동한 것이다. 의(意)는 음이고 지(志)는 양이니, 의(意)는 순종하고 지(志)는 굳세다. 자식 된 자는 부모에 대하여 마땅히 먼저 순종하는 마음[意]으로 부모의 뜻[志]을 계승하여야 하므로, 반드시 뜻이 계승하는데 있다고 한 것이다.

### 이병헌(李炳憲) 『역경금문고통론(易經今文考通論)』

幹父之蠱, 順其故而言也. 幹正也. 象曰天下治, 而爻中專言家處幹蠱之事, 取類小也.

아버지의 일을 주관한다는 것은 아버지가 하던 일을 순종하여 한다는 말이다. 간(幹)은 바르게 하는 것이다. 「단전」에서는 "천하가 다스려진다"고 하였는데, 효사에서는 오로지 가정에서 어지러운 일을 주관하여 처리하는 것으로만 말하였으니, 일의 종류가 작은 것을 취하였다.

九二, 幹母之蠱, 不可貞.

구이는 어머니의 일을 주관하는 것으로, 고집하여서는 안 된다.

## 中國大全

### 傳

九二陽剛, 爲六五所應, 是, 以陽剛之才, 在下而幹夫在上陰柔之事也. 故取子幹母蠱爲義, 以剛陽之臣, 輔柔弱之君, 義亦相近. 二巽體而處柔, 順義爲多, 幹母之蠱之道也. 夫子之於母, 當以柔巽輔導之, 使得於義, 不順而致敗蠱, 則子之罪也. 從容將順, 豈无道乎. 以婦人言之, 則陰柔可知. 若伸己剛陽之道, 遽然矯拂則傷恩, 所害大矣, 亦安能入乎. 在乎屈己下意, 巽順將承, 使之身正事治而已. 故曰不可貞, 謂不可貞固, 盡其剛直之道, 如是乃中道也. 又安能使之爲甚高之事乎. 若於柔弱之君, 盡誠竭忠, 致之於中道則可矣. 又安能使之大有爲乎. 且以周公之聖, 輔成王, 成王非甚柔弱也, 然能使之爲成王而已. 守成不失道則可矣, 固不能使之爲義黃堯舜之事也. 二巽體而得中, 是能巽順而得中道, 合不可貞之義, 得幹母蠱之道也.

구이는 굳센 양으로 육오에게 호응한 바가 되니, 이는 강한 양의 자질로서 아래에 있으면서 위에 있는 유약한 음의 일을 주관하는 것이다. 그러므로 아들이 어머니의 일을 주관하는 것으로 그 의미를 삼았으니, 양으로서 굳센 신하가 유약한 군주를 보필하는 것도 뜻이 또한 서로 비슷하다. 이효는 손(巽)의 몸체로 부드럽게 처신하여서 순종하는 뜻이 많으니, 어머니의 일을 주관하는 도리이다. 아들은 어머니에 대하여 마땅히 부드럽고 공손하게 인도하여 의리에 맞게 하여야 하니, 유순하지 못하여 어그러지고 허물어지는데 이른다면 이는 아들의 죄이다. 조용히 순하게 하려고 한다면 어찌 방도가 없겠는가? 부인이라고 말했으니 유약한 음이라는 것을 알 수 있다. 아들이 만약 자신의 굳센 양의 방식대로 뻗어나가 불쑥 바로잡으려 하면 모자간의 은혜를 상하여 크게 해로울 것이니, 또한 어떻게 자식의 뜻이 어머니의 마음에 들어갈 수 있겠는가? 몸을 굽히고 뜻을 낮추며 공손하고 순하게 받들어 몸이 바르고 일이 다스려지게 할 뿐이다. 그러므로 "고집하여서는 안 된다"고 하였으니, 곧고 굳게 하여 자신의 강직한 방식을 다 적용하여서는 안 된다고 한 것으로, 이와 같이 하여야 중도(中道)

인 것이다. 또 어떻게 유약한 어머니가 너무 높은 일을 하도록 할 수 있겠는가? 유약한 임금을 섬기는 경우에는 정성으로 충심을 다하여 임금이 중도에 이르도록 하는 것이 옳을 것이다. 또 어떻게 그가 위대한 일을 하도록 할 수 있겠는가? 주공(周公)과 같은 성인도 성왕(成王)을 보필할 적에, 성왕이 심히 유약하지 않았는데도 그가 성왕(成王)이 되도록 할 수 있었을 뿐이었다. 그로 하여금 그동안 이루어 놓은 것을 잘 지켜서 도를 잃지 않도록 할 수는 있었지만, 참으로 복희(伏羲)·황제(黃帝)와 요(堯)·순(舜)의 일을 하게 하지는 못하였다. 구이는 손괘의 몸체로서 가운데 자리를 얻었으니, 이는 공손히 할 수 있어서 적절한 도리[中道]를 얻은 것으로, "고집하여서는 안 된다"는 뜻에 부합하니, 어머니의 일을 주관하는 도리를 얻은 것이다.

### 本義

九二剛中, 上應六五, 子幹母蠱而得中之象. 以剛承柔而治其壞, 故又戒以不可堅貞, 言當巽以入之也.

구이는 굳세고 알맞아서 위로 육오와 호응하니, 아들이 어머니의 일을 주관하면서 알맞음[中]을 얻은 상이다. 굳센 양으로서 부드러운 음을 받들어 그 허물어진 것을 다스리므로 또 지나치게 곧게 하여서는 안 된다고 경계하였으니, 마땅히 공손히 하여 들어가야 함을 말한 것이다.

### 小註

朱子曰, 幹母之蠱, 伊川說得是.
주자가 말하였다: 어머니의 일을 주관하는 일은 이천의 말이 옳다.

○ 龜山楊氏曰, 或曰, 卦以五爲君位, 而可以母言乎. 曰, 母者, 陰尊之稱. 如晉六二之稱王母, 小過六二之稱遇其妣, 皆謂六五也.
구산양씨가 말하였다: 어떤 이가 말하기를 "괘에서 오효가 임금의 자리인데, 어머니라고 말할 수 있습니까?"라고 하기에 이렇게 답하였다. "어머니는 음을 높여서 부른 것입니다. 진괘(晉卦䷢) 육이에서 '왕모'라 하고,[104] 소과괘(小過卦䷽) 육이에서 '그 할머니를 만난다'고 하였는데[105] 모두 육오를 가리킨 것입니다."

○ 厚齋馮氏曰, 世固有父喪, 而母任家事者, 以衆子在, 而母總其事也. 故六五, 以陰

---

104) 『周易·晉卦』: 六二, 晉如愁如, 貞吉, 受玆介福于其王母.
105) 『周易·小過卦』: 六二, 過其祖, 遇其妣, 不及其君, 遇其臣, 无咎.

柔爲一卦之上, 而取象於母蠱焉. 諸爻不取此義, 而獨於九二言之者, 以其正應在下. 又取乎內有陽剛之才, 能幹者也. 又家事之敗, 或由婦人亂政, 而其才子能飭之, 亦爲幹母之蠱.

후재풍씨가 말하였다: 세상에는 아버지가 돌아가시고 어머니가 가사를 책임지는 경우가 있기 마련인데, 이때 여러 자식이 있어도 어머니가 그 일을 총괄하게 된다. 그러므로 육오가 부드러운 음으로 한 괘의 윗자리에 있는 것으로써 '어머니의 일'이라는 상을 취하였다. 여러 효가 이 의미를 취하지 않았는데, 구이에서만 말한 것은 그가 아래에 있으면서 육오와 바르게 호응하기 때문이다. 또 안으로 굳센 양의 재질이 있어서 일을 맡아할 수 있는 자이다. 또한 간혹 부인이 살림을 잘못하여 가사가 어그러지는 경우가 있는데, 아들이 그 어머니의 유약한 자질을 바로잡을 수 있기 때문에 역시 어머니의 일을 맡아 할 수 있다.

○ 李氏椿年曰, 母柔子剛, 於義爲得然, 而不可以爲貞也, 有母在而以剛行之, 有時而違拂矣.

이춘년이 말하였다: 어머니는 부드럽고 아들이 강한 것이 의리에 맞는 것 같은데, 아들이 고집해서는 안 된다고 한 이유는 어머니가 계신데 강하게 시행하면 때로 어머니와 어그러지는 수가 있기 때문이다.

○ 雲峰胡氏曰, 貞者, 事之幹, 九二, 幹蠱而戒之曰, 不可貞. 幹母之蠱也, 非不可正也, 不可固執以爲正也. 母性多柔暗, 以二之剛承五之柔, 巽以入之, 不固守其剛, 乃中道也. 固則反傷恩害義矣.

운봉호씨가 말하였다: '곧음[貞]'은 '일을 주관하는 것'인데,[106] 구이가 일을 주관하는데 있어서 고집하여서는 안 된다고 경계하였다. 이는 어머니의 일을 주관할 때 바르게 해서는 안 된다는 뜻이 아니라 고집스럽게 하면서 바르게 하는 것이라고 여겨서는 안 된다는 말이다. 어머니는 성질이 많이 유약하기 때문에 구이가 육오의 유약함을 받들어 공손하게 들어가고, 그 강함을 고수하지 않는 것이 적절한 도리[中道]이다. 고집스럽게 하면 도리어 모자간의 은혜를 상하고 의리를 해치게 된다.

---

106) '곧음[貞]'은 '일을 주관하는 것'인데: 건괘 「문언전」에서 "貞者, 事之幹也"라 한 것을 말한다.

# ▌韓國大全▌

### 조호익(曺好益) 『역상설(易象說)』

貞, 堅貞. 九剛故取象.

정(貞)은 굳게 고집함이다. 양은 굳세기 때문에 이러한 상을 취하였다.


### 김장생(金長生) 『주역(周易)』

傳, 致之於中道.

『정전』에서 말하였다: 중도에 이르도록 하다.


中道之中, 似非中庸之中也, 有中君之中意. 矯拂, 矯强貌.

고괘 구이효에 대하여 『정전』에서는 중도(中道)를 이루는 것으로 보았다. 중도의 '중'은 『중용』의 '중'은 아니고 임금을 중도에 맞게 보필한다는 '중'의 뜻이 있는 것 같다. '교불(矯拂)'은 강한 모양이다.


### 송시열(宋時烈) 『역설(易說)』

亦說見上. 不可貞者, 不可安貞而往從六五也.

또한 설명이 위에 보인다. "곧게 할 수 없다"는 것은 편안한 마음으로 곧게 하지 못하고 가서 육오를 따른다는 것이다.


### 이현익(李顯益) 「주역설(周易說)」

二之幹母, 母固以五言, 以二與五應故也. 初三四五幹父, 父未必以上言. 三固與上應, 初四五則非與上應, 上何以爲父乎. 建安丘氏之以上爲父者, 無義意. 大抵此卦四箇幹父, 父只是空裏說, 必於爻中尋則鑿矣.

이효는 어머니의 일을 주관한다. 어머니는 본래 오효라 할 수 있으니, 이효와 오효가 호응하기 때문이다. 초효, 삼효, 사효, 오효에서 아버지 일을 주관한다고 하였으니, 아버지는 반드시 상효로써 말할 필요는 없다. 삼효는 본래 상효와 호응하지만 초효, 사효, 오효는 상효와 호응하지 않는데, 상효는 어째서 아버지가 되는가? 건안구씨가 상효를 아버지라고 본 것은 큰 의미가 없다. 대체로 이 괘에는 네 번 아버지 일을 주관한다고 하였는데, 아버지는 그저 그냥 말한 것이니, 반드시 효가운데서 찾으려 한다면 천착함이 될 것이다.

### 유정원(柳正源)『역해참고(易解參攷)』

王氏曰, 婦人之性, 難可全正, 宜屈己剛. 旣幹且順, 故曰不可貞也.

왕필이 말하였다: 부인의 성품은 온전하게 바르기가 어려우니, 구이는 마땅히 자기의 굳셈을 굽혀야 한다. 이미 어머니의 일을 주관하였고 순종하므로 "고집하여서는 안 된다"라고 하였다.

○ 雙湖胡氏曰, 二不正, 故謂九不可以爲貞也. 柔順乃貞耳, 戒辭.

쌍호호씨가 말하였다: 구이가 바르지 못하므로 구(九)는 고집함이 되어서는 안 된다는 말이다. 유순하면 이에 고집할 뿐이니, 경계하는 말이다.

### 김상악(金相岳)『산천역설(山天易說)』

二以陽剛, 上應乎五, 爲幹母之象. 以剛承柔, 故戒以不可貞. 比初而用柔, 當巽以入之也.

이효는 굳센 양으로서 위로 오효와 호응하여 어머니의 일을 주관하는 상이 된다. 굳센 양으로 부드러운 음을 계승하므로 고집하여서는 안 된다는 경계가 있다. 초효와 친하여 부드럽게 하여야 하니, 마땅히 공손하게 들어가야 한다.

○ 母者, 陰尊之稱. 晉六二曰, 王母亦謂五也. 貞者事之幹也. 貞固足以幹事, 而曰不可貞. 二雖巽體, 居柔用貞, 而幹母則易於矯拂而敗蠱, 故戒之以此, 而得中爲善, 所以不至於悔吝, 與三四不同. 凡言利貞可貞者, 皆謂不變其所守之正也, 而此獨曰不可貞, 自守則利於貞, 幹母則不可貞. 明夷九三曰, 不可疾貞, 施之於人也, 又不可貞, 與節之苦節同. 而象傳於本爻曰, 得中道也, 節上六曰, 其道窮也, 美戒不同.

어머니는 음 가운데 존귀한 칭호이다. 진괘(晉卦) 육이효의 '왕모'도 역시 오효를 말한다. 곧음[貞]이란 일의 근간이다. 건괘「문언전」에서 말하였듯이, '곧고 굳어야[貞固]' 일을 주관할 수 있는데, 여기서는 "고집하여서는 안 된다"라고 하였다. 구이는 비록 손괘의 몸체로서 부드러운 음에 있으면서 곧지만, 어머니 일을 주관하는데 있어서 과격하게 바로잡으려 하여 일을 어그러뜨리기 십상이다. 그러므로 이렇게 경계하였으니, 중도를 얻으면 선하게 되어 후회하거나 부끄러운데 이르지 않으므로, 삼효와 사효의 경우와는 같지 않다. 보통 "곧게 하는 것이 이롭다"고 하여 곧게 할 만하다는 것은 모두 그 자신이 지키는 바의 바름을 변하지 않음을 말하는 것이다. 여기에서 유독 "고집하여서는 안 된다"라고 한 것은 스스로 지키는데 있어서는 곧게 하는 것이 이롭지만, 어머니의 일을 주관함에 있어서는 곧기를 고집하

여서는 안 된다는 말이다. 명이괘(明夷卦) 구삼효에 "급히 곧게 해서는 안 된다"라고 하였
는데, 남에게 행할 때에는 또한 고집해서는 안 되니, 절괘의 "괴롭도록 절제하여서는 안 된
다"라 한 경우와 같다. 본효에 대한 「상전」에 "적절한 도리를 얻었다"라고 하였고, 절괘의
상육효 「상전」에 "그 도가 다하기 때문이다"라 하였으니, 찬미하거나 경계한 말은 같지가
않다.

## 서유신(徐有臣) 『역의의언(易義擬言)』

巽長女, 代母用事, 且應於六五柔爻, 故曰幹母之蠱也. 貞者, 事之幹也. 不可貞言不宜
自專也. 幹母蠱, 有姑老而婦幹者, 故曰不可貞也. 如或父在而子幹, 則當用此道. 故
聖人於此, 發其義, 豈但曰幹母之蠱也.

손괘는 맏딸이니 어머니를 대신하여 일을 한다. 또 육오의 부드러운 음효에 호응하므로 어
머니의 일을 주관한다고 하였다. 곧음[貞]은 일의 근간이다. "곧음을 고집하여서는 안 된다
[不可貞]"는 말은 제멋대로 해서는 안 된다는 것이다. "어머니의 일을 주관한다"고 하였는데,
늙은 시어머니가 있고 며느리가 일을 주관하므로 "곧음을 고집하여서는 안 된다"고 한 것이
다. 혹 아버지가 계신데 아들이 일을 주관하는 경우에도 마땅히 이러한 도를 써야 한다.
그러므로 성인이 여기에서 그 의미를 드러낸 것이 어찌 단지 어머니의 일을 주관한다는 것
뿐이겠는가?

## 박제가(朴齊家) 『주역(周易)』

九二, 幹母之蠱.
구이는 어머니의 일을 주관한다.

傳. 九二陽剛爲六五所應, 故取子幹母蠱爲義.
『정전』에서 말하였다: 구이는 굳센 양으로 육오에게 호응한 바가 되니, 자식이 어머니의
일을 주관하는 것을 취하여 뜻을 삼았다.

或曰五爲君位而可以母言乎. 龜山楊氏曰, 母者陰尊之稱, 如晉六二稱王母, 小過六二
稱遇其妣, 皆謂六五也.
어떤 이가 물었다: 오효는 임금의 자리이니 어머니로 말할 수 있습니까?
구산양씨가 답하였다: 어머니는 음가운데 존귀한 호칭이니, 진괘(晉卦) 육이효에 '왕모'라
하고, 소과괘(小過卦) 육이효에 "어머니를 만난다"라 하였으니 모두 육오를 말합니다.

案, 本義, 諸爻皆有父母之象者 得之. 蓋蠱之爲字, 合病而有事兩義而成. 故程子亦曰, 蠱非訓事, 蠱乃有事矣. 二之本爻自有母, 何必應於五而指五爲母耶. 二爲巽主故不可貞幹, 則幹矣而不可貞者, 事母之道也. 故曰幹母. 如初應在四, 不必待四爲父, 三應在上, 不必指上爲父.

내가 살펴보았다: 『본의』에서 "여러 효는 모두 부모의 상이 있다"라고 본 것이 옳다. '고(蠱)'라는 글자는 병들고 일이 있는 것이 합하여 두 가지 뜻이 이루어진다. 그러므로 정자도 '고'는 일이란 뜻이 아니라, 병들어 상하여[蠱] 일이 있게 되는 것이라고 하였다. 이효는 본래 자체에 어머니란 뜻이 있으니, 하필 오효에 호응하여 오효가 어머니가 된다고 하겠는가? 이효는 손괘의 주인이 되므로 곧기를 고집하여 주관하여서는 안 되니, 주관하되 고집하여서는 안 되는 것은 어머니를 섬기는 도이기 때문이다. 그러므로 어머니를 섬긴다고 하였다. 초구의 경우는 호응하는 대상이 사효에 있으므로 꼭 사효가 아버지가 되기를 기다릴 필요가 없고, 삼효가 호응하는 대상은 상효에 있으므로 반드시 상효를 아버지라고 할 필요가 없다.

建安丘氏曰, 上爲父, 五爲母, 則尤失之矣. 六五幹父之蠱用譽, 象傳曰, 承以德也. 五自以德承其父, 又何必曰, 九二承之以德耶. 卦之有應固也, 亦有不盡同者. 此卦自初至五, 皆言子道, 此五之爲繼體之君, 固矣. 亦何必陰柔不能創始, 而任二以用譽云耶. 雖剏業之君, 亦豈不可曰幹父乎. 如大有, 如謙, 皆以柔居尊不害爲用譽. 如用譽之用, 先儒多以爲用人之用. 故必曰, 用九二令譽之臣者. 以象傳之文曰, 幹父用譽, 承以德也. 其意以爲用令譽者, 承以有德之二也. 此亦必以五應二而言也. 傳及本義卻不從用人之義, 則用之爲義, 只如利用行師之用. 而只取承德, 歸之於二, 則於象傳之義爲兩無當矣.

건안구씨가 말하였다: 상효는 아버지가 되고 오효는 어머니가 된다고 하면 더욱 잘못이다. 육오가 아버지의 일을 주관하여 명예로운 것을, 「상전」에서는 "덕으로 받들기 때문이다"라고 하였다. 오효가 스스로 덕으로 그 아버지를 받드는데 또 굳이 구이가 덕으로 받든다고 하겠는가? 괘에는 본래 호응하는 것이 있지만 또한 완전히 같을 수 없다. 이 괘에서는 초효부터 오효까지 모두 자식의 도리를 말하였으니, 이는 오효가 계통을 잇는 임금이 되는 것이 본래의 뜻이기 때문이다. 또한 하필 유약한 음이라서 창시할 수가 없으므로 구이에게 맡겨야 명예롭다고 한 것이겠는가? 창업하는 임금이라고 해서 어찌 "아버지의 일을 주관한다"고 할 수 없겠는가? 예컨대 대유괘(大有卦)와 겸괘(謙卦)에서는 모두 부드러운 음이 높은 자리에 있어도 명예롭게 되는데 지장이 없다. '용예(用譽)'라 할 때 '용(用)'을 선배 유학자들은 대부분 "사람을 쓴다[用人]"고 할 때의 '용(用)'으로 생각하였다. 그러므로 반드시 구이의 명예롭게 하는 신하를 쓰는 것이라고 하였다. 「상전」의 글에 "'아버지의 일을 주관하니 명예로움'은 아랫사람이 덕으로 받들기 때문이다"라 하였는데, 그 의미를 명예롭게 하는 자를 써서

덕스러운 구이로써 받드는 것이라고 보았다. 이 또한 반드시 오효가 이효에 호응한다는 전제 아래 말한 것이다. 『정전』과 『본의』에서는 도리어 "사람을 쓴다"는 의미를 따르지 않았으니, '용'의 뜻은 단지 '쓰임을 이롭게' 하고, "군대를 운영한다"는 의미의 쓰임[用]과 같게 되고, 단지 덕을 계승함을 취하여 이효로 돌린다면, 「상전」의 의미에는 둘 다 해당되지 않는다.

### 김기례(金箕澧) 「역요선의강목(易要選義綱目)」

晉曰, 王母, 小過曰遇其妣, 皆指六五, 蓋謂位尊而才柔也.

진괘(晉卦䷢) 육이에서 '왕모'라 하고,[107] 소과괘(小過卦䷽) 육이에서 "어머니를 만난다"라 하였는데 모두 육오를 가리키니, 지위는 존귀하되 재질이 유약함을 말한다.

○ 乾文言曰, 貞固, 足以幹事, 而此言不可貞, 二剛五柔. 子不可固執, 道直反傷恩義. 六五柔順之.

건괘 「문언전」에 "바르고 굳셈이 일의 근간이 되기에 충분하다"고 하였는데, 여기에서는 "고집하여서는 안 된다[不可貞]"고 하였으니, 이효는 굳센 양이고 오효는 부드러운 음이기 때문이다. 자식이 고집해서는 안 되니, 도가 곧으면 도리어 은혜와 도리를 상하게 된다. 육오는 유순하게 따른다.

### 윤종섭(尹鍾燮) 『경(經)·역(易)』

二幹母之蠱, 與五爲應而主於一卦. 五爲陰順, 不任君道故曰母

이효는 어머니의 일을 주관하는데, 오효와 호응하여 한 괘의 주인이 된다. 오효는 순한 음으로서 임금의 도를 감당할 수 없으므로 어머니라고 하였다.

### 심대윤(沈大允) 『주역상의점법(周易象義占法)』

蠱之艮䷳. 九二居柔謀慮, 而位卑執役之. 事雖止而尙未免躬. 自莅之, 故亦曰幹. 幹之而擇其可幹者, 幹之也, 非悉幹也. 故曰幹母之蠱, 不可貞. 人臣巽以承君而亦有守義. 爭執不專, 逢迎阿諂而已, 如子之事母, 雖爲承順而亦有不從也. 應於六五, 有母子愛悅之象.

---

고괘(蠱卦)가 간괘(艮卦䷳)로 바뀌었다. 구이는 부드러운 음의 자리에 있기에 잘 생각하여 일을 도모하고, 낮은 자리에서 열심히 일한다. 일이 비록 멈추어 있어도 오히려 몸소 힘쓰기를 면하지 못한다. 스스로 임하므로 역시 주관한다고 하였다. 주관함에 있어서 그 주관할 만한 것을 택하여 주관하는 것이니, 주관한다고 해서 모두 다 주관하는 것이 아니다. 그러므로 "어머니의 일을 주관하는 것으로 고집하여서는 안 된다"라고 하였다. 신하된 이는 공손하게 임금을 받드니 또한 지키는 뜻이 있다. 고집하여 다투기를 일삼지 않으면 아첨하게 되기 쉬우니, 아들이 어머니를 섬김에 있어서 비록 순종하여 받들지만 역시 따르지 않는 바가 있다. 육오에 호응하니 어머니와 아들이 사랑하고 기뻐하는 상이 있다.

## 오치기(吳致箕)「주역경전증해(周易經傳增解)」

九二, 陽剛居中, 上應六五尊位, 卽子承母志, 而主治其蠱者也. 以剛承柔, 或慮其不能巽順, 以拂母意. 然居柔而得中, 非如初六之質柔而戒厲, 九三之過剛而有悔, 可以堪任其責, 恭修子職. 故但戒以不可固行其志, 或傷巽順之道也.

구이는 굳센 양으로 가운데 있으면서 위로 육오의 존귀한 자리에 호응하니, 아들이 어머니의 뜻을 계승하여 그 일을 맡아 다스리는 것이다. 굳센 양으로서 부드러운 음을 계승하므로 혹 공손하게 순종하지 못하여 어머니의 뜻을 거스를까 염려할 수 있다. 그러나 부드러운 음의 자리에 있고 적절함을 얻었으므로, 초육에서 재질이 유약하기에 위태롭게 여겨야 한다는 경계의 말이 있는 것과는 같지 않고, 구삼처럼 지나치게 강하여 후회가 있다는 경우와도 같지 않아, 그 책임을 잘 감당하여 공손하게 자식의 직분을 닦을 수 있다. 그러므로 단지 지나치게 굳게 그 뜻을 행하여 혹시라도 공손하게 순종하는 도리를 손상하여서는 안 된다고 경계하였다.

○ 應六五尊位, 故言母也.
육오의 높은 지위에 호응하기 때문에 어머니를 말하였다.

## 이진상(李震相)『역학관규(易學管窺)』

九二, 幹母.
구이는 어머니 일을 주관한다.

諸爻皆言父, 而此獨言母者, 蓋以陰居五, 母道也. 以陽告[108]二, 子道也. 其德得中而不正, 又非幹父之爲者.

여러 효에서 모두 아버지를 말하였는데, 여기에서만 어머니를 말한 것은 음이 오효에 있기 때문에 어머니의 도라고 한 것이다. 양으로서 이효에 있으니 아들의 도이다. 그 덕이 알맞지만 제자리는 아니어서 또한 아버지 일을 주관함이 되지는 않는다.

### 이병헌(李炳憲) 『역경금문고통론(易經今文考通論)』

本義曰, 九二, 剛中上應六五, 子幹母蠱而得中之象. 又戒以不可堅貞, 言當巽以入之也. 『본의』에서 "구이는 굳세고 알맞아서 위로 육오와 호응하니, 아들이 어머니의 일을 주관하면서 적절함[中]을 얻은 상이다"라 하였고, "또 지나치게 곧게 하여서는 안 된다고 경계하였다"라고 하였으니, 이는 마땅히 공손하게 들어가야 함을 말한 것이다.

---

108) 居: 경학자료집성DB에 '告'로 되어 있고 영인본의 글자가 분명치 않으나 '居'로 판단된다.

象曰, 幹母之蠱, 得中道也.

「상전」에서 말하였다: "어머니의 일을 주관함"은 적절한 도리[中道]를 얻은 것이다.

## ‖中國大全‖

### 傳

二得中道, 而不過剛, 幹母蠱之善者也.

구이는 적절한 도리를 얻어 지나치게 굳세지 않으니, 어머니의 일을 잘 주관하는 자이다.

### 小註

中溪張氏曰, 幹母之蠱與幹父之蠱不同. 子之於母, 但當柔行巽入. 以飭治其蠱者, 專尙剛直盡, 行撥亂反正之事, 則於中道未爲得也.

중계장씨가 말하였다: 어머니의 일을 주관하는 것과 아버지의 일을 주관하는 것은 같지 않다. 아들이 어머니를 대할 때는 다만 부드럽게 행하고 공손하게 들어가야 한다. 그 어지러운 일을 신중하게 다스리는 자가 오로지 굳셈을 숭상하고 끝까지 고집하여 옳지 못한 일을 바로 잡으려 한다면, 이는 적절한 도리를 얻지 못한 것이다.

## ‖韓國大全‖

유정원(柳正源) 『역해참고(易解參攷)』

得中道.

적절한 도리[中道]를 얻은 것이다.

案, 如子游能養而或失於敬, 子夏能直義而或少溫潤之色, 皆非幹蠱之中道也. 說親有 道, 反身自誠, 剛不至於傷恩, 柔不入於陷義, 庶得其中道矣.

내가 살펴보았다: 예컨대, 자유(子游)는 봉양은 잘 하였으나 간혹 공경함을 잃어버렸고, 자 하(子夏)는 곧고 의롭게 하였으나 간혹 온화한 기색이 부족하였으니, 모두 일을 주관하는 적절한 도리가 아니다. 어버이를 기쁘게 하는데 도리가 있으니, 내 몸에 돌이켜 스스로 진실 되고, 굳셈이 은혜를 상하는데 이르지 않으며, 부드러움이 의리를 함몰시키는데 빠지지 않 으면 거의 적절한 도리를 얻은 것이겠다.

### 서유신(徐有臣) 『역의의언(易義擬言)』

一於矯弊, 則失之自專, 一於順志則無以治蠱. 九二剛而居柔, 且得中, 故爲能幹也.

한결같이 폐단을 교정하려고만 한다면 제 멋대로 하는 잘못이 있고, 한결같이 순종하려고만 한다면 일을 다스릴 수 없을 것이다. 구이는 굳센 양으로 부드러운 음의 자리에 있고 또 적절한 도리를 얻으므로 주관할 수 있다.

### 박문건(朴文健) 『주역연의(周易衍義)』

得其中道, 故有幹母蠱之象. 必用柔則可, 用剛則不可也.

적절한 도리를 얻었으므로 어머니 일을 주관하는 상이 있다. 반드시 부드러운 음을 쓰면 괜찮지만 굳센 양을 써서는 안 된다.

### 이지연(李止淵) 『주역차의(周易箚疑)』

子爲父隱, 直在其中, 況母乎.

아들은 아버지를 위해 숨기니, 곧음은 그 가운데 있다. 하물며 어머니의 경우이겠는가?

中道卽柔道, 位柔故云耳.

적절한 도리는 곧 부드러운 음의 도리이니, 자리가 부드러운 음의 자리이기 때문이다.

### 김기례(金箕澧) 「역요선의강목(易要選義綱目)」

得中道.

적절한 도리[中道]를 얻은 것이다.

二以剛才柔位中正巽順. 幹母蠱, 不以貞則合中道.

구이는 굳센 재질로 부드러운 음의 자리에 있어 중정하고 공손하다. 어머니의 일을 주관할 때에는 곧기를 고집해서는 안 되니 적절한 도리에 합하여야 한다.

## 오치기(吳致箕) 「주역경전증해(周易經傳增解)」

剛而能巽, 則不失處中之道也.

굳세면서도 공손할 수 있어서 적절한 도리로 처신하는 도리를 잃지 않는다.

## 이정규(李正奎) 「독역기(讀易記)」

九二爻辭曰, 幹母之蠱, 不可貞. 象曰, 得中道也. 天下之理, 安有不貞而得其中道哉.

구이 효사에 "어머니의 일을 주관하는 것으로 고집하여서는 안 된다"라 하고, 「상전」에서는 "적절한 도리를 얻었다"라고 하였다. 천하의 이치가 어찌 곧지 않으면서 적절한 도리를 얻을 수 있겠는가?

蓋母柔子剛而欲治壞敗, 則易至拂戾乖激, 故巽以入之爲中也. 若過剛貞固, 則害理反甚, 所謂所執. 雖善猶爲不順之子, 此也. 又所謂中則正在其中, 得正而未必皆中者, 此也. 九二雖剛處柔與中之位, 則无過剛之象, 故言之歟.

어머니는 부드럽고 아들은 강하므로 잘못된 문제를 다스리고자 하면 서로 어그러지기가 쉬우니, 그러므로 공손하게 들어가는 것을 적절한 도리로 여긴다. 만약 지나치게 강하여 곧기를 고집하면 도리어 심하게 의리를 해치게 될 것이니, 이른바 집착한다는 것이다. 선하지만 오히려 순종하지 않는 아들이 있는 것이 이런 경우이다. 또한 중(中)하면 바름[正]은 그 중(中)가운데 있지만, 바름[正]을 얻었어도 반드시 모두 중(中)한 것은 아니라는 것이 이것이다. 구이는 비록 굳센 양이지만 부드러운 음의 자리에 있고 가운데 자리를 얻었으므로 지나치게 강한 상이 없기 때문에 그렇게 말한 것 같다.

## 九三, 幹父之蠱, 小有悔, 无大咎.

구삼은 아버지의 일을 주관하는데 조금 후회가 있지만 큰 허물은 없을 것이다.

## ‖中國大全‖

### 傳

三以剛陽之才, 居下之上, 主幹者也, 子幹父之蠱也. 以陽處剛而不中, 剛之過也. 然而在巽體, 雖剛過而不爲无順. 順, 事親之本也. 又居得正, 故无大過. 以剛陽之才, 克幹其事, 雖以剛過而有小小之悔, 終无大過咎也. 然有小悔, 已非善事親也.

삼효는 굳센 양의 재질로서 아래 괘의 꼭대기에 있으면서 일을 주관하는 자이니, 아들로서 아버지의 일을 주관하는 것이다. 굳센 양으로서 양의 자리에 머물러서 가운데 자리에 있지도 않으니, 지나치게 강한 것이다. 그러나 손괘의 몸체에 있으므로 비록 지나치게 굳세지만 순종하지 않는 것은 아니다. 순종은 어버이를 섬기는 근본이다. 또 바른 자리에 있으므로 큰 허물은 없다. 굳센 양의 재질로 충분히 그 일을 주관할 수 있으니, 비록 지나치게 굳세어 소소한 후회가 있으나 마침내 큰 잘못은 없다. 그러나 조금 후회가 있으니 이미 어버이를 잘 섬기는 것은 아니다.

### 本義

過剛不中, 故小有悔, 巽體得正, 故无大咎.

지나치게 굳세고 가운데에 자리하지 못하기 때문에 조금 후회가 있으며, 손괘의 몸체이면서 제자리를 얻었으므로 큰 허물은 없다.

### 小註

或問, 九三幹父之蠱, 小有悔, 无大咎. 言有小悔, 則无大悔矣, 言无大咎, 則不免有小咎矣. 但象曰, 終无咎, 則以九三雖過剛不中, 然在巽體, 不爲无順而得正, 故雖悔而无咎. 至六四則不然, 以陰居柔, 不能有爲寬裕以治蠱. 將日深而不可治, 故往則見吝, 言自此以往則有吝也.

어떤 이가 물었다: "구삼은 아버지의 일을 맡아 하는데 조금 후회는 있지만 큰 허물은 없을 것이다"라고 하였습니다. 조금 후회가 있다는 말은 큰 후회가 없다는 것이고, 큰 허물이 없다는 말은 작은 허물에서는 벗어나지 못한다는 것입니다. 다만 「상전」에서 "마침내 허물이 없을 것이다"라고 하였으니, 이는 구삼이 비록 지나치게 굳세어 알맞지 못하지만, 그래도 손괘의 몸체에 있어서 순종하지 않음이 없고 바름을 얻었기 때문에 비록 후회하지만 허물은 없다고 한 것입니다. 육사의 경우는 그렇지 않아서, 음으로서 부드러운 음의 자리에 있으므로 너그러움과 여유로움으로는 어지러운 상황을 다스릴 수 없습니다. 날로 심각해져서 다스릴 수 없게 되기 때문에 나아가면 부끄럽게[吝] 될 것이라고 하였는데, 이는 이런 식으로 계속 해 가면 부끄럽게 될 것이라는 말입니다.

朱子曰, 此兩爻說得悔吝二字, 最分明. 九三有悔而无咎, 由凶而趨吉也. 六四雖目下无事, 然卻終吝, 由吉而趨凶也. 元祐間, 劉莘老, 劉器之之徒, 欲盡去小人, 卻是未免有悔. 至其他諸公, 欲且寬裕无事, 莫大段整頓. 不知目前雖遮掩拖延得過, 後面憂吝卻多, 可見聖人之深戒.

주자가 말하였다: 이 두 효에서 '후회함[悔]'과 '부끄러움[吝]'의 의미를 아주 분명하게 말하였습니다. 구삼에서 후회는 있지만 허물이 없다는 것은 흉한데서 길(吉)로 옮겨가는 것입니다. 육사는 비록 당장은 아무 일이 없지만, 도리어 끝에 가서는 부끄럽다는 것은 길한 데서 흉한 데로 옮겨가는 것입니다. 원우 연간[109]에 유신노(劉莘老),[110] 유기지(劉器之)[111] 등이 소인들을 모두 제거하고자 하였으나 후회함을 면하지 못하였습니다. 다른 여러 사람들은 별일이 없는 듯 관대하게 하다가 크게 정리할 수가 없게 되고 말았습니다. 당장은 잘못을 덮고 가려서 그럭저럭 지나가더라도, 나중에는 근심과 부끄러움이 도리어 많아질 것을 모른 것이니, 성인의 깊은 경계를 알 수 있습니다.

○ 蘭氏廷瑞曰, 三剛太過, 不免小有悔. 然時方蠱壞, 非剛過之才, 不能以濟也.

난정서가 말하였다: 구삼은 지나치게 굳세어 조금 후회가 있는 것을 피하지 못한다. 그러나 어지러워 무너지는 때에는 지나치게 굳센 재질이 아니라면 일을 해낼 수 없다.

---

109) 원우(元祐): 송나라 철종의 연호.
110) 유신노(劉莘老): 사마광의 구법당에 속하는 인물. 신법당에 반대하다가 유배를 당함.
111) 유기지(劉器之): 이름은 안세(安世). 사마광의 구법당에 속하는 인물.

○ 雲峰胡氏曰, 幹蠱之道, 以剛柔相濟爲尙. 初六六五柔而剛, 九二剛而居柔, 皆可幹
蠱. 不然與其爲六四之過於柔而吝, 不若九三過於剛而悔. 始焉曰小有悔, 若不足其過
於剛, 繼之曰无大咎, 猶幸其能剛也. 幸其能體巽之權而不失其正也.

운봉호씨가 말하였다: 어지러운 일을 주관하는 도리는 굳센 것[剛]과 부드러운 것[柔]이 서
로 보완하는 것이 이상적이다. 초육과 육오는 부드러우면서도 자리가 굳세고, 구이는 굳세
면서도 자리가 부드러우므로 모두 어지러운 일을 주관할 수 있다. 그렇지 않다면 육사와
같이 지나치게 유약하여 부끄럽게 되는 것보다는 차라리 구삼과 같이 지나치게 굳세어 후회
가 있는 편이 낫다. 처음에는 "조금 후회함이 있다"고 하여서 마치 구삼이 너무 굳세어 자질
이 부족한 듯 여겼으나, 다시 이어서 "큰 허물은 없다"고 하였으니 굳셀 수 있음을 다행히
여긴 것이다. 구삼이 손괘의 공손함으로 조절할 줄 알므로 그 바름을 잃지 않는 것을 다행스
럽게 여긴 것이다.

## 韓國大全

### 송시열(宋時烈) 『역설(易說)』

以陽爻處陽位, 雖有剛過之小悔, 然旣有巽順之體, 故无大咎. 自此以上但言父, 亦无
二尊之義.

양효로서 양의 자리에 있으니, 비록 지나치게 굳센 데에서 오는 작은 후회가 있지만, 이미
공손하고 순종하는 몸체가 있으므로 큰 허물은 없다. 여기에서부터 위로 단지 '아버지'만을
말한 것은 또한 높은 것이 둘이 없다는 뜻이다.

### 유정원(柳正源) 『역해참고(易解參攷)』

王氏曰, 以剛幹事而无其應, 故有悔也. 履得其位, 以正幹父, 雖小有悔, 終无大咎.

왕필이 말하였다: 굳센 양으로 일을 주관하는데 그 호응이 없으므로 후회가 있다. 그 자리를
제대로 얻어서 바르게 아버지 일을 주관하니, 비록 조금 후회가 있더라도 끝내 큰 허물은
없다.

## 김상악(金相岳) 『산천역설(山天易說)』

治蠱之道, 剛柔相濟, 而三之過剛, 雖小有悔, 巽體得正, 比四而用柔, 故无大咎也.

'고'를 다스리는 도리는 굳센 양과 부드러운 음이 서로 보완하는 것인데, 구삼은 지나치게 강하여 조금 후회가 있지만 손괘의 몸체로서 바른 자리를 얻었고 육사와 친밀하여 부드러움을 쓰니 큰 허물은 없다.

○ 三四二爻之義, 與家人九三相似. 三之剛失之過, 故悔. 悔者漸趨于吉, 故曰終无咎也. 四之柔失之不及, 故吝. 吝者漸向于凶, 故曰, 往未得也.

삼효·사효·이효의 뜻은 가인괘(家人卦) 구삼효[112]와 서로 비슷하다. 삼효의 굳셈은 지나친 점에서 잘못되므로 후회가 있다. 뉘우치면 점차 길한 데로 옮겨가므로 "끝내는 허물이 없다"고 하였다. 사효의 부드러움은 미치지 못하는 데에서 잘못되므로 부끄럽다[吝]. 부끄러움은 점차 흉한 데로 향하므로 나아가더라도 얻지 못한다고 하였다.

## 김규오(金奎五) 「독역기의(讀易記疑)」

无大咎則不无小咎, 而象直曰无咎, 則竝與小者而无之矣. 然以終字推之, 則其始之有小咎亦可見矣. 蓋要其歸而言也.

큰 허물은 없을 것이라면 작은 허물은 없는 것이 아닌데, 「상전」에서는 곧바로 "허물이 없다"고 하였으니 또한 작은 허물도 없는 것이다. 그러나 '마침내[終]'라는 말로 미루어 볼 때, 그 처음에는 작은 허물이 있었음을 알 수 있다. 그 귀결을 중심으로 말한 것이다.

## 서유신(徐有臣) 『역의의언(易義擬言)』

互震長子代父用事, 且應於上九剛爻, 故曰幹父之蠱也. 巽體居兩卦之交, 有進退不果之象. 故小有悔也. 幹之道, 畏愼爲貴, 故无大咎也.

호괘인 진괘(震卦☳)는 맏아들로서 아버지를 대신하여 일을 하고, 또 상구의 굳센 양효와 호응하므로 아버지 일을 주관한다고 하였다. 손괘(巽卦☴)의 몸체이고 상하 두 괘가 교차하는 데 있으므로 나아가고 물러나기를 과감하게 못하는 상이 있다. 그러므로 조금 후회가 있다. 주관하는 도리는 외경하고 신중함을 귀하게 여기므로 '큰 허물은 없는 것'이다.

---

112) 『周易·家人卦』: 家人, 嗃嗃, 悔厲, 吉. 婦子嘻嘻, 終吝.

## 김귀주(金龜柱) 『주역차록(周易箚錄)』

本義, 剛過不中, 云云.

『본의』에서 말하였다: 지나치게 굳세고 가운데에 자리하지 못하기 때문에, 운운.

小註, 蘭氏廷瑞曰, 三剛, 云云.

소주에서 난정서가 말하였다: 구삼은 지나치게 강하여, 운운.

○ 按, 在蠱之時, 剛固有濟. 然剛之過, 亦安能有濟. 爻辭之稱以无咎, 以其巽體得正, 非許其剛過也. 蘭氏恐未深考, 下雲峰說亦準此.

내가 살펴보았다: 좀 먹어 허물어지는 때에는 굳세고 단단하여야 일을 다스릴 수 있다. 그러나 지나치게 굳세다면 어떻게 일을 이룰 수 있겠는가! 효사에서 허물이 없다고 한 것은 구삼이 손괘의 몸체로서 바른 자리를 얻었기 때문이지, 그 지나치게 굳셈을 괜찮다고 한 것이 아니다. 난씨가 미처 깊이 생각하지 못한 듯하다. 그 아래 운봉호씨의 말도 이와 같다.

## 강엄(康儼) 『주역(周易)』

按, 此卦三四爻與家人九三爻辭相似. 其曰, 家人嗃嗃, 悔厲, 言卽此九三之小有悔而无大咎也. 其曰婦子嘻嘻, 終吝, 卽此六四之往見吝也. 蓋蠱與家人, 皆治家之事, 故其辭亦略相似云.

내가 살펴보았다: 이 괘의 삼효와 사효는 가인괘(家人卦) 구삼 효사와 비슷하다. 가인괘 구삼효에 "집안사람이 원망하니 엄격함에 후회한다"라고 하였는데, 이 말은 고괘(蠱卦) 구삼효에 "조금 후회가 있으나 큰 허물은 없다"는 것이다. 가인괘 구삼효에 "부인과 자식이 희희덕거리면 마침내 부끄럽게 된다"고 하였으니, 이는 고괘(蠱卦) 육사효에 "그대로 나아가면 부끄러움을 당할 것이다"라고 한 말이다. 고괘와 가인괘는 모두 집안을 다스리는 일이므로 그 효사 역시 대략 비슷하다고 하겠다.

## 박문건(朴文健) 『주역연의(周易衍義)』

敬慎不懈, 故有幹父蠱之象. 始雖小有悔恨, 終必无大咎.

공경하고 신중하여 나태하지 않으므로 아버지 일을 주관하는 상이 있다. 처음에는 비록 조금 후회함이 있지만 마침내 큰 허물은 없다.

〈問, 小有悔. 曰, 始疑, 故有此象也.

물었다: "조금 후회가 있다"는 무슨 뜻입니까?

답하였다: 처음에는 미심쩍기 때문에 이러한 상이 있습니다.〉

## 이지연(李止淵) 『주역차의(周易箚疑)』

三爻, 體雖巽而煞有剛底意思. 无大咎, 則不得无小咎也.

삼효는 몸체가 비록 공손한 손괘(巽卦☴)이지만 굳센 뜻이 많이 있다. 큰 허물은 없다고 한다면 작은 허물이 없을 수는 없다.

## 김기례(金箕澧) 「역요선의강목(易要選義綱目)」

子幹父蠱, 本非可咎. 但重剛在下體之上, 未免有悔, 猶在巽體, 故无大咎.

아들이 아버지의 일을 주관하는 것은 본래 허물될만한 일이 아니다. 다만 굳센 양으로서 양의 자리에 있어서 거듭된 굳셈이 아래 괘의 꼭대기에 있어서 후회함을 면하지 못한다. 그러나 공손한 손괘의 몸체에 있으므로 큰 허물은 없다.

○ 雖爲諍子, 不陷父於不義, 故象曰終无咎.

비록 간쟁하는 자식이 되지만 아버지를 불의에 빠지지 않도록 하므로 「상전」에서 "끝내 허물이 없다"고 하였다.

## 심대윤(沈大允) 『주역상의점법(周易象義占法)』

蠱之蒙䷃, 雜而未辨也. 居剛而不中, 勤力過苦, 不擇燥濕, 不計難易, 而爲之也. 與上爲應而非正, 有專責之意, 而无親昵之私. 壯子之事父, 諸侯之承君, 是也. 故曰幹父之蠱, 其亂命亦不可從也. 九三之剛才, 不至於從其亂命而爲大咎, 故曰小有悔无大咎. 巽爲悔, 九二之謀慮, 不專從上, 而九三之勤力, 惟上所令也.

고괘(蠱卦)가 몽괘(蒙卦䷃)로 바뀌었으니, 뒤섞여 분변되지 않는다. 굳센 양의 자리에 있으나 알맞지 못하므로 너무 심하게 힘을 쓰고, 물불을 가리지 않고 쉽고 어려움을 헤아리지 않고 일을 한다. 상구와 호응하지만 상구가 바르지 않으므로 오로지 책임지는 뜻을 갖지, 사사롭게 친밀하게 지내지 않는다. 씩씩한 아들이 아버지를 섬기고 제후가 왕을 계승하는 것이 이것이다. 그러므로 아버지의 일을 주관한다고 하였으니, 그 어지러운 명령은 또한 따를 수 없는 것이다. 구삼의 굳센 재질로서 그 어지러운 명을 따라 큰 허물이 되는 데에까지 이르지 않으므로 "조금 허물이 있으나 큰 허물은 없다"라고 하였다. 손괘가 후회함이 되는데, 구이가 생각하여 도모함은 온전히 위를 따르지 않는 것이고, 구삼이 힘쓰는 것은 오직 위에서 명령한 바이다.

### 오치기(吳致箕) 「주역경전증해(周易經傳增解)」

九三, 以剛居剛, 乘應皆剛, 以此過中之剛, 主治父蠱者也. 不能委曲周詳而有小悔. 然居旣得正而性又巽順, 終不至於違道悖理, 故言无大咎, 而亦有戒意也.

구삼은 굳센 양으로 굳센 양의 자리에 있는데, 올라 탄 것이나 호응하는 것이 모두 굳센 양이니, 이렇게 중도를 넘어선 굳셈으로 아버지의 일을 맡아 다스리는 자이다. 곡진하고 자상하게 하지 못하여 조금 후회가 있으나 이미 있는 곳이 바른 자리를 얻었고, 성질이 또한 공손하므로 마침내 도리를 어그러뜨리는 데까지는 이르지 않는다. 그러므로 큰 허물은 없다고 하였으며 경계하는 뜻도 있다.

○ 上九, 以陽剛而居父位, 在相應之地, 故言父也.

상구는 굳센 양으로서 아버지의 자리에 있고 구삼과 서로 호응하는 자리에 있으므로 아버지라고 하였다.

### 이진상(李震相) 『역학관규(易學管窺)』

上九陽居高位爲九三之應, 故曰父. 九三陽剛得位, 故爲子. 幹亦巽體也. 此乃中男之剛過者也. 剛過故小有悔, 巽體故无大咎.

상구는 양으로서 높은 지위에 있으면서 구삼에 호응하므로 아버지라고 하였다. 구삼은 굳센 양으로서 제 자리를 얻었으므로 아들이 된다. '주관함[幹]'은 역시 손의 몸체이다. 이는 둘째 아들로서 지나치게 굳센 자이다.[113] 지나치게 굳세므로 조금 후회가 있고, 손괘의 몸체이므로 큰 허물은 없다.

---

113) 고괘(䷑)가 초효에서 오효까지로 보면 큰 감괘가 되므로 둘째 아들로 본 듯하다.

象曰, 幹父之蠱, 終无咎也.

「상전」에 말하였다: "아버지의 일을 주관함"은 끝내 허물이 없을 것이다.

## 中國大全

### 傳

以三之才, 幹父之蠱, 雖小有悔, 終无大咎也. 蓋剛斷能幹, 不失正而有順, 所以終无咎也.

구삼의 재질로 아버지의 일을 주관하니, 비록 조금 후회가 있지만 끝내 큰 허물은 없다. 굳셈과 과단성으로 일을 주관할 수 있고, 바름을 잃지 않으며 순종함이 있으니, 이 때문에 끝내 허물이 없다.

### 小註

王氏湘卿曰, 以九居三, 剛之至也. 以此爲臣, 是諍君之臣. 以此爲子, 是諍父之子. 諍則有不順之名, 故始不免於小有悔, 然不陷君父於不義, 則終无大咎也.

왕상경이 말하였다: 양으로서 삼효의 자리에 있으니 지극히 굳세다. 이러한 이가 신하가 되면 임금의 잘못을 간언하는 신하가 된다. 이러한 사람이 자식이라면 이는 부모의 잘못을 간쟁하는 자식이 된다. 간쟁하면 순종하지 않는 것이 되므로 처음에는 조금 후회가 있음을 벗어날 수 없지만, 그러나 임금과 부모를 불의에 빠지지 않도록 하므로 마침내 큰 허물은 없다.

# ‖韓國大全‖

### 김상악(金相岳) 『산천역설(山天易說)』

當蠱壞之時, 有剛正之才, 方能克幹, 故終許其无咎也.

좀 먹어 허물어지는 때를 당하여 굳세고 바른 재질을 가지고 일을 주관해 낼 수 있다. 그러므로 끝내 그 허물이 없음을 인정하였다.

### 서유신(徐有臣) 『역의의언(易義擬言)』

旣能幹矣, 終何咎哉.

이미 주관하였는데 끝내 무슨 허물이 있겠는가!

### 오치기(吳致箕) 「주역경전증해(周易經傳增解)」

雖其過剛而能體巽得正, 故終以无咎也.

비록 지나치게 굳세지만 공손한 손괘를 몸체로 한데다 바름을 얻을 수 있으므로 끝내 허물이 없다.

### 이병헌(李炳憲) 『역경금문고통론(易經今文考通論)』

本義曰, 過剛不中, 故小有悔.

『본의』에서 말하였다: 지나치게 강하고 가운데에 자리하지 못하기 때문에 조금 후회가 있다.

程傳曰, 蓋剛斷能幹, 不失正而有順, 所以終无咎也.

『정전』에서 말하였다: 굳셈과 과단성으로 일을 주관할 수 있고, 바름을 잃지 않으며 순종함이 있으니, 이 때문에 끝내 허물이 없다.

六四, 裕父之蠱, 往見吝.

육사는 아버지의 일을 안이하게 하니, 그대로 나아가면 부끄러움을 당할 것이다.

## ▌中國大全▌

### 傳

四以陰居陰, 柔順之才也, 所處得正, 故爲寬裕以處其父事者也. 夫柔順之才而處正, 僅能循常自守而已, 若往幹過常之事, 則不勝而見吝也. 以陰柔而无應助, 往安能濟.

사효는 음으로서 음의 자리에 있으니 유순한 재질이고, 있는 곳이 제 자리를 얻었으므로 안이하게 그 아버지의 일을 처리한다. 유순한 재질로 제 자리에 있으니 겨우 일상적인 도리를 따라 스스로를 지킬 수 있을 뿐, 만약 나아가 일상에 넘치는 일을 주관한다면 감당할 수 없어서 부끄러움을 당하게 될 것이다. 유약한 음으로서 호응하여 도와주는 이가 없으니 어디를 간들 이룰 수 있겠는가?

### 本義

以陰居陰, 不能有爲, 寬裕以治蠱之象也. 如是則蠱將日深, 故往則見吝. 戒占者不可如是也.

음으로서 음의 자리에 있으므로 큰 일을 할 수가 없으므로 안이하게 어지러운 일에 대처하는 상이다. 이렇게 하면 어지러움이 날로 깊어져, 그런 식으로 계속 가다가는 부끄러움을 당하게 된다. 점치는 이는 이처럼 해서는 안 된다고 경계한 것이다.

### 小註

習靜劉氏曰, 强以立事爲幹, 怠而委事爲裕, 事弊而裕之弊益甚矣. 蓋六四, 體艮之止而爻位俱柔. 夫貞固足以幹事, 今止者怠, 柔者懦. 怠且懦, 皆增益其蠱者也. 持是以往, 吝道也. 安能治蠱耶.

습정유씨가 말하였다: 열심히 일을 이루는 것이 주관하는 것이고, 태만하게 일을 방기하는 것이 안이한 것이니, 일에 문제가 생길 때 안이한 폐단이 더욱 심해진다. 육사는 몸체가 간괘로 멈추어 있고, 효와 자리가 모두 부드러운 음이다. '곧고 굳음으로 일을 주관할 수 있는 것'인데, 이제 멈추어 있는 것은 태만하고, 유약한 자는 나태하다. 내만하고 나태한 것은 모두 그 어지러움을 증대시킨다. 이런 식으로 계속 나아가는 것은 부끄러운 도리이다. 어떻게 무너지는 것을 다스릴 수 있겠는가?

○ 雲峰胡氏曰, 初六之時, 蠱猶未深, 故但有子則考可以无咎. 四之時, 非初比也, 而復寬裕以視之, 蠱將日深矣. 以是而往, 其見吝也固宜.

운봉호씨가 말하였다: 초육의 때는 어지러움이 아직 심하지 않으므로 단지 훌륭한 자식이 있으면 아버지가 허물이 없을 수 있다. 사효의 때는 초효와 견줄 수 있는 것이 아니고 거기다 안이하게 사태를 바라보므로 어지러움은 날로 심해진다. 이런 식으로 계속가면 그가 부끄러움을 당하는 것은 참으로 당연하다.

○ 梅巖袁氏曰, 諸爻之幹蠱者, 或體剛, 或乘剛, 或應剛. 獨六四以柔而止, 所以致蠱, 非所以幹蠱也.

매암원씨가 말하였다: 여러 효가 어지러운 일을 주관할 수 있는 것은 몸체가 굳세거나, 굳센 양을 올라타고 있거나, 굳센 양과 호응하고 있기 때문이다. 육사만이 유약한데다 멈추어 있으므로 어지러워 무너지는 사태에 이르게 되니, 어지러운 일을 주관할 수 있는 바가 아니다.

## ▌韓國大全▐

### 조호익(曺好益) 『역상설(易象說)』

六四, 以柔居柔, 故裕象. 見似體離象.

육사는 부드러운 음으로 음의 자리에 있으므로 '안이한[裕]' 상이다. '견(見)'이라고 한 것은 고괘의 몸체가 리괘(離卦)의 상과 비슷해서이다.

## 송시열(宋時烈) 『역설(易說)』

以柔居柔, 不能幹貞, 而但以寬裕處之, 故曰裕. 故往亦无應, 必見羞吝. 小象, 未得者, 未得其應也, 占亦如之.

부드러운 음으로 음의 자리에 있어서 굳게 주관할 수 없고 다만 너그럽고 느슨하게 대처하므로 "안이하다"라고 하였다. 그러므로 그대로 나아가도 호응이 없으므로 반드시 수치를 당하게 된다. 소상(小象)에서 "일을 이룰 수 없다"고 한 것은 그 호응을 얻을 수 없다는 것이니, 점도 그와 같다.


## 유정원(柳正源) 『역해참고(易解參攷)』

晁氏曰, 裕, 益也. 秦二世, 以就始皇宮室爲孝, 衛州吁以修先君之怨爲孝, 皆裕蠱也. 裕者, 長其惡也.

조씨가 말하였다: 안이하게 하는 것은 근심을 보태는 것이다. 진나라의 2세 호해는 진시황의 황궁으로 나아가는 것을 효라고 여겼고, 위나라 주우(州吁)는 선군의 원망을 닦는 것을 효로 여겼으니,[114] 모두 어지러운 일을 안이하게 한 것이다. 안이하게 하는 것은 그 악을 키우는 것이다.


○ 沙隨程氏曰, 裕, 益也. 裕父之蠱, 與逢君之惡義同, 非唯不能幹, 又從而裕之.

사수정씨가 말하였다: 안이하게 하는 것은 근심을 보태는 것이다. 아버지의 일을 안이하게 하는 것은 임금의 악을 이끌어 내는 것과[115] 뜻이 같으니, 대신 주관하지 못할 뿐 아니라 안이하게 하는 것이다.


○ 案, 晁氏程氏以爲益父之蠱, 而傳義不從. 然劉氏曰, 事弊而裕之弊, 益甚. 本義曰, 如是則蠱將日深然, 則寬裕以治蠱者, 是益父之蠱.

내가 살펴보았다: 조씨와 정씨는 아버지의 어지러운 일을 더 보탠다고 보았는데,『정전』과 『본의』에서는 그에 따르지 않았다. 그러나 유씨는 일에 문제가 생길 때 안이한 폐단이 더욱

---

114) 주우(州吁): 위(衛)나라 장공(莊公)의 아들이자 환공(桓公)의 동생이다. 주우(州吁)는 장공의 서자인데, 그가 장공의 총애를 받고 또 병장기를 좋아하자, 대신 석작(石碏)이 간하기를 "자식을 사랑함에는 옳은 도리로 가르쳐 그 좋지 못한 기미를 예방하여 사특한 데 빠지지 않게 하고, 지위가 낮은 자가 지위가 높은 자를 능가하거나 천한 자가 귀한 자를 해롭히거나 방종한 자가 정의로운 자를 무너뜨리게 할 수 없게 해야 한다"고 하였는데, 장공이 이를 듣지 않았다. 결국 주우는 임금 환공(桓公)을 죽이고 진(陳)나라로 도망하였다.

115) 『孟子·告子』: 長君之惡, 其罪小, 逢君之惡, 其罪大.

심해진다고 하였다. 『본의』에서는 "이렇게 하면 어지러움이 날로 깊어진다"고 하였으니, 안이하게 어지러운 일을 다스리려는 자는 아버지의 근심스러운 일을 더 보태는 것이다.

### 김상악(金相岳) 『산천역설(山天易說)』

四與上同體, 亦有父子象. 居艮之下, 比巽之終, 下卑巽而上苟止, 所以爲蠱, 而以陰居陰, 故有裕蠱之象. 雖比三之剛, 才本柔弱, 往則見吝矣.

사효는 상효와 한 몸체이며 또한 아버지와 아들의 상이 있다. 간괘의 아래에 있으면서 손괘의 끄트머리와 친하고, 아래에서는 비굴하게 공손한데다 위에서는 구차하게 멈추어 있으니 '고'가 되는 까닭이다. 그런데다가 음으로서 음의 자리에 있으므로 어지러운 일을 안이하게 하는 상이 있다. 비록 구삼의 굳센 양과 친하지만 재질이 본래 유약하므로 나아가면 부끄러움을 당한다.

○ 强以立事爲幹, 怠以委事爲裕, 幹之反也. 蠱鼎爭四剛柔, 若不戒而動, 則必有折足覆餗之凶, 何能幹蠱而養父母乎. 又下互澤風, 上互山雷, 此爻在大過爲末弱, 在頤爲顚頤. 末弱則不可爲幹, 顚頤則往而見吝.

강함으로 일을 세우면 주관하는 것이 되지만, 나태하게 일을 내버려두면 안이한 것이 되니, 주관하는 것의 반대이다. 고괘(蠱卦䷑)와 정괘(鼎卦䷱)는 사효가 음이냐 양이냐에 따라 달라지는 괘로서, 만약 경계함 없이 움직인다면 반드시 발이 부러져 음식을 쏟는 흉함이 있을 것이니, 어떻게 어지러운 일을 주관하여 부모를 봉양할 수 있겠는가? 또한 아래에서는 호괘가 연못과 바람이 되고, 위에서는 산과 우레가 되니, 이 효는 대과괘(大過卦)에서 '끝이 약한 것[末弱]'[116]이 되고, 이괘(頤卦)의 '거꾸로 길러주기[顚頤]'[117]가 된다. 끝이 약하면 주관할 수가 없고, 거꾸로 기르면 나아가도 부끄러움을 당한다.

### 김규오(金奎五) 「독역기의(讀易記疑)」

六四, 小註梅巖說乘剛. 蓋指初六之位剛爾, 乘字似訛.

육사효의 소주에서 매암이 "굳센 양을 탄다"고 말하였다.[118] 이는 초육의 자리가 굳센 양의

---

116) 대과괘(大過卦䷛)는 들보가 휘어지는 상인데, 양이 가운데로 모여있고 초효와 상효가 끝에 있어서 끄트머리가 약한 상이다.

117) 이괘(頤卦䷚) 육이효는 홀로 독립할 수 없어서 양에게 길러져야 하는데, 위로 정응이 없어 아래의 초구에게 길러지기를 구하면 이것이 '거꾸로 길러주기[顚頤]'가 된다.

118) 매암원씨가 말하였다: 여러 효가 어지러운 일을 주관할 수 있는 것은 몸체가 굳세거나, 굳센 양을 올라타고 있거나, 굳센 양과 호응하고 있기 때문이다.[梅巖袁氏曰, 諸爻之幹蠱者, 或體剛, 或乘剛, 或應剛. 獨六四以柔而止, 所以致蠱, 非所以幹蠱也.]

자리임을 가리키는 것으로, 여기에서 '승(乘)'자는 잘못 쓴 듯하다.


## 서유신(徐有臣) 『역의의언(易義擬言)』

以柔居柔, 寬裕者也. 厥父之蠱, 蓋嘗失之不裕而子能裕之, 未必不爲得正. 但一向以裕將去, 更不濟之以剛嚴, 則事必敗矣. 往謂往於初也. 居柔而應柔, 無乃太裕乎. 故曰, 往見吝也.

부드러운 음으로 음의 자리에 있으니 너그럽고 여유로운 자이다. 그 아버지의 어지러운 일은 대체로 여유롭지 못한 데서 잘못되니, 자식이 여유롭게 할 수 있다면 반드시 바름을 얻지 못할 것도 아니다. 다만 계속해서 여유롭게만 하고 다시 굳세고 엄한 것으로 다스리지 않으면 일은 반드시 어그러지게 된다. "나아간다"는 것은 초효로 나아가는 것이다. 부드러운 음의 자리에서 부드러운 음과 호응하는 것은 너무 안이하지 않은가? 그래서 "그대로 나아가면 부끄러움을 당한다"라고 하였다.


## 김귀주(金龜柱) 『주역차록(周易箚錄)』

六四, 裕父之蠱, 云云.

육사는 아버지의 어지러운 일을 안이하게 한다, 운운.

○ 按, 此爻獨以裕字代幹字, 可見其過柔而不足於幹也. 小註, 袁梅巖說, 說得是.

내가 살펴보았다: 이 효에서만 유독 '안이하게 한다[裕]'는 글자로, '주관한다[幹]'는 글자를 대신하였으니, 지나치게 유약하여 주관하기에 부족하다는 것을 알 수 있다. 소주에서 원매암의 주장에서 말한 것이 옳다.


## 박문건(朴文健) 『주역연의(周易衍義)』

恐懼不治, 故有裕父蠱之象. 裕, 遲緩也. 往則必見窮吝.

다스려지지 못할까 두려워하므로 아버지의 일을 안이하게 하는 상이 있다. '유(裕)'는 천천히 늦추는 것이다. '그대로 나아가면[往]' 반드시 궁색하여 부끄러움을 당한다.


## 이지연(李止淵) 『주역차의(周易箚疑)』

裕蠱, 僅足以趨走使令而已, 繼志述事則未也

아버지 일을 안이하게 하니, 겨우 명령을 따라가기에 급급할 뿐이고 뜻을 이어 일을 펼쳐나

가는 것 까지는 하지 못한다.


## 김기례(金箕澧) 「역요선의강목(易要選義綱目)」

諸爻幹蠱, 或才剛位剛, 而四獨才位俱柔, 不能幹, 而寬其父之壞蠱, 則增益其過. 如是以往, 則由吉而趨凶, 故曰吝. 吝, 无咎之反也, 无咎由凶而趨吉也.

어지러운 일을 주관하는 여러 효들은 혹 재질이 굳세거나 지위가 굳센 양의 자리인데, 유독 사효는 재질이나 자리가 모두 유약하여 일을 주관할 수가 없어서 허물어져 있는 아버지 일을 느슨하게 하니, 그 잘못을 더욱 보태게 된다. 이런 채로 나아가면 길한데서 흉한 데로 옮겨가므로 부끄럽게 된다. 부끄러움은 허물없음의 반대이니, 허물없음은 흉한 데에서 길한 데로 옮겨가는 것이다.


○ 往興, 蒙初同義.

가서 흉한다는 것은 본래 몽괘 초효와 같은 뜻이다.


○ 艮止, 故曰, 往吝

간괘는 멈추는 것이다. 그러므로 나아가면 부끄럽다고 하였다.


## 이항로(李恒老) 「주역전의동이석의(周易傳義同異釋義)」

或問, 九三以陽居陽, 剛之過也. 六四, 以陰居陰, 柔之過也. 過等耳, 彼則始雖小悔, 終必[119]无咎, 此則居雖姑安, 往必見吝, 何也. 曰, 蠱之原, 由下巽而上止也. 蓋天下之事, 禍莫大於姑息, 弊莫甚於因循. 是以, 風雷之益, 由其能遷也. 霜氷之禍, 由其馴致也. 焦頭爛額, 兆不徒薪, 潰離刮骨, 利絶內蝕. 若狃夫嬴豕之孚而不恤血龍之禍, 則烏乎可也. 舜之竄殛苗鯀, 周公之東征管蔡, 雖若少損揖讓之風, 而實成君父之志. 唐之包容藩鎭, 宋之講和北虜, 雖若暫享安平之樂, 而實替祖宗之烈, 小蠱大蠱其理一也. 然幹父之蠱, 太剛則傷仁, 太柔則傷義, 盡仁義之德者, 其知幹蠱之說乎.

어떤 이가 물었다: 구삼은 양으로서 양의 자리에 있으니 굳셈이 지나칩니다. 육사는 음으로서 음의 자리에 있으니 부드러움이 지나칩니다. 지나친 것은 마찬가진데, 저기서는 처음에 다소 후회가 있지만 끝내 허물이 없다고 하고, 여기서는 머무는 것이 비록 짐짓 편안한 듯하지만 그대로 나아가면 반드시 부끄러움을 당한다고 하였으니, 무슨 까닭입니까?

---

119) 必: 경학자료집성DB에 '心'으로 되어 있으나, 문맥에 따라 '必'자로 바로 잡는다.

답하였다: '고'가 되는 원인은 아래에서 공손한데다 위에서 멈춰있는 데에서 말미암습니다. 천하의 일은 짐짓 편안한 것보다 더 큰 화가 없고, 인습만 따르는 것 보다 더 큰 폐해가 없습니다. 그러므로 바람과 우레의 이로움은[120) 그것이 바뀌어 옮겨 갈 수 있기 때문입니다. 서리가 굳은 얼음이 되는 재앙은 점진적으로 이르는데 말미암는 것입니다. 머리를 태우고 이마를 데면서 고생하는 것은 조짐을 보고도 땔나무를 옮기지 않았기 때문이니,[121) 흩어버리고 뼈를 긁어내어 안으로 썩어 들어가는 것을 예리하게 끊어내야 합니다. 비루한 사내가 마치 여윈 돼지가 뛰는 듯한 믿음으로 마침내 용들이 싸워 피를 흘리는 큰 재앙을 초래할 수 있음을 돌아보지 않는다면 어찌 옳겠습니까?[122) 순임금이 삼묘(三苗)와 곤(鯀)을 죽인 것과, 주공이 동쪽으로 관숙과 채숙을 정벌한 것은 비록 예를 갖춰 사양하는 기풍을 조금 손상한 듯하지만, 실지로는 아버지 임금의 뜻을 완성한 것입니다. 당나라가 번진을 포용하고 송나라가 북쪽 오랑캐와 강화한 것은 비록 잠정적으로 평안한 기쁨을 누리는 것 같지만, 사실은 조종(祖宗)의 충렬을 없애버린 것이니, 작은 문제거리나 큰 문제거리나 그 이치는 같습니다. 그러나 아버지의 일을 주관함에 있어서 지나치게 굳세면 인(仁)을 상하고, 지나치게 유약하면 의(義)를 상하게 됩니다. 인의의 덕을 다하는 사람은 '어지러운 일을 주관하는 것[幹蠱]'에 대한 설을 알 것입니다.

## 심대윤(沈大允) 『주역상의점법(周易象義占法)』

蠱之鼎☶☴, 變惡爲善也. 勞事變而逸矣, 危事變而安矣. 六四居柔謀慮, 而以其才柔, 在二陽之上, 不能自用, 但安裕以從事, 故曰裕父之蠱, 往見吝. 艮巽爲安行曰裕. 六四蓋坐而論道經邦, 貴在任賢進能而不貴自用也. 大臣事君之道也.

고괘(蠱卦)가 정괘(鼎卦☶☴)로 바뀌었으니, 악이 변하여 선이 된다. 수고로운 일이 변하면 느긋하게 되고, 위태로운 일이 변하면 편안하게 된다. 육사는 부드러운 음의 자리에 있으면서 생각하여 도모한다. 그 부드러운 재질로 두 양의 위에 있으면서 스스로는 힘쓰지 못하고 단지 느긋하게 일을 따라갈 뿐이므로 "아버지 일을 안이하게 하니 그대로 나아가면 부끄러

---

120) 풍뢰 익괘(益卦)를 의미한다.

121) 『漢書 · 霍光傳』: 어떤 집에 굴뚝에 연기가 곧게 올라가는 것을 보고, 나그네가 집주인에게 굴뚝을 구불구불하게 고치고 곁에 싸여 있는 땔나무를 옮기라고 충고하였으나, 주인이 듣지 않았다. 그러다 집에 불이 났고 마을 사람들이 불길에 데어가며 애쓴 덕분에 불을 끌 수 있었다. 애초에 나그네의 충고를 들었더라면 그러한 사고는 미연에 방지할 수 있었을 것이다.

122) 『주역 · 구괘(姤卦)』의 초육에 "여윈 돼지가 뛰고 뛰는 데 믿음을 둔다[羸豕孚蹢躅]"고 하였다. 이는 초육이 음으로 음이 미약하여, 소인의 힘이 비록 약하지만 그 마음은 날뛰려는데 있으므로, 이를 초기에 단단히 막지 못하면, 마치 곤괘 상육효에서 용들이 싸워 그 피가 낭자하게 되는 것 같은 큰 재앙에 이를 수도 있다는 말이다.

움을 당한다"라고 하였다. 간괘(艮卦☶)와 손괘(巽卦☴)가 안일하게 행함이 됨으로 "안이
하다[裕]"고 하였다. 육사는 앉아서 도를 논하고 나라를 경영하니, 그 귀함이 현인에게 맡기
고 능력있는 이를 나아가게 하는데 있다. 스스로 힘쓰는 것을 귀하게 여기지 않는 것이다.
이는 대신이 임금을 섬기는 도이다.

### 오치기(吳致箕) 「주역경전증해(周易經傳增解)」

六四, 以柔居柔, 而內无剛應. 以此過柔之才, 治父之蠱, 故懦弱而不能有濟. 裕緩而終
至墮損, 用此道以往, 則必見其吝, 切戒之辭也.

육사는 부드러운 음으로 음의 자리에 있는데 안으로 굳센 양의 호응이 없다. 이렇게 지나치
게 유약한 재질로 아버지의 일을 다스리므로 나약하여 일을 해결할 수 없다. 안이하고 느슨
하여 마침내 부서져 상하는 지경에 이르게 되니, 이러한 도리를 써서 간다면 반드시 그 부끄
러움을 당하리라는 것은 간절한 경계의 말이다.

○ 裕, 柔緩也. 此爻, 又取上九之尊而言父也. 見取於變離. 上九在同卦, 故言父.

'유(裕)'는 부드럽고 느슨함이다. 이 효는 또한 상구의 존귀함을 취하여 아버지라고 하였다.
리괘(離卦☲)로 변한 데에서 취한 것을 알 수 있다. 상구는 같은 괘에 있으므로 아버지라고
하였다.

○ 〈自註, 象曰裕父之蠱往未得也. 才柔, 不能堪任, 以此往, 則未得立事也.

필자의 주: 「상전」에 "'아버지의 일을 안이하게 하니' 그대로 나아가면 일을 이룰 수 없다"고
하였다. 재질이 유약하여 임무를 감당할 수 없으므로, 이런 상태로 나아가면 일을 세울 수
없을 것이다.〉

### 이진상(李震相) 『역학관규(易學管窺)』

爻互兌, 少女之象. 以陰居陰, 在下无應, 上宗一陽, 上九剛亢自高, 而四能以柔道裕
之. 然在室之女, 弱不任事, 祗能不逆父志而已. 爻涉互震, 故以往爲戒. 蓋上九高亢
之父, 難於承奉, 九三剛過或有矯拂之咎, 六四柔過, 亦被叱退之吝. 惟初六之少子, 稍
承其愛耳.

육사효의 호괘는 태괘이니 세째 딸의 상이다. 음으로서 음의 자리에 있는데 아래쪽에서는
호응이 없다. 위로 높이 하나의 양이 있는데, 상구는 극도로 굳세고 스스로 높이 여기고,
육사는 부드러운 도리로 너그럽게 할 수 있다. 그러나 집안의 여성으로서 유약하여 일을
맡아 할 수는 없고, 단지 아버지의 뜻을 거스르지 않을 수 있을 뿐이다. 육사효가 호괘인

진괘에 이르게 되므로 '나아감'에 대하여 경계를 하였다. 상구는 매우 높은 아버지여서 받들기가 어려운데, 구삼은 지나게 굳세어 혹 억지로 바로잡는 허물이 있고, 육사는 지나치게 부드러워 또한 꾸짖음을 당해 물러나는 부끄러움이 있다. 오직 초육의 어린 자식이 겨우 그 사랑을 입을 뿐이다.

## 채종식(蔡鍾植) 「주역전의동귀해(周易傳義同歸解)」

傳謂順正寬裕, 僅能循常而已, 若往幹過常之事, 則見吝也.
『정전』에서 말하였다: 순하고 바르며 너그러우니 겨우 일상적인 도리를 따라 스스로를 지킬 수 있을 뿐, 나아가서 평상에 넘치는 일을 주관한다면 부끄러움을 당하게 된다.

本義謂寬裕治蠱, 蠱將日深, 以是而往則見吝也.
『본의』에서 말하였다: 너그럽고 느슨하게 어지러운 일을 다스린다면 어지러움이 더욱 심해져서, 이런 식으로 간다면 부끄러움을 당하게 된다.

蓋程易以爲過剛則見吝, 朱易以爲過柔則見吝, 兩說不同. 然過剛過柔, 其非中道, 則一也. 治蠱之道, 惟貴剛柔之得中, 而過剛過柔, 皆不足以濟事, 則其致吝之道, 未嘗不同也.
정자의 역에서는 지나치게 강하여 부끄러움을 당한다고 하였고, 주자의 역에서는 지나치게 유약하여 부끄러움을 당한다고 하였으니, 두 설명이 같지 않다. 그러나 지나치게 굳세거나 지나치게 유약하거나 모두 중도(中道)가 아님은 마찬가지다. 어지러운 일을 다스리는 도리는 오직 굳세고 부드러운 것이 적절함을 얻는 것이 중요하다. 지나치게 굳세거나 지나치게 부드러워서는 모두 일을 해결할 수 없으니, 그 부끄러운데 이르는 길은 같지 않음이 없다.

## 이병헌(李炳憲) 『역경금문고통론(易經今文考通論)』

虞曰, 裕不能爭也. 父有爭子則身不陷於不義, 四陰體太過, 本末弱, 故裕父之蠱.
우번이 말하였다: 느긋하면[裕] 다툴 수 없다. 아버지는 다투는 자식이 있으면 그 몸이 불의에 빠지지 않는데, 육사는 음의 몸체가 너무 지나치므로 본말이 유약하여 아버지의 일을 안이하게 한다.

象曰, 裕父之蠱, 往未得也.

「상전」에 말하였다: "아버지의 일을 안이하게 하니" 그대로 나아가면 일을 이룰 수 없다.

## ▌中國大全▌

### 傳

以四之才, 守常, 居寬裕之時則可矣, 欲有所往則未得也. 加其所任則不勝矣.

육사의 재질로 일상적 도리를 지키니, 별일 없이 여유가 있는 상황에는 괜찮지만, 나아가 무엇인가 하려고 하면 일을 이루지 못한다. 그 책무를 더 부과하면 감당하지 못할 것이다.

### 小註

瀘川毛氏曰, 九三之剛失之過, 故悔. 六四之緩失之不及, 故吝, 必不得已焉. 寧爲三之悔, 不可爲四之吝, 此治亂興亡之幾也.

노천모씨가 말하였다: 구삼은 지나치게 굳센 데에 잘못이 있으므로 후회하게 되고, 육사의 완만함은 미치지 못하는 데에 잘못이 있으므로 부끄럽게 되는 것은 어쩔 수 없는 일이다. 차라리 구삼과 같이 후회할지언정 육사와 같이 부끄러움을 당하여서는 안 된다. 이것은 다스려지느냐 혼란해지느냐, 살아날 것이냐 망할 것이냐의 기로가 된다.

## ‖韓國大全‖

### 김상악(金相岳) 『산천역설(山天易說)』

柔而且止, 故往未得其治蠱之道也.

유약하면서 또 멈추어 있으므로, 그대로 나아가도 그 일을 다스리는 도리를 얻을 수 없다.

### 서유신(徐有臣) 『역의의언(易義擬言)』

失不在裕, 在於往, 故曰往未得也.

잘못됨이 '여유로움[裕]'에 있는 것이 아니라 '나아감[往]'에 있으므로 "나아가면 일을 이룰 수 없다"고 하였다.

### 박문건(朴文健) 『주역연의(周易衍義)』

裕父之蠱, 雖往, 志必未得也.

아버지의 일을 안이하게 하면 비록 나아가더라도 결코 뜻을 얻을 수 없다.

## 六五, 幹父之蠱, 用譽.

육오는 아버지의 일을 주관하니, 명예로울 것이다.

## ┃中國大全┃

### 傳

五居尊位, 以陰柔之質, 當人君之幹而下應於九二, 是能任剛陽之臣也. 雖能下應剛陽之賢而倚任之, 然己實陰柔. 故不能爲創始開基之事, 承其舊業則可矣, 故爲幹父之蠱. 夫創業垂統之事, 非剛明之才則不能. 繼世之君, 雖柔弱之資, 苟能任剛賢, 則可以爲善繼而成令譽也, 太甲, 成王, 皆以臣而用譽者也.

육오가 존귀한 자리에 있으나 유약한 음의 자질로 임금의 일을 맡고 아래로 구이와 호응하니, 이는 양으로 굳센 신하에게 임무를 맡길 수 있는 것이다. 비록 아래로 양인 굳센 현인과 호응하여 그를 의지해 맡길 수 있으나, 실상 자기는 유약한 음이므로 창업하여 토대를 열어주는 일을 할 수 없고, 옛 사업을 이어받는 것은 할 수 있으므로 부모의 일을 주관하게 된다. 창업하고 전통을 세우는 일은 굳세고 명철한 재질이 아니면 할 수 없다. 대를 잇는 임금은 비록 유약한 자질이라도 굳세고 어진 이에게 맡기면 옛 일을 잘 계승하여 아름다운 명예를 이룰 수 있으니, 은(殷)의 태갑(太甲)이나 주(周)의 성왕(成王)은 모두 신하를 잘 써서 명예로왔던 이들이다.

### 本義

柔中居尊而九二承之以德, 以此幹蠱, 可致聞譽. 故其象占如此.

부드러운 음으로 가운데 존귀한 자리에 있으며, 구이가 덕으로 받드니, 이로써 어지러운 일을 주관하면 명예가 널리 알려지게 될 것이다. 그러므로 그 상과 점이 이와 같다.

### 小註

張子曰, 雖天子, 必有繼也, 故亦云幹父之蠱.

장자가 말하였다: 비록 천자라 하더라도 반드시 계승함이 있으므로 역시 부모의 일을 주관한다고 하였다.

○ 進齋徐氏曰, 六五柔中之主, 本无幹蠱之才, 而九二陽剛得中, 又處多譽之地位, 與五應, 五能任之以治蠱, 則二之譽卽五之譽也.
진재서씨가 말하였다: 육오는 부드럽고 가운데 자리에 있는 주인으로 본래 일을 주관할 수 있는 재질이 못된다. 그러나 구이가 굳센 양으로서 가운데 자리에 있어 명예가 많은 지위에 있고, 또 오효와 호응하여 오효가 그에게 맡겨 어지러운 일을 다스릴 있으니, 이효의 명예가 곧 오효의 명예이다.

○ 雲峯胡氏曰, 五爲繼世之君, 有九二承之以德, 是能用賢以致聞譽者也. 諸家以爲用九二令譽之臣, 近於以名用人, 不若謂任九二之德自可成六五之名者也.
운봉호씨가 말하였다: 오효는 대를 잇는 임금으로 구이가 덕으로써 그를 받드니, 이는 어진 이를 잘 써서 명예롭게 된 자이다. 여러 학자들이 영예로운 신하인 구이를 등용했다고 여겼는데, 이는 명성에 따라 사람을 쓴 것에 가깝다. 이보다는 덕이 있는 구이에게 맡겨서 스스로 육오의 명성을 이룰 수 있도록 하는 편이 나을 것이다.

○ 雙湖胡氏曰, 在六二以五爲母, 柔居尊也. 在六五又自取子道, 以繼世之君言也. 象何常之有.
쌍호호씨가 말하였다: 육이는 오효를 어머니로 삼았으니, 부드러운 음이 존귀한 자리에 있기 때문이다. 그러나 육오는 스스로 자식의 도리를 취하여 대를 계승한 임금으로 말하였다. 상이 어찌 항상 고정되어 있겠는가!

## ▌韓國大全▐

### 송시열(宋時烈) 『역설(易說)』

爻雖陰柔, 旣居君位, 能幹其蠱者也. 蓋幹者, 木之枝幹也. 自初以上, 皆以巽爲木, 故以幹言之. 五爻雖無巽體, 然與巽之中爻, 爲正應, 故能用譽.
효가 비록 부드러운 음이지만 이미 임금의 지위에 있으니, 그 어지러운 일을 주관할 수 있는 자이다. '간(幹)'이란 나무의 줄기이다. 초효로부터 위로 모두 손괘의 나무가 되므로 '간(幹)'

이라고 하였다. 오효는 비록 손괘의 몸체가 없으나 손괘의 가운데 효와 바르게 호응하므로 명예로울 수 있다.

## 석지형(石之珩) 『오위귀감(五位龜鑑)』

臣謹按, 蠱之六五, 取人君繼世承德之義, 而无他勸戒, 惟以任賢臣成令譽, 爲幹蠱之美者, 其意豈偶然哉. 方今聖德剛健, 非六五陰柔之比. 然自古明君, 不以己之明聖而獨運於上, 則殿下善繼之道, 豈有急於倚任良弼以致徽譽者乎. 伏願殿下, 不求用譽, 而務所以來譽焉.

신이 삼가 살펴보았습니다: 고괘(蠱卦)의 육오는 임금이 대를 이어 덕을 계승하는 뜻을 취하였는데, 달리 권면하는 경계가 없이 오직 현명한 신하에게 맡겨 아름다운 명예를 이루라고 하였습니다. 어지러운 일을 잘 주관하여 아름답게 되니, 그 뜻이 어찌 우연한 것이겠습니까? 이제 전하의 성스러운 덕이 강건하시니, 육오의 부드러운 음에 비할 바 아닙니다. 그러나 예로부터 명철한 임금은 자기의 밝음과 성스러움으로 위에서 홀로 국정을 운영하지 않았습니다. 전하께서 잘 계승하는 도리가 어찌 좋은 보필자에게 맡겨 아름다운 명예를 이루는 일보다 급한 것이 있겠습니까? 엎드려 바라옵건대 전하께서는 명예를 구하지 마시고, 명예롭게 되는 방법에 힘쓰십시오.

## 김상악(金相岳) 『산천역설(山天易說)』

六五柔中居尊, 承上之陽, 是人君之善繼志述事者, 而與二爲應, 用剛而治蠱. 二互兌體, 故致聞譽也.

육오는 부드럽고 알맞음으로 높은 자리에 있으면서 위에 있는 양을 계승하니, 이는 임금이 뜻을 잘 이어 사업을 펼치는 것이다. 이효와 호응하여 굳센 양을 써서 어지러운 일을 다스린다. 이효의 호체는 태괘(兌卦☱)의 몸체가 되므로 명예롭게 소문날 수 있다.

○ 五雖陰柔, 互震居陽, 故又取幹象也. 兌口, 性說譽之象. 用譽者, 因用人而得譽也. 又見蹇初六. 以家道言, 上爲父, 五爲母, 衆爻爲子, 而六五又取子道焉. 以國事言, 五爲君, 衆爻爲臣, 而上九爲不事之臣. 易不可典要者, 此也.

오효는 비록 부드러운 음이지만 호괘인 진괘가 양의 자리에 있으므로 또한 주관하는 상을 취하였다. 태괘(兌卦☱)는 입이니, 본성이 명예를 기뻐하는 상이다. "~로써 명예롭대用譽]"는 것은 사람을 씀으로 인하여 명예를 얻는 것이다. 건괘(蹇卦) 초육에도 보인다. 집안의 도리로써 말하면 상효는 아버지, 오효는 어머니가 되고 여러 효들은 자식이 되는데, 육오효에서는 또한 자식의 도리를 취하였다. 나랏일로 말하자면 오효는 임금이 되고 여러 효는 신하가 되는데, 상구는 섬기지 않는 신하가 된다. 역은 표준이 고정될 수 없다는 것이 이것이다.

### 서유신(徐有臣) 『역의의언(易義擬言)』

居尊柔中, 繼承之賢君也. 善幹致譽, 譽歸於父也. 譽者, 德之著也, 是爲艮象[123]歟. 蹇旅皆有艮象也.

존귀한 자리에 있으면서 부드럽고 알맞으니, 계승하는 현명한 임금이다. 잘 주관하여 명예를 이루니, 명예가 아버지에게 돌아간다. 명예는 덕이 드러남이니, 이는 간괘(艮卦☶)의 상이다. 건괘(蹇卦☶☵)와 려괘(旅卦☲☶)는 모두 간괘(艮卦☶)의 상이 있다.

### 김귀주(金龜柱) 『주역차록(周易箚錄)』

六五, 幹父之蠱, 云云.

육오는 아버지의 일을 주관하니, 운운.

○ 按, 幹蠱之道, 必剛柔相濟, 乃可以有成. 故初二三五皆可幹, 而如四之純柔, 未可幹也. 可幹之中, 又必貴其得中, 而初疑於不及, 三疑於過, 惟二五之剛中柔中乃爲貴也. 然剛中者承柔而治蠱, 故猶有不可貞之戒. 柔中者任剛而治蠱, 故能致用譽之喜. 以才言之, 則五或遜於二, 而以功效言之, 則五比二反勝也.

내가 살펴보았다: 어지러운 일을 주관하는 도리는 반드시 굳센 양과 부드러운 음이 서로 보완하여야 일을 이룰 수 있다. 그러므로 초효, 이효, 삼효, 오효는 모두 주관할 수 있지만, 사효처럼 순전히 부드럽기만 하면 주관할 수 없다. 주관할 수 있는 가운데 또한 반드시 그 중도를 얻음을 귀하게 여기는데, 초효는 미처 중도에 미치지 못할까 싶고, 삼효는 중도에서 지나치는 듯 하며, 오직 이효와 오효만이 굳세면서도 알맞고, 부드러우면서도 알맞아서 귀하게 된다. 그러나 굳세면서도 알맞은 자가 부드러운 음을 받들어 어지러운 일을 주관하므로 오히려 너무 곧아서는 안 된다는 경계가 있다. 부드러우면서 알맞은 자는 굳센 양에게 맡겨서 어지러운 일을 다스리므로 '~로써 명예로운' 기쁨을 이룰 수 있다. 재질로써 말하면 오효가 혹 이효에 못 미치겠지만, 그 공효로써 말하면 오효가 오히려 이효보다 낫다.

### 박문건(朴文健) 『주역연의(周易衍義)』

承以中德, 故有幹父蠱之象. 譽聲譽也.

---

123) 象: 경학자료집성DB에 '衆'이라고 되어 있으나 '象'의 오자로 판단된다.

알맞은[中] 덕으로 계승하므로 아버지의 일을 주관하는 상이 있다. '예(譽)'는 명성과 명예이다.
〈問, 或曰五承上, 何如. 曰, 五若承上, 則於上承不取不事王侯之義也. 處極而敵疆者上也.
물었다: 혹 오효가 상효를 받든다고 하는데 무슨 뜻입니까?
답하였다: 오효가 상효를 받들 것 같으면, 위로 받드는 것에 대해서 왕후를 섬기지 않는
뜻을 취하지 않았을 것입니다. 극한에 있으면서 대적하는 자가 상효입니다.〉

## 이지연(李止淵) 『주역차의(周易箚疑)』

六五, 用譽.
육오는, 명예로울 것이다.

尊爲天子, 德爲聖人, 富有四海, 宗廟享之, 子孫保之.
존귀하기로는 천자의 지위이고, 덕으로는 성인이며, 부유하기로는 사해(四海)를 소유하였
으니, 종묘에서 제사를 받들고, 자손들이 보존된다.[124]

## 김기례(金箕澧) 「역요선의강목(易要選義綱目)」

卦中謂父處, 不以應而以家事爲象, 則上爲父也. 然五不必以爲父, 汎稱繼世之君. 以
柔居尊, 下應中正之臣, 繼述以善而得譽. 承以德, 得剛中臣承輔之德而用譽也.
괘 가운데 아버지라고 한 곳은 호응관계로 말한 것이 아니고, 집안일로써 상을 삼은 것이니,
상효가 아버지가 된다. 그러나 오효를 반드시 아버지로 삼지 않고 넓게 대를 계승하는 임금
이라고 하였다. 부드러운 음으로 존귀한 자리에 있으면서 아래로 중정한 신하와 호응하니,
잘 계승하여 명예로울 수 있다. "덕으로 받든다"는 것은 굳세고 알맞은 신하가 받들어 보필
하는 덕을 얻어서 명예로운 것이다.

## 심대윤(沈大允) 『주역상의점법(周易象義占法)』

蠱之巽☴, 巽以承命也. 艮震爲用, 艮言离顯爲譽, 六五以柔居剛而從於上. 勤勞承順,
而有九二之德爲之正應相助而承上, 貴戚近臣事君之道也.
고괘(蠱卦)가 손괘(巽卦☴)로 바뀌었으니, 공손하게 명을 받든다. 간괘(艮卦☶)에는 호괘
인 진괘(震卦☳)가 작용하고, 간괘(艮卦☶)는 호괘인 큰 리괘(離卦☲)가 있으므로 드러나
서 명예롭게 된다. 육오는 부드러운 음으로 굳센 양의 자리에 있으면서 위를 따른다. 부지런

---

124) 『中庸』: 子曰, 舜其大孝也與. 德爲聖人, 尊爲天子, 富有四海之內, 宗廟饗之, 子孫保之.

하고 공손하게 받드는데다 구이의 덕이 그와 바르게 호응하여 서로 도와 위를 받드니, 귀한 친인척과 가까운 신하가 임금을 섬기는 도이다.

## 오치기(吳致箕) 「주역경전증해(周易經傳增解)」

六五, 柔得中而居剛, 主治父蠱而最善者也. 柔能順志, 非如三之過剛而悔, 剛能濟事, 非如四之過柔而吝. 故言用此道而承父之志, 則可以有令譽也.

육오는 부드러운 음이 알맞음을 얻어 굳센 양의 자리에 있으니, 아버지의 일을 주관하여 다스리기에 가장 좋은 자이다. 부드럽게 아버지의 뜻에 순종할 수 있는 것은 구삼이 지나치게 강해서 후회스러운 것과 같지 않고, 굳세어 일을 이룰 수 있는 것은 육사가 지나치게 부드러워 부끄러운 것과도 같지 않다. 그러므로 이 도를 쓰면 아버지의 뜻을 받들어 아름다운 명예가 있을 수 있다고 하였다.

○ 幹取於爻變之巽, 上承上九之尊, 故言父也. 譽取於對兌也.
간(幹)은 구오가 변한 손괘(巽卦☴)에서 취하였다. 위로 존귀한 상구를 받들므로 아버지라고 하였다. '명예로움'은 음양이 바뀐 태괘(兌卦☱)에서 취하였다.

## 이진상(李震相) 『역학관규(易學管窺)』

切[125]近上九, 而以陰居尊, 母道之持門者也. 率衆子以幹父事, 而應乎九二之長男, 適得治家之體. 譽厚離象, 幹震木象.

상구에 매우 가까이 있으면서 음으로 존귀한 자리에 있으니, 어머니의 도로서 문을 지키는 자이다. 여러 자식을 거느려 아버지의 일을 주관하는데, 구이의 맏아들과 호응하여 가정을 다스리는 요체를 꼭 맞게 얻는다. 명예가 두터운 것은 리괘(離卦☲)의 상이고, 주관하는 것[幹]은 진괘(震卦☳) 나무의 상이다.

## 이용구(李容九) 「역주해선(易註解選)」

太甲成王, 皆以臣而用譽也, 上九高尙其事, 伊尹太公望之始, 曾子子思之徒, 是也.

태갑과 성왕은 모두 신하를 잘 써서 명예로왔다. 상구는 그 일을 높이 숭상하는 것이니, 이윤과 태공망이 벼슬하기 전과 증자와 자사의 문도들이 그러하였다.

---

125) 切: 경학자료집성 영인본에서는 여기에 해당하는 글자가 무슨 글자인지 알 수가 없고, 경학자료집성DB에는 '功'으로 되어 있으나, 문맥을 살펴 '切'로 바로잡았다.

象曰, 幹父用譽, 承以德也.

「상전」에 말하였다. "아버지의 일을 주관하니 명예로움"은 아랫사람이 덕으로 받들기 때문이다.

## ‖中國大全‖

#### 傳

幹父之蠱而用有令譽者, 以其在下之賢, 承輔之以剛中之德也.

아버지의 일을 주관하여 명예로워지는 것은 그 아래에 있는 현인들이 굳세고 알맞은 덕으로 받들어 보필하기 때문이다.

## ‖韓國大全‖

### 권근(權近) 『주역천견록(周易淺見錄)』

承當爲承繼之義, 以柔居尊, 不能爲創始之事. 但以中順之德, 承繼其舊業而已.

'승(承)'은 마땅히 승계한다는 뜻이 되는데, 부드러운 음으로 높은 자리에 있으니 창시하는 일은 할 수가 없다. 다만 알맞고 유순한 덕으로 그 옛 사업을 계승할 뿐이다.

### 송시열(宋時烈) 『역설(易說)』

小象, 承以德者, 言九二能承宣君王之德意也.

「소상전(小象傳)」에서 "덕으로 받든다"는 것은 구이가 군왕의 덕을 이어 펼칠 수 있다는 의미이다.

## 김규오(金奎五)「독역기의(讀易記疑)」

六五, 象, 承以德.

육오「상전」에서 말하였다: 아랫사람이 덕으로 받들기 때문이다.

若如丘氏說, 以上九爲父, 則雖謂五以柔中之德承事上九, 亦可耶. 用譽雖帶九二而言, 然相應之地, 亦可相通矣.

만약 구씨의 설과 같이 상구를 아버지로 여긴다면, 육오가 부드럽고 알맞은 덕으로 상구를 받들어 섬긴다고 하여도 괜찮은가? "명예로울 것이다"는 것은 비록 구이를 수반하여 말하는 것이지만, 서로 호응하는 자리에 있으므로 역시 서로 통할 수 있다.

## 서유신(徐有臣)『역의의언(易義擬言)』

德所以致譽者也. 以德承父, 德歸於父也. 德艮象也.

덕은 명예를 이루게 되는 근거이다. 덕으로써 아버지를 받드니, 덕이 아버지에게로 돌아간다. 덕은 간괘의 상이다.

## 오치기(吳致箕)「주역경전증해(周易經傳增解)」

言承父以柔中之德也.

부드럽고 알맞은 덕으로 아버지를 받듦을 말한다.

## 이병헌(李炳憲)『역경금문고통론(易經今文考通論)』

程傳曰, 五居尊位, 以陰柔之質, 承其舊業, 則可矣, 故幹父之蠱.

『정전』에서 말하였다: 육오가 존귀한 자리에 있으나 유약한 음의 자질로, 옛 사업을 이어받는 것은 할 수 있으므로 아버지의 일을 주관한다.

本義曰, 柔中居尊, 而二承之以德.

『본의』에서 말하였다: 부드러운 음으로 가운데 존귀한 자리에 있으며, 구이가 덕으로 받든다.

按, 二多譽.

내가 살펴보았다: 구이는 명예가 많다.

# 上九, 不事王侯, 高尙其事.

상구는 왕후를 섬기지 않고 그 일을 높이 숭상한다.

## 中國大全

### 傳

上九居蠱之終, 无係應於下, 處事之外, 无所事之地也. 以剛明之才, 无應援而處无事之地, 是賢人君子不偶於時而高潔自守, 不累於世務者也. 故云 不事王侯高尙其事. 古之人有行之者, 伊尹, 太公望之始, 曾子, 子思之徒是也. 不屈道以徇時, 旣不得施設於天下, 則自善其身, 尊高敦尙其事, 守其志節而已. 士之自高尙, 亦非一道. 有懷抱道德, 不偶於時而高潔自守者, 有知止足之道, 退而自保者, 有量能度分, 安於不求知者, 有淸介自守, 不屑天下之事, 獨潔其身者, 所處雖有得失小大之殊, 皆自高尙其事者也. 象所謂志可則者, 進退合道者也.

상구는 고괘의 끝에 있으면서 아래로 얽혀 호응함이 없어 일에서 벗어나 있으니 할 일이 없는 처지이다. 굳세고 명철한 재질로 호응하여 도와주는 이 없이 할 일 없는 처지에 놓였으니, 이는 현인·군자가 때를 만나지 못하여 고결하게 자신을 지켜가서 세상의 일에 매이지 않는 경우이다. 그러므로 왕후를 섬기지 않고 그 일을 높이 숭상한다고 하였다. 옛 사람가운데 이렇게 행한 사람이 있었는데, 이윤, 태공망의 초기와 증자, 자사 등이 이들이다. 도를 구부려 시대에 영합하지 않고 천하에 자기의 도를 베풀 수 없으면 스스로 제 몸을 착하게 하여 그 일을 높이고 돈독하게 숭상하여 그 지조와 절개를 지킬 뿐이다. 선비가 스스로 높이고 숭상하는 데에도 한 가지 길만 있는 것은 아니다. 도덕을 마음에 품었으나 때를 만나지 못해서 고결하게 자신을 지키는 사람이 있고, 멈추어서 만족하는 도리를 알아 물러나 스스로를 보존하는 사람이 있으며, 자신의 능력을 헤아리고 분수를 헤아려 알아주기를 바라지 않는데 편안한 사람이 있고, 맑은 절개로 스스로를 지켜서 세상일을 달갑게 여기지 않아 홀로 제 몸을 깨끗하게 하는 사람이 있으니, 처신하는 것에 비록 얻고 잃음과 작고 큰 것의 차이가 있으나 모두 스스로 그 일을 높이고 숭상하는 사람들이다. 「상전」에 "뜻을 본받을 만하다"라 한 것은 나아가고 물러남이 도에 합하는 것이다.

或問, 程傳云, 知止足之道, 退而自保者, 與量能度分, 安於不求知者, 何以別. 朱子曰, 知止足, 是能做底. 量能度分, 是不能做底.

어떤 이가 물었다: 『정전』에서 말한 '만족하여 멈추는 도를 알아 물러나 스스로를 보존하는 자'와 '능력과 분수를 헤아려 남이 알아주기를 구하지 않는 자'는 어떻게 다릅니까?

주자가 답하였다: 만족하여 멈추는 것을 아는 것은 할 수 있는 것이고, 능력과 분수를 헤아려 남이 알아주기를 바라지 않는 것은 쉽게 할 수 없는 일입니다.

### 本義

剛陽居上, 在事之外, 故爲此象, 而占與戒皆在其中矣.

굳센 양이 위에 있어 일에서 벗어나 있으므로 이러한 상이 되니, 점과 경계함이 모두 그 가운데 있다.

朱子曰, 不事王候, 无位之地, 如何出得來更幹箇甚麽. 問, 此爻, 本義云占與戒皆在其中如何. 曰, 有此象, 則其占當如此, 又戒其必如此乃可也. 若得此象而不能從, 則有凶矣.

주자가 말하였다: 임금을 섬기지 않고 지위도 없는 처지이니, 어떻게 나와서 다시 무슨 일을 주관할 수 있겠는가?

물었다: 이 효에 대해서 『본의』에서 "점과 경계함이 모두 그 가운데 있다"고 한 것은 무슨 말입니까?

답하였다: 이러한 상이 있으면 그 점도 마땅히 이와 같으며, 또 반드시 이와 같이 해야만 된다고 경계한 것입니다. 만약 이 상을 얻었는데 그대로 따르지 않는다면 흉할 것입니다.

○ 隆山李氏曰, 君子當蠱之世, 方事之興也, 盡力以幹焉, 操巽之權而行, 其所當行, 及事之休也, 絜身以退, 體艮之義而止, 其所當止故也.

융산이씨가 말하였다: 군자가 고괘의 시절을 만나서 막 일을 일으킬 때에는 힘을 다하여 주관하되 공손함을 지켜 강함을 조절하여 행하는 것은 마땅히 행해야할 것이기 때문이고, 일이 멈추는데 이르러서는 물러나 자신을 깨끗이 하여 간괘의 뜻을 체득하여 멈추는 것은 마땅히 멈추어야 하는 것이기 때문이다.

○ 誠齋楊氏曰, 上九在蠱之終, 事之蠱壞者, 至六五而幹之畢矣. 此上九所以高尙其事也.
성재양씨가 말하였다: 상구는 고괘의 끝에 있어서 일이 어지러워 무너진 것이니, 육오에 이르러서 일을 맡아하는 것은 다 마친다. 이것이 상구가 그 일을 높이고 숭상하게 되는 까닭이다.

○ 臨川吳氏曰, 上九在一卦至高至上之位, 故曰高尙. 下五爻屑屑於一家之事, 至此則一國之事天下之事, 猶且視爲卑下而不屑爲, 彼一家之事, 又何足道哉.
임천오씨가 말하였다: 상구는 한 괘의 가장 높은 자리에 있으므로 높고 숭상한다고 하였다. 아래의 다섯 효는 한 집안의 일을 처리하는 데에도 전전긍긍하는데, 여기에 이르러서는 한 나라의 일이나 천하의 일까지도 오히려 하찮게 여겨 달가워하지 않으니, 한 집안의 일이야 말해 무엇 하겠는가?

○ 雲峰胡氏曰, 初至五皆以蠱言, 不言君臣而言父子, 臣於君事猶子於父事也. 上九獨以不事王侯言者, 蓋君臣以義合也. 子於父母, 有不可自諉於事之外, 王侯之事, 君子有不可事者矣. 是故君子之出處, 在事之中, 盡力以幹焉, 而不爲汙, 在事之外, 絜身以退焉, 而不爲僻. 本義謂占與戒, 皆在其中, 蓋以時當高尙, 或自在卑下而當戒也.
운봉호씨가 말하였다: 초효에서 오효에 이르기까지 모두 ‘어지러운 일[蠱]’을 가지고 말하면서 임금과 신하의 일로 말하지 않고 부모와 자식의 일로 말하였는데, 신하가 임금의 일을 하는 것은 자식이 부모의 일을 하는 것과 같다. 상구에서만 임금을 섬기지 않는다고 한 것은 임금과 신하가 의리로써 합하기 때문이다. 자식이 부모에 대해서는 나의 일이 아니라고 여겨 남에게 맡길 수 없으나, 임금의 일에 대하여는 군자가 섬길 수 없는 경우가 있다. 이런 까닭에 군자의 처신은 일을 하는 중에는 힘을 다해 주관하여 소홀하지 않고, 일에서 벗어나 있을 때에는 물러나 몸을 깨끗이 하고 편벽되지 않도록 한다. 『본의』에서 “점과 경계가 모두 그 가운데 있다”고 한 것은 상구의 때가 마땅히 높이 숭상하여야 하는 때이기 때문이지만, 그렇지 않고 스스로 아래 낮은 자리에 있다고 하여도 마땅히 경계하여야 한다.

## ‖韓國大全‖

### 조호익(曺好益) 『역상설(易象說)』

王指五, 侯指四, 上无位, 故曰不事. 在上, 故曰高尙其事, 亦艮象.

'왕'은 오효를 가리키고, '후(侯)'는 사효를 가리킨다. 상효는 지위[位]가 없으므로 "섬기지 않는다[不事]"고 하고, 상효의 위치에 있으므로 "그 일을 높이 숭상한다[高尙其事]"고 했는데, 역시 간괘의 상이다.

○ 丘氏曰, 上爻爲父, 故本爻不稱父, 而他爻言父, 五爲母, 故本爻不言母, 而他爻言母. 以家事言, 則上爲父, 五爲母, 衆爻爲子. 以國事言, 則五爲君, 下四爻用事之臣, 上一爻爲不事之臣.
구씨가 말하였다: 상효가 아버지가 되므로 본효(本爻)에서는 아버지를 칭하지 않고서 다른 효에서 아버지를 말하였으며, 오효가 어머니가 되므로 본효에서는 어머니를 말하지 않고서 다른 효에서 어머니를 말하였다. 집안의 일로써 말한다면, 상효가 아버지가 되고 오효가 어머니가 되며 다른 효들이 자식이 된다. 나라의 일로써 말한다면, 오효가 임금이 되고 아래의 네 효가 일을 하는 신하가 되며 상효 한 효는 섬기지 않는 신하가 된다.

愚謂, 蠱自泰變, 下體本乾父之道也, 上體本坤母之道. 故諸爻皆取子爲象. 二應五而稱母, 明上體之爲母也, 五應二而稱父, 明下體之爲父也. 初承乾體之下, 三在乾體之終, 四繼乾體之後, 而皆稱父, 因乾體取象也. 上无應於內, 而又在事外, 故取義別.
내가 살펴보았다: 고괘(蠱卦)는 태괘(泰卦)로부터 변한 것이니, 하체는 본래 건괘로 아버지의 도이고, 상체는 본래 곤괘로 어머니의 도이다. 그러므로 여러 효들이 모두 자식을 상으로 취하였다. 이효는 오효에 호응하기에 어머니라고 칭하여 상체가 어머니가 됨을 밝혔고, 오효는 이효에 호응하기에 아버지라고 칭하여 하체가 아버지가 됨을 밝혔다. 초효는 건괘의 몸체[乾體]의 아래쪽을 이어받고 삼효는 건괘의 몸체의 끄트머리에 있으며 사효는 건괘의 몸체의 뒤를 이었는데, 모두 아버지라 칭하고 건괘의 몸체를 인하여 상을 취하였다. 상효는 안에 호응이 없고 또 섬김의 밖에 있으므로 그 뜻을 취한 것이 다르다.

或曰, 天尊地卑, 不易之定理. 今內卦爲父, 外卦爲母, 尊卑之辨內外之別, 不亦左乎. 曰, 以天地言, 則在上在下者定體也, 交於下交於止[126]者, 所以致乎用也. 以君臣言, 則在上在下者, 定位也, 下而聽, 上而承者, 所以交乎情也. 以家而言, 則父尊而在上者, 天之經也, 母卑而在下者, 地之義也. 以義而下接者 天之所以交於地, 以順而上和者, 地之所以交於天. 若亢然在上, 退然在下, 无相接之情, 則吾恐家道之否矣, 而況蠱卦變泰爲蠱, 治極主亂, 而卦中无父母之象. 諸爻稱父稱母者, 皆指子而言也, 則所謂父母者, 果安在哉. 朱子所謂蠱者前人已壞之緖, 諸爻皆有父母之象者, 疑亦指此也.

---

126) 上: 경학자료집성DB와 영인본에는 '止'로 되어 있으나 '上'자의 오류로 판단된다.

어떤 이가 물었다: 하늘이 높고 땅이 낮은 것은 바꿀 수 없는 정해진 이치입니다. 지금 내괘(內卦)를 아버지로 삼고 외괘(外卦)를 어머니로 삼았으니, 존비(尊卑)의 나뉨과 내외(內外)의 구별이 잘못된 것이 아닙니까?

내가 답하였다: 하늘과 땅으로써 말한다면, 하늘이 위에 있고 땅이 아래에 있는 것이 정해진 모습이니, 아래로 사귀고 위로 사귀는 것은 그 쓰임을 다하는 것입니다. 임금과 신하로써 말한다면, 임금이 위에 있고 신하가 아래에 있는 것이 정해진 위치이니, 아래에 있으면서 명을 듣고 위에 있으면서 말을 따라 주는 것은 정(情)으로 사귀는 것입니다. 집안으로써 말한다면, 아버지가 존귀하게 위에 있는 것은 하늘의 경(經)이고, 어머니가 낮게 아래에 있는 것은 땅의 의(義)이니, 의로써 아래로 접하는 것은 하늘이 땅과 사귀는 것이고, 순응함으로써 위에 화합하는 것은 땅이 하늘과 사귀는 것입니다. 만약 위에 있으면서 굳세기만 하고 아래에 있으면서 부드럽기만 하여 서로 만나는 정(情)이 없다면, 내 생각에는 집안의 도가 막히지나 않을까 염려됩니다. 더구나 고괘(蠱卦)는 태(泰)가 변하여 고(蠱)가 되었으니, 다스림이 극해진 뒤에 어지러움이 생겨난 것입니다. 그리고 괘 안에는 아버지와 어머니의 상이 없습니다. 여러 효(爻)에 대해서 아버지라 칭하고 어머니라 칭한 것은 모두가 자식을 가리켜서 말한 것입니다. 그러니 이른바 아버지와 어머니란 것이 과연 어디에 있습니까? 주자가 이른바 "고(蠱)라는 것은 앞사람이 이미 무너뜨린 실마리로, 여러 효에는 모두 아버지와 어머니의 상이 있다"라고 한 것은 아마도 이를 가리켜서 말한 것인 듯합니다.

## 김장생(金長生) 『주역(周易)』

傳, 高尙, 亦非一道.

『정전』에서 말하였다: 높이고 숭상하는 데에도 한 가지 길만 있는 것은 아니다

高潔自守者, 伊尹太公, 退而自保者. 張良疏廣, 不求知獨潔者, 嚴陵周黨.

고결하게 자신을 지킨 이는 이윤(伊尹)과 태공망(太公望)이고, 물러나 자신을 보전한 이는 장량(張良)과 소광(疏廣)이고, 남이 알아주기를 구하지 않고 홀로 깨끗이 한 이는 엄릉(嚴陵)과 주당(周黨)이다.

## 송시열(宋時烈) 『역설(易說)』

五爲王侯, 而上九過之, 此不事之象. 處亢高而無其位, 則雖無所幹, 然高其志, 而其事窮而獨善其身, 亦自己之蠱也. 變事言蠱, 蠱在其中. 蓋外卦爲艮, 艮爲高山之象故也, 餘見丘氏小註.

오효가 왕후가 되고 상구는 이보다 지나치니, 이는 섬길 수 없는 상이다. 너무 높은 데 있으면서 그 지위가 없다. 비록 주관하는 바는 없지만 그 뜻을 높이 하여 그 일이 곤궁하여 홀로 그 자신을 선하게 하니 역시 자기의 일이다. 일이 변질된 것을 '고'라고 하니, 어지러움이 그 가운데 있다. 바깥 괘가 간괘(艮卦☶)가 되는데, 간괘(艮卦☶)는 높은 산의 상이 있기 때문이다. 나머지는 구씨의 소주에 보인다.

### 강석경(姜碩慶) 『역의문답(易疑問答)』

問, 蠱者事也, 而蠱之上九不事王侯, 高尚其事者, 何也. 曰, 蠱上九父之位也. 其尊無對. 一卦五爻皆有所事, 而上獨不事, 無乃文王置乾於西北之義乎.

물었다: '고'란 일인데, 고괘의 상구효에서 "왕후를 섬기지 않고 그 일을 높이 숭상한다"고 한 것은 왜입니까?

답하였다: 고괘의 상구는 아버지의 지위입니다. 그 존귀하기가 상대할 것이 없습니다. 한 괘의 다섯 효는 모두 섬기는 바가 있는데 상효만 유독 섬기지 않으니, 문왕이 건괘를 서북쪽에 둔 뜻이 아니겠습니까.

### 이익(李瀷) 『역경질서(易經疾書)』

卦中, 惟上九居最上而不言父母, 則諸爻之父母皆指此也. 其或稱父, 或稱母, 以子之職任隨事爲象. 以德則陽有父之道, 以位則陰有母之道也. 初六六五, 以柔居剛, 九二以剛居柔, 九三以剛居剛, 六四以柔居柔. 凡子道其佐導則剛爲貴, 承順則柔爲貴. 以承順之心處之以佐導, 初與五是也, 初不中而五中, 故初承意而厲, 五承德而譽也. 以佐導之心處之以柔順, 九二是也. 於母有此義, 女道未必皆正, 故不可貞也. 以佐導之心處之以佐導, 九三是也. 惟父之有過者有此義, 所謂與其得罪於鄕黨州閭, 寧孰諫. 故小有悔, 無大咎也. 以柔順之心處之以柔順, 六四是也. 惟父之無過有此義, 變幹言裕者, 只寬裕而從之也. 然一向如此, 或至於惌過, 故往則見吝. 此繫辭也. 書曰, 罔念作狂, 豈有專意承順而不失正者, 此作易之意也. 然五本君位, 文王之事王季亦可以當之.

괘 가운데 오직 상구만 제일 위에 있어서 부모라고 말하지 않았으니, 여러 효에 부모라고 한 것은 모두 이 상구를 가리킨다. 혹 아버지라 칭하고, 혹 어머니라 칭한 것은 자식이 일에 따라 직분과 소임을 다하는 것으로 상을 삼은 것이다. 덕으로는 양에 아버지의 도가 있고, 자리로는 음에 어머니의 도가 있다. 초육과 육오는 부드러운 음으로 양의 자리에 있고, 구이는 굳센 양으로 음의 자리에 있으며, 구삼은 굳센 양으로 양의 자리에 있고, 육사는 부드러운 음으로 음의 자리에 있다. 자식의 도리는 도와서 이끌 때에는 굳셈을 귀하게 여기고,

받들어 순종할 때에는 부드러움을 귀하게 여긴다. 받들어 순종하는 마음으로 도와서 이끄는
것은 초효와 오효가 그러하다. 초효는 가운에 있지 않고 오효는 가운데 있으므로 초효는
뜻을 받들지만 위태롭고, 오효는 덕을 받들어 명예롭다. 도와 이끄는 마음으로 유순하게
처신하는 것은 구이가 그러하다. 어머니에 대하여 이러한 의리가 있으니, 여성의 도는 반드
시 모두 바른 것이 아니므로 곧기를 고집하여서는 안 된다. 도와서 이끄는 마음으로, 도와서
이끄는 자세로 대처하는 것은 구삼이 그러하다. 오직 아버지에게 허물이 있을 때에만 이러
한 의리가 있으니, 이른바 마을과 그 지역에서 죄를 얻기보다는 차라리 여러 차례 간언해야
한다는 것이다.[127] 그러므로 조금 후회가 있으나 큰 허물은 없다. 유순한 마음으로 유순하
게 처신하는 것은 육사가 그러하다. 아버지에게 허물이 없을 때에만 이러한 의리가 있으니,
육사에서는 "주관한대[幹]"는 말이 "안이하게 한대[裕]"로 변하였으니, 단지 너그럽고 편안하
게 하여 따라갈 뿐이다. 그러나 한결같이 이렇게 하면 간혹 잘못을 저지르는데 이를 수 있으
므로, "그대로 나아가면 부끄러움을 당한다"고 하였다. 이는 효에 붙인 효사이다. 『서경』에
"생각을 하지 않으면 미친 사람이 된다"고 하였으니, 어찌 오직 부모의 뜻을 받들어 따르는
것만을 생각하고서도 바름을 잃지 않는 경우가 있겠는가? 이것이 『주역』을 지은 뜻이다.
그러나 오효는 본래 임금의 자리이니, 문왕이 아버지 왕계(王季)를 섬긴 것이 또한 이에
해당할 수 있다.

蠱者, 治事之卦也. 在家子幹父蠱, 在國臣幹君蠱也. 上九居無位之地, 高尙者, 有不幹君
蠱故云爾. 其餘爻之皆有君事, 可以例推, 各隨其君之昏明而處之, 一如子之於父母也.
'고괘'는 일을 다스리는 괘이다. 가정에서는 자식이 아버지의 일을 주관하고, 나라에서는 신
하가 임금의 일을 주관한다. 상구는 지위가 없는 처지에 있으므로 '높이 숭상하는' 자가 임금
의 일을 주관하지 않으므로 그렇게 말했다. 그 나머지 효들에서는 모두 임금의 일이 있으니,
사례들로써 미루어 각기 그 임금의 어둡고 밝음에 따라 대처하되 한결같이 자식이 부모에게
하는 것과 같이 한다.

子曰, 志可則也. 上九位在君上, 尊師之位也. 君有過, 臣雖諫正, 君不從則止. 其有過
輒救, 救必從之, 惟師輔之任也. 師之正君志也非事也. 有國有君, 豈容無此一位, 故無
師之國君子有不國者矣. 老更之禮所以示則效之方也. 不然養老又何益. 一部易書, 其
重都在此句上.
공자는 "뜻이 본받을 만하다"[128]고 하였다. 상구는 지위가 임금의 위에 있으니 '높은 스승'의

---

127) 『禮記・內則』: 與其得罪於鄕黨州閭, 寧孰諫.
128) 상구(上九)의 「상전」을 말한다.

지위이다. 임금에게 과실이 있으면 신하는 비록 간언하여 바로잡지만 임금이 따르지 않으면 그친다. 임금에게 잘못이 있을 때 문득 바로잡기를 구하여서, 반드시 그에 따르기를 구하는 것은 오직 '사보(師輔)'의 임무이다. '사보(師輔)'는 임금의 뜻을 바르게 하는 것이지 섬기는 것이 아니다. 나라가 있고 임금이 있으면 어찌 이 한 직위가 없을 수 있겠는가? 그러므로 스승이 없는 나라를 군자는 나라로 여기지 않는다. 국가적으로 노인을 받드는 예에서 보여주는 것은 그들은 본받는 방법이니,129) 그렇지 않다면 노인을 봉양하는 것이 또 무슨 보탬이 있겠는가? 『주역』에서 중요한 점이 모두 이 구절에 있다.

## 심조(沈潮) 「역상차론(易象箚論)」

此, 在艮山之上, 乃山林高蹈之象. 又與互兌相應, 乃江湖游泳之象.

이는 간괘 산의 위에 있으니, 산림에서 고고하게 거니는 상이다. 또한 호괘인 태괘(兌卦䷹)와 서로 호응하니, 강과 못에서 헤엄쳐 노니는 상이다.

## 유정원(柳正源) 『역해참고(易解參攷)』

丹陽都氏曰, 其體艮止之象, 卦終无所事之象.

단양도씨가 말하였다. 그 몸체는 간괘의 멈추는 상이고, 괘의 끝에서 섬기는 바가 없는 상이다.

○ 林氏〈栗〉曰, 王五也, 矦三也. 在五之上, 不應乎三, 不事王矦之象.

임률이 말하였다: '왕'은 오효이고, '후(矦)'는 삼효이다. 오효의 위에 있으면서 삼효와 호응하지 않으니, 왕후를 섬기지 않는 상이다.

○ 案, 王氏曰, 最處事上而不累於心, 正義以尊慕淸虛之事釋之. 此正王弼以老莊解易處.

내가 살펴보았다: 왕필은 "섬기는 일 위에 머물며, 마음에 얽매이지 않는다"130)라고 하였고, 『주역정의』에서는 "맑고 욕심 없는 일을 높여서 흠모한다"고 해석하였다.131) 이는 바로 왕필이 노·장의 사상으로 『주역』을 해석한 곳이다.

傳, 自守.

『정전』에서 말하였다: 자신을 지켜.

---

129) 국가적으로 노인을 받드는 예[老更之禮]: 고대에는 국가에서 노인을 위해 삼노오갱(三老五更)이라는 지위를 마련하여, 임금이 그들을 부형(父兄)에 대한 예(禮)로써 대접하였다.

130) 『주역』 왕필주에는 "最處事上而不累於位"이라고 되어 있다. 유정원의 『역해참고(易解參攷)』에서는 '位'가 '心'으로 바뀌었다.

131) 공영달 『정의』원문에는 "但自尊高, 慕尚其淸虛之事, 故云高尚其事也"로 되어 있다.

案, 上所謂伊尹太公之始.

내가 살펴보았다: 『정전』에서 이른바 이윤과 태공망이 아직 벼슬하지 않았을 초기이다.


自保.

『정전』에서 말하였다: 스스로를 보존한다.

〈張良疏廣之類.

장량과 소광과 같은 부류이다.〉


量能.

『정전』에서 말하였다: 능력을 헤아리다.

〈徐孺子申屠蟠之類.

서유자(徐孺子),[132] 신도번(申屠蟠)[133]와 같은 부류이다.〉


淸介.

『정전』에서 말하였다: 맑은 절개.

〈嚴陵林逋之類.

엄릉(嚴陵)과 임포(林逋)와 같은 부류이다.〉


### 김상악(金相岳) 『산천역설(山天易說)』

陽剛居上, 在事之外, 與三无應, 比五不交, 而以艮乘巽, 故有不事王侯高尚其事之象. 事者, 自善其身之事也.

굳센 양으로서 상효에 있으니 일을 벗어나 있는 것인데, 삼효와 호응하지 않고 오효와 가까이 있지만 사귀지 않은 채 간괘로서 손괘를 타고 있다. 그러므로 왕후를 섬기지 않고 그 일을 높이 숭상하는 상이 있다. 일[事]이란 자기 자신을 스스로 선하게 하는 일이다.


○ 五爲王, 三爲侯. 不事者, 不身事王侯以治蠱也. 艮爲止, 不事之象. 當蠱之時居內

---

132) 서유자(徐孺子, 97-168): 후한 때 사람 서치(徐穉)를 부르는 말이다. 매우 가난했지만 남주(南洲)의 고사(高士)라 불렸는데, 곽림종(郭林宗)의 모친상에 조문하러 가서 꼴[生芻] 한 다발을 집 앞에 두고 갔다는 이야기가 전한다.

133) 신도번(申屠蟠, 연대미상): 후한 진류(陳留) 외황(外黃) 사람이다. 자는 자룡(子龍)이다. 집안이 가난해 칠공(漆工)이 되었다. 벼슬길에 나아가지 않고 숨어살면서 학문에 정진하였다. 오경(五經)에 두루 정통했고, 도위(圖緯)에도 밝았다. 한나라가 기울어가는 것을 보고 양탕(梁碭)에 자취를 감추고 나무를 심어 집을 삼았다. 태위(太尉) 황경(黃瓊)과 대장군 하진(何進)이 연이어 불렀지만 역시 나가지 않았다. 나중에 동탁(董卓)이 황제를 폐위시키고 대신하자 순상(荀爽) 등이 모두 협조했지만, 그는 홀로 끝까지 지조를 지켰다고 한다.

者, 操巽之權而行, 處外者體艮之義而止也. 高者巽之象, 居上故曰高尙其事. 在父母則爲蠱, 在己則爲事. 象傳曰, 往有事也. 爻曰高尙其事者, 諸爻幹蠱之功已成, 故所事但高尙而已. 蓋艮山在上, 巽震二木在下, 震足巽高乃山林高蹈也. 與賁六五爲同體之卦也. 本爻之象如此, 故賁曰賁于丘園, 束帛戔戔. 不事王侯則天子不得臣, 諸侯不得友. 理亂不聞, 寵辱不驚, 所以志可則也.

오효는 왕이고, 삼효는 후(侯)이다. 섬기지 않는 것은 몸소 왕후를 섬겨 어지러운 일을 다스리지 않는 것이다. 간괘는 멈춤이니 섬기지 않는 상이다. 고괘의 때를 맞아 안에 있는 자는 손괘의 저울대를 잡아 행하고, 밖에 있는 자는 간괘의 뜻을 본받아 멈춘다. 높은 것은 손괘의 상이고, 위에 있으므로 "그 일을 높이 숭상한다"고 하였다. 부모에게는 허물이 되고, 자신에게는 일이 된다. 「단전」에 "가서 일함이 있다"고 하였고, 효사에서는 "그 일을 높이 숭상한다"고 한 것은 여러 효에서 일을 주관하는 공로가 이미 이루어졌으므로 일삼을 것은 단지 높이 숭상하는 것뿐이다. 간괘의 산이 위에 있고, 손괘와 진괘의 두 나무가 아래에 있는데, 진괘는 발이 되고 손괘는 높으니, 산림에서 고고하게 거니는 것이다. 비괘(賁卦䷕) 육오와 같은 몸체의 괘가 된다. 본효의 상이 이와 같으므로 비괘에서 "동산에서 꾸미나, 묶어놓은 비단이 작다"고 하였으니, 왕후를 섬기지 않으면 천자가 신하를 얻지 못하고, 제후는 벗을 얻지 못한다. 나라가 다스려지고 어지러운 것을 듣지 않고, 영예와 욕됨에 놀라지 않으니, 뜻을 본받을 만한 까닭이다.

### 김규오(金奎五) 「독역기의(讀易記疑)」

上九傳, 以伊呂之始爲言, 又言進退用捨. 爻中未見有進與用之意, 特以易无定體而推言之耳. 亦可見不能忘世之意.

상구는 『정전』에서 이윤(伊尹)과 여상(呂尙)이 아직 벼슬하지 않았을 때로써 말하였고, 또 나아가고 물러남, 쓰여짐과 버려짐을 말하였다. 효 가운데에는 나아가고 쓰여지는 뜻을 보지 못하므로 다만 『주역』에 고정된 실체가 없는 것으로 미루어 말하였을 뿐이다. 역시 세상을 잊을 수 없는 뜻을 볼 수 있다.

### 서유신(徐有臣) 『역의의언(易義擬言)』

王, 指五也. 侯, 指三也. 不比五, 不應三, 不以王侯爲事之象也. 居卦之上, 是爲父. 諸子幹蠱已, 則處於事外, 是爲不事也. 然卦旣事矣獨不可爲無事. 蓋別有事焉, 而異乎諸爻之事, 故曰高尙其事, 以不事爲事, 是爲高尙也. 上而九而蠱爲高尙其事之象也.

왕은 오효를 가리키고, 후(侯)는 삼효를 가리킨다. 오효와 친밀하지도 않고 삼효와 호응하지도 않으니, 왕후를 섬길 대상으로 하지 않는 상이다. 괘의 제일 위쪽에 있어서 이것이 아버지가 된다. 여러 자식들이 일을 주관하였으므로 일에서 벗어나 있으니, 이것이 '섬기지 않는 것'이 된다. 그러나 괘 자체에 이미 일이 있으니, 유독 일이 없다고 할 수는 없다. 별도의 일이 있어서 다른 효에서의 일과는 다르므로 "그 일을 높이 숭상한다"고 하였으니, '섬기지 않음'을 일로 삼은 것이니, 이것이 '높이 숭상함'이 된다. 꼭대기에 있고 양인 구(九)이며, 일[蠱]이므로 '그 일을 높이 숭상하는' 상이 된다.

### 김귀주(金龜柱) 『주역차록(周易箚錄)』

上九, 不事王侯, 云云.

상구는 왕후를 섬기지 않고, 운운.

○ 按, 他爻皆稱父母, 而於此獨以王侯言. 蓋子道可以包臣道, 而臣道則或不能包子道, 此爻無位無應, 在事之外, 故只以臣道言之. 若子之於父, 豈有不任其事之時乎. 小註胡雲峰亦言此意.

내가 살펴보았다: 다른 효에서 모두 부모라고 하였는데, 여기에서만 유독 왕후로써 말하였다. 자식의 도리는 신하의 도리를 포함할 수 있지만, 신하의 도리는 간혹 자식의 도리를 포함할 수 없다. 이 효는 지위도 없고 호응도 없어서 일에서 벗어나 있으므로 단지 신하의 도리로만 말하였다. 자식이 아버지에 대해서라면 어찌 그 일을 맡아하지 않는 때가 있겠는가? 소주에서 호운봉도 이러한 뜻을 말하였다.

本義, 剛陽居下, 云云.

『본의』에서 말하였다: 굳센 양이 아래에 있고, 운운.

小註, 臨川吳氏曰, 上九, 云云.

소주에서 임천오씨가 말하였다: 상구는, 운운.

○ 按, 吳氏所說, 乃程傳四說中第四說, 而所謂晨門荷蕢之徒也. 如此則象傳何以曰志可則也. 此恐未然.

내가 살펴보았다: 오씨가 말한 것은 『정전』에서 말한 네 가지 설 가운데 네 번째 설로서, 이른바 문지기나 삼태기를 멘 은자의 무리이다.[134] 이와 같다면 「상전」에서 어찌하여 "뜻을 본받을만하다"고 하였는가? 이는 그렇지 않은 듯하다.

---

134) 『論語·憲問』: 子路宿於石門. 晨門曰, 奚自. 子路曰, 自孔氏. 曰, 是知其不可而爲之者與. / 子擊磬於衛, 有荷蕢而過孔氏之門者, 曰, 有心哉, 擊磬乎. 旣而曰, 鄙哉, 硜硜乎. 莫己知也, 斯己而已矣. 深則厲, 淺則揭. 子曰, 果哉, 末之難矣.

## 박문건(朴文健) 『주역연의(周易衍義)』

疑而退遠, 故有尙其事之象. 王侯謂九三也.

의심하여 멀리 물러나므로 그 일을 숭상하는 상이 있다. 왕후는 구삼을 말한다.

〈問, 不事王侯, 高尙其事. 曰, 上九有疑懼之心, 故不事王侯, 而但高尙其事, 是不幹王侯之事者也. 高尙卽崇尙之謂也.

물었다: "왕후를 섬기지 않고 그 일을 높이 숭상한다[高尙]"는 무슨 뜻입니까?

답하였다: 상구는 의심하고 두려워하는 마음이 있으므로 왕후를 섬기지 않고, 단지 그 일만을 높이 숭상합니다. 이는 왕후의 일을 주관하지 않는 자입니다. '고상(高尙)'은 숭상한다는 말입니다.〉

## 김기례(金箕澧) 「역요선의강목(易要選義綱目)」

處艮之終, 知止而下无係應, 在事之外, 故不關王公之蠱而自治其蠱者也.

간괘의 끝에 있으면서 멈출 줄 알고 아래로 얽매어 호응함이 없기에 일에서 벗어나 있다. 그러므로 왕공의 일에 관여하지 않고 스스로 자신의 일을 다스리는 자이다.

○ 以家事言, 則上是竣事退老之父, 故五爻皆言父母, 而上不言父. 以國事言則下四爻爲用事之臣, 五爲君, 上爲潔身知止者.

가정의 일로 말하면 상효는 일을 마치고 물러난 늙은 아버지이다. 그러므로 다섯 효에서는 모두 부모를 말하였지만 상효에서는 아버지를 말하지 않았다. 나랏일로 말하면 아래의 네 효는 일을 하는 신하가 되고 오효는 임금이 되며, 상효는 자신을 깨끗이 하여 멈출 줄 아는 자가 된다.

○ 易中无以上爲臣處, 則蠱上有師傅之德, 而處於事外者.

『주역』에서 상효를 신하로 간주하는 것이 없으니, 고괘(蠱卦)의 상효는 사부(師傅)의 덕이 있어서 섬기는 일 바깥에 있는 자이다.

贊曰, 上止下巽, 剛柔分明. 有終有始, 則天之行. 幹蠱之道, 中正以亨. 高尙其事, 何關寵榮.

찬미하여 말하였다: 위에서는 멈춰있고 아래서는 공손하여 굳센 양과 부드러운 음의 구별이 분명하다네. 마침이 있고 시작이 있는 것이니 하늘의 운행을 본받네. 일을 주관하는 도리는 중정함으로 형통하네. 그 일을 높여 숭상하니, 어찌 총애와 영예에 관심을 두겠는가?

## 이항로(李恒老) 「주역전의동이석의(周易傳義同異釋義)」

或問, 五爻皆言幹父, 而此獨言事君, 何也. 不事王侯, 亦何干於幹蠱之道乎.

어떤 이가 물었다: 다섯 효가 모두 아버지 일을 주관한다고 하였는데, 여기서만 임금을 섬긴다고 한 것은 왜입니까? 왕후를 섬기지 않는 것도 어지러운 일을 주관하는 도리와 상관이 있습니까?

曰, 子事父臣事君, 分雖異而理則一, 是以卽此一卦互明之. 子旡不事其父之地, 有不事其君之時, 此則分異故也. 臣之事君, 不一其事, 或有已有大人之德而君來取正者, 孔孟是也.

답하였다: 아들이 아버지를 섬기고, 신하가 임금을 섬기는 것은 직분은 비록 다르지만 이치는 같습니다. 그러므로 이 한 괘를 가지고 서로 밝혔습니다. 아들은 그 아버지를 섬기지 않는 경우가 없지만, 신하는 그 임금을 섬기지 않을 때가 있으니, 이는 직분이 다른 까닭입니다. 신하가 임금을 섬기는데 있어서 그 섬기는 법이 똑같지 않습니다. 혹 그 자신에게 이미 대인의 덕이 있어서 임금이 와서 바르게 되는 수가 있으니, 공자와 맹자의 경우가 그러합니다.

或有明道盡誠而任天下之責者, 伊傅是也. 或有鞠躬盡瘁, 死而後已者, 諸葛孔明, 陸秀夫之流是也. 或有尙志厲節, 超然獨立, 遺風餘韵, 足以立天下之懦, 廉天下之頑者, 上則夷齊, 下則嚴周之流是也. 或有一節一義 捐身徇公者, 古今直臣節士之流皆是也. 事雖有大小出處之不同, 其所以幹君之蠱. 未始不同也. 此言不事王侯, 高尙其事. 事是甚事, 曰志而已. 故孔子釋之曰, 志可則也.

혹 도를 밝히고 정성을 다하여 천하의 책무를 맡는 이가 있는데, 이윤과 부열이 이들입니다. 혹 제 몸을 다 바쳐서 죽어서야 그만두는 이가 있는데, 제갈공명과 육수부의 부류가 이들입니다. 혹 뜻을 숭상하고 절개를 지켜서 초연하게 홀로서서 유풍을 남김으로써 천하의 나약한 이들을 일으켜 세우고, 천하의 완고한 이들을 청렴하게 하는 이들이 있는데, 위로는 백이와 숙제이고, 아래로는 엄광(嚴光)과 주당(周黨) 부류가 이들입니다. 혹 하나의 절의가 있어서 자신은 손해를 보더라도 공사(公事)를 우선하는 이들이 있으니, 고금의 곧은 신하와 절개 있는 선비의 무리들이 모두 그러한 이들입니다. 일에는 비록 크고 작음이 있고, 나아가고 들어가는 것도 같지 않지만, 그 임금의 일을 주관하는 것은 애초에 다를 것이 없습니다. 이것이 왕후를 섬기지 않고 그 일을 높이 숭상한다는 말입니다. 이 때의 일이 무슨 일인가 하면, '뜻[志]'일 뿐입니다. 그러므로 공자가 "뜻을 본받을 만하다"고 해석하였습니다.

何謂志, 仁與義也, 卽易所謂元亨利貞之道也. 是物也, 以之幹身則身立而名尊, 以之幹事則事敍而業光, 以之幹家則家正而倫明, 以之幹國則國泰而民安. 以之事父則曰孝, 以之事君則曰忠, 无所用而不利, 无所往而不亨. 若以是爲不干於幹蠱之道, 則豈知志之說乎. 若夫蒙三之見金忘躬, 頤初之舍龜朶頤, 解三之負乘招盜. 豫初之怙勢鳴豫, 兌三之失正晏說, 復上之遠仁反君之類, 是皆无志者也. 其爲癉國蠱世, 果何如哉. 孟子曰士尙志, 其知易之道乎.

무엇을 '뜻[志]'라고 합니까? 인과 의이니, 바로 『주역』에서 말하는 원형이정의 도입니다. 이 뜻이란 것으로 말할 것 같으면, 이것으로 몸을 주관하면 몸이 바로 서고 이름이 존귀해지며, 이것으로 일을 주관하면 사업이 풀리고 빛나며, 이것으로 집안을 주관하면 집안이 바르게 되고 인륜이 밝혀지며, 이것으로 나라를 주관하면 나라가 평안하고 백성이 편안합니다. 이것으로 부모를 섬기는 것을 효라고 하고, 이것으로 임금을 섬기는 것을 충이라 하여, 쓰는 데 마다 이롭지 않음이 없고, 가는데 마다 형통하지 않음이 없습니다. 만약 이것을 어지러운 일을 주관하는 도리와 무관한 것이라고 여긴다면, 어찌 '뜻[志]'에 대한 이론을 안다고 하겠습니까? 몽괘 육삼에 '돈이 많은 사내를 보고 몸을 지키지 못하는 것', 이괘 초효에 '신령스러운 거북을 버리고 턱을 늘어뜨리는 것', 해괘 삼효에 '짊어져야 하는데 또 올라탔기에 도적을 오게 하는 것', 예괘 초효에서 '세력을 믿고 즐거움을 소리 내는 것', 태괘 삼효에서 '바름을 잃고 안이하게 기뻐하는 것', 복괘 상효에서 '인(仁)에서 멀어지고 임금의 도와 반대되는 것' 같은 종류는 모두 뜻이 없는 것입니다. 그렇다면 병든 나라와 병든 세상을 위하여 과연 무엇을 할 수 있겠습니까? 『맹자』가 "선비는 뜻을 숭상한다"라고 한 것은 역의 도리를 아는 말일 것입니다.

### 허전(許傳) 「역고(易考)」

高而無位, 下無輔佐, 退處於外, 不累世務者也.

높으나 지위가 없고 아래로 보좌가 없으니, 물러나 밖에 있으면서 세상의 업무에 얽매이지 않는 자이다.

### 심대윤(沈大允) 『주역상의점법(周易象義占法)』

蠱之升䷭. 居柔爲謀慮者, 而居蠱之終, 无事无職之地, 獨不爲人執事, 而唯自治其事也. 巽爲事爲高, 艮爲崇尙, 其者, 无所專主之職也, 君父師之道也. 蠱之道, 卑賤者執役以爲事焉, 有位者, 或謀慮或勤力以爲事焉. 居上者育德以爲事焉. 執役亦勤力也, 尙德亦謀慮也. 蠱之時初多事也, 二擇行也, 三成敗未定也, 四勢順也, 五垂成而有譽也. 六不爲紛, 更以生事也. 〈此當在賴之也下.〉

고괘(蠱卦)가 승괘(升卦䷭)로 바뀌었다. 부드러운 음의 자리에 있으면서 생각하여 도모하는 자인데, 고괘의 끝에 있으므로 일도 없고 직분도 없는 처지라서, 남을 위해서는 일을 할 수 없고 오직 스스로 그 일을 다스린다. 손괘는 섬김[事]이 되고, 높음[高]이 된다. 간괘는 숭상함[崇尙]이 되고, '고상기사(高尙其事)'라고 할 때의 '기(其)'는 전적으로 주관할 직분이 없는 것이니, 군사부의 도리이다. 고괘의 도리는 낮고 천한 이는 일을 맡아 하는 것으로 일을 삼는 것인데, 지위가 있는 자는 혹 생각하여 도모하거나 힘써 노력하는 것으로 일을 삼는다. 위에 있는 자는 덕을 기르는 것으로 일을 삼는다. 일을 맡아하는 것 역시 힘써 일하는 것이다. 덕을 숭상하는 것은 또한 생각하여 도모하는 것이다. 고괘의 때는 초효에서 일이 많고, 이효에서는 가려서 행하고, 삼효에서는 성패가 아직 결정되지 않았고, 사효에서는 형세가 순하고 오효에서는 이루어져서 명예가 있다. 육효에서는 어지럽지는 않으나 다시 일이 생긴다. 〈이 부분은 마땅히 「상전」 '뢰지야(賴之也)' 아래에 있어야 한다.〉

### 오치기(吳致箕) 「주역경전증해(周易經傳增解)」

上九陽剛居上, 而內无應與, 處高而育德. 在外而无位, 卽賢人之抱[135]道隱居者也. 故不欲事王侯之尊而治其蠱, 獨自行高蹈之事而尙其志, 觀於辭而象占可知矣.

상구는 굳센 양으로 위에 있으면서 안으로 함께 호응하는 자가 없으니, 높이 있으면서 덕을 기른다. 밖에 있으면서 지위가 없으니, 현인으로서 도를 품고 은거하는 자이다. 그러므로 존귀한 왕후를 섬겨 그 일을 다스리려 하지 않고, 독자적으로 고고한 일을 행하여 그 뜻을 숭상하니, 효사를 보면 그 상과 점을 알 수 있다.

○ 王侯指五, 應巽爲高而尙者上也. 蠱爲事, 故此言事也. 上九言乎家人之位, 則最高在上而爲父. 言乎朝廷之位, 則處高无位而爲賢人, 故下爻皆言父, 本爻則謂賢人也.

왕후는 오효를 가리키니 손괘에 호응하여 '높음[高]'이 되고, '숭상함[尙]'은 상효이다. '고'는 일이므로, 여기에서 '일'이라고 하였다. 상구를 집안사람의 자리로 말하면 위에 가장 높이 있어서 아버지가 된다. 조정의 지위로 말하면 높이 있으나 지위가 없는 현인이 된다. 그러므로 아래 효에서는 모두 아버지라고 하였고, 본효에서는 현인이라고 하였다.

### 이진상(李震相) 『역학관규(易學管窺)』

高尙其事.

그 일을 높이 숭상한다.

---

135) 抱: 한국경학자료집성DB에 '狍'로 되어있으나 '抱'의 오류이므로 바로잡는다.

上九六爻之父也. 剛亢自高, 外不與於國事, 內不屑於家事, 事之壞亂, 未必不由於此. 六五以母道而有持門之譽, 率衆子以幹父事. 六四在室之女, 懦弱而不能任事, 但寬裕以視之, 祗能不逆父志而已. 九三中男剛上而不知節者也. 所以不免於小過而特其所行之正, 優於幹父, 且三與上爲應而氣節相似, 雖有矯拂, 終被期待者也. 九二長男爲承家之主, 而與母相應, 以治家事者也. 自知父旣傳家, 雖不事事我自當, 爲母旣持門, 苟其順導, 自無敗闕. 雖或有差, 不宜過拂, 故專以幹母爲事. 若初六則少子而以陰居陽, 未及成人者也. 父雖過剛, 尙有愛少之情, 而子亦服事, 替勞委曲, 將順使父不至有咎者也. 但不可恃恩而忘敬, 故有惕厲之象. 況父性之剛乎.

상구는 여섯 효의 아버지이다. 지나치게 굳세고 스스로 높아서, 밖으로는 나랏일에 관여하지 않고 안으로는 집안일을 달갑게 여기지 않으니, 일이 허물어져 어지러움은 반드시 여기에서 말미암지 않음이 없다. 육오는 어머니의 도로서 문을 지키는 명예로움이 있으니, 여러 자식들을 인솔하여 아버지의 일을 주관한다. 육사는 집안에 있는 여자이니 나약하여 일은 맡아서 할 수 없고, 단지 너그럽고 넉넉함으로 바라보아 단지 아버지의 뜻을 거스르지 않을 뿐이다. 구삼은 둘째 아들로 굳세고 아랫괘의 위에 있어서 절제할 줄을 모르는 자이다. 그러므로 작은 허물을 면할 수 없으나, 다만 그 행하는 바가 바르므로 아버지 일을 잘 주관할 수 있다. 또 삼효는 상효와 호응하여 기운이 서로 비슷하므로 비록 억지로 바로잡기는 하나 마침내 기대를 받는 자이다. 구이는 맏아들로서 집안을 승계하는 주인이며, 어머니와 서로 호응하여 가사를 다스리는 자이다. 스스로 아버지가 이미 집안일을 전수하였음을 알고 있어서, 일마다 내가 다 담당하지는 않더라도, 어머니를 위하여 집의 문을 지켜서 참으로 순하게 이끌어 스스로 망치지 않도록 한다. 비록 혹 어긋남이 있더라도 지나치게 바로잡아서는 안 되므로 오로지 어머니의 일을 주관하는 것으로 일을 삼는다. 초육은 어린 자식으로 음으로서 양의 자리에 있으니, 아직 성인이 되지 못한 자이다. 아버지가 비록 지나치게 굳세나 오히려 어린 것을 아끼는 마음이 있고, 자식 또한 섬기는데 아버지 일을 고치려고 애쓰지 않고 내 맡겨서 순종하니, 아버지가 허물이 있는데 이로도록 하지는 않는 자이다. 다만 은혜를 믿고 공경하기를 잊어서는 안 되므로 두렵고 위태로운 상이 있다. 더구나 아버지의 성품이 굳세지 않은가!

## 박문호(朴文鎬) 「경설(經說)·주역(周易)」

程子, 以聖人當之, 而范希文則以嚴子陵當之. 蓋子陵之事, 固不害其爲淸介自守之科云.

정자는 성인이 이에 해당한다고 하였는데, 범희문은 엄자릉이 이에 해당한다고 하였다. 대체로 엄자릉의 일은 참으로 맑은 절개로 스스로 지키는 부류가 되는데 지장이 없다고 하겠다.

象曰, 不事王侯, 志可則也.

「상전」에서 말하였다: "임금을 섬기지 않음"은 그 뜻을 본받을 만하다.

## ‖中國大全‖

### 傳

如上九之處事外, 不累於世務, 不臣事於王侯, 蓋進退以道, 用捨隨時, 非賢者, 能之乎. 其所存之志, 可爲法則也.

상구가 일에서 벗어나 있으면서 세상의 일에 얽매이지 않는 것처럼 신하가 되어 임금을 섬기지 않는 것은 대개 도에 입각하여 나아가고 물러나며 때의 적절함을 보아 쓰고 버리는 것이니, 현명한 이가 아니라면 그렇게 할 수 있겠는가? 그가 보존한 뜻이 본받을 만하다.

### 小註

朱子曰, 當此時節, 若能斷然不事王侯, 高尙其事, 不半上落下或出或入, 則其志, 眞可法則矣. 只爲人不能如此也.

주자가 말하였다: 이러한 시기를 만나 단호하게 임금을 섬기지 않고 그 일을 높이 숭상하여, 오르락 내리락 하거나 드나들지 않는다면, 그 뜻은 참으로 본받을만하다. 단지 사람들이 그렇게 하지 못할 뿐이다.

○ 雲峰胡氏曰, 初六言意, 上九言志, 意柔而志剛也.

운봉호씨가 말하였다: 초육에서는 '의(意)'라 하고, 상구에서는 '지(志)'라 하였는데, '의'는 부드럽고, '지'는 강하다.

○ 建安丘氏曰, 六爻取家事爲象. 上爲父, 故本爻不稱父, 而他爻言父. 五爲母, 故本爻不言母而他爻言母. 在下四爻, 則皆子也. 然子幹父母之蠱, 惟剛柔相濟者爲善. 初爻柔位剛故无咎, 二爻剛位柔故得中, 三爻位俱剛過於剛者, 故小有悔, 四爻位俱柔過於柔者, 故往未得, 此四位剛柔之異而得失之判也. 然上五二爻, 以家事言, 則上爲父五爲母, 衆爻爲子. 以國事言, 則五爲君, 下四爻爲用事之臣, 上一爻爲不事之臣, 故曰不事王侯, 高尙其事. 觀下五爻, 以幹父言, 則父之位存矣, 觀上一爻以王侯言, 則君之位存矣. 此易之道, 所以屢遷而不可爲典要也.

건안구씨가 말하였다: 여섯 효는 가정의 일을 취하여 상으로 삼았다. 상효는 그 자체로 아버지가 되므로 그 효에서는 굳이 아버지를 언급하지 않았지만, 다른 효에서는 아버지를 말하였다. 오효는 본래 어머니이므로 그 효에서는 굳이 어머니라고 말하지 않았지만, 다른 효에서는 어머니의 일임을 말하였다. 아래의 네 효는 모두 자식들이다. 그러나 자식이 부모의 일을 주관함에 있어서는 굳센 것과 부드러운 것이 서로 돕는 것이 이상적이다. 초효는 부드러운 음이 굳센 양의 자리에 있어서 허물이 없고, 이효는 굳센 양이 부드러운 음의 자리에 있어서 적절함을 얻고, 삼효는 굳센 양이 양의 자리에 있어 지나치게 강하므로 다소 후회가 있으며, 사효는 부드러운 음이 음의 자리에 있어 지나치게 유약한 자이므로 나아가서 일을 이룰 수가 없으니, 이 네 효의 자리가 굳세고 부드러움이 서로 다른 데에서 얻고 잃음이 결정된다. 그러나 상효와 오효의 두 효는 가정의 일로 말하자면 상효는 아버지가 되고 오효는 어머니가 되며, 나머지 여러 효들은 자식이 된다. 나랏일로 말하자면 오효는 임금이 되고 아래의 네 효는 일을 하는 신하가 되며 상효는 섬기지 않는 신하가 되니, "임금을 섬기지 않고, 그 일을 높이 숭상한다"고 하였다. 오효를 보면 아버지의 일을 주관한다고 하였으니, 오효에는 아버지의 자리가 있고, 상효에서는 임금을 섬기는 일로 말했으니, 상효에는 임금의 자리가 있다. 이것이 역의 도가 거듭 바뀌어서 어느 하나를 표준으로 삼을 수 없는 이유이다.

## ┃韓國大全┃

### 권근(權近) 『주역천견록(周易淺見錄)』

愚謂, 上九以陽居无位之地, 剛明之才, 不爲世用, 此蠱乱之時也. 懷抱道德, 不用於時, 功業未著, 但其所存之志, 可爲法則. 謂以治蠱之才, 高潔自守, 不肯屈己, 以求之也, 非謂其不事, 可以爲法也. 不事王侯, 與不見諸侯義同. 雖無其位, 不得行道, 亦不枉尺以直尋, 衒玉以求售也. 然而, 救天下之心, 未嘗不切, 非欲其終於不事不見也. 如伊尹在畎畝, 而樂堯舜之道, 太公居北海, 而待天下之淸, 是也. 故程子以爲伊尹太公之始, 曾子子思之徒. 吳氏乃謂, 凡處世間而有爲者, 皆卑下之事. 出世間而无爲者, 乃高尙之事. 下五爻屑屑於一家之事, 上九則天下之事, 猶且視爲卑下, 而不屑爲, 彼[136]一家之事, 又何足道哉?

내가 살펴보았다: 상구는 양으로서 지위가 없는 곳에 있으므로 굳세고 밝은 재질이지만 세상을 위해 쓰지 못하니, 이는 어지럽고 혼란한 상황이다. 도와 덕을 마음에 품고 있으나 시대를 위해 쓰이지 못하여 공업(功業)이 아직 드러나지는 않았지만, 그가 품고 있는 뜻만은 본받을 만하다. 이는 혼란을 다스릴 자질을 지닌 사람이 고결하게 자신을 지키고, 자신의 뜻을 굽혀가면서 구하려 하지 않음을 뜻하는 것이지, 그가 섬기지 않음이 본받을 만하다는 의미는 아니다. '왕후를 섬기지 않는 것'과 '제후를 만나지 않는 것'은 의리가 동일하다. 비록 걸맞은 지위가 없어 도를 수행할 수 없더라도, "한 자를 굽혀 여덟 자를 곧게 하거나",[137] "옥을 자랑하여 팔리기를 구하지"[138]는 않는다. 그러나 천하를 구제하겠다는 마음은 절실하지 않은 적이 없어 끝내 섬기지 않고 만나려 하지 않는 것은 아니다. 예를 들어 이윤(伊尹)이 초야에 있으면서 요순의 도를 즐기고, 태공(太公)이 북해(北海)에 살면서 천하가 맑아지기를 기다린 것이 그것이다. 그 때문에 정자는 '이윤과 태공망이 벼슬하기 이전, 증자와 자사의 무리'라고 보았다. 오징은 다음과 같이 평가하였다. "세간에 있으면서 무언가를 하는 것은 모두 비천한 일이다. 세간을 떠나 아무 것도 하려 하지 않는 것이 바로 고상한 일이다. 아래 다섯 효는 자기 집안일에 부지런히 마음을 쓰지만, 상구는 천하의 일조차도 비천한 것으로 보고 하려하지 않는데, 자기 집안의 일이야 다시 말해 무엇 하겠는가?"

此非儒者之言也. 夫伊呂在耕莘釣渭之時, 豈以兼善天下爲不屑, 而自潔其身. 及遇湯文之日, 豈是舍高尙, 而就卑下乎. 卽以前日之所高尙者, 爲今日之事業, 樂畎畝者, 堯舜之道, 而施事業者, 堯舜其君民也, 故身有出處, 而道無二致也. 下三[139]爻皆幹父蠱, 以爲屑屑於一家之事, 而不足道, 則辭親滅倫然後爲可則者邪? 居無位之地, 而高尙者, 雖不事王侯, 亦不幹父蠱乎? 是無父無君之道也. 又其所謂出世間者, 尤非所宜言也. 異端自謂出世, 亦不能如蚓之無求, 未免於群居屋處, 著衣喫飯, 是果出於世間乎. 一言之差, 弊將至於滅倫, 不得不辨.

이는 유학자의 말이 아니다. 이윤(伊尹)과 여상(呂尙)이 신(莘) 땅에서 농사짓고 위수(渭水)에서 낚시질 할 때, 어찌 천하를 아울러 선하게 하는 것을 달갑게 여기지 않고 자신의

---

136) 彼: 한국경학자료집성DB에 '後'로 되어 있으나 영인본에 근거하여 '彼'로 바로잡는다.

137) 『孟子・藤文公』: 且夫枉尺而直尋者, 以利言也.

138) 『論語集注・子罕』: 若伊尹之耕於野, 伯夷太公之居於海濱, 世無成湯文王, 則終焉而已, 必不枉道以從人, 衒玉而求售也.

139) 五: 한국경학자료집성DB와 영인본에 '三'으로 되어 있으나 다른 판본에 의거하여 볼 때 '五'의 오기인 듯하다.

한 몸만을 깨끗이 하려 한 것이었겠는가? 탕왕과 문왕을 만나 함께 천하를 위해 일한 것이 어찌 고상한 것을 버리고 낮은 곳으로 나아간 것이겠는가? 이는 바로 전일에 높이 숭상한 것이 금일의 사업이며, 초야에서 즐긴 것이 요순의 도였고 사업으로 실천한 것이 요순이 백성들의 군주 노릇한 바로 그 도리였으므로 일신상 나아가고 물러난 차이는 있지만 도는 두 가지가 아니다. 아래 다섯 효는 모두 '아버지의 일을 주관하는 것'인데, 자기 집안일에만 열심히 하는 것이므로 언급할 만하지 못하다고 여긴다면, 친부모를 버리고 윤리를 사라지게 한 뒤에야 본받을 만하다는 것인가? 지위가 없는 자리에 있으면서 고상한 것을 추구하는 자는 왕후를 섬기지 않더라도 또한 아버지의 일을 주관하지 말아야 하는가? 이는 아버지를 무시하고 군주를 무시하는 도리이다. 또 그가 말한 "세간을 떠난다"는 것은 더욱 말해서는 안 될 것이다. 이단은 스스로 세간을 떠났다고 하면서도 지렁이가 어떤 것도 구하지 않는 것과 같이 하지는 못하고, 무리와 함께 거처하고 집에 살며 옷을 입고 밥을 먹을 수밖에 없다. 이것이 과연 세간을 떠난 것인가? 한 마디 말의 차이에서 생긴 폐단이 윤리를 소멸시키는 데까지 이르니, 변론하지 않을 수 없다.

### 김상악(金相岳) 『산천역설(山天易說)』

不事王侯, 則无行事之可見, 惟其志可則也.

왕후를 섬기지 않으면 볼 수 있는 일을 행하는 것이 없으니, 오직 그 뜻만을 본받을 수 있다.

### 서유신(徐有臣) 『역의의언(易義擬言)』

志者, 應與之, 志不比五, 不應三, 故曰志可則也. 其志高潔可尙而其事則非聖人之達道, 故但許其志也. 古有是人焉, 大則泰伯虞仲由光夷齊也, 小則荷蕢沮溺嚴子陵也. 帝王家, 則太上也.

뜻이란 호응하여 함께 하는 것인데, 뜻이 오효와도 가깝지 않고 삼효와도 호응하지 않으므로 "뜻을 본받을 만하다"고 하였다. 그 뜻은 고결하여 숭상할 만한데, 그 일은 성인의 통용되는 도리가 아니므로 단지 그 뜻만을 높일 만하다고 하였다. 예로부터 이러한 사람들이 있었는데, 큰 인물로는 태백(泰伯)·우중(虞仲)·허유(許由)·무광(務光)·백이(伯夷)·숙제(叔齊)이고, 작은 인물로는 하궤(荷蕢)·장저(長沮)·걸익(桀溺)·엄자릉(嚴子陵)이다. 제왕가는 가장 뛰어나다.

### 김귀주(金龜柱) 『주역차록(周易箚錄)』

傳, 如上九之處, 云云.

『정전』에서 말하였다: 상구와 같이 일이 밖에 있으면서, 운운.

小註, 雲峰胡氏曰, 初六, 云云.

소주에서 운봉호씨가 말하였다: 초육에서는, 운운.

○ 按, 意柔, 志剛之云, 恐未當.

내가 살펴보았다: '의(意)'는 부드럽고, '지(志)'는 강한 것이라고 한 말은 온당하지 못한 듯하다.

建安丘氏曰, 六爻, 云云.

건안구씨가 말하였다: 여섯 효는, 운운.

○ 按, 上爲父, 五爲母云云. 雖若有意義, 然恐不必如此說, 當以本義所云, 諸爻皆有父母之象者爲正.

내가 살펴보았다: "상구는 아버지가 되고, 육오는 어머니가 된다" 운운하였는데, 비록 의미가 있는 것 같지만 반드시 이같이 말할 필요는 없고, 마땅히 『본의』에서 여러 효에 모두 부모의 상이 있다고 한 것을 바른 것으로 보아야 한다.

## 박문건(朴文健) 『주역연의(周易衍義)』

旣明且哲以保其身, 故謂之志可則也.

이미 밝고 현명함으로써 그 자신을 보존하므로 "뜻을 본받을 만하다"라고 하였다.

## 심대윤(沈大允) 『주역상의점법(周易象義占法)』

雖不事王侯, 而其志可爲天下之法則也. 唯尙其道德而天下賴之也. 〈不爲人所使而實爲人盡心也. 家人之威如反[140]身大有之易而无備. 爲人君父者, 高尙其事也. 是所以爲臣子盡心也. 上九雖僕天下而實爲天子之僕也.〉

비록 왕후를 섬기지 않더라도 그 뜻은 천하의 법칙이 될 만하다. 오직 그 도와 덕을 숭상하니 천하가 그를 의지한다. 〈남에게 부림 받지 않으나, 실제로는 남을 위해 마음을 다한다. 가인괘(家人卦)에서 "위엄 있게 스스로 먼저 반성 한다[威如反身]"라 하고 대유괘(大有卦)에서 "쉽게 여겨 대비함이 없기 때문이다[易而无備]"라 하였다. 임금과 아버지를 위하는 사람은 그 일을 높이 숭상한다. 이것이 신하 되고 자식 된 이가 마음을 다하는 까닭이다. 상구

---

140) 反: 경학자료집성DB에 '及'으로 되어 있으나 경학자료집성영인본과 『주역』경문을 참조하여 '反'으로 바로 잡았다.

는 비록 천하를 섬기지만 실은 천자를 위해 섬기는 것이다.〉

## 오치기(吳致箕) 「주역경전증해(周易經傳增解)」

言高尙之志, 人皆可以爲則也.
고상한 뜻은 사람들이 모두 모범으로 삼을만한 것임을 말하였다.

## 이진상(李震相) 『역학관규(易學管窺)』

象, 志可則, 此以柔志言. 而柔而能剛, 故志可則. 則, 法則也.
「상전」에서 "뜻을 본받을 만하다"고 하였는데, 여기에서는 부드러운 뜻으로 말하였다. 부드러우면서도 굳셀 수 있으므로 "뜻을 본받을 만하다"고 하였다. '칙(則)'은 본받아 모범으로 삼는 것이다.

## 이병헌(李炳憲) 『역경금문고통론(易經今文考通論)』

荀曰, 年老事終, 體艮爲止.
순상이 말하였다: 연로하여 일을 끝마치면 간괘(艮卦☶)가 멈춤이 되는 것을 체득하게 된다.

按, 山在上最高尙, 故象言利涉大川.
내가 살펴보았다: 산은 위에서 가장 높은 것이니, 그러므로 「단전」에서 "큰 내를 건너는 것이 이롭다"고 하였다.

# 19

## 림괘

臨卦 ䷒

# ‖中國大全‖

### 傳

臨, 序卦, 有事而後, 可大, 故受之以臨. 臨者大也, 蠱者事也, 有事則可大矣, 故
受之以臨也. 韓康伯云, 可大之業, 由事而生. 二陽方長而盛大, 故爲臨也. 爲卦
澤上有地, 澤上之地岸也, 與水相際, 臨近乎水, 故爲臨. 天下之物, 密近相臨者,
莫若地與水, 故地上有水則爲比, 澤上有地則爲臨也. 臨者, 臨民臨事, 凡所臨
皆是, 在卦取自上臨下, 臨民爲義.

림괘(臨卦䷒)는 「서괘전(序卦傳)」에 "일이 있은 뒤에 크게 될 수 있기 때문에 림괘로써 받았다"고
하였다. 림은 큼이고 고(蠱)는 일이니, 일이 있으면 크게 될 수 있기 때문에 림괘로써 받았다. 한강백
(韓康伯)은 "크게 될 수 있는 사업은 일로 말미암아 생긴다"고 하였다. 두 양이 자라나 성대하기
때문에 림(臨)이 된다. 괘는 못 위에 땅이 있다. 못 위의 땅은 언덕이니, 물과 서로 닿아 물에 가까이
임하여 있기 때문에 림이 된다. 천하의 사물 중에 가장 가까이 서로 임한 것은 땅과 물 만한 것이
없다. 그러므로 땅 위에 물이 있으면 비괘(比卦䷇)가 되고, 못 위에 땅이 있으면 림괘가 된다. 림은
백성에게 임하고 일에 임함이니, 임하는 것이 모두 해당되는데, 괘에 있어서는 위에서 아래에 임함을
취하였으니, 백성에게 임하는 뜻이다.

# 臨, 元亨, 利貞,

림(臨)은 크게 형통하고 곧게 함이 이로우니,

## ‖中國大全‖

### 傳

以卦才言也. 臨之道, 如卦之才, 則大亨而正也.

괘의 재질로 말하였다. 림의 도가 괘의 재질과 같으면 크게 형통하고 바르다.

## ‖韓國大全‖

### 유정원(柳正源) 『역해참고(易解參攷)』

正義, 序卦云, 臨大也. 陽之浸長, 其德壯大, 可以監臨於下, 故曰臨也. 剛旣浸長, 說而且順, 又以剛居中, 有應於外, 大得亨通而利貞, 故曰元亨利貞.

『주역정의』에서 말하였다:「서괘전」에 "림(臨)은 크다는 뜻이다"라고 하였다. 양이 점점 자라나서 그 덕이 장대하면 아래를 살펴 임할 수 있기 때문에 림이라고 하였다. 굳센 양이 점점 자라 기뻐하고 따르며, 또한 굳센 양으로 가운데 있으면서 밖에 호응하여 크게 형통함을 얻고 바르게 함이 이롭기 때문에 '원형리정'이라고 말하였다.

### 허전(許傳)「역고(易考)」

臨之四德, 由坤而得也. 无妄由乾得, 革由坤得.

림괘의 네 가지 덕은 곤괘로부터 얻은 것이다. 무망괘는 건괘로부터 얻었고, 혁괘는 곤괘로부터 얻었다.

# 至于八月, 有凶.

팔월에 이르러서는 흉함이 있으리라.

## │中國大全│

### 傳

二陽, 方長於下, 陽道嚮盛之時. 聖人豫爲之戒曰, 陽雖方盛, 至于八月, 則其道消矣, 是有凶也. 大率聖人爲戒, 必於方盛之時, 方盛而慮衰, 則可以防其滿極, 而圖其永久, 若旣衰而後戒, 亦无及矣. 自古天下安治, 未有久而不亂者, 蓋不能戒於盛也. 方其盛而不知戒, 故狃安富則驕侈生, 樂舒肆則綱紀壞, 忘禍亂則釁孽萌, 是以浸淫不知亂之至也.

두 양이 아래에서 이제 막 자라나 양의 도가 성할 때이다. 성인이 미리 경계하여 "양이 비록 성하나 팔월에 이르면 그 도가 사라질 것이니, 이것은 흉함이 있는 것이다"라고 하였다. 대체로 성인은 성하려고 할 때에 반드시 경계하니, 성하려고 할 때에 쇠퇴할 것을 염려하면 가득차거나 궁극에 도달함을 막아서 영구함을 도모할 수 있지만 만약 이미 쇠퇴한 뒤에 경계하면 또한 미칠 수 없다. 예로부터 천하가 편안히 다스려지더라도 오래되어서 혼란하지 않은 적이 없으니, 대체로 성할 때에 경계하지 않기 때문이다. 성할 때에는 경계할 줄을 알지 못한다. 그러므로 편안하고 부유함에 익숙해지면 교만과 사치가 생기고, 게으르고 방자함을 즐기면 기강이 무너지고, 재앙과 난리를 잊으면 죄와 근심이 싹트니, 이 때문에 차츰 젖어 들어서 난리가 오는 줄 알지 못하는 것이다.

### 小註

程子曰, 臨言八月有凶, 謂至八月是遯也. 當其剛浸長之時, 便戒以陰長之意.

정자가 말하였다: 림괘에 "팔월에 이르러서는 흉함이 있다"는 팔월이 되면 돈괘[1]라고 한 것이다. 굳셈이 차츰 자라나는 때에는 음이 자라나는 것을 경계하는 뜻이다.

---

1) 주나라는 자월(子月)을 정월로 보아 돈괘가 팔월이 된다.

○ 節齋蔡氏曰, 臨與遯反. 自臨之初爻, 至遯之二爻, 在卦經八爻, 於月經八月, 剛柔皆變, 臨盡消矣, 故曰至于八月有凶.

절재채씨가 말하였다: 림괘(臨卦䷒)와 돈괘(遯卦䷠)는 음양이 바뀐 괘이다. 림괘의 초효에서 돈괘의 이효까지 괘에서는 여덟 효를 거치고, 달[月]은 여덟 달을 거쳐서 굳셈과 부드러움이 모두 변하여 임함이 모두 사라지기 때문에 "팔월에 이르러서는 흉함이 있다"고 하였다.

**本義**

臨, 進而凌逼於物也. 二陽浸長, 以逼於陰, 故爲臨, 十二月之卦也. 又其爲卦, 下兌說上坤順, 九二以剛居中, 上應六五, 故占者大亨而利於正. 然至于八月, 當有凶也. 八月, 謂自復卦一陽之月, 至于遯卦二陰之月, 陰長陽遯之時也. 或曰八月, 謂夏正八月, 於卦爲觀, 亦臨之反對也. 又因占而戒之.

림(臨)은 나아가 상대를 능멸하고 핍박하는 것이다. 두 양이 차츰 자라나 음을 핍박하기 때문에 림괘이니, 12월의 괘(卦)이다. 또한 괘됨이 아래는 태(兌☱)로 기뻐하고 위는 곤(坤☷)으로 유순하며, 구이가 굳셈으로 가운데에 있어 위로 육오와 응하기 때문에 점치는 자가 크게 형통하고 바름[貞]이 이롭다. 그러나 팔월에 이르면 마땅히 흉함이 있을 것이다. 팔월은 복괘(復卦䷗)의 양이 하나인 달[月]로부터 돈괘(遯卦䷠)의 음이 둘인 달[月]까지를 말하니, 음이 자라고 양이 은둔할 때이다. 어떤 이가 "팔월(八月)은 하(夏)나라 달력으로 8월이니, 괘에서는 관괘(觀卦䷓)가 된다"라고 하니, 또한 림괘와는 거꾸로 된 것이다. 또한 점으로 인하여 경계한 것이다.

**小註**

或問臨. 不特上臨下之謂臨, 凡進而逼近者, 皆謂之臨否. 朱子曰, 然. 此是二陽自下而進上, 則凡相逼近者, 皆爲臨也.

어떤 이가 물었다: 림은 무슨 뜻입니까? 위에서 아래로 임하는 것을 임한다고 할 뿐만 아니라 나아가 바싹 다가가는 것을 모두 임한다고 하지 않습니까?

주자가 답하였다: 그렇습니다. 이것은 두 양이 아래로부터 위로 나아가는 것이니, 서로 바싹 다가가는 것이 모두 임함이 됩니다.

○ 問, 至于八月有兩說, 前說自復一陽之月, 至遯二陰之月, 陰長陽遯之時. 後說自泰至觀, 觀二陽在上, 四陰在下, 與臨相反, 亦陰長陽消之時. 二說孰長. 曰, 前說是周正八月, 後說是夏正八月, 恐文王作卦辭時, 只用周正紀之, 不可知也.

물었다: "팔월에 이르다"에는 두 가지 학설이 있습니다. 앞의 학설은, 복괘(復卦䷗)의 양이 하나인 달로부터 돈괘(遯卦䷠)의 음이 둘인 달에 이르는 것이니, 음이 자라고 양이 은둔할 때입니다. 뒤의 학설은, 태괘(泰卦䷊)로부터 관괘(觀卦䷓)에 이르는 것이니, 관괘는 두 양이 위에 있고 네 음이 아래에 있어 림괘와 상반되니, 또한 음이 자라고 양이 사라지는 때입니다. 이 두 학설 중에 어느 것이 더 좋습니까?

답하였다: 앞의 학설은 주(周)나라 달력으로 팔월이며, 뒤의 학설은 하(夏)나라 달력으로 팔월이니, 아마 문왕이 괘사(卦辭)를 지을 때 주나라 달력만을 사용하여 기록한 것 같은데, 알 수 없습니다.

○ 雙湖胡氏曰, 自乾以下, 元亨利貞, 占辭凡七卦, 乾坤屯隨臨无妄革, 此臨卦, 元亨利貞, 二陽浸長之占也. 然一陽復惟曰亨, 三陽泰惟曰吉亨, 四陽壯惟曰利貞, 五陽夬, 元亨利貞皆不言, 何獨臨與乾似也. 豈非元則一陽初動, 自二陽以往, 皆陽德亨通, 皆利在貞正乎. 七卦除坤外, 皆一陽居下可見矣. 後儒不作占辭, 惟以四德論, 以爲乾坤後數卦與諸卦優劣不同, 故得具四德誤矣. 若作占辭, 方知文王偶於數卦, 及之他卦, 未嘗不可用此占也.

쌍호호씨가 말하였다: 건괘부터 '원・형・리・정' 점사(占辭)가 일곱 괘인데, 건(乾)・곤(坤)・준(屯)・수(隨)・림(臨)・무망(无妄)・혁괘(革卦)이다. 이 림괘의 '원・형・리・정'은 두 양이 점차로 자란다는 점사이다. 그렇지만 양이 하나인 복괘(復卦䷗)에서는 '형(亨)'[2]만을, 양이 셋인 태괘(泰卦䷊)에서는 '길형(吉亨)'[3]만을, 양이 넷인 대장괘(大壯卦䷡)에서는 '리정(利貞)'[4]만을 말하고, 양이 다섯인 쾌괘(夬卦䷪)에서는 '원・형・리・정'을 모두 말하지 않았다. 어찌 림괘(臨卦)만 건괘(乾卦)와 비슷하겠는가?

원(元)은 하나의 양이 처음 움직인 것이고, 두 양으로부터는 모두 양의 덕이 형통하니, 모두 이로움[利]이 바름[貞正]에 있는 것이 아니겠는가? 일곱 괘 중에서 곤괘를 제외하고 모두 하나의 양이 아래에 있음을 알 수 있다. 후대의 유학자들이 점사(占辭)로 간주하지 않고 네 가지 덕으로만 논의를 하고, 건괘(乾卦)・곤괘(坤卦) 이후 여러 괘들은 다른 괘들과 우열이 같지 않기 때문에 네 가지 덕을 모두 갖출 수 있다고 여긴 것은 잘못이다. 점사로 간주해야만 문왕이 이 몇 괘에 붙여 다른 괘까지 미쳤으니, 이것으로 점치지 않은 적이 없음을 알 수 있다.

○ 臨川吳氏曰, 自天正[5]建子[6]之月, 一陽始生爲復, 其二建丑之月, 二陽長而爲臨,

---

2) 『周易・復卦』: 復, 亨, 出入, 无疾, 朋來, 无咎.
3) 『周易・泰卦』: 泰, 小往, 大來, 吉, 亨.
4) 『周易・大壯卦』: 大壯, 利貞.

其七建午之月, 一陰始生爲姤, 至其八建未之月, 則二陰長而爲遯, 遯者臨之正對, 臨卦六畫變盡也. 今日二陽之臨, 陽長而消陰也. 至于八月二陰之遯, 則陰長而消陽也, 故其占爲至于八月則有凶也.

임천오씨가 말하였다: 천정(天正)[7]인 자(子)의 방향을 가리키는 달[11월]로부터 하나의 양이 처음 생겨 복괘(復卦䷗)가 되고, 두 번째로 축의 방향을 가리키는 달[12월]은 두 양이 자라나 림괘(臨卦䷒)가 되고, 일곱 번째로 오의 방향을 가리키는 달[5월]은 하나의 음이 처음 생겨 구괘(姤卦䷫)가 되고, 여덟 번째로 미의 방향을 가리키는 달[6월]은 두 음이 자라나 돈괘(遯卦䷠)가 된다. 돈괘는 림괘(臨卦䷒)와 거꾸로 된 괘이니, 림괘의 여섯 획이 모두 변한 것이다. 지금 두 양의 림괘는 양이 자라나 음은 사라질 것이다. 팔월인 두 음의 돈괘에 이르면 음이 자라나 양이 사라질 것이다. 그러므로 점에서 "팔월에 이르러서는 흉함이 있다"고 하였다.

○ 隆山李氏曰, 陽生於子終於巳, 陰生於午終於亥, 故一陽復十一月, 至巳爲乾, 則陽極陰生. 一陰姤五月, 二陰遯六月, 三陰否七月, 四陰觀八月. 方建丑月卦爲臨, 二陽浸長逼四陰, 當此之時, 陽勢方盛. 至于八月建酉卦爲觀, 四陰浸長逼二陽, 則臨二陽至觀危矣, 故曰至于八月有凶. 所謂至于八月有凶者, 言之于臨, 則當自臨數, 而不當自復數. 以觀次臨, 則當數至觀, 而不當數至遯. 臨觀乃陰陽反對, 消長之常理. 文王於臨以八月有凶爲戒, 其義甚著, 豈可外引遯卦, 謂周八月哉.

융산이씨가 말하였다: 양은 자(子)[8]에서 생겨 사(巳)에서 마치며, 음은 오(午)에서 생겨 해(亥)에서 마친다. 그러므로 양이 하나인 복괘(復卦)는 11월인데 사(巳)에 이르러 건괘(乾卦)가 되니, 양이 지극하면 음이 생기는 것이다. 음이 하나인 구괘(姤卦)는 오월이고, 음이 둘인 돈괘(遯卦)는 유월이고, 음이 셋인 비괘(否卦)는 칠월이고, 음이 넷인 관괘(觀卦)는 팔월이다. 축월(丑月)[12월]을 가리키는 괘인 림괘(臨卦)는 두 양이 차츰 자라 네 음을 핍박하니, 이때가 양의 세력이 이제 막 성대할 때이다. 팔월에 이르러 유월(酉月)을 가리키는 괘인 관괘(觀卦)는 네 음이 차츰 자라 두 양을 핍박하니, 림괘의 두 양이 관괘에 이르면 위태롭게 되기 때문에 "팔월에 이르러서는 흉함이 있다"고 하였다. "팔월에 이르러서는 흉함이 있다"는 것은 림괘를 기준으로 말하면 림괘로부터 세어야 하고 복괘로부터 세어서는 안 된다. 관괘가 림괘 다음에 있으니, 관괘까지 헤아려야 하고 돈괘까지 헤아려서는 안 된다. 림괘와 관괘는 음과 양이 거꾸로 된 괘이면서 사라지고 자라는 이치는 일정하다. 문왕이

---

5) 正: 경학자료집성DB에는 '王'으로 되어 있으나, 경학자료집성 영인본을 참조하여 '正'으로 바로잡았다.

6) 건자지월(建子之月): 건자(建子)는 북두칠성의 자루가 자(子)의 방향을 가리키는 뜻으로, 주(周)나라에서는 이 달을 정월로 삼았다.

7) 천정(天正): 동지(冬至)인 한 해의 첫 달을 뜻한다.

8) 자(子)는 복괘(復卦䷗)인 11월이며, 사(巳)는 건괘(乾卦䷀)인 4월이다.

림괘에서 팔월에 이르러서는 흉함이 있다고 경계하였으니, 그 뜻이 매우 분명하다. 그런데 어찌 밖에서 돈괘를 끌어와 주나라의 팔월이라고 하겠는가?

○ 雲峰胡氏曰, 本義解臨字, 諸家所未發. 蓋訓近訓大, 卽見上臨下, 不見下剛臨柔之意. 本義依如臨深淵之臨, 謂進而逼於淵, 此所謂臨者, 剛進而逼於柔也. 蓋謂之復者, 七日來復, 陰之極而陽初來也. 謂之臨者, 朋來无咎, 二陽皆來而逼於陰也, 故復亨而臨則大亨. 復不言利貞者, 復是初陽之萌, 无有不善. 臨則二陽浸盛, 易至放肆, 故戒之也.
운봉호씨가 말하였다: 『본의』에서 ‘림(臨)’을 해석한 것은 여러 학자들이 미처 하지 못한 점이다. ‘림’을 “가깝다[近]”, “크다[大]”로 새긴 것은 위에서 아래로 임한다는 것은 보았지만, 아래의 굳셈이 유순함에 임한다는 뜻은 보지 못했다. 『본의』에서 “깊은 연못에 임한다”는 뜻을 따랐으니, 나아가 연못에 가까이 한다는 말이고, 여기서 ”임한다“는 굳셈이 나아가 유약함에 가깝다는 뜻이다. 복괘로 말하면 ‘칠일 동안 와서 회복함’이니, 음이 지극하여 양이 처음 온 것이다. 림괘로 말하면 ‘친구가 와서 허물이 없음’이니, 두 양이 모두 와서 음에 가까이 있는 것이다. 그러므로 복괘는 형통하지만 림괘는 크게 형통하다. 복괘에 ‘리정[利貞]’을 말하지 않은 것은 복괘는 처음 양이 싹터 선하지 않음이 없기 때문이며, 림괘는 두 양이 차츰 성대해져서 쉽게 방자해지기 때문에 경계한 것이다.

或曰, 方臨之時, 卽懼其爲遯何也. 曰遯者, 去也. 剛浸而長, 君子之朋來固可喜, 陰浸而長, 君子之易去尤可憂. 長有消之幾, 來有去之幾, 不可不戒也. 陽長至二, 未過乎中, 卽爲之戒, 戒貴乎早也. 若論反對, 則觀爲八月, 聖人於觀不言陰之盛, 而於臨言之, 易爲君子謀也.
어떤 이가 물었다: 임하는 때에 숨게 됨을 두려워하는 것은 어째서입니까?
대답하였다: ‘돈(遯)’은 떠나는 것입니다. 강함이 차츰 자랄 때는 군자는 벗이 옴이 참으로 기쁜 것이고, 음이 차츰 자랄 때는 군자가 쉽게 떠남이 더욱 걱정스러운 것입니다. 자람에는 사라지는 기미가 있고, 옴에는 떠나는 기미가 있으니, 경계하지 않을 수 없습니다. 양이 자라 두 번째 효에 이르러 아직 가운데를 지나치기 전에 경계하니, 경계는 미리 함을 귀하게 여깁니다. 만약 반대로 논하면 관괘는 팔월이니, 성인이 관괘에서는 음의 성대함을 말하지 않고, 림괘에서 그렇게 말했으니, 역(易)은 군자를 위해 도모한 것입니다.

又曰, 八月有三說. 觀八月, 一說也. 歷臨六位, 至遯初二二陰[9]凡八位, 八於數爲陰,

---

於象爲月, 歷剝六爻, 至復初一陽凡七位, 七於數爲陽, 於象爲日, 二也. 復下震, 震少陽, 七位於東, 爲日出之方, 臨下兌, 兌少陰, 八位於西, 爲月出之方, 三也.

또 말하였다: 팔월에 대한 것은 세 가지 설명이 있다. 관괘를 팔월로 보는 것이 첫 번째 설명이다. 림괘의 여섯 자리를 지나 돈괘 초효와 이효의 두 음에 이르면 모두 여덟 자리이니, 팔은 수로는 음이며 상으로는 달[月]이다. 박괘의 여섯 효를 지나 복괘의 초효인 하나의 양까지 모두 일곱 자리이니, 칠은 수로는 양이며 상으로는 해[日]이라는 것이 두 번째 설명이다. 복괘의 아래 괘는 진괘(震卦☳)인데 진(震)은 소양(少陽)으로 동쪽에서 일곱 번째 자리로 해가 솟아나오는 방향이며, 림괘는 아래 괘가 태괘(兌卦☱)인데 태(兌)는 소음(少陰)으로 서쪽에서 여덟 번째 자리로 달이 솟아나오는 방향이라는 것이 세 번째 설명이다.

## ‖韓國大全‖

### 권근(權近)『주역천견록(周易淺見錄)』

本義, 八月, 自復卦一陽之月, 至於遯卦二陰之月, 陰長陽遯之時也. 或曰, 八月, 謂夏正八月, 於卦爲觀, 亦臨之反對也. 門人問於朱子曰, 二說孰長? 朱子曰, 前說是周正八月, 後說是夏正八月, 恐文王作卦辭時, 只用周正紀之不可知也.

『본의』에 "팔월은 복괘(復卦䷗)의 양이 하나인 달[月]로부터 돈괘(遯卦䷠)의 음이 둘인 달[月]까지를 말하니, 음이 자라고 양이 은둔할 때이다. 어떤 이가 '팔월(八月)은 하(夏)나라 달력으로 팔월이니, 괘에서는 관괘(觀卦䷓)가 된다'라고 하니, 또한 림괘와는 거꾸로 된 것이다."라고 하였다. 문인이 주자에게 "두 주장 가운데 어떤 것이 낫습니까?"하고 묻자, 주자는 "앞의 설명은 주나라의 정월을 기준으로 팔월이고, 뒤의 설명은 하나라의 정월을 기준으로 팔월입니다. 문왕이 괘사를 지을 당시에 주나라 정월만을 기준으로 하였는지는 알 수 없을 듯하다"라고 대답하였다.

愚謂, 文王演易於羑里, 方是時, 周未立正, 用商正之時也. 然所謂八月自復至遯之八月, 是雖周正之八月, 文王非是欲用周正, 但以陰陽消長之數而言, 如復卦七日而復之類也. 夫子之象曰, 剛浸而長, 又曰, 消不久也. 蓋至八月, 二陰長而二陽消, 自復至遯, 明矣. 然義理無窮, 推之無不合. 以夏正言之, 則觀爲臨之反對, 建酉八月之卦, 亦陽消陰長之時也. 以演易之時, 商正言之, 則臨爲建丑一月之卦. 自此至建申八月, 則其卦

爲否. 陰長已盛, 陽消在外, 天地不交之時, 其凶可知. 但文王演易, 只主陰陽而言, 不
□10)用王正. 如用王正, 當用商正, 以此卦爲首也. 夏正且不可追用, 況未有天下之前,
方在羑里之時, 而已立周正乎?

내가 살펴보았다: 문왕이 유리에서 역을 연역하던 그 당시는 주나라가 아직 정월을 선포하
지 않았고, 상나라의 정월을 기준으로 하는 달력을 쓰고 있던 때였다. 그러나 이른바 "팔월
은 복괘(復卦)에서 돈괘(遯卦)에 이르는 팔개월이다"라고 하는 것이 주나라 정월을 기준으
로 하는 팔월과 일치한다고 하더라도, 문왕이 주나라 정월을 사용하자고 한 것이 아니라
다만 음과 양이 사라지고 자라는 수로써 말한 것으로, 복괘에서 "칠일이 되어 회복한다"고
한 것과 같은 종류이다. 공자의 「단전」에서는 "굳센 양이 조금씩 자란다"고 말했고, 또 "사라
져 오래가지 않는다"라고 하였다. 팔월에 이르면 두 개의 음이 자라고 두 개의 양은 사라지
므로 복괘로부터 돈괘에 이르는 것이 분명하다. 그러나 의리는 무궁하므로 미루어 보면 합
치하지 않는 것이 없다. 하나라의 정월로 말한다면 관괘는 림괘가 거꾸로 된 괘로서, 유(酉)
를 건(建)으로 볼 때 팔월에 해당하는 괘이며, 또한 양이 사라지고 음이 자라나는 때이다.
문왕이 역을 연역할 당시인 상나라의 정월을 기준으로 말하면 림괘는 축(丑)을 건(建)으로
한 일월의 괘이다. 이로부터 신(申)을 건(建)으로 하는 팔월에 이르면 그 괘가 비괘(否卦)이
다. 음의 성장이 이미 왕성하고 양은 밖에서 사라져서 하늘과 땅이 교통하지 않는 때이니,
그 흉함을 알 수 있다. 다만 문왕이 역을 연역하면서는 음양을 주로 하여 말하였으니, 반드시
천자의 달력을 사용하지는 않았을 것이다. 만일 천자의 달력을 사용하였다면 상나라의 정월
을 기준으로 해서 이 괘를 시작으로 삼아야 했다. 하나라 정월조차도 소급하여 쓸 수 없는데,
하물며 천하를 차지하기 전 유리에 갇혀 있을 때 이미 주나라의 달력을 수립하였겠는가?

## 송시열(宋時烈) 『역설(易說)』

臨, 元亨利貞, 至于八月有凶者, 諸說浩繁, 要贖莫尋然. 八月, 建酉之月, 酉兌也. 下
卦爲兌, 故曰至于八月, 坤則純陰而陽道盡消. 四陰二陽, 八月之象, 卦有此象而不久
陽將盡消, 故曰有凶, 蓋以坤之純陰言也. 此與某卦爲某月卦之義不同, 只見卦象, 寅
此象辭, 似好. 若如諸說陽長而陰消, 則其道大吉, 何凶之有. 夫子以消不久釋之, 是果
陰消而陰消果爲凶耶. 蓋以陰多陽少, 卦象可見, 而陰若盛多, 陽必不久而消盡之謂
也. 須勿以爻象見之, 以此卦付看八月而看, 則四陰太盛, 下有二陽, 二陽若不久消滅
也, 其道凶矣.

"림(臨)은 크게 형통하고 곧게 함이 이로우니, 팔월에 이르러서는 흉함이 있으리라"는 말에

---

10) 必: 경학자료집성DB와 영인본에는 모두 '□'로 되어 있으나, 문맥을 살펴 '必'로 바로잡았다.

대해서는 여러 설이 매우 많은데, 굳이 그렇게 깊은 도리를 찾으려 할 필요는 없다. 팔월은 유(酉)를 건(建)으로 하는 달이고, 유(酉)는 태괘(兌卦)이다. 하괘가 태괘이기 때문에 "팔월에 이르러서는"이라고 말하였고, 곤괘는 순음이고 양의 도가 다 없어진다. 음이 넷이고 양이 둘인 것이 팔월의 상인데, 괘에 이러한 상이 있고 오래지 않아 양이 다 소멸하기 때문에 "흉함이 있으리라"고 말하였으니, 곤괘가 순음인 것으로 말한 것이다. 이것과 어떤 괘는 어떤 달의 괘가 된다는 뜻과는 같지 않으니, 다만 괘의 상을 보고 이러한 단사를 붙였다고 보는 것이 좋을 듯하다. 만약 여러 설과 같이 양이 자라고 음이 소멸한다면 그 도가 크게 길할 것인데, 무슨 흉함이 있겠는가? 공자가 "사라져서 오래가지 못한다"고 풀이한 것이 과연 음이 소멸하는 것이고, 음이 소멸하는 것이 과연 흉한 것이 되는가? 음이 많고 양이 적은 것은 괘의 상에서 볼 수 있는데, 음이 성대하고 많아진다는 것은 양이 반드시 멀지 않아 소멸하여 다하는 것을 말한다. 반드시 효의 상으로 보지 말고 이 괘를 팔월에 붙여서 보면, 네 음이 매우 성대하고 아래 두 양이 있는데, 두 양이 만약 오래지 않아 소멸한다면 그 도가 흉할 것이다.

### 홍여하(洪汝河) 「책제(策題):문역(問易)·독서차기(讀書箚記)-주역(周易)」

臨象辭程傳, 如卦之才, 則大亨而正, 則字設戒之辭.
림괘 단사의 『정전』에 "괘의 재질과 같으면 크게 형통하고 바르다"고 했는데, '즉(則)'자는 경계를 한 말이다.

### 이현익(李顯益) 「주역설(周易說)」

八月周正夏正, 雖未知誰是本旨, 然蓋爲二正八月, 非謂自臨而數八箇月. 若自臨而數八箇月, 則是否卦, 非觀卦也. 隆山李氏自臨數云者不然, 此只是主周正則自復數, 主夏正則自泰數而已. 中溪張氏謂自臨之丑至遯之未凡八月, 殊不知自臨而數則遯, 是七月而非八月也.
팔월이 주나라 달력인지 하나라 달력인지에 대해서 비록 어느 것이 본래의 뜻인지는 알 수 없지만, 두 달력에서 팔월이 된다는 것이지 림괘로부터 세어서 팔개월이라는 말이 아니다. 림괘로부터 세어서 팔개월이라면, 그것은 비괘(否卦)이지 관괘(觀卦)가 아니다. 융산이씨가 림괘로부터 센다고 말한 것은 그렇지 않으니, 이것은 단지 주나라 달력을 주로 하면 복괘(復卦)로부터 세고 하나라 달력을 주로 하면 태괘(泰卦)로부터 센다는 것일 뿐이다. 중계장씨는 림괘의 축(丑)으로부터 돈괘의 미(未)에 이르기까지가 팔개월이라고 했는데, 림괘로부터 세면 돈괘가 되어 칠개월이지 팔개월이 아니라는 것을 전혀 알지 못한 것이다.

## 이익(李瀷)『역경질서(易經疾書)』

雜卦云, 臨觀之義, 或與或求. 與者, 自我出也, 求者, 待乎人也. 是必卦中有彼此之別
也. 觀象云, 中正以觀天下者, 上觀下也, 下觀而化者, 下觀上也. 臨之咸臨知臨之類,
亦必所臨者, 有上下之不同, 其人詳在本爻. 臨者, 如臨迫臨時之臨, 上下逼近, 皆可謂
臨也. 序卦以大爲訓, 大者指陽也. 三陽之大來, 四陽之大壯, 皆其例也. 臨剛浸長也,
浸長則大矣. 復則始長, 故不言大. 陽之爲大自臨始, 故有八月有凶之戒. 此猶如此,
餘卦可見, 此特其發凡也.

「잡괘전」에 "림괘와 관괘의 뜻은 혹은 함께하고 혹은 구한다"고 하였다. "함께한다"는 것은
나로부터 나가는 것이고, "구한다"는 것은 다른 사람을 기다리는 것이다. 이는 반드시 괘
가운데 저것과 이것의 구별이 있는 것이다. 관괘의 「단전」에서 "중정으로 천하를 본다"고
한 것은 윗사람이 아랫사람을 보는 것이고, "아랫사람이 보고 변화한다"고 한 것은 아랫사람
이 윗사람을 보는 것이다. 림괘의 감동하여 임하고 지혜롭게 임하는 종류 또한 반드시 임하
는 것이 윗사람과 아랫사람이 같지 않음이 있는데, 그런 사람에 대해서는 본 효에 상세하게
설명하고 있다. 임한다는 것은 "임박하다"거나 '때에 임하여'라고 할 때의 임한다는 것으로,
위아래가 아주 가까운 것을 모두 임한다고 말할 수 있다. 「서괘전」에서는 "크다"고 풀이하였
는데,[11] 큰 것은 양을 가리킨다. 세 양이 크게 오고 네 양이 크게 장성한다는 것이 모두
그 예이다. 림괘는 굳센 양이 점차 자라는 것이니, 점차 자라면 크게 된다. 복괘와 같은
경우는 처음 자라는 것이기 때문에 크다고 말하지 않았다. 양이 크게 되는 것은 림괘로부터
시작되기 때문에 팔월에 흉함이 있다는 경계를 하였다. 림괘에서도 이와 같으니, 다른 괘는
미루어 알 수 있다. 이는 다만 그 단초일 뿐이다.

自屯二歷六位而還於本爻, 又至於五, 則十年也. 豊初之旬日亦如此. 復上之十年指三
也, 頤三之十年指上也, 各以應爻言也.

준괘의 이효로부터 여섯 자리를 지나 본효로 돌아오고, 또 오효에 이르면 십년이다. 풍괘
초효의 십일도 또한 이와 같다. 복괘 상효의 십년은 삼효를 가리키고, 이괘(頤卦)의 삼효의
십년은 상효를 가리키니, 각각 호응하는 효로 말하였다.

自臨二歷六位而還於本爻, 又進一位, 則八月也. 此指否而言也. 否天地不交, 小人道
長, 凶莫大於此也. 陽主日陰主月, 故彼言日此言月也. 八月有數說, 或謂自復至遯也,
復在臨前, 於臨不著也. 或謂周正八月, 今之六月建未也, 此又未當. 凡平王以前六經

---

11) 『周易·序卦傳』: 臨者, 大也.

文字未見有改易時月之名者, 安得以建未當之. 況文王時有此舉耶. 其謂四陰之觀亦非也, 有凶之戒, 奚待乎四陰哉.

림괘의 이효로부터 여섯 자리를 지나 본효로 돌아오고, 또 한 자리를 나아가면 팔개월이다. 이것은 비괘(否卦)를 가리켜 말하였다. 비괘는 하늘과 땅이 사귀지 않고 소인의 도가 자라나니, 흉함이 이보다 큰 것이 없다. 양은 날을 주관하고 음을 달을 주관하기 때문에 저기에서는 날을 말하였고 여기에서는 달을 말하였다. 팔월에 대해서는 몇 가지 설이 있어서, 어떤 사람은 복괘에서 돈괘에 이르는 것이라고 말하는데, 복괘가 림괘의 앞에 있으니 림괘에는 맞지 않는다. 어떤 사람은 주나라 달력의 팔월로 지금의 유월 미(未)에 해당한다고 말하는데, 이 또한 타당하지 않다. 평왕 이전의 육경의 문자에 계절과 달의 이름을 바꾸었다는 기록이 보이지 않는데, 어떻게 미(未)를 거기에 해당시킬 수 있겠는가? 하물며 문왕의 때에 이러한 일이 있었겠는가? 네 음인 관괘를 말한다고 하는 것도 또한 그르니, 어찌 흉함을 경계하는데 네 음을 기다리겠는가?

## 양응수(楊應秀) 『곤괘강의 · 역본의차의(坤卦講義 · 易本義箚疑)』

元亨利貞ᄒ니 ᄒ니 恐不如ᄒ나.

"'원형이정'하니"의 '하니'는 아마도 '하나'라고 하는 것만 못한 것 같다.

○ 貞홈이 利ᄒ나.

바르게 함이 이로우나

## 정원(柳正源) 『역해참고(易解參攷)』

正義, 臨爲建丑之月, 從建丑至于八月建申之時, 三陰既盛, 三陽方退, 小人道長, 君子道消, 故八月有凶也. 何氏云, 從建子陽生, 至建未爲八月. 褚氏云, 自建寅至建酉爲八月. 王氏註云, 小人道長君子道消, 宜據否卦之時, 故以臨卦建丑而至否卦建申爲八月也.

『주역정의』에 "림괘는 축(丑)에 해당하는 달이 되니, 축에 해당하는 달로부터 신(申)에 해당하는 팔월에 이르면 세 음이 이미 성대하고 세 양이 막 물러가며, 소인의 도가 자라나고 군자의 도가 사라지기 때문에 팔월에 흉함이 있다"고 하였다. 이에 대해 하씨는 자(子)에 해당하는 달로부터 양이 생겨나고 미(未)에 해당하는 달에 이르러 팔월이 된다고 하였다. 저씨는 인(寅)에 해당하는 달로부터 유(酉)에 해당하는 달에 이르러 팔월이 된다고 하였다. 왕씨의 주석에서는 소인의 도가 자라고 군자의 도가 사라지는 것은 마땅히 비괘의 때에 의거하는 것이기 때문에 축(丑)에 해당하는 림괘로부터 신(申)에 해당하는 비괘(否卦)에 이르러 팔월이 된다고 하였다.

○ 林氏栗曰, 諸儒謂八月周建未之月.
임율이 말하였다: 여러 학자들이 팔월은 주나라 달력의 미(未)에 해당하는 달이라고 하였다.

按, 春秋書王正月冬十有一月. 詩云, 四月維夏, 六月徂暑, 七月流火, 皆夏時也. 蓋四
時之序, 十二月之名, 冬不可謂春, 夏不可謂秋. 所謂三代不相沿襲者, 但以十一月十
二月爲歲首耳. 太甲唯元祀十有二月乙丑, 武王十有一年一月戊午, 秦漢元年冬十月,
是其例也.
내가 살펴보았다: 『춘추』에 "왕 정월 겨울 십일월"이라고 썼다. 『시경』에서는 "사월에 여름
이 되면 유월에 더위로 들어가네",[12] "칠월에 대화심성(大火心星)이 흘러가거든"이라고 하
였으니 모두 여름 계절이다. 네 계절의 순서와 십이개월의 이름은 겨울을 봄이라고 말할
수 없고 여름을 가을이라고 말할 수 없다. 이른바 삼대(三代)가 서로 그대로 따라하지 않았
다는 것도 다만 십일월과 십이월을 해의 첫머리로 했을 뿐이다. 『서경·태갑』에 "원년 십이
월 을축"이라고 하고, "무왕 십일년 일월 무오"라고 하며, 진나라와 한나라에서 "원년 겨울
시월"이라고 한 것이 모두 그 예이다.

○ 案, 春秋王正月十一月皆周正, 故書王字, 而林氏竝謂之夏正者誤矣. 詩書史記正
朔雖累改而月數誠用夏正. 然此所云八月, 非用正朔月數, 特自一陽之月計, 至三陰之
月, 歷八箇月, 與臨相對. 若謂八月, 是歲之八月, 則七日來復, 亦月之第七日耶.
내가 살펴보았다: 『춘추』에 "왕 정월 십일월"이라고 한 것은 모두 주나라 달력에 의거한
것이기 때문에 '왕'이라는 글자를 썼는데, 임씨가 아울러 하나라 달력이라고 한 것은 잘못이
다. 『시경』·『서경』·『사기』에서 정삭을 비록 여러 차례 고쳤지만 달을 세는 것은 항상
하나라 달력을 썼다. 그러나 여기에서 팔월이라고 한 것은 정삭의 달의 수를 쓴 것이 아니
라, 다만 양이 하나인 달로부터 계산하여 음이 셋인 달에 이르러 팔개월을 지나 림괘와 상대
가 되는 것일 뿐이다. 만약 팔월을 해의 팔월이라고 한다면, "칠일에 와서 회복한다"는 것도
또한 달의 칠일이라는 말인가?

本義小註, 朱子說周正.
『본의』 아래 소주에서 주자가 주나라 달력을 말한 부분.
案, 本義前說, 只以陰陽消長言之而不言周正者, 恐當爲定論.
내가 살펴보았다: 『본의』에서 앞서 설명한대로 음양이 사라지거나 자라는 것으로 말한 것이
지 주나라 달력을 말한 것이 아니라는 내용을 마땅히 정론으로 삼아야 할 듯하다.

---

12) 『詩經·四月』.

## 김상악(金相岳) 『산천역설(山天易說)』

臨之爲卦, 下說而上順, 二以剛中應五, 故大亨而利於正. 然至于八月, 則當有凶, 八月謂觀也. 至八月, 則陰盛而陽消, 終必有凶矣.

림괘는 아래는 기쁘고 위는 따르며, 이효가 굳센 양으로서 가운데 있으면서 오효와 호응하기 때문에 크게 형통하고 바르게 하는 것이 이롭다. 그러나 팔월에 이르면 마땅히 흉함이 있으니, 팔월은 관괘를 말한다. 팔월에 이르면 음이 성대하고 양이 줄어들어 끝내 반드시 흉함이 있다.

○ 元亨利貞, 見屯卦. 八月, 謂觀也, 臨觀反對, 自臨之三, 至觀之四, 歷八位也. 所以十二辟卦, 皆以反對爲次, 則恐不可以遯爲八月也. 復下卦震, 震少陽之七, 位於東, 爲日出之方. 臨下卦兌, 兌少陰之八, 位於西, 爲月出之方. 此胡氏言二卦之象, 而或引此爲八月之凶, 在兌之陰, 陽進於下, 則雖至於八月之盛, 終必有凶, 故象辭曰消不久, 指六三, 恐未然. 至者, 主陽進而言, 如復之來復而七日與八月, 卽來至之期也, 不可以兌爲正秋而爲八月之凶也. 消不久者, 對剛浸長而言也.

원형리정에 대해서는 준괘를 보라. 팔월은 관괘를 말하니, 림괘(臨卦☷☱)와 관괘(觀卦☴☷)는 거꾸로 된 괘인데, 림괘의 삼효로부터 관괘의 사효에 이르기까지 여덟 자리를 지난다. 그래서 십이벽괘에서는 모두 거꾸로 된 괘를 차례로 삼았으니, 아마도 돈괘를 팔월로 삼을 수 없을 듯하다. 복괘의 하괘는 진괘이고 진괘는 소양인 칠이며 동쪽에 자리하여 해가 뜨는 방향이 된다. 림괘의 하괘는 태괘(兌卦☱)이고 태괘는 소음인 팔이며 서쪽에 자리하여 달이 뜨는 방향이 된다. 이는 호씨가 두 괘의 상을 설명한 것인데, 어떤 이가 이것을 인용하여 팔월의 흉함이 태괘의 음에 있으니, 양이 아래로 나아가면 비록 팔월의 성함에 이르더라도 끝내 반드시 흉함이 있기 때문에 「단전」에서 사라져 오래가지 않는다고 한 것이 육삼을 가리킨다고 했는데, 아마도 그렇지 않은 것 같다. 이른다는 것은 양이 나아가는 것으로 주로 해서 말하였으니, 예를 들어 복괘에서 와서 회복하는데 칠일이라는 것과 여기에서 말하는 팔월은 곧 와서 이르는 시기이므로 한 가을인 태괘를 팔월의 흉함으로 삼을 수는 없을 것이다. 사라져 오래 가지 못한다는 것은 굳센 양이 점점 자라나는 것과 상대하여 말했다.

## 김규오(金奎五) 「독역기의(讀易記疑)」

咸臨之咸, 有二義, 初二爲鄰一也, 徧臨四陰二也. 二義相將, 其說乃備. 然陽一陰二, 易之常理, 則謂初臨三四而二臨五六亦可. 初之得正, 宜无遜於九二而不言无不利, 又有貞戒者, 三四之德不及五六, 而三復有甘之之嫌故也. 三雖爲初之界分, 實比於二, 兩不欲捨, 故有此邪說之態. 然陽長之勢, 終不可遏, 又不可以邪說甘之, 故又有能憂而改之之意.

'함림(咸臨)'의 '함'은 두 가지 뜻을 가지고 있으니, 초효와 이효가 이웃하고 있다는 것이 첫 번째의 뜻이고, 네 효에 두루 임하고 있다는 것이 두 번째의 뜻이다. 두 설이 서로 보완되어야 그 설명이 갖추어진다. 그러나 양이 하나이고 음이 둘인 것은 『주역』의 일상적인 도리이니, 초효가 삼효와 사효에 임하고 이효가 오효와 육효에 임하고 있다고 말해도 된다. 초효는 바름을 얻었으니, 마땅히 구이에 뒤질 것이 없는데도 이롭지 않음이 없다고 말하지 않았고, 또 바르게 해야 한다는 경계가 있는 것은 삼효와 사효의 덕이 오효와 육효의 덕에 미치지 못하고 삼효는 다시 달게 여긴다는 혐의가 있기 때문이다. 삼효는 비록 초효의 경계가 되지만, 실제로는 이효와 가까워 둘 다 버리려고 하지 않기 때문에 이러한 사설(邪說)의 형태가 있다. 그러나 양이 자라는 형세를 끝내 막을 수 없고, 또한 사설(邪說)로 달콤하게 하기 때문에 근심하여 고칠 수 있는 뜻이 있다.

## 서유신(徐有臣) 『역의의언(易義擬言)』

二陽浸長元亨也, 利貞方來也. 八陰數, 月陰象. 姤而遯而否而觀而剝而坤而更爲姤而遯, 至于八月也. 消而復長, 故凶也. 臨六爻皆變則爲遯, 方在二陽之時而便成二陰之有凶, 其憂之也深矣. 仲父曰, 聖人見兌有八月象而憂也.

두 양이 점점 자라나는 것이 크게 형통한 것이고, 곧음이 이로운 것은 막 왔기 때문이다. 팔은 음의 수이고, 달은 음의 상이다. 구괘로부터 돈괘가 되고 비괘가 되고 관괘가 되고 박괘가 되고 곤괘가 되었다가 다시 구괘가 되고 돈괘가 되어 팔월에 이른다. 사라졌다가 다시 자라기 때문에 흉하다. 림괘의 여섯 효가 모두 변하면 돈괘가 되는데, 막 두 양인 때에 있으면서 두 음의 흉함을 이루니, 그 근심이 깊다. 중부(仲父)께서 "성인이 태괘에 팔월의 상이 있는 것을 보고 근심하셨다"고 하였다.

## 박제가(朴齊家) 『주역(周易)』

至于八月有凶, 本義謂自復卦一陽之月, 至于遯卦二陰之月, 陰長陽遯之時也. 或曰, 八月謂夏正八月, 於卦爲觀, 亦臨之反對也.

"팔월에 이르러 흉함이 있다"는 것에 대해 『본의』에서는 "팔월은 복괘(復卦䷗)의 양이 하나인 달로부터 돈괘(遯卦䷠)의 음이 둘인 달에 이르는 것이니, 음이 자라고 양이 은둔할 때이다"라고 하였고, 어떤 사람이 "팔월(八月)은 하(夏)나라 달력으로 팔월이니, 괘에서는 관괘(觀卦䷓)가 되는데, 또한 림괘(臨卦)가 거꾸로 된 괘이다"라고 하였다.[13]

問, 二說孰長.

曰, 前說是周正, 後說是夏正, 恐文王作卦辭時, 只用周正紀之, 不可知也.

물었다: 두 설 가운데 어느 것이 낫습니까?

답하였다: 앞의 학설은 주나라 달력으로 팔월이며, 뒤의 학설은 하나라 달력으로 팔월이니, 아마 문왕이 괘사를 지을 때 주나라 달력만을 사용하여 기록한 것 같은데, 알 수 없습니다.

案, 此恐記者之誤. 八月爲遯始於程子, 卻不言三正, 改正乃革命後事, 文王安有豫先改正朔之事耶. 此乃文王意慮所未萌之事, 恐非朱子之說也. 隆山李氏曰, 八月有凶, 當自臨數, 不當自復數. 當數至觀而不當數至遯. 臨觀乃陰陽反對, 消長之常理. 其義甚著, 豈可外引遯卦, 謂周八月哉. 此確論也.

내가 살펴보았다: 이것은 아마도 기록한 사람의 잘못인 듯하다. 팔월이 돈괘가 된다는 것은 정자에게서 시작되었는데 도리어 하·은·주 세 나라의 정삭(正朔)을 말하지 않았고, 정삭을 고치는 것은 혁명 이후의 일인데, 문왕이 어찌 미리 먼저 정삭을 고치는 일이 있었겠는가? 이것은 문왕의 생각이 아직 싹트지 않았을 때의 일로, 아마도 주자의 설이 아닐 것이다. 융산이씨는 "팔월에 이르러서는 흉함이 있다는 것은 림괘로부터 세어야 하고 복괘로부터 세어서는 안 된다. 관괘까지 세어야 하고 돈괘까지 세어서는 안 된다. 림괘와 관괘는 음과 양이 거꾸로 된 괘이면서 사라지고 자라는 이치는 일정하다. 문왕이 림괘에서 팔월에 이르러서는 흉함이 있다고 경계하였으니, 그 뜻이 매우 분명하다. 그런데 어찌 밖에서 돈괘를 끌어와 주나라의 팔월이라고 하겠는가?"라고 하였다. 이것이 확정적인 논의이다.

### 하우현(河友賢) 『역의의(易疑義)』

卦辭至于八月有凶, 八月傳以爲遯, 本義從之, 又取夏正八月於卦爲觀之說兼存之. 又曰, 文王作卦辭時, 只用周正紀之. 然八月其指爲觀卦而言明矣. 隆山李氏曰, 所謂至于八月有凶, 言之于臨, 則當自臨數, 不當自復數. 此說甚當. 且象曰, 消不久也, 則其指觀而言, 尤明矣. 自觀一再轉而爲剝爲坤, 其非所謂不久乎.

괘사에 "팔월에 이르러 흉함이 있다"고 했는데, 팔월을 『정전』에서 돈괘라고 하였고 『본의』는 그것을 따랐으며 또한 하나라 달력의 팔월이 괘로는 관괘가 된다는 설을 취하여 겸해서 보존해 두었다. 또한 "문왕이 괘사를 지을 때 주나라 달력만을 사용하여 기록하였다"고 말하였다. 그러나 팔월이라고 한 것은 관괘가 되는 것을 가리켜 말한 것이 분명하다. 융산이씨는

---

13) 일반적으로 '팔월(八月)'까지를 어떤 이의 말로 보는데, 박제가는 '반대야(反對也)'까지를 어떤 이의 말로 판단한 것으로 보인다.

"팔월에 이르러서는 흉함이 있다는 것을 림괘에서 말했으니, 마땅히 림괘로부터 세어야 하고 복괘로부터 세어서는 안 된다"고 했다. 이 설이 매우 타당하다. 또 「단전」에서 "사라져서 오래가지 못한다"고 말했으니, 관괘를 가리켜 말한 것이 더욱 분명하다. 관괘로부터 한 번, 두 번 변화하여 박괘가 되고 곤괘가 되니, 오래가지 못한다는 말이 아니겠는가?

### 박문건(朴文健) 『주역연의(周易衍義)』

貞柔貞, 主柔而言, 貞者皆此義也. 陰升進而雖大亨, 然貞而後能順在下之二剛也. 八月九二消六三之期也.

'정(貞)'은 부드러운 음의 곧음인데 부드러움을 주로해서 말했으니, '정(貞)'은 모두 이러한 뜻이다. 음이 위로 나아가 비록 크게 형통하지만, 곧게 한 다음에야 아래에 있는 굳센 이효를 따를 수 있다. 팔월은 구이가 육삼을 사라지게 하는 시기이다.

〈問, 至于八月有凶. 曰, 二進而復, 則成七數, 又進六三之位, 則合成八數也. 故至于八月則有凶也. 或危難有深淺, 或往來有遲速, 或形勢有疆弱, 或性情有疑信, 故易中多用此義也.

물었다: 팔월에 이르러 흉함이 있다는 것은 무슨 뜻입니까?

답하였다: 이효가 나아갔다가 돌아오면 칠의 수를 이루고, 또 육삼의 자리로 나아가면 합하여 팔의 수를 이룹니다. 그러므로 팔월에 이르면 흉함이 있습니다. 혹 위험과 어려움에는 깊고 얕음이 있고, 혹 가고 옴에는 늦고 빠름이 있고, 혹 형세에는 강함과 약함이 있고, 혹 성정에는 의심과 믿음이 있기 때문에 『주역』 가운데에 이러한 뜻을 많이 씁니다.〉

### 이지연(李止淵) 『주역차의(周易箚疑)』

鷄鳴而起孜孜爲善者舜也, 仰而思之坐而待朝者周公也, 惜寸陰者禹也, 敬日躋者湯也, 亹亹而令聞不已者文王也, 學不厭而敎不倦者吾夫子也. 人生日用之間, 何莫非職分內所當爲之事乎. 達則行道於天下, 窮則傳道於萬世, 此非所謂有事而後可大之驗耶. 二陽方長旣爲元亨, 則利貞者次第件事也.

닭이 울면 일어나 부지런히 선을 행한 것은 순임금이었고, 우러러 생각하여 앉아서 아침을 기다린 것은 주공이었고, 짧은 시간도 아꼈던 것은 우임금이었고, 떠오르는 해를 공경했던 것은 탕임금이었고, 힘써서 훌륭한 소문이 그치지 않았던 것은 문왕이었고, 배움을 싫증내지 않고 가르침을 게을리 하지 않았던 것은 우리 공자였다. 사람이 일상생활을 하면서 하는 일이 어느 것인들 직분 안에서 마땅히 해야 할 일이 아니겠는가? 현달하면 천하에 도를 행하고, 어려움에 처하면 만세에 도를 전하니, 이것이 일을 한 다음에 클 수 있다는 징험이 아니겠는가? 두 양이 막 자라나 크게 형통하게 되면, 바름이 이롭다는 것은 그 다음의 일이다.

### 김기례(金箕澧) 「역요선의강목(易要選義綱目)」

臨, 十二月卦.

림괘는 십이월의 괘이다.

○ 進也, 二陽浸長上進而逼近於陰也. 元亨利貞, 上順下悅, 二以剛中浸長而應五, 五以順德知剛當長應之不逆, 故象曰大亨以正. 至于八月有凶, 二陽浸長爲乾純陽, 則陰復生於下, 至二陰之遯月, 則有陰長陽遯之義, 故曰凶.

나아가는 것은 두 양이 점점 자라나 위로 나아가 음에 가까워지는 것이다. "크게 형통하고 바르게 함이 이롭다"는 것은 위는 따르고 아래는 기뻐하여 이효는 굳세고 알맞음으로 점점 자라 오효에 호응하고, 오효는 유순한 덕으로 굳센 양에 대해서는 마땅히 길이 호응하고 거스르지 않아야 한다는 것을 알기 때문에, 「단전」에서 "크게 형통하고 바르다"고 하였다. "팔월에 이르러 흉함이 있다"는 것은 두 양이 점점 자라 양으로만 이루어진 건괘가 되면 음이 아래에서 다시 생겨나고, 두 음인 돈괘에 해당하는 달에 이르면 음이 자라고 양이 은둔하는 뜻이 있기 때문에 흉하다고 하였다.

○ 八月, 自復陽, 至建未之月.

팔월은 복괘의 한 양으로부터 미(未)에 해당하는 달에 이르는 것이다.

### 윤종섭(尹鍾燮) 『경(經)·역(易)』

臨觀相反, 大象同爲敎民. 臨之初二反爲觀之五上, 二陽連比[14]同德, 其辭不殊. 臨之初二曰咸臨之吉, 觀之五上觀生之无咎. 臨主在內以四陰臨於下也, 觀主在外以四陰觀於上也. 故雜卦傳曰, 或與或求.

림괘와 관괘는 서로 거꾸로 된 괘이기 때문에 「대상전」에서 가르치는 것과 백성을 같이 말하였다. 림괘의 초효와 이효는 거꾸로 된 관괘의 오효와 상효가 되어, 두 양이 나란히 연결되어 덕을 함께 하기 때문에 그 말이 다르지 않다. 림괘의 초효와 이효에서는 느껴 임하는 길함을 말하였고, 관괘의 오효와 상효에서는 나의 삶을 보아 허물이 없는 것을 말하였다. 림괘는 주인이 안에 있어 네 음이 아래에 임하는 것이고, 관괘는 주인이 밖에 있어 네 음이

---

14) 比: 경학자료집성DB에는 '此'로 되어 있으나, 경학자료집성 영인본을 참조하여 '比'로 바로잡았다.

위를 보는 것이다. 그러므로 「잡괘전」에서 "혹은 함께하고 혹은 구한다"고 말하였다.


## 이항로(李恒老) 「주역전의동이석의(周易傳義同異釋義)」

傳, 臨者, 臨民臨事, 凡所臨皆是, 在卦取自上臨下, 臨民之意.

『정전』에서 말하였다: 림은 백성에게 임하고 일에 임함이니, 임하는 것이 모두 해당되는데, 괘에서는 위에서 아래에 임함을 취하였으니, 백성에게 임한다는 뜻이다.

本義, 臨, 進而凌逼於物也.

『본의』에서 말하였다: 림(臨)은 나아가 상대를 능멸하고 핍박하는 것이다.

按, 傳以澤上有地之意釋臨, 本義以陽侵消陰之意釋臨. 二說叅看, 其義始備.

내가 살펴보았다: 『정전』은 못 위에 땅이 있다는 뜻으로 림(臨)을 풀이하였고, 『본의』는 양이 음을 침범하고 소멸시킨다는 뜻으로 '림'을 풀이하였다. 두 설을 참고해서 살펴보아야 그 뜻이 비로소 갖추어진다.


至于八月有凶.

팔월에 이르러서는 흉함이 있으리라.

傳, 至于八月, 則其道消矣.

『정전』에서 말하였다: 팔월(八月)에 이르면 그 도가 사라질 것이다.

本義, 八月, 謂自復卦一陽之月, 至于遯卦二陰之月, 陰長陽遯之時也或曰八月謂夏正八月於卦爲觀亦臨之反對也.

『본의』에서 말하였다: 팔월은 복괘(復卦䷗)의 양이 하나인 달[月]로부터 돈괘(遯卦䷠)의 음이 둘인 달[月]에 이르는 것이니, 음이 자라고 양이 은둔할 때이다. 어떤 사람이 "팔월(八月)은 하(夏)나라 달력으로 팔월이니, 괘에서는 관괘(觀卦䷓)가 된다"라고 하니, 또한 림괘(臨卦)와는 거꾸로 된 괘이다.

按, 自一陽之月數, 至遯卦爲八月者, 計月而言, 如七日來復之例, 不必論周正夏正也. 或說亦可叅觀.

내가 살펴보았다: 한 양의 달로부터 세어서 돈괘에 이르러 팔월이 되는 것은 달을 계산해서 말한 것이니, 칠일이면 와서 회복한다는 예와 같으므로 주나라 달력인지 하나라 달력인지 논할 필요가 없다. 어떤 이의 설도 또한 참고해서 볼 만하다.


## 심대윤(沈大允) 『주역상의점법(周易象義占法)』

始爲人下而終爲人上, 人道之終始也, 故曰元亨利貞. 子曰, 君舟也, 民水也, 水以載舟亦以覆舟. 聖人於其臨民之初, 知有覆亡之患, 故戒之曰至于八月有凶. 自初爻之陽始生數, 至六爲乾, 又自下數陰生二, 則凡八而爲遯. 復言陽之復則曰日, 此言陰之復生則曰月. 遯有舍舊從新及斂避不用之義, 舍舊從新者, 民事之无常也, 斂避不用者, 君道之節欲也, 其垂戒深矣. 方二陽浸長之時, 不忘二陰復盛之戒, 君子之大知也.

처음에는 다른 사람의 아래에 있다가 마침내는 다른 사람의 위에 있게 되는 것이 사람 도리의 마침과 시작이기 때문에, "크게 형통하고 곧게 하는 것이 이롭다"고 하였다. 공자는 "임금은 배이고 백성은 물이니, 물은 배를 띄우기도 하지만 뒤집기도 한다"[15]라고 하였다. 성인이 백성에 임하는 처음에 뒤집히고 망하는 근심을 알았기 때문에 "팔월에 이르러 흉함이 있다"고 경계하였다. 초효의 양이 처음 생겨남으로부터 세어서 육에 이르러 건괘가 되고, 또한 아래로부터 세어서 음이 둘 생겨나면 통틀어 팔이 되고 돈괘가 된다. 복괘에서는 양이 회복되는 것을 '일(日)'이라고 하였고, 여기에서는 음이 다시 생겨나는 것을 '월(月)'이라고 하였다. 돈괘에는 옛 것을 버리고 새 것을 따르며, 수렴하고 피하여 쓰지 않는 뜻이 있는데, 옛 것을 버리고 새 것을 따르는 것은 백성들의 일에 일정함이 없는 것이고, 수렴하고 피하여 쓰지 않는 것은 임금의 도리에서 욕심을 절제하는 것이니, 경계를 내려준 것이 깊다. 막 두 양이 점점 자라는 시기에 두 음이 다시 성대해지는 것에 대한 경계를 잊지 않는 것이 군자의 큰 앎이다.

## 오치기(吳致箕) 「주역경전증해(周易經傳增解)」

臨者, 進而逼於物也, 又言大也. 地居澤上, 有臨水之象. 二陽進逼四陰之下, 有來臨之象. 陽方長而盛大, 爲大之象也. 卦體則二五剛柔得中而應, 卦義則陽來而浸長, 故曰元亨而利貞者, 戒辭也. 八月有凶, 卽其所戒也. 卦反則爲觀八月之卦而陽之見消不久, 故言有凶. 程傳已備矣.

'림(臨)'이란 나아가 상대에 가까워지는 것이고, 또 큰 것을 말한다. 땅이 못 위에 있어서 물에 임하는 상이 있다. 두 양이 나아가 네 음의 아래에 가까워, 와서 임하는 상이 있다. 양이 막 자라서 성대한 것이 크다는 상이 된다. 괘의 몸체는 이효와 오효가 굳셈과 부드러움으로 알맞음을 얻어 호응하고 있고, 괘의 뜻은 양이 와서 점점 자라기 때문에 크게 형통하지만 바르게 함이 이롭다고 말했으니 경계한 말이다. 팔월에 흉함이 있다는 것은 곧 경계한 것이다. 괘를 거꾸로 하면 팔월이 괘인 관괘가 되고 양이 사라져 오래 가지 않기 때문에 흉함이 있다고 말하였다. 『정전』에서 이미 갖추어 설명하였다.

---

15) 『공자가어 · 오의해』.

## 이진상(李震相) 『역학관규(易學管窺)』

以復卦七日例之, 則八月之非指正朔明矣. 自臨之丑至否之申, 恰爲八箇月. 此正君子
道消小人道長之時, 臨之有凶, 無或指否而言歟. 但以易理言, 則遯爲陰浸長與臨爲正對,
故程朱皆以遯言之. 此實以周正言之. 參攷謂非用正朔月數而猶以遯當之者, 恐未然.

복괘의 칠일로 예를 든다면 팔월이 정삭을 가리키지 않는다는 것은 분명하다. 림괘(臨卦)의
축(丑)으로부터 비괘(否卦)의 신(申)까지 꼭 팔개월이 된다. 이는 바로 군자의 도가 사라지
고 소인의 도가 자라는 시기이니, 림괘에 흉함이 있는 것은 아마도 비괘를 가리켜서 말한
것이 아니겠는가? 다만 역의 이치로 말하면 돈괘는 음이 점점 자라서 림괘와는 정반대가
되기 때문에 정자와 주자는 모두 돈괘로 말하였다. 이것은 실제로는 주나라의 정삭으로 말
하였다. 『역해참고』에서는 정삭의 달 수를 쓴 것이 아니라고 말하고 오히려 돈괘로 해당시
켰는데, 아마도 그렇지 않은 듯하다.

## 박문호(朴文鎬) 「경설(經說)・주역(周易)」

遯觀之於臨, 均爲反對. 然觀之說爲長, 觀是八月之卦也. 若除本卦而數之, 爲八月, 恐
不當上一月而自復數之也. 然則本義之以此爲餘意者, 蓋從程子說耳.

돈괘(遯卦☷)와 관괘(觀卦☷)는 림괘(臨卦☷)와 똑같이 반대가 된다. 그러나 관괘의 설명
이 나오니, 관괘는 팔월의 괘이다. 본괘를 제외하고 세면 팔개월이 되는데, 한 개월을 위로
올라가 복괘로부터 세는 것은 아마도 타당하지 않은 듯하다. 그렇다면 『본의』에서 이것을
가지고 남은 뜻으로 삼은 것은 정자의 설을 따른 것일 뿐이다.

## 이정규(李正奎) 「독역기(讀易記)」

臨之卦辭曰, 至于八月有凶. 象說[16]不一而朱子之意似以周正言之而未定其說. 愚意以
爲周正必武王得天下后事, 文王繫辭在羑理時也, 且服事殷時, 必不用周正, 未知如何.

림괘의 괘사에 "팔월에 이르러 흉함이 있다"고 말하였다. 이에 대한 여러 설명들이 일치하지
않는데, 주자의 뜻은 주나라의 달력으로 말한 것 같다고 하면서 그 설을 확정하지는 않았다.
내가 생각하기에는 주나라의 달력을 쓴 것은 반드시 무왕이 천하를 얻은 이후의 일이고,
문왕이 글을 단 것은 유리(羑理)에 있을 때의 일이며, 또한 은나라를 복종하여 섬길 때이므
로 분명 주나라의 달력을 쓰지는 않았을 것 같은데, 어떤지 알지 못하겠다.

---

16) 象說: 경학자료집성DB와 영인본에는 모두 '象設'로 되어 있으나, 문맥을 살펴 '象說'로 바로잡았다.

## 象曰, 臨, 剛浸而長,

「단전」에서 말하였다: 림은 굳센 양이 점점 자라며,

## ‖中國大全‖

### 本義

以卦體釋卦名.

괘의 몸체로 괘의 이름을 해석하였다.

### 小註

進齋徐氏曰, 浸, 漸也. 陰符經曰, 天地之道浸, 亦用此義. 言一氣不頓進, 一形不頓虧, 二陽長於下而漸進也.

진재서씨가 말하였다: ‘침(浸)’은 차츰 나아감이다. 『음부경』에 “하늘과 땅의 도가 차츰 나아간다”고 하였으니, 이 뜻을 사용하였다. 하나의 기(氣)가 갑자기 나아가지도 않고 하나의 형체가 갑자기 이지러지지도 않는다는 말이니, 두 양이 아래에서 자라서 차츰 나아감이다.

○ 中溪張氏曰, 自復一陽生, 積而至臨, 則二陽長矣, 故曰剛浸而長. 遯者, 臨之反也. 臨象曰, 剛浸而長, 易爲君子謀也. 遯象不曰柔浸而長, 而止曰小利貞, 浸而長, 易不爲小人謀也.

중계장씨가 말하였다: 복괘의 하나의 양이 생기는 것으로부터 쌓여서 림괘에 이르면 두 양이 자라기 때문에 “굳센 양이 점점 자란다”고 하였다. 돈괘는 림괘와 음양이 거꾸로 된 것이다. 림괘 「단전」에서 “굳센 양이 점점 자란다”라고 하였으니, 역(易)은 군자를 위해 도모한 것이다. 돈괘 「단전」에서 “부드러움이 차츰 자란다”라고 하지 않고, “바르게 함이 조금 이로움은 차츰 자라기 때문이다”라고 하였으니, 역(易)은 소인을 위하여 도모한 것이 아니다.

# ┃韓國大全┃

## 김상악(金相岳)『산천역설(山天易說)』

以卦體釋卦名義. 浸, 漸也. 剛柔之體, 始生於姤復, 浸長於臨遯. 陰符經, 天地之道浸, 故陰陽勝是也.

괘의 몸체로 괘의 이름을 풀이하였다. '침(浸)'은 점차적인 것이다. 굳셈과 부드러움으로 된 몸체는 구괘와 복괘에서 처음으로 생겨서 림괘와 돈괘로 점점 자라난다.『음부경』에 "천지의 도는 점차적이기 때문에 음양이 이긴다"고 한 것이 그것이다.

## 박문건(朴文健)『주역연의(周易衍義)』

剛浸而長, 故四陰懼而臨之也. 此以卦體釋卦名.

굳센 양이 점점 자라기 때문에 네 음이 두려워하여 임한다. 이것은 괘의 몸체로 괘의 이름을 풀이한 것이다.

## 說而順, 剛中而應,

기뻐하여 따르며 굳세고 알맞으며 호응하여,

**‖中國大全‖**

**本義**

又以卦德卦體, 言卦之善.

또 괘의 덕과 괘의 몸체로 괘의 선함을 말하였다.

**小註**

中溪張氏曰, 說而順, 以二德言. 內兌爲說, 說則二陽之進也爲不逼, 外坤爲順, 順則四陰之從也爲不逆. 二以剛中而應乎五, 故能大亨而得正.

중계장씨가 말하였다: '기뻐하여 따르며'는 두 덕으로 말한 것이다. 내괘인 태괘(兌卦☱)는 기뻐함[說]이니, 기뻐하면 두 양이 나아가도 핍박받지 않는다. 외괘인 곤괘(坤卦☷)는 유순함[順]이니, 유순하면 네 음이 쫓더라도 거스르지 않는다. 이효가 굳센 양으로 가운데 있어 오효와 응하기 때문에 크게 형통하고 바르다.

**‖韓國大全‖**

양응수(楊應秀) 『곤괘강의·역본의차의(坤卦講義·易本義箚疑)』

剛中而應ᄒ야 ᄒ야 恐當改이라.

"'강중이응'하야"의 '하야는 아마도 마땅히 '이라'로 고쳐야 할 것 같다.

○ 剛이 中ᄒ야 應ᄒ᎑디라.
굳셈이 중하여 응하는지라.

大亨以正天之道也ㅣ라ㅣ라恐不如ㅣ오.
"'대형이정천지도야라'"의 '라'는 아마도 '요'라고 하는 것만 못한 것 같다.

○ 道ㅣ오.
도요.

### 서유신(徐有臣) 『역의의언(易義擬言)』

臨, 剛浸而長, 說以順, 剛中以應, 所以爲臨也. 浸者, 以漸而不遽也.
림괘는 굳센 양이 점점 자라서 기뻐하고 따르며, 굳세고 알맞으며 호응하여, 림괘가 된다.
'침(浸)'이란 점차적으로 하고 갑작스럽게 하지 않는 것이다.

大亨以正, 天之道也.

크게 형통하고 바르니, 하늘의 도이다.

## ‖中國大全‖

### 傳

浸, 漸也, 二陽, 長於下而漸進也. 下兌上坤, 和說而順也, 剛得中道而有應助, 是以能大亨而得正, 合天之道, 剛正而和順, 天之道也. 化育之功, 所以不息者, 剛正和順而已, 以此臨人臨事臨天下, 莫不大亨而得正也. 兌爲說, 說乃和也, 夬象云, 決而和.

‘침(浸)’은 차츰 나아감이니, 두 양이 아래에서 자라나 차츰 나아가는 것이다. 아래는 태괘(兌卦☱) 이고 위는 곤괘(坤卦☷)이니, 기뻐하여 따르며, 굳셈이 중도(中道)를 얻어 응하고 도움이 있다. 이 때문에 크게 형통하고 바름을 얻어 하늘의 도에 합하니, 강하고 바르면서 화합하고 유순함은 하늘의 도이다. 화육(化育)하는 공이 쉬지 않는 까닭은 강하고 바르면서 화합하고 유순하기 때문일 뿐이니, 이런 것으로써 사람에게 임하고 일에 임하고 천하에 임하면 크게 형통하고 바름을 얻지 않음이 없을 것이다. 태(兌☱)는 기뻐함이 되니, 기뻐함은 바로 화합함이다. 쾌괘(夬卦䷪)의 「단전(彖傳)」에 “결단하여 화합한다”고 하였다.

### 本義

當剛長之時, 又有此善, 故其占如此也.

굳셈이 자라는 때에 또 이러한 선이 있기 때문에 그 점이 이와 같다.

## 小註

朱子曰, 剛浸而長以下三句, 解臨字. 大亨以正便是天之道也, 解亨字. 亦是惟其如此, 所以如此. 又曰, 易中言天之道也天之命也, 義只一般, 但取其成韻耳, 不必强分析.

주자가 말하였다: "굳센 양이 점점 자라나" 이하 세 구절은 "임하다[臨]"를 해석한 것이다. "크게 형통하고 바르니 곧 하늘의 도이다"는 "형통하다[亨]"를 해석한 것이다. 또한 오직 이와 같을 수밖에 없기 때문에 이와 같은 것이다.

또 말하였다: 『주역』에서 '하늘의 도[天之道也]' '하늘의 명[天之命也]'이라고 말한 것은 뜻은 같고 운(韻)을 맞추기 위해 취했을 뿐이니, 억지로 분석할 필요는 없다.

○ 中溪張氏曰, 剛貴乎長, 已有成乾之勢, 天之道也.

중계장씨가 말하였다: 굳셈은 자라남을 귀하게 여기니, 건(乾)을 이루는 형세가 이미 있다면 하늘의 도이다.

○ 雲峰胡氏曰, 臨无妄, 皆曰元亨利貞, 臨曰, 剛中而應, 大亨以正, 天之道也. 无妄曰, 剛中而應, 大亨以正, 天之命也. 本義於臨曰, 以卦德卦體, 言卦之善. 當剛長之時, 有此善, 故其占如此. 无妄亦曰, 言卦之善如此, 故其占當獲大亨而利於正, 乃天命之當然也. 他卦但曰, 釋卦名義釋卦辭. 此二卦又有所謂言卦之善者, 何哉. 蓋二卦皆以剛爲主, 剛不如此, 非剛之善也. 兼之天道賦予, 无有不善, 善字又從天道天命而言也.

운봉호씨가 말하였다: 림괘(臨卦䷒)와 무망괘(无妄卦䷘)에서 모두 '원형리정'을 말하였다. 림괘에서는 "굳세고 알맞으며 호응하여 크게 형통하여 바르니, 하늘의 도이다"고 하였다. 무망괘에서는 "굳세고 알맞으며 호응하여 크게 형통하여 바르니, 하늘의 명이다"고 하였다. 『본의』에서 림괘에 "괘의 덕과 괘의 몸체로 괘의 선함을 말하였다. 굳셈이 자라는 때에 또 이러한 선이 있기 때문에 그 점이 이와 같다"고 하였다. 무망괘에서 또한 "괘의 선함이 이와 같음을 말하였다. 그러므로 그 점이 크게 형통함을 마땅히 얻을 것이나 바름이 이로우니, 하늘의 당연함이다"고 하였다. 다른 괘에서는 "괘의 이름을 해석하였고, 괘사를 해석하였다"고만 말하고, 이 두 괘에서는 괘의 선함을 말하였다고 한 것은 어째서 인가? 대체로 이 두 괘는 모두 굳셈을 위주로 하였으니, 굳셈이 이와 같지 않으면 굳셈의 선함이 아닐 것이다. 하늘의 도가 부여한 것이 선하지 아니함이 없음을 겸하였으니, 선은 또한 천도와 천명으로 말한 것이다.

# ║韓國大全║

## 홍여하(洪汝河) 「책제(策題):문역(問易)・독서차기(讀書箚記)-주역(周易)」

乾坤爲六十二卦之綱領, 乾又爲坤之綱領. 六十三卦皆以乾爲主, 故孔子於每卦多說天道.

건곤은 육십이괘의 강령이고, 건괘는 또 곤괘의 강령이다. 육십삼괘는 모두 건괘를 주로 하기 때문에 공자가 매 괘에서 천도를 많이 말하였다.

## 유정원(柳正源) 『역해참고(易解參攷)』

正義, 據諸卦之例, 說而順之下, 應以臨字結之, 此无臨字者, 以其剛中而應亦是臨義, 故不得於剛中之上而加臨也. 天道以剛居中而下與地相應, 使物大得亨通而利貞, 故云天之道也.

『주역정의』에서 말하였다: 여러 괘의 예를 따른다면 '기뻐하고 따르며' 아래에서 '림(臨)'자로 맺어야 하는데, 여기에 '림(臨)'자가 없는 것은 굳세고 알맞으며 호응이 있다는 것 또한 '림(臨)'자의 뜻이 있기 때문에, 굳세고 알맞다는 위에 '림(臨)'자를 붙일 수 없었던 것이다. 천도가 굳셈으로 가운데 있으면서 아래로 땅과 서로 호응하여 만물로 하여금 크게 형통하고 바름을 이롭게 할 수 있기 때문에 하늘의 도라고 하였다.

小註朱子說.
소주의 주자의 설명.
案, 此條與本義不同, 當叏詳之.
내가 살펴보았다: 이 조목은 『본의』와 같지 않으니, 마땅히 다시 자세하게 살펴보아야 한다.

## 김규오(金奎五) 「독역기의(讀易記疑)」

二五皆中而不正, 而此云以正, 蓋所謂中則必正, 而陰陽相應亦正道故也.

이효와 오효가 모두 가운데 있지만 자리가 바른 것은 아닌데, 여기에서 바르다고 한 것은 가운데 있으면 반드시 바르고 음양이 서로 호응하는 것도 또한 바른 도이기 때문이다.

### 서유신(徐有臣) 『역의의언(易義擬言)』

大亨以正, 猶云以亨而貞也. 二陽爲元亨, 又以元亨而爲利貞, 此乃天之道也. 屯隨曰大亨貞, 无妄革曰大亨以正, 數字之間, 義有別焉, 當深味之.

'크게 형통하고 바르니'라고 말한 것은 형통함으로써 바르다고 말하는 것과 같다. 두 양이 크게 형통함이 되고, 또한 크게 형통함으로써 바르게 하는 것이 이로움이 되니, 이것이 하늘의 도이다. 준괘와 수괘에서는 '대형정(大亨貞)'이라고 하고, 무망괘와 혁괘에서는 '大亨以貞'이라고 하였는데, 몇 글자의 사이에서 뜻이 구별되니, 마땅히 깊이 음미해야 한다.

### 강엄(康儼) 『주역(周易)』

按, 天道大通而至正, 故曰大亨以正, 天之道也. 與无妄象傳天之命同意. 易之言元亨利貞, 除乾坤外, 凡五卦屯隨臨无妄革, 而天之道天之命, 必言於臨无妄者, 臨雖二陽而長一陽, 則便爲乾矣, 无妄上乾下震, 有動以天之象, 故特言於二卦. 屯隨革三卦不言者, 以其无乾也.

내가 살펴보았다: 하늘의 도는 크게 통하고 지극히 바르기 때문에 "크게 형통하고 바르니 하늘의 도이다"라고 하였다. 무망괘 「단전」의 '하늘의 명'이라는 말과 같은 뜻이다. 『주역』에서 '원형리정'을 말한 것은 건곤을 제외하고 준괘·수괘·림괘·무망괘·혁괘 다섯인데, '하늘의 도'와 '하늘의 명'을 반드시 림괘와 무망괘에서 말한 것은 다음과 같은 이유이다. 림괘는 비록 두 양이지만 한 양이 더 자라면 건괘가 되고, 무망괘는 위가 건괘이고 아래가 진괘여서 하늘에 따라 움직이는 상이 있기 때문에 특별히 두 괘에서 말한 것이다. 준괘·수괘·혁괘 세 괘에서 말하지 않은 것은 건괘(☰)가 없기 때문이다.

### 박문건(朴文健) 『주역연의(周易衍義)』

說而順則道亨, 剛中而應五則志正, 亨與正天之道也. 此以卦德卦體釋卦辭, 而贊其道之合天也.

기뻐하고 따르면 도가 형통하고, 굳세고 알맞으며 오효에 호응하면 뜻이 바르니, 형통하고 바른 것이 하늘이 도이다. 이는 괘의 덕과 괘의 몸체로 괘사를 풀이하고 그 도가 하늘에 합치되는 것을 찬미한 것이다.

至于八月有凶, 消不久也.

"팔월에 이르러서는 흉함이 있음"은 사라져서 오래가지 못함이다.

## ∥中國大全∥

### 傳

臨, 二陽生, 陽方漸盛之時, 故聖人爲之戒云, 陽雖方長, 然至于八月, 則消而凶矣. 八月, 謂陽生之八月, 陽始生于復, 自復至遯, 凡八月, 自建子至建未也. 二陰長而陽消矣, 故云消不久也. 在陰陽之氣言之, 則消長如循環, 不可易也. 以人事言之, 則陽爲君子, 陰爲小人, 方君子道長之時, 聖人爲之誡, 使知極則有凶之理而虞備之, 常不至于滿極, 則无凶也.

림은 두 양이 생겨나 양이 차츰 성할 때이다. 그러므로 성인이 경계하기를 "양이 비록 자라나지만 팔월에 이르면 사라져 흉할 것이다"라고 하였다. '팔월'은 양이 생겨난 지 여덟 달이라는 것이니, 양이 복괘(復卦䷗)에서 처음 생겨나 복괘로부터 돈괘(遯卦䷠)에 이르는 것이 모두 여덟 달이니, 자(子)의 방향을 가리키는 달[11월]로부터 미(未)의 방향을 가리키는 달[6월]에 이르기까지이다. 두 음이 자라나 양이 사라지게 되기 때문에 '사라져서 오래가지 못함'이라고 말한 것이다. 음양의 기운으로 말하면 사라지고 자람[消長]은 순환하는 것과 같아서 바꿀 수 없다. 사람의 일[人事]로 말하면 양은 군자가 되고 음은 소인이 되니, 군자의 도가 자라날 때에 성인이 경계하여 지극하면 흉하게 되는 이치가 있음을 알아 헤아리고 대비하게 하였으니, 가득차고 지극함에 이르지 않으면 흉함이 없을 것이다.

### 本義

言雖天運之當然, 然君子宜知所戒.

비록 천운(天運)의 당연함이나 군자가 경계할 줄을 마땅히 알아야 함을 말한 것이다.

小註

中溪張氏曰, 自臨之丑, 至遯之未, 凡八月. 歷時尙久, 而曰消不久者, 於其方長之時, 而告之以將消之理, 則庶乎知所戒也.

중계장씨가 말하였다: 림괘의 축(丑)으로부터 돈괘의 미(未)에 이르기까지가 모두 여덟 달이다. 경과할 시간이 오래인데도 "사라져서 오래가지 못한다"고 한 것은 막 자라날 때에 장차 사라지는 이치를 말함이니, 경계할 줄 아는 것이다.

○ 廬陵龍氏曰, 臨反對爲觀, 乃八月卦, 一轉則爲剝爲坤, 故曰消不久也.

여릉용씨가 말하였다: 림괘(臨卦䷒)와 거꾸로 된 괘인 관괘(觀卦䷓)가 팔월 괘이다. 한 번씩 양이 변하면 박괘(剝卦䷖)·곤괘(坤卦䷁)가 되기 때문에 "사라져서 오래가지 못한다"고 하였다.

○ 雲峰胡氏曰, 觀卦不取四陰爲義. 於臨曰八月有凶, 則觀爲八月卦, 已見於此矣.

운봉호씨가 말하였다: 관괘(觀卦䷓)는 네 음을 취하여 뜻으로 삼지 않았다. 림괘에서 "팔월에 이르러서는 흉함이 있다"고 하였으니, 관괘가 팔월괘임을 이미 여기에서 알 수 있다.

○ 進齋徐氏曰, 陰陽消長, 若循環然. 象易聖人深言消長之機, 其來甚速, 吉凶靡定, 禍福无常, 思患豫防, 君子所當戒懼也.

진재서씨가 말하였다: 음(陰)과 양(陽)이 사라지고 자라는 것은 마치 순환하는 것과 같다. 「단전」에서 사라지고 자라는 기틀은 오는 것은 매우 빠르며, 길하고 흉함은 정해지지 않았으며, 화와 복도 일정하지 않으니 생각하고 걱정하여 예방해야 한다고 성인이 깊이 말하였으니, 군자는 마땅히 경계하고 두려워해야 한다.

## 韓國大全

### 강석경(姜碩慶) 『역의문답(易疑問答)』

或曰, 八月之義, 自有二說. 一則以爲遯卦, 一則以爲觀卦. 遯之於臨, 爲正對之卦, 觀之於臨, 爲反對之卦. 易卦取義, 雖兼正反而反對最多, 正居四一, 則安知八月不爲觀乎. 昔朱門人以此質諸師門. 朱子曰, 遯八月是從周正說, 觀八月是從夏正說. 恐文王作八卦時, 只從周正記之, 不可知也. 遯觀之卦, 朱子猶不知, 而子必主遯, 人誰信之. 曰, 古者迭用三正, 謂之三統也. 夏用人統而人生於寅, 故正取建寅而連山首艮, 商用地統而地闢於丑, 故正取建丑而歸藏首坤. 周用天統而天開於子, 故正取建子而周易首乾. 由是觀之, 文王序卦之初, 已自用周正, 及至繫辭之時, 反用彼夏正乎. 且周公所謂一之日二之日, 是亦用周正也. 吾豈無稽而妄言者乎.

어떤 이가 물었다: 팔월의 뜻에 대해서는 두 가지 설이 있습니다. 하나는 돈괘가 된다는 설이고 하나는 관괘가 된다는 설입니다. 돈괘(遯卦䷠)는 림괘(臨卦䷒)에 대해서 음양이 바뀐 괘가 되고, 관괘(觀卦䷓)는 림괘에 대해서 거꾸로 된 괘가 됩니다. 『주역』의 괘에서 뜻을 취하는 것은 비록 음양이 바뀐 괘와 거꾸로 된 괘를 겸하더라도 거꾸로 된 괘를 취한 것이 가장 많고 음양이 바뀐 괘를 취하는 것은 사분의 일쯤이니, 팔월이 관괘가 되지 않는 것을 어떻게 알겠습니까? 예전에 주자의 문인이 이것을 가지고 선생님께 질문을 하자 주자는 "돈괘가 팔월이라는 것은 주나라 달력을 따라 설명한 것이고, 관괘가 팔월이라는 것은 하나라 달력을 따라 설명한 것입니다. 아마 문왕이 괘사를 지을 때 주나라 달력만을 사용하여 기록한 것 같은데, 알 수 없습니다"라고 하였습니다. 돈괘인지 관괘인지에 대해서 주자도 오히려 알지 못한다고 했는데, 그대가 반드시 돈괘라는 설을 주장한다면 사람들 가운데 누가 믿겠습니까? 답하였다: 옛적에 하나라 · 상나라 · 주나라의 세 달력을 번갈아 썼던 것을 삼통(三統)이라고 하였습니다. 하나라는 인통(人統)을 썼고 사람이 인(寅)에서 생겼기 때문에 달력은 인(寅)에서 시작하는 것을 취하고 연산역(連山易)에서는 간괘(艮卦)를 머리로 하였습니다. 상나라는 지통(地統)을 썼고 땅이 축(丑)에서 열렸기 때문에 달력은 축(丑)에서 시작하는 것을 취하고 귀장역(歸藏易)에서는 곤괘(坤卦)를 머리로 하였습니다. 주나라는 천통(天統)을 썼고 하늘이 자(子)에서 생겼기 때문에 달력은 자(子)에서 시작하는 것을 취하고 주역(周易)에서는 건괘(乾卦)를 머리로 하였습니다. 이로부터 보면 문왕이 괘를 차례 지은 처음에 이미 주나라의 달력을 썼는데, 글을 단 때에 이르러 도리어 저 하나라 달력을 썼겠습니까? 또한 주공의 이른바 '일지일(一之日)', '이지일(二之日)'이라는 것도 또한 주나라 달력을 쓴 것입니다. 제가 어찌 근거도 없이 함부로 말했겠습니까?

### 김상악(金相岳) 『산천역설(山天易說)』

以卦德卦體釋卦辭. 內說則二陽之進也爲不逼, 外順則四陰之從也爲不逆, 而剛中而應, 故大亨以正. 消不久者, 有盛則衰, 天運之當然也.

괘의 덕과 괘의 몸체로 괘사를 해석하였다. 안이 기쁘면 두 양이 나아가도 핍박하지 않고, 밖이 따르면 네 음이 따르더라도 거스르지 않아서, 굳세고 알맞으며 호응하기 때문에 크게 형통하고 바르다. '사라져서 오래가지 못하는 것'은 성대하면 쇠하는 것이 천운의 당연함이기 때문이다.

○ 自臨以下, 皆以大亨以正, 釋四德. 正之爲貞, 猶大之爲元也. 運行爲道, 賦與爲命, 臨之天道以消長言, 无妄之天命以禍福言.

림괘 이하는 모두 "크게 형통하고 바르다"는 것으로 사덕을 풀이하였다. '정(正)'이 '정(貞)'이 되는 것은 '대(大)'가 '원(元)'이 되는 것과 같다. 운행하는 것은 도가 되고, 부여된 것은 명이 되니, 림괘의 천도는 소장(消長)으로 말하였고, 무망괘의 천명은 화복(禍福)으로 말하였다.

### 김규오(金奎五) 「독역기의(讀易記疑)」

八月, 謂遯謂觀, 皆有說. 但節齋主遯而謂於卦經八則臨, 至遯乃七月也. 隆山主觀而謂當自臨數, 則臨至觀又九月也. 中溪自臨之丑一段, 亦與節齋之失同, 皆不如自復自泰之說也. 但觀義曰, 正爲八月之卦, 詳正爲字, 又若可以賺看於臨卦矣. 抑臨是厚畫底震也, 雷實收聲於觀月. 此未知如何.

팔월은 돈괘라고도 하고 관괘라고 하는데, 모두 그에 해당하는 설명이 있다. 다만 절재(節齋)는 돈괘를 주로 하여 괘가 여덟 자리를 지나면 림괘가 되고 돈괘에 이르면 칠개월이라고 하였다. 융산(隆山)은 관괘를 주로 하여 림괘로부터 세면 림괘로부터 관괘까지 구개월이라고 하였다. 중계(中溪)의 '림괘의 축(丑)으로부터'라는 한 단락은 또한 절재의 잘못과 동일하니, 모두 복괘로부터 세고 태괘(泰卦)로부터 센다는 설만 못하다. 다만 관괘의 『본의』에서 "바로 팔월의 괘가 된다"고 말했는데, "바로 ~된다"는 말을 상세히 살펴보면 림괘에 대해서 의심해 볼만한 것 같다. 또한 림괘(䷒)를 두 효씩 합쳐 보면 진괘(☳)인데, 진괘에 해당하는 우레는 실제로 관괘에 해당하는 달에 소리를 거두어들인 것이다. 이러한 설명이 어떤지 모르겠다.

### 서유신(徐有臣) 『역의의언(易義擬言)』

陽雖長而不久當消也, 陰雖消而不久當長也.

양이 비록 자라더라도 오래가지 못하고 마땅히 사라질 것이며, 음이 비록 사라지더라도 오래가지 못하고 마땅히 자랄 것이다.

### 박문건(朴文健) 『주역연의(周易衍義)』

此亦釋卦辭.

이 또한 괘사를 풀이한 것이다.

〈問, 消不久. 曰, 消不久, 與升之上六象消不富同文法也.

물었다: 사라져 오래가지 못한다는 것은 무슨 뜻입니까?

답하였다: 사라져 오래가지 못한다는 것은 승괘(升卦)의 상육 「상전」에서 "사라져 풍부하지

못하다"는 것과 같은 문장의 법으로 썼습니다.〉

## 김기례(金箕澧) 「역요선의강목(易要選義綱目)」

剛浸而長, 言一陽始復積, 至二陽則浸長. 剛中而應, 指二以剛中浸長而應五, 卽天道
也. 消不久也, 陰陽消長循環代序, 自子至未八月, 則陽當消矣. 聖人戒盛時之慮衰者,
所以戒懼豫防爲永久圖.

"굳센 양이 점점 자란다"는 것은 한 양이 처음 회복되어 쌓여서 두 양에 이르면 점점 자란다
는 것을 말한다. "굳세고 알맞으며 호응한다"는 것은 이효가 굳세고 알맞음으로 점점 자라
오효에 호응하는 것을 가리키니 곧 천도이다. "사라져 오래가지 못한다"는 것은 음양이 사라
지거나 자라 차례로 순환하여 자(子)로부터 미(未)에 이르러 팔월이 되면 양이 마땅히 사라
지는 것이다. 성인이 성대한 때에 쇠함을 걱정하라고 경계한 것은 경계하고 두려워하며 미
리 방비하는 것이 영구히 도모하는 것이기 때문이다.

## 심대윤(沈大允) 『주역상의점법(周易象義占法)』

欲善无窮, 天之道也, 好利惡害, 人之性也. 陰陽代序, 天之數也, 利害相雜, 人之事也.

선을 하고자 함이 무궁한 것은 하늘이 도이고, 이익을 좋아하고 해로움을 싫어하는 것은
사람의 본성이다. 음과 양이 차례를 바꾸는 것은 하늘의 수이고, 이익과 해로움이 서로 섞이
는 것은 사람의 일이다.

## 오치기(吳致箕) 「주역경전증해(周易經傳增解)」

此以卦體卦德釋卦名義及卦辭也. 卦體自復一陽始生而至臨則二陽漸長, 故言剛浸而
長也. 二陽之進, 和悅而不過剛, 四陰之從, 柔順而不相逆. 以二之剛中, 上應五之柔
中, 是皆臨之善者, 故言大通亨而亦當守正以應乎天之道也. 然二陽浸長而盛, 故聖人
豫爲之戒而言其消之不久也. 餘見象解.

이는 괘의 몸체와 괘의 덕으로 괘의 이름과 괘사를 풀이한 것이다. 괘의 몸체는 복괘에서
한 양이 처음 생겨나서 림괘에 이르면 두 양이 점점 자라기 때문에, 굳센 양이 점점 자란다고
말했다. 두 양이 나아감은 조화롭고 기쁘면서 지나치게 굳세지 않으며, 네 음이 따르는 것은
유순하여 서로 거스르지 않는다. 이효의 굳세고 알맞음으로 위로 오효의 부드럽고 알맞음에
호응하는 것이 모두 잘 임하는 것이기 때문에, 크게 형통하지만 또한 마땅히 바름을 지켜서
하늘의 도에 호응해야 한다고 말하였다. 그러나 두 양이 점점 자라 성대하기 때문에 성인이
미리 경계하여 사라져 오래가지 못한다고 말하였다. 나머지는 「단전」의 해설에 보인다.

## 이진상(李震相) 『역학관규(易學管窺)』

先天卦位, 臨與遯相反, 變之盡者也. 遯爲周正八月之卦, 卽建未之月, 至遯而臨體都盡, 故有凶. 先天之數, 震居八而卦有互震.

「선천도」 괘의 자리는 림괘와 돈괘가 상반되니, 변화가 다한 것이다. 돈괘는 주나라 달력으로 팔월의 괘이니 곧 미(未)에 해당하는 달인데, 돈괘에 이르러 림괘의 몸체가 모두 다하기 때문에 흉하다. 「선천도」의 수로는 진괘가 팔에 있고, 괘(䷒)에도 호괘인 진괘(☳)의 상이 있다.

## 최세학(崔世鶴) 「주역단전괘변설(周易象傳卦變說)」

臨, 泰之一體變也. 三一爻爲主, 故象以剛浸而長戒之. 否三來臨於下體二陽之上, 而臨之最密近, 故爲名卦之由, 而見逼於陽也. 八月有凶消不久, 八月正秋兌也, 剛浸而長, 則兌陰之消不久也.

림괘(臨卦䷒)는 태괘(泰卦䷊)의 한 몸체가 변한 것이다. 삼효 한 효가 주가 되기 때문에 「단전」에서 '굳센 양이 점점 자라는 것'으로 경계하였다. 비괘(䷋)의 삼효가 와서 하체에 있는 두 양의 위에 임하고, 임하기를 가장 밀접하고 가깝기 때문에 괘를 림괘라고 이름 지었으며, 양에게 핍박을 당한다. "팔월에 이르러서는 흉함이 있어 사라져서 오래가지 못한다"는 것은 팔월은 한 가을인 태괘(兌卦☱)이고, 굳센 양이 점점 자라면 태괘의 음은 사라져 오래가지 못한다는 뜻이다.

## 이병헌(李炳憲) 『역경금문고통론(易經今文考通論)』

臨, 鄭注訓大, 序卦亦謂大也, 故從之. 然經之訓臨莅也至也. 八月謂否月也. 十二辟卦自乾坤以外皆隔一轉之數, 是以有六月八月二月之異也. 有凶消不久者, 浸長之陽不可久恃, 而過遯歷否, 至有君父之憂凶如何也. 故觀有神道設敎之義, 以通之無窮.

'림(臨)'을 정현의 주석에서는 "크다"고 풀이하였고, 「서괘전」에서도 "크다"고 말했기 때문에 그대로 따른다. 그러나 경전에서는 '림(臨)'을 "다다르다", "이르다"라고 풀이하였다. 팔월은 비괘(否卦)에 해당하는 달이다. 십이벽괘에서 건곤 이외는 모두 건너뛰어 한 번 변하는 수이기 때문에 유월, 팔월, 이월의 다름이 있다. 흉함이 있어 사라져 오래가지 못한다는 것은 점점 자라는 양을 오랫동안 믿을 수 없고, 은둔을 겪고 어려움을 지나 군주와 부모가 근심하고 흉한 데 이르는 것이 어떠하겠는가? 그러므로 관괘에는 신묘한 도리로 가르침을 베푸는[17] 뜻이 있어 무궁하게 통한다.

---

17) 『周易・觀卦』: 聖人以神道設敎而天下服矣.

象曰, 澤上有地臨, 君子以, 敎思无窮, 容保民无疆.

「상전」에서 말하였다: 못 위에 땅이 있는 것이 림(臨)이니, 군자(君子)가 그것을 본받아 가르치려는 생각이 다함이 없으며, 백성을 포용하여 보존함이 끝이 없다.

## ‖中國大全‖

### 傳

澤之上有地, 澤岸也, 水之際也. 物之相臨與含容, 无若水之在地, 故澤上有地 爲臨也. 君子觀親臨之象, 則敎思无窮, 親臨於民, 則有敎導之意思也. 无窮, 至 誠无斁也, 觀含容之象, 則有容保民之心. 无疆, 廣大无疆限也. 含容, 有廣大之 意, 故爲无窮无疆之義.

못(☱) 위에 땅(☷)이 있는 것은 못가의 언덕이니, 물이 닿아 있는 곳이다. 사물이 서로 임하고 포용함은 물이 땅에 있는 것만한 것이 없다. 그러므로 못 위에 땅이 있는 것이 림괘가 된다. 군자가 친히 임하는 상을 보면 가르치려는 생각이 다함이 없으며, 백성에게 친히 임함은 가르쳐 인도하려는 생각이 있는 것이다. ‘다함이 없음’은 지극히 참되어 싫어함이 없는 것이다. 포용하는 상을 보면 백성을 포용하여 보존하려는 마음이 있는 것이다. ‘끝이 없음’은 넓고 커서 경계가 없는 것이다. ‘포용함’은 넓고 큰 뜻이 있기 때문에 ‘다함이 없음’과 ‘끝이 없음’의 뜻이 된다.

### 本義

地臨於澤, 上臨下也, 二者, 皆臨下之事. 敎之无窮者, 兌也, 容之无疆者, 坤也.

땅이 못에 임함은 위에서 아래로 임하는 것이니, 이 두 가지는 모두 아래로 임하는 일이다. 다함이 없는 가르침은 태(兌☱)이며, 끝없이 포용함은 곤(坤☷)이다.

### 小註

節齋蔡氏曰, 敎思无窮, 澤潤地之象也, 容保民无疆, 地容澤之象也.

절재채씨가 말하였다: '가르치려는 생각이 다함이 없는 것'은 못이 땅을 윤택하게 하는 상이고, '백성을 포용하여 보존함이 끝이 없는 것'은 땅이 못을 포용하는 상이다.

○ 雲峰胡氏曰, 不徒曰敎, 而曰敎思, 其意思如兌澤之深. 不徒曰保民, 而曰容民, 在度量如坤土之大.

운봉호씨가 말하였다: '가르침'이라고만 하지 않고 '가르치려는 생각'이라고 하였으니, 그 생각이 태괘(兌卦☱)의 연못과 같이 깊다. "백성을 보존한다"라고만 하지 않고 "백성을 포용한다"라고 하였으니, 곤괘(坤卦☷)의 땅의 큼과 같은 도량(度量)이 있다.

## ‖韓國大全‖

### 김장생(金長生) 『주역(周易)』

本義, 二者.

『본의』에서 말하였다: 두 가지.

二者, 敎思, 保民.

두 가지는 '가르치려는 생각'과 '백성은 보호하는 것'이다.

### 송시열(宋時烈) 『역설(易說)』

敎思無窮, 以兌言, 容保無疆, 以坤言. 本義詳.

'가르치려는 생각이 다함이 없는 것'은 태괘로 말하였고, '백성을 포용하여 보존함이 끝이 없는 것'은 곤괘로 말하였다. 『본의』에 상세하다.

### 김도(金濤) 「주역천설(周易淺說)」

愚按, 本義下所釋, 惟有蔡氏胡氏二說, 而其說最爲精, 當可因此而推究其旨矣. 蓋臨之爲卦, 以上臨下爲義, 而大象則專以臨民而敎民保民之意思存焉. 君子之所尙, 豈外於斯二者哉. 是以聖人設爲法象, 以示其敎保之意, 其至誠无斁廣大含容之氣象, 於此可見. 豈徒臨民爲然哉. 凡在上者, 皆可以法之矣. 程傳曰, 臨者, 臨民臨事, 凡所臨者皆是. 愚則以爲師道之尊, 亦附於此矣. 爲師者, 苟能法此象而說而敎之, 含而容之, 竭兩端而俾充其所賦之量, 則豈不善哉. 孔子曰, 我學不厭而敎不倦也. 孟子曰, 得天下英才敎育之三樂也. 愚於二訓深有取焉.

내가 살펴보았다: 『본의』 아래 주석한 것은 오직 채씨와 호씨의 두 설인데, 그 설명이 가장 정밀하니, 마땅히 이를 따라서 그 뜻을 미루어 연구해야 한다. 림괘는 윗사람이 아랫사람에게 임하는 것을 뜻으로 삼았는데, 「대상전」은 오로지 백성에게 임하여 백성을 가르치고 백성을 보호하는 뜻이 있다. 군자가 높이는 것이 어찌 이 둘을 벗어나겠는가? 그러므로 성인이 법상(法象)을 베풀어서 가르치고 보호하는 뜻을 보여주었으니, 그 지극하여 싫어함이 없고 광대하게 품어주는 기상을 여기에서 볼 수 있다. 어찌 다만 백성에게 임하는 데만 그러하겠는가? 위에 있는 사람은 모두 본받을 수 있다. 『정전』에서 "림은 백성에게 임하고 일에 임함이니, 임하는 것이 모두 해당한다"고 하였다. 나는 사도(師道)의 높음도 거기에 포함되어야 한다고 생각한다. 스승이 된 사람이 이 상을 본받아 설명하여 가르치고 포용하며, 자세하게 알려주어 부여받은 역량을 다하게 할 수 있다면, 어찌 좋지 않겠는가? 공자는 "나는 배우는 데 싫증을 내지 않고, 가르치는 데 게으르지 않았다"[18]고 하였고, 맹자는 "천하의 뛰어난 자를 얻어 교육하는 것이 세 번째 즐거움이다"[19]라고 하였다. 나는 두 가지 교훈에서 깊이 취한 것이 있다.

### 이만부(李萬敷) 「역통(易統)·역대상편람(易大象便覽)·잡서변(雜書辨)」

臣謹按, 敎之者, 所以保之也. 敎而不保, 保而不敎, 則俱非王者之政矣.

신이 삼가 살펴보건대, 가르치는 것이 곧 보호하는 방법입니다. 가르치되 보호하지 못하고, 보호하되 가르치지 않는 것은 모두 왕도를 실천하는 사람의 정치가 아닙니다.

### 이익(李瀷) 『역경질서(易經疾書)』

大象當云, 地中有澤, 而今必云爾者, 乃大澤中有地, 如島嶼是也. 地之高峻爲山, 則損有萌下入澤之象, 只如丘陵墳衍, 是謂澤上有地也. 從地看, 則水泉沙礫添益于澤而四

---

18) 『孟子·公孫丑』: 孔子曰, 聖則吾不能, 我學不厭而敎不倦也.
19) 『孟子·盡心』: 得天下英才, 而敎育之, 三樂也.

周皆然, 則敎思無窮也. 從澤看, 則包涵其地未有間斷, 則容保民無疆也.

「대상전」이라면 마땅히 "땅 가운데 못이 있다"고 해야 하는데, 지금 반드시 "못 위에 땅이 있다"고 말한 것은 큰 못 가운데 땅이 있는 경우로, 예를 들어 섬이 그렇다. 땅이 높은 곳이 산이 되니, 손괘(損卦)에는 무너져 내려 못으로 들어가는 상이 있고, 다만 구릉과 저지대 같은 경우를 못 위에 땅이 있다고 말한다. 땅으로부터 보면 샘물과 모래, 자갈이 못에 더해져서 네 주위가 모두 그러하니, '가르치려는 생각이 다함이 없는 것'이다. 못으로부터 보면 그 땅을 포함하여 끊임이 없으니, '백성을 포용하여 보호함이 끝이 없는 것'이다.


### 심조(沈潮) 「역상차론(易象箚論)」

卦之全體似兌, 又有下兌, 故臨字有衆口.

괘의 전체적인 모습(☷)이 태괘(☱)와 비슷하고, 아래에 또 태괘가 있기 때문에 '림(臨)'이라는 글자에 여러 '구(口)'자가 있다.


### 김상악(金相岳) 『산천역설(山天易說)』

敎思无窮, 兌澤之淵深也. 容保民无疆, 坤土之博大也. 二者, 皆君子臨民之象.

'가르치려는 생각이 다함이 없는 것'은 태괘가 상징하는 못의 근원이 깊은 것이다. '백성을 포용하여 보호함이 끝이 없는 것'은 곤괘가 상징하는 땅이 넓고 큰 것이다. 두 가지는 모두 군자가 백성에게 임하는 상이다.


### 김규오(金奎五) 「독역기의(讀易記疑)」

大象義, 敎者兌也, 容者坤也. 師之容民畜衆, 合二體而釋之, 此獨分釋者, 民衆皆有坤象, 而敎无屬坤之道耳. 但兌爲講習而此亦云敎, 未知只爲悅義而然耶, 抑別有其象耶.

「대상전」의 『본의』에서 "가르침은 태(兌☱)이고, 포용함은 곤(坤☷)이다"라고 하였다. 사괘(師卦)에서 "백성을 포용하고 대중을 기른다"고 한 것은 두 몸체를 합하여 풀이했는데, 여기에서 유독 나누어 풀이한 것은 백성과 대중은 모두 곤괘의 상이 있고 가르침은 곤괘의 도에 속하지 않기 때문일 뿐이다. 다만 태괘는 강습이 되는데 여기에서는 또한 가르침이라고 말한 것은 기쁘다는 뜻이 되어서 그런 것인지, 아니면 따로 그러한 상이 있는지 알지 못하겠다.

## 서유신(徐有臣) 『역의의언(易義擬言)』

地者, 澤之限也. 澤滿而至限, 是爲澤臨地也. 臨地而已, 不能過其限也. 邦國州縣, 皆有區域而不能相過. 然君子臨之, 其心蓋不以區域爲限, 普天之下皆欲敎之, 故曰思无窮也, 率土之濱, 皆欲保之, 故曰容无疆也. 敎思如澤之浸灌, 容保如地之含弘.

땅은 못의 한계이다. 못이 가득차서 한계에 이르는 것이 못이 땅에 임한 것이 된다. 땅에 임할 뿐이지 그 한계를 넘어서지는 못한다. 나라와 주·현은 모두 구역이 있어서 서로 넘어설 수 없다. 그러나 군자가 임할 적에 그 마음은 구역을 한계로 삼지 않아서, 넓은 하늘 아래의 사람들을 모두 가르치고자 하기 때문에 "생각이 다함이 없다"고 말하였고, 모든 땅의 물가까지 모두 보호하고자 하기 때문에 "포용함이 끝이 없다"고 말하였다. 가르치려는 생각이 마치 못이 차츰 물을 대주는 것과 같으며, 포용하고 보호하는 것이 마치 땅이 널리 포함하는 것과 같다.

## 윤행임(尹行恁) 『신호수필(薪湖隨筆)·역(易)』

地在澤上, 臨深之象也, 故曰保民. 澤上之地, 危而不安, 故懷之綏之, 以保我黎民, 如山風之振民. 風則曰振, 澤則曰保, 蓋其取象之爲異也.

땅이 못 위에 있는 것은 깊은 데에 임하는 상이기 때문에 "백성을 보호한다"고 말하였다. 못 위의 땅은 위험하고 안전하지 않기 때문에 품어주고 편안하게 해서 우리 백성을 보호하기를 마치 산의 바람이 백성을 진작시키는 것과 같이 한다. 바람에 대해서는 진작한다고 말하였고, 못에 대해서는 보호한다고 말하였으니, 그 상을 취한 것이 다르기 때문이다.

## 박문건(朴文健) 『주역연의(周易衍義)』

敎思无窮, 中虛也, 容保无疆, 中廣也. 敎與容, 皆臨下之事也. 問, 敎思无窮, 容保民无疆. 曰, 敎思无窮, 象地之四立, 容保民无疆, 象地之四圍也.

'가르치려는 생각이 다함이 없는 것'은 가운데가 비었기 때문이고, '포용하고 보호함이 끝이 없는 것'은 가운데가 넓기 때문이다. 가르침과 포용은 모두 아래에 임하는 일이다.

물었다: '가르치려는 생각이 다함이 없는 것'과 '백성을 포용하고 보호함이 끝이 없는 것'은 무엇입니까?

답하였다: '가르치려는 생각이 다함이 없는 것'은 땅이 사방으로 선 것을 상징하고, '백성을 포용하고 보호함이 끝이 없는 것'은 땅이 네 주위인 것을 상징합니다.

### 이지연(李止淵) 『주역차의(周易箚疑)』

坤爲母, 兌爲少女, 老母之於少女, 敎思容保之心, 可知也.

곤괘는 어머니가 되고 태괘는 막내딸이 되니, 늙은 어머니가 막내딸에 대하여 가르치려는 생각과 포용하고 보호하려는 마음을 알 수 있다.


### 김기례(金箕澧) 「역요선의강목(易要選義綱目)」

臨民敎化之意思, 如澤深无窮, 容民安保之度量, 如地大无疆.

백성에게 임하여 교화하려는 뜻은 마치 못이 깊어 다함이 없는 것과 같고, 백성을 포용하여 편안하게 보호하려는 도량은 마치 땅이 커서 끝이 없는 것과 같다.


### 심대윤(沈大允) 『주역상의점법(周易象義占法)』

澤在地中, 澤隨地以高, 地厚則澤益高. 君子因民以尊, 民衆則位益尊. 地在澤上, 爲澤之防, 地厚則澤益聚. 君子以德臨民, 德厚則民益歸. 旣取澤臨地之象, 又取地臨澤之義, 兼而言之, 故曰澤上有地. 敎思象兌, 容保象坤.

못이 땅 가운데 있어서 못이 땅을 따라 높으니, 땅이 도타우면 못도 더욱 높다. 군자는 백성으로 인해 높아지니, 백성이 많으면 자리가 더욱 높다. 땅이 못 위에 있어서 못의 제방이 되는데, 땅이 도타우면 못의 물은 더욱 모인다. 군자가 덕으로 백성에게 임하는데, 덕이 도타우면 백성이 더욱 많이 돌아온다. 이미 못이 땅에 임하는 상을 취하고, 또 땅이 못에 임하는 뜻을 취하여 겸해서 말했기 때문에 “못 위에 땅이 있다”고 말하였다. ‘가르치려는 생각’은 태괘를 상징하고, ‘포용하고 보호함’은 곤괘를 상징한다.


### 오치기(吳致箕) 「주역경전증해(周易經傳增解)」

地臨於澤, 有上臨下之象, 而君子以之敎導其民之思无窮極焉, 容保其民之心无疆域焉. 敎思无窮, 象乎澤之淵深, 容民无疆, 象乎坤之廣厚.

땅이 못에 임하는 것이 윗사람이 아랫사람에게 임하는 상을 갖고 있으므로, 군자가 그것을 본받아 그 백성을 교도하려는 생각이 다함이 없으며, 백성을 포용하여 보호하려는 마음이 끝이 없다. ‘가르치려는 생각이 다함이 없는 것’은 못의 물이 깊은 것을 상징하고, ‘백성을 포용하여 끝이 없는 것’은 땅이 넓고 도타운 것을 상징한다.

## 이진상(李震相) 『역학관규(易學管窺)』

象本義曰, 敎之無窮者兌也, 容之无疆者坤也. 蓋兌爲講故曰敎, 坤爲弘故曰容. 思如
兌澤之渙, 保如坤土之聚.

「상전」에 대한 『본의』에서 "가르침이 다함이 없는 것은 태괘이고, 포용함이 끝이 없는 것은
곤괘이다"라고 하였다. 태괘는 강의가 되기 때문에 '가르침'이라고 말하였고, 곤괘는 넓음이
되기 때문에 '포용함'이라고 말하였다. '생각'은 태괘인 못이 밝은 것과 같고, '보호함'은 곤괘
인 흙이 모이는 것과 같다.

## 박문호(朴文鎬) 「경설(經說)·주역(周易)」

二者, 指敎思无窮容保民无疆二句也.

두 가지는 '가르치려는 생각이 다함이 없는 것'과 '백성을 포용하여 보호함이 끝이 없는 것',
두 구절을 가리킨다.

## 이정규(李正奎) 「독역기(讀易記)」

大象曰, 澤上有地臨, 君子以, 敎思無窮, 容保民无疆, 與師之大象容民畜衆之之意相
近, 或水與澤相近故歟. 然坎險兌說不同, 則何可同也.

「대상전」에서 "못 위에 땅이 있는 것이 림(臨)이니, 군자가 그것을 본받아 가르치려는 생각
이 다함이 없으며 백성을 포용하여 보호함이 끝이 없다"라고 한 것은 사괘(師卦)의 「대상
전」에서 "백성을 포용하고 무리를 기른다"는 뜻과 서로 가까우니, 혹 물과 못이 서로 가깝기
때문인가? 그러나 감괘는 험함을 상징하고 태괘는 기쁨을 상징하여 같지 않으니, 어찌 같이
취급할 수 있겠는가?

## 이병헌(李炳憲) 『역경금문고통론(易經今文考通論)』

姚曰, 澤上有地, 地畜澤, 澤不妄行, 生而不已, 故敎思無窮. 坤含弘光大, 德合无疆,
澤虛以受, 故容保民无疆.

요신이 말하였다: 못 위에 땅이 있어서 땅이 못의 물을 저장하니 못이 함부로 흐르지 않고,
계속해서 나오기 때문에 가르치려는 생각이 다함이 없다. 땅은 포함하는 것이 넓고 빛나고
커서 덕이 다함이 없는데 합치되고, 못은 비어서 받아들이기 때문에 백성을 포용하여 보호
함이 끝이 없다.

初九, 咸臨, 貞吉.

정전 초구는 감동하여 임하니, 바르게 하여 길하다.
본의 초구는 모두 임하니, 바르게 하여 길하다.

# 中國大全

### 傳

咸, 感也, 陽長之時, 感動於陰, 四應於初, 感之者也, 比他卦, 相應尤重. 四近君
之位, 初得正位, 與四感應, 是, 以正道爲當位所信任, 得行其志, 獲乎上而得行
其正道, 是以吉也. 他卦初上爻, 不言得位失位, 蓋初終之義爲重也, 臨則以初
得位居正爲重. 凡言貞吉, 有旣正且吉者, 有得正則吉者, 有貞固守之則吉者,
各隨其事也.

‘함(咸)’은 감동함이니, 양이 자라는 때에 음에게 감동하는 것이다. 육사가 초구에 응하여 감동하는
자이니, 다른 괘에 비하여 서로 응함이 더욱 중요하다. 육사는 임금과 가까운 자리인데, 초효가 바른
자리를 얻어 육사와 감응하니, 이것은 바른 도로써 지위를 맡은 자에게 신임을 받아 그 뜻을 행하는
것이니, 위의 신임을 얻어 바른 도를 행할 수 있기 때문에 길한 것이다. 다른 괘에서는 초효와 상효에
"자리를 얻었다"와 "자리를 잃었다"를 말하지 않았으니, 처음과 끝의 뜻이 중요하기 때문이고, 림괘
는 초효가 자리를 얻어 바름에 있음을 귀중하게 삼았다. "바르게 하여 길하다"고 말한 것은 이미 바
르고 또 길한 경우, 바름을 얻으면 길한 경우, 바르고 굳게 지키면 길한 경우가 있으니, 각각 그 일에
〈어떤 곳에서는 때[時]이다.〉 따르는 것이다.

### 小註

或問, 程易作咸感之義如何. 朱子曰, 陰必從陽, 謂咸爲感亦是, 但覺得牽强些.
어떤 이가 물었다: 『정전』에서 함(咸)을 감동하다로 풀이한 것은 어째서입니까?
주자가 답하였다: 음은 반드시 양을 쫓기 때문에 함(咸)을 감동하다라고 해도 옳습니다. 다
만 조금 억지로 풀이한 것이라고 생각합니다.

○ 童溪王氏曰, 咸, 感也. 陰陽之氣, 相感而相應故也. 初九當君子道長之初, 所居者正位, 所行者正道, 而所與相感而相應者, 又皆履正之人, 故曰貞吉.

동계왕씨가 말하였다: '함(咸)'은 감동함이니, 음과 양의 기운이 서로 감동하여 응하기 때문이다. 초구는 군자의 도가 자라는 초기에 해당하여 있는 곳이 바른 자리이고 행하는 것이 바른 도라서 서로 감동하여 응하는 자들이 또한 모두 정도를 실천하는 바른 사람들이기 때문에 "바르게 하여 길하다"고 하였다.

○ 隆山李氏曰, 山澤通氣, 故山上有澤, 其卦爲咸. 而澤上有地, 初二爻亦謂之咸, 陰陽之氣, 相感也.

융산이씨가 말하였다: 산과 연못은 기운을 통한다. 그러므로 산 위에 연못이 있으니, 그 괘가 함괘(咸卦 · ䷞)이다. 연못 위에 땅이 있는 림괘에서 초효와 이효에 대해 또한 감동함이라고 하였으니, 음과 양의 기운이 서로 감동한 것이다.

卦唯二陽, 徧臨四陰, 故二爻皆有咸臨之象. 初九剛而得正, 故其占爲貞吉.

괘에 오직 두 양이 네 음에 두루 임하기 때문에 두 효가 모두 임하는 상이 있다. 초구가 굳셈으로 바름을 얻었기 때문에 그 점이 바르게 하여 길한 것이다.

建安丘氏曰, 咸, 皆也. 以二陽而臨四陰, 陽雖長而陰猶盛, 非協力不足以勝, 故初二皆曰咸臨.

건안구씨가 말하였다: '함(咸)'은 모두이다. 두 양으로 네 음에 임하였으니, 양이 비록 자라지만 음이 오히려 성대하여 두 양이 협력하지 않으면 이기기에 부족하기 때문에 초효와 이효에 "모두 임한다"고 하였다.

○ 雲峰胡氏曰, 復曰朋來, 初二兩咸字, 卽朋之義, 兩臨字, 卽來之義, 故復初元吉, 臨初亦貞吉.

운봉호씨가 말하였다: 복괘에 "벗이 온다"라고 하였으니, 초효와 이효의 '함(咸)'이라는 두 글자는 벗의 뜻이고, '임(臨)'이라는 두 글자는 온다는 뜻이다. 그러므로 복괘에서는 초구에 "크게 길하다"고 하였고, 림괘에서는 초구에 또한 "바르게 하여 길하다"고 하였다.

○ 雙湖胡氏曰, 王弼已訓咸爲感, 諸儒因之, 然而以二陽方長, 乃區區感四五二陰與
之相臨, 置三上不問, 不亦狹乎, 故不若訓徧與皆義, 見得陽道廣大公溥, 而且於立卦
命爻之義皆得也.

쌍호호씨가 말하였다: 왕필이 '함(咸)'을 감동하다로 이미 새기자 여러 선비들이 그것을 따
랐다. 그러나 두 양이 이제 막 자라나 저 사효와 오효의 두 음에 감동하여 서로 임하지만
삼효와 상효는 내버려 두니, 또한 좁지 아니한가? 그러므로 '두루'나 '모두'의 뜻으로 풀이하
여 양의 도가 광대하고 공변되면서 두루 미침을 알 수 있고, 괘를 세우고 효를 짓는 뜻에
있어서 모두 알맞음만 못하다.

## 韓國大全

### 김장생(金長生) 『주역(周易)』

初九貞吉, 傳得貞則吉.

초구의 '정길(貞吉)'에 대해서 『정전』에서는 "바름을 얻으면 길한 경우가 있다"고 풀이하였다.

需卦謙卦竝言之貞吉, 得正則吉者之謂也.

수괘와 겸괘에서 '정길(貞吉)'이라고 말한 것은 '바르면 길한 것'을 말한다.

### 송시열(宋時烈) 『역설(易說)』

初九咸字, 傳以盛字釋之. 此本於澤山咸之咸, 而小象無此意. 來氏以皆字釋之, 未詳
是否. 然初二之陽, 皆臨四陰之義, 九二亦曰咸. 貞吉者, 言貞固則吉也. 小象志行者,
以位未得中正而其志則將行正道之謂也.

초구의 '함(咸)'이라는 글자를 『정전』에서는 '성(盛)'이라는 글자로 풀이하였다. 이것은 '택
산함(澤山咸)'의 '함(咸)'에 근본을 두고 있고, 「소상전」에는 이러한 뜻이 없다. 래지덕은
'개(皆)'자로 해석했는데, 옳은지는 상세하지 않다. 그러나 초효와 이효의 양은 모두 네 음에
임하는 뜻을 갖고 있기 때문에, 구이에서도 또한 '함(咸)'이라고 하였다. '정길(貞吉)'은 바르
고 굳으면 길하다는 말이다. 「소상전」의 "뜻이 바름을 행하려는 것이다"라는 말은 자리가
중정함을 아직 얻지 못했지만, 그 뜻은 장차 바른 도를 행하려고 한다는 말이다.

## 이익(李瀷) 『역경질서(易經疾書)』

咸, 與也. 咸臨, 謂初二與同也. 卦惟此兩爻陽剛同德, 二五爲應, 而初亦同臨, 故曰志行也, 謂其志與之咸行也. 二五中而不正, 五柔而二剛, 非五之命足以辦此, 二自不失其中而無不利, 此未是順命而然也. 或曰, 初二同辭, 與晉同. 二卦皆君子道長向用之時. 然不急於趨命, 守道忘勢, 故一則曰未順命, 一則曰未受命. 言未則亦將有順命之會, 特未及耳.

'함(咸)'은 함께 한다는 뜻이다. '모두 임함[咸臨]'은 초효와 이효가 함께 하는 것이다. 괘에서 오직 이 두효가 굳센 양으로서 덕을 함께하며, 이효와 오효가 호응하고 초효 또한 함께 임하기 때문에 "뜻이 행하려고 한다"고 말하였으니, 뜻이 그와 더불어 함께 행하려 한다는 말이다. 이효와 오효는 가운데 있지만 바르지 않은 자리이고, 오효는 부드럽고 이효는 굳세어서 오효의 명령만으로는 충분히 이 일을 해낼 수 없고, 이효는 스스로 그 알맞음을 잃지 않아서 이롭지 않음이 없으니, 이는 명을 따라서 그런 것이 아니다.

어떤 이가 말하였다: 초효와 이효의 말이 같은 것은 진괘(晉卦)와 같다.[20] 두 괘는 모두 군자의 도가 자라서 장차 쓰일 때이다. 그러나 명령을 따르는데 급급하지 않고 도를 지켜 세력을 잊기 때문에 한편으로는 "아직 명을 따르지 않는다"고 말하였고, 한편으로는 "아직 명을 받지 않았다"고 말하였다. '아직'이라고 말하면 장차 명을 따를 기회가 있는 것이지만, 다만 언급하지 않았을 뿐이다.

## 유정원(柳正源) 『역해참고(易解參攷)』

王氏曰, 咸, 感也, 感應也. 有應於四感以臨者也. 四履正位而已應焉, 志行正者也. 以剛感順, 志行其正, 以斯臨物, 正而獲吉也.

왕씨가 말하였다: '함(咸)'은 '감(感)'이니, 감응함이다. 사효의 감동에 호응하여 임하는 자이다. 사효는 바른 자리를 밟고 이미 호응하기 때문에 뜻이 바름을 행하는 자이다. 굳셈으로 감응하여 따르고 뜻이 바름을 행하여 이로써 남에게 임하기 때문에 바르고 길함을 얻는다.

## 김상악(金相岳) 『산천역설(山天易說)』

咸臨, 猶言大臨也. 卦惟二陽徧臨四陰, 故初二皆取咸臨之象. 初之剛得正, 故貞而吉也.

'함림(咸臨)'은 "크게 임한다"고 말하는 것과 같다. 괘에서 오직 두 양이 네 음에 두루 임하기

---

20) 『周易·晉卦』: 晉如摧如. / 『周易·晉卦』: 晉如愁如.

때문에 초효와 이효에서 모두 크게 임하는 상을 취하였다. 초효의 굳센 양이 바름을 얻었기 때문에 곧고 길하다.

○ 臨爲重畫之震, 震陽上行. 二陽之合一, 故初二同象. 或曰, 咸者卦名, 咸之爲感在 於兌, 故此曰咸臨. 所以程傳, 咸感也, 謂陰陽交感而爲臨. 然不若訓徧, 徧有大字義 也. 所以咸臨而進, 則爲泰爲大壯也. 復之陽朋至臨而來, 故初二曰咸臨而二爻皆吉.

림괘(䷒)를 두 효씩 합하면 진괘(☳)가 되고, 진괘는 양효가 위로 행한다. 두 양이 합일하기 때문에 초효와 이효가 상이 같다. 어떤 이는 "함(咸)'은 괘의 이름이니, '함'이 '감(感)'이 되는 것은 태괘(兌卦)에 달려 있기 때문에 여기에서 '느껴서 임한다'고 말하였다. 그래서『정전』에서 '함(咸)은 감동함이다'라고 하였으니, 음양이 교감하여 림괘가 된다는 말이다"라고 하였다. 그러나 '변(徧)'이라고 풀이하는 것만 못하니, '변(徧)'에는 "크다"는 뜻이 있다. 그러므로 크게 임해서 나아가면 태괘(泰卦䷊)가 되고 대장괘(大壯卦䷡)가 된다. 복괘(復卦䷗)의 양이 무리로 림괘에 이르러 오기 때문에 초효와 이효에서 모두 "크게 임한다"고 말하였고, 두 효가 모두 길하다.

## 서유신(徐有臣)『역의의언(易義擬言)』

二陽浸長而爻性前進, 故爲前臨之象. 臨之而已, 故爲臨而不進之象也. 初九九二, 以 浸長之勢, 更有正應之相感, 而然猶臨而不進, 故俱曰咸臨也. 初九得正, 是貞也. 咸臨 而貞, 故吉也.

두 양이 점점 자라고 효의 성질이 전진하기 때문에 앞으로 임하는 상이 된다. 임할 뿐이기 때문에 임해서 나아가지 않는 상이 된다. 초구와 구이가 점점 자라나는 세력에다가 서로 느끼는 정응이 있는데도 오히려 임하여 나아가지 않기 때문에 "모두 임한다"고 말하였다. 초구가 바름을 얻은 것이 곧음이다. 모두 임해서 곧기 때문에 길하다.

## 박제가(朴齊家)『주역(周易)』

初九咸臨, 本義, 二陽偏臨四陰. 以臨爲逼, 亦猶履之解蹢以當柔蹢剛之義. 蓋卦有象 有義, 澤上有地, 則地臨澤也. 若義則陽可臨陰, 故大象與象不同, 而諸爻亦有一字而 義不同. 他卦莫不然. 然臨之六爻, 皆言臨而皆是上臨下, 古人屬辭元無以下臨上之 云. 如逼謂之臨, 則如臨事之謂也. 然來者爲臨, 往者不爲臨, 前者爲臨, 後者不爲臨, 昨可臨今而今不可臨昨. 曰往曰後曰昨, 皆以上之義, 非以下之義. 此初與二之咸臨, 毋論感與徧, 皆爲四陰臨二陽之象. 故兩爻皆曰咸, 非二陽同知而謂之咸也. 四陰皆臨於二陽, 陽無不感之理, 故一咸字而感與偏皆通也. 上六象傳曰, 敦臨之吉, 志在內也, 內者, 二陽也. 咸臨之爲陰臨可知矣.

초구의 '함림(咸臨)'에 대해서 『본의』에서 "두 양이 네 음에 두루 임한다"고 하였다. 임하는 것을 가까이 하는 것으로 여기는 것은 리괘(履卦䷉)에서 '섭(躡)'을 해석하여 "부드러움이 굳셈을 밟는다"는 뜻에 해당시키는 것과 같다. 괘에는 상도 있고 뜻도 있어서 못 위에 땅이 있으면 땅이 못에 임하는 것이다. 뜻의 경우는 양이 음에 임할 수 있기 때문에 「대상전」과 「단전」이 같지 않고, 여러 효에서 또한 한 글자가 있어서 뜻이 같지 않다. 다른 괘도 그렇지 않음이 없다. 그러나 림괘의 여섯 효에서 모두 '림(臨)'을 말하였고, 그것은 모두 윗사람이 아래에 임하는 것이니, 옛 사람이 글을 지을 때에 원래 아랫사람이 윗사람에게 임한다고 말하지는 않았다. 가까이 하는 것을 임한다고 말한다면, 그것은 일에 임하는 경우를 말한다. 그러나 오는 것은 임하는 것이 되지만 가는 것은 임하는 것이 되지 않고, 앞에 있는 것은 임하는 것이 되지만 뒤에 있는 것은 임하는 것이 되지 않으며, 어제는 오늘에 임할 수 있지만 오늘은 어제에 임할 수 없다. '가는 것', '뒤에 있는 것', '어제'는 모두 위에 대하는 뜻이지 아래에 대하는 뜻이 아니다. 이 초효와 이효의 '함림(咸臨)'은 '함(咸)'을 '감(感)'으로 보느냐 '변(偏)'으로 보느냐를 막론하고 모두 네 음이 두 양에게 임하는 상이 된다. 그러므로 두 효에 모두 '함(咸)'이라고 말했는데, 두 양이 함께 알아서 '함(咸)'이라고 말한 것이 아니다. 네 음이 모두 두 양에 임하는데, 양이 느끼지 못할 이치가 없기 때문에 하나의 '함(咸)'자에 대해서 '감(感)'과 '변(偏)'이 모두 통한다. 상육의 「상전」에 "돈독하게 임하니 길함은 뜻이 안에 있기 때문이다"라고 말했는데, 안에 있다는 것은 두 양을 말한다. '함림(咸臨)'은 음이 임하는 것임을 알 수 있다.

## 박문건(朴文健) 『주역연의(周易衍義)』

志在相遇, 故有咸臨之象. 咸, 感也. 用剛貞, 則可以進遇, 所以吉. 問, 咸臨. 曰, 咸臨, 感其臨上也. 咸之者, 志在相遇也.

뜻이 서로 만나는데 있기 때문에 감동하여 만나는 상이 있다. '함(咸)'은 '감동함'이다. 굳세고 곧음을 쓰면 나아가 만날 수 있기 때문에 길하다.

물었다: 감동하여 임한다는 것은 무슨 뜻입니까?

답하였다: 감동하여 임한다는 것은 감동하여 위로 임하는 것입니다. 감동한다는 것은 뜻이 서로 만나는 데 있습니다.

### 김기례(金箕澧) 「역요선의강목(易要選義綱目)」

咸, 感也. 臨貞吉, 陰陽之氣相感, 二陽方長, 初以剛居剛, 應四之以陰居陰者, 皆得正位, 故貞吉.

'함(咸)'은 '감동함'이다. 임하여 곧고 길한 것은 음양의 기운이 서로 교감하여 두 양이 막 자라고, 초효가 굳센 양으로 굳센 양의 자리에 있으면서 음으로서 음에 거하는 사효에 호응하여 모두 바른 자리를 얻기 때문에 곧고 길한 것이다.

### 허전(許傳) 「역고(易考)」

咸, 皆也. 諸上爻, 皆臨下也. 地可以臨澤, 澤不可以臨地, 故象傳不曰, 地中有澤, 而必曰澤上有地, 以見上之臨下也. 然易者, 交易變易也. 二陽臨四陰, 義亦可通. 無論上爻之臨下爻, 二陽之臨四陰, 其爲皆臨之義則均矣. 而王弼之訓咸爲感, 未知其必當也. 諸儒多從之, 然恐不若皆字之義所包廣也.

'함(咸)'은 '모두[皆]'이다. 여러 위에 있는 효가 모두 아래에 임하는 것이다. 땅은 못에 임할 수 있지만, 못은 땅에 임할 수 없기 때문에 「상전」에서 "땅 가운데 못이 있다"고 말하지 않고, 반드시 "못 위에 땅이 있다"고 말하여 위가 아래에 임한다는 것을 보여주었다. 그러나 역(易)이라는 것은 교역(交易)과 변역(變易)이다. 두 양이 네 음에 임한다고 해도 뜻이 또한 통할 수 있다. 위의 효가 아래 효에 임한다고 하건 두 양이 네 음에 임한다고 하건 상관없이 "모두 임한다"는 뜻이 되는 것은 똑같다. 왕필은 '함(咸)'을 '감동함'이라고 했는데, 반드시 그런지는 알지 못하겠다. 여러 유학자들이 대부분 그것을 따랐지만, '모두[皆]'라는 글자가 널리 포괄함만 같지 못한 듯하다.

### 심대윤(沈大允) 『주역상의점법(周易象義占法)』

臨之爻位, 居剛求臨者也, 居柔守臨者也.

림괘의 효의 자리는 굳센 양의 자리에 있는 것은 임하기를 구하는 자이고, 부드러운 음의 자리에 있는 것은 임하기를 지키는 자이다.

臨之師䷆, 衆也. 居臨之初, 才剛而居剛, 求之者也. 有應于四而二隔之, 爲志乎上而未高之義. 以其才德, 民之推仰者衆, 而未有臨民之位, 如師之水聚地中而未高耳. 咸, 感也. 民不感悅, 何以得臨乎. 故曰咸臨. 兌, 爲感悅. 初以陽剛得之, 非以邪道惑衆也, 故曰貞吉. 山澤合而六爻皆應爲咸, 地澤合而爲臨, 而初二有應, 故言咸臨也.

림괘가 사괘(師卦䷆)로 바뀌었으니, "많다[衆]"는 뜻이다. 림괘의 처음에 있으면서 재질이 굳세고 굳센 양의 자리에 있으니, 구하는 자이다. 사효와 호응하지만 이효가 막아서 높은 데 뜻을 두지만 아직 높지 않다는 뜻이 된다. 재주와 덕을 갖고 있어서 백성 가운데 추앙하는 사람들이 많지만 아직 백성에게 임할 지위를 갖고 있지 않으니, 사괘(師卦䷆)에서 물이 땅 가운데 모였지만 아직 높지 않은 것과 같다. '함(咸)'은 '감동함'이다. 백성들이 감동하여 기뻐하지 않으면 어떻게 임할 수 있겠는가? 그러므로 "감동하여 임한다"고 말하였다. 태괘(兌卦)가 감동하여 기뻐함이 된다. 초효는 굳센 양으로 그것을 얻는 것이지 그릇된 도리로 대중을 미혹하는 것이 아니기 때문에 "곧고 길하다"고 하였다. 산과 못이 합하고 여섯 효가 모두 호응하는 것이 함괘(咸卦䷞)가 되고, 땅과 못이 합하여 림괘(臨卦䷒)가 되는데, 초효와 이효가 호응을 갖고 있기 때문에 "감동하여 임한다"고 말하였다.

### 오치기(吳致箕) 「주역경전증해(周易經傳增解)」

初九陽剛居正, 上應六四之柔順而當臨之初, 說順相感俱得其正, 卽臨之善者也. 故占言正而吉.

초구가 굳센 양으로 바른 자리에 있고 위로 부드럽고 순한 육사에 호응하며 림괘의 처음을 당하여 기쁘게 따르며 서로 느껴 모두 바름을 얻으니, 잘 임하는 자이다. 그러므로 점에서 바르고 길하다고 말하였다.

咸者, 感也. 初之剛應四之柔, 二之剛應五之柔, 而皆相感, 故初二俱言咸臨也. 一說云, 咸者皆也同也. 復則一陽來復, 而臨則二陽同來漸長, 故言咸也.

'함(咸)'은 '감동함'이다. 굳센 초효가 부드러움 사효에 호응하고, 굳센 이효가 부드러운 오효에 호응하여 모두 서로 감응하고 있기 때문에 초효와 이효에서 모두 느껴서 임한다고 하였다. 일설에는 '함(咸)'은 '모두'이고 '같음'이라고 한다. 복괘에서는 한 양이 와서 회복되고 림괘에서는 두 양이 함께 와서 점점 자라기 때문에 '함(咸)'이라고 하였다.

### 이진상(李震相) 『역학관규(易學管窺)』

以二陽而臨四陰, 其道周遍, 不期而相感, 无感而相應, 乃无心之感也. 故以咸臨爲象. 初九剛而得正, 故曰貞吉. 在九二之下, 猶未當陰, 故象只言志.

두 양이 네 음에 임하니 그 도리가 두루 적용되어 기약하지 않아도 서로 감응하고 감응이 없어도 서로 호응하니, 무심한 감응이 된다. 그러므로 감응하여 임하는 것을 상으로 삼았다. 초구는 굳센 양으로서 바름을 얻었기 때문에 "곧고 길하다"고 말하였다. 구이의 아래에 있어서 오히려 음을 감당하지 못하기 때문에 「상전」에서는 다만 '뜻'을 말하였다.

### 채종식(蔡鍾植) 「주역전의동귀해(周易傳義同歸解)」

咸臨, 傳訓感臨, 本義訓皆. 臨, 蓋二陽之偏臨四陰, 以其陰陽之相感也. 若无相感之理, 則安得以皆臨乎.

'함림(咸臨)'을『정전』에서는 '감동하여 임함'이라고 풀이하였고,『본의』에서는 '모두 임함'이라고 풀이하였다. 임한다는 것은 두 양이 네 음에 두루 임하는 것인데, 음양이 서로 감동하기 때문이다. 서로 감동하는 이치가 없다면 어떻게 모두 임할 수 있겠는가?

### 박문호(朴文鎬) 「경설(經說)·주역(周易)」

此與他卦之陰陽相感無異, 而方陽長之時也, 故云尤重.

이것은 다른 괘의 음양이 서로 감동하는 것과 다름이 없지만, 막 양이 자라는 때이기 때문에 더욱 중요하다고 말하였다.

初上爻, 若言得位失位, 則初以陽爻居陽位, 是得位也, 上以陽爻居陰位, 是失位也.

초효와 상효에 대해 자리를 얻고 자리를 잃은 것을 말한다면, 초효는 양효로서 양의 자리에 있기 때문에 자리를 얻은 것이고, 상효는 양효로서 음의 자리에 있기 때문에 자리를 잃은 것이다.

初九, 本義竝釋九二之象, 故至九二註, 不復釋之, 但言其占, 讀者叅看可也.

초구에서『본의』는 구이의 상을 아울러 주석했기 때문에 구이의 주석에 이르러 다시 주석하지 않고 다만 그 점을 말했으니, 읽는 사람들이 참고하여 보는 것이 좋다.

象曰, 咸臨貞吉, 志行正也.

정전 「상전」에서 말하였다: "감동하여 임하니, 바르게 하여 길함"은 뜻이 바른 도를 행하려는 것이다."
본의 「상전」에서 말하였다: "모두 임하니, 바르게 하여 길함"은 뜻이 바른 도를 행하려는 것이다."

## 中國大全

### 傳

所謂貞吉, 九之志在於行正也. 以九居陽, 又應四之正, 其志正也.

이른바 "바르게 하여 길함"은 초구의 뜻이 바름을 행함에 있다. 구(九)로서 양의 자리에 있고 또 육사(六四)의 바름과 응하니, 그 뜻이 바른 것이다.

### 小註

建安丘氏曰, 當臨之始, 初能固守其正以從二, 則陽剛浸長, 群陰退聽, 而得吉也. 以其未當臨陰之任, 故曰志行正而已.

건안구씨가 말하였다: 임하는 처음에 초효가 바름을 참으로 지켜 이효를 따른다면 양의 굳셈이 차츰 자라나 여러 음이 겸손하게 듣게 되어 길하다. 아직 음에 임하는 일에 해당하지 않기 때문에 "뜻이 바른 도를 행하려는 것이다"고 하였다.

## 韓國大全

### 김상악(金相岳) 『산천역설(山天易說)』

初之貞吉, 以其志之行正也, 與屯初九同辭. 然臨則說而順, 其志之行, 美其已然也. 屯則動乎險, 其志之行, 勉其將然也.

초효가 곧고 길한 것은 그 뜻이 바름을 행하려 하기 때문이니, 준괘 초구와 효사가 같다. 그러나 림괘는 기뻐하여 따라서 그 뜻을 행하니, 아름다움이 이미 그러한 것이고, 준괘는 험한 가운데서 움직여 그 뜻을 행하니, 장차 그렇게 하라고 권면한 것이다.


### 서유신(徐有臣) 『역의의언(易義擬言)』

臨而不進, 不求應於六四, 是其志行其正道也.

임하고서 나아가지 않고, 육사에 호응하기를 구하지 않으니, 그 뜻이 바른 도를 행하려는 것이다.


### 박문건(朴文健) 『주역연의(周易衍義)』

行正, 言釋疑而從四也.

바름을 행한다는 것은 의심을 풀고 사효를 따르는 것이다.


### 오치기(吳致箕) 「주역경전증해(周易經傳增解)」

以陽剛之德, 居正而應正, 其志在於行正也.

굳센 양의 덕으로 바른 자리에 있고 호응도 바르니, 그 뜻이 바름을 행하는데 있다.


### 이병헌(李炳憲) 『역경금문고통론(易經今文考通論)』

兌說, 故咸臨. 咸, 感也. 感四, 則志行正也.

태괘는 기쁨이기 때문에 감동하여 임한다. '함(咸)'은 '감동함'이다. 사효를 감동시키는 것은 뜻이 바름을 행하는 것이다.

## 九二, 咸臨, 吉, 无不利.

정전 구이는 감동하여 임하니, 길하여 이롭지 않음이 없으리라.
본의 구이는 모두 임하니, 길하여 이롭지 않음이 없으리라.

## ‖中國大全‖

### 傳

二, 方陽長而漸盛, 感動於六五中順之君, 其交之親. 故見信任得行其志, 所臨, 吉
而无不利也. 吉者, 已然, 如是故吉也. 无不利者, 將然, 於所施爲, 无所不利也.

구이는 이제 막 양이 자라나 점점 성하여 알맞고 순한 군주인 육오를 감동시켜서 그 사귐이 친하기
때문에 신임을 받아 그 뜻을 행하니, 임하는 바가 길하여 이롭지 않음이 없다. 길하다는 것은 이미
그러한 것이니 이와 같기 때문에 길한 것이다. 이롭지 않음이 없다는 것은 장차 그렇게 된다는 것이
니, 시행하는 바에 이롭지 않음이 없다는 것이다.

### 小註

厚齋馮氏曰, 以卦義言之, 以大臨小, 初九九二臨四陰也. 以爻位言之, 以上臨下, 六四
六五臨初九九二者也. 惟其正應而陰陽相感, 故交相爲臨而謂之咸, 言其交相感而交
相臨也. 初與二同爲咸臨, 而初貞二无不利者, 蓋初位卑而不中, 故取其正. 二得中而
應君, 故无不利. 不言貞, 位不當也. 君臣正應以相與, 故陽之上進群陰順之, 所以无不
利也.

후재풍씨가 말하였다: 괘의 뜻으로 말하면 큰 것으로 작은 것에 임함이니, 초구와 구이가
네 음에 임한 것이다. 효의 자리로 말하면 위로써 아래에 임함이니, 육사와 육오가 초구와
구이에 임한 것이다. 정응으로 음양이 서로 감응하기 때문에 서로 임하여 감동한다고 하였
으니, 서로 감동하여 서로 임한다는 말이다. 초구와 구이가 함께 감동하여 임하니, 초구는
바르게 하고 구이는 이롭지 않음이 없음은 초구가 위치가 낮고 중을 얻지 못했기 때문에
그 바름을 취했고, 구이는 중을 얻어 임금에 응하기 때문에 이롭지 않음이 없다. 바름을

말하지 않음은 자리가 해당하지 않기 때문이다. 임금과 신하가 정응하여 서로 사귀기 때문에 양이 위로 나아감에 여러 음이 순종하기 때문에 이롭지 않음이 없는 것이다.

### 本義

剛得中而勢上進, 故其占, 吉而无不利也.

굳셈이 중을 얻고 형세가 위로 나아가기 때문에 그 점이 길하여 이롭지 않음이 없는 것이다.

### 小註

進齋徐氏曰, 初九曰咸臨貞吉, 而九二則曰咸臨吉无不利, 何也. 曰, 初未得中, 未當臨陰之任, 故在初惟當固守其志以從二, 得貞而吉也. 二得中則勢上進已當臨陰之任矣. 在二不過率初之陽以同往, 則柔不能拒, 是以吉而无不利也. 貞吉者, 戒初之辭. 吉无不利者, 勉二之辭也.

진재서씨가 말하였다: 초구에서 "모두 임하니, 바르게 하여 길하다"고 하였고, 구이에서는 "모두 임하니, 길하여 이롭지 않음이 없으리라"고 한 것은 어째서인가? 초구는 중을 얻지 못하여 음의 임무에 임함을 아직 감당하지 못하기 때문에 초구에게 있어서는 오직 그 뜻을 고수하여 구이를 쫓아서 바르게 하여 길하다. 구이는 중을 얻어 형세가 이로 나아가 음의 임무에 임함을 이미 감당한다. 구이에 있어서는 초구의 양을 쫓아 함께 감에 불과하면 유순하여 거부할 수 없기 때문에 길하여 이롭지 않음이 없는 것이다. 바르게 하여 길함은 초구를 경계하는 말이고, 길하여 이롭지 않음은 구이를 격려하는 말이다.

○ 雲峰胡氏曰, 初剛得正, 未見其勢之進, 故曰貞吉. 二剛得中勢可以上進, 故不特曰吉, 又曰无不利. 至六三則曰无攸利. 扶陽抑陰之意可見矣.

운봉호씨가 말하였다: 초구는 굳세고 중을 얻었지만 그 형세가 나아감을 볼 수 없기 때문에 바르게 하여 길하다고 하였다. 구이는 굳세고 중을 얻어 형세가 위로 나아가기 때문에 길하다고 할 뿐만 아니라 이롭지 않음이 없다고 하였다. 육삼에 이르러 이로운 바가 없다고 하였으니, 양을 돕고 음을 누르는 뜻을 볼 수 있다.

# ▌韓國大全▐

### 유정원(柳正源) 『역해참고(易解參攷)』

正義, 有應於五, 是感以臨而得其吉也. 无不利者, 二雖與五相應, 二體是剛, 五體是柔, 兩雖相感, 其志不同, 若純用剛往, 則五所不從, 若純用柔往, 又損己剛, 必須商宜有從有否, 乃得无不利.

『주역정의』에서 말하였다: 오효에 호응하는 것이 느껴서 임하여 길함을 얻는 것이다. 이롭지 않음이 없다는 것은 이효가 비록 오효와 서로 호응하지만 이효의 몸체는 굳세고 오효의 몸체는 부드러워 둘이 비록 서로 느끼지만 그 뜻은 같지 않으니, 순수하게 굳셈을 써서 가면 오효가 따르지 않을 것이고, 순수하게 부드러움을 써서 가면 자기의 굳셈을 덜어내야 하기 때문에, 반드시 따를지의 여부를 헤아려서 가야 이롭지 않음이 없을 수 있다는 것이다.

### 김상악(金相岳) 『산천역설(山天易說)』

九二以剛得中應五比三, 勢可以進, 故吉而无不利也.

구이는 굳센 양으로 중을 얻어 오효에 호응하고 삼효와 비의 관계에 있으므로 형세가 나아갈 수 있기 때문에 길하여 이롭지 않음이 없다.

○ 臨初二曰咸臨, 而兩爻皆吉. 觀五上曰觀生, 而兩爻皆无咎. 剝初二曰剝牀, 而兩爻皆凶. 其扶陽抑陰之意可見.

림괘의 초효와 이효는 '함림(咸臨)'이라고 했고 두 효 모두 길하다. 관괘의 오효와 상효는 '관생(觀生)'이라고 했고 두 효 모두 허물이 없다. 박괘의 초효와 이효는 '박상(剝牀)'이라고 했고 두 효 모두 흉하다. 양을 북돋우고 음을 억누르는 뜻을 볼 수 있다.

### 서유신(徐有臣) 『역의의언(易義擬言)』

九二剛中, 六五柔中, 正應相感, 臨而不進, 在二爲吉, 在五亦无不利也.

구이는 굳센 양으로 가운데 있고 육오는 부드러운 음으로 가운데 있어서 정응으로 서로 느껴 임하면서도 나아가지 않기 때문에 이효는 길하고 오효 또한 이롭지 않음이 없다.

### 박제가(朴齊家) 『주역(周易)』

九二, 无不利.

구이는 이롭지 않음이 없다.

初陽穉, 故貞而後吉, 二漸長, 故无不利.

초효는 양으로서 어리기 때문에 곧은 다음에 길하고, 이효는 점점 자라기 때문에 이롭지 않음이 없다.

### 강엄(康儼) 『주역(周易)』

按, 初九九二皆有咸臨之象, 而初九剛而得正, 故貞而吉, 九三剛而得中, 故吉且无不利. 中重於正, 亦可見矣.

내가 살펴보았다: 초구와 구이는 모두 느껴 임하는 상이 있는데, 초구는 굳세고 바름을 얻었기 때문에 곧고 길하며, 구삼은 굳세고 알맞음을 얻었기 때문에 길하고 또한 이롭지 않음이 없다. 가운데 있는 것이 바른 자리에 있는 것보다 중요함을 또한 알 수 있다.

### 박문건(朴文健) 『주역연의(周易衍義)』

決意升進, 故有感臨之象, 相遇, 故吉而无所不利.

뜻을 결정하여 위로 나아가기 때문에 느껴 임하는 상이 있고, 서로 만나기 때문에 길하여 이롭지 않은 바가 없다.

### 김기례(金箕澧) 「역요선의강목(易要選義綱目)」

初雖剛正當, 始復之時, 未能遽進, 固□從二而行, 故曰貞吉, 又志行正. 二以得中之剛才, 勢足以上進而臨陰, 故吉且无不利.

초효가 비록 굳세고 정당하지만 처음 회복되는 때에 갑자기 나아갈 수 없어서 본래 □ 이효를 따라서 행하기 때문에 곧고 길하며 또한 뜻이 바름을 행하는 것이다. 이효는 알맞음을 얻은 굳센 재질로 형세가 충분히 위로 나아가 음에 임할 수 있기 때문에 길하고 또한 이롭지 않음이 없다.

## 심대윤(沈大允) 『주역상의점법(周易象義占法)』

臨之復䷗, 自下反上也. 九二之下接于民, 而反得其推仰以有位者, 有自下反上之義
也. 以剛得衆而居柔, 守其感悅來服者而不求其不來也. 故曰咸臨, 臨止於其感悅來服
也. 下有初九爲有臨之象, 而才力均敵, 未有推戴之意, 故不强求臨也, 所以吉而无不
利也.

림괘가 복괘(復卦䷗)로 바뀌었으니, 아래로부터 위로 돌아간 것이다. 구이는 아래로 백성을
접하여 도리어 그들의 추앙을 받아서 지위를 갖는 사람이니, 아래로부터 위로 돌아가는 뜻
을 갖는다. 굳센 양으로 무리를 얻고 부드러운 음의 자리에 거하여, 기쁨을 느껴 와서 복종
하는 자를 지키고 오지 않는 자를 구하지 않는다. 그러므로 "감동하여 임한다"고 했으니,
임하는 것은 기쁨을 느껴 와서 복종하는 자에 그친다. 아래에 초구가 있는 것이 임하는 상이
되고, 재능과 힘이 대등하여 추대하는 뜻이 없기 때문에 억지로 임하기를 구하지 않기 때문
에 길하고 이롭지 않음이 없다.


## 오치기(吳致箕) 「주역경전증해(周易經傳增解)」

九二陽剛得中而應六五柔中之君, 雖以說體而居柔, 初非容悅柔順阿意承君, 乃以中
行之道, 相感而臨, 故言吉而无攸不利.

구이는 굳센 양으로서 알맞음을 얻으며 부드럽고 알맞은 육오의 임금과 호응하여, 비록 기
쁨을 상징하는 몸체의 부드러운 음의 자리에 있지만, 애초에 임금에게 용모로 기쁘게 하고
부드럽게 따라서 아첨하여 받드는 것을 알맞게 행하는 도로 삼아 서로 느껴 임하지 않기
때문에 길하여 이롭지 않은 바가 없다고 말하였다.

○ 咸之義, 已見初九. 自初至二, 皆以剛應于在外之柔, 故爲內臨外之象也.

'함(咸)'의 뜻은 이미 초구에 보인다. 초효로부터 이효에 이르기까지 모두 굳센 양으로 밖에
있는 부드러운 음에 호응하기 때문에 안이 밖에 임하는 상이 된다.

象曰, 咸臨吉无不利, 未順命也.

정전 「상전」에서 말하였다: “감동하여 임하니, 길하여 이롭지 않음이 없음”은 명령에 순종하려는 것이 아니다.

본의 「상전」에서 말하였다: “모두 임하니, 길하여 이롭지 않음이 없음”은 명령에 순종하려는 것이 아니다.

## 中國大全

### 傳

未者, 非遽之辭. 孟子, 或問勸齊伐燕, 有諸. 曰, 未也. 又云仲子所食之粟, 伯夷之所樹歟, 抑亦盜跖之所樹歟. 是未可知也. 史記, 侯嬴曰, 人固未易知. 古人用字之意, 皆如此. 今人, 大率用對己字, 故意似異, 然實不殊也. 九二與五感應以臨下, 蓋以剛德之長而又得中, 至誠相感, 非由順上之命也, 是以吉而无不利. 五順體而二說體, 又陰陽相應, 故象特明其非由說順也.

미(未)는 갑자기 그러한 것이 아니란 말이다. 『맹자(孟子)』에 “어떤 사람이 ‘제(齊)나라에게 연(燕)나라를 치도록 권하셨다 하니, 그런 일이 있었습니까’ 라고 묻자, 맹자께서 ‘아니다’ [未也]”라고 하였고, 또 이르기를 “중자(仲子)가 먹는 곡식은 백이(伯夷)가 심은 것인가? 아니면 도척(盜跖)이 심은 것인가? 이를 알 수 없다”고 하였으며, 『사기(史記)』에 “후영(侯嬴)이 말하기를 ‘사람은 진실로 알기가 쉽지 않다’고 하였다”라고 하였으니, 옛 사람이 글자를 쓴 뜻이 모두 이와 같다. 지금 사람은 대체로 이(已)와 상대하여 쓰기 때문에 뜻이 다른 것 같으나, 실제로는 다르지 않다. 구이는 육오와 감응하여 아래에 임(臨)하니, 굳센 덕이 자라나고 또 중을 얻어서 지극한 참됨으로 서로 감응하는 것이고, 윗사람의 명령에 순종하려는 것이 아니다. 그래서 길하여 이롭지 않음이 없는 것이다. 육오는 유순한 몸체이고 구이는 기뻐하는 몸체이며, 또한 음양이 서로 감응하기 때문에 「상전」에서는 다만 기뻐하여 순종함을 말미암음이 아님을 밝힌 것이다.

### 本義

未詳.

자세하지 않다.

### 小註

節齊蔡氏曰, 命, 君命, 謂五也.

절재채씨가 말하였다: 명은 임금의 명령이니, 육오를 말한다.

○ 進齋徐氏曰, 二剛咸臨, 有進逼陵躐之勢. 五柔二剛, 有君弱臣強之疑. 以此相臨, 豈能遽合. 自二言之, 其初未順命也. 然五以柔中用二, 二以剛中應五, 豈終不順哉. 聖人以未順命釋之, 欲人知以道事君, 而不苟於從上也.

진재서씨가 말하였다: 구이는 굳세어 모두 임하니, 나아가 다그치고 깔보며 남을 밟는 형세가 있다. 육오는 유순하고 구이는 굳세니, 임금은 약하고 신하는 강한 의심이 있다. 이것으로 서로 임하니, 어찌 갑자기 합하겠는가? 구이로 말하면 초기에는 명령에 순종하려는 것이 아니다. 그러나 육오는 유순한 중으로 구이를 등용하고, 구이는 굳센 중으로 구오에 응하니, 어찌 끝내 순종하지 않겠는가? 성인이 순종하려고 한 것은 아니라고 해석하여 사람들에게 도로써 임금을 섬겨야지 구차하게 윗사람을 쫓아서는 안 됨을 알게 하고자 한 것이다.

## 韓國大全

### 권근(權近) 『주역천견록(周易淺見錄)』

言二五相感, 而吉无不利者, 非是九二阿諛曲從, 以順上命也, 但以剛中之道, 相感而已. 所謂未順命, 如從父之令, 焉得爲孝之意也.

이는 이효와 오효가 서로 감응하여 길해서 이롭지 않음이 없다는 것이니, 구이가 아부하고 부당하게 굽실거리면서 윗사람의 명령에 순종하는 것이 아니라, 다만 굳세고 알맞은 도로써 서로 감응할 뿐임을 말한다. 이른바 '명령에 순종하려는 것이 아니라는 것'은 "아버지의 명령을 따르는 것만으로 어찌 효라고 할 수 있는가?"[21]라는 의미와 같다.

## 조호익(曺好益) 『역상설(易象說)』

傳, 未者, 非遽之辭, 非遽, 非必云者, 非直解未字之義. 以與不字不同, 故其措語之間, 有這意思.

『정전』에서 "'미(未)'는 갑작스러운 것이 아니란 말이다"라고 하였는데, '비거(非遽)'는 반드시 그러한 것은 아니라는 것으로, '미(未)'자의 뜻을 곧바로 해석한 것은 아니다. '불(不)'자와는 뜻이 같지 않으므로, 말을 하는 사이에 그러한 뜻을 두었다.

## 송시열(宋時烈) 『역설(易說)』

咸見上. 吉无不利者, 大吉之辭, 寧有未順君命而大吉者哉. 傳引孟子侯嬴者, 尤爲可疑, 故本義云未詳. 徐進齋之說, 尤似牽合然. 愚意, 則未字或末字之誤耶. 末者終也, 順者坤德也, 命者君命也, 言終必有順君命之道. 以此看何如. 惶仄不敢强解.

'함(咸)'의 뜻은 위에 보인다. "길하여 이롭지 않음이 없다"는 것은 크게 길하다는 말인데, 어찌 임금의 명령에 순종하지 않고서 크게 길한 경우가 있겠는가? 『정전』에서 『맹자』와 후영(侯嬴)을 인용한 것은 더욱 의심스럽기 때문에 『본의』에서 "상세하지 않다"고 말하였다. 진재서씨의 설명은 더욱 견강부회이다. 나의 생각으로는 '미(未)'자는 혹 '말(末)'자의 잘못인지도 모르겠다. '말(末)'은 '끝'이고, 순함은 곤의 덕이고, 명은 임금의 명이니, 끝에 반드시 임금의 명을 따르는 도가 있다는 말이다. 이와 같이 보는 것이 어떤지? 애매하여 감히 억지로 해석하지 않는다.

## 유정원(柳正源) 『역해참고(易解參攷)』

未順命.

명령에 순종하려는 것이 아니다.

正義, 未可盡順五命, 須斟酌事宜有從有否, 故得无不利也. 君臣上下, 獻可替否之宜也.

『주역정의』에서 말하였다: 오효의 명령을 다 순종할 수 없어서 반드시 일의 마땅함과 따를지의 여부를 헤아리기 때문에 이롭지 않음이 없을 수 있다. 임금과 신하, 윗사람과 아랫사람은 옳은 일은 권하고 그른 일은 바로잡는 마땅함이 있어야 한다.

---

21) 『孝經 · 諫爭』: 從父之令, 又焉得爲孝乎.

○ 安定胡氏曰, 未字衍文.

안정호씨가 말하였다: '미(未)'자는 잘못 들어간 글자이다.

## 김상악(金相岳) 『산천역설(山天易說)』

初二, 咸臨而進之者, 志欲行正也, 非由順上之命也.

초효와 이효는 모두 임하여 나아가고자 하는 자로서 뜻이 바름을 행하려는 것이지 윗사람의 명령에 순종하는 것이 아니다.

或曰, 坤體三陰皆順乎陽, 而三居兌體以掩蔽. 故二陽之咸臨以進之者, 爲其未順命也. 然三旣憂之, 則終必順之, 故陽吉而无不利, 陰亦无咎也.

어떤 이가 말하였다: 곤의 몸체 세 음이 모두 양을 따르는데, 삼효가 태괘의 몸체에 있으면서 가리고 있다. 그러므로 두 양이 모두 임하여 나아가는 것은 아직 명에 순종하지 않기 때문이다. 그러나 삼효가 이미 근심한다면 끝내 반드시 순종할 것이기 때문에, 양은 길하여 이롭지 않음이 없고 음도 또한 허물이 없다.

## 서유신(徐有臣) 『역의의언(易義擬言)』

六五相感而二不遽進, 是爲未遽順承六五之命也. 時義卽然也.

육오가 서로 감응하지만 이효가 갑자기 나아가지 않는 것은 육오의 명령을 갑자기 받들어 순종하지 않는 것이다. 때와 의리가 곧 그러한 것이다.

## 박제가(朴齊家) 『주역(周易)』

程傳釋未字, 未免牽强, 本義直曰未詳. 然衆陰盡臨, 陰先於陽, 故二守正, 有未遽應之志. 如切近之, 三尙不受其甘而使之无利, 故聖人發其志而贊之. 如初則周公已戒之, 此夫子所以發周公未發之義者歟. 由此觀之, 則四之至臨无咎, 亦初之貞之使之然耳. 上六敦臨, 傳曰大率陰求於陽者是也. 陰求於陽而陽未順命, 故聖人特發之. 如无此言, 則但知九之爲吉无不利, 而孰知其守正不應之吉哉.

『정전』에서 '미(未)'사를 해석한 것이 선상부회를 면하지 못하기 때문에『본의』에서는 다만 "상세하지 않다"고 말하였다. 그러나 여러 음이 모두 임하고 음이 양에 앞서기 때문에, 이효가 바름을 지켜서 아직 갑자기 응하지 않는 뜻이 있다. 만일 절실하게 가까이 한다면 삼효가 오히려 그 달콤하게 해서 이익이 없도록 하는 것을 받지 않을 것이기 때문에, 성인이 그 뜻을 말하여 찬미하였다. 초효와 같은 경우는 주공이 이미 경계하였으니, 이것이 공자가 주공이 말하지 않은 것을 말한 뜻일 것이다. 이로부터 본다면 사효가 지극하게 임해서 허물이 없는 것도 또한 초효의 곧음이 그렇게 만든 것일 뿐이다. 상육의 '돈독하게 임함'에 대해서 『정전』에서 '대체로 음이 양에게 구하는 것'이라고 한 것이 이것이다. 음이 양에게 구하는데 양이 아직 명령에 순종하지 않기 때문에 성인이 특별히 그것을 말하였다. 이 말이 없다면 다만 구(九)가 길하여 이롭지 않음이 없는 것이 되는 줄 알 뿐이니, 누가 바름을 지켜 응하지 않는 길함을 알겠는가?

### 박문건(朴文健)『주역연의(周易衍義)』

命, 六五之命也.

'명'은 육오의 명령이다.

〈問, 未順命. 曰, 五雖用柔暗之疑而拒二, 然二用剛明之決而進五. 雖曰未順乎上命, 然二不失從上之道, 故吉而无不利也.

물었다: "아직 명령에 순종하지 않았다"는 무슨 뜻입니까?

답하였다: 오효가 비록 유약하고 어두운 의심을 써서 이효를 막지만, 이효가 굳세고 밝은 결단을 써서 오효로 나아갑니다. 비록 "윗사람의 명령에 순종하지 않았다"고 말할지라도, 이효가 윗사람을 따르는 도리를 잃지 않기 때문에 길하여 이롭지 않음이 없습니다.〉

### 이지연(李止淵)『주역차의(周易箚疑)』

陰極而陽, 陽極而陰, 天之順理, 理卽命也. 臨之二陽, 至于八月, 則不得不順命, 吉變而爲凶. 无不利者, 將變而爲不利矣. 今此吉无不利者, 及其未順命之時也, 故如是也, 亦以寓警戒之意焉. 猶云无平不陂, 无往不復, 艱貞吉无咎之意也.

음이 극하면 양이 되고 양이 극하면 음이 되는 것은 자연의 순리(順理)이고 리(理)는 곧 명(命)이다. 림괘의 두 양은 팔월에 이르면 명령에 순종하지 않을 수 없어 길함이 변하여 흉함이 된다. "이롭지 않음이 없다"는 것은 장차 변하여 이롭지 않음이 된다. 지금 이 "길하여 이롭지 않음이 없다"는 것은 명령에 순종하지 않았을 때이기 때문에 이와 같으니, 또한 경계하는 뜻을 붙였다. 그것은 "평평한 것은 기울지 않는 것이 없으며, 가서 돌아오지 않는 것은 없으니, 어려워도 곧게 하면 길하여 허물이 없다"[22]는 뜻이다.

---

22) 『주역·태괘』.

## 김기례(金箕灃) 「역요선의강목(易要選義綱目)」

蓋陰主利, 則二以陽居陰, 應陰而進, 故曰利. 未順命, 命, 君命, 指五.

음은 이로움을 주로 하는데, 이효는 양으로 음에 있고 음에 호응하여 나아가기 때문에 이로움이라고 말하였다. "명령에 순종하지 않았다"고 할 때의 '명령'은 임금의 명령으로, 오효를 가리킨다.

○ 君順臣說, 感而相應, 非必順君命而後往應之[23].

임금이 따르고 신하가 기뻐하여 느껴서 서로 호응하는 것이지, 반드시 임금의 명령에 순종한 이후에 가서 호응하는 것이 아니다.

## 이항로(李恒老) 「주역전의동이석의(周易傳義同異釋義)」

傳, 未者, 非遽之辭, 云云.

『정전』에서 말하였다: '미(未)'라는 것은 갑자기가 아니라는 말이다, 운운.

本義, 未詳.

『본의』에서 말하였다: 상세하지 않다.

按, 未字當與无妄六二未富之未同釋. 蓋孟子所謂哭死而哀, 非爲生者也, 經德不回, 非以干祿也, 言語必信, 非以正行也之意, 與此略同. 九二以剛中之德, 居六五正應之位, 而有兌說之象, 則其順君之命, 不言可知也. 但其吉无不利者, 在乎剛中而有應不偏不過故也, 非以順上之命而合其勢資其力而然也. 大抵未字, 有將然而未及者, 有已能而未有者, 恐亦可備一說.

내가 살펴보았다: '미(未)'자는 무망괘 육이의 '미부(未富)'의 '미(未)'와 동일하게 해석해야 한다. 맹자의 이른바 "죽음을 곡하여 슬퍼하는 것이 산 사람을 위한 것이 아니며, 떳떳한 덕을 굽히지 않는 것이 그로써 봉록을 구하는 것이 아니며, 언어를 반드시 믿음직스럽게 하는 것이 그로써 행실을 바르게 하려는 것이 아니다"[24]라는 뜻이 이것과 대략 같다. 구이는 굳세고 알맞은 덕으로 육오의 정응인 자리에 거하여 기쁨을 상징하는 태괘(兌卦)의 상이 있으니, 그가 임금의 명령에 순종할 것은 말하지 않아도 알 수 있다. 다만 길하여 이롭지 않음이 없는 것은 굳세고 알맞으며 호응도 치우치지 않고 지나치지도 않기 때문이지, 윗사

---

23) 之: 경학자료집성DB와 영인본에는 모두 '□'로 되어 있으나, 문맥을 살펴 '之'로 바로잡았다.

24) 『맹자·진심』.

람의 명령에 순종하여 그 세력을 합하고 그 힘에 의지하기 때문이 아니다. 대체로 '미(未)'자
는 장차 그러할 것이지만 아직 미치지 않은 것인데, 이미 할 수 있지만 아직 가지고 있지
않은 것도 또한 하나의 설이 될 수 있을 것이다.


## 심대윤(沈大允) 『주역상의점법(周易象義占法)』

下有未順命, 故爲咸臨也.

아래로 명령에 순종하지 않는 것이 있기 때문에 느껴 임하는 것이 된다.


## 오치기(吳致箕) 「주역경전증해(周易經傳增解)」

言以剛德得中, 故有此吉利也, 未以其順承君命之故也. 二居說體而應于順, 故夫子特
言以辨之也.

굳센 덕으로 알맞음을 얻었기 때문에 이러한 길함과 이로움을 얻은 것이지, 임금의 명령을
순종하여 받들었기 때문이 아니라는 말이다. 이효가 기쁨의 몸체에 있으면서 순한 음에 호
응하기 때문에 공자가 특별히 말하여 구별하였다.


## 이진상(李震相) 『역학관규(易學管窺)』

未順命.

명령에 순종하려는 것이 아니다.


九二剛中之賢, 未遽以從命爲恭, 匡救將順兩得其宜, 故曰未順命, 蓋言未必盡順而亦
未嘗不順也. 或曰, 未, 是志之誤, 更詳.

구이는 굳세고 알맞은 현인으로 갑자기 명을 따르는 것을 공손함으로 여기지 않고, 바로잡
는 것과 순종하는 것이 둘 다 알맞도록 하기 때문에 "명령에 순종하지 않는다"고 말하였으
니, 반드시 다 순종하지는 않지만 순종하지 않음이 없다는 말이다. 어떤 이는 "'미(未)'는
'지(志)'자가 잘못된 글자이다"라고 하는데, 다시 상세히 살펴보아야 한다.


## 박문호(朴文鎬) 「경설(經說)·주역(周易)」

非遽, 遽恐是語辭. 非遽, 猶言非是也.

'비거(非遽)'의 '거(遽)'는 아마도 어조사일 것이다. '비거(非遽)'는 "~이 아니다[非是]"라고
말하는 것과 같다.

按, 未也之未, 此固非義也. 未可知之未, 與未易知之未, 則未見其必爲非義, 更詳之.
意似異然, 實不殊, 此明對已未字之義, 與此非邊之辭相同也.

내가 살펴보았다: '미야(未也)'의 '미(未)'는 '비(非)'라는 뜻이 아니다. '미가지(未可知)'의
'미(未)'와 '미이지(未易知)'의 '미(未)'는 반드시 '비(非)'라는 뜻이 되는 것은 아니니, 다시
상세히 살펴보아야 한다. 의미가 다른 듯하지만 실제로 다르지 않은 것은 분명 '이(已)'자와
상대되는 '미(未)'자의 뜻으로, 이 '비거(非邊)'라는 말과 서로 같다.

### 이정규(李正奎) 「독역기(讀易記)」

九二小象, 未順命之未字, 似以非字意看之. 蓋以剛中之道事君, 故无不利也, 非苟順
君命而无不利也. 未知如何.

구이 「소상전」의 '미순명(未順命)'의 '미(未)'자는 '비(非)'자의 뜻으로 보아야 할 것 같다.
굳세고 알맞은 도리로 임금을 섬기기 때문에 이롭지 않음이 없는 것이지, 구차하게 임금의
명령에 순종하여 이롭지 않음이 없는 것이 아니다. 어떤지 모르겠다.

### 이병헌(李炳憲) 『역경금문고통론(易經今文考通論)』

九二賢人在下, 未必盡順六五之命, 亦未必升居五位, 但盡職而已, 暗指文王之事.

구이는 현인이 아래에 있어서 반드시 육오의 명령에 다 순종하지는 않고, 또한 반드시
오효의 자리에 올라가 거처하는 것은 아니며, 직분을 다 할 뿐이니, 은근히 문왕의 일을
가리킨다.

六三, 甘臨, 无攸利, 旣憂之, 无咎.

육삼은 달콤함으로 임하여 이로운 바가 없으니, 이미 근심하므로 허물이 없으리라.

## 中國大全

### 傳

三居下之上, 臨人者也. 陰柔而說體, 又處不中正, 以甘說, 臨人者也. 在上而〈一无而字〉以甘說臨下, 失德之甚, 无所利也. 兌性旣說, 又乘二陽之上, 陽方長而上進, 故不安而益甘. 旣知危懼而憂之, 若能持謙守正, 至誠以自處則无咎也. 邪說由己, 能憂而改之, 復何咎乎.

육삼은 하괘의 위에 있으니, 사람에게 임하는 자이다. 음으로 부드러우면서 기뻐하는 몸체(☱)이고 처함이 중정(中正)하지도 못하니, 달고 기쁨으로 사람에게 임하는 자이다. 위에 있으면서〈어떤 곳에는 '이(而)'가 없다〉달고 기쁨으로 아랫사람에게 임하면 덕을 잃음이 심하니, 이로운 것이 없다. 태괘(☱)의 성질은 이미 기뻐하고 또 두 양의 위를 탔으니, 양이 막 자라나 위로 나아가기 때문에 불안하여 더욱 달게 한다. 이미 위태로움과 두려움을 알고 근심하니, 만약 겸손한 마음을 갖고 바름을 지키며 지성(至誠)으로 스스로 처신하면 허물이 없을 것이다. 간사하게 기뻐함이 자신으로 말미암았는데, 근심하여 고치면 다시 무슨 허물이 있겠는가?

### 本義

陰柔不中正而居下之上, 爲以甘說臨人之象. 其占, 固无所利, 然能憂而改之則无咎也. 勉人遷善, 爲敎深矣.

부드러운 음으로 중정하지 못하면서 하괘의 위에 있으니, 달고 기뻐함으로 사람에게 임하는 상이다. 그 점이 참으로 이로울 것이 없다. 그러나 근심하여 고치면 허물이 없을 것이다. 사람에게 잘못을 고쳐 착한 데로 옮겨가기를 힘쓰게 하였으니, 가르침이 깊다.

## 小註

朱子曰, 三近二陽也, 去臨他. 如小人在上位, 却把甘言好語臨在下之君子.

주자가 말하였다: 육삼은 두 양에 가까워 그들에게 가서 임함이 마치 윗자리에 있는 소인이 달콤하고 듣기 좋은 말로 아래에 있는 군자에 임하는 것과 같다.

○ 節齋蔡氏曰, 爻柔而位不正, 兌體而迫於剛, 故以甘說邪佞而臨乎二也. 然剛長以正, 又豈甘說邪妄之所利也. 能順剛長之正理, 憂懼知變, 不爲甘說之態, 則咎可无矣.

절재채씨가 말하였다: 효가 부드러우면서 위치가 바르지 않고, 기뻐하는 몸체로 강함을 핍박한다. 그러므로 달고 기뻐하며 악한 마음으로 두 양에 임한다. 그렇지만 강함이 자라나 바르면 또한 어찌 달고 기뻐하며 악한 마음이 이롭겠는가? 강함이 자라나 바르게 되는 이치를 따라 걱정하고 두려워하며 변화를 알아서 달고 기뻐하는 짓을 하지 않으면 허물이 없을 것이다.

○ 平菴項氏曰, 六三以甘媚臨, 而无攸利, 見君子之難悅也. 旣憂之无咎, 又見君子之易事也. 其處己也嚴, 故不受不正之媚. 其與人也寬, 故不治旣憂之人. 爻辭雖爲六三言之, 然亦可以見二陽之用心矣.

평암항씨가 말하였다: 육삼은 달고 아첨함으로 임하여 이로울 것이 없으니, 군자를 기쁘게 하기가 어렵다는 것을 알 수 있다. 이미 걱정하여 허물이 없으면 또한 군자를 쉽게 섬길 수 있음을 알 수 있다. 자신을 처신하기를 엄하게 하기 때문에 바르지 못한 아첨을 받지 않는다. 다른 사람을 대할 때 너그럽기 때문에 이미 걱정하는 사람을 다스리지 않는다. 효사가 비록 육삼을 말하였지만 또한 두 양의 마음 씀을 알 수 있다.

○ 雲峰胡氏曰, 象惟取剛臨柔, 爻則初二外, 皆上臨下. 三兌體在二陽之上, 爲以甘說臨人之象. 節九五以中正爲甘則吉. 此以不中不正爲甘, 故无攸利. 憂者說之反, 能憂而改則无咎矣. 六三變則爲泰九三, 能改而自新, 則旣憂之无咎, 卽泰之艱貞无咎也. 象以八月有凶警君子, 爻以旣憂之无咎戒小人. 易於君子小人之際, 用意深矣哉.

운봉호씨가 말하였다: 「단전」에서는 오직 강함이 부드러움에 임함을 취하였고, 효는 초효와 이효의 밖이어서 모두 위에서 아래에 임하고 있다. 육삼은 기뻐하는 몸체로 두 양이 위에 있어 달고 기쁨으로 다른 사람에 임하는 상이다. 절개 있는 구오가 중정을 달게 여기면 길할 것이다. 여기서는 중하지도 바르지도 않음을 달게 여기기 때문에 이로울 것이 없다. 걱정은 기쁨의 반대이니, 걱정하여 고치면 허물이 없을 것이다. 육삼이 변하면 태괘(泰卦 ䷊)의 구삼이 될 것이니, 고쳐서 스스로 새로워지면 이미 걱정하여 허물이 없을 것이니, 태

괘의 '어려워도 곧게 하면 허물이 없음'에 해당할 것이다. 「단전」에서 팔월에 흉함이 있음을 군자에 비유하였고, 효사에서 이미 걱정하면 허물이 없음으로 소인을 경계하였으니, 『주역』에서 군자와 소인의 사이에 대하여 생각함이 깊다.

## ‖韓國大全‖

### 조호익(曺好益) 『역상설(易象說)』

甘, 兌爲味, 自三至五互體坤土, 五味甘屬土, 故取象. 憂, 兌金象. 素問, 金在志爲憂. 或曰, 凡事憂而改之, 則可說. 旣者, 已過之辭. 兌爲說, 有旣憂象.

'달콤함[甘]'은 태괘(兌卦)가 맛이 되고, 삼효부터 오효까지의 호체(互體)가 곤괘인 토(土)인데, 다섯 가지 맛 가운데 달콤함이 토에 속하므로 그 상을 취하였다. '근심[憂]'는 태괘(兌卦)인 금(金)의 상이다. 『소문(素問)』에 "금을 뜻에 두는 것이 근심이 된다"고 하였다. 어떤 이가 말하기를, "일에 대해서 근심하여 고치면 기쁠 수 있다"고 하였다. '기(旣)'는 이미 지나갔다는 말이다. 태괘(兌卦)가 기쁨이 되니, 이미 근심하는 상이 있다.

○ 甘, 取兌說象.

'달콤함[甘]'은 태괘(兌卦)의 기쁨(說)의 상을 취하였다.

### 송시열(宋時烈) 『역설(易說)』

甘者, 坤土屬甘. 兌, 爲口食悅而甘之之象. 節之九五變則爲臨, 故亦云甘節. 蓋以甘言容悅之道臨下, 則无所利. 然三旣非臨下之位, 故雖以甘言, 亦无利而已, 不至於凶也. 旣憂之, 其咎亦无也.

'달콤함[甘]'은 곤괘인 토가 달콤함에 속한다. 태괘(兌卦)가 입으로 먹고 기쁘고 달콤하게 여기는 상이다. 절괘의 구오가 변하면 림괘가 되기 때문에 "달콤함으로 임한다"고 하였다. 달콤한 말과 용모로 기쁘게 하는 도로 아래에 임하면 이로움이 없다. 그러나 삼효가 이미 아래에 임하는 자리가 아니기 때문에 비록 달콤한 말도 이로움이 없고 흉함에 이르지 않는다. 이미 근심하면 허물도 없다.

## 이익(李瀷) 『역경질서(易經疾書)』

按, 節卦以甘節對苦節, 苦是艱澁, 則甘是滑易之義也. 莊子斲輪, 亦苦而澁, 甘而滑爲對勘, 可以爲證. 六三不中不正, 在兩卦之間, 居悅體之上, 其爲臨也, 甘滑而無違逆也. 如是則無攸利. 然居剛, 故有旣憂无咎之道.

내가 살펴보았다: 절괘에서는 감절(甘節)을 고절(苦節)과 상대하여 말했는데, '고(苦)'는 어렵고 껄끄러운 것이니, '감(甘)'은 매끄럽고 쉬운 것이다. 『장자(莊子)』의 바퀴를 깎는 장면에서[25] 어렵고 껄끄러운 것과 달콤하고 매끄러운 것을 상대적으로 말한 것을 증거로 삼을 수 있다. 육삼은 가운데 있지도 않고 바른 자리에 있지도 않으며, 두 괘의 사이에 있고 기쁨을 상징하는 태괘의 위에 있으니, 그 임하는 것이 달콤하고 매끄러우며 어기거나 거슬림이 없다. 이와 같으면 이로움이 없다. 그러나 굳센 자리에 있기 때문에 이미 근심하여 허물이 없는 도리가 있다.

## 심조(沈潮) 「역상차론(易象箚論)」

六三, 甘臨, 旣憂之.

육삼은 달콤함으로 임하여 이미 근심한다.

此在震體, 故驚懼而生憂, 又在兌終, 樂極而悲也.

이 효는 진괘의 몸체에 있기 때문에 놀라고 두려워 근심이 생겨나고, 또한 태괘(兌卦)의 끝에 있어서 즐거움이 다하여 슬퍼진다.

## 양응수(楊應秀) 『곤괘강의 · 역본의차의(坤卦講義 · 易本義箚疑)』

甘臨无攸利ᄒ니 ᄒ니 恐當改ᄒ나.

"'감림무유리'하니"의 '하니'는 아마도 마땅히 '하나'로 고쳐야 할 것 같다.

○ 旣憂之라 라 恐當改면.

"'기우지'라"의 '라'는 아마도 마땅히 '면'으로 고쳐야 할 것 같다.

○ 임의 憂ᄒ면.

이미 근심하면.

---

25) 『莊子 · 天道』.

## 김상악(金相岳) 『산천역설(山天易說)』

六三以不中正之陰, 居兌之上, 臨下二陽, 相交以說, 爲甘臨之象. 當剛長之時, 以甘爲臨, 无所利也. 然與二爲互震, 能憂而改之, 則无咎也.

육삼은 중정하지 않은 음으로 태괘의 위에 있으면서 아래의 두 양에 임하여 서로 사귀어 기뻐하니 기쁘게 임하는 상이 된다. 굳센 양이 자라는 때를 당하여 기쁨을 임하는 것으로 삼으니 이로운 바가 없다. 그러나 이효와 함께 호괘인 진괘(☳)를 이루어 근심하여 고칠 수 있으면 허물이 없다.

○ 兌爲口爲說, 口之說甘之象. 臨節之甘不同, 節則甘於德故吉, 臨則甘於言故无利. 所以小人甘以壞也. 憂者, 說之反也, 又震以懼之而震性動, 故有憂而改之之象. 剛浸而長, 則爲泰, 能改而自新, 則艱貞而无咎也. 萃之嗟如, 亦憂之象, 故无攸利往无咎, 同辭.

태괘(兌卦)가 입이 되고 기쁨이 되니, 입이 기쁘고 달콤하게 하는 상이다. 림괘와 절괘의 달콤함은 같지 않으니, 절괘에서는 덕에 달콤하기 때문에 길하고, 림괘에서는 말에 달콤하기 때문에 이로움이 없다. 그래서 소인이 달콤하게 하여 무너뜨린다. 근심은 기쁨의 반대이고, 또 우레가 쳐서 두렵게 하는데, 우레의 성질은 움직이기 때문에 근심하여 고치는 상이 있다. 굳센 양이 점점 자라면 태괘(泰卦)가 되고, 고쳐서 스스로 새롭게 하면 어렵게 여기고 곧아서 허물이 없다. 췌괘에서 탄식하는 것도 또한 근심하는 상이기 때문에 "이로움이 없고 가면 허물이 없다"는 것과 같은 말이다.

## 서유신(徐有臣) 『역의의언(易義擬言)』

二陽爲類, 四陰爲群, 故六三說於坤而甘之也. 四陰相甘, 能無壞乎. 宜无所利也. 雖然蓋亦臨而不進矣, 旣又憂之无咎矣. 兩體之際, 有辨別象. 疊畫之震爲善補過, 是謂憂. 悔吝存乎介, 震无咎, 存乎悔也.

두 양이 동류가 되고 네 음이 무리가 되기 때문에 육삼은 곤괘를 기뻐하여 달콤하게 여긴다. 네 음이 서로 달콤하게 하는데, 무너지지 않을 수 있겠는가? 마땅히 이로운 바가 없을 것이다. 비록 그렇더라도 임하지만 나아가지 않고, 게다가 또 근심하므로 허물이 없다. 두 몸체의 사이에 있어서 구별하는 상이 있다. 두 획씩 겹친 진괘가 허물을 잘 보충하는 것이 되니, 이것을 근심이라고 말한다. 후회와 부끄러움은 잠깐 사이에 달려 있고, 움직여 허물이 없는 것은 뉘우치는데 달려 있다.

## 윤행임(尹行恁) 『신호수필(薪湖隨筆)·역(易)』

以言敎者訟, 況言之甘乎. 故君子之交澹如水, 小人之交甘如蜜. 六三以甘說臨人, 人其服乎. 違道干譽者, 其甘臨之徒乎.

말로 가르치는 자는 송사하게 되는데, 하물며 달콤한 말이겠는가? 그러므로 군자의 사귐은 담담하기가 물과 같고, 소인의 사귐은 달콤하기가 꿀과 같다.[26] 육삼이 달콤함과 기쁨으로 남에게 임하는데, 남이 복종하겠는가? 도를 위배하고 명예를 구하는 사람은 달콤함으로 임하는 무리일 것이다.

## 박문건(朴文健) 『주역연의(周易衍義)』

不勝憂懼, 故有甘臨之象. 旣憂而順剛, 則无咎.

근심과 두려움을 이기지 못하기 때문에 달콤하게 임하는 상이 있다. 이미 근심하고 굳셈을 따르면 허물이 없다.

〈問, 甘臨无攸利. 曰, 六三有憂懼之情, 故甘其臨下也. 捨應而從下者, 雖非六三之本意, 然急於二剛之逼己, 故甘之也. 雖无所利, 然旣憂而用順, 則无咎.

물었다: "달콤함으로 임하여 이로운 바가 없다"는 무슨 뜻입니까?

답하였다: 육삼은 근심하고 두려워하는 감정이 있기 때문에 아래에 임하는 것을 달콤하게 여깁니다. 호응을 버리고 아래를 따르는 것은 비록 육삼의 본래의 뜻이 아니지만, 두 굳센 양이 자기에게 가까이하는 것을 급하게 여기기 때문에 달콤하게 생각합니다. 비록 이로운 바는 없지만, 이미 근심하고 순함을 쓰기 때문에 허물이 없습니다.〉

〈○ 問, 甘臨甘節. 曰, 甘臨, 有所懼也, 甘節, 无所疑也. 然甘臨无利, 甘節有尙, 剛柔所處之時不同也.

물었다: 달콤하게 임하는 것과 달콤하게 절제하는 것은 무엇입니까?

답하였다: 달콤하게 임하는 것은 두려워하는 것이고, 달콤하게 절제하는 것은 의심이 없는 것입니다. 그러나 달콤하게 임하는 것은 이로움이 없고, 달콤하게 절제하는 것은 가상한 일이 있는 것은 굳셈과 부드러움이 처한 때가 같지 않기 때문입니다.〉

## 이지연(李止淵) 『주역차의(周易箚疑)』

咎[27]言孔甘, 兌是說體而又口也. 位則剛, 所樂者剛, 故憂之. 善反之, 則天地之性存焉.

---

26) 『莊子·山木』: 君子之交淡若水, 小人之交甘若醴.

'허물[咎]'은 크게 달콤하게 여기는 것을 말하고, '태(兌)'는 기쁨의 몸체이고 또한 입이다. 자리는 굳센 양이고 탄 것도 굳센 양이기 때문에 근심한다. 잘 돌이키면 천지의 성이 보존된다.

### 김기례(金箕澧) 「역요선의강목(易要選義綱目)」

兌爲悅, 故下三爻曰, 感甘.

태괘(兌卦)가 기쁨이 되기 때문에 아래 세 효에서 느낀다고 하고 달콤하다고 하였다.

○ 三柔居剛位, 以不正在悅體之上, 甘言而□二, 二以剛□□□□上進, 不爲佞邪所媚, 故曰无攸利.

삼효는 부드러운 음으로 굳센 양의 자리에 있고, 바르지 않음으로 기쁨의 몸체 위에 있어서 달콤한 말로 이효에 □하고, 이효는 굳셈으로 □□□□ 위로 나아가 말 잘하고 사악한 사람에게 미혹되지 않기 때문에 "이로운 바가 없다"고 하였다.

○ 見二之正, 不□以媚而甘之, 故自反而憂, 則不至於咎也.

이효의 바름을 보고 아첨으로 달콤하게 □ 하지 않으므로 스스로 돌이켜 근심하면 허물에 이르지 않는다.

### 이항로(李恒老) 「주역전의동이석의(周易傳義同異釋義)」

傳, 若能持謙守正, 至誠以自處, 則无咎也.

『정전』에서 말하였다: 만약 겸손한 마음을 갖고 바름을 지키며 지성(至誠)으로 스스로 처신하면 허물이 없을 것이다.

本義, 能憂而改之, 則无咎也. 勉人遷善, 爲敎深矣.

『본의』에서 말하였다: 근심하여 고치면 허물이 없을 것이다. 사람에게 잘못을 고쳐 착한 데로 옮겨가기를 힘쓰게 하였으니, 가르침이 깊다.

或問, 甘臨之象傳義已盡, 而改則无咎之象, 何以見之耶. 曰, 六三才本柔弱, 居不中正, 以兌說尙口之情, 乘剛明得時之賢, 其所以猷骹梔蠟, 覬覦將迎, 要得驪說, 容有極乎. 然而九二大人也, 剛柔得中, 易事而難說. 剛足以克己之私, 明足以燭人之邪, 則丁謂拂

---

鬚, 適以取侮, 王密齎金, 亦未沽意. 彼小人者, 佞利捷給, 早覺无益. 於是乎, 說變爲憂, 笑變爲號, 此乃損疾之機栝, 益志之關鍵也. 況當二剛日長, 一陰日剝之時. 渙三有渙躬之象, 解四有解拇之孚, 此所以无咎也. 此則易之時然也, 不識時不足以語易.

어떤 이가 물었다: 달콤하게 임하는 상에 대해서는 『정전』과 『본의』에서 이미 다 잘 설명하였는데, 고치면 허물이 없는 상은 어떻게 볼 수 있습니까?

답하였다: 육삼은 재질이 본래 유약하고 거처가 중정하지 않으며, 태괘의 기쁨으로 말을 높이는 감정을 갖고 있고 굳세고 현명하며 때를 얻은 현인을 타고 있으니, 굽고 꾸미며 대우해주기를 바라며 즐겁고 기쁘고자 하는 것이 그 끝이 있겠습니까? 그러나 구이는 대인이어서 굳셈과 부드러움이 알맞음을 얻고, 섬기기는 쉬워도 기쁘게 하기는 어렵습니다.[28] 굳셈은 충분히 자기의 사사로움을 이길 수 있고, 현명함은 충분히 남의 잘못을 밝힐 수 있으니, 바로 정위(丁謂)가 구준(寇準)의 수염에 묻은 음식을 털어준 것은 다만 비웃음을 샀을 뿐이고,[29] 왕밀(王密)이 양진(楊震)에게 금을 주려 한 것도 또한 뜻을 이루지 못하였습니다.[30] 저 소인이라는 자들은 이익에 아첨하고 말을 잘하며 이익이 없는 것을 일찍 깨닫습니다. 이에 기쁨이 변하여 근심이 되고 웃음이 변하여 울음이 되니, 이것이 질병을 더는[31] 핵심이고 뜻을 유익하게 하는[32] 열쇠입니다. 하물며 두 굳센 양이 날로 자라고 한 음이 날로 깎이는 때를 당함에 있어서겠습니까? 환괘의 삼효는 사사로움을 흩는 상이 있고,[33] 해괘의 사효는 엄지발가락을 푸는 믿음이 있으니,[34] 이것이 허물이 없는 까닭입니다. 이것은 역의 때가 그러한 것이니, 때를 알지 못하면 역을 말하기에 부족합니다.

### 허전(許傳) 「역고(易考)」

六三 甘臨 无攸利[ᄒ나] 既憂之라 无咎ᄂ니라

육삼은 달콤함으로 임하여 이로운 바가 없으나, 이미 근심하므로 허물이 없다.

處兌之極, 最悅於口者, 故曰甘臨也. 三與六當爲應而三既陰柔不中正, 上又陰柔, 則

---

28) 『論語·子路』: 君子, 易事而難說也.

29) 『宋史·寇準傳』: 丁謂出準門至參政, 事準甚謹. 嘗會食中書, 羹汙準鬚, 謂起, 徐拂之. 準笑曰, 參政國之大臣, 乃爲官長拂鬚邪, 謂甚愧之.

30) 『後漢書·楊震傳』: 荊州茂才王密爲昌邑令, 謁見, 至夜懷金十斤以遺震. 震曰, 故人知君, 君不知故人, 何也. 密曰, 暮夜無知者. 震曰, 天知, 神知, 我知, 子知. 何謂無知. 密愧而出.

31) 『周易·損卦』: 六四, 損其疾, 使遄, 有喜, 无咎.

32) 『周易·益卦』: 六四, 象曰, 告公從, 以益志也.

33) 『周易·渙卦』: 六三, 渙其躬, 无悔.

34) 『周易·解卦』: 九四, 解而拇, 朋至, 斯孚.

三之志不在上而反臨在下之偶. 是以小人之甘而臨君子也, 故於君子无攸利. 然旣知
其甘臨而憂之, 故无咎也.

태괘(兌卦)의 끝에 있어서 입에 가장 기쁘기 때문에 "달콤함으로 임한다"고 하였다. 삼효와
육효는 마땅히 호응해야 하지만, 삼효는 부드러운 음으로 중정하지 않고 상효도 부드러운
음이니, 삼효의 뜻은 상효에 있지 않고 도리어 아래에 있는 짝에게 임한다. 그래서 소인의
달콤함으로 군자에게 임하기 때문에 군자에게는 이로운 바가 없다. 그러나 이미 달콤함으로
임하는 것을 알고 근심하기 때문에 허물이 없다.

### 심대윤(沈大允) 『주역상의점법(周易象義占法)』

臨之泰䷊, 交通也. 下有二陽爲所臨益多而不肯服從, 六三才柔而居剛, 以甘悅求之,
非臨下之道也. 故曰甘臨无攸利. 兌互坤爲甘. 自知才不足以居二陽之上, 甘說謙下而
臨之, 有不安之意, 故曰旣憂之无咎. 內卦獨變則爲謙, 而全爲坎, 坎爲憂. 不安于臨陽
之意在內, 故只取內卦之對而非有變也. 故取本卦而不取變卦也.

림괘가 태괘(泰卦䷊)로 바뀌었으니, 교통함이다. 아래에 두 양이 있어 임하는 것이 더욱
많지만 즐겨 복종하지 않는데, 육삼은 재질이 유약하고 굳센 자리에 있어서 달콤함과 기쁨
으로 구하니, 아래에 임하는 도리가 아니다. 그러므로 "달콤함으로 임하니, 이로운 바가 없
다"고 말하였다. 태괘(兌卦)와 호괘인 곤괘가 달콤함이 된다. 육삼은 스스로 재주가 두 양의
위에 거하기에 부족함을 알아 아랫사람에게 달콤하고 겸손하게 하여 임하니, 편안하지 않은
뜻이 있기 때문에 "이미 근심하므로 허물이 없으리라"고 하였다. 내괘가 유독 변하면 겸괘
(䷎)가 되고, 큰 감괘가 되는데 감괘가 근심이 된다. 양에 임하는데 편안하지 않은 뜻이 안
에 있기 때문에 다만 내괘의 음양이 바뀐 짝을 취하였고 변화가 있는 것은 아니다. 그러므로
본괘를 취하고 변괘는 취하지 않았다.

### 오치기(吳致箕) 「주역경전증해(周易經傳增解)」

六三陰柔不中不正, 上无應與, 而下比于二剛, 以口舌甘言媚悅而臨人, 全失誠信相孚
之道, 故言无攸利. 然二陽方長之時, 以柔乘剛, 其勢太逼, 能知其危, 而旣有憂懼之
心, 故終能改過而无咎也.

육삼은 부드러운 음으로 중정하지 않고 위에 호응하여 함께 하는 것이 없으며, 아래로 두
굳센 양에 가까이 있어서 입담과 달콤한 말로 아첨하여 사람에게 임하여 성실하고 미더운
도를 완전히 잃었기 때문에 이로운 바가 없다. 그러나 두 양이 막 자라는 때에 부드러움으로
굳셈을 타니, 그 형세가 크게 어려워 그 위험을 알고 근심하고 두려워하는 마음이 있기 때문

에 끝내 잘못을 고쳐서 허물이 없을 수 있다.

○ 甘屬土而取於互坤也. 初與四交易, 則成坎而爲加憂之象, 故言憂也. 自此至上, 爲外臨內之象也.

달콤함은 토(土)에 속하고, 호괘인 곤괘에서 취하였다. 초효와 사효가 교역하면 감괘를 이루어 근심을 더하는 상이 되기 때문에 근심을 말했다. 이로부터 상효에 이르기까지 밖이 안에 임하는 상이 된다.

### 이진상(李震相) 『역학관규(易學管窺)』

爻當兌口, 外臨坤土, 甘者土味也. 悅於坤, 甘之義也. 以柔乘剛, 其勢危, 故其心憂, 而甘說, 不足以欺君子, 所以无利. 憂惕, 猶可以變改, 所以无咎. 蓋此爻變, 乾爲泰, 乾之惕厲, 泰之艱貞卽其象也. 爻當互震, 故又有憂懼之象.

삼효는 태괘(兌卦)의 입에 해당하고, 밖으로 곤괘인 '토'에 임하고 있는데, 달콤한 것은 '토'의 맛이다. 곤을 기뻐하는 것이 달콤함의 뜻이다. 부드러움으로 굳셈을 타서 그 형세가 위태롭기 때문에 그 마음이 근심하고, 달콤하고 기쁘게 하는 것은 군자를 속이기에 부족하므로 이익이 없다. 근심하고 두려워하면 오히려 개변할 수 있으므로 허물이 없다. 이 효의 변화는 건괘가 태괘(泰卦)가 되니, 건괘의 두려워함과 태괘의 어렵게 여기고 곧음이 곧 그 상이다. 이 효는 호괘인 진괘에 속해있기 때문에 또한 근심하고 두려워하는 상이 있다.

### 박문호(朴文鎬) 「경설(經說)・주역(周易)」

旣憂之, 言旣而憂之也.

'기우지(旣憂之)'는 얼마 있다가 근심한다는 말이다.

象曰, 甘臨, 位不當也, 旣憂之, 咎不長也.

「상전」에서 말하였다: "달콤함으로 임함"은 자리가 마땅하지 않음이고, "이미 걱정하므로" 허물이
오래가지 않으리라.

## ▮中國大全▮

### 傳

陰柔之人, 處不中正而居下之上, 復乘二陽, 是處不當位也. 旣能知懼而憂之,
則必强勉自改, 故其過咎不長也.

부드러운 음의 사람이 처함이 중정하지 못하면서 하괘의 위에 있고 다시 두 양을 탔으니, 이는 마땅
하지 않은 자리에 처한 것이다. 이미 두려움을 알고 근심하면 반드시 힘써 스스로 고칠 것이기 때문
에 그 허물이 오래가지 않을 것이다.

### 小註

臨川吳氏曰, 以不正故爲媚說之態, 先雖媚說而後能憂, 則始雖有咎, 而其咎不長, 故
可无咎也.

임천오씨가 말하였다: 바르지 않기 때문에 아첨하고 기뻐하는 행동을 한다. 앞서 비록 아첨
하고 기뻐하였지만 뒤에 걱정하면 시작에 비록 잘못이 있으나, 그 허물이 오래가지 않을
것이기 때문에 허물이 없을 것이다.

# 韓國大全

**양응수(楊應秀)『곤괘강의·역본의차의(坤卦講義·易本義箚疑)』**

甘臨位不當也ㅣ오 ㅣ오 恐當改ㅣ니

"감림위부당야'오"의 '오'는 아마도 마땅히 '니'으로 고쳐야 할 것 같다.


○ 當치 아니홈이니.

마땅하지 아니함이니.


○ 旣憂之라 라 恐當改면.

"'기우지'라"의 '라'는 아마도 마땅히 '면'으로 고쳐야 할 것 같다.


○ 임의 憂ㅎ면.

이미 근심하면.


**김상악(金相岳)『산천역설(山天易說)』**

卦曰, 消不久者, 戒陽也, 爻曰咎不長者, 勉陰也. 故與大壯上六同辭. 又與豫上能渝之義, 否上終傾之道相似, 皆幸其變也.

괘에서 "사라져 오래가지 않는다"고 말한 것은 양을 경계한 것이고, 효에서 "허물이 자라지 않는다"고 말한 것은 음을 권면한 것이다. 그러므로 대장괘의 상육과 말이 같다. 또한 예괘 상효의 바뀔 수 있다는 뜻과 비괘(否卦) 상효의 끝내 기우는 도와 서로 비슷하니, 모두 변화를 바란 것이다.


**서유신(徐有臣)『역의의언(易義擬言)』**

以柔居剛, 說以不正, 是爲不當甘而甘之象也. 咎不長也者, 謂其能改也.

부드러운 음으로 굳센 양의 자리에 있고 바르지 않음으로 기뻐하니, 이것이 달콤하게 여기지 않아야 하는데 달콤하게 여기는 상이 된다. "허물이 오래가지 않는다"는 것은 고칠 수 있음을 말한다.

### 박문건(朴文健) 『주역연의(周易衍義)』

位不當, 言所處之時不當也.

"자리가 마땅하지 않다"는 것은 처한 바의 때가 마땅하지 않다는 말이다.


### 김기례(金箕澧) 「역요선의강목(易要選義綱目)」

位不當.

자리가 마땅하지 않다.

○ 三多凶, 故諸卦於三, 多言位不當.

삼효는 흉함이 많기 때문에 여러 괘의 삼효에서 "자리가 마땅하지 않다"고 많이 말했다.


### 오치기(吳致箕) 「주역경전증해(周易經傳增解)」

處不中正, 故甘言而臨人. 旣能憂懼, 故咎終不長也.

처한 곳이 중정하지 않기 때문에 달콤한 말로 사람에게 임한다. 근심하고 두려워할 수 있기 때문에 허물이 끝내 오래가지 않는다.


### 이병헌(李炳憲) 『역경금문고통론(易經今文考通論)』

虞曰, 兌爲口, 坤爲土. 土爰稼穡作甘, 兌口御坤, 故曰甘臨. 失位乘陽, 故无攸利.

우번이 말하였다: 태괘(兌卦)가 입이 되고, 곤괘가 토가 된다. 토는 농사하여 달콤한 것을 만들고 태괘의 입은 곤을 다스리기 때문에 "달콤하게 임한다"고 말하였다. 자리를 잃고 양을 탔기 때문에 이로운 바가 없다.

程傳曰, 居下之上, 復乘二陽, 能知懼而憂之, 則必强勉自改, 故其過咎不長也.

『정전』에서 말하였다: 하괘의 위에 있으면서 다시 두 양을 타고 있어서 두려움을 알아 근심할 수 있다면 반드시 힘써 스스로 고치기 때문에 그 잘못과 허물이 오래가지 않는다.

# 六四, 至臨, 无咎.

육사는 지극하게 임하니, 허물이 없다.

## ▮中國大全▮

### 傳

四居上之下, 與下體相比, 是切臨於下, 臨之至也. 臨道尚近, 故以比爲至. 四居正位而下應於剛陽之初, 處近君之位, 守正而任賢, 以親臨於下, 是以无咎, 所處當也.

육사는 상괘의 아래에 있어 하체와 서로 가까우니, 이것은 아래에 간절히 임하는 것이므로 임함이 지극한 것이다. 임하는 도는 가까움을 숭상하기 때문에 가까움을 지극하다고 여겼다. 육사는 바른 자리에 있고 아래로 굳센 양의 초구와 응하며, 임금과 가까운 자리에 거처하여 바름을 지키고 어진 이에게 맡겨서 아래에 친히 임한다. 이 때문에 허물이 없으니, 처한 바가 마땅한 것이다.

### 本義

處得其位, 下應初九, 相臨之至, 宜无咎者也.

처함이 제자리를 얻고 아래로 초구와 응하여 서로 임함이 지극하니, 마땅히 허물이 없는 것이다.

#### 小註

或問, 六四以陰居正, 柔順臨下, 又有正. 應臨之極善, 故謂之至臨. 朱子曰, 至臨无咎, 未是極好. 只是與初相臨得切至, 故謂之至.

어떤 이가 물었다: 육사는 음으로 바른 자리에 있고, 유순하게 아래에 임하면서도 바름이 있습니다. 응하고 임함이 매우 좋기 때문에 지극하게 임한다고 하는 것입니까?

주자가 답하였다: "지극하게 임하니, 허물이 없다"는 매우 좋지는 않습니다. 다만 초구와 서로 임함이 간절하고 지극하기 때문에 지극하다고 하였습니다.

○ 龜山楊氏曰, 六四初九, 皆當位, 誠意以相與, 至臨也, 故无咎.
구산양씨가 말하였다: 육사와 초구는 모두 자리가 마땅하다. 참된 생각으로 서로 사귀기 때문에 지극하게 임한다. 그러므로 허물이 없는 것이다.

○ 雲峰胡氏曰, 六四以陰居陰, 處得其正, 下應初九之正, 相臨之至, 所以无咎. 又地附澤, 澤依地, 六四坤兌之間, 地與澤相臨之至也.
운봉호씨가 말하였다: 육사는 음으로 음의 자리에 있어서 그 바름에 처하였다. 아래로 초구의 바름과 응하여 서로 임함이 바르기 때문에 허물이 없는 것이다. 땅은 연못에 붙어 있고, 연못은 땅에 의지하고 있으니, 육사는 곤괘(☷)와 태괘(☱)의 사이로 땅과 연못이 지극하게 서로 임함이다.

## ║韓國大全║

### 송시열(宋時烈) 『역설(易說)』

至者, 近至於君位, 位之當也. 四以大臣之位, 至臨於九五之傍, 所以當位而无咎也. 傳之切臨於下云云, 何如.
'지(至)'란 임금의 자리에 가깝게 이른 것이니, 자리의 마땅함이다. 사효는 대신의 지위로 구오의 곁에 지극하게 임하니, 자리에 마땅하여 허물이 없다. 『정전』에서 "아래에 간절히 임한다"고 운운한 것은 어떤지 모르겠다.

### 유정원(柳正源) 『역해참고(易解參攷)』

六四, 至臨.
육사는 지극하게 임한다.

王氏曰, 處順應陽, 不忌剛長而乃應之, 履得其位, 盡其至者也. 剛勝則柔危, 柔不失正, 乃得无咎也.

왕필이 말하였다: 유순한 자리에 있으면서 양에 호응하여 굳센 양이 자라는 것을 꺼리지 않고 호응하여 그 자리를 밟아 그 지극함을 다하는 자이다. 굳센 양이 이기면 부드러운 음이 위태롭지만, 부드러운 음이 바름을 잃지 않아서 허물이 없을 수 있다.

### 김상악(金相岳) 『산천역설(山天易說)』

在陰爻則皆以上臨下之義也. 四當地澤之交, 與初爲應, 爲至臨而无咎也. 或曰, 至卽坤之德, 至臨謂至順而臨下也, 亦通.

음의 효에 있으면 모두 위가 아래에 임하는 뜻이다. 사효는 땅과 못이 사귀는 때를 당해서 초효와 호응하니 지극히 임해서 허물이 없는 것이 된다. 어떤 이는 "지극함은 곤의 덕이고, 지극하게 임하는 것은 지극히 유순해서 아래에 임하는 것이다"라고 하니 또한 통한다.

### 서유신(徐有臣) 『역의의언(易義擬言)』

切近於五, 故曰至臨. 至臨者, 至近之臨也. 柔順得正, 至臨而不進, 故无咎也.

오효와 매우 가깝기 때문에 "지극하게 임한다"고 말하였다. "지극하게 임한다"는 것은 지극히 가깝게 임하는 것이다. 유순하고 바름을 얻어 지극히 임하면서도 나아가지 않기 때문에 허물이 없다.

### 박제가(朴齊家) 『주역(周易)』

六四至臨, 傳臨道尚近, 故以比爲至, 其義當矣.

육사의 "지극하게 임한다"는 것에 대해서 『정전』에서 "임하는 도는 가까움을 숭상하기 때문에 가까움을 지극하다고 여겼다"고 했는데, 그 뜻이 타당하다.

雲峯胡氏曰, 上去陽獨遠, 而志應乎內, 故敦臨吉无咎. 豈非臨之道利遠而不利近者乎. 此與臨字之義相反, 皆由於以陽臨陰之說耳.

운봉호씨가 말하였다: 상효는 양효로부터 유독 멀고 뜻은 안에 호응하기 때문에 돈독하게 임하여 길하여 허물이 없다. 어찌 임하는 도가 먼 것을 이롭게 여기고 가까운 것은 이롭게 여기는 것이 아니겠는가? 이는 '임(臨)'자의 뜻과 서로 반대되니, 모두 양이 음에게 임한다는 설로부터 나왔을 것이다.

進齋徐氏, 以初與二爲下臨上, 以三四五上爲上臨下, 以爲上下相臨, 以當襍卦臨觀之義或與或求之與字. 夫爻之相與, 奚特臨耶. 但此臨之爲字, 无下臨上者耳.

진재서씨는 초효와 이효는 아래가 위에 임하는 것이고, 삼효·사효·오효·상효는 위가 아래에 임하는 것으로 하여, 위와 아래가 서로 임하여 「잡괘전」에서 "림괘(臨卦)와 관괘(觀卦)의 뜻은 혹은 주괴[與] 혹은 구한다"는 '여(與)'자에 해당시켰다. 효가 서로 함께하는 것이 어찌 다만 림괘뿐이겠는가? 다만 이 '임(臨)'이라는 글자에는 아래가 위에 임하는 것이 없을 뿐이다.


## 박문건(朴文健) 『주역연의(周易衍義)』

用柔順剛, 故有至臨之象. 極至其臨, 故所以无咎.

부드러움으로 굳셈을 따르기 때문에 지극하게 임하는 상이 있다. 그 임함을 지극하게 하기 때문에 허물이 없다.

〈問, 至臨无咎. 曰, 六四有所疑, 故極至其臨, 盡其道而无咎者也.

물었다: "지극하게 임하여 허물이 없다"는 무슨 뜻입니까?

답하였다: 육사는 의심하는 바가 있기 때문에, 그 임함을 지극하게 하고 그 도리를 다해서 허물이 없는 것입니다.〉


## 이지연(李止淵) 『주역차의(周易箚疑)』

至臨, 下染於甘故也. 所行則可以有咎, 而所處者得其位也.

지극하게 임하는 것은 아래로 달콤함에 물들었기 때문이다. 행하는 것은 허물이 있을 수 있지만, 처한 곳은 그 자리를 얻었다.


## 김기례(金箕澧) 「역요선의강목(易要選義綱目)」

坤元謂至哉, 故曰至臨.

곤괘의 큼에 대하여 "지극하도다"라고 했기 때문에 "지극하게 임한다"고 말하였다.

○ 正以應初, 得切至之意.

바로 초효에 응하여 절실하고 지극한 뜻을 얻었다.

○ 居地澤之間, 臨下最近, 故亦曰至.

땅과 못의 사이에 거하여 아래에 임하는 것이 가장 가깝기 때문에 "지극하다"고 말하였다.

### 이항로(李恒老)「주역전의동이석의(周易傳義同異釋義)」

傳, 四居上之下, 與下體相比, 是切臨於下臨之至也, 云云.

『정전』에서 말하였다: 육사는 상괘의 아래에 있어 하체와 서로 가까우니, 이것은 아래에 간절히 임하는 것이므로 임함이 지극한 것이다, 운운.

本義, 處得其位, 下應初九, 相臨之至, 宜无咎者也.

『정전』에서 말하였다: 처함이 제자리를 얻고 아래로 초구와 응하여 서로 임함이 지극하니, 마땅히 허물이 없는 것이다.

按, 傳, 以地臨澤釋至臨, 以四應初釋无咎. 本義, 只取應義. 蓋地澤之義, 大象已著, 爻不必取故也.

내가 살펴보았다: 『정전』에서는 땅이 못에 임하는 것으로 '지극한 임함'을 풀이하였고, 사효가 초효에 임하는 것으로 '허물이 없음'을 풀이하였다. 『본의』에서는 다만 호응하는 뜻을 취하였다. 땅과 못의 뜻은 「대상전」에 이미 드러나서 효에서는 취할 필요가 없었기 때문이다.

### 심대윤(沈大允)『주역상의점법(周易象義占法)』

臨之歸妹䷵, 事人之道, 无所自遂也, 有所歸也. 有初九之應於下而六三服焉, 爲衆所歸也. 以柔居柔, 非求之者, 而但安靜以臨其來至者. 初九至而九二不至也. 坤爲至, 言順以臨也.

림괘가 귀매괘(歸妹卦䷵)로 바뀌었으니, 사람을 섬기는 도리는 스스로 이룰 수 없고, 돌아가는 곳이 있다. 초구가 아래에서 호응하고 육삼이 복종하는 것이 여러 사람이 돌아가는 곳이 된다. 부드러운 음으로 부드러운 음의 자리에 있어서 구하는 자가 아니라, 다만 안정하여 와서 이르는 자에게 임하는 자이다. 초구는 이르고 구이는 이르지 않는다. 곤이 지극함[至]이 되니 순조롭게 임하는 것을 말한다.

### 오치기(吳致箕)「주역경전증해(周易經傳增解)」

六四以柔居柔, 旣得其正, 而在上之下, 與下體切比而相近, 又與初九得正而應, 卽臨之至者也.

육사는 부드러운 음으로 부드러운 음의 자리에 있어 이미 그 바름을 얻었고, 상괘의 아래에 있어서 하체와 나란히 하여 서로 가까우며, 또한 초구가 바름을 얻어 호응하고 있으므로 임하는데 지극한 자이다.

○ 至, 猶言至切至極也. 臨道尙近而貴得其正, 故言至也.

'지(至)'는 "지극하다"거나 "지극히 절실하다"고 말하는 것과 같다. 임하는 도리는 가까이 하는 것을 높이고 바름을 얻는 것을 귀하게 여기기 때문에 "지극하다"고 말하였다.

### 이진상(李震相) 『역학관규(易學管窺)』

功近下體, 於臨義爲至. 下應初九, 處得其宜者也.

하체에 매우 가까운 것이 임한다는 뜻에는 지극한 것이 된다. 아래로 초구에 호응하는 것이 대처함에 마땅함을 얻은 것이다.

象曰, 至臨无咎, 位當也.

「상전」에서 말하였다: "지극하게 임하니, 허물이 없음"은 자리가 마땅하기 때문이다.

## 中國大全

### 傳

居近君之位, 爲得其任, 以陰處四, 爲得其正, 與初相應, 爲下賢, 所以无咎, 蓋由位之當也.

임금과 가까운 자리에 있으니 신임을 얻게 되고, 음으로 사효 자리에 처하니 바름을 얻게 되며, 초구와 서로 응하니 어진 이에게 낮추게 된다. 이 때문에 허물이 없는 것이니, 대체로 지위가 마땅하기 때문이다.

### 小註

建安丘氏曰, 三四皆陰柔, 三无攸利, 而四无咎者, 三乘陽而四應陽, 三位不當而四位當也.

건안구씨가 말하였다: 육삼과 육사가 모두 부드러운 음이지만 육삼은 이로운 것이 없고 육사는 허물이 없는 것은 육삼은 양을 타지만 육사는 양에 응하며, 육삼은 자리가 마땅하지 않지만 육사는 자리가 마땅하기 때문이다.

# ║韓國大全║

### 이익(李瀷) 『역경질서(易經疾書)』

至臨, 未詳. 至或恐承甘字說, 謂甘之至也. 位當, 故其事自正, 與敦臨較看.

'지림(至臨)'은 상세하지 않다. '지(至)'는 아마도 '감(甘)'자를 이어서 말한 것 같으니, 달콤함의 지극함을 말하는 듯하다. 자리가 마땅하기 때문에 그 일이 저절로 바르니, "돈독하게 임한다"는 것과 비교해서 보아야 한다.

### 유정원(柳正源) 『역해참고(易解參攷)』

位當也.

자리가 마땅하다.

正義, 六四所居得正, 柔不爲邪, 位當其處, 故无咎也.

『주역정의』에서 말하였다: 육사는 거처하는 것이 바름을 얻었고, 부드러움으로 잘못을 저지르지 않으며, 자리가 처한 곳에 마땅하기 때문에 허물이 없다.

### 김상악(金相岳) 『산천역설(山天易說)』

三之柔說從比而不正, 四之柔順從應而正, 故象辭相反也, 與萃四五相似.

삼효는 부드럽게 기뻐하여 비(比)의 관계인 이효를 따라 바르지 않으며, 사효는 부드럽게 따라 호응인 초효를 따라 바르기 때문에 「상전」의 말이 서로 상반되니, 취괘 사효, 오효와 서로 비슷하다.

### 서유신(徐有臣) 『역의의언(易義擬言)』

位得其當, 故至臨而无咎也.

자리가 마땅함을 얻었기 때문에 지극하게 임해서 허물이 없다.

### 김기례(金箕澧) 「역요선의강목(易要選義綱目)」

位當也.

자리가 마땅하다.

以陰居陰, 應以剛居剛.
음으로 음에 거하고, 호응은 굳센 양으로 굳센 양에 거하기 때문이다.


### 오치기(吳致箕)「주역경전증해(周易經傳增解)」

言居正而應正也.
바른 자리에 거하고 호응도 바름을 말한다.


### 이병헌(李炳憲)『역경금문고통론(易經今文考通論)』

姚曰, 陰至四得位, 故無咎.
요신이 말하였다: 음이 사효에 이르러 자리를 얻었기 때문에 허물이 없다.

六五, 知臨, 大君之宜, 吉.

육오는 지혜로 임하니, 대군(大君)의 마땅함이라서 길하다.

## 中國大全

### 傳

五以柔中順體, 居尊位而下應於二剛中之臣, 是能倚任於二, 不勞而治, 以知臨下者也. 夫以一人之身, 臨乎天下之廣, 若區區自任, 豈能周於萬事. 故自任其知者, 適足爲不知. 唯能取天下之善, 任天下之聰明, 則无所不周, 是不自任其知, 則其知大矣. 五順應於九二剛中之賢, 任之以臨下, 乃己以明知, 臨天下. 大君之所宜也, 其吉可知.

육오는 부드러운 음으로 가운데 있고 순수한 몸체로서 높은 자리에 있고 아래로 강한 양으로 가운데 있는 신하인 구이에게 응하니, 이것은 구이에게 의지하고 맡겨서 수고하지 않고도 다스리니, 지혜로써 아래에 임하는 자이다. 한 사람의 몸으로 넓은 천하에 임하니, 만약 구구하게 자신이 맡는다면 어찌 온갖 일에 두루 하겠는가? 그러므로 스스로 자신의 지혜만을 믿는 자는 다만 지혜롭지 못할 뿐이다. 오직 천하의 선을 취하여 천하의 총명한 사람에게 맡기면 두루 하지 않음이 없을 것이니, 이것이 스스로 자신의 지혜만을 믿지 않으면 그 지혜가 큰 것이다. 육오는 강중(剛中)한 어진 자인 구이에게 순응하여 맡겨서 아래에 임하니, 이것은 자신이 밝은 지혜로 천하에 임하는 것이다. 이는 대군(大君)의 마땅함이니, 길함을 알 수 있다.

### 本義

以柔居中, 下應九二, 不自用而任人, 乃知之事而大君之宜, 吉之道也.

부드러운 음으로서 가운데에 있고 아래로 구이에 응하여 스스로 지혜를 쓰지 않고 남에게 맡기니, 곧 지혜로운 일이고 대군(大君)의 마땅함이니, 길한 도이다.

## 小註

中溪張氏曰, 一人出而君天下, 自任者其智小, 任人而不自任者其智大, 況當二剛浸長之世, 六五在上與九二爲正應, 不忌其進而以柔道接之, 則剛中而應, 反爲吾用, 是兼衆智以臨天下. 大君之宜, 孰大於此, 吉可知矣. 此帝舜能用禹皐陶, 而臨下以簡, 謂之大智者歟.

중계장씨가 말하였다: 한 사람이 출현하여 천하에 임금 노릇을 할 때, 자임하는 자는 그 지혜가 적고, 다른 사람에게 맡기고 자임하지 않는 자는 그 지혜가 크다. 하물며 강한 두 양이 점차 자라는 때에 육오가 위에 있으면서 구이와 정응이 되어 그들이 나아옴을 꺼리지 않고 부드러운 도로 대접하니, 굳센 양으로서 가운데 있으면서 응하여 도리어 나의 쓰임이 되니, 이것은 여러 지혜를 겸하여 천하에 임하는 것이다. 대군의 마땅함이 이보다 큰 것이 없으니, 길함을 알 수 있다. 이것은 순임금이 우와 고요를 등용하여 간이함으로 아래에 임함이니, 그래서 위대한 지혜라고 하는 것이다.

○ 雲峰胡氏曰, 六五自是柔闇之王[35], 何爲以智稱. 蓋謂之臨, 多是以己臨人. 五虛中下應九二, 不任已而任人, 所以爲知, 所以爲大君之宜. 中庸曰, 聰明睿智, 足以有臨. 又曰, 舜其大知也歟, 舜好問而好察邇言, 其皆出於此歟. 夫子釋乾四德, 言仁義禮, 不言智. 知光大言於坤, 周公爻辭獨於臨之坤體, 曰知臨, 五常之德, 知藏於內, 坤以藏之故也.

운봉호씨가 말하였다: 육오는 본래 약하고 어리석은 왕인데, 어찌 지혜라고 말하겠는가? 대체로 임한다고 하면 대부분 자기가 다른 사람에 임하는 것으로 생각한다. 육오가 마음을 비워 아래로 구이와 응하여 자신을 믿지 않고 남에게 맡기니, 지혜롭고 대군의 마땅함이 되는 까닭이다. 『중용』에 "총명하고 지혜로워 충분히 임한다"[36]고 하였고, 또 "순임금은 위대한 지혜로다. 순임금은 묻기를 좋아하며 가까운 말을 살피기를 좋아하였다"[37]고 하였는데, 이것이 모두 여기에서 나온 것이다. 공자가 건괘의 네 덕을 풀이하되 인·의·예라고만 하고 지를 말하지 않았다. 곤괘에서 "앎이 빛나고 크다"라고 하였고, 주공의 효사에서 곤의 몸체에 임하여 "지혜로 임한다"고 하였으니, 오상의 덕에 지가 그 안에 감추어져 있으니, 곤이 그것을 감추고 있기 때문이다.

---

35) 王: 경학자료집성DB에는 '士'로 되어 있으나, 경학자료집성 영인본을 참조하여 '王'으로 바로잡았다.

36) 『中庸』: 聰明睿知, 足以有臨也.

37) 『中庸』: 舜其大知也與. 舜好問而好察邇言.

# ∥韓國大全∥

### 송시열(宋時烈) 『역설(易說)』

六五當爲卦主, 見爻辭. 處君位, 能知臨下之道, 宣乎大君行中正之道也. 其吉可知. 折中以初二爲主, 而不以五爲主, 未信必然. 五本以君位, 知臨下之道, 於爻辭大君之宜, 可見.

육오가 마땅히 괘의 주인이 되어야 하니, 효사에 보인다. 임금의 자리에 거처하여 아래에 임하는 도리를 아니, 대군이 중정한 도를 행하는 것이 마땅하다. 그 길함을 알 수 있다. 『주역절중』에서는 초효와 이효를 주인으로 하고 오효를 주인으로 하지 않았는데, 반드시 그런지는 믿을 수 없다. 오효는 본래 임금의 자리로 아래에 임하는 도리를 아니, 효사의 '대군의 마땅함'이라는 말에서 알 수 있다.

### 홍여하(洪汝河) 「책제(策題):문역(問易)·독서차기(讀書箚記)-주역(周易)」

六五, 知臨, 大君之宜.

육오는 지혜로 임하니, 대군의 마땅함이다.

虛中通理, 知臨在上. 坤體六五, 大君之象.

마음을 비워 이치를 통달하니 지혜로 임하여 위에 있도다. 곤의 몸체에 있는 육오는 대군의 상이로다.

### 이익(李瀷) 『역경질서(易經疾書)』

六五以知臨下, 大君之象. 然知有邪正, 故傳以行中明之.

육오는 지혜로 아래에 임하니, 대군의 상이다. 그러나 지혜에는 그릇됨과 옳음이 있기 때문에 『정전』에서 "중도를 행한다"는 것으로 밝혔다.

### 유정원(柳正源) 『역해참고(易解參攷)』

王氏曰, 處於尊位, 履得其中, 納剛用正, 不忌剛長而能任之, 委物以能而不犯焉, 則聰明者竭其視聽, 知力者盡其謀能, 不爲而成, 不行而至矣. 大君之宜, 如此而已.

왕씨가 말하였다: 높은 지위에 처하고 밝는 것이 알맞음을 얻어 굳셈을 받아들이고 바름을

써서 굳센 양이 자라는 것을 꺼리지 않고 맡길 수 있으며, 능력 있는 이에게 일을 맡겨서 범하지 않으면, 총명한 사람은 그 보고 들은 것을 다할 것이고 지혜와 힘이 있는 사람은 그 지모와 능력을 다할 것이니, 인위적으로 하지 않고도 이루어지고 행하지 않아도 이른다. 대군의 마땅함은 이와 같을 뿐이다.

## 김상악(金相岳) 『산천역설(山天易說)』

六五居坤之中, 應二而交, 以陰從陽, 有知臨之象. 臨下以知, 得大君之宜而吉也.

육오는 곤괘의 가운데 있으면서 이효에 호응하여 사귀어 음으로서 양을 따르니, 지혜로 임하는 상이 있다. 지혜를 가지고 아래에 임해서 대군의 마땅함을 얻어 길하다.

○ 知臨, 卽聰明睿知足以有臨也. 知屬貞, 宜屬利, 卽卦辭之利貞也. 五常之德, 惟知藏于內, 坤以藏之也. 坤六三含章之知, 至臨爲大君之宜, 所以以時發也. 復上六曰, 迷復之凶, 卽知臨之反, 故曰反君道也. 節之象傳曰, 當位以節, 中正以通, 亦知之事也. 五變則又爲節也.

'지혜로 임하는 것'은 "총명하고 지혜로워 충분히 임한다"[38]는 것이다. 지혜는 '정(貞)'에 속하고, 마땅함은 '리(利)'에 속하니, 괘사의 '리정(利貞)'이다. 오상(五常)의 덕 가운데 오직 '지혜'가 안에 저장되니, 곤(坤)으로 저장하는 것이다. 곤괘 육삼의 아름다움을 머금은 지혜는 임함에 이르러 대군의 마땅함이 되기 때문에 때에 맞춰 드러낸다. 복괘 상육에서 "돌아옴에 혼미하여 흉하다"고 한 것은 곧 지혜로 임하는 것의 반대가 되기 때문에 "임금의 도와 반대 된다"고 말하였다. 절괘의 「단전」에서 "지위를 담당하여 절제하며, 중정하여 통한다"고 말한 것도 또한 지혜에 속하는 일이다. 오효가 변하면 또한 절괘가 된다.

## 서유신(徐有臣) 『역의의언(易義擬言)』

坤有知光大之象, 故曰知臨, 猶云睿知之臨也. 六五之知, 非不光大, 而臨事不欲遽行, 輒取決於剛中之正應, 益見其知之大也. 故曰大君之宜. 人君之臨而不進之義, 正在於此等也. 五柔順得中, 有是象也, 九二有剛決象也.

곤괘는 지혜가 빛나고 큰 상이기 때문에 "지혜로 임한다"고 말했으니, 예지(叡智)로 임한다고 말한 것과 같다. 육오의 지혜는 빛나고 크지 않은 것이 아니지만, 일에 임해서 갑작스럽게 행하려고 하지 않고 굳세고 알맞은 정응에게서 결정을 취하니, 그 지혜의 큼을 더욱 알

---

38) 『中庸』: 聰明睿知, 足以有臨也.

수 있다. 그러므로 '대군의 마땅함'이라고 말했다. 임금이 임하면서도 나아가지 않는 뜻은 바로 여기에 있는 것이다. 오효는 유순하고 알맞음을 얻어서 이러한 상이 있고, 구이는 굳세게 결정하는 상이 있다.

### 강엄(康儼) 『주역(周易)』

按, 初九九二, 雖皆有咸臨之象, 而以德言之, 則初九小賢也, 九二大賢也. 故六四與初九相應, 則只爲相臨之至, 而其占止於无咎. 六五與九二相應, 則聰明睿知, 足以有臨, 而爲大君之宜, 占亦爲吉.

내가 살펴보았다: 초구와 구이는 비록 모두 느껴 임하는 상이 있지만, 덕으로 말하면 초구는 작은 현인이고 구이는 큰 현인이다. 그러므로 육사와 초구가 서로 호응하면 다만 서로 임하는 지극함이 되고, 그 점은 허물이 없는데 그친다. 육오와 구이가 서로 호응하면 "총명하고 지혜로워 충분히 임하여" 대군의 마땅함이 되고, 점도 또한 길함이 된다.

### 박문건(朴文健) 『주역연의(周易衍義)』

得位用中, 故有知臨之象. 能知臨下之道, 則下亦畏懷於其上也.

지위를 얻고 알맞음을 쓰기 때문에 지혜로 임하는 상이 있다. 아랫사람에게 임하는 도를 알 수 있다면 아랫사람도 또한 그 윗사람을 두려워하고 그리워한다.

〈問, 大君之宜. 曰, 六五於九二, 剛則制之, 柔則順之. 雖知臨下之道, 然惟大君能行柔中之道, 而不失. 故謂之大君之宜, 以明非小人之吉也.

물었다: '대군의 마땅함'이란 무엇입니까?

답하였다: 육오는 구이에 대해서 굳세면 억제하고 부드러우면 따릅니다. 비록 아래에 임하는 도를 알더라도 오직 대군만이 부드럽고 알맞은 도리를 써서 잘못되지 않을 수 있습니다. 그러므로 '대군의 마땅함'이라고 하여 소인의 길함이 아니라는 것을 밝혔습니다.〉

### 김기례(金箕澧) 「역요선의강목(易要選義綱目)」

乾四德言仁義禮而不言知, 坤曰知光大, 蓋知爲坤道, 故曰知臨.

건괘의 네 덕에서는 인·의·예를 말하고 '지'를 말하지 않았으며, 곤괘에서는 "지혜가 빛나고 크다"고 말했으니, 지혜는 곤괘의 도가 되기 때문에 "지혜로 임한다"고 말하였다.

○ 虛中而任二, 正所以知其宜.

마음을 비워 이효에게 맡기기 때문에 바로 그 마땅함을 안다.

○ 舜之用禹皐陶, 臨下以簡, 故中庸曰, 舜其大知也.

순임금은 우와 고요를 등용하고 간략함으로 아래에 임하였기 때문에 『중용』에서 "순임금은 위대한 지혜로다"[39]라고 말하였다.

## 이항로(李恒老) 「주역전의동이석의(周易傳義同異釋義)」

傳, 夫以一人之身, 臨乎天下之廣, 若區區自任, 豈能周於萬事. 故自任其知者, 適足爲不知. 唯能取天下之善, 任天下之聰明, 則无所不周, 是不自任其知, 則其知大矣.

『정전』에서 말하였다: 한 사람의 몸으로 넓은 천하에 임하니, 만약 구구하게 자신이 맡는다면 어찌 온갖 일에 두루하겠는가? 그러므로 스스로 자신의 지혜만을 믿는 자는 다만 지혜롭지 못할 뿐이다. 오직 천하의 선을 취하여 천하의 총명한 사람에게 맡기면 두루하지 않음이 없을 것이니, 이것이 스스로 자신의 지혜만을 믿지 않으면 그 지혜가 큰 것이다.

本義, 不自用而任人, 乃知之事.

『본의』에서 말하였다: 스스로 지혜를 쓰지 않고 남에게 맡기니, 곧 지혜로운 일이다.

按, 坤不自知, 而以承乾之知爲德. 坤六五象傳曰, 君子黃中通理, 通理亦知之義也.

내가 살펴보았다: 곤은 스스로 지혜롭다고 하지 않고 건괘의 지혜를 받들어 덕으로 삼는다. 곤괘(坤卦) 육오의 「상전」에 "황색이 가운데 있어 이치에 통한다"고 했는데, "이치를 통한다"는 것 또한 지혜라는 뜻이다.

## 심대윤(沈大允) 『주역상의점법(周易象義占法)』

臨之節䷻, 限節也. 以柔居剛而得中求之, 而不强其不來, 知其所當臨而臨之焉. 九二之應與三四服從, 爲當臨者. 初九不來, 非當臨者也. 先王邦畿止于千里, 貢賦止乎九州, 五服之外, 不求焉, 擧是道也. 故曰, 知臨, 大君之宜. 坎爲知, 坎艮爲大君, 兌爲宜.

림괘가 절괘(節卦䷻)로 바뀌었으니, 한계 짓고 절제하는 것이다. 부드러운 음으로 굳센 양의 자리에 있어서 알맞음을 얻어 구하고, 오지 않는 자를 억지로 하지 않아서 마땅히 임할 바를 알아 임한다. 호응인 구이와 복종하는 삼효·사효는 마땅히 임할 대상이 된다. 초구는 오지 않으니, 마땅히 임할 대상이 아니다. 선왕의 나라 경기 지역이 천리에 그쳤고, 세금을 거두는 것이 구주(九州)에 그쳤으며, 오복(五服)의 이외에서는 구하지 않았던 것이 이 도리

---

39) 『中庸』: 舜其大知也與.

를 따른 것이다. 그러므로 "지혜로 임하니, 대군의 마땅함이다"라고 하였다. 감괘가 지혜가
되고, 감괘와 간괘가 대군이 되며, 태괘(兌卦)가 마땅함이 된다.

### 오치기(吳致箕) 「주역경전증해(周易經傳增解)」

六五柔順得中而居尊, 下有九二剛中之臣, 倚任以天下之事, 能不自用其知, 而取諸人
以爲善, 可得不勞而治, 卽以明知臨下. 是乃大君之所宜也, 故言吉. 傳義, 已備矣.

육오는 유순하고 알맞음을 얻어서 높은 자리에 거하며, 아래로 굳세고 알맞은 신하인 구이
가 있어서 천하의 일을 맡기고, 스스로 그 지혜를 쓰지 않고 다른 사람에게서 취하여 선을
행할 수 있어 수고하지 않고도 다스릴 수 있으니, 밝은 지혜로 아래에 임하는 것이다. 이것
이 대군의 마땅한 바이기 때문에 길하다고 말했다. 『정전』과 『본의』에 이미 갖추어 설명되
어 있다.

○ 變坎爲通知之象, 對體之乾, 爲大君之象也.
변화된 감괘가 통하여 아는 상이 되고, 음양이 바뀐 몸체인 건괘가 대군의 상이 된다.

### 이진상(李震相) 『역학관규(易學管窺)』

坤, 知光大之象. 知藏於內, 而坤以藏之. 蓋卦位, 坤居北爲智, 知者, 智之用也. 五, 陽
位也, 君位也, 故曰大君之宜.

곤괘는 지혜가 빛나고 큰 상이다. 지혜가 안에 저장되는데, 곤으로써 저장한다. 괘의 자리는
곤괘는 북쪽에 거하여 지혜가 되니, 앎은 지혜의 작용이다. 오효는 양의 자리이고 임금의
자리이기 때문에 '대군의 마땅함'이라고 하였다.

象曰, 大君之宜, 行中之謂也.

「상전」에서 말하였다: "대군(大君)의 마땅함"은 중도(中道)를 행함을 이른다.

## 中國大全

### 傳

君臣道合, 蓋以氣類相求. 五有中德, 故能倚任剛中之賢, 得大君之宜, 成知臨之功, 蓋由行其中德也. 人君之於賢才, 非道同德合, 豈能用也.

임금과 신하가 도를 합함은 같은 기운끼리 서로 구하는 것이다. 육오가 중도의 덕이 있기 때문에 강한 중도의 어진 자에게 의지하고 맡겨서 대군(大君)의 마땅함을 얻어 지혜로 임하는 공을 이루는 것이니, 중도의 덕을 행하기 때문이다. 임금이 어진 재주를 가진 사람과 도가 같고 덕이 합하지 않는다면 어찌 쓸 수 있겠는가?

### 小註

南軒張氏曰, 六五知臨者, 豈任察以爲明, 挾暴以爲剛乎. 立大中之道, 使天下得以共行之而已. 舜惟能用中于民, 此所以爲大智也.

남헌장씨가 말하였다: 육오는 지혜로 임하는 자이니, 어찌 관직을 맡기고 살피는 것을 현명하다고 여기며, 사나움을 강함이라고 여기겠는가? 큰 중도의 도를 세워 천하와 함께 행하고자 할 뿐이다. 순임금이 중용을 백성들에게 사용하였으니, 이것이 그가 위대한 지혜인 이유이다.

# ‖韓國大全‖

### 석지형(石之珩) 『오위귀감(五位龜鑑)』

臣謹按, 臨之六五, 有柔中之德, 而任剛中之臣, 故得大君之宜, 成知臨之功. 蓋上體爲坤, 又有互坤, 坤藏萬物, 而智藏四常, 所以爲知臨也. 土德在中, 而中德相應, 所以稱行中也. 此固臨道之至善. 然智亦有失, 中或有差, 要必廣資輔助之力, 克加精一之功, 方可免於差失也. 伏願殿下存心焉.

신이 삼가 살펴보았습니다: 림괘의 육오는 부드럽고 알맞은 덕으로 굳세고 알맞은 신하에게 맡기기 때문에 대군의 마땅함을 얻어서 지혜로 임하는 공을 이룹니다. 상체가 곤괘가 되고 또 호괘가 곤괘인데, 곤은 만물을 저장하고 지혜는 사상(四常)을 저장하기 때문에 지혜로 임하는 것이 됩니다. 토(土)의 덕은 가운데에 있고, 가운데 있는 덕은 서로 호응하기 때문에 중도를 행한다고 칭하였습니다. 이는 본래 임하는 도 가운데 지극히 선한 것입니다. 그러나 지혜도 또한 잘못되고 중도도 혹 어긋나니, 반드시 돕는 힘을 널리 의지해서 정밀하게 하고 한결같이 하는 공부를 더할 수 있어야만 잘못과 어긋남을 면할 수 있습니다. 엎드려 원하건대 전하께서는 마음을 보존하십시오.

### 유정원(柳正源) 『역해참고(易解參攷)』

正義, 六五處中行, 此中和之行, 致得大君之宜, 故言行中之謂也.

『주역정의』에서 말하였다: 육오는 중도로 행하는데 거처하니, 이것이 중화(中和)를 행하여 대군의 마땅함을 이루는 것이기 때문에 "중도를 행함을 이른다"고 말하였다.

○ 進齋徐氏曰, 臨六五之行中, 與師六五之以中行, 泰六五之中以行願, 同義.

진재서씨가 말하였다: 림괘 육오의 '중도를 행하는 것'과, 사괘 육오의 '중도로 행하는 것', 태괘 육오의 '중도로 원함을 행하는 것'은 같은 뜻이다.

### 김상악(金相岳) 『산천역설(山天易說)』

中者, 中德也. 五與二相應以交, 故曰行中. 與泰二曰, 得尙于中行, 相似.

'중(中)'이란 알맞은 덕이다. 오효와 이효가 서로 호응하여 사귀기 때문에 "알맞은 덕을 행한다"고 말하였다. 태괘(泰卦) 이효에서 "알맞은 덕을 실천하는 사람과 짝을 이룰 수 있을 것이다"라고 말한 것과 비슷하다.

### 서유신(徐有臣) 『역의의언(易義擬言)』

君德亢高, 則自用, 六五中而不亢, 故稱其爲大君之宜也. 大君之宜, 行中之謂, 皆論說之辭也.

임금의 덕이 높으면 스스로의 생각을 쓰는데, 육오는 가운데 있어서 높지 않기 때문에 대군의 마땅함이 된다고 칭하였다. "대군의 마땅함"과 "중도를 행함을 이른다"고 한 것은 모두 논하여 설명한 글이다.

### 오치기(吳致箕) 「주역경전증해(周易經傳增解)」

以柔中之尊, 任剛中之賢, 乃行其中德而得君道之宜也.

부드럽고 알맞은 높은 이로서 굳세고 알맞은 현인에게 맡겨 알맞은 덕을 행하여 임금의 도의 마땅함을 얻는다.

### 이병헌(李炳憲) 『역경금문고통론(易經今文考通論)』

六五知大命之臨我, 而綴旒在上, 罔知攸爲, 無憂無慮, 一聽乎大君之宜廢宜興而已. 二五皆中, 故曰行中之謂也, 暗指紂事.

육오는 큰 명이 나에게 임하는 것을 알고, 임금은[40] 위에 있지만 할 바를 알지 못하고 근심도 없고 염려도 없이 한결같이 대군이 마땅히 흥하고 폐하는 것을 따를 뿐이다. 이효와 오효는 모두 가운데 있기 때문에 "중도를 행하는 것을 이른다"고 말하였으니, 은근히 주(紂)의 일을 가리킨다.

---

40) 『詩經·長發』: 爲下國綴旒.

# 上六, 敦臨, 吉, 无咎.

상육은 돈독하게 임하니, 길하여 허물이 없다.

## ┃中國大全┃

### 傳

上六, 坤之極, 順之至也, 而居臨之終, 敦厚於臨也. 與初二, 雖非正應, 然大率陰求於陽, 又其至順, 故志在從乎二陽. 尊而應卑, 高而從下, 尊賢取善, 敦厚之至也. 故曰敦臨, 所以吉而无咎. 陰柔在上, 非能臨者, 宜有咎也, 以其敦厚於順剛, 是以吉而无咎. 六居臨之終, 而不取極義, 臨无過極, 故止爲厚義, 上, 无位之地, 止以在上言.

상육은 곤(☷)의 끝이니 유순함이 지극한데 임의 마지막에 있으니, 임함에 돈후한 것이다. 초효 · 이효와 비록 정응은 아니나 대체로 음이 양을 구하고 또 지극히 유순하기 때문에 뜻이 두 양을 따름에 있다. 존귀하면서도 비천한 데에게 응하고 높으면서도 아래를 따르며, 어진 이를 높이고 선을 취하니 돈후함이 지극한 것이다. 그러므로 "돈독하게 임한다"고 하였으니, 길하여 허물이 없는 것이다. 부드러운 음으로 위에 있으니 임하는데 능한 사람이 아니면 허물이 있을 것이나, 굳셈에 순종하기를 돈후하게 하기 때문에 길하여 허물이 없는 것이다. 육(六)이 림괘의 마지막에 있지만 극(極)의 뜻을 취하지 않는 것은 임하는 데에는 지나치게 극(極)함이 없기 때문에 다만 두텁다는 뜻이 되고, 상(上)은 지위가 없는 자리이므로 위에 있는 것으로만 말했다.

### 本義

居卦之上, 處臨之終, 敦厚於臨, 吉而无咎之道也, 故其象占如此.

괘의 위에 있고 림괘의 마지막에 처하여 돈후하게 임하니, 길하여 허물이 없는 도이다. 그러므로 그 상과 점이 이와 같다.

### 小註

朱子曰, 上六敦臨, 自是積累至極處, 有敦篤之義. 艮上九亦謂之敦艮, 復上六爻不好了, 所以只於五爻謂之敦復. 又曰臨便是好卦, 不獨說道理. 自是好讀, 所謂卦有小大, 辭有險易, 此便是大底卦.

주자가 말하였다: '상육은 돈독하게 임함'은 본래 지극히 쌓아서 돈독한 뜻이 있는 것이다. 간괘 상구에서 또한 "그침에 독실하다"고 하였고, 복괘에서 상육효는 좋지 않고 육오효에서 "돌아옴에 돈독하다"고만 하였다.

또 말하였다: 림괘는 좋은 괘이다. 도리를 말했을 뿐만 아니라 본래 잘 읽혀지니, 괘에 작고 큰 것이 있고 말에 험하고 쉬운 것이 있다고 했으니, 이것이 곧 큰 괘이다.

○ 臨川吳氏曰, 敦, 厚也, 坤之上畫, 地之最厚處. 天高而覆物者, 以上臨下也. 地厚而載物者, 以下承上, 非臨也. 上六陰柔, 居高臨下, 然以坤厚載物之德臨之, 以俟二陽之進, 而非敢以柔臨剛也. 在上而不以高自居, 厚之至也, 故曰敦臨, 此爻取義乃臨卦之正意.

임천오씨가 말하였다: 돈은 두터움이니, 곤괘의 위 획이 땅이 가장 두터운 곳이다. 하늘이 높이 만물을 덮는 것은 위에서 아래로 임하기 때문이다. 땅이 두터이 만물을 싣는 것은 아래에서 위를 계승하기 때문이니, 임하는 것이 아니다. 상육은 부드러운 음으로 높이 있으면서 아래로 임한다. 그렇지만 곤괘의 두터이 만물을 싣는 덕으로 임하여 두 양이 나오기를 기다려 감히 부드러움으로 강함에 임하지 않는다. 위에 있으면서 높음으로 자처하지 않으니, 두터움이 지극하다. 그러므로 "돈독하게 임한다"고 하였으니, 이 효가 뜻을 취함이 바로 림괘의 바른 뜻이다.

○ 雲峰胡氏曰, 坤與艮, 皆土也, 有敦厚之象, 然皆於終見之. 復除上六迷復外, 六五爲復之終曰敦復, 艮上九艮之終曰敦艮, 此曰敦臨, 相與而厚於終者也, 故吉且无咎.

운봉호씨가 말하였다: 곤괘와 간괘는 모두 땅이어서 돈후한 상이 있지만 모두 끝에서 그것을 볼 수 있다. 복괘에서 "상육은 돌아옴에 혼미하다"를 제외하면 육오가 복괘의 끝이 되어 "돌아옴에 돈독하다"고 하였고, 간괘 상구는 간괘의 끝으로 '그침에 도탑다'고 하였고, 여기에서는 "돈독하게 임한다"고 하였으니, 서로 사귀면서 끝내 두텁기 때문에 "길하여 허물이 없다."

○ 隆山李氏曰, 以厚接物, 未有不安者, 故易之爻辭, 敦復无悔, 敦艮吉, 敦臨吉.

융산이씨가 말하였다: 두터움으로 사물에 접하여 편안하지 않음이 없다. 그러므로 『주역』의 효사에서 "돌아옴을 돈독히 함이니 후회가 없다",[41] "그침에 도타움이니, 길하리라",[42] "돈독하게 임하니 길하다"고 하였다.

# ∥韓國大全∥

## 송시열(宋時烈) 『역설(易說)』

繫辭曰, 安土, 敦乎仁. 蓋敦者, 敦厚之謂也. 六本坤土之極而變則爲艮, 艮亦土, 艮之德性卽敦實也. 下兌又錯艮, 小象志在內者, 以此也. 且上六不得臨下之位, 而但其志, 則在乎臨六三也. 來云, 坤爲敦, 與敦復敦艮同.

「계사전」에 "자리에 편안하여 인(仁)에 돈후하다"고 하였다. '돈(敦)'이란 돈후함을 말한다. 육(六)은 본래 곤괘인 토(土)의 끝에 있고 변하면 간괘가 되는데, 간괘 또한 '토'이고 간괘의 덕성은 돈후하고 실질적이다. 아래의 태괘(☱) 또한 음양을 바꾸면 간괘(☶)가 되는데,「소상전」에서 "뜻이 안에 있다"고 한 것은 이 때문이다. 또한 상육은 아래에 임하는 지위를 얻을 수 없고, 다만 그 뜻이 육삼에 임하는데 있다. 래지덕은 곤괘가 돈후함이 되니, '돌아옴을 돈후하게 함[敦復]', '그침에 돈후하게 함[敦艮]'과 같다고 하였다.

## 이익(李瀷) 『역경질서(易經疾書)』

敦臨之於知臨, 如初九之於九二, 其義相類. 雖在無位之地, 處得其正, 故大君知臨而與之同臨. 敦者, 承知字說, 卽輔佐而敦厚其知也. 如復之六五, 從四而復曰, 敦復. 大抵初二相類, 三四相類, 五上相類. 四則甘之至也, 上則知之敦也. 初與二, 卽發其九, 而初二義均, 故不變文.

돈후하게 임함은 지혜롭게 임함에 대해서 초구의 구이에 대한 관계와 같으니, 그 뜻이 서로 비슷하다. 상육은 비록 지위가 없는 처지이지만, 거처한 것이 바름을 얻었기 때문에 대군이 지혜로 임하는 것이 그와 같이 임하는 것이다. 돈후함이란 지혜를 이어서 말한 것으로 그 지혜를 보좌하여 돈후하게 한다는 것이다. 예를 들어 복괘의 육오는 사효를 따라 돌아오기 때문에 "돌아옴을 돈후하게 한다"고 하였다. 대체로 초효와 이효가 서로 비슷하고, 삼효와 사효가 서로 비슷하며, 오효와 육효가 서로 비슷하다. 사효는 달콤함의 지극함이고, 상효는 지혜의 돈후함이다. 초효와 이효는 그것이 구(九)라는 점을 밝혀서 초효와 이효가 뜻이 같기 때문에 문장을 변화시키지 않았다.

---

41)『周易·復卦』: 六五, 敦復, 无悔.
42)『周易·艮卦』: 上九, 敦艮, 吉.

## 유정원(柳正源) 『역해참고(易解參攷)』

上六, 敦臨.

상육은 돈독하게 임한다.

王氏曰, 處坤之極, 以敦而臨者也. 志在助賢以敦爲德, 雖在剛長, 剛不害厚, 故无咎.

왕필이 말하였다: 곤괘의 끝에 거처하여 돈독함으로 임하는 자이다. 뜻은 현인을 도와서 돈독함으로 덕을 삼는데 있으니, 비록 굳센 양이 자라더라도 굳셈이 도타움을 해치지 않기 때문에 허물이 없다.


○ 隆山李氏曰, 大凡陽長則陰消, 君子吉則小人凶, 此必然之理. 臨之二陽方長, 而上四陰, 兩无咎, 兩吉何也. 臨, 下兌上坤, 說而順, 剛中而應故也. 陽方浸長, 群陰順應, 兩不相傷, 宜乎下而近者无咎, 上而尊者吉也.

융산이씨가 말하였다: 대체로 양이 자라면 음이 사라지고, 군자가 길하면 소인이 흉하니, 이것은 반드시 그러한 이치이다. 림괘의 두 양이 막 자라는데, 위의 네 음 가운데 두 음은 허물이 없고 두 음은 길한 것은 왜인가? 림괘는 아래가 태괘이고 위가 곤괘여서 기뻐하여 따르며, 굳세고 알맞음으로 호응하기 때문이다. 양이 막 점점 자라는데 여러 음이 순응하여 둘이 서로 상하지 않으니, 아래이고 가까운 자는 허물이 없고 위이고 높은 자는 길한 것이 마땅하다.


## 김상악(金相岳) 『산천역설(山天易說)』

敦者, 厚也. 居臨之終, 處坤之極, 與初二二陽, 雖非比應, 志在於內, 而敦厚於終, 故吉而无咎也.

'돈(敦)'은 도타움이다. 림괘의 끝에 거하고 곤괘의 끝에 처하여 초효, 이효 두 양과 비록 가깝거나 호응하지는 않지만, 뜻이 안에 있고 끝에서 돈후하기 때문에 길하여 허물이 없다.


○ 敦者, 坤之厚也, 與復之五曰敦復同象. 又變爻爲艮, 艮體篤實, 故重艮之止, 亦言敦象曰, 以厚終也. 雜卦臨觀之義或與或求. 按臨之五曰知臨, 上曰敦臨, 是則與乎下者, 而遠陽者勝, 故五吉而上吉无咎. 觀之三曰觀我生進退, 四曰觀國之光, 是則求乎上者, 而近陽者勝, 故四言利, 三不言利.

'돈(敦)'은 곤괘의 도타움이니, 복괘 오효의 "돌아옴을 돈후하게 한다"는 것과 같은 상이다. 또한 태괘(☱)의 효가 음에서 양으로 변하면 간괘(☶)가 되는데, 간괘의 몸체는 독실하기 때문에 육획괘인 간괘의 그침에 대해서도 도타운 상을 말하여 "마지막까지 도탑다"고 말하였다. 「잡괘전」에서는 "림괘(臨卦)와 관괘(觀卦)의 뜻은 혹은 주고[與] 혹은 구한다[求]"고 하였다. 살펴보건대, 림괘의 오효에서는 "지혜로 임한다"고 말하였고, 상효에서는 "돈독함으로 임한다"고 말하였는데, 이는 아래에 주는 것으로 양에서 먼 자가 이기기 때문에 오효는 길하고 상효는 길하여 허물이 없다. 관괘의 삼효에서는 "내가 내는 행동을 보아서 나아가고 물러가도다"라고 말하였고, 사효에서는 "나라의 빛남을 본다"고 말하였는데, 이는 위에 구하는 것으로 양에 가까운 자가 이기기 때문에 사효에서는 이익을 말하고 삼효에서는 이익을 말하지 않았다.

### 서유신(徐有臣) 『역의의언(易義擬言)』

上六, 臨之終也. 終於臨而竟不進, 是爲敦臨. 敦臨者, 敦厚之臨也, 如艮終之爲敦艮也.

상육은 림괘의 끝에 있다. 임하는 데에서 마치고 끝내 나아가지 않은 것이 돈독하게 임하는 것이다. 돈독하게 임한다는 것은 돈후하게 임하는 것이니, 간괘의 끝이 그침을 돈후하게 하는 것과 같다.

### 박문건(朴文健) 『주역연의(周易衍義)』

志在必遇, 故有敦臨之象. 敦厚其臨, 故所以吉而无咎.

뜻이 반드시 만나는데 있기 때문에 돈독하게 임하는 상이 있다. 그 임하는 것을 돈후하게 하기 때문에 길하여 허물이 없다.

〈問, 敦臨敦復敦艮. 曰, 敦其臨, 志應也, 敦復, 有疑而自脩也, 敦艮, 處極而不往也.

물었다: 임하는 것을 돈독하게 하고 돌아오는 것을 돈독하게 하고 그치는 것을 돈독하게 하는 것은 어떤 것입니까?

답하였다: 임하는 것을 돈독하게 하는 것은 뜻이 응하는 것이고, 돌아오는 것을 돈독하게 하는 것은 의심이 있어 스스로 닦는 것이며, 그치는 것을 돈독하게 하는 것은 끝에 처하여 더 이상 가지 않는 것입니다.〉

### 이지연(李止淵) 『주역차의(周易箚疑)』

坤以老母 臨於少女, 厚之至也. 記曰, 子産其猶衆人之母, 又曰, 後有杜母.

곤괘가 노모로서 소녀에게 임하니, 지극한 도타움이다. 『예기』에 "자산(子産)이 여러 사람의 어머니와 같았다"[43]고 하였고, 또 『후한서』에서 "뒤에는 어머니 같은 두시(杜詩)가 있다"[44]고 하였다.

---

43) 『禮記 · 仲尼燕居』: 子産猶衆人之母也.

## 김기례(金箕澧) 「역요선의강목(易要選義綱目)」

坤厚, 故曰敦.

곤괘가 도탑기 때문에 '돈(敦)'이라고 하였다.

○ 以順之終臨之極, 居高而俟二陽之進, 非厚德不能也.

유순한 곤괘의 끝과 림괘의 끝에서 높은 데 있으면서 두 양이 나아오기를 기다리는 것은 도타운 덕을 가진 자가 아니면 할 수 없다.

## 심대윤(沈大允) 『주역상의점법(周易象義占法)』

臨之損䷨, 損下益上也. 上六居臨之極, 所臨至廣衆也, 而以柔居柔, 不更求於外, 而以篤厚臨乎內. 坤變艮, 有分土開國之象. 先王損其五服之內, 以建侯牧, 有損下益上之義, 篤厚之至也. 後世疑其叛亂而不爲封建者, 惑之甚矣. 敦, 篤厚也, 艮坤之德也.

림괘가 손괘(損卦䷨)로 바뀌었으니, 아래를 덜어 위에 보태주는 것이다. 상육은 림괘의 끝에 거하여 임하는 것이 지극히 넓고 많으며, 부드러운 음으로 부드러운 음의 자리에 거하여 더 이상 밖에서 구하지 않고 돈독하고 도타움으로 안에 임한다. 곤괘(☷)가 변하여 간괘(☶)가 되면 땅을 나누어 나라를 열어주는 상이 있다. 선왕이 오복(五服)의 안을 덜어서 제후와 지방관을 세운 것은 아래를 덜어 위에 보태주는 뜻이 있으니, 지극히 돈독하고 도타움이다. 후세에 반란을 두려워해서 봉건을 하지 않은 것은 매우 미혹된 것이다. '돈(敦)'은 돈독하고 도타움이니, 간괘와 곤괘의 덕이다.

## 오치기(吳致箕) 「주역경전증해(周易經傳增解)」

上六以柔居順之極臨之上, 雖內无正應而志在于二剛, 卽尊而從卑, 上而與下, 敦於臨者也. 居旣得正, 德又敦厚, 故言吉而雖无剛應, 亦得无咎也.

상육은 부드러움으로 순한 곤괘의 끝과 림괘의 위에 있어서 비록 안에 정응이 없지만 뜻은 두 굳센 양에게 있으니, 높으면서도 낮은 이를 따르고 위에 있으면서도 아래에 있는 이와 함께 하여 임하는데 돈독한 자이다. 거처함이 이미 바름을 얻고 덕도 또한 돈후하기 때문에 길하다고 말하였고, 비록 굳센 호응은 없지만 또한 허물이 없을 수 있다.

---

44) 『後漢書·杜詩傳』: 前有召父, 後有杜母.

### 이진상(李震相)『역학관규(易學管窺)』

敦坤厚象, 變艮亦有敦意.

돈독함은 곤괘의 도타운 상이고, 변하여 간괘가 되어도 또한 돈독하다는 뜻이 있다.

### 박문호(朴文鎬)「경설(經說)·주역(周易)」

敦臨, 程傳, 以只臨二陽爲言, 本義以總臨五爻爲言. 今以象傳志在內之語觀之, 程傳似長.

"돈독하게 임한다"는 것을 『정전』은 다만 두 양에 임하는 것으로 말하였고,『본의』는 다섯 효에 전부 임하는 것으로 말하였다. 지금「상전」에서 "뜻이 안에 있다"고 말한 것으로 보면 『정전』이 나은 듯하다.

象曰, 敦臨之吉, 志在內也.

「상전」에서 말하였다: "돈독하게 임하니 길함"은 뜻이 안에 있기 때문이다.

## ‖中國大全‖

### 傳

志在內, 應乎初與二也, 志順剛陽而敦篤, 其吉可知也.

"뜻이 안에 있다"는 것은 초효와 이효에 응함이다. 뜻이 강한 양에게 순종하여 돈독하게 하니, 그 길함을 알 수 있다.

### 小註

朱子曰, 居臨之時, 二陽得時上進, 陰不敢與之爭而志與之. 應所謂在內者, 非謂正應, 只是卦內與二陽應也.

주자가 말하였다: 임하는 때는 두 양이 때를 얻어 위로 나아옴에 음이 감히 그와 더불어 다투지 않고 뜻으로 그들을 따른다. 응함이 안에 있다는 것은 정응을 말하는 것이 아니라 다만 괘 안의 두 양과 응함이다.

○ 雲峰胡氏曰, 上六非與內之二陽應, 而其志在二陽, 斯其爲厚之至也.

운봉호씨가 말하였다: 상육은 내괘의 두 양과 응하는 것이 아니라 뜻이 두 양에 있는 것이니, 이것이 두터움이 지극한 것이다.

○ 進齋徐氏曰, 二剛浸長進逼於柔, 此雖成卦之體, 而雜卦又曰, 臨觀之義, 或與或求, 與者, 又言上下相與爲臨也. 爻辭初二咸臨, 此下臨上, 剛臨柔也. 三甘臨, 四至臨, 五知臨, 上敦臨, 此上臨下, 柔臨剛也. 上下相臨, 所謂與也.

진재서씨가 말하였다: 두 강함이 차츰 자라나서 나아가 부드러움을 핍박하니, 이것이 비록 괘를 이룬 몸체이지만 「잡괘전」에서 "림(臨)과 관(觀)의 뜻은 혹은 주고 혹은 구한다"라고

하였으니, '여(與)'는 위와 아래가 서로 사귐을 임한다고 하는 것이다. 효사에 초효와 이효의 '감동하여 임함'은 아래에서 위로 임함으로 강함이 부드러움에 임하는 것이다. 삼효의 '달콤함으로 임함', 사효의 '지극하게 임함', 오효의 '지혜로 임함', 상육의 '돈독하게 임함'은 위에서 아래로 임함이니, 부드러움이 강함에 임하는 것이다. 위와 아래가 서로 임함이 '여(與)'이다.

○ 建安丘氏曰, 臨有凌逼之義, 以下之二陽而凌乎上之四陰也. 然二當任而初不當任, 故二爲臨主. 是以在二曰咸臨吉无不利, 而初曰咸臨貞吉而已. 其上四陰, 則皆受陽之臨者, 而遠者吉近者凶. 三其最近者也, 故甘臨无攸利, 四五則漸遠矣, 故四至臨无咎, 五知臨吉也. 唯上去陽獨遠而志應乎內, 故有敦臨吉无咎之辭焉, 豈非臨之道, 利遠而不利近者乎.

건안구씨가 말하였다: 림괘에는 능멸하고 핍박하는 뜻이 있으니, 아래의 두 양이 위의 네 음을 능멸하기 때문이다. 그러나 구이에게 마땅히 맡기지 초구에게는 마땅히 맡기지 않는 까닭에 구이가 림괘의 주인이 된다. 그래서 구이에서 "감동하여 임하니, 길하여 이롭지 않음이 없으리라"고 하였고, 초구에서는 "감동하여 임하니, 바르게 하여 길하다"고만 하였다. 그 위의 네 음은 모두 양의 임함을 받는 자로 먼 자는 길하고 가까운 자는 흉하다. 육삼은 가장 가까이 있는 자이기 때문에 "달콤함으로 임하여 이로운 바가 없으니"라고 하였고, 육사와 육오는 점차 멀어지기 때문에 육사에서는 "지극하게 임하니, 허물이 없다", 육오에서는 "지혜로 임하니, 길하다"고 하였다. 상육만이 양으로부터 유독 멀어 뜻이 안에서 응하기 때문에 "돈독하게 임하니, 길하여 허물이 없다"는 말이 있으니, 어찌 림괘의 도가 멀리 있는 자를 이롭게 여기고 가까이 있는 자를 이롭게 여기지 않음이 없겠는가?

## 韓國大全

유정원(柳正源) 『역해참고(易解參攷)』

志在內.

뜻이 안에 있다.

正義, 雖在上卦之極, 志意恒在於內之二陽. 意在助賢, 故得吉也.

『주역정의』에서 말하였다: 비록 상괘의 끝에 있지만 뜻은 항상 안의 두 양에 있다. 뜻이 현인을 돕는데 있기 때문에 길함을 얻는다.

○ 古爲徐氏曰, 臨上六志在內, 與否初六志在君同. 否之初六, 本非應五, 臨之上六, 亦非應二, 此可以志論.
고위서씨가 말하였다: 림괘의 상육은 뜻이 안에 있으니, 비괘(否卦) 초육의 뜻이 임금에게 있는 것과 같다. 비괘 초육은 본래 오효에 호응하지 않고, 림괘의 상육 또한 이효에 호응하지 않으니, 이는 뜻으로 논의할 수 있다.

### 김상악(金相岳) 『산천역설(山天易說)』

內者, 內卦也. 上陰下陽, 有相求之義, 故上之與二, 雖非其應, 其志在內. 凡言志在內在外在君在下者, 皆非二五之應也.
'안[內]'이란 내괘이다. 위가 음이고 아래가 양이어서 서로 구하는 뜻이 있기 때문에, 상효와 이효는 비록 그 호응은 아니지만 그 뜻이 안에 있다. "뜻이 안에 있다", "뜻이 밖에 있다", "뜻이 임금에게 있다", "뜻이 아래에 있다"고 말한 것은 모두 이효와 오효의 호응이 아니다.

### 서유신(徐有臣) 『역의의언(易義擬言)』

志在六三, 故終不前進也.
뜻이 육삼에게 있기 때문에 끝내 앞으로 나아가지 않는다.

### 박문건(朴文健) 『주역연의(周易衍義)』

內, 謂六三也.
'안[內]'은 육삼을 말한다.

### 김기례(金箕澧) 「역요선의강목(易要選義綱目)」

志在內.
뜻이 안에 있다.

居高以順, 順時而待二陽, 非敢强臨, 則按物之道, 可謂厚之至也.
유순함으로 높은 데 거하고, 때를 따라 두 양을 기다려 감히 억지로 임하지 않는다면, 상대를 어루만지는 도가 지극히 도탑다고 할 수 있다.

○ 志俟二陽, 故曰在內.
뜻이 두 양을 기다리기 때문에 "안에 있다"고 말하였다.

贊曰, 以陽臨陰, 剛浸而長.  以道相感,  君仁臣良.  消長之理,  循環无常.  抑陰扶陽, 戒在豫防.
찬미하여 말하였다: 양으로 음에 임하여 굳셈이 점점 자라네. 도리로써 서로 느껴 임금은 인자하고 신하는 훌륭하네. 사라지고 자라는 이치는 순환하여 끝이 없네. 음을 누르고 양을 북돋아 예방할 것을 경계하네.

### 심대윤(沈大允)『주역상의점법(周易象義占法)』

敦臨, 以不臨爲臨也.
"돈독하게 임한다"는 것은 임하지 않는 것을 임하는 것으로 여긴다는 것이다.

### 오치기(吳致箕)「주역경전증해(周易經傳增解)」

志在於內體二剛, 而敦厚其臨, 吉之道也.
뜻이 내괘의 두 굳센 양에게 있어서 그 임함을 돈후하게 하는 것이 길한 도이다.

### 이진상(李震相)『역학관규(易學管窺)』

陰志趨下, 故象曰, 志在內. 蹇上亦然.
음의 뜻은 아래로 내려가는데 있기 때문에 「상전」에서 "뜻이 안에 있다"고 말하였다. 건괘(蹇卦)의 상효도 또한 그렇다.

### 이병헌(李炳憲)『역경금문고통론(易經今文考通論)』

易中三言大君, 乃上六上九之稱也, 實有天人神聖之尊, 前於師上爻已辯之. 敦臨者, 審視二五兩爻也. 內, 二也.
『주역』 가운데 세 번 '대군'을 말했는데, 상육과 상구에 대한 칭호로서 실제로 하늘의 사람으로서 신성한 높음을 갖고 있는데, 앞에서 사괘(師卦)에서 이미 설명하였다. "돈독하게 임한다"는 것에 대해서는 이효와 오효, 두 효를 자세히 살펴야 한다. '안'은 이효이다.

# 20

## 관괘

觀卦

# ┃中國大全┃

### 傳

觀, 序卦, 臨者, 大也, 物大然後可觀, 故受之以觀, 觀所以次臨也. 凡觀, 視於物則爲觀, 爲觀於下則爲觀, 如樓觀, 謂之觀者, 爲觀於下也. 人君, 上觀天道, 下觀民俗則爲觀, 修德行政, 爲民瞻仰則爲觀. 風行地上, 徧觸萬類, 周觀之象也, 二陽在上, 四陰在下, 陽剛居尊, 爲群下所觀, 仰觀之義也. 在諸爻則唯取觀見, 隨時爲義也.

관괘는 「서괘전」에 "림은 큼이니, 물건은 큰 뒤에 볼 만하므로 관괘로 받았다"고 하였으니, 관괘가 이 때문에 림괘 다음이다. 관은 물건을 보면 보는 것이 되고, 아래에 보여줌이 되면 보여줌이 되니, 누관(樓觀)을 관이라고 하는 것은 아래에 보여줌이 되기 때문이다. 임금이 위로 천도를 보고 아래로 백성의 풍속을 보면 보는 것이 되고, 덕을 닦고 정치를 행하여 백성들이 우러러 보게 되면 보여줌이 된다. 바람이 땅 위에 불어 만물을 두루 접촉함은 두루 보는 상이고, 두 양이 위에 있고 네 음이 아래에 있으니, 강한 양이 높은 데 있어 여러 아랫사람들의 봄이 됨은 우러러 보는 뜻이다. 여러 효에 있어서는 오직 보는 뜻만을 취하였으니, 때에 따라 뜻을 삼은 것이다.

### 小註

朱子曰, 自上示下曰觀, 自下觀上曰觀, 故卦名之觀去聲, 而六爻之觀皆平聲.

주자가 말하였다: 위에서 아래를 봄을 관이라 하고, 아래에서 위를 봄도 관이라고 하는 까닭에, 괘 이름의 관은 거성(去聲)이고, 여섯 효의 관은 모두 평성(平聲)이다.

## ┃韓國大全┃

### 송시열(宋時烈) 『역설(易說)』

風者, 無形也, 不可以觀, 而行於地上, 動萬物然後可以觀, 故以觀名卦. 巽者, 潔齊也, 坤者, 致養也. 人之潔齊而致養者, 祭祀也. 豫之大象, 亦以殷薦言者, 說見上. 言在下者, 皆仰觀君上之化, 而若盥水不薦之時, 則誠意相孚, 如仰望然. 論語之自旣灌不觀, 亦反此意. 毛西河奇齡曰, 朝有觀, 廟亦有觀. 孔子誅少正卯於西觀. 立巽木於地上, 爲艮之門, 卦有大艮象故也. 未知何如. 大象, 丘氏說盡.

바람은 형체가 없어서 볼 수 없고, 땅 위에 행하여 만물을 움직이게 한 다음에 볼 수 있기 때문에, 관(觀)으로 괘를 이름 지었다. 손(巽)은 깨끗한 것이고, 곤(坤)은 봉양을 다하는 것이다. 사람이 깨끗이 하고 봉양을 다하는 것은 제사이다. 예괘의 「대상전」에서 또한 '크게 제사를 올리는 것'으로 말한 것에 대해서는 설명이 위에 보인다. 말하자면 아래에 있는 자는 모두 임금과 윗사람의 교화를 우러러보는데, 물에 손을 씻고 제사를 드리지 않은 때라면 성의로 서로 믿어서 마치 우러러보는 것 같다. 『논어』에서 "이미 강신한 이후는 보고자 하지 않는다"[1]는 것은 이 뜻을 반어적으로 드러낸 것이다. 서하(西河) 모기령(毛奇齡)은 "조정에도 관(觀)이 있고, 종묘에도 관(觀)이 있다"[2]고 하였다. 공자는 소정묘를 서관(西觀)에서 죽였다. 손괘에 해당하는 나무를 땅 위에 세우는 것이 간괘인 문이 되는 것은 괘에 큰 간괘의 상이 있기 때문이다. 어떤지 알지 못하겠다. 「대상전」에 대해서는 구씨가 다 잘 설명하였다.

---

1) 『論語·八佾』: 子曰, 禘自旣灌而往者, 吾不欲觀之矣.
2) 『仲氏易』: 第朝有觀, 廟亦有觀, 皆門旁雙闕.

## 觀, 盥而不薦, 有孚顒若.

정전 관(觀)은 손만 씻고 제사를 올리지 않은 듯이 하면 믿음이 있어 우러러 볼 것이다.
본의 관(觀)은 손만 씻고 제사를 올리지 않으면 믿음이 있어 우러러 볼 것이다.

| 中國大全 |

傳

予聞之胡翼之先生曰, 君子居上, 爲天下之表儀, 必極其莊敬, 則下觀仰而化也, 故爲天下之觀, 當如宗廟之祭, 始盥之時, 不可如旣薦之後, 則下民盡其至誠, 顒然瞻仰之矣. 盥, 謂祭祀之始, 盥手酌鬱鬯於地, 求神之時也. 薦, 謂獻腥獻熟之時也. 盥者, 事之始, 人心方盡其精誠, 嚴肅之至也, 至旣薦之後, 禮數繁縟, 則人心散, 而精一, 不若始盥之時矣. 居上者正其表儀, 以爲下民之觀, 當[一作常]莊嚴, 如始盥之初, 勿使誠意少散, 如旣薦之後, 則天下之人, 莫不盡其孚誠, 顒然瞻仰之矣. 顒, 仰望也.

내가 호익지(胡翼之)[3]선생에게 들으니 “군자가 위에 있으면서 천하의 본보기가 되어 반드시 정중하고 공손함을 지극히 하면 아랫사람들이 우러러보아 교화된다. 그러므로 천하의 봄이 되는 것이니, 마땅히 정중하고 공손함을 지극히 하기를 종묘의 제사에 처음 손을 씻을 때와 같이 할 것이고, 이미 제수를 올린 뒤와 같이 해서는 안 되니, 이렇게 하면 천하 사람들이 지극한 정성을 다하여 공경히 우러러 볼 것이다”라고 하였다. ‘관(盥)’은 제사하는 초기에 손을 씻고 울창주를 땅에 부어 신이 강림하기를 구하는 때이고, ‘천(薦)’은 날고기와 익은 고기를 올리는 때를 말한다. 관(盥)은 제사 일의 시작이니 사람의 마음이 막 정성을 다하여 지극히 엄숙하고, 이미 제수를 올린 뒤에 예를 자주하여 번거롭게 되면, 사람의 마음이 흩어져 정성스럽고 한결같음이 처음 손을 씻을 때만 못하다. 위에 있는 자는 거동과 표정을 바르게 하여 아래 백성의 우러러봄이 되어야 하니, 마땅히 장엄하게 하기를 제사에 처음 손을 씻는 초기와 같이 하여, 성의가 조금이라도 흩어져 이미 제수를 올린 뒤와 같이 하지 말아야 하니, 이렇게 하면 천하 사람들이 모두 믿음과 정성을 다하여 공경히 우러러 보지 않는 이가 없을 것이다. ‘옹(顒)’은 우러러 바라보는 것이다.

---

3) 호원(胡瑗, 993~1059): 북송의 유학자. 자는 익지(翼之), 호는 안정(安定), 태주 해릉 출신. 그의 『주역구의(周易口義)』는 상수학을 배격하고 의리학의 입장에 역을 해석한 것으로, 정이의 『역전』에 큰 영향을 주었다.

**小註**

或問, 伊川以爲灌鬯之初, 誠意猶存, 至薦羞之後, 精意懈怠. 本義以爲致其潔清而不輕自用, 其義不同. 朱子曰, 盥只是浣手, 不是灌鬯, 伊川承先儒之誤. 若云薦羞之後誠意懈怠, 則先王祭祀, 只是灌鬯之初猶有誠意, 及薦羞之後皆不成禮矣. 問, 若爾, 則是聖人在上, 視聽言動, 皆當爲天下法而不敢輕, 亦猶祭祀之時, 致其潔清而不敢輕用否. 曰然.

어떤 이가 물었다: 정이천은 "울창주를 부을 초기에는 성의가 아직 있지만 제수를 올린 뒤가 되면 정성스런 뜻이 태만해진다"고 여겼습니다. 『본의』에서는 "깨끗함을 지극히 하고 가볍게 스스로 행동하지 않는다"고 여겼으니, 그 뜻이 같지 않습니다.

주자가 답하였다: 관(盥)은 손만 깨끗이 씻는 것이고 울창주 술을 붓는 것은 아닌데, 정이천이 이전 선비들의 잘못을 이었습니다. 만약 제수를 올린 이후에 성의가 게을러진다고 하면, 선왕의 제사에서 울창주를 부을 때만 성의가 있고, 제수를 올린 이후에는 모두 예를 이루지 못하게 됩니다.

물었다: 만약 이와 같다면 위에 있는 성인의 보고 듣고 말하고 행동함이 모두 마땅히 천하의 법이 되어 감히 소홀히 할 수 없는데, 또한 오히려 제사 때만 깨끗함을 지극히 하고 가볍게 스스로 행동하지 않는 게 아닙니까?

답하였다: 그렇습니다.

**本義**

觀者, 有以中正示人而爲人所仰也. 九五居上, 四陰仰之, 又內順外巽, 而九五以中正示天下, 所以爲觀. 盥, 將祭而潔手也, 薦, 奉酒食以祭也, 顒然, 尊敬之貌. 言致其潔清而不輕自用, 則其孚信在中而顒然可仰, 戒占者當如是也. 或曰, 有孚顒若, 謂在下之人, 信而仰之也. 此卦, 四陰長而二陽消, 正爲八月之卦, 而名卦繫辭, 更取他義, 亦扶陽抑陰之意.

'관(觀)'은 중정(中正)으로 남에게 보여서 남이 나를 우러러보는 것이다. 구오가 위에 있음에 네 음이 우러러 보고, 또 안은 유순하고 밖은 공손하며 구오가 중정으로써 천하에 보여주니, 이 때문에 관(觀)이라고 한 것이다. 관(盥)은 장차 제사 지내려고 손을 깨끗이 씻는 것이고, 천(薦)은 술과 밥을 받들어 제사하는 것이며, 옹연(顒然)은 존경하는 모양이다. 깨끗함을 지극히 하고 가볍게 스스로 행동하지 않으면 믿음이 마음속에 있어서 공경히 우러러 볼 것이라는 말이니, 점치는 자가 마땅히 이와 같이 해야 한다고 경계한 것이다. 어떤 이는 말하기를 "믿음이 있어 우러러 본다[有孚顒若]"는 아래에 있는 사람이 믿고 우러러 보는 것이다"라고 하였다. 이 괘는 네 음이 자라나고 두 양이 사라지니 바로 팔월의 괘인데, 괘를 이름 지은 것과 말을 단 것은 다시 다른 뜻을 취하였으니, 이 또한 양을 북돋고 음을 억제하는 뜻이다.

**小註**

或問, 盥而不薦, 是取未薦之時誠意渾全而未散否. 朱子曰, 祭祀不薦者, 此是假設來說. 薦是用事了, 盥是未用事之初. 云不薦者, 言常持得這誠敬, 如盥之意常在. 若薦, 則是用出, 用出則纔畢便過了, 无復有初意矣. 詩云, 心乎愛矣, 遐不謂矣, 中心藏之, 何日忘之. 楚詞云, 思公子兮未敢言, 正是此意. 說出這愛了, 則都无事可把持矣. 惟其不說, 但藏在中心, 所以常見其不忘也.

어떤 이가 물었다: '손만 씻고 제사를 올리지 않음'은 제사를 아직 올리지 않았을 때는 성의가 온전하여 아직 흩어지지 않은 것 아닙니까?

주자가 답하였다: 제사를 아직 올리지 않았다는 것은 가정하여 한 말입니다. 올리는 것은 일을 한 것이고, 손을 씻는 것은 아직 일을 하지 않은 초기입니다. 올리지 않은 듯이 한다는 것은 이런 정성과 공경을 항상 지녀서 손을 씻을 때의 뜻과 같은 것을 항상 있게 한다는 말입니다. 만약 올렸다면 이것은 일을 한 것이니, 일을 하였다면 마치자마자 곧 지나쳐서 다시 처음의 뜻이 없을 것입니다. 『시경』에 "마음에 사랑하니 어찌 말하지 않겠는가? 마음속에 간직하고 있으니 어느 날인들 잊겠는가?"[4]라고 하였고, 『초사』에 "그대가 그리워도 감히 말을 못하네"[5]라고 하였는데, 바로 이 뜻입니다. 사랑한다는 말을 했다면 어떤 것으로도 억제할 수 없습니다. 다만 말하지 않았다면 마음속에 간직하고 있어서 잊지 못함을 항상 알 수 있습니다.

○ 問, 有孚顒若, 承上文盥而不薦, 蓋致其潔清而不輕自用, 則孚信在中, 而顒然可仰. 一說下之人信而仰之. 二說孰長. 曰, 從後說, 則合得象辭下觀而化之義. 問, 前說似好. 曰, 當以象辭爲定.

물었다: "믿음이 있어 우러러 볼 것이다"는 윗 글의 "손만 씻고 제사를 올리지 않는다"를 이었으니, 깨끗함을 지극히 하고 가볍게 스스로 행동하지 않으면 믿음이 마음속에 있어서 공경히 우러러 볼 것입니다. 다른 풀이는 아래 사람이 믿어 우러러 본다고 하였습니다. 이 두 풀이 중에 어느 것이 좋습니까?

답하였다: 뒤의 풀이를 따르면 단사에서 "아랫사람이 보고 교화되는 것이다"는 뜻에 합치될

---

4) 『시경·소아』.
5) 『초사·상부인』.

것입니다.

물었다: 앞의 풀이가 좋은 것 같습니다.

답하였다: 마땅히 단사를 바른 것으로 삼아야 합니다.

○ 龜山楊氏曰, 盥而不薦, 初未嘗致物也. 威儀度數亦皆未擧, 而已有孚顒若, 其所以交神明者蓋有在矣. 又曰, 古人修身齊家治國平天下, 本於誠吾意而已. 詩書所言, 莫非明此者. 但人自信不及, 故无其效. 聖人知其效必本於此, 故於觀曰, 盥而不薦, 有孚顒若.

구산양씨가 말하였다: "손만 씻고 제사를 올리지 않는다"는 것은 애초에 아직 물건을 올리지 않은 것이다. 위엄 있는 태도나 도수가 모두 거행되지 않았어도 이미 믿음이 있어 우러러 보는 것은 신명과 사귀는 것이 여기에 있기 때문이다.

또 말하였다: 옛 사람이 몸을 닦고 집안을 가지런히 하고 나라를 다스리고 천하를 평안하게 하는 것은 나의 뜻을 참되게 하는데 근본을 둘 뿐이다. 『시경』과 『서경』에서 말한 것은 이것을 밝히지 않음이 없다. 다만 사람들이 스스로 믿음이 이에 미치지 못하기 때문에 효과가 없는 것이다. 성인은 그 효과가 반드시 여기에 근본을 둔다는 것을 알기 때문에 관괘에서 "손만 씻고 제사를 올리지 않으면 믿음이 있어 우러러 볼 것이다"라고 하였다.

○ 平庵項氏曰, 盥者, 祭之初步, 方詣東榮, 盥手於洗. 凡祭之事, 百未一爲也. 薦者, 祭禮之最盛, 四海九州之美味, 四時之和氣, 无不陳也. 此但以盥而不薦, 象恭己无爲耳, 非重盥而輕薦也. 先儒謂盥則誠意方專, 薦則誠意已散, 仁人孝子之奉祀, 豈皆至薦而誠散乎.

평암항씨가 말하였다: 손을 씻는 것은 제사 지내는 초기에 동쪽 처마에 이르러 그릇에서 손을 씻는 것이다. 제사의 일 백 가지 중에 아직 하나도 하지 않은 것이다. 올리는 것은 제례에서 가장 성대한 때로 세상의 아름다운 음식과 네 계절의 조화로운 기운이 진열되지 않음이 없는 것이다. 여기에서 다만 손만 씻고 제사를 올리지 않음은 자신을 공손히 할 뿐 아무 것도 하지 않음을 상징한 것이지, 손 씻는 것을 귀중하게 여기고 올리는 것을 가벼이 여기는 것은 아니다. 옛 학자들이 손을 씻을 때에는 성의가 온전하지만 올리고 나면 성의가 이미 흩어진다고 하였는데, 어진 사람과 효자가 제사를 받듦에 어찌 모두 제수를 올렸다고 해서 성의가 흩어지겠는가?

○ 雲峰胡氏曰, 諸家謂盥者, 祭之始, 盥手酌鬱鬯於地, 以求神之時也. 本義, 但以爲將祭而盥手. 蓋酌鬱鬯之酒以降神, 灌也, 非盥也. 諸家謂薦則誠意已散, 不復如盥之時. 本義之意, 則謂盥豈有不薦者. 孝子之薦, 豈皆有至薦而誠散者. 獨就觀示上, 發盥而不

薦之義, 以喩二陽在上无爲而化. 蓋祭必先盥, 盥者未用事之時, 祭則薦而用事. 聖人至
德之化, 如將祭而盥, 不待見於用事, 孚信在中, 已顯然可仰觀之者. 見其盥, 未見其薦,
亦已信而仰之, 蓋不待觀其行事而化也. 不薦而孚, 蓋與未占有孚略同. 夫觀四陰二陽,
八月之卦. 四陽之卦名曰大壯, 以陽之盛言也. 四陰豈不可以陰盛言. 卦名謂之觀, 取
二陽在上爲四陰所仰. 且就觀字上發出示民神化之妙, 扶陽抑陰之義深矣.

운봉호씨가 말하였다: 여러 학자들이 손을 씻는 것은 제사를 시작할 때에 손을 씻고 땅에
울창주를 부어 귀신을 구하는 때라고 하였다. 『본의』에서는 다만 장차 제사 지내려고 손을
깨끗이 씻는 것이라고 여겼다. 울창주를 부어 귀신을 내려오게 하는 것은 술을 붓는 것이지
손을 씻는 것이 아니다. 여러 학자들이 제수를 올리면 성의가 이미 흩어져 다시 손을 씻을
때와 같지 않다고 하였다. 『본의』의 뜻은 손을 씻음에 어찌 제수를 올리지 않음이 있겠으며,
효자가 제수를 올림에 어찌 모두 올렸다고 해서 성의가 흩어짐이 있겠는가라는 말이다. 오
직 위를 바라봄에 나아가 손만 씻고 제사를 올리지 않는다는 뜻을 펼쳐 두 양이 위에 있으면
서 인위적으로 함이 없이 교화가 이루어짐을 비유한 것이다. 제사에는 반드시 먼저 손을
씻어야 하는데, 손을 씻는 것은 아직 일을 하지 않은 때이고, 제사에서 제수를 올리면 일을
한 것이다. 성인의 지극한 덕의 교화는 마치 장차 제사하려 할 적에 손만 씻고 일하는 데에
드러나기를 기다리지 않아도 믿음이 마음에 있어서 이미 우뚝 우러러 볼만한 것과 같다.
손을 씻는 것을 보고 올리는 것을 아직 보지 않아도 이미 믿고 우러르는 것이 있어서 그
행사를 보기를 기다리지 않아도 교화된다. 제수를 올리지 않아도 믿음이 있음은 아직 믿음
이 있음을 점치지 않음과 대략 같다. 관괘의 네 음과 두 양은 팔월의 괘이다. 네 양의 괘를
대장괘라고 하니, 양의 극성함으로 말한 것이다. 네 음을 어찌 음의 성대함으로 말할 수
있겠는가? 괘의 이름을 관이라고 한 것은 두 양이 위에 있으면서 네 음의 우러름을 받는
것을 취한 것이다. 또한 '관'이라는 글자에서 백성들에게 신묘한 교화의 오묘함을 드러내
보여주었으니, 양을 북돋고 음을 억제하는 뜻이 깊다.

## 韓國大全

### 조호익(曺好益) 『역상설(易象說)』

薦, 獻腥獻熟之謂. 坤爲牛, 而艮止之不薦象. 孚, 取四陰陰虛象. 顒, 仰望, 二陽在上,
四陰向之, 有顒象.

'천(薦)'은 날고기를 올리고 익은 고기를 올리는 것을 말한다. 곤괘가 소가 되고, 간괘는 그쳐서 올리지 않는 상이다. '부(孚)'는 네 음의 음이 비어 있는 상을 취하였다. '옹(顒)'은 우러러보는 것으로, 두 양이 위에 있고 네 음이 그것을 향하고 있는 것이 우러러보는 상이 있다.

○ 觀, 全體有宗廟象. 鄭康成謂, 艮爲門闕, 巽木宮闕象. 又艮爲手, 巽有潔齊之義. 巽, 東南, 正盥洗之位, 而艮手自內向之, 以潔齊, 有盥象.
관괘는 전체에 종묘의 상이 있다. 정강성(鄭康成)은 "간괘는 문궐(門闕)이 되고, 손괘인 나무는 궁궐(宮闕)의 상이다"라고 하였다. 또 간괘는 손이 되고, 손괘(巽卦)에는 깨끗하게 한다는 뜻이 있다. 손(巽)은 동남쪽으로, 바로 손을 씻는 자리이고, 간괘인 손은 안으로부터 향하여 깨끗하게 하므로 손을 씻는 상이 있다.

### 김장생(金長生) 『주역(周易)』

本義, 八月之卦, 云云.
『본의』에서 말하였다: 팔월의 괘, 운운.

八月之卦, 陰長陽消而名. 卦與繫辭皆不以消長爲言, 取觀仰之義而名卦. 又於卦辭, 取觀仰爲言, 亦扶陽抑陰之意也. 繫辭, 指卦辭.
팔월의 괘는 음이 자라고 양이 사라지는 것으로 이름 지었다. 괘와 계사는 모두 사라지고 자라는 것으로 말하지 않고, 우러러 보는 뜻을 취하여 괘를 이름 지었다. 또한 괘사에서 우러러 보는 것을 취하여 말한 것도 양을 북돋우고 음을 억누르는 뜻이다. 여기서 계사란 괘사를 가리킨다.

### 이익(李瀷) 『역경질서(易經疾書)』

盥者, 敬之貌, 薦者, 敬之物. 敬在中不可觀, 而惟貌可觀, 故言盥而不言敬. 盥, 是澡潔也, 不薦者, 謂不待薦也. 盥則均, 而敬有淺深, 惟薦之盥爲敬之至, 故必言薦. 然若將薦而無其物, 故又云不薦, 如傳所謂承事如祭, 孟子所謂恭敬者, 幣之未將, 是也. 有孚顒若, 謂在己者旣如此, 則信乎其群下之仰望顒顒然也, 所謂篤恭而天下平, 是也.
손을 씻는 것은 공경하는 모양이고, 올리는 것은 공경하는 물건이다. 공경은 마음속에 있어서 볼 수 없고, 오직 모양을 볼 수 있기 때문에 씻는 것을 말하고 공경을 말하지 않았다. 손을 씻는 것은 씻어서 깨끗이 하는 것이고, 올리지 않은 것은 올리기를 기다리지 않은 것이다. 손을 씻는 것은 같지만 공경에는 얕거나 깊음이 있으니, 오직 올릴 때에 씻는 것과 공경을 지극히 하기 때문에 반드시 올리는 것을 말한다. 그러나 장차 올리고자 할 적에 물건이 없기 때문에 또한 올리지 않는다고 말했으니, 『춘추좌씨전』에서 "일을 받들기를 제사를 받들 듯이 한다"[6]는 것과 맹자가 "공경이란 폐백을 받들기 전에 있다"[7]고 한 것이 그것이다. "믿음이 있어 우러러 본다"는 자기에게 있는 것이 이와 같으면 참으로 여러 아랫사람들이 우러러본다는 것이니, "독실하고 공경하여 천하가 평화롭게 된다"[8]는 것이 그것이다.

## 심조(沈潮) 「역상차론(易象箚論)」

互艮爲手, 兌澤反之, 乃注水盥手之象也. 蓋此如論語禘自灌以往吾不欲觀之之意. 此所謂薦, 卽論語所謂灌也, 此所謂未薦, 卽論語灌以前也, 此時誠意不散也. 吾不欲觀之觀字, 抑亦從此觀字中出來者歟. 此與互艮之中爻相應, 故亦稱童. 胡氏所謂陽則男而陰則穉者, 形容甚善.

호괘인 간괘(艮卦☶)가 손이 되고 음양이 바뀐 태괘(兌卦☱)인 못은 물을 대어 손을 씻는 상이다. 이는 『논어』에서 "체제사에서 이미 강신한 후에는 내가 더 이상 보고 싶지 않다"[9]고 말한 뜻과 같다. 여기에서 올린다는 것은 『논어』에서 강신한다는 것이고, 여기에서 올리지 않았다는 것은 『논어』에서 강신하기 이전이니, 이 때에는 성의가 흩어지지 않는다. "내가 더 이상 보고 싶지 않다"고 할 때의 "본다"는 말은 아마도 여기 『주역』 관괘의 관(觀)자로부터 나온 것 같다. 이 효는 호괘인 간괘의 가운데 효와 상응하기 때문에 어린아이라고 칭하였다. 호씨의 이른바 양은 남자이고 음은 어린아이라는 말이 이것을 매우 잘 형용하였다.

## 유정원(柳正源) 『역해참고(易解參攷)』

正義, 觀者, 王者道德之美而可觀也. 可觀之事, 莫過宗廟之祭盥, 其禮盛也. 薦者, 謂旣灌之後, 陳薦籩豆之事, 其禮卑也.

『주역정의』에서 말하였다: '관(觀)'이란 왕자가 행하는 도덕의 아름다움으로서 볼만한 것이다. 볼만한 일로는 종묘의 제사에서 '관(盥)'하는 것 만한 일이 없는데, 그 예가 성대하다. 올리는 것은 이미 술을 부어 강신한 다음에 제사 그릇을 진설하고 올리는 일을 말하는데, 그 예가 낮다.

今所觀宗廟之祭, 但觀其盥禮, 不觀在後籩豆之事, 故云, 觀盥而不薦也.

---

6)『春秋左傳·僖公』: 出門如賓, 承事如祭, 仁之則也.
7)『孟子·盡心』: 恭敬者 幣之未將者也.
8)『中庸』: 君子篤恭而天下平.
9)『論語·八佾』: 子曰, 禘自旣灌而往者, 吾不欲觀之矣.

지금 보는 종묘의 제사는 다만 그 씻는 예만 보고 그 이후의 제기를 진설하는 일을 보지 않기 때문에, "관(觀)은 손만 씻고 제사를 올리지 않는다"고 말하였다.

○ 鄭氏剛中曰, 以卦求之, 自五至二, 有宗廟之象. 昭穆相偶, 太祖之廟, 居其中, 故有盥薦之象. 不特此也, 艮兌〈案, 二字恐倒.〉合損, 上至三宗廟, 故曰可用享. 坤艮〈案, 疑兌字〉合萃, 四至初宗廟, 故曰王假有廟. 坎巽合渙, 五至三宗廟, 故曰王假有廟.
정강중이 말하였다: 괘로 구해보면 오효로부터 이효까지 종묘의 상이 있다. 소(昭)와 목(穆)이 서로 짝이 되고, 태조의 묘(廟)가 그 가운데 있기 때문에 씻고 올리는 상이 있다. 이 뿐만이 아니라, 간괘와 태괘가〈내가 살펴보았다: 두 글자는 아마도 거꾸로 된 것 같다.〉 합하여 손괘가 되는데, 상효로부터 삼효까지가 종묘를 나타내기 때문에 "제사를 드릴 수 있다"고 말하였다. 곤괘와 간괘가〈내가 살펴보았다: 아마도 태괘(兌卦)인 것 같다.〉 취괘가 되는데, 사효로부터 초효까지 종묘를 나타내기 때문에 "왕이 사당이 이른다"고 말하였다. 감괘와 손괘가 환괘가 되는데, 오효로부터 삼효까지 종묘를 나타내기 때문에 "왕이 사당이 이른다"고 말하였다.

鄭康成曰, 互艮爲鬼門, 又爲宮闕, 天子宗廟之象.
정강성이 말하였다: 호괘인 간괘가 귀문(鬼門)이 되고 또한 궁궐이 되니, 천자의 종묘의 상이다.

○ 案, 盥而不薦, 言觀民之道, 誠敬如始盥之時也. 然而以祭祀言之, 方祭之始, 誠意專一, 而旣薦之後, 此心易懈, 此夫子所以發歎於旣灌之後也. 一心精白, 始終不懈, 始盥也, 只是這箇敬, 旣薦也, 亦只是這箇敬, 則郊焉而天神格廟焉, 而人鬼享. 鬼神猶感, 而況於人乎. 推此心以往, 則觀民之道, 斯可見矣.
내가 살펴보았다: "손만 씻고 제사를 올리지 않는다"는 것은 백성을 보는 도리는 성실과 공경을 처음 손을 씻을 때처럼 한다는 말이다. 그러나 제사로 말하면 막 제사하는 처음에는 성실한 뜻이 전일하고, 이미 제사를 올린 후에는 이 마음이 쉽게 해이해지니, 이것이 공자가 이미 강신한 후에 더 이상 보고 싶지 않다는 탄식을 한 까닭이다.[10] 한 마음이 정밀하고 깨끗하여 처음부터 끝까지 해이하지 않게 해야 하니, 처음에 씻을 때에도 다만 공경하고 이미 제사를 올린 후에도 또한 다만 공경한다면, 교제사를 드려서 천신이 사당에 이르고 사람 귀신이 제사를 받아먹는다. 귀신도 오히려 감동하는데, 하물며 사람이겠는가? 이 마음을 미루어 가면 백성을 관찰하는 도를 이에 볼 수 있다.

---

10) 『論語 · 八佾』: 子曰, 禘自旣灌而往者, 吾不欲觀之矣.

傳, 繁縟〈說文, 采色也, 增韻, 細也〉.
『정전』에서 말하였다: 번욕〈『설문』에서는 '채색'이라고 하였고, 『증운』에서는 '세밀함'이라고 하였다〉.

小註, 朱子說, 先儒. 〈案, 指王弼孔穎達.〉
소주에서 주자가 말하였다: 선유는. 〈내가 살펴보았다: 왕필과 공영달을 가리킨다.〉

本義, 小註, 朱子說, 彖辭爲定.
『본의』 아래 소주에서 주자가 말하였다: 단사를 바른 것으로 삼아야 한다.

案, 本義, 以孚信在中, 顯然可仰爲正, 此條以下之人信仰爲定論.
내가 살펴보았다: 『본의』에 믿음이 마음에 있어서 우러러볼 만한 것을 바름으로 삼아야 한다고 했고, 이 조항에서는 아랫사람이 믿고 우러러보는 것을 정론으로 삼아야 한다고 했다.

### 김상악(金相岳)『산천역설(山天易說)』

盥, 將祭而潔手也. 薦, 奉酒食以祭也. 盥而不薦, 在二陽而五爲主, 有孚顒若, 在四陰而四爲親也. 凡祭祀之禮, 旣薦之後, 則其誠意不如始盥之時. 君子所以正其表儀, 以爲下民之觀, 當如始盥不薦之時, 則在下之人, 莫不盡其孚誠顯然瞻仰之也.
'관(盥)'은 장차 제사하려고 할 적에 손을 씻는 것이다. '천(薦)'은 술과 밥을 받들어 제사하는 것이다. '손만 씻고 제사를 올리지 않는 것'은 두 양에 해당하는데 오효가 위주가 되고, '믿음이 있어 우러러 보는 것'은 네 음에 해당하는데 사효가 친밀한 것이 된다. 제사의 예에서 이미 음식을 올린 후에는 그 성의가 처음 손을 씻을 때보다 못하다. 군자가 모범을 바르게 하여 백성들의 본보기가 되기를 마땅히 처음 손을 씻고 아직 음식을 올리지 않았을 때처럼 하면 아래에 있는 사람들이 모두 그 믿음과 정성을 다하여 우러러 볼 것이다.

○ 觀爲八月之卦. 秋祭曰嘗, 故取祭祀爲象. 將祭必盥而薦之. 盥之爲字, 從水從皿, 而五之重民, 爲兩手, 故取盥字. 薦, 謂薦坤之儀物也. 曰不薦者, 不輕自用也. 孚者, 誠也, 旣薦之後, 則其誠意不如始盥之時. 孔子所謂, 禘自旣灌而往者, 吾不欲觀之, 是也.
관괘는 팔월의 괘이다. 가을 제사를 '상(嘗)'이라고 하기 때문에 제사를 취하여 상으로 삼았다. 장차 제사를 하려고 할 적에는 반드시 손을 씻고 제사를 올린다. '관(盥)'이라는 글자는 물 수(氵)변에 명(皿)자를 쓰는데, 오효의 양이 음으로 바뀐 간괘가 두 손이 되기 때문에 '관(盥)'자를 취하였다. '천(薦)'은 곤(坤)에 올리는 의례물을 말한다. "올리지 않는다"라고 말한 것은 가볍게 스스로의 생각을 쓰지 않는 것이다. '부(孚)'란 믿음인데, 이미 음식을 올린 후에는 그 성의가 처음 손을 씻을 때보다 못하다. 공자의 이른바 "체제사에서 이미 강신한 후에는 내가 더 이상 보고 싶지 않다"는 것이 그것이다.

## 김규오(金奎五) 「독역기의(讀易記疑)」

有孚顒若, 承兩說, 而小註曰, 當以象辭爲定. 又曰, 不是說人君身上事. 然則先生定見, 乃主後說, 而本義不爲修改何也. 雲峯合兩說而言之, 其意亦好.

'믿음이 있어 우러러 보는 것'은 두 설을 이어서 소주에서 "마땅히 단사를 바른 것으로 삼아야 한다"고 말하였다. 또 "임금 자신의 일을 말하는 것이 아니다"라고 하였다. 그렇다면 선생의 정견은 뒤의 설을 주로 한 것인데,『본의』에서 고치지 않은 것은 왜인가? 운봉이 두 설을 합하여 말했으니, 그 뜻도 좋다.

○ 中庸, 奏假無言, 所以形容不動而敬之妙, 而此云不薦, 則又无奏假之可見, 其爲淵深者極矣. 所謂神道, 蓋指此也.

『중용』의 "나아가 신을 오게 할 때에 말이 없다"는 것은 움직이지 않고 공경하는 묘함을 형용하였고, 여기에서 "올리지 않는다"고 한 것은 또 나아가 신을 오게 할 만한 것을 볼 수 없는 것이니, 지극히 연원이 깊은 것이다. 이른바 신의 도란 모두 이것을 가리킨다.

## 서유신(徐有臣) 『역의의언(易義擬言)』

觀者, 天子巡狩登山祭天之象也. 祭天之禮, 掃地而祭, 卦中亦有此象也. 禮將祭, 先三日致齋盥沐, 而未將事淸齋之時也. 此謂九五也. 帝王之尊無上, 而其於祭天, 誠明肅恭, 罔敢少弛, 故觀乎此者, 咸曰, 大哉吾君之敬天也. 下之事上, 當如是也, 感服興起而仰戴于一人焉. 有孚感服也, 顒若仰戴也. 此謂四陰也. 盥而不薦, 便已孚顒, 觀感之應, 捷於枹響也. 而況至於旣薦, 則其儀文之盛, 虔恪之純, 爲人觀慕者, 豈可勝言哉.

'관(觀)'은 천자가 순수하면서 산에 올라 하늘에 제사하는 상이다. 하늘에 제사하는 예는 땅을 청소하고 제사를 지내니, 괘 가운데 이러한 상이 있다. 예에 장차 제사하려 할 때에 삼일 전부터 목욕재계하니, 제사를 드리기 전 청결하게 할 때이다. 이는 구오를 말한다. 제왕의 존귀함은 그 이상이 없는데, 하늘에 제사하며 정성스럽고 엄숙하며 공경하여 조금도 해이함이 없기 때문에, 이를 보는 사람들이 모두 "크도다, 우리 임금이 하늘을 공경함이여! 아랫사람이 윗사람을 섬기는 것은 마땅히 이와 같이 하여 감복하고 흥기해서 한 사람을 우러러 받들어야 한다"라고 말한다. '유부(有孚)'는 감복하는 것이고, '옹약(顒若)'은 우러러 받드는 것이다. 이것은 네 음을 말한다. 손을 씻기만 하고 제사를 드리지 않으면 곧 믿고 받드니, 보고 감화되는 호응이 북채나 메아리보다도 빠르다. 그런데 하물며 이미 제사를 드리는데 이르면 그 위의와 문체의 성대함과 경건함과 정성스러움의 순수함을 사람들이 보고 사모하게 됨을 어찌 이루 다 말로 할 수 있겠는가?

### 박제가(朴齊家) 『주역(周易)』

傳與本義, 未嘗殊. 但傳說旣薦以下, 誠散太重. 經但取盥手而未及獻之時, 有孚發於容儀, 若已薦, 則無孚之可論矣. 旣薦而誠亦不言, 何況誠散耶. 朱子曰, 祭祀無不薦者, 薦是用事了, 盥是未用事之初. 用出則便過了, 无復有初意者, 極是. 但本義不輕自用一句, 有若旣盥之後, 故遲其薦者 然. 蓋觀是有觀在上而下觀之義, 孚者彼此相孚之謂, 則惟此盥而未薦獻之時, 交神明之意, 顯然在中. 若已薦, 則誠雖不散, 更何言孚. 若曰不輕自用, 則敬則敬矣, 而非所謂孚也. 此但知顯然之爲尊敬之貌, 而不知有孚之通乎神人而爲不薦之肯綮也.

『정전』과 『본의』는 다른 적이 없다. 다만, 『정전』에서는 이미 제사를 드린 이후에는 정성이 크게 흩어진다고 설명하였다. 경에서는 다만 손만 씻고 아직 제사를 드리지 않았을 때에 믿음이 용모에 발로되는 것을 취하였으니, 이미 제사를 드린 경우라면 믿음은 논할 것이 없다. 이미 올리고서는 정성을 말하지 않는다면, 하물며 정성이 흩어진 경우이겠는가? 주자는 "제사를 올리지 않음이 없는데, 올린 것은 일을 한 것이고 손을 씻는 것은 일을 아직 하지 않았을 때의 처음이다. 일을 하면 곧 지나가고 다시 처음의 뜻의 없는 것은 지극히 당연하다"라고 말하였다. 다만 『본의』의 "가볍게 스스로 행동하지 않는다"는 구절은 마치 이미 손을 씻은 후에 일부러 올리는 것을 늦추는 것 같다. '관'은 보는 사람이 위에 있어서 아래로 본다는 뜻이고, '믿음'이란 피차에 서로 믿는 것을 말하니, 오직 이 손을 씻고 아직 제사를 올리지 않은 때에 신명과 교제하려는 뜻이 마음속에 우뚝하다. 이미 음식을 올린 후에는 정성이 비록 흩어지지 않았더라도 어찌 다시 믿음을 말하겠는가? "가볍게 스스로 행동하지 않는다"고 말한다면, 공경은 공경이지만 이른바 '믿음'은 아니다. 이는 다만 우뚝하게 존경하는 모양은 알지만, 믿음이 신과 사람에게 통하고 제사를 올리지 않은 때의 핵심임을 알지 못한 것이다.

雲峯胡氏曰, 如將祭而盥, 不待見於用事, 孚信在中, 已顯然可仰觀之者. 見其盥, 未見其薦, 亦已信而仰之, 不待觀其行事而化也.

운봉호씨가 말하였다: 장차 제사하려 할 적에 손을 씻고 일하기를 보는 것을 기다리지 않아도 믿음이 마음에 있어서 이미 우뚝 우러러 볼만한 것이 있다. 손을 씻는 것을 보고 올리는 것을 아직 보지 않아도 이미 믿고 우러르는 것이 있어서 그 행사를 보기를 기다리지 않아도 교화된다.

義固非不佳, 但不待二字, 終不快. 此所謂顒者, 只在未薦之時, 若旣薦, 則顒已發矣, 不可謂之顒. 觀而化者, 正在此, 未薦之時, 仰而信之, 若旣薦, 則亦將無孚之可仰矣. 若曰, 不待薦而已見其孚顒, 則所謂孚顒者, 又若至於薦而後益大, 而此顒尚小矣.

뜻은 본래 아름답지 않은 것이 아니지만, 다만 "기다리지 않는대[不待]"는 두 글자는 끝내 명쾌하지 않다. 여기에서 이른바 공경이라는 것은 다만 아직 제사를 올리지 않았을 때에 있고 이미 올렸다면 공경이 이미 발로되니, 공경이라고 말할 수 없다. 보고서 교화되는 것이 여기에 있는데, 아직 올리지 않았을 때에는 우러러 믿고, 이미 올렸으면 장차 우러러 볼만한 믿음이 없다. 올리기를 기다리지 않고도 이미 그 믿고 공경함을 본다고 말한다면, 이른바 믿고 공경함이란 또한 올리기에 이른 후에 더욱 커지고, 올리기 전의 공경은 오히려 작다.

朱子曰, 盥本爲薦而不薦, 是欲蓄其誠意以觀示民, 使民觀感而化之義.

주자가 말하였다: 손을 씻는 것은 본래 제사를 올리려는 것인데 올리지 않았으니, 이는 성의를 쌓아 백성에게 보여서 백성들로 하여금 보고서 느껴 교화되도록 하려는 뜻이다.

案, 象辭初無示人之意. 夫哭死而哀, 非爲生者也. 豈可蓄其誠意, 欲示民耶. 但如將祭之顒然, 則下民自孚, 孚則便化. 不薦, 猶未薦, 非蓄其誠意而故不薦也. 祭本爲交神之孚, 非使人觀之而爲此不薦也. 九五在上, 至誠在中而發於外, 如盥而未薦之時, 則天下化之. 豈先有示人之心而爲此耶.

내가 살펴보았다: 단사에는 애초에 사람에게 보인다는 뜻이 없다. 죽은 사람을 위해 슬퍼하는 것은 살아 있는 사람을 위한 것이 아니다.[11] 어찌 성의를 쌓아 백성에게 보여주겠는가? 다만 장차 제사를 지내려 할 때에 공경한다면 아래 백성들이 스스로 믿을 것이니, 믿으면 곧 교화된다. '불천(不薦)'이란 아직 올리지 않은 것이지, 성의를 쌓으려고 일부러 올리지 않는 것이 아니다. 제사란 본래 신과 교제하는 믿음이지, 사람으로 하여금 보게 하고 이를 위하여 올리지 않는 것이 아니다. 구오는 위에 있고 지극한 정성이 마음에 있어 밖에 발로되니, 손을 씻고 아직 제사를 올리지 않은 때처럼 한다면 천하가 교화된다. 어찌 먼저 사람에게 보이려는 마음이 있어서 그렇게 하겠는가?

---

11) 『孟子・盡心』: 哭死而哀, 非爲生者也. 輕德不回, 非以干祿也. 言語必信, 非以正行也.

## 윤행임(尹行恁) 『신호수필(薪湖隨筆)·역(易)』

六十四卦, 皆從觀而後成, 而風行地上, 別爲觀卦, 以先王體天神道省方設敎之義, 詔示千載爲人君者. 大抵觀者, 不但自上而觀下, 抑爲自下而觀上. 上天之載, 無聲無臭, 天何言哉. 聖人仰觀而測之, 有如君門九重, 旣邃且嚴, 而一言一動, 無不焯然於外. 下民於是乎觀, 故曰莫見乎隱.

육십사괘는 모두 관찰한 다음에 이루어졌는데, 바람이 땅 위에 행하는 것을 따로 관괘로 만들어 선왕이 하늘을 체득하고 도를 신묘하게 하며 방도를 살피고 가르침을 베푼 뜻을 천년 동안 임금이 된 자들에게 가르쳐 보여 주었다. 대체로 본다는 것은 위로부터 아래를 보는 것일 뿐만 아니라, 또한 아래로부터 위를 보는 것이기도 하다. 위에 있는 하늘의 일은 소리도 없고 냄새도 없으니, 하늘이 무엇을 말하겠는가?[12] 그러나 성인이 우러러 보아 헤아리니, 마치 임금의 궁궐 문이 아홉 겹이어서 이미 깊고 또 엄하지만, 한 마디 말과 하나의 행동이 밖에 환하게 드러나지 않음이 없는 것과 같다. 아래 백성이 이에 관찰하여 보기 때문에 "은미한 것보다 더 잘 드러나는 것은 없다"[13]고 말하였다.

## 강엄(康儼) 『주역(周易)』

本義, 扶陽抑陰之意.
『본의』에서 말하였다: 양을 북돋고 음을 억누르는 뜻이다.

按, 此卦四陰長而二陽消, 正與大壯相反. 而聖人不欲以陰長異之, 故取二陽爲觀於四陰, 四陰仰觀於二陽之義. 蓋扶陽抑陰, 是義理之大者. 自有天地, 便有此義理, 嗚呼至哉.
내가 살펴보았다: 이 괘는 네 음이 자라고 두 양이 소멸하여 대장괘와 정반대가 된다. 성인이 음이 자라는 것을 특별하게 여기지 않고자 해서 두 양이 네 음을 내려다보고, 네 음이 두 양을 우러러보는 뜻을 취하였다. 양을 북돋고 음을 억누르는 것은 의리 가운데 큰 것이다. 천지가 있은 이래로 곧 이러한 의리가 있으니, 아, 지극하도다!

## 박문건(朴文健) 『주역연의(周易衍義)』

盥潔手, 薦獻食也, 顒雍和也.
관(盥)은 손을 씻는 것이고, 천(薦)은 음식을 올리는 것이며, 옹(顒)은 조화로운 것이다. 〈問, 盥而不薦, 有孚顒若. 曰, 六四統下三陰, 方觀二剛, 不无逼上之嫌也. 故雖盥潔其

---

12) 『論語·陽貨』: 子曰, 天何言哉. 四時行焉, 百物生焉, 天何言哉.
13) 『中庸』: 莫見乎隱, 莫顯乎微, 故君子愼其獨也.

手, 而不敢薦獻其食, 但有孚信而致顯和也. 蓋四陰爲二陽之所含藏, 故取飮食之義也.
물었다: "손만 씻고 제사를 올리지 않으면 믿음이 있어 조화로울 것이다"는 무슨 뜻입니까?
답하였다: 육사가 아래 세 음을 거느리고서 위의 두 양을 보니, 윗사람을 핍박한다는 혐의가
없지 않습니다. 그러므로 비록 손을 씻고 감히 그 음식을 올리지는 않았으나, 믿음이 있어
조화로움을 불러옵니다. 네 음을 두 양이 포괄하고 있기 때문에 음식의 뜻을 취하였습니다.〉

## 이지연(李止淵) 『주역차의(周易箚疑)』

凡巽之下, 多說有孚.
손괘의 아래에서는 '믿음'을 많이 말하였다.

## 김기례(金箕澧) 「역요선의강목(易要選義綱目)」

觀八月, 卦上巽下順. 九五中正居尊, 天下所仰觀.
관괘는 팔월의 괘인데, 괘는 위는 부드럽고 아래는 순하다. 구오는 중정하고 높은 자리에
있어서 천하 사람들이 우러러보는 바이다.

○ 風行地上, 觸物周觀, 盥而不薦, 有孚顯若. 禮可觀於宗廟, 宗廟之祭, 始盥未薦之
前, 虔心誓戒, 肅敬對越, 孚誠之顯然可觀. 而若旣灌之後, 則周旋進退, 禮數頻煩, 在
下之觀者, 不若不薦之前精一交神之時.
바람이 땅 위에 행하여 물건에 닿아 두루 보는 것이 손만 씻고 제사를 올리지 않으면 믿음이
있어 우러러보는 것과 같다. 예는 종묘에서 볼 수 있는데, 종묘의 제사는 처음 손을 씻고
아직 음식을 올리기 전에는 경건하고 경계하며 엄숙하고 공경하여 믿음과 정성을 우뚝 볼
수 있다. 술을 부어 강신한 후로는 이리 저리 주선하고 예가 번다하여 아래서 보는 것이
음식을 올리기 전에 정밀하고 한결같아서 신을 접하는 때만 못하다.

○ 蓋五居尊位, 四陰仰觀, 如不薦之前, 潔淸孚信之可觀.
오효가 높은 자리에 있어서 네 음이 우러러보는 것이 음식을 올리기 전에 깨끗하고 믿음이
있어 볼만 했던 것과 같다.

## 윤종섭(尹鍾燮) 『경(經)·역(易)』

觀大體似民爲門闕, 有立廟承祭之象. 是以象曰盥而不薦有孚顯若. 孔子曰, 自灌以往
吾不欲觀. 蓋盥而不薦之際, 誠意格于神明, 有可以觀.

관괘의 전체적인 모습은 간괘와 같은데, 거기에 문이 되고 사당을 세워 제사를 받드는 상이 있다. 그러므로 단사에서 "손만 씻고 제사를 올리지 않으면 믿음이 있어 우러러볼 것이다"라고 하였다. 공자는 "체제사에서 이미 강신한 후에는 내가 더 이상 보고 싶지 않다"고 말하였다. 손만 씻고 제사를 올리지 않은 즈음에 성의가 신명에게 이르러 볼만한 것이 있다.

## 이항로(李恒老) 「주역전의동이석의(周易傳義同異釋義)」

傳, 盥, 謂祭祀之始, 盥手酌鬱鬯於地, 求神之時也. 薦, 謂獻腥獻熟之時也. 盥者, 事之始, 人心方盡其精誠, 嚴肅之至也, 至旣薦之後, 禮數繁縟, 人心散而精一不若始盥之時也.

『정전』에서 말하였다: '관(盥)'은 제사하는 처음에 손을 씻고 울창주를 땅에 부어 신을 구하는 때를 말한다. '천(薦)'은 날고기를 올리고 익은 고기를 올리는 때를 말한다. '관(盥)'은 일의 시작이니 사람의 마음이 막 정성을 다하여 엄숙함이 지극하고, 이미 제사 음식을 올린 뒤에 예의 수가 번다함에 이르면 사람의 마음이 흩어져 정밀하고 한결같은 마음이 처음 손을 씻을 때만 못하다.

本義, 盥, 將祭而潔手也, 薦, 奉酒食以祭也. 顒然, 尊敬之貌. 言致其精潔, 而不輕自用, 則其孚信在中, 顒然可仰.

『본의』에서 말하였다: '관(盥)'은 장차 제사 지내려 하면서 손을 깨끗이 씻는 것이고, '천(薦)'은 술과 밥을 받들어 제사하는 것이다. '옹연(顒然)'은 존경하는 모양이다. 깨끗함을 지극히 하고 가볍게 스스로 행동하지 않으면, 믿음이 마음속에 있어서 우뚝하게 우러를 만함을 말한 것이다.

按, 傳則謂祭祀之敬薦時不如盥時, 本義則謂誠敬之道, 致其潔而重其用, 所指不同. 愚之醜觀, 又有一義. 蓋盥也者, 誠敬之至也, 薦也者, 儀物之盛也. 君子所以爲觀於天下, 萬民所以觀仰於一人者, 專在於誠敬, 而無待乎儀物. 故盥手至潔之初, 未及奉薦酒食, 則雖無所觀, 而孚信已著, 顒然可仰矣. 孔子曰, 禮云禮云玉帛云乎哉, 樂云樂云鍾鼓云乎哉, 正謂此也. 鼎俎簠簋牲幣粢盛, 祭之物也, 怵惕悽愴齋肅蠲潔, 祭之德也. 雖有其物, 苟无其德, 則民无所觀, 苟有其德, 亦不待物而下已孚觀, 可不愼哉. 孔子曰, 居上不寬, 爲禮不敬, 臨喪不哀, 吾何以觀之哉. 推此則易所謂觀者, 斯可知矣.

내가 살펴보았다: 『정전』에서는 제사에서의 공경이 음식을 올릴 때 손을 씻을 때보다 못하다고 말했고, 『본의』에서는 정성과 공경의 도가 깨끗함을 다하고 그 쓰임을 중시하는 것을 말하여, 가리키는 것이 같지 않다. 나의 거친 관점으로는 또 하나의 뜻이 있다고 생각한다.

손을 씻는다는 것은 정성과 공경의 지극함이고, 음식을 올린다는 것은 예물의 성대함이다. 군자가 천하에 보이는 것과 만민이 한 사람을 우러러보는 것은 오로지 정성과 공경에 달려 있고 예물을 기다리지 않는다. 그러므로 손을 깨끗하게 씻는 처음에 아직 술과 밥을 올리지 않았으니, 비록 볼 것은 없지만 믿음이 이미 드러나 우뚝하게 우러러볼만한 것이 있다. 공자가 "예라 예라 하지만, 옥과 비단을 말하는 것이겠는가? 음악이라 음악이라 하지만, 종과 북을 말하는 것이겠는가?"라고 한 것이 바로 이것을 말한다. 솥과 도마, 여러 그릇들, 희생과 폐백, 음식들은 제사의 예물이고, 안타깝고 슬프고 엄숙하고 깨끗한 것은 제사의 덕이다. 비록 예물이 있더라도 그 덕이 없으면 백성이 볼 것이 없고, 덕이 있으면 또한 그 물건을 기다리지 않아도 아랫사람들이 이미 믿고 볼 것이 있으니, 삼가지 않을 수 있겠는가? 공자가 "윗자리에 있으면서 너그럽지 않으며, 예를 행함에 공경하지 않으며, 초상에 임하여 슬퍼하지 않는다면, 내가 무엇으로 그를 관찰하겠는가?"[14]라고 말하였다. 이를 미루어보면 『주역』에서 본다고 말하는 것을 이에 알 수 있다.

### 박종영(朴宗永) 「경지몽해(經旨蒙解)·주역(周易)」

觀卦曰, 觀, 盥而不薦, 有孚顒若.
관괘에서 말하였다: 관은 손만 씻고 제사를 올리지 않은 듯이 하면 믿음이 있어 우러러 볼 것이다.

程傳曰, 君子居上, 爲天下之表儀, 必極其莊敬, 則下觀仰而化也. 盥, 謂祭祀之始, 盥手酌鬱鬯於地, 求神之時, 人心方盡其精誠, 嚴肅之至也. 旣薦之後, 則人心散而精一不若始盥之時. 居上者, 正其表儀, 莊嚴如始盥之初, 則天下之人, 莫不盡其孚誠, 顯然瞻仰之矣.

『정전』에서 말하였다: 군자가 위에 거하여 천하의 모범이 되어서 반드시 공경함을 지극히 하면 아랫사람들이 우러러보아 교화된다. '관(盥)'은 제사하는 처음에 손을 씻고 울창주를 땅에 부어 신을 구하는 때를 말하니, 사람의 마음이 막 정성을 다하여 엄숙함이 지극하다. 이미 제사 음식을 올린 뒤에는 사람의 마음이 흩어져 정밀하고 한결같은 마음이 처음 손을 씻을 때만 못하다. 위에 있는 자가 모범을 바르게 하여 장엄하게 하기를 제사에 처음 손을 씻는 처음과 같이 하면, 천하 사람들이 모두 믿음과 성성을 다하여 우뚝하게 우러르지 않는 사람이 없을 것이다.

---

14) 『論語·八佾』: 子曰, 居上不寬, 爲禮不敬, 臨喪不哀, 吾何以觀之哉.

## 심대윤(沈大允) 『주역상의점법(周易象義占法)』

盥, 朱子曰, 將祭而潔手也. 巽爲潔, 艮爲手. 觀之德風也, 風之行也, 萬物莫不觀感而
興起而无跡可見也. 故曰, 盥而不薦, 言自然感通而无其跡也. 觀化之本在乎信, 信則
觀化之矣. 下坤之對乾, 全爲离, 离爲乎顯仰望也. 巽离爲高視曰顯. 觀之義, 變化天
下之民, 故取下卦坤衆之變也. 全卦爲艮, 艮爲神廟, 巽爲感通, 故以祭祀言也. 對大
壯, 全爲兌享, 本卦全爲巽升, 升而享爲薦. 觀之道, 貴乎精一矣.

'관(盥)'에 대해서 주자는 "장차 제사 지내려 하면서 손을 깨끗이 씻는 것이다"라고 말하였
다. 손괘(巽卦)가 깨끗함이 되고 간괘(艮卦)가 손이 된다. 관괘의 덕은 바람이고, 바람이
행함에 만물이 보고 느껴서 흥기하지 않음이 없지만, 볼 수 있는 자취가 없다. 그러므로
"손만 씻고 제사를 올리지 않는다"고 했으니, 자연히 감통하여 자취 없는 것을 말한다.
보고 교화되는 근본은 믿음에 있으니, 믿으면 보고 교화된다. 아래 곤괘의 음양이 바뀐 건괘
가 되면 전체 괘가 리괘(離卦)가 되는데, 리괘가 우뚝 바라는 것이 된다. 손괘와 리괘가
높이 바라보는 것이 되기 때문에 '옹(顯)'이라고 말하였다. 관괘의 뜻은 천하의 백성을 변화
시키는 것이기 때문에 하괘인 곤괘의 대중의 변화를 취하였다. 전체 괘는 간괘가 되는데,
간괘는 신이 머무는 사당이 되고, 손괘는 감통함이 되기 때문에 제사로 말하였다. 음양이
바뀐 괘인 대장괘는 전체가 태괘인 흠향함이 되고, 본괘는 전체가 손괘인 올림이 되니, 올려
서 흠향하는 것이 '천(薦)'이 된다. 관괘의 도는 정밀하고 한결같음을 귀중하게 여긴다.

## 오치기(吳致箕) 「주역경전증해(周易經傳增解)」

觀者, 上有以示下, 而爲下所仰也. 二陽在上, 而俯臨四陰, 爲君上示民之象. 四陰在下
而仰視二陽, 爲群下瞻君之象也. 風行地上, 遍觸萬物, 爲周觀之象也. 臨祭誠敬, 專一
於方盥未薦之時, 故取喩言, 君德之誠敬外見者, 如方盥未薦之時, 則顯然可仰, 爲下
民之所瞻也.

관이란 윗사람이 아랫사람을 보고 아랫사람이 우러러보는 것이다. 두 양이 위에 있어서 네
음에 임하니, 임금이 백성을 보는 상이 된다. 네 음이 아래에 있어서 두 양을 우러러보는
것이 여러 아랫사람들이 임금을 우러러보는 상이 된다. 바람이 땅위에 행하여 만물을 두루
접촉하는 것이 두루 보는 상이 된다. 제사에 임하여 정성과 공경이 막 손을 씻고 음식을
아직 올리지 않았을 때에 전일하기 때문에 비유하여 말하기를, 임금의 덕의 정성과 공경이
밖으로 드러난 것이 마치 막 손을 씻고 아직 음식을 올리지 않을 때와 같다면, 우뚝 우러러
볼만한 것이 있어 아래 백성들이 우러러보는 것이 된다고 한 것이다.

○ 盥者, 潔手也. 巽爲白潔之象, 而互艮爲手也. 薦者, 獻也. 震有承筐之象, 則巽爲

不薦之象也. 有孚, 取於坤土屬信也. 顒, 德容盛大之貌. 若, 語辭也. 此卦與臨之二陽
方長相反, 而如否之大往, 故不言亨貞.

'관(盥)'은 손을 씻는 것이다. 손괘(巽卦)는 희고 깨끗한 상이 되고, 호괘인 간괘는 손이 된
다. '천(薦)'은 올리는 것이다. 진괘에 광주리를 올리는 상이 있으니, 손괘는 올리지 않는
상이 된다. 믿음이 있는 것은 곤괘인 토(土)에서 취하였는데, 토(土)는 믿음에 속한다. '옹
(顒)'은 덕과 용모가 성대한 모양이다. '약(若)'은 어조사이다. 이 괘는 림괘에서 두 양이
막 자라는 것과 상반되는데, 비괘(否卦)에서 크게 가기 때문에 형통하고 바르다고 말하지
않은 것과 같다.


## 이진상(李震相)『역학관규(易學管窺)』

盥而不薦.

손만 씻고 제사를 올리지 않는다.

觀卦, 自五至二, 有宗廟象. 太祖居中而三昭三穆相對也, 故有盥薦之義.

관괘는 오효로부터 이효까지 종묘의 상이 있다. 태조가 가운데 있고 세 개의 소목(昭穆)이
상대하고 있기 때문에 손을 씻고 제사를 올리는 뜻이 있다.


○ 有孚顒若.

믿음이 있어 우러러볼 것이다.

此謂將祭之始, 盥手致潔, 未及薦獻而誠敬已著, 下之觀者, 便有所孚信, 顒然瞻仰之
也. 初不待禮數之行而始有可觀也. 此非謂旣薦之後, 誠敬漸懈, 不若將盥之時, 又非
謂致其潔淸而不輕自用也. 特禮數旣繁, 則觀仰不專, 此言不薦爲觀者說耳. 有孚顒
若, 亦指在下之人信而仰之, 故朱子後以象辭爲定. 諺釋恐誤, 當曰, 觀은 盥而不薦에
有孚ᄒᆞ야 顒若이니라.

이는 장차 제사 지내려는 처음에 손을 씻어 깨끗이 하고 아직 음식을 올리지 않았을 적에
정성과 공경이 이미 드러나 아래에서 보는 사람들이 곧 믿어 공경히 우러러 본다. 애초에
예를 행하기를 기다려 비로소 볼만한 것이 있는 것이 아니다. 이는 이미 올린 후에 정성과
공경이 점차 해이해져 손을 씻을 때만 못하다는 말도 아니고, 또한 깨끗함을 다해서 가볍게
스스로 쓰지 않는다는 말도 아니다. 다만 예가 번잡하면 우러러보는 것이 전일하지 않으니,
이는 올리지 않았을 때 보는 사람을 위해 말한 것일 뿐이다. "믿음이 있어 우러러 본다"는
것 또한 아래에 있는 사람이 믿고 우러러보는 것을 가리키므로, 주자가 후에 단사를 바른
것으로 삼아야 한다고 했다. 『언해』의 해석도 아마 잘못인 것 같으니, 마땅히 "관은 손을
씻고 제사를 올리지 않음에 믿음이 있어서 우러러 본다"고 해야 한다.

## 박문호(朴文鎬) 「경설(經說)·주역(周易)」

胡先生說, 止於仰之矣. 以程子於下文復釋其說, 如引繫辭之例也, 而可知也.

호선생의 설은 "우러러본다"까지이다. 정자가 아래 문장에서 다시 그 설을 해석하기를 계사를 인용한 예와 같이 한 것으로 알 수 있다.

程傳之說也, 而謂之或曰者, 蓋主胡先生而言也. 此正與論語好學註之或胡同矣. 然以象傳下觀而化推之, 胡說亦得, 故本義取以備一義耳.

『정전』에서 설명하면서 "어떤 사람이 말하기를"이라고 한 것은 호선생을 주로해서 말한 것이다. 이것은 바로 『논어』의 "배움을 좋아한다"는 주석의 "혹 호씨가"라고 한 것과 동일하다. 그러나 「단전」의 "아랫사람이 보고 교화된다"고 한 것으로 미루어보면 호씨의 설 또한 통하기 때문에 『본의』에서 취하여 하나의 뜻으로 갖추어 두었을 뿐이다.

名卦, 指觀也, 繫辭, 指盥而不薦有孚顒若也.

괘를 이름 지은 것은 관괘를 가리키고, 계사란 "손만 씻고 제사를 올리지 않은 듯이 하면 믿음이 있어 우러러 볼 것이다"를 가리킨다.

## 이정규(李正奎) 「독역기(讀易記)」

以朱子意言之, 常常持得淸潔莊敬底, 无可畢時也. 薦則事幾畢矣, 畢則不常常也. 不薦, 非眞不薦也, 只形容常常之意歟.

주자의 뜻으로 말하면 항상 청결하고 공경함을 유지하여 다할 때가 없게 하는 것이다. 음식을 올리면 일이 거의 끝나고, 끝나면 항상 그렇게 되지는 않는다. 올리지 않는다는 것은 실제로 올리지 않는다는 것이 아니라, 다만 항상 그렇다는 뜻을 형용한 것이다.

象曰, 大觀在上, 順而巽, 中正以觀天下,

「단전」에서 말하였다: 큰 볼 것으로 위에 있어 유순하고 공손하며 중정(中正)으로 천하에 보여주니,

## ‖中國大全‖

### 傳

五居尊位, 以剛陽中正之德, 爲下所觀, 其德甚大, 故曰大觀在上. 下坤而上巽, 是能順而巽也, 五居中正, 以巽順中正之德, 爲觀於天下也.

구오가 높은 자리에 있어 굳센 양의 중정(中正)한 덕으로 아랫 사람들이 우러러봄이 되어 그 덕이 매우 크기 때문에 "큰 볼 것으로 위에 있다"고 하였다. 아래는 곤괘(☷)이고 위는 손괘(☴)이니, 이는 유순하고 공손함이며, 구오가 중정에 거하니, 공손하고 중정한 덕으로 천하에 보여줌이 된다.

### 本義

以卦體卦德, 釋卦名義.

괘의 몸체와 덕으로 괘의 이름을 해석하였다.

#### 小註

進齋徐氏曰, 大觀在上, 以位言, 順巽中正, 以德言. 有其位无其德, 不足以觀天下, 有其德无其位, 亦不足以觀天下.

진재서씨가 말하였다: '큰 볼 것으로 위에 있음'은 지위로 말한 것이고, '유순하고 공손함'은 덕으로 말한 것이다. 지위만 있고 덕이 없으면 천하를 보기에 부족하고, 덕은 있지만 지위가 없어도 천하를 보기에 부족하다.

○ 雲峰胡氏曰, 四陽爲大壯, 四陰, 不曰小者之壯而曰觀, 取二陽示四陰也. 釋象, 且

曰大觀, 壯以下之四陽爲大, 觀以上之二陽爲大, 釋卦名義, 則以爲大而在上, 釋卦辭,
以爲下觀而化, 上下之分嚴, 崇陽抑陰之意, 可見矣.

운봉호씨가 말하였다: 네 양은 대장괘이고, 네 음에 대해 작은 것이 장성하다고 하지 않고
관이라고 하였으니, 두 양이 네 음을 보는 것을 취하였다. 「단전」에서 해석하여 '큰 볼 것'이
라고 하였는데, 대장괘에서는 아래의 네 양이 위대하고, 관괘에서는 위의 두 양이 위대하다.
괘의 이름과 뜻을 해석하면 위대하여 위에 있고, 괘사를 해석하면 아래에서 우러러 교화되
는 것이니, 위와 아래의 구분이 엄격하고 양을 높이고 음을 억제하는 뜻을 볼 수 있다.

## ▌韓國大全▐

### 조호익(曺好益) 『역상설(易象說)』

中正之道, 易以服人. 然至於剛強者, 不可不深痛, 故義不妨也.

중정한 도는 쉽게 남을 복종시킬 수가 있다. 그러나 강건한 자에 이르러서는 깊고 통렬하게
하지 않을 수 없으므로 의리상 해롭지 않은 것이다.

### 이익(李瀷) 『역경질서(易經疾書)』

大觀在上, 觀天而則之也. 以觀天下, 上觀下也, 五與上是也. 下觀而化, 下觀上也, 初
與二是也. 三與四, 在兩卦之間, 三雖與五之下觀同, 而又可以上觀, 故曰進退與乾三
相照. 四近於五, 卽專意上觀者也. 大抵與臨相類也. 易例初有子之象, 故爲童觀. 二
有門之象, 故曰闚觀利女貞.

"큰 볼 것으로 위에 있다"는 것은 하늘을 보고 본받는 것이다. "천하에 보여준다"는 것은
윗사람이 아랫사람을 보는 것이니, 오효와 상효가 그것이다. 아랫사람이 보고 교화된다는
것은 아랫사람이 윗사람을 보는 것이니, 초효와 이효가 그것이다.

### 김상악(金相岳) 『산천역설(山天易說)』

以卦體卦德, 釋卦名義. 大觀在上, 兼五上言, 中正, 專指九五也. 以觀天下, 謂四陰也.
五居大觀之位, 具順巽之德, 故以我所居之中, 觀天下之不中, 所居之正, 觀天下之不
正, 所以下觀而化也.

괘의 몸체와 괘의 덕으로 괘의 이름을 풀이하였다. "큰 볼 것으로 위에 있다"는 것은 오효와 상효를 겸하여 말하였고, '중정'은 구오만을 가리켰다. "천하에 보여준다"는 것은 네 음을 말한다. 오효는 크게 보는 지위에 있으면서 손순한 덕을 갖추고 있기 때문에 내가 거처하는 알맞음으로 천하의 알맞지 않음을 보고, 내가 거처하는 바름으로 천하의 바르지 않음을 보기 때문에 아랫사람들이 보고 교화된다.

## 김규오(金奎五) 「독역기의(讀易記疑)」

大觀中正, 卦體也, 順而巽, 卦德也. 進齋竝中正爲德, 恐非本意.

크게 보는 것과 중정은 괘의 몸체이고, 유순하고 공손함은 괘의 덕이다. 진재서씨는 중정을 아울러 덕이라고 하였는데, 아마도 본래의 뜻은 아닌 듯하다.

## 서유신(徐有臣) 『역의의언(易義擬言)』

此釋所以爲觀之義也. 大觀在上, 二陽也, 中正以觀, 九五也. 如此方與比卦有別. 順而巽, 以一卦則旣順又巽, 以兩體則下之德順承, 而上之德巽入, 所以爲觀感也.

이것은 관이 되는 뜻을 풀이하였다. "큰 볼 것으로 위에 있다"는 것은 두 양이고, "중정(中正)으로 천하에 보여준다"는 것은 구오이다. 이와 같이 보아야 비괘(比卦)와 구별이 된다. "유순하고 공손하다"는 것은 한 괘로 말하면 이미 유순하고 또 공손하며, 두 몸체로 말하면 하체의 덕은 따라 받들고 상체의 덕은 공손하게 들어가니, 이 때문에 보고 느끼는 것이 된다.

## 박제가(朴齊家) 『주역(周易)』

大觀在上, 順而巽〈統言卦體〉, 中正以觀天下.〈專指九五〉.

큰 볼 것으로 위에 있어 유순하고 공손하며〈괘의 몸체를 통틀어 말한 것이다〉, 중정으로 천하를 보니.〈오로지 구오를 가리킨다.〉

中正以觀天下, 乃五之自觀也. 朱子謂以此觀示之也. 夫不待示而有大觀焉, 民將自化矣. 不待示人而自觀乎天, 自觀乎人, 觀之爲義, 無論人所觀我所觀, 竝無示之義. 奏假無言, 時靡有爭, 乃商頌烈祖之文, 卽此義也.

중정으로 천하를 본다는 것은 오효가 자신을 보는 것이다. 주자는 이로써 보여주는 것이라고 하였다. 보여주기를 기다리지 않고도 크게 보는 것이 있다면, 백성들이 장차 스스로 교화될 것이다. 사람에게 보여주기를 기다리지 않아도 스스로 하늘을 보고, 스스로 사람을 보니, 본다는 뜻은 다른 사람이 보는 것이든지 내가 보는 것이든지를 막론하고 보여준다는 뜻은 없다. "나아가 신명을 오게 하는데 말이 없어 이에 다툼이 없다"[15)]는 「상송(商頌)·열조(烈祖)」의 문장이 곧 이 뜻이다.

## 박문건(朴文健) 『주역연의(周易衍義)』

得位處中, 爲四陰之所觀, 故謂之大觀也. 此以卦體卦德, 釋卦名.

지위를 얻고 가운데 있어서 네 음이 보는 바가 되기 때문에 크게 본다고 하였다. 이는 괘의 몸체와 괘의 덕으로 괘의 이름을 풀이한 것이다.

〈問, 大觀在上, 順而巽, 中正以觀天下. 曰, 九五處上用顯巽之德, 又以中正之道, 以觀天下之民也. 此以九五一爻, 釋卦名也.

물었다: "큰 볼 것으로 위에 있어 유순하고 공손하며 중정(中正)으로 천하에 보여준다"는 무슨 뜻입니까?

답하였다: 구오는 상괘에 있으면서 공손한 덕을 지니고 있으며, 또한 중정한 도로 천하의 백성을 봅니다. 이는 구오 한 효로 괘의 이름을 풀이한 것입니다.〉

## 김기례(金箕澧) 「역요선의강목(易要選義綱目)」

陽爲大, 故曰大觀.

양이 크기 때문에 '큰 볼 것'이라고 하였다.

○ 大觀在上, 指君位, 順巽中正, 指君德. 蓋五居尊而觀四陰.

'큰 볼 것으로 위에 있는 것'은 임금의 자리를 가리키고, '유순하고 공손하며 중정한 것'은 임금의 덕을 가리킨다. 오효는 높은 자리에 있으면서 네 음을 본다.

○ 此言在上而觀下, 下觀而化之. 上以至誠臨下, 則下亦至誠仰觀而化之, 指四陰仰觀九五.

이것은 위에 있으면서 아래를 보고, 아래에서 보아서 교화되는 것을 말한다. 윗사람이 지성으로 아래에 임하면 아랫사람 또한 지성으로 우러러보아 교화되니, 네 음이 구오를 우러러보는 것을 가리킨다.

## 심대윤(沈大允) 『주역상의점법(周易象義占法)』

陽德在上, 爲觀於天下, 故曰大觀. 觀者, 遠而觀仰也. 物大然後可觀. 孟子曰, 大而化

---

15) 『詩經·烈祖』: 鬷假無言, 時靡有爭.

之之謂神是也. 大觀在上者, 言在上, 故能爲觀也. 凡人之心, 以爲上乎我而勝於己, 則
非勉相効而自然似之矣. 順而巽, 言自然感入不用力而化之也. 中正以觀天下者, 蓋觀
之義難言也, 觀之道以我有所可觀而下觀化之也. 欲言我有以求取之, 則无其跡矣, 欲
言非由我也, 自然也, 則自我有所可觀而致下之觀化. 故曰觀民觀天下而不曰觀於也.

양의 덕으로 위에 있어서 천하에 보이기 때문에 크게 본다고 말하였다. 본다는 것은 멀리
우러러 보는 것이다. 사물은 큰 이후에 볼만하다. 맹자가 "크고서 변화한 것을 성이라고
한다"[16]고 한 것이 그것이다. "큰 볼 것으로 위에 있다"는 것은 위에 있기 때문에 볼 수
있다는 말이다. 보통 사람의 마음은 나보다 위에 있고 자기보다 나은 사람은 힘써 서로 본받으
려고 하지 않아도 자연스럽게 그와 비슷하게 된다. "유순하고 공손하다"는 것은 자연히 들어와
힘을 쓰지 않고도 교화되는 것을 말한다. "중정으로 천하에 보여준다"는 것은 '관'의 뜻을
말하기 어렵지만, '관'의 도는 내가 볼만한 것을 가지고 있어서 아랫사람이 보고 교화되는
것이다. 내가 가지고서 구하여 취하고자 한다고 말하고자 한다면 그 자취가 없고, 나로부터가
아니고 자연이라고 말하고자 한다면 내가 볼만한 것이 있어서 아랫사람들이 보고 교화되게
하는 것이다. 그러므로 백성을 보고 천하를 본다고 말하고, "~에 보인다"고 말하지 않았다.

夫君上能使民信我之无不善焉, 天下化之矣. 大有之厥孚交如, 天下信之也. 家人之有
孚威如一家信之也. 大有之象曰, 易而无備, 家人之象曰, 反身之謂也, 言自反而无不
善焉. 故其下專信, 專信, 則精一, 精一則感通, 感通則變化也. 若一有不善, 則下之觀
化不精矣. 嗚呼, 居上位而觀下者, 豈可以一眚爲无害也哉. 其可以不敬乎哉. 不敬,
安能以一身範楷天下也哉. 非至誠, 安能爲敬乎哉.

임금이나 윗사람이 백성들로 하여금 자신의 선함을 믿게 할 수 있다면 천하가 교화된다.
대유괘의 '믿음으로 사귀는 것'은 천하가 믿는 것이다. 가인괘의 '믿음을 갖고 위엄으로 하는
것'은 한 가정이 믿는 것이다. 대유괘의 「상전」에서 "마음이 안이해져서 대비함이 없다"고
하였고 가인괘의 「상전」에서 "자기 몸에 돌이킴을 말한다"고 했는데, 스스로 반성하여 선하
지 않음이 없는 것을 말한다. 그러므로 아랫사람들이 온전하게 믿고, 온전하게 믿으면 정밀
하고 한결같으며, 정밀하고 한결같으면 느껴 통하고, 느껴 통하면 변화한다. 만약 조금이라
도 선하지 않으면 아랫사람들이 보고 교화되는 것이 정밀하지 않다. 아, 윗자리에 거하여
아래를 보는 것이 어찌 하나의 허물이라도 해로움이 없을 수 있겠는가? 공경하지 않을 수
있겠는가? 공경하지 않으면 어찌 한 몸으로 천하에 모범을 보일 수 있겠는가? 지극한 정성
이 아니면 어찌 공경이 될 수 있겠는가?

---

16) 『孟子・盡心』: 大而化之之謂聖.

觀, 盥而不薦, 有孚顒若, 下觀而化也.

"관은 손만 씻고 제사를 올리지 않은 듯이 하면 믿음이 있어 우러러 봄"은 아랫사람이 보고 교화되는 것이다.

‖中國大全‖

傳

爲觀之道, 嚴敬, 如始盥之時, 則下民至誠瞻仰而從化也. 不薦, 謂不使誠意少散也.

보여줌이 되는 도는 엄하고 공경하기를 제사에 처음 손을 씻을 때와 같이 하면 아래 백성들이 지극한 정성으로 우러러보고 따라서 교화되는 것이다. 제사를 올리지 않았다는 것은 성의가 조금도 흩어지지 않게 하는 것이다.

本義

釋卦辭.

괘사를 해석하였다.

小註

進齋徐氏曰, 下觀而化, 以四陰觀二陽言, 謂上有精潔誠敬之德, 顯然可仰, 則天下有所觀感而化, 如舜恭己正南面而天下自治, 文王不大聲以色而萬邦作孚, 自然之感, 固如此也.

진재서씨가 말하였다: ‘아랫사람이 보고 교화되는 것’은 네 음이 두 양을 우러러 보는 것을 말하니, 윗사람이 정성스럽고 깨끗하고 참되고 공경스런 덕을 우러러 볼만 하면 천하가 우

러러 보아 감동하여 교화된다는 말이다. 이것은 마치 순임금이 자신을 공손히 하여 천자의 자리를 바로 하면 천하가 저절로 다스려진다는 것이고, 문왕이 명성과 여색을 크게 여기지 않아서 천하가 믿는다는 것과 같으니, 자연스런 감화가 진실로 이와 같다.

○ 雲峰胡氏曰, 盥而不薦, 與神武而不殺, 朱子皆以爲是聖人不犯手做底. 蓋盥則必薦, 不薦是喩聖人致其潔淸而不輕自用. 武則必殺, 不殺是喩聖人得其理而不假其物. 故彼謂之神武, 而此下文別以神道言之.

운봉호씨가 말하였다: '손만 씻고 제사를 올리지 않음'과 '무력(武力)이 신묘하고도 죽이지 않음'을 주자가 모두 성인은 손을 쓰지 않는 것으로 여겼다. 손을 씻으면 반드시 제사를 올리는데, 올리지 않은 것은 성인이 깨끗함을 지극히 하고 가볍게 스스로 행동하지 않음에 비유하였다. 무력으로 하면 반드시 죽어야 하는데, 죽이지 않음은 성인이 그 이치를 얻어 사물에서 빌리지 않음에 비유하였다. 그러므로 저기에서는 무력이 신묘하다고 하였고, 이 아래 문장에서는 따로 신묘한 도로써 말하였다.

## ‖韓國大全‖

### 이익(李瀷) 『역경질서(易經疾書)』

大觀在上, 觀天而則之也. 以觀天下, 上觀下也, 五與上是也. 下觀而化, 下觀上也, 初與二是也. 三與四, 在兩卦之間, 三雖與五之下觀同, 而又可以上觀, 故曰進退與乾三相照. 四近於五, 卽專意上觀者也. 大抵與臨相類也. 易例初有子之象, 故爲童觀, 二有門之象, 故曰闚觀利女貞.

"큰 볼 것으로 위에 있다"는 것은 하늘을 보고 본받는 것이다. "천하에 보여준다"는 것은 윗사람이 아랫사람을 보는 것이니, 오효와 상효가 그것이다. 아랫사람이 보고 교화된다는 것은 아랫사람이 윗사람을 보는 것이니, 초효와 이효가 그것이다. 삼효와 사효는 두 괘의 사이에 있어서 삼효가 비록 오효와 아래로 보는 것은 같지만, 또한 위로 볼 수도 있기 때문에 진퇴가 건괘 삼효와 서로 참조해볼만하다고 말하였다. 사효는 오효에 가까우니, 위로 보는데 전적으로 뜻을 둔 자이다. 대체로 림괘와 서로 비슷하다. 『주역』에서는 의례히 초효에는 자식의 상이 있기 때문에 '어린아이의 봄'이라고 하였고, 이효에는 문의 상이 있기 때문에 "엿봄이니, 여자가 곧게 함이 이롭다"라고 말하였다.

### 서유신(徐有臣) 『역의의언(易義擬言)』

上有觀示之德, 而下有觀見之感也

윗사람에게는 보여주는 덕이 있고, 아랫사람에게는 본 뒤에 느끼는 것이 있다.


### 박문건(朴文健) 『주역연의(周易衍義)』

敎之以剛明, 化之以和敬, 卽下觀而化也. 此以卦體, 釋卦辭.

굳세고 밝음으로 가르치고, 온화함과 공경으로 교화시키면 아랫사람들이 보고 교화된다. 이
것은 괘의 몸체로 괘사를 풀이하였다.


### 이지연(李止淵) 『주역차의(周易箚疑)』

神道設敎者, 以行與事示之而已矣.

신묘한 도로 가르침을 베푸는 것은 행동과 일로 보여주는 것일 뿐이다.[17]


### 김기례(金箕澧) 「역요선의강목(易要選義綱目)」

此言在下而觀上.

이는 아래에 있으면서 위를 보는 것이다.


### 윤종섭(尹鍾燮) 『경(經)・역(易)』

先王於觀民設敎也, 特著盥而不薦之象, 使民知其鬼神之爲德其盛而誠之不可掩如是
也. 中庸鬼神蓋本於此, 王者治天下之道, 在乎此. 孔子曰, 知郊社之禮, 治國其如示
諸掌.

선왕이 백성을 보고 가르침을 베풀 적에 다만 손을 씻고 올리지 않는 상을 드러내어 백성들
로 하여금 귀신의 덕이 성대하고 그 정성을 가릴 수 없는 것이 이와 같음을 알게 한다. 『중
용』의 귀신은 여기에 근본을 두고 있고, 왕자가 천하를 다스리는 도리도 여기에 있다. 공자
는 "교제사와 사직단제사의 예를 아는 사람은 나라를 다스리는 것을 손바닥에서 보는 것처
럼 할 것이다"[18]라고 말하였다.

---

17) 『孟子・萬章』: 天不言, 以行與事, 示之而已矣.
18) 『中庸』: 明乎郊社之禮, 禘嘗之義, 治國其如示諸掌乎.

### 최세학(崔世鶴) 「주역단전괘변설(周易象傳卦變說)」

觀象曰, 大觀在上, 又曰, 下觀而化也.

관괘의 「단전」에 "큰 볼 것으로 위에 있다"고 하였고, 또 "아랫사람이 보고 교화된다"고 하였다.

觀, 否之一體變也. 四一爻爲主, 故象以下觀而化言之. 泰四往觀於上體二陽之下, 而觀之㝡切近, 故爲卦名之由而見化於陽也. 雜卦曰, 臨觀之義或與或未, 以我臨物曰與, 物來觀我曰求.

관괘(䷓)는 비괘(䷋)의 한 몸체가 변한 것이다. 사효 한 효가 위주가 되기 때문에 「단전」에서 '아랫사람이 보고 교화되는 것'으로 말하였다. 태괘의 사효가 윗 몸체 두 양의 아래로 가서 보아 가장 가까이서 보기 때문에 괘의 이름을 그렇게 지었고 양에 의해 교화가 되는 것이다. 「잡괘전」에서 "림(臨)과 관(觀)의 뜻은 혹은 주고 혹은 구한다"고 했는데, 내가 사물에 임하는 것을 "준다"고 말하고, 사물이 와서 나를 보는 것을 "구한다"고 말했다.

### 하우현(河友賢) 『역의의(易疑義)』

下觀而化也.

아랫사람이 보고 교화되는 것이다.

此與中庸末章引詩奏假無言靡有爭以下數節意同, 言聖人感化至誠之道.

이것은 『중용』 마지막 장에서 인용한 『시경』의 "나아가 신명을 오게 하는데 말이 없어 이에 다툼이 없다"[19]는 이하 몇 구절과 뜻이 같으니, 성인의 감화가 지극히 정성스러운 도를 말한다.

---

19) 『詩經·烈祖』: 鬷假無言, 時靡有爭.

觀天之神道, 而四時不忒, 聖人以神道設敎, 而天下服矣.

하늘의 신묘한 도를 봄에 사시(四時)가 어긋나지 않으니, 성인이 신묘한 도로 가르침을 베풂에 천하가 복종한다.

## ‖中國大全‖

### 傳

天道至神, 故曰神道. 觀天之運行, 四時无有差忒, 則見其神妙, 聖人見天道之神, 體神道以設敎, 故天下莫不服也. 夫天道至神, 故運行四時, 化育萬物, 无有差忒. 至神之道, 莫可名言, 唯聖人黙契, 體其妙用, 設爲政敎. 故天下之人, 涵泳其德而不知其功, 鼓舞其化而莫測其用, 自然仰觀而戴服, 故曰以神道設敎而天下服矣.

하늘의 도는 지극히 신묘하기 때문에 '신묘한 도[神道]'라고 하였다. 하늘의 운행을 살펴봄에 사시가 어긋남이 없으면 그 신묘함을 볼 수 있으니, 성인이 하늘의 도가 신묘함을 보고 신묘한 도를 체득하여 가르침을 베풀기 때문에 천하에 복종하지 않는 이가 없는 것이다. 하늘의 도는 지극히 신묘하기 때문에 사시를 운행하여 만물을 화육함에 어긋남이 없는 것이다. 지극히 신묘한 도는 이름 지어 말할 수 없고, 오직 성인이 묵묵히 합하여 그 신묘한 작용을 체득하여 정치와 교화를 베푼다. 그러므로 천하 사람들이 덕에 무젖어 있으면서도 그 공을 알지 못하고, 교화에 고무되면서도 그 쓰임을 헤아릴 수 없어서 자연히 우러러보고 받들어 복종한다. 그러므로 "신묘한 도로 가르침을 베풂에 천하가 복종한다"고 하였다.

### 本義

極言觀之道也. 四時不忒, 天之所以爲觀也, 神道設敎, 聖人之所以爲觀也.

관의 도를 지극히 말한 것이다. "사시가 어긋나지 않음"은 하늘이 보여주는 것이고, "신묘한 도로 가르침을 베풂"은 성인이 보여주는 것이다.

## 小註

朱子曰, 盥本爲薦而不薦, 是欲蓄其誠意以觀示民, 使民觀感而化之義. 有孚顒若, 便是那下觀而化, 卻不是說人君身上事. 聖人以神道設敎, 是聖人不犯手做底, 卽是盥而不薦之義. 順而巽, 中正以觀天下, 謂以此觀示之也. 又曰, 觀天之神道, 只是自然運行底道理, 四時自然不忒. 聖人神道, 亦是說他有敎人自然觀感處.

주자가 말하였다: 손을 씻는 것은 본래 제수를 올리기 위한 것인데 올리지 않았으니, 이는 성의를 쌓아 백성에게 보여서 백성들로 하여금 보고서 느껴 교화되도록 하려는 뜻이다. "믿음이 있어 우러러 봄"은 아래에서 우러러 보아 교화되는 것이니, 임금의 일을 말한 것만은 아니다. "성인이 신묘한 도로 가르침을 베풂"은 성인이 손을 쓰지 않음이니, 손만 씻고 제수를 올리지 않는다는 뜻이다. "유순하고 공손하여 중정으로 천하에 보여줌"은 이것으로 보여주는 것이다.

또 말하였다: 하늘의 신묘한 도를 보건대 다만 저절로 운행하는 도리여서 사시가 저절로 어긋나지 않는다. 성인의 신묘한 도도 또한 사람으로 하여금 저절로 보고 느끼도록 하는 것을 말한다.

○ 臨川吳氏曰, 此廣觀義. 上文所言感應之速者, 觀道之神也. 因言天道之神, 神者, 妙不可測之謂, 服者, 從而化也. 人觀天道之神, 莫知其然, 而四時代謝, 終古如一, 无少差忒, 觀道亦然. 常人以言設敎, 則有聲音, 以身設敎, 則有形迹. 聖人之道, 如天之妙不可測, 以之設敎, 非有聲音. 非有形迹, 不設而設, 不敎而敎, 天下一觀感之餘, 其應捷如影響, 莫不從而化焉. 應其所感, 亦如四時之應乎天而无有差忒也. 蓋所存甚神, 故所過卽篤恭而天下平. 如上天之无聲无臭, 而萬邦皆作孚, 此其所以爲神道與.

임천오씨가 말하였다: 이것은 관괘의 뜻을 넓혔다. 윗 문장에서 말한 감응이 빠르다는 것은 도의 신묘함을 봄이다. 하늘 도의 신묘함으로 말했으니, 신묘함은 묘하여 헤아리기 어렵다는 것이고, 복종함은 따라서 교화되는 것이다. 사람이 하늘 도의 신묘함을 봄에 그러한 이유를 알지 못하지만, 네 계절이 교대로 바뀌어 조금도 어긋나지 않으니 도를 봄도 그러하다. 보통 사람은 말로써 가르침을 베풀면 소리가 있게 되고, 몸으로써 가르침을 베풀면 자취가 있게 된다. 성인의 도는 마치 묘하여 헤아릴 수 없는 하늘로써 가르침을 베풀어 소리도 없고 자취도 없어 베풀지 않은 듯이 베풀고, 가르치지 않은 듯이 가르쳐 천하가 한결같이 여유 있게 보고 감동하여 그림자와 소리같이 빠르게 감응하여 따라서 교화되지 않을 수 없다. 감동한 것에 감응하는 것이 마치 네 계절이 하늘에 감응하여 어긋남이 없는 것과 같다. 갖추고 있는 것이 매우 신묘하기 때문에 지나가는 곳마다 공손함을 돈독히 하여 천하가 평안해진다. 하늘은 소리도 없고 냄새도 없지만 천하가 모두 믿으니, 이것이 신묘한 도일 것이다.

# ║韓國大全║

### 권근(權近) 『주역천견록(周易淺見錄)』

神道, 至誠無息, 自然之妙用也. 修道之敎, 非聖人心思智力之所作爲也. 但循其自然之理而品節之爾, 故曰以神道設敎也.

신묘한 도는 지극한 정성으로 자연스러운 오묘한 작용이다. 도를 닦는 가르침은 성인의 심사와 지력의 작위가 아니고, 다만 그 자연스러운 이치를 따라 조절할 뿐이다. 그러므로 "신묘한 도리로 가르침을 베푼다"고 말하였다.

### 조호익(曹好益) 『역상설(易象說)』

天之神道, 指二陽在天位. 四時, 六位具四時之象, 陰陽流行於六位之中, 歲功自成. 聖人指五. 此只言觀之道, 而象亦在其中.

하늘의 신묘한 도는 두 양이 하늘의 자리에 있는 것을 가리킨다. '사시(四時)'는 여섯 효의 자리에 사시의 상이 갖추어져 있으니, 음과 양이 여섯 효의 자리에서 유행하여 한 해의 공이 저절로 이루어지는 것이다. 성인은 오효를 가리킨다. 이는 단지 관괘의 도만을 말한 것이지만, 상 또한 그 안에 포함되어 있다.

### 이현익(李顯益) 「주역설(周易說)」

四時不忒, 卽天之神道, 則神道設敎, 是應四時不忒, 非神道設敎, 應天之神道, 而天下服, 應四時不忒也. 臨川吳氏謂, 天下莫不從而化焉, 如四時之應乎天而無有差忒, 非是孚信在中, 顯然可仰, 與在下之人, 信而仰之. 朱子曰, 從後說, 則合得象辭下觀而化之義, 當以象辭爲定. 此與本義之旨不合. 本義則以後說爲一說矣. 雖以有孚作孚信在中, 於下觀而化之義, 有何不合乎. 語類, 問, 先生以爲孚信在中, 故下觀而化之. 伊川以爲天下之人孚信顯然仰之, 恐須是孚信, 方得下觀而化. 曰, 然. 此則以有孚爲孚信在中, 而以孚信在中爲下觀而化矣. 當以此爲正.

사시가 어긋나지 않는 것이 곧 하늘의 신묘한 도이니, 신묘한 도로 가르침을 베푸는 것이 사시가 어긋나지 않는 데 응하는 것이지, 신묘한 도로 가르침을 베푸는 것이 하늘의 신묘한 도에 응하고, 천하가 복종하는 것이 사시가 어긋나지 않는 데 호응하는 것이 아니다. 임천오씨는 천하가 따라서 교화되지 않음이 없는 것이 마치 사시가 하늘에 호응하여 어긋남이 없는 것이지, 믿음이 마음에 있어 우러러 볼만해서 아래에 있는 사람이 믿고 우러러 보는 것이 아니라고 하였다. 주자는 "뒤의 설을 따른다면 「단사」의 '아랫사람이 보고 교화된다'는 뜻에 맞으니, 마땅히 「단사」를 바른 것으로 삼아야 한다"[20]고 하였다. 이는 『본의』의 뜻과는 맞지 않는다. 『본의』는 뒤의 설을 '하나의 설'로 여겼다. 비록 '유부(有孚)'를 '믿음이 마음에 있는 것'으로 풀었지만, "아랫사람이 보고 교화된다"는 뜻에 어찌 맞지 않겠는가? 『주자어류』에서 "선생께서는 믿음이 마음에 있기 때문에 아랫사람이 보고 교화된다고 하였습니다. 이천은 천하 사람들이 믿고 우러러본다고 하였는데, 아마도 반드시 믿음이 있어야만 아랫사람이 보고 교화될 것 같습니다"라고 하자, 주자는 "그렇습니다. 이는 '유부(有孚)'를 '믿음이 마음에 있는 것'으로 풀이한 것이고, 믿음이 마음에 있어야 아랫사람이 보고 교화되는 것입니다. 마땅히 이것을 바른 것으로 삼아야 할 것입니다"라고 하였습니다.

初則是幼稚象, 二則是女子象, 而雲峯胡氏, 以初二皆爲幼稚象, 不然. 且仁者見之謂之仁, 智者見之謂之智, 與窺觀有別, 而胡氏引而證之, 亦不然.

초효는 어린이의 상이고, 이효는 여자의 상인데, 운봉호씨는 초효와 이효를 모두 어린이의 상이라고 하였으니, 그렇지 않다. 또한 "인한 사람은 보고 인이라고 말하고 지혜로운 사람은 보고 지혜라고 말한다"[21]는 것은 '엿본다[窺觀]'는 것과는 차이가 있는데, 호씨가 인용하여 증거로 삼은 것도 그렇지 않다.

## 이익(李瀷) 『역경질서(易經疾書)』

夫子解之曰, 觀天之神道, 而四時不忒, 聖人以神道設敎, 而天下服矣. 神道設敎, 帖盥而不薦, 天下服, 帖有孚顒若, 而其所以爲然, 則不過觀天之神道, 而四時不忒也. 卦名觀字, 包聖人觀天之意在中. 盥而不薦, 卽以神道設敎之事. 何謂神道. 聖人於論語, 更加發揮云, 予欲無言, 天何言哉. 四時行焉, 百物成焉, 天何言哉. 一則曰無言, 二則曰何言, 其義尤明. 不以言語, 而時自行, 物自成, 豈非神道乎. 此實觀象之外傳也. 薦亦有不必待者矣, 況言語乎.

공자가 해석하여 "하늘의 신묘한 도를 봄에 사시(四時)가 어긋나지 않으니, 성인이 신묘한 도로 가르침을 베풂에 천하가 복종한다"고 하였다. '신묘한 도로 가르침을 베푸는 것'을 '손만 씻고 제사를 올리지 않는 것'에 연결시키고, '천하가 복종하는 것'을 '믿음이 있어 우러러보는 것'에 연결시켰는데, 그렇게 한 까닭은 '하늘의 신묘한 도를 봄에 사시(四時)가 어긋나지 않기 때문'인데 불과하다. 괘 이름인 관이라는 글자는 그 가운데 성인이 하늘을 본다는

---

[20] 『朱子語類·易六』: 從後說, 則合得彖辭下觀而化之義. 或曰, 前說似好. 曰, 當以彖辭爲定.
[21] 『周易·繫辭傳』: 仁者見之謂之仁, 知者見之謂之知.

뜻을 포함하고 있다. '손만 씻고 제사를 올리지 않는 것'은 곧 '신묘한 도로 가르침을 베푸는' 일이다. 무엇을 신묘한 도라고 하는가? 성인이 『논어』에서 더욱 잘 발휘하여 "나는 말이 없고자 하니, 하늘이 무엇을 말하던가? 사시가 행해지며 만물이 이루어지는데 하늘이 무엇을 말하던가?"[22]라고 하였다. 한 곳에서는 "말이 없다"고 하였고, 한 곳에서는 "무엇을 말하던가?"라고 하였으니, 그 뜻이 더욱 분명하다. 말로 하지 않아도 계절은 저절로 행해지고, 만물은 저절로 이루어지니, 어찌 신묘한 도가 아니겠는가? 이는 실로 관괘 「단전」의 「외전(外傳)」이라고 할 수 있다. 올리는 것도 또한 반드시 기다리지 않는데, 하물며 언어이겠는가?

### 유정원(柳正源) 『역해참고(易解參攷)』

王氏曰, 神則无形者也, 不見天之使四時, 而四時不忒, 不見聖人使百姓, 而百姓自服.
왕필이 말하였다: 신은 형체가 없어서, 하늘이 사시를 부리는 것을 보지 못하더라도 사시가 어긋나지 않고, 성인이 백성을 부리는 것을 보지 못하더라도 백성이 스스로 복종한다.

○ 瓊山丘氏曰, 聖人之政敎, 必體天道之妙用而施之人, 亦如天之運行四時, 无有差忒, 神妙而莫可名言爾. 後世虛誕之君, 諛佞之臣, 故爲怪誕虛幻之事, 托鬼神以愚民, 而謂之曰此神道設敎也. 乃至假河圖洛書, 以文其姦, 於乎, 天其可誣乎.
경산구씨가 말하였다: 성인의 가르침은 반드시 천도의 묘한 작용을 체득하여 사람에게 베풀어, 마치 하늘이 사시에 운행하여 어긋남이 없는 것과 같아 신묘하여 이름 지어 말할 수 없다. 후세에 허탄한 임금과 아첨하는 신하가 일부러 허탄하고 환상적인 일을 만들어 귀신에 의탁하여 백성을 속이고 "이것이 신묘한 도로 가르침을 베푸는 것이다"라고 한다. 심지어 「하도」와 「낙서」를 빌려 그 간사함을 꾸미니, 아, 하늘을 속일 수 있겠는가?

### 김상악(金相岳) 『산천역설(山天易說)』

釋卦辭而極言之. 化者, 天下有所觀感而化也. 神者, 妙不可測之謂也. 天以神道運行而四時不忒者, 天之所以爲觀也. 聖人以神道設敎而天下服從者, 聖人所以爲觀也.
괘사를 풀이하여 지극하게 말하였다. 교화란 천하 사람들이 보고 느껴서 변화하는 것이다. 신묘함이란 묘하여 헤아릴 수 없는 것을 말한다. 하늘이 신묘한 도로 운행하여 사시가 어긋

---

22) 『論語·陽貨』: 子曰, 予欲無言. 子貢曰, 子如不言, 則小子何述焉. 子曰, 天何言哉. 四時行焉, 百物生焉, 天何言哉.

나지 않는 것은 하늘이 보는 것이고, 성인이 신묘한 도로 가르침을 베풀어 천하가 복종하는 것은 성인이 보는 것이다.

○ 上九象天, 九五象聖人. 天之神道, 聖人之神道, 初无聲臭之著而自有變化之神也. 所以四時不忒, 天下服矣. 故觀豫二卦, 皆以天地聖人之道, 極言而贊之.
상구는 하늘을 상징하고, 구오는 성인을 상징한다. 하늘의 신묘한 도와 성인의 신묘한 도는 애초에 소리와 냄새로 나타남이 없고, 저절로 변화하는 신묘함이 있다. 그래서 사시가 어긋나지 않고 천하 사람들이 복종한다. 그러므로 관괘와 예괘 두 괘에서는 모두 천지와 성인의 도를 지극히 말해서 찬미하였다.

### 서유신(徐有臣)『역의의언(易義擬言)』

觀, 卦名也. 風行地上爲觀. 八風行而四時成焉, 故觀爲天之神道也. 盥而不薦, 有孚顒若, 聖人之神道也. 聖人之敎, 如天之風, 而天下之服之, 如四時之不忒也. 所謂手之舞之足之蹈之, 民日遷善而不知爲之者也.
'관(觀)'은 괘의 이름이다. 바람이 땅 위에 행하는 것이 관괘가 된다. 팔방의 바람이 행하여 사시가 행해지기 때문에 관괘가 하늘의 신묘한 도가 된다. '손만 씻고 제사를 올리지 않은 듯이 하면 믿음이 있어 우러러 보는 것'이 성인의 신묘한 도이다. 성인의 가르침은 하늘의 바람과 같고, 천하 사람들이 복종하는 것은 사시가 어기지 않는 것과 같다. 그것은 이른바 손이 춤을 추고 발이 춤을 추며,[23] 백성들이 날마다 선으로 옮아가면서도 그렇게 하는 자를 알지 못한다는 것이다.[24]

### 박제가(朴齊家)『주역(周易)』

神道之敎, 非他也, 卽易也. 四時不忒, 非他, 卽陰陽也. 聖人觀陰陽之不忒, 而知天之神道, 始畫八卦以道陰陽, 使民趨吉避凶. 開物成務, 一歸之于神明, 而民無有不服者矣. 包犧仰觀象俯觀法, 觀地宜觀鳥獸, 以畫八卦, 通神明,[25] 此之謂也.
신묘한 도의 가르침은 다른 것이 아니라 바로 역이다. 사시가 어긋나지 않는다는 것은 다른 것이 아니라 바로 음양이다. 성인이 음양이 어긋나지 않는 것을 보고서 하늘의 신묘한 도를

---

23) 『論語集注』: 有讀了後, 直有不知手之舞之足之蹈之者.
24) 『孟子·盡心』: 孟子曰, 覇者之民, 驩虞如也, 王者之民, 皞皞如也. 殺之而不怨, 利之而不庸, 民日遷善而不知爲之者.
25) 이 아래에 '명명하사관자(明明下四觀字)'가 있으나 연문(衍文)으로 보인다.

알아 처음으로 팔괘를 그어 음양을 말하여 백성들로 하여금 길함에 나아가고 흉함을 피하도
록 하였다. 사물을 열고 일을 이룬 것을 한결같이 신명에 돌려 백성들이 복종하지 않는 사람
이 없었다. 포희가 우러러 상을 관찰하고 아래로 법을 관찰하며, 땅의 마땅함을 관찰하고
조수를 관찰하여 팔괘를 그어 신명에 통하였으니, 바로 이것을 말한다.

### 박문건(朴文健) 『주역연의(周易衍義)』

四時不忒, 天之道也, 聖人用此道而設敎, 故天下順之而不違也. 此極言觀道之大者也.
사시가 어긋나지 않는 것은 하늘의 도이니, 성인이 이 도를 써서 가르침을 베풀기 때문에
천하 사람들이 순종하여 어기지 않는다. 이는 관괘의 도의 큼을 지극하게 말하였다.

### 김기례(金箕澧) 「역요선의강목(易要選義綱目)」

天之造化功用, 无時序之相忒, 則聖人代天工, 而允釐百工, 天下歸化.
하늘의 조화의 작용은 계절의 순서가 서로 어긋남이 없으면, 성인이 하늘의 작용을 대신하
여 백공(百工)을 다스려 천하 사람들이 돌아가 변화한다.

○ 此言上以信示下, 下觀感而化.
이는 윗사람이 믿음으로 아랫사람에게 보여주고, 아랫사람이 보고 느껴서 변화한다는 것을
말한다.

### 이항로(李恒老) 「주역전의동이석의(周易傳義同異釋義)」

小註又曰, 觀天之神道, 只是自然運行底道理, 四時自然不忒. 聖人神道, 亦是說他有
敎人自然觀感處.
소주에서 말하였다: 하늘의 신묘한 도를 보건대 다만 자연히 운행하는 도리여서 사시가 자
연히 어긋나지 않는다. 성인의 신묘한 도도 또한 사람으로 하여금 자연히 보고 느끼도록
하는 것을 말한다.

按, 神道二字, 傳義發明无蘊. 蓋神道只是一理也, 由其不可測而言曰神, 由其運行而
言曰道. 繫辭曰, 神也者, 妙萬物而爲言者也. 又曰, 不測之謂神, 又曰, 鼓之舞之以盡
神. 孟子曰, 聖而不可知之謂神. 周子曰, 物則不通, 神妙萬物. 程子曰, 以妙用謂之神.
朱子曰, 妙用之神, 言其理也. 觀此則所謂神者, 卽一太極也, 由天而言, 則上帝也, 由
存乎人而言, 則明德也, 由萬物而言, 則有物有則是也. 易中所謂曰德曰志曰心曰道曰

仁曰義曰以曰孚曰得曰失者, 語雖萬變, 而其指此物則一也.

내가 살펴보았다: '신도[神道]' 두 글자는 『정전』과 『본의』가 남김없이 밝혔다. '신'과 '도'는 다만 하나의 이치인데, 헤아릴 수 없는 것으로부터 말하면 '신'이라고 하고, 운행하는 것으로부터 말하면 '도'라고 한다. 「계사전」에서 "신(神)이란 만물을 신묘하게 하는 것을 말한다"고 하였고, 또 "헤아릴 수 없는 것을 신이라고 한다"고 하였으며, 또 "부추기고 춤추게 하여 신묘함을 다한다"고 하였다. 맹자는 "성스러우면서도 알 수 없는 것을 신이라고 한다"[26]고 하였고, 주자(周子)는 "사물은 통하지 않지만, 신은 만물을 신묘하게 한다"[27]고 말했다. 정자는 "묘한 작용으로 말하면 신이라고 한다"[28]고 말했고, 주자(朱子)는 "신묘한 작용의 신이란 그 이치를 말한다"고 하였다. 이를 보면 이른바 신이란 곧 하나의 태극인데, 하늘로부터 말하면 상제라고 하고, 사람에게 보존된 것으로 말하면 명덕이라고 하며, 만물로부터 말하면 "사물이 있으면 법칙이 있다"[29]는 것이 그것이다. 『주역』 가운데 덕(德)·지(志)·심(心)·도(道)·인(仁)·의(義)·이(以)·부(孚)·득(得)·실(失)이라고 말한 것은 말은 비록 만 가지로 변하지만 이 사물을 가리킨 것은 동일하다.

然則夫子所以罕言者何也. 曰, 理有知之易者, 理有知之難者, 聖人敎人, 從其易知者言之. 尙或難會, 況可遽以難知者言之, 使其滋惑耶. 然禮儀三百威儀三千, 无非神之所行也, 洋洋發育, 蓋天蓋地, 无非神之所爲也. 洒掃應對進退拜揖, 无非神之用也, 格致誠正修齊治平, 无非神之著也. 何嘗不言之乎. 故曰予欲无言, 天何言哉. 四時行焉, 百物生焉. 此非言神而何哉. 易曰, 觀天之神道而四時不忒, 聖人以神道設敎而天下服矣. 其示人之意, 明且盡矣.

그렇다면 공자가 드물게 말했던 것은 왜인가?[30] 이치에는 알기 쉬운 것도 있고 이치에는 알기 어려운 것도 있으므로, 성인이 사람을 가르칠 적에 알기 쉬운 것을 따라 말한다. 그래도 오히려 혹 이해하기 어려운 것이 있는데, 하물며 갑자기 알기 어려운 것으로 말하여 더욱 미혹되게 할 수 있겠는가? 그러나 예의 삼백과 위의 삼천이 신의 행위가 아닌 것이 없고, 가득히 발육하여 하늘을 덮고 땅을 덮는 것이 신의 행위가 아닌 것이 없다. 물 뿌리고 쓸고 응대하고 진퇴하고 절하고 읍하는 것이 신의 작용이 아닌 것이 없고, 격물·치지·성의·정심·수신·제가·치국·평천하가 신의 드러남이 아닌 것이 없다. 어찌 일찍이 말하지 않았

---

26) 『孟子·盡心』: 聖而不可知之之謂神.

27) 『通書』: 物則不通, 神妙萬物.

28) 『河南程氏遺書·伊川雜錄』: 以形體言之謂之天, 以主宰言之謂之帝, 以功用言之謂之鬼神, 以妙用言之謂之神, 以性情言之謂之乾.

29) 『詩經·蒸民』: 天生烝民, 有物有則. 民之秉彝, 好是懿德.

30) 『論語·子罕』: 子罕言利與命與仁.

겠는가? 그러므로 "나는 말이 없고자 하니, 하늘이 무엇을 말하는가? 사시가 행해지고 백물이 생겨난다"[31]고 하였다. 이것이 신을 말하는 것이 아니면 무엇이겠는가? 『주역』에 "하늘의 신묘한 도를 봄에 사시(四時)가 어긋나지 않으니, 성인이 신묘한 도로 가르침을 베풂에 천하가 복종한다"고 하였다. 그 사람에게 보인 뜻이 분명하고 또한 다하였다.

### 박종영(朴宗永) 「경지몽해(經旨蒙解)·주역(周易)」

傳曰, 天道至神, 故曰神道. 聖人見天道之神, 體神道以設敎, 故天下莫不服也. 聖人體天而設政敎, 天下之人, 涵泳其德而莫測其用, 自然仰觀而戴服矣.

『정전』에서 말하였다: 천도가 지극히 신묘하기 때문에 '신묘한 도'라고 말하였다. 성인이 천도의 신묘함을 보고 신묘한 도를 체득하여 가르침을 베풀기 때문에 천하에 복종하지 않는 이가 없다. 성인이 하늘을 체득하여 정치와 가르침을 베풀기 때문에 천하 사람들이 덕에 젖어 있으면서도 그 작용을 헤아리지 못하여 자연히 우러러보고 떠받들며 복종한다.

然則是神字, 乃聖神之神, 非鬼神之神. 而後世如宋之王欽若丁謂之輩, 以神道設敎慫慂, 眞宗以成其禱祀天書之事. 小人之附會文飾於經訓, 有如此者矣, 可勝歎哉.

그렇다면 '신'이라는 글자는 성신(聖神)의 신이지 귀신(鬼神)의 신이 아니다. 예를 들어 후세의 송나라 왕흠약(王欽若), 정위(丁謂)같은 무리는 신묘한 도리로 가르침을 베풀어 욕심을 부리고, 진종(眞宗)은 기도와 제사, 부적의 일을 이루어주었다. 소인이 경전의 훈계를 견강부회하고 꾸미는 것이 이와 같은 지경에 이르렀으니, 이루 다 탄식할 수 있겠는가?

### 심대윤(沈大允) 『주역상의점법(周易象義占法)』

天無言而四時行焉, 聖人不令而天下化之者, 妙萬物而不測, 至神也, 自然而然也. 故不言天之以神道設敎也. 自我可觀而下觀化也, 故强言聖人以神道設敎也. 神道者, 天之无道之道也, 神道設敎者, 聖人不敎之敎也.

하늘은 말하지 않아도 사시가 행해지고, 성인은 명령하지 않아도 천하가 교화되니, 만물을 묘하게 하여 헤아릴 수 없는 것은 지극히 신묘함이며, 자연스럽게 그렇게 되는 것이다. 그러므로 하늘이 신묘한 도로 가르침을 베푼다고는 말하지 않는다. 나에게 볼만한 것이 있어서 아랫사람이 보고 교화되는 것이기 때문에 성인이 신묘한 도로 가르침을 베푼다고 억지로

---

31) 『論語·陽貨』: 子曰, 予欲無言. 子貢曰, 子如不言, 則小子何述焉. 子曰, 天何言哉. 四時行焉, 百物生焉, 天何言哉.

말하였다. 신묘한 도란 하늘의 도 없는 도이며, 신묘한 도로 가르침을 베푼다는 것은 성인의 가르치지 않는 가르침이다.


## 오치기(吳致箕) 「주역경전증해(周易經傳增解)」

此以卦體卦德, 釋卦名義及卦辭也. 卦體二剛以高大之位, 觀于下而在上, 四柔以順巽之道, 從于上. 而在下九五, 乃以中正之德, 觀示于天下, 其誠信外見, 如臨祭而方盥不薦之時, 顯然可仰, 則下皆觀瞻而化也. 終又極言聖人觀天之神道, 而亦以神道設敎, 推演觀之義也. 餘見象解.

이것은 괘의 몸체와 괘의 덕으로 괘의 이름 및 괘사를 풀이하였다. 괘의 몸체는 두 굳센 양이 높고 큰 지위로 아래를 보면서 위에 있고, 네 부드러운 음이 순하고 부드러운 도로 위를 따르고 있다. 양 가운데 아래의 구오는 중정의 덕으로 천하를 보고 있고, 그 성실과 믿음이 밖으로 드러나니, 제사에 임해서 막 손을 씻고 아직 제사 드리지 않은 때와 같아서, 공경히 우러를 만한 것이 있으면 아랫사람들이 모두 우러러보고서 교화된다. 마지막에는 성인이 하늘의 신묘한 도를 보는 것을 지극히 말하였고, 또한 신묘한 도로 가르침을 베푸는 것으로 관괘의 뜻을 미루어 밝혔다. 나머지는 「단전」의 해설에 보인다.


## 이진상(李震相) 『역학관규(易學管窺)』

觀天之神道.

하늘의 신묘한 도를 봄에.


小註朱子說, 不薦是欲蓄其誠意云云, 意難通. 不薦之時, 未有禮數而只有誠敬, 此便是所存之坤道, 初非故爲不薦爲觀示民地也. 當以取喩意活看耳.

소주의 주자의 설명에서 "올리지 않는다는 것은 성의를 축적하고자 하는 것이다" 운운한 것은 뜻이 통하기 어렵다. 올리지 않았을 적에는 아직 예가 없고 다만 정성과 공경이 있으니, 이것이 곧 보존하는 바의 곤(坤)의 도이지, 애초에 일부러 올리지 않아서 백성들에게 보여주는 것이 아니다. 마땅히 비유를 취한 뜻을 살펴 살려서 보아야 한다.


## 박문호(朴文鎬) 「경설(經說)・주역(周易)」

世之易家, 或以神道設敎四字欲蔽易之一書, 蓋易者, 寓人事於占法, 謂之神道設敎, 固可也. 雖然只謂之神道而無與乎人道, 則至占時每一取看而已可也, 不必復事於讀.

又況有十翼與程傳乎. 吾故曰神道設敎, 不足以蔽之, 而惟隨時之義, 可以蔽之.

세상의 역학가들이 혹 '신도설교(神道設敎)' 네 글자로 『주역』 한 책을 대표하고자 하는데, 『주역』이란 인사를 점법에 의탁한 것이므로 '신도설교'라고 해도 본래 괜찮다. 비록 그렇지만 '신묘한 도'라고만 말하고 인도와 관계가 없다면, 점을 칠 때에 매양 한 번 취하여 보면 되는 것이지, 반드시 읽는 것을 다시 일삼을 필요가 없을 것이다. 하물며 십익과 『정전』과 같은 경우이겠는가? 나는 그러므로 '신도설교'가 『주역』을 대표하기에는 부족하고, "때를 따른다"는 뜻이 『주역』을 대표할 수 있다고 생각한다.

## 이정규(李正奎) 「독역기(讀易記)」

所謂神道如何. 天道雖不言, 四時不忒, 品物亨者, 天之神道也. 舜恭已南面而天下治之, 文王不大聲色而萬邦作孚, 聖人之神道也. 神者, 莫測之謂也, 卽盥而不薦, 下觀而化也.

이른바 신묘한 도란 어떤 것인가? 천도는 비록 말하지 않지만 사시가 어긋나지 않고 만물이 형통한 것이 하늘의 신묘한 도이다. 순임금이 자신을 공손히 하고 남쪽으로 향하고 있자 천하가 다스려졌다[32]는 것과 문왕이 소리와 얼굴빛을 크게 하지 않고도[33] 만방이 믿었다[34]는 것이 성인의 신묘한 도이다. 신이란 헤아릴 수 없는 것을 말하니, 곧 손만 씻고 제사를 올리지 않은 듯이 하면 아랫사람이 보고 교화된다는 것이다.

## 이병헌(李炳憲) 『역경금문고통론(易經今文考通論)』

虞曰, 觀反臨也. 中正謂五, 以五陽觀示坤民, 故稱觀. 盥沃盥, 薦羞牲. 孚信謂五. 顒顒, 君德有威儀貌.

우번이 말하였다: 관괘(䷓)는 림괘(䷒)가 거꾸로 된 괘이다. '중정'은 오효를 말하니, 오효가 양으로 곤괘의 백성에게 보여주기 때문에 관괘라고 칭하였다. '관(盥)'은 물을 따라 손을 씻는 것이고, '천(薦)'은 희생물을 올리는 것이다. '믿음'은 오효를 말한다. '옹옹(顒顒)'은 임금의 덕이 위의가 있는 모양이다.

按, 卦辭之意, 謂不待薦而已有孚, 非謂旣薦之後, 禮繁而精散也. 乃孚在薦前也, 況薦後乎. 蠱之上九, 已發高尙之義, 而臨之大象, 又發敎思無窮容保民無疆之旨. 至此明

---

32) 『論語・衛靈公』: 子曰, 無爲而治者, 其舜也與. 夫何爲哉. 恭己正南面而已矣.

33) 『詩經・皇矣』: 帝謂文王, 予懷明德, 不大聲以色, 不長夏以革.

34) 『詩經・文王』: 儀刑文王, 萬邦作孚.

明說出, 聖人以神道設敎而天下服矣. 此敎字不可汎看, 此聖人非汎稱, 讀者當理會神道設敎之聖人爲救世敎主而後象辭乃有段落矣. 二陽四陰及策數, 準屯蒙.

내가 살펴보았다: 괘사의 뜻은 제사를 올리기를 기다리지 않아도 이미 믿음이 있다는 것이지, 이미 올린 후에는 예가 번잡하고 정신이 흩어진다는 말이 아니다. 믿음이 올리기 전에도 있는데, 하물며 올린 후이겠는가? 고괘의 상구에서 이미 고상하다는 뜻을 말했고, 림괘의 「대상전」에서 "가르치려는 생각이 다함이 없으며, 백성을 포용하여 보호함이 끝이 없다"는 뜻을 말했다. 여기에 이르러서는 "성인이 신묘한 도로 가르침을 베풀어 천하가 복종한다"고 분명하게 말하였다. 이 '교(敎)'자는 범범하게 보아서는 안 되고, 이 '성인'은 범범한 칭호가 아니니, 독자가 마땅히 신묘한 도로 가르침을 베푸는 성인을 구세주로 이해한 다음에 단사가 일정한 의미를 갖게 된다. 두 양과 네 음으로 책수는 준괘와 몽괘와 같다.

象曰, 風行地上, 觀, 先王以, 省方觀民, 設教.

「상전」에서 말하였다: 바람이 땅 위에 행함이 관(觀)이니, 선왕이 그것을 본받아 사방을 살피고 백성을 관찰하여 가르침을 베푼다.

## 中國大全

### 傳

風行地上, 周及庶物, 爲由歷周覽之象. 故先王體之, 爲省方之禮, 以觀民俗而設政教也. 天子巡省四方, 觀視民俗, 設爲政教, 如奢則約之以儉, 儉則示之以禮是也. 省方, 觀民也, 設教, 爲民觀也.

바람이 땅 위에 불어서 여러 사물에 두루 미치니, 지나가며 두루 살피는 상이 된다. 그러므로 선왕이 이를 체득하여 사방을 살피는 예를 만들어서 백성의 풍속을 관찰하여 정치와 교화를 베푸는 것이다. 천자가 사방을 순행(巡行)하여 백성의 풍속을 살펴서 정치와 교화를 베푸니, 사치하면 검소함으로써 간략하게 하고 검소하면 예로써 보여주는 것이 이것이다. '사방을 살핌[省方]'은 백성을 살피는 것이고, '교화를 베풂[設教]'은 백성들의 우러러 봄이 되는 것이다.

### 本義

省方以觀民, 設教以爲觀.

사방을 살펴 백성을 관찰하고 가르침을 베풀어 보여줌이 되는 것이다.

#### 小註

庸齋趙氏曰, 風行地上, 徧觸萬物, 有周觀之象. 先王體之, 得風以動之, 教以化之之象. 故以省方觀民設教.

용재조씨가 말하였다: 바람이 땅 위에 행하여 두루 만물을 접촉하니, 두루 살피는 상이 있다. 선왕이 이것을 체득하여 바람으로 감동시키고 가르침으로 교화하는 상을 얻기 때문에 사방을 살피고 백성을 관찰하여 가르침을 베푼다.

○ 建安丘氏曰, 坤爲土, 有土此有民, 省方觀民, 乃坤之象. 巽以申命設敎, 乃巽之象.
건안구씨가 말하였다: 곤(☷)은 땅이니, 땅이 있으면 백성이 있게 되어 '사방을 살피고 백성을 관찰할 수 있으니, 곤의 상이다. 공손함으로 명령을 거듭 내고 가르침을 베푸니, 손(☴)의 상이다.

○ 三山劉氏曰, 觀民設敎, 如齊之末業, 敎以農桑, 衛之淫風, 敎以禮別, 奢如曹則示之以儉, 儉如魏則示之以禮之類, 是也.
삼산유씨가 말하였다: 백성을 살펴 가르침을 베푸는 것은, 제나라가 상업을 중시하므로 농업과 잠업을 가르치고, 위나라가 풍속이 음란하므로 예를 가르쳐 구별을 알게 하고, 조나라 같이 사치하면 검소함을 보여주고, 위나라 같이 검소하면 예로써 보여주는 것들이 이것이다.

## ‖韓國大全‖

### 조호익(曺好益) 『역상설(易象說)』

愚謂, 曰方曰民, 象坤地之所載, 曰省曰觀, 象巽風之所至. 設敎, 取風行於上而物感於下之象.
내가 살펴보았다: '방(方)'이라 하고 '민(民)'이라 한 것은 땅인 곤(坤)이 실은 바를 형상한 것이고, '성(省)'이라 하고 '관(觀)'이라 한 것은 바람인 손(巽)이 이른 바를 형상한 것이다. '가르침을 베푸는 것'은 바람이 위에서 행해지고, 사물이 아래에서 느끼는 상을 취하였다.

### 김도(金濤) 「주역천설(周易淺說)」

愚按, 本義下諸儒所釋凡三條, 而皆合於大象之旨矣. 蓋古之聖王, 所以巡視諸侯者, 无他, 欲其化民而成禮俗也. 觀之爲卦, 有遊歷周覽之象, 故先王體之, 歷覽而省方, 以施政敎而民莫不從化, 觀之時義大矣. 夫然關雎之化, 造端於衽席之間, 桑濮之行, 必由於滔亂之主, 則民之所以觀感而化之者, 豈待於省方之後哉. 躬行之化, 其所由來者, 漸矣. 然則人君者, 當何以哉. 必也極誠敬之功, 使天下之人, 皷舞其化, 而莫測其所以, 則豈不神哉. 豈不妙哉.

내가 살펴보았다.『본의』아래 여러 유학자들의 해석이 세 조목인데 모두「대상전」의 뜻에 부합한다. 옛날의 성왕이 제후를 순시한 까닭은 다른 것이 아니라 백성을 교화하여 예속을 이루고자 하는 것이다. 관괘는 여러 곳을 돌아다니며 두루 살펴보는 상이 있기 때문에 선왕이 그것을 체득하여 두루 다니면서 지방을 살펴서 정치와 가르침을 베풀고, 백성이 따라서 교화되지 않음이 없으니, 관괘의 때와 뜻이 크도다. 그러나『시경・관저』를 통한 교화는 이부자리 사이에서 단서가 시작되고, 음탕한 행동은 반드시 음란한 군주로 말미암으니, 백성이 보고 느껴서 교화되는 까닭이 어찌 사방을 살피는 것을 기다린 다음이겠는가? 몸소 행하는 교화는 그 유래가 점진적이다. 그렇다면 임금은 마땅히 어찌해야 하는가? 반드시 지극한 정성과 공경의 일로 천하의 사람들로 하여금 그 교화를 고무하면서도 그 까닭을 헤아릴 수 없게 해야 하니, 어찌 신묘하지 않겠는가? 어찌 오묘하지 않겠는가?

### 이만부(李萬敷)「역통(易統)・역대상편람(易大象便覽)・잡서변(雜書辨)」

臣謹按, 省方觀民, 卽天子巡守之禮, 而所以設敎爲民觀, 則無大小古今之別矣.

신이 삼가 살펴보았습니다: 사방을 살피고 백성을 관찰하는 것은 천자가 순수하는 예이고, 가르침을 베풀어 백성들이 보게 하는 것은 대소와 고금의 구별이 없습니다.

○ 又按, 君道治道敎化三章, 有相發者, 當參互而觀省焉.

또 살펴보았습니다: 임금의 도와 다스리는 도와 교화의 세 가지 법도는 서로 밝혀주는 것이니, 마땅히 서로 참고하여 관찰하여 살펴보아야 합니다.

### 유정원(柳正源)『역해참고(易解參攷)』

正義, 非諸矦所爲, 故云先王.

『주역정의』에서 말하였다: 제후가 할 바가 아니기 때문에 선왕이라고 말하였다.

○ 蛟峯方氏曰, 風, 主天之號令, 施於萬物, 行於地上, 至微至柔, 无不周遍, 爲君主敎令行於民上者, 當如此.

교봉방씨가 말하였다: 바람은 하늘의 호령을 주관하여 만물에게 베풀고 땅위에 행하며, 지극히 미세하고 지극히 부드러워 두루 하지 않음이 없으니, 군주로서 백성들에게 명령을 행

하는 사람은 마땅히 이와 같이 하여야 한다.


## 김상악(金相岳) 『산천역설(山天易說)』

省方, 合二體之象, 以巽風行於坤土之上也. 觀民者, 坤之衆也. 設敎者, 巽之命也. 復之一陽, 不得君位, 則曰不省方. 臨之二陽在下, 則但敎思无窮而已, 觀則大觀之君在上, 故曰省方設敎.

‘사방을 살피는 것’은 두 몸체의 상을 합하여 손괘인 바람이 곤괘인 땅 위에 행하는 것이다. ‘백성을 관찰하는 것’은 곤괘인 대중이다. ‘가르침을 베푸는 것’은 손괘의 명령이다. 복괘의 한 양이 임금의 자리를 얻지 못하였으므로 “사방을 시찰하지 않는다”고 하였다. 림괘의 두 양이 아래에 있으므로 다만 “가르치려는 생각이 다함이 없다”고 하였다. 관괘는 크게 보는 임금이 위에 있기 때문에 “사방을 살피고 가르침을 베푼다”고 말하였다.


## 서유신(徐有臣) 『역의의언(易義擬言)』

風行地上而萬物觀之, 先王省方而天下觀之也. 四時之風來, 必有方, 四時之省, 各有其方. 復之象曰, 后不省方, 知其爲朔方也. 觀民, 爲觀於民也, 乃所以神道設敎也. 是謂草尙之風必偃也. 方與民坤象, 敎巽象.

바람이 땅 위에 행하면 만물이 바라보며, 선왕이 사방을 살피면 천하 사람들이 바라본다. 사시의 바람이 오는 데는 반드시 그 방향이 있고, 사시를 살피는 것은 각각 그 지방이 있다. 복괘의 상에 “임금이 사방을 시찰하지 않는다”고 말했으니, 그것이 북쪽 방향임을 알 수 있다. ‘관민(觀民)’은 백성에게 보이는 것이니, 신묘한 도로 가르침을 베푸는 것이다. 이것은 “풀 위에 바람이 불면 반드시 눕는다”[35]는 말이다. ‘사방’과 ‘백성’은 곤괘의 상이고, ‘가르침’은 손괘의 상이다.


## 박문건(朴文健) 『주역연의(周易衍義)』

省方之豊約, 觀民之邪正, 施設政敎者, 象風之行於地上也.

사방의 풍부함과 모자람을 살피고 백성의 옳고 그름을 살펴서 정치와 가르침을 베푸는 것은 바람이 땅 위에 행하는 것을 본받은 것이다.

---

35) 『論語 · 顔淵』: 君子之德風, 小人之德草, 草上之風必偃.

### 이지연(李止淵) 『주역차의(周易箚疑)』

行天上, 則懿文德, 行地上, 則設敎, 皆取无跡之意. 設敎, 便是文德, 而設之比懿, 微有跡耳.

하늘 위에 행하면 문덕을 아름답게 하고, 땅 위에 행하면 가르침을 베푸니, 모두 자취가 없다는 뜻을 취하였다. '가르침을 베푸는 것'은 곧 문덕이고, '베푸는 것'이 '아름다움'보다 조금 자취가 있을 뿐이다.

### 김기례(金箕澧) 「역요선의강목(易要選義綱目)」

先王以省方觀民設敎.

선왕이 사방을 살피고 백성을 관찰하고 가르침을 베푼다.

先王以垂統言也.

선왕이 왕통을 내려주는 것으로 말한 것이다.

○ 省觀, 如風行地上, 无不徧觀, 設敎, 如坤載巽入, 无往不服.

살피고 관찰하는 것은 바람이 땅 위에 행하는 것과 같아서 두루 관찰하지 않음이 없으며, 가르침을 베푸는 것은 땅이 싣고 바람이 들어가는 것과 같아서 가서 복종하지 않음이 없다.

○ 此合言省方設敎, 以明上觀下下觀上.

이는 사방을 살피고 가르침을 베푸는 것을 말하여 윗사람이 아랫사람을 관찰하고 아랫사람이 윗사람을 관찰하는 것을 밝혔다.

### 심대윤(沈大允) 『주역상의점법(周易象義占法)』

巽爲方, 坤爲民. 風行地上, 萬物觀感. 先王省方, 以爲民觀, 而天下觀化. 省方觀民, 卽所以設敎也, 匪謂有他敎戒也. 凡巡狩而有同律柴望之事, 乃修政也, 匪爲觀也. 夫觀之道, 容止威儀, 爲切要焉. 威儀不愆, 民之所則, 象畏愛也. 苟无威儀, 民无以觀瞻, 則其下輕慢而不敬, 豈肯專信而化之哉. 先王省方, 民見威議, 而莫不欣悅敬服, 慕而化之, 此所以設敎也. 觀者, 无迹先天之事也, 故先悔而後貞也.

손괘가 사방이 되고 곤괘가 백성이 된다. 바람이 땅 위에 행하니, 만물이 보고 느낀다. 선왕이 사방을 살피니, 백성들이 보며 천하 사람들이 보고 교화된다. 사방을 살피고 백성을 관찰하는 것이 가르침을 베푸는 방법이지, 다른 가르침이나 경계를 말하는 것이 아니다. 천자가 순수하면서 도량형을 통일하고 산천에 제사하는 일은 정치를 닦으려는 것이지, 보여주려는 것이 아니다. 관괘의 도는 행동거지와 위의가 절실하고 긴요한 것이 된다. 위의가 어긋나지 않아 백성이 본받는 것은 두려움과 사랑을 본받는 것이다. 위의가 없어서 백성들이 살펴 우러러보지 않으면 아랫사람들이 가볍게 여기고 업신여겨 공경하지 않으니, 어찌 기꺼이 온전히 믿고 교화되겠는가? 선왕이 사방을 살피고 백성이 위의를 보고서 기쁘게 공경하고 사모하여 교화되지 않음이 없는 것이 가르침을 베푸는 방법이다. '관'이란 자취가 없는 선천의 일이기 때문에 후회를 앞세우고 바람을 뒤로 하였다.

### 오치기(吳致箕) 「주역경전증해(周易經傳增解)」

風行地上, 遍及萬物, 爲周觀之象. 先王以之省于四方, 而觀民設以政敎而行化也. 省方觀民, 乃坤之象, 設敎乃巽之象. 風行而无物不入, 設敎而无民不化, 亦觀之象義也.

바람이 땅 위에 행하여 만물에 두루 미치는 것이 두루 보는 상이 된다. 선왕이 그것을 본받아 사방을 살피고 백성을 관찰하여 정치와 교육을 베풀어 교화를 행한다. 사방을 살피고 백성을 관찰하는 것은 곤괘의 상이고, 가르침을 베푸는 것은 손괘의 상이다. 바람은 행하여 들어가지 않는 물건이 없고, 가르침을 베풀어 백성이 교화되지 않음이 없으니, 또한 관괘의 상과 뜻이다.

### 이진상(李震相) 『역학관규(易學管窺)』

丘氏曰, 省方觀民, 坤象, 設敎, 巽象.

구씨가 말하였다: 사방을 살피고 백성을 관찰하는 것은 곤괘의 상이고, 가르침을 베푸는 것은 손괘의 상이다.

愚謂, 省觀, 巽象, 巽爲白眼下視之象. 方民, 坤象, 設敎之至, 四方風動.

내가 살펴보았다: 살피고 관찰하는 것은 손괘의 상이니, 손괘가 흰 눈으로 아래로 보는 상이 된다. 사방과 백성은 곤괘의 상이니, 가르침을 베풀어 지극해지면 사방의 풍속이 변화된다.

### 박문호(朴文鎬) 「경설(經說)·주역(周易)」

觀民, 此發經文言外之意也. 觀我生觀民, 其語勢正猶天視民視也. 以義言之, 言以言外之義言之也.

백성을 관찰하는 것은 경전의 문장에 나타나는 말 이외의 뜻을 드러낸 것이다. "나의 삶을 관찰한다", "백성을 관찰한다"고 한 것은 그 어세가 바로 "하늘이 본다", "백성이 본다"라고 하는 것과 같다. 뜻으로 말한다는 것은 말 밖의 뜻으로 말한다는 말이다.


### 이병헌(李炳憲) 『역경금문고통론(易經今文考通論)』

姚曰, 風行地上, 无所不周, 聖人之敎, 无所不被. 省視也, 方方俗, 民民風.

요신이 말하였다: 바람이 땅 위에 행하여 두루 하지 않음이 없고, 성인의 가르침은 은택을 입지 않는 곳이 없다. '성(省)'은 보는 것이고, '방(方)'은 사방의 풍속이고, '민(民)'은 백성의 풍속이다.


按, 象已言設敎, 象又重言, 則設敎二字, 爲經中第一着眼處也.

내가 살펴보았다: 「단전」에서 이미 가르침을 베푸는 것을 말하였는데, 「상전」에서 거듭 말하였으니, "가르침을 베푼대設敎"는 두 글자가 경전 가운데의 첫 번째 착안처가 된다.

初六, 童觀, 小人无咎, 君子吝.

초육은 어린아이의 봄이니, 소인은 허물이 없고 군자는 부끄러우리라.

## ▌中國大全▌

### 傳

六以陰柔之質, 居遠於陽. 是以觀見者淺近, 如童稚然, 故曰童觀. 陽剛中正在上, 聖賢之君也, 近之則見其道德之盛, 所觀深遠, 初乃遠之, 所見不明, 如童蒙之觀也. 小人, 下民也, 所見昏淺, 不能識君子之道, 乃常分也, 不足謂之過咎, 若君子而如是, 則可鄙吝也.

초육은 부드러운 음의 자질로 양과 멀리 있다. 이 때문에 보는 것이 얕고 가까워서 어린아이와 같기 때문에 '어린아이의 봄[童觀]'이라고 하였다. 굳센 양이 중정(中正)으로 위에 있는 것은 성스럽고 어진 임금이니, 그런 사람과 가까이 있으면 도덕의 성대함을 보아서 보는 바가 깊고 원대하겠지만, 초육이 멀리 있어서 보는 바가 밝지 못하여 어린아이의 봄과 같다. 소인은 아래 백성이니, 보는 바가 어둡고 얕아서 군자의 도를 알지 못함은 보통 있을 수 있는 일이어서 허물이라고 할 수 없지만, 만약 군자이면서 이와 같다면 더럽고 부끄러울 만하다.

### 本義

卦以觀示爲義, 據九五爲主也, 爻以觀瞻爲義, 皆觀乎九五也. 初六, 陰柔在下, 不能遠見, 童觀之象, 小人之道, 君子之羞也. 故其占在小人則无咎, 君子得之則可羞矣.

괘는 보여줌[觀示]으로 뜻을 삼았으니, 구오가 주인 되는 것에 근거한 것이고, 효는 봄[觀瞻]으로 뜻을 삼았으니, 모두 구오를 보는 것이다. 초육은 부드러운 음으로 아래에 있어 멀리 보지 못하여 어린아이의 상이니, 소인의 도이고 군자의 부끄러움이다. 그러므로 그 점이 소인에게는 허물이 없고, 군자가 얻으면 부끄러울 만한 것이다.

**小註**

臨川吳氏曰, 下之所觀, 觀九五中正之道也. 初最下去五最遠, 如未有知識之童子而觀, 不能有所見也.

임천오씨가 말하였다: 아래에서 보는 것은 중정한 구오의 도를 보는 것이다. 초효는 가장 아래에 있어 구오와 가장 머니, 마치 지식이 없는 어린아이가 보는 것과 같아서 보는 것이 있을 수 없다.

○ 平菴項氏曰, 初六爲下民, 日用而不知則其常也, 故无咎. 君子而不著不察則可羞矣.

평암항씨가 말하였다: 초육은 아래 백성이니, 나날이 쓰면서도 알지 못하는 것이 일반적이기 때문에 허물이 없다. 군자이면서 드러나지 않는다고 살피지 못한다면 부끄러울 것이다.

○ 雲峰胡氏曰, 童之象, 陽位而陰爻. 陽則男而陰則稚也, 故蒙六五亦曰童. 童觀以近爲明. 初六去二陽最遠, 故爲兒童之觀. 又曰, 遯大壯皆四陽二陰之卦. 曰君子好遯, 小人否. 曰小人用壯, 君子用罔.36) 觀亦四陰二陽, 故拳拳於君子小人之分. 蓋以小人而可如此者, 君子愼不可如此也, 其愛君子之意至矣.

운봉호씨가 말하였다: 어린아이의 상이란 자리는 양이고 효는 음이다. 양은 남자이고 음은 어린아이이기 때문에 몽괘 육오에서도 어린아이라고 하였다. 어린아이의 봄은 가까운 것을 밝음으로 삼는다. 초육이 두 양과 가장 멀리 있기 때문에 어린아이의 봄이 된다.

또 말하였다: 돈괘와 대장괘는 모두 네 양과 두 음의 괘이다. 돈괘 구사효에서 "군자는 좋아하면서도 도피하고, 소인은 비색하다"고 하였고, 대장괘 구삼효에서 "소인은 장성함을 사용하고, 군자는 멸시함을 사용한다"라고 하였다. 관괘는 네 음과 두 양의 괘이므로 군자와 소인의 구별에 힘쓴다. 소인으로써 이와 같을 수 있으나 군자는 삼가 이와 같을 수 없으니, 군자를 사랑하는 뜻이 지극하다.

---

36) 『周易·大壯卦』: 九三, 小人用壯, 君子用罔, 貞厲, 羝羊觸藩, 羸其角. 『주역』에 근거하여 운봉호씨가 인용한 "曰君子用壯, 小人用罔"에서 군자와 소인의 위치를 바꾸어 바로잡았다.

# ‖韓國大全‖

## 송시열(宋時烈) 『역설(易說)』

童者, 艮象也. 卦爲大艮, 而互亦有艮, 所謂童觀也, 言初爻仰觀艮童也. 小人以下, 占辭. 小人過此无咎者, 以其童也.

어린아이는 간괘의 상이다. 괘는 큰 간괘이고 호괘에도 또한 간괘가 있어서 이른바 어린아이의 봄이니, 초효가 간괘인 어린아이를 본다는 말이다. '소인' 이하는 점사(占辭)이다. 소인이 이를 넘어서도 허물이 없는 것은 어린아이이기 때문이다.

## 유정원(柳正源) 『역해참고(易解參攷)』

案, 童觀之初, 服上之敎, 則是小人之无咎也.

내가 살펴보았다: 어린아이가 보는 초기에 윗사람의 가르침을 받으면, 소인이 허물이 없을 것이다.

## 김상악(金相岳) 『산천역설(山天易說)』

觀者, 觀乎五也. 九五中正, 爲觀於上, 而初六以陰居重艮之下, 不能遠觀, 爲童觀之象. 循小人之分, 則雖无過咎, 以君子而如是, 豈不羞吝.

본다는 것은 오효를 보는 것이다. 구오는 중정하여 위에서 보는 것이 되고, 초육은 음으로 거듭된 간괘의 아래에 있어서 멀리 볼 수 없으므로 어린아이가 보는 상이 된다. 소인의 본분을 따른다면 비록 허물이 없지만, 군자로서 이와 같다면 어찌 부끄럽지 않겠는가?

或曰, 小人卽初, 君子指二陽也. 大觀在上, 下觀而化, 而猶有小人得无咎, 爲君子之羞.

어떤 이가 말하였다: 소인은 초효이고, 군자는 두 양을 가리킨다. 크게 봄이 위에 있어서 아래에서 보고 교화하니, 소인은 허물이 없을 수 있지만 군자의 부끄러움이 되는 것이 오히려 있다.

○ 初之童觀, 取艮之少男. 蒙之六五, 得中而有包蒙之應, 故曰童蒙吉. 觀則居下而遠實, 故與困蒙之吝同占. 蓋初二之象, 各取艮巽. 君子之吝, 男未就傅也, 女貞之利, 女將有行也. 君子小人見泰象傳. 以本卦言, 以陰居陽, 故陰取小人, 陽取君子. 蓋天地間, 剛柔每每相雜, 至若君子之爲剛, 小人之爲柔, 不可使相雜也. 所以雜卦之末, 特分別君子小人之道而言之.

초효의 어린 봄은 간괘인 막내아들을 취하였다. 몽괘의 육오는 알맞음을 얻고 몽매함을 포용하는 호응이 있기 때문에 "철부지 어린아이이니 길하다"고 말하였다. 관괘의 경우는 아래에 있고 실한 양으로부터 멀기 때문에 '몽매함에 곤란한 부끄러움'37)과 점이 같다. 초효와 이효의 상은 각각 간괘와 손괘를 취하였다. 군자의 부끄러움은 남자가 스승에게 나아가지 않는 것이고, 여자의 곧은 이로움은 여자가 장차 행하려는 것이다. 군자와 소인에 대해서는 태괘(泰卦)의 「단전」을 보라. 본 관괘로 말하면 음으로 양의 자리에 있기 때문에 음은 소인을 취하고 양은 군자를 취하였다. 천지의 사이에는 굳셈과 부드러움이 매양 서로 섞이지만, 군자가 굳셈이 되고 소인의 부드러움이 되는 것은 서로 섞이게 할 수 없다. 그래서 「잡괘전」의 끝에서 특별히 군자와 소인의 도를 분별하여 말하였다.38)

### 김규오(金奎五) 「독역기의(讀易記疑)」

雲峯說童童, 下童字, 疑蒙之訛.

운봉의 설명에서 '동동(童童)'이라고 한 아래의 '동(童)'자는 아마도 '몽(蒙)'자가 잘못된 글자일 것이다.

### 서유신(徐有臣) 『역의의언(易義擬言)』

觀者, 觀感也, 故諸爻皆以人觀於我爲義. 童觀者, 童子觀慕也. 卦象, 疊畫艮爲少男也. 童子觀慕而已, 識者必以爲无足觀也. 上九九五君子, 故无咎, 初六小人, 故无咎. 陰柔居下, 小人也. 小人拙樸無文亦自无咎, 而君子之所吝也.

'관(觀)'이란 보고 느끼는 것이기 때문에 여러 효에서 모두 다른 사람이 나를 보는 것으로 뜻을 삼았다. '어린아이의 봄'이란 어린아이가 보고 사모하는 것이다. 괘의 상은 중첩하여 그은 간괘가 막내아들이 된다. 어린아이는 보고 사모할 뿐이므로 아는 것이 반드시 보잘 것 없다. 상구와 구오는 군자이기 때문에 허물이 없고, 초육은 소인이기 때문에 허물이 없다. 부드러운 음으로 아래에 있는 것이 소인이다. 소인이 거칠고 문채가 없는 것은 본래 허물이 없지만, 군자가 부끄러워하는 것이다.

---

37) 『周易·蒙卦』: 象曰, 困蒙之吝, 獨遠實也.
38) 『周易·雜卦』: 君子道長, 小人道憂也.

## 박문건(朴文健) 『주역연의(周易衍義)』

處下不明, 故有童觀之象. 安於卑下者小人, 所以无咎也, 樂於潛藏者君子, 所以吝窮也.

아래에 있으면서 밝지 않기 때문에 어린아이가 보는 상이 있다. 낮은데 편안한 사람은 소인이기 때문에 허물이 없고, 숨는데 즐거운 사람은 군자이기 때문에 부끄럽고 어렵다.

〈問, 童觀. 曰, 六四爲一卦之主而主從九五, 得觀時者也. 初六安於卑下而不從六四, 有童稚之觀者也, 安能識出處之時哉.

물었다: '어린아이의 봄'은 무슨 뜻입니까?

답하였다: 육사는 한 괘의 주인으로서 주로 구오를 따라 때를 볼 수 있는 자입니다. 초육은 낮은데 편안하여 육사를 따르지 않으므로 어린아이로서 보는 자이니, 어떻게 출처의 때를 알겠습니까?〉

## 이지연(李止淵) 『주역차의(周易箚疑)』

康衢之謠, 非皐夔輩所可道者也.

큰 길거리에서 들리는 흥겨운 가요는[39] 고요(皐陶)나 기(夔) 같은 무리가 말할 수 있는 것이 아니다.[40]

## 김기례(金箕澧) 「역요선의강목(易要選義綱目)」

初遠於五, 則所見不明, 如童子之觀物不分.

초효는 오효로부터 멀기 때문에 보는 것이 분명하지 않으니, 어린아이가 물건을 보는 것이 분명하지 않은 것과 같다.

○ 此小人君子, 以位言也. 初下民位, 故在庶人則无咎於不察, 在丈人則當大觀之時, 可羞其不明.

여기에서의 소인과 군자는 지위로 말하였다. 초효는 아래 백성의 자리에 있기 때문에 서민과 같은 경우는 살피지 못하는 것에 대해 허물이 없지만, 장인(丈人)과 같은 경우는 마땅히 크게 보아야 할 때에 그 분명하지 못한 것이 부끄러울 수 있다.

○ 初陰爻, 故小人无咎.

---

39) 강구요(康衢謠): 임금의 덕을 칭송하는 노래.

40) 고요(皐陶)나 기(夔) 같은 신하들의 힘만으로 할 수 있는 것이 아니라는 말이다.

초효는 음효이기 때문에 소인은 허물이 없다.

### 박종영(朴宗永) 「경지몽해(經旨蒙解)·주역(周易)」

傳曰, 小人, 下民也.

『정전』에서 말하였다: 소인은 아래 백성이다.

所見不明, 如童蒙之觀昏淺而不能識君子之道, 不足謂過咎, 君子如是, 則可鄙吝也.

보는 것이 분명하지 않은 것이 어린아이가 보는 것과 같이 어둡고 얕아서 군자의 도를 알지 못하는 것이 허물이라고 말하기에도 부족하지만, 군자가 이와 같다면 부끄러울 만하다.

### 심대윤(沈大允) 『주역상의점법(周易象義占法)』

觀之爻位, 居剛觀之專者也, 居柔不專者也.

관괘의 효의 자리는 굳센 양의 자리에 있으면 보기를 오로지 하는 자이고, 부드러운 음의 자리에 있으면 오로지 하지 않는 자이다.

觀之益䷩, 損上益下也. 初六居卑而處剛, 才柔而无應, 不能上於人以得其觀仰. 而但與其功近之人, 專居而久處者, 交相觀化也. 有益之功德, 則人觀仰之矣. 與不若已者, 久處而專, 則化之矣. 與勝己者, 久處而專, 則亦化之矣. 此損上益下也. 童子之知, 但隨所常見而式似之矣. 初六有爲, 故曰童觀, 艮爲童. 君子見善則思齊, 見不善則內自省, 交相觀化. 而不辨可否者, 小人之道也, 在君子, 則爲吝矣. 离坤爲小人, 艮爲君子.

관괘가 익괘(益卦䷩)로 바뀌었으니, 위를 덜어서 아래를 돕는다. 초육은 낮은 곳에 있으면서 굳센 양의 자리에 있으므로 재질이 유약하고 호응이 없어 다른 사람의 윗자리에서 그들이 보고 우러름을 얻을 수 없다. 다만 가까이 있는 사람으로서 오로지 거하고 오래 거처할 수 있는 자와 서로 보고 교화한다. 도움이 되는 공덕을 갖고 있다면 사람들이 보고 우러른다. 자기만 같지 못한 사람과 오래 거처하고 오로지 한다면 교화시킨다. 자기보다 나은 사람과도 오래 거처하고 오로지 한다면 역시 교화시킨다. 이것이 위를 덜어서 아래를 돕는 것이다. 어린아이의 앎은 다만 늘 보는 것을 따라서 본받아 비슷하게 되는 것이다. 초육은 하는 일이 있기 때문에 어린아이의 봄이라고 하였으니, 간괘가 어린아이가 된다. 군자는 선을 보면 같아질 것을 생각하고, 불선을 보면 안으로 스스로 반성하여,[41] 서로 보고 교화한다.

---

41) 『論語·里仁』: 子曰, 見賢思齊焉, 見不賢而內自省也.

가부를 가리지 않는 것은 소인의 도이니, 군자라면 부끄러움이 된다. 리괘와 곤괘가 소인이 되고, 간괘가 군자가 된다.

當見貧人子與富人子同室而處者有年, 貧人子聲音笑貌, 皆寫富人子似之. 何則. 貧人子之心, 以爲富人子勝於己也, 故自然似之, 不自知也. 此上人而觀化之明驗也. 大觀在上, 是已獨處一室之久則化之, 世人之子似父, 弟似兄, 以此也. 朝與數人居, 夕又與他數人居, 番處而迭居, 則終无感化之理, 此專一感通之明驗也. 盥而不薦, 是己. 與不善人處, 如入鮑魚之肆, 久而不聞其臭, 與善人處, 如入芝蘭之室, 久而不聞其香. 善惡之化人一也, 故言君子小人以別之也.

가난한 사람의 자녀가 부유한 사람의 자녀와 같은 방에서 거처하기를 몇 년 간 하면 가난한 사람의 자녀의 소리와 웃는 모습이 모두 부유한 사람의 자녀를 모방하여 비슷하게 됨을 보게 된다. 왜 그런가? 가난한 사람의 자녀의 마음은 부유한 사람의 자녀가 자기보다 낫다고 생각하기 때문에 저절로 비슷하게 되면서도 스스로 알지 못하는 것이다. 이것이 다른 사람의 윗자리에서 보고 교화시키는 분명한 징험이다. '큰 볼 것으로 위에 있는 것'은 이미 따로 한 방에 거처하여 오래되면 교화되는 것이니, 세상 사람들의 자식이 아버지를 닮는 것과 아우가 형을 닮는 것이 바로 이 때문이다. 아침에 몇 사람과 거처하고 저녁에 또한 다른 몇 사람과 거처하여 장소를 바꾸고 거처하기를 번갈아 한다면, 끝내 감화될 이치가 없으니, 이것이 전일하게 감통하는 분명하는 징험이다. '손만 씻고 제사를 드리지 않는 것'이 그것이다. 불선한 사람과 함께 거처하는 것은 마치 생선 가게에 들어가서 오래되면 그 냄새를 맡지 못하는 것과 같고, 선한 사람과 함께 거처하는 것은 마치 지초와 난초가 있는 방에 들어가서 오래되면 그 향기를 맡지 못하는 것과 같다. 선과 악이 사람을 교화시키는 것이 같기 때문에 군자와 소인을 말하여 구별하였다.

### 오치기(吳致箕) 「주역경전증해(周易經傳增解)」

初六陰柔居下, 在觀之初, 最遠於九五之君, 不見其中正之德輝, 卽童稚之觀也. 以在下小人, 所見昏淺, 乃其常分, 不足爲過, 故言无咎. 若在位君子而如此, 則爲可吝也.
초육은 부드러운 음으로 아래에 있고 관괘의 처음에 있으며 구오의 임금으로부터 가장 멀어서 그 중정한 덕이 빛남을 볼 수 없으니, 곧 '어린아이의 봄'이다. 아래에 있는 소인으로 소견이 어둡고 얕은 것이 그 항상 그러한 본분이어서 허물이 되기에 부족하기 때문에 허물이 없다고 말하였다. 지위에 있는 군자가 이와 같다면 부끄러울 만하다.

○ 童取於應體互艮, 已見蒙五. 卦中四陰, 皆在下觀上而利近不利遠, 故其辭如此.

'어린아이'는 호응하는 몸체인 호괘 간괘에서 취하였으니, 이미 몽괘 오효에 보인다. 괘 가운데 네 음이 모두 아래에서 위를 보고, 가까운 것을 이롭게 여기고 먼 것을 이롭게 여기지 않기 때문에 그 말이 이와 같다.

### 이진상(李震相) 『역학관규(易學管窺)』

變震爲男, 以陽居陰, 故曰童觀. 陰爻, 故言小人, 陽志, 故言君子. 小人之常分, 亦君子之所羞也. 又艮爲重.

변한 진괘가 남자가 되고, 양이 음의 자리에 있기 때문에 '어린아이의 봄'이라고 말하였다. 음효이기 때문에 소인이라고 말하였고, 양의 뜻을 가졌기 때문에 군자라고 말하였다. 소인의 항상 그러한 분수는 또한 군자가 부끄러워하는 것이다. 또한 간괘가 중함이 된다.

### 이정규(李正奎) 「독역기(讀易記)」

初六童觀, 六二闚觀, 分明是吝凶, 而在小人則无咎, 在女子則利貞矣. 今名爲士者, 非小人非女子而未免童觀闚觀, 則凶吝可得免乎.

초육은 '어린아이의 봄'이고 육이는 '엿봄'이니, 분명히 부끄러움과 흉함의 차이가 있는데, 소인은 허물이 없고 여자는 곧게 함이 이롭다. 지금 이름이 선비라는 자들이 소인도 아니고 여자도 아니면서 '어린아이의 봄'과 '엿봄'을 면하지 못한다면 흉함과 부끄러움을 면할 수 있겠는가?

象曰, 初六童觀, 小人道也.

「상전」에서 말하였다: "초육은 어린아이의 봄"은 소인의 도이다.

## ‖ 中國大全 ‖

### 傳

所觀不明, 如童稚, 乃小人之分, 故曰小人道也.

보는 바가 밝지 못하여 어린아이와 같음이 소인의 분수이므로 소인의 도라고 하였다.

### 小註

朱子曰, 初六童觀, 小人道也. 小人自是如此, 故无咎.

주자가 말하였다: "초육은 어린아이의 봄"은 소인의 도이다. 소인은 본래 이와 같기 때문에 허물이 없다.

## ‖ 韓國大全 ‖

김상악(金相岳) 『산천역설(山天易說)』

大觀在上而童觀在下, 非君子道, 故只擧小人爲辭.

큰 봄은 위에 있고 어린아이의 봄은 아래에 있어서 군자의 도가 아니기 때문에 다만 소인을 들어서 말하였다.

### 서유신(徐有臣) 『역의의언(易義擬言)』

稱初六, 明其爲小人也, 小人之道, 本自愚樸也.

초육이라고 칭한 것은 소인이 됨을 밝힌 것이니, 소인의 도는 본래 저절로 어리석고 거칠다.

### 오치기(吳致箕) 「주역경전증해(周易經傳增解)」

所觀不明, 卽童稚之見而爲小人之道也.

보는 것이 분명하지 않은 것이 '어린아이의 봄'이자 '소인의 도'가 된다.

### 이병헌(李炳憲) 『역경금문고통론(易經今文考通論)』

童, 稚也. 風在地之下, 皆不足觀矣.

'동(童)'은 어린아이이다. 바람이 땅 아래 있는 것이 모두 보잘 것이 없다.

# 六二, 闚觀, 利女貞.

육이는 엿봄이니, 여자가 곧게 함이 이롭다.

## ‖中國大全‖

### 傳

二應於五, 觀於五也. 五剛陽中正之道, 非二陰暗柔弱, 所能觀見也, 故但如闚覘之觀耳. 闚覘之觀, 雖少見而不能甚[一作盡]明也. 二旣不能明見剛陽中正之道, 則利如女子之貞. 雖見之不能甚明, 而能順從者, 女子之道也, 在女子爲貞也. 二旣不能明見九五之道, 能如女子之順從, 則不失中正, 乃爲利也.

육이가 구오와 호응하니, 구오를 보는 것이다. 구오의 굳센 양의 중정(中正)한 도는 어둡고 유약한 육이가 볼 수 있는 것이 아니기 때문에 단지 엿볼 뿐이다. 엿봄은 비록 조금은 보지만 매우 밝지는 못하다. 육이가 이미 구오의 굳센 양의 중정한 도를 밝게 보지 못한다면 여자의 곧음과 같이 함이 이롭다. 비록 봄이 매우 밝지는 못하지만 순종하는 것이 여자의 도이니, 여자에게는 곧음이 된다. 육이가 구오의 도를 밝게 보지 못하더라도 여자의 순종함과 같이 하면, 중정함을 잃지 않을 것이니 이롭다.

### 本義

陰柔居內, 而觀乎外, 闚觀之象, 女子之正也. 故其占如此, 丈夫得之則非所利矣.

부드러운 음이 안에 있으면서 밖을 봄은 엿보는 상이니, 여자의 바름이다. 그러므로 그 점이 이와 같으며, 장부가 얻으면 이로운 것이 아니다.

### 小註

進齋徐氏曰, 闚, 門中視也. 陰柔居內而觀外, 雖與五爲應, 前爲三四所蔽, 所見不明,闚觀之象.

진재서씨가 말하였다: 엿봄[闚]은 문 안에서 보는 것이다. 부드러운 음이 안에 있으면서 밖을 봄에 구오와 호응하지만 앞의 육삼과 육사에 가려서 보는 것이 밝지 못하니, 엿보는 상이다.

○ 雲峰胡氏曰, 闚, 坤闔戶象. 柔居內而觀乎外, 有闚觀象. 初二皆陰, 故皆有幼稚象. 初位陽, 故爲童, 二位陰, 故爲女. 童觀, 是芒然无所見, 小人日用而不知者也. 闚觀, 是所見者小而不見全體, 仁者見之謂之仁, 知者見之謂之知也. 占曰利女貞, 則非大丈夫之所爲, 可知也.

운봉호씨가 말하였다: 엿봄[闚]은 곤의 문짝과 문의 상이다. 부드러운 음이 안에 있으면서 밖을 보니, 엿보는 상이 있다. 초육과 육이가 모두 음이기 때문에 모두 어린아이의 상이 있다. 초효의 자리가 양이기 때문에 어린아이가 되고, 이효의 자리가 음이기 때문에 여자가 된다. '어린아이가 봄'은 어두워 보는 것이 없으니, 소인이 나날이 쓰면서도 알지 못하는 것이다. '엿봄'은 보는 것이 작아서 전체를 보지 못하는 것이니, 어진 자가 보고서는 어짊이라고 하고, 지혜로운 자가 보고서는 지혜라고 한다. 점에서 "여자가 곧게 함이 이롭다"고 하였으니, 대장부가 해야 할 것이 아님을 알 수 있다.

## 韓國大全

### 유정원(柳正源) 『역해참고(易解參攷)』

節初齊氏曰, 二應在五, 不敢顯視, 故象闚觀. 非女之正也, 故曰利女貞. 禮, 女不踰閾貞也. 六二隙闚, 有外心矣. 如女子之貞, 方能自守, 蓋深戒之也

절초제씨가 말하였다: 이효의 호응은 오효에 있는데, 감히 드러내 보지 못하기 때문에 '엿보는' 상이다. 여자의 바름이 아니기 때문에 "여자가 곧게 함이 이롭다"고 말하였다. 예에 의하면 여자가 문지방을 넘지 않는 것이 곧음이다. 육이는 틈을 엿보기 때문에 밖에 마음이 있다. 여자의 곧음과 같아야 스스로를 지킬 수 있으니, 깊이 경계한 것이다.

### 김상악(金相岳) 『산천역설(山天易說)』

二之陰, 居坤之中, 與五爲應, 有闚觀之象. 以闚爲觀, 非靜貞之道, 故戒以利女貞.

이효인 음이 곤괘의 가운데 있어서 오효와 호응하여 '엿보는' 상이 있다. 엿보는 것을 보는 것으로 삼으니, 고요하고 곧은 도가 아니기 때문에 "여자가 곧게 하는 것이 이롭다"고 경계하였다.

○ 闚觀, 如穴隙相闚之類, 取坤之闔戶也. 二不待上之求而以闚爲觀, 非女貞之利也. 與家人卦辭同而美, 戒則異. 又六二有正應於上而急於闚觀, 爲可醜, 必女守靜貞, 男先下之, 則得男女之貞也. 故咸曰取女吉而先言利貞. 又觀與大壯爲對, 大壯卦辭曰利貞, 得之於乾, 觀二爻辭曰利女貞, 得坤利牝馬之貞, 所以陰陽各從其類也.

"엿본다"는 것은 구멍을 뚫고 서로 보는 것과 같은 종류이니,[42] 곤괘(坤卦䷁)의 두 짝으로 된 문에서 취하였다. 이효는 윗사람이 구하기를 기다리지 않고 엿보는 것을 보는 것으로 삼으니, 여자가 곧게 하는 이로움이 아니다. 가인괘의 괘사와 같아서[43] 아름답지만 경계한 것은 다르다. 또한 육이는 정응이 위에 있고 엿보는데 급급해서 추할만하니, 반드시 여자가 고요함을 지켜서 곧고 남자가 먼저 낮춘다면 남녀의 곧음을 얻는다. 그러므로 함괘에서는 "여자를 취하면 길하리라"고 하면서, 먼저 "바름이 이롭다"고 말하였다. 또한 관괘(觀卦䷓)는 대장괘(大壯卦䷡)의 음양이 바뀐 괘인데, 대장괘의 괘사에 "곧게 하는 것이 이롭다"라고 한 것은 건괘에서 얻었고, 관괘의 이효 효사에서 "여자가 곧게 하는 것이 이롭다"고 한 것은 곤괘의 "암말의 곧음이 이롭다"는 데서 얻었으니, 음양이 각각 그 종류를 따르는 까닭이다.

### 김규오(金奎五) 「독역기의(讀易記疑)」

六二中正, 應中正, 同位同德, 其觀必審. 又下无乘剛之失, 間无他陽之隔. 以常情言之, 疑其大善, 而爲闚如爲可醜, 蓋以觀爲自否趨剝之時, 全體不好. 故爲吉難而爲凶易, 聖人捨其全體別取一義, 但以觀之遠近, 定其得失耳. 又如蠱之初六柔卑无應, 宜不足以幹蠱而爲无咎爲終吉, 易之不可爲典要, 如是矣.

육이는 중정하고, 중정한 구오에 호응하여 자리가 같고 덕이 같으므로 그 보는 것이 반드시 분명하다. 또한 아래로 굳셈을 타는 잘못이 없고, 다른 양이 끼어 막는 것도 없다. 일상적인 감정으로 말하면 크게 선할 것 같은데, 엿보는 것이 되고 추할만한 것이 되는 것은 관괘가 비괘로부터 박괘로 가는 때가 되어 전체가 좋지 않기 때문이다. 그러므로 길하기는 어렵고 흉하기는 쉬우니, 성인이 전체를 버리고 한 뜻을 따로 취하여 다만 멀고 가까이 보는 것으로 그 득실을 정했을 뿐이다. 또 예를 들어 고괘의 초육은 낮고 호응이 없어서 분명 일을 주관

---

42) 『孟子・滕文公』: 不待父母之命, 媒妁之言, 鑽穴隙相窺, 踰牆相從, 則父母國人皆賤之.
43) 『周易・家人』: 家人, 利女貞.

하기에 부족한데도 허물이 없고 끝내 길하니, 역에서 일정한 규칙을 세울 수 없는 것이 이와 같다.

## 서유신(徐有臣) 『역의의언(易義擬言)』

闚觀, 爲人所闚觀也. 六二陰柔居內, 女子也. 艮爲門, 女在門內, 人從門外觀之, 故曰闚觀也. 然女能中正, 故曰利女貞也.

'규관(闚觀)'은 사람에게 엿보임을 당하는 것이다. 육이는 부드러운 음으로 안에 있으니 여자이다. 간괘가 문이 되니, 여자는 문 안에 있고 사람이 문 밖에서 보기 때문에 "엿본다"고 말하였다. 그러나 여자는 중정할 수 있기 때문에 "여자가 곧게 하는 것이 이롭다"고 말하였다.

## 박제가(朴齊家) 『주역(周易)』

初之童觀, 視而不見者也. 二之闚觀, 則能見者也, 比童而有知矣. 但見不快而有私心焉, 故曰闚. 此闚, 非女之闚也, 乃闚女者也. 闚女而女則不知, 故爲女貞. 若女知而有應, 則非貞矣, 故曰利女貞. 蓋以不知爲貞而不應爲利也.

초효의 '어린아이의 봄'은 보아도 보지 못하는 자이다. 이효의 '엿봄'은 볼 수 있는 자이니, 어린아이에 비해서 지혜가 있다. 다만 보는 것이 빠르지 않고 사사로운 마음이 있기 때문에 "엿본다"고 말하였다. 이 엿봄은 여자가 엿보는 것이 아니라, 여자를 엿보는 것이다. 여자를 엿보는데도 여자가 알지 못하기 때문에 '여자가 곧은 것'이 된다. 만약 여자가 알아서 호응한다면 곧음이 아니기 때문에 "여자가 곧게 하면 이롭다"고 말하였다. 알지 못하는 것이 곧음이 되고, 호응하지 않는 것이 이익이 되기 때문이다.

## 하우현(河友賢) 『역의의(易疑義)』

本義, 丈夫得之, 則非所利矣. 初六童觀, 旣曰小人無咎君子有吝, 則六二之闚觀, 又豈不爲在女子則利, 而丈夫則非所利乎. 以此知小人之无咎, 在君子則爲咎也, 女子之所利, 在丈夫則非利也. 本義說出丈夫二字, 頗有功於爻辭.

『본의』에서 "장부가 얻으면 이로운 것이 아니다"라고 하였다. 초육의 '어린아이의 봄'에서 이미 "소인은 허물이 없고 군자는 부끄러우리라"라고 말했으니, 육이의 '엿봄'이 또한 어찌 여자면 이롭고 장부면 이롭지 않은 것이 아니겠는가? 이로써 소인에게는 허물이 없지만 군자에게는 허물이 되고, 여자에게는 이롭지만 장부에게는 이로움이 아님을 알 수 있다. 『본의』에서 '장부' 두 글자를 말한 것은 효사에 자못 공이 있다고 할 것이다.

## 박문건(朴文健) 『주역연의(周易衍義)』

有疑處內, 故有闚觀之象. 利女貞, 言不當出戶庭也.

의심을 갖고 안에 있기 때문에 엿보는 상이 있다. "여자가 곧게 함이 이롭다"는 것은 뜰과 문을 나가서는 안 됨을 말한다.

〈問, 闚觀, 利女貞. 曰, 六四上從九五, 六二所以失規時者也. 故有疑處內而爲闚視之觀也. 當用女子之貞而不出戶外爲可也.

물었다: "엿봄이니, 여자가 곧게 함이 이롭다"는 무슨 뜻입니까?

답하였다: 육사가 위로 구오를 따르고, 육이는 따라서 규범을 잃는 때입니다. 그러므로 의심을 갖고 안에 있어서 '엿보는' 봄이 됩니다. 마땅히 여자의 곧음을 써서 문 밖으로 나가지 않는 것이 좋습니다.〉

## 김기례(金箕澧) 「역요선의강목(易要選義綱目)」

坤爲闔戶, 故曰闚.

곤괘가 문이 되기 때문에 "엿본다"고 말하였다.

○ 陰位陰爻, 故曰利, 曰女.

음의 자리이고 음의 효이기 때문에 "이롭다"고 말하고 '여자'라고 말하였다.

○ 二雖應五, 陰柔居內,[44] 隔於三四, 不能近明, 如女子闚觀.

이효는 비록 오효와 호응하지만 부드러운 음으로 안에 있고 삼효와 사효에 가로막혀 밝은 오효에 가까이 할 수 없는 것이 여자가 엿보는 것과 같다.

○ 大觀之時, 不宜私應相求, 故利女貞. 若丈夫不宜闚觀, 故象曰醜.

크게 보는 때에는 사사롭게 호응하여 서로 구하지 않아야 하기 때문에 "여자가 곧게 함이 이롭다"고 하였다. 장부라면 엿보아서는 안 되기 때문에 「상전」에서 "추하다"고 말하였다.

○ 謙觀噬嗑, 爲天下大事, 故不取應.

겸괘·관괘·서합괘는 천하의 큰 일이 되기 때문에 호응을 취하지 않았다.

---

44) 內: 경학자료집성DB와 영인본에는 모두 '囗'로 되어 있으나, 문맥을 살펴 '內'로 바로잡았다.

## 심대윤(沈大允) 『주역상의점법(周易象義占法)』

觀之渙䷝, 發散也. 六二稍上, 而有觀仰精神之發達而相接者, 始速. 然位卑才柔而居柔, 觀仰者不專而不分明, 如從門隙闚覘, 故曰闚觀. 艮門, 离見, 互坎隱蔽爲闚. 有五之應, 其得失係乎五, 下觀而不化焉, 此婦人之道也. 婦人恃夫而立, 下不專仰也.

관괘가 환괘(渙卦䷝)로 바뀌었으니, 발산하는 것이다. 육이는 조금 위로 올라가 정신의 발달을 우러러보고 서로 접하는 것이 비로소 빨라진다. 그러나 지위가 낮고 재질이 유약하며 부드러운 음의 자리에 있어서 우러러보는 것이 전일하지 못하고 분명하지 못하여, 마치 문틈으로 엿보는 것과 같기 때문에 "엿본다"고 말하였다. 간괘가 문이 되고, 리괘가 보는 것이 되며, 호괘인 감괘가 은폐하는 것으로 엿보는 것이 된다. 오효의 호응이 있어 득실이 오효에 달려있어서 아랫사람들이 보고 교화되지 않으니, 이는 부인의 도이다. 부인은 남편을 믿고 서는 것이며, 아랫사람들이 오로지 우러러보지 않는다.

## 오치기(吳致箕) 「주역경전증해(周易經傳增解)」

六二雖得中正, 而以柔在內, 當觀之時, 尙遠於九五之君, 不能快覩其德輝之盛, 卽女子居內從門隙而闚視者也. 故言利於女道之貞也. 雖不言丈夫, 其反是而不利, 可知矣.

육이는 비록 중정을 얻었지만, 부드러운 음으로 안에 있고 마땅히 보아야 하는 때에 오히려 구오의 임금으로부터 멀어서 덕스러운 광채의 성대함을 빨리 볼 수 없으니, 곧 여자가 안에 거처하여 문틈을 따라 엿보는 것이다. 그러므로 여자의 도의 곧음에 이롭다고 말하였다. 비록 장부를 말하지 않았지만 이와 반대되어 이롭지 않음을 알 수 있다.

○ 闚者, 從門隙覘視之謂. 而應體互艮爲門, 耦爻爲穴隙之象也. 柔在內而得正, 故言女貞也.

"엿본다"는 것은 문틈을 따라 몰래 보는 것을 말한다. 호응하는 몸체의 호괘인 간괘가 문이 되고, 짝으로 된 음효가 구멍과 틈의 상이 된다. 부드러운 음이 안에 있어서 바름을 얻기 때문에 여자의 곧음을 말하였다.

## 이진상(李震相) 『역학관규(易學管窺)』

艮爲門, 巽爲白眼. 以陰居陰, 女子之象, 而闚觀於門閾之內, 是其貞也.

간괘가 문이 되고, 손괘가 흰 눈이 된다. 음으로 음의 자리에 있어서 여자의 상이 있고, 문지방의 안에서 엿보니, 이것이 그 곧음이다.

### 박문호(朴文鎬) 「경설(經說)·주역(周易)」

爻辭但云利女貞, 象傳乃發其言外之意曰, 亦可而醜, 蓋主丈夫而言也. 故本義特以丈夫釋之.

효사에서는 다만 "여자가 곧게 하는 것이 이롭다"고 말했고, 「상전」에서는 말 밖의 뜻을 말하여 "또한 추할만하다"고 말했으니, 장부를 주로 해서 말한 것이다. 그러므로 『본의』에서 특별히 장부로 해석하였다.

象曰, 闚觀女貞, 亦可醜也.

「상전」에서 말하였다: "엿보는 여자의 곧음"이 또한 부끄러울 만하다.

## ‖中國大全‖

### 傳

君子不能觀見剛陽中正之大道, 而僅闚覘其彷彿, 雖能順從, 乃同女子之貞, 亦可羞醜也.

군자가 굳센 양의 중정(中正)한 큰 도를 보지 못하고 겨우 그 비슷한 것을 엿보니, 비록 순종하나 여자의 곧음과 같으므로 또한 부끄럽고 추할만하다.

### 本義

在丈夫, 則爲醜也.

장부에게 있어서는 추한 것이 된다.

### 小註

平菴項氏曰, 婦人之目, 所闚者狹. 婦无公事, 所知者蠶織, 女无是非, 所議者酒食, 此在女德爲不失. 男子[45]而寡見謏聞, 則可醜矣.

평암항씨가 말하였다: 부인의 눈은 보는 것이 협소하다. 부인은 공적인 일은 없고 아는 것이 누에 치고 베 짜는 일이며, 여자는 옳고 그름을 가리는 일이 없고 의론하는 것이 술과 음식이니, 이것이 여자가 덕에 있어서 잃음이 없는 것이다. 남자로서 견문이 적으면 부끄러울 만하다.

---

45) 男子: 경학자료집성DB와 영인본에는 모두 '女子'로 되어 있으나, 『주역』 원문에 따라 '男子'로 바로잡았다.

○ 雲峰胡氏曰, 小人而爲兒童之觀, 固其道也, 丈夫而爲女子之觀, 豈非可醜乎.

운봉호씨가 말하였다: 소인이면서 어린아이의 봄이 됨은 본래 그 도이나, 장부이면서 여자의 봄이 된다면 어찌 부끄러울 만하지 않겠는가?

## ‖韓國大全‖

### 송시열(宋時烈) 『역설(易說)』

闚者, 從門從闚作字, 此孟子鑽隙相窺之意, 言從艮門而闚望九五也. 利占辭, 女謂陰爻也. 貞者, 正也. 與九五爲應, 是貞正之道. 然其闚觀可醜, 雖有貞義, 亦可不足謂美事也. 亦字, 有味.

‘규(闚)’가 ‘문(門)’ 부수에 ‘규(規)’자를 써서 ‘규(闚)’라는 글자를 만든 것은 맹자의 구멍을 뚫고 서로 엿본다는 뜻이니,[46] 간괘라는 문을 통해서 구오를 엿본다는 말이다. “이롭다”는 것은 점사이고, 여자는 음효를 말한다. ‘정(貞)’은 바름이다. 구오와 호응하는 것이 곧고 바른 도이다. 그러나 엿보는 것은 추할만하니, 비록 곧은 뜻이 있더라도 또한 아름다운 일이라고 말하기에는 부족할 수 있다. ‘역(亦)’이라는 글자가 음미할 만하다.

### 유정원(柳正源) 『역해참고(易解參攷)』

案, 以順爲正, 妾婦之道也, 豈丈夫之所爲乎.

내가 살펴보았다: 따르는 것을 바름으로 삼는 것은 부인의 도이니, 어찌 장부가 할 일이겠는가?

### 김상악(金相岳) 『산천역설(山天易說)』

亦可醜, 與大過九五同義.

“또한 추할 만하다”는 것은 대과괘 구오와 같은 뜻이다.[47]

---

46) 『孟子 · 滕文公』: 不待父母之命, 媒妁之言, 鑽穴隙相窺, 踰牆相從, 則父母國人皆賤之.

47) 『周易 · 大過卦』: 象曰, 枯楊生華, 何可久也. 老婦士夫, 亦可醜也.

## 서유신(徐有臣) 『역의의언(易義擬言)』

女雖貞正, 爲人所闚, 亦可醜也.

여자가 비록 곧고 바르더라도 다른 사람이 엿본다면 또한 추할만하다.

## 박제가(朴齊家) 『주역(周易)』

此指闚女者而言, 如老婦少夫之云耳. 若非闚女, 而但爲門中之觀, 則其觀雖小, 何至於醜耶. 二本正位, 故爲貞. 占得此爻者, 無自己之罪而罪在他人矣.

이는 여자를 엿보는 것을 가리켜 말한 것이니, 예를 들어 늙은 부인과 젊은 남편을 말할 뿐이다. 여자를 엿보는 것이 아니고 다만 문 안을 보는 것이라면, 그 보는 것이 비록 작지만 어찌 추한 데 이르겠는가? 이효가 본래 바른 자리이기 때문에 '곧음'이 된다. 점쳐서 이 효를 얻은 자는 자기의 죄가 아니라 죄가 다른 사람에게 있다.

## 박문건(朴文健) 『주역연의(周易衍義)』

二有女子之道, 故言可醜也.

이효는 여자의 도를 갖고 있기 때문에 "추할만하다"고 말하였다.

## 심대윤(沈大允) 『주역상의점법(周易象義占法)』

凡言可醜者, 皆有係乎人而不能自主者也.

대체로 "추할만하다"고 말한 것은 모두 다른 사람에게 얽매여 스스로 주관할 수 없는 경우이다.

## 오치기(吳致箕) 「주역경전증해(周易經傳增解)」

在丈夫, 則爲醜也.

장부의 경우에는 추한 것이 된다.

## 이병헌(李炳憲) 『역경금문고통론(易經今文考通論)』

虞曰, 竊觀爲闚, 坤爲闔戶. 小人而應五, 故利女貞, 不淫視也.

우번이 말하였다: 몰래 보는 것이 '규(闚)'가 되고, 곤괘가 문이 된다. 소인으로서 오효에 호응하기 때문에 여자가 곧게 하는 것이 이로우니, 음란하게 보지 않는 것이다.

六三, 觀我生, 進退.

육삼은 내가 내는 행동을 보아서 나아가고 물러가도다.

## ┃中國大全┃

### 傳

三居非其位, 處順之極, 能順時以進退者也. 若居當其位, 則无進退之義也. 觀我生, 我之所生, 謂動作施爲出於己者. 觀其所生而隨宜進退, 所以處雖非正, 而未至失道也. 隨時進退, 求不失道. 故无悔咎, 以能順也.

육삼은 제자리가 아닌 곳에 있으나 유순한 곤괘(坤卦☷)의 끝에 처하여 때에 순응하여 나아가고 물러나는 자이다. 만약 거처함이 제자리에 마땅하다면 나아가고 물러나는 뜻이 없을 것이다. '내가 내는 행동을 봄[觀我生]'은 내가 낸 것이니, 동작과 베풀어 행함이 자기에게서 나오는 것이다. 내가 낸 행동을 보아 마땅함에 따라 나아가고 물러가니, 이 때문에 거처함이 비록 바르지 않더라도 도를 잃음에 이르지 않는다. 때에 따라 나아가고 물러나 구함에 도를 잃지 않으므로 후회와 허물이 없으니, 순종하기 때문이다.

### 本義

我生, 我之所行也. 六三, 居下之上, 可進可退. 故不觀九五, 而獨觀己所行之通塞, 以爲進退, 占者宜自審也.

'내가 내는 행동[我生]'은 내가 행한 것이다. 육삼이 하괘의 위에 거처하여 나아갈 수도 있고 물러날 수도 있다. 그러므로 구오를 보지 않고 홀로 자기가 행하는 것의 통하고 막힘을 보아 나아가고 물러가니, 점치는 자가 마땅히 스스로 살펴야 할 것이다.

**小註**

朱子曰, 我者, 彼我對待之言, 是以彼觀此. 觀其生, 是以此自觀. 六三之觀我生進退者, 事君則觀其言聽計從, 治民則觀其政敎可行, 膏澤可下, 可以見自家所施之當否而爲進退.

주자가 말하였다: '나'는 다른 사람과 나를 상대하여 말한 것이니, 저것으로 이것을 보는 것이다. 내가 내는 것을 봄은 이것으로 스스로 보는 것이다. 육삼의 '내가 내는 행동을 보아서 나아가고 물러감'은 임금을 섬길 때는 그 말과 계책을 듣고 따를 수 있는지 보는 것이고, 백성을 다스릴 때에는 그 정치와 교화를 행할 수 있는지 혜택을 아래에 시행할 수 있는지 보아서 스스로 시행할 수 있는지의 여부를 보고 나아가고 물러나는 것이다.

○ 童溪王氏曰, 我生者, 吾身之動作施爲也. 六三處進退之間, 宜誰從. 曰, 進退者, 時也, 可以進可以退者, 我也, 觀我生, 以決其進退爾.

동계왕씨가 말하였다: '내가 내는 행동'은 내 자신이 동작하고 시행하는 것이다. 육삼이 나아가고 물러나는 사이에 처하여 누구를 따를 것인가? 나아가고 물러가는 것은 때이며, 나아가고 물러갈 수 있는 자는 나이다. '내가 내는 행동을 봄'은 나아가고 물러감을 결단하는 것이다.

○ 楊氏曰, 觀我生而進退, 所謂可以仕則仕, 可以止則止, 我无官守, 我无言責, 則進退之間, 豈不綽綽乎有餘裕哉者, 是也.

양씨가 말하였다: '내가 내는 행동을 보아서 나아가고 물러감'은 이른바 '벼슬할 만하면 벼슬하며 그만둘 만하면 그만두고',[48] "나는 지켜야 할 벼슬도 없으며 나는 책임질 말도 없으니, 나아가고 물러감에 어찌 여유작작하지 않을 수 있겠는가"[49]라는 것이 이것이다.

○ 誠齋楊氏曰, 三五皆曰觀我生, 辭同而德異. 六三察己以從人, 九五察人以修己. 六三似漆雕開.

성재양씨가 말하였다: 육삼과 구오에 모두 "내가 내는 행동을 본다"라고 했으니, 말은 같지만 덕은 다르다. 육삼은 나를 살펴 다른 사람을 따르는 것이고, 구오는 다른 사람을 살펴 자기를 닦는 것이다. 육삼은 칠조개[50]와 같다.

---

48) 『孟子·公孫丑』: 可以仕則仕, 可以止則止, 可以久則久, 可以速則速, 孔子也.

49) 『孟子·公孫丑』: 曰, 吾聞之也, 有官守者, 不得其職則去, 有言責者, 不得其言則去. 我無官守, 我無言責也, 則吾進退, 豈不綽綽然有餘裕哉.

50) 『論語·公冶長』: 子使漆雕開仕, 對曰, 吾斯之未能信, 子說.

○ 雲峰胡氏曰, 三處上下之間, 有進退之象. 他卦三不中多不吉, 二居中多善, 而觀以遠近取義, 故如此. 諸爻皆欲觀五, 惟近者得之. 六四最近, 故可決於進. 六三上下之間, 可以進退之地, 故不必觀五, 但觀我所爲而爲之進退, 本義謂占者宜自審, 蓋當進退之際, 惟當自審其所爲何如耳.

운봉호씨가 말하였다: 육삼은 위와 아래의 사이에 처하여 나아가고 물러나는 상이 있다. 다른 괘에서 삼효는 가운데가 아니어서 길하지 못함이 많다. 육이는 가운데 있어 선함이 많고 멀고 가까이를 보는 것으로 뜻을 취하기 때문에 이와 같다. 모든 효가 오효를 보고자 하지만 가까이 있는 자만이 볼 수 있게 된다. 육사가 가장 가까이 있기 때문에 나아감을 결단할 수 있다. 육삼은 위와 아래의 사이에서 나아가고 물러나는 경우이기 때문에 반드시 구오를 볼 필요는 없다. 내가 해야 할 일을 보고 나아가고 물러나야 한다. 『본의』에서 '점치는 자가 마땅히 스스로 살펴야 할 것'이라고 하였으니, 나아가고 물러나야 할 때에 해야 할 일이 무엇인지를 마땅히 스스로 살펴야 할 것이다.

## ‖韓國大全‖

### 조호익(曺好益) 『역상설(易象說)』

我指本爻, 生指出於己者, 言動事爲是也. 觀我生, 艮體篤實象, 互艮亦全體似艮. 進退, 三在上下之間, 有進退之象. 或曰, 觀我生進退, 艮象, 時行時止, 動靜不失時, 是也.

'아(我)'는 본효를 가리키고, '생(生)'은 자신에게서 나온 것을 가리키니, 말이나 움직임, 일이나 행위가 그것이다. "내가 내는 행동을 본다"는 것은 간체(艮體)의 독실한 상으로, 호괘인 간괘 또한 전체의 모양이 간괘(艮)와 비슷하다. '나아가고 물러감'은 삼효가 위와 아래의 사이에 있어 나아가고 물러가는 상이 있다.

어떤 이가 말하였다: "내가 내는 행동을 보아서 나아가고 물러간다"는 것은 간괘의 상이다. 때에 맞게 행하고 때에 맞게 그쳐서 움직임과 고요함이 때를 놓치지 않는 것이 그것이다.

### 송시열(宋時烈) 『역설(易說)』

觀君上之所以生我者, 非謂我之動作也. 觀上之發政設敎, 果愛我而欲生之則進, 不然則退. 蓋三居下之上, 有或從王事之義, 可進則進, 可退則退, 巽爲進退故也. 然則不失我之道理也.

임금이나 윗사람이 나를 살리는 방법을 보는 것이지 나의 동작을 보는 것을 말하는 것이 아니다. 윗사람이 정치를 행하고 가르침을 베푸는 것이 과연 나를 사랑해서 살리고자 하는 것이라면 나아가고 그렇지 않으면 물러간다. 삼효는 아래괘의 위에 있어서 혹 왕의 일에 종사하는 의리가 있어서, 나아갈 만하면 나아가고 물러갈 만하면 물러가니, 손괘가 나아감과 물러감이 되기 때문이다. 그렇게 되면 나의 도리를 잃지 않는다.

### 이현익(李顯益) 「주역설(周易說)」

語類, 問, 六三觀我生進退, 不觀九五而觀己所行通塞以爲進退否. 曰, 看來合是觀九五. 觀我生進退者, 觀九五如何而爲進退也. 又曰, 六三處二四之間, 固當觀九五以爲進退. 問, 如此則我字乃是指九五而言, 易中亦有此例. 如頤之初九曰, 舍爾靈龜, 觀我朶頤, 是也. 曰, 此我乃是假外而言耳.

『주자어류』에서 물었다: "내가 내는 행동을 보아서 나아가고 물러간다"는 것은 구오를 보지 않고 자기의 행동이 통하는가 막히는가를 보아서 나아가거나 물러가는 것입니까?

답하였다: 살펴보건대, 마땅히 구오를 보는 것입니다. '관아생진퇴(觀我生進退)'라고 한 것은 구오가 어떤지를 보아서 나아가거나 물러가는 것입니다.

또 답하였다: 육삼은 이효와 사효의 사이에 있으니, 본래 마땅히 구오를 보고 나아가거나 물러가는 것입니다.

물었다: 이와 같다면 '아(我)'라는 글자는 구오를 가리켜 말하는 것이니, 『주역』 가운데 또한 이러한 예가 있습니다. 예를 들어 이괘(頤卦)의 초구에서 "너의 신령스러운 거북을 버리고 나를 보고서 턱을 늘어뜨린다"고 말한 것이 그것입니다.

답하였다: 여기서의 '아(我)'는 밖의 것을 빌려서 말한 것일 뿐입니다.

此說與本義不同. 然恐或是後來說耳, 當更詳之.

이 설명은 『본의』와 같지 않다. 그러나 아마도 혹 후에 설명한 것일 수도 있으니, 마땅히 다시 상세하게 살펴보아야 한다.

六三觀我生進退, 楊氏以可以仕則仕, 可以止則止, 我無官守, 無言責, 進退豈不綽綽乎有餘裕言. 是以聖賢事當之, 說得太過.

육삼의 "내가 내는 행동을 보아서 나아가고 물러간다"는 것에 대해서 양씨는 '벼슬할 만하면 벼슬하며 그만둘 만하면 그만두고',[51] "나는 지켜야 할 벼슬도 없으며 나는 책임질 말도 없으니, 나아가고 물러감에 어찌 여유작작하지 않을 수 있겠는가"[52]라는 것으로 말했다. 이는 성현의 일을 거기에 해당시킨 것으로 너무 지나치게 말한 것 같다.

誠齋楊氏, 以六三爲漆雕開. 朱子謂觀己所行之通塞, 又謂觀其言聽計從, 政敎可行, 膏澤可下. 以此論之, 則與漆雕開有異.
성재양씨는 "육삼은 칠조개와 같다"고 말하였다. 주자는 '자기의 행동이 통하는가 막히는가를 보는 것'이라고 말하였고, 또한 말을 들어주고 계책을 따르는지, 정치와 교육을 시행할 수 있는지, 은택이 백성들에게 미칠 수 있는지 보는 것이라고 말하였다. 이로써 논한다면 칠조개와는 다르다.

## 이익(李瀷) 『역경질서(易經疾書)』

我者, 皆指九五而言也. 生, 如衆生蒼生之生, 聖人旣以民訓生, 此爲可信指在下之民也. 變民言生者, 觀非徒觀, 欲其愛而生也. 三與五所觀, 卽初與二也. 五云觀民, 則三之爲觀民可證. 三居下卦之上, 是郡邑之長而順於五應於上. 五與上同德而下觀, 則三亦可以下觀其民矣. 然言進退, 則不專於觀民也.
'아(我)'는 구오를 가리켜 말하였다. '생(生)'이란 '중생', '창생'이라고 할 때의 '생'으로, 성인이 이미 '민'으로 '생'을 풀이하였으니, 이는 아래의 백성을 가리키는 것으로 믿을 수 있다. '민'을 바꾸어 '생'이라고 말한 것은 보는 것이 그저 보는 것이 아니라 사랑해서 살리고자 하기 때문이다. 삼효와 오효가 보는 것은 초효와 이효이다. 오효에서 백성을 본다고 했으니, 삼효가 백성을 보는 것을 증명할 수 있다. 삼효는 하괘의 위에 있어서 군과 읍의 장으로서 오효에 따르고 상효에 호응한다. 오효와 상효는 덕을 같이 하여 아래로 보니, 삼효 또한 아래로 백성을 볼 수 있다. 그러나 나아가고 물러간다고 말했으니, 백성을 보는 데에만 오로지 하지는 않는다.

## 유정원(柳正源) 『역해참고(易解參攷)』

正義, 道得名生者, 道是開通生利萬物. 故繫辭云生生之謂易, 是道爲生也.
『주역정의』에서 말하였다: '도'가 '생'이라는 이름을 얻을 수 있는 것은, '도'가 개통되어 만물을 생거나고 이롭게 히기 때문이다. 그리므로 「계사진」에서 "낳고 낳음을 역(易)이라 이른다"고 하였으니, 이것이 '도'가 '생'이 되는 것이다.

---

51) 『孟子·公孫丑』: 可以仕則仕, 可以止則止, 可以久則久, 可以速則速, 孔子也.
52) 『孟子·公孫丑』: 曰, 吾聞之也, 有官守者, 不得其職則去, 有言責者, 不得其言則去. 我無官守, 我無言責也, 則吾進退, 豈不綽綽然有餘裕哉.

○ 問, 六三觀我生進退, 不觀九五而觀己所行通塞, 以爲進退否. 朱子曰, 大率觀卦二陽在上, 四陰仰之, 九五爲主. 六三觀我生進退者, 觀九五如何而爲進退也. 初六六二, 以去五之遠, 所觀不明不大, 六四卻見得親切, 故有觀光利用之象. 六三處二四之間, 固當觀九五以爲進退也. 又問, 我字乃是指九五而言, 如頤之初九曰觀我朵頤是也. 曰, 此我乃是假外而言耳.

물었다: "내가 내는 행동을 보아서 나아가고 물러간다"는 것은 구오를 보지 않고 자기의 행동이 통하는가 막히는가를 보아서 나아가거나 물러가는 것입니까?

주자가 답하였다: 대체로 관괘는 두 양이 위에 있고 네 음이 우러러 보고 있으며, 구오가 주인이 됩니다. 육삼의 '관아생진퇴(觀我生進退)'라고 한 것은 구오가 어떤지를 보아서 나아가거나 물러가는 것입니다. 초육과 육이는 오효로부터 멀어서 보는 것이 분명하지 않고 크지 않으며, 육사는 도리어 가까이서 보기 때문에 빛남을 보고 쓰는 것이 이로운 상이 있습니다. 육삼은 이효와 사효의 사이에 있으니, 본래 마땅히 구오를 보고 나아가거나 물러가는 것입니다.

또 물었다: 이와 같다면 '아(我)'라는 글자는 구오를 가리켜 말하는 것이니, 예를 들어 이괘(頤卦)의 초구에서 "너의 신령스러운 거북을 버리고 나를 보고서 턱을 늘어뜨린다"고 말한 것이 그것입니다.

답하였다: 여기서의 '아(我)'는 밖의 것을 빌려서 말한 것일 뿐입니다.


鄱陽董氏曰, 此說我字, 與本義不同.
파양동씨가 말하였다: 이 설명의 '아(我)'자는 『본의』와 같지 않다.


## 김상악(金相岳) 『산천역설(山天易說)』

生者, 陰陽相生也. 當觀之時, 三居坤巽之交, 與上爲應, 上卽生我之陽也, 故有觀我生之象. 然應而不交, 故進退未定也.

'생'이란 음과 양이 서로 낳는 것이다. 마땅히 보아야 하는 때에 삼효는 곤괘와 손괘가 교차하는 데에 있고, 상효와 호응하니, 상효는 바로 나를 낳는 양이므로 '관아생(觀我生)'의 상이 있다. 그러나 호응하지만 사귀지 않기 때문에 나아가고 물러나는 것이 아직 정해지지 않았다.


○ 凡陰生於陽, 巽之陰生於乾, 而上二陽皆乾爻, 故曰觀我生. 說文出字象中木生出於土, 上巽木居坤土之上, 故此取生象, 與升同. 進退, 巽之象, 以陰居陽, 與上爲應, 正進退之機也. 大壯上六, 則陰之用壯者, 故不能退不能遂也. 又此爻與重巽之初, 同進退之象, 而在觀者, 有君子之應, 故曰未失道也. 處巽者, 利武人之貞, 故曰志治也.

所以勉戒不同.

음은 양에서 생겨나고 손괘의 음은 건괘에서 생겨나며 위의 두 양이 모두 건괘의 효이기 때문에 '관아생(觀我生)'이라고 말하였다. 『설문』의 '지(屮)'자는 나무가 땅에서 생겨나는 것을 상형한 것인데, 위 손괘의 나무가 곤괘인 땅의 위에 있기 때문에 여기에서 생겨나는 상을 취하였으니, 승괘와 같다. 나아가고 물러가는 것은 손괘의 상인데, 음으로 양의 자리에 있어서 위와 호응하니, 바로 나아가고 물러가는 기미이다. 대장괘의 상육은 음이 장대함을 쓰는 것이기 때문에 물러갈 수 없고 완수할 수 없다. 또한 이 효는 육획괘 손괘의 초효와 같이 나아가고 물러가는 상인데, 관괘에서는 군자의 호응이 있기 때문에 "도를 잃지 않는다"고 말하였다. 손괘에 처한 사람은 무인의 곧음이 이롭기 때문에 "뜻이 다스려졌다"고 말했다. 그래서 권면한 것과 경계한 것이 다르다.

又進則四變爲否, 否曰有命无咎, 退則二變爲渙, 渙二曰, 渙奔其机, 所以進退未失道也. 又三變則爲漸, 與歸妹爲反對. 漸之三曰夫征不復, 歸妹曰反歸以娣. 俱失進退之義, 故小象於漸曰失其道也, 歸妹曰未當, 皆與未失道相反. 或曰, 三五與上之觀生, 皆反身自觀之辭. 然觀爲陰盛之卦而其義或求, 故勸戒備, 至卦辭與六四爻辭可見也.

또한 나아가면 사효가 변화하여 비괘(否卦䷋)가 되므로 비괘에서 "명이 있으면 허물이 없다"고 말하였고, 물러가면 이효가 변화하여 환괘(渙卦䷺)가 되므로 환괘의 이효에서 "흩어짐에 안석(安席)으로 달려간다"고 말했다. 그래서 나아가고 물러가는데 도를 잃지 않는다. 또한 삼효가 변화하면 점괘(漸卦䷴)가 되는데 귀매괘(歸妹卦䷵)와는 거꾸로 된다. 점괘의 삼효에서는 "남편이 가면 돌아오지 않는다"고 말하였고, 귀매괘에서는 "다시 돌아와 잉첩이 되어야 한다"고 말하였다. 이는 모두 나아가고 물러가는 뜻을 잃은 것이기 때문에 「소상전」에서, 점괘에서는 "도를 잃는다"고 말하였고, 귀매괘에서는 "자리가 마땅하지 않기 때문이다"라고 말하였는데, 모두 '도를 잃지 않는 것'과는 상반된다. 어떤 이는 "삼효, 오효, 상효의 '관생(觀生)'은 모두 자신을 돌이켜 스스로 본다는 말이다"라고 한다. 그러나 관괘는 음이 성한 괘이고 그 뜻이 혹은 구하기 때문에 권면하고 경계하는 것이 갖추어져 있으니, 괘사와 육사의 효사에서 볼 수 있다.

### 김규오(金奎五) 「독역기의(讀易記疑)」

我生, 傳所主者, 吾之德學, 漆雕之證是也, 義所主者, 行之通塞, 仕止之證是也. 其意固可相通而所主者不同.

'아생(我生)'에 대해서 『정전』에서 중시한 것은 '나의 덕과 학문'이니, 칠조개로 증거한 것이 그것이고, 『본의』에서 중시한 것은 행동의 통하고 막힘이니, 벼슬하거나 그만두는 것으로 증거한 것이 그것이다. 그 뜻은 본래 서로 통할 수 있지만, 중시한 것은 같지 않다.

○ 進退, 以居內外體之間, 位剛則可進, 質柔則可退, 如乾之九四矣, 亦以上承巽體而巽爲進退故也.

나아가고 물러가는 것은 내괘와 외괘의 사이에 있어서 자리가 굳세면 나아갈 수 있고, 재질이 유약하면 물러갈 수 있으니, 건괘의 구사와 같으며, 또한 위로 손괘를 받들고 손괘가 나아가고 물러감이 되기 때문이다.

### 서유신(徐有臣) 『역의의언(易義擬言)』

三居坤衆之上, 爲家衆之長, 亦爲侯伯之君也. 衆觀我以爲範, 故曰觀我生. 德敎命令政事刑法, 皆自我而出者也. 在上下之間, 有進退象, 進爲觀於上, 退爲觀於下也.

삼효는 여러 사람을 상징하는 곤괘의 위에 있어서 집안 여러 사람들의 어른이 되고 또한 제후인 임금이 된다. 여러 사람이 나를 보고 모범으로 삼기 때문에 "내가 내는 행동을 본다"고 말하였다. 덕교・명령・정사・형법은 모두 나로부터 나가는 것이다. 위와 아래의 사이에 있어서 나아가고 물러가는 상이 있으니, 나아가는 것은 위에서 보는 것이 되고, 물러가는 것은 아래에서 보는 것이 된다.

### 박제가(朴齊家) 『주역(周易)』

三, 才陰而位陽, 是君子小人分界處. 闚觀於二則小人而可退, 從上而吉則君子而可進矣. 此爻之辭, 使之自審, 非如傳所云順時進退者也. 象傳曰, 未失道者, 謂如此則未失道也, 非其進其退, 皆未失道也. 其進其退, 皆未失道, 則時中之聖人矣. 楊氏曰, 所謂可仕可止, 我无官守, 我无言責, 進退豈不綽綽者, 則直以孔孟當之者, 於六三太逕庭. 誠齋楊氏以漆雕開擬之者, 亦已指三爲君子矣.

삼효는 재질은 음인데 자리는 양이니, 군자와 소인이 나뉘는 곳이다. 이효를 엿보면 소인으로서 물러갈 만하고, 상효를 따라 길하면 군자로서 나아갈 만하다. 이 효의 말은 스스로를 살피도록 한 것이지, 『정전』에서 말한 것과 같이 때를 따라 나아가고 물러가는 것이 아니다. 「상전」에서 "도를 잃지 않는다"고 한 것은 이와 같으면 도를 잃지 않는다고 한 것이지, 나아가고 물러가는 것이 모두 도를 잃지 않는다는 것이 아니다. 나아가고 물러가는 것이 모두 도를 잃지 않는다면 때에 알맞게 행하는 성인이다. 양씨가 "이른바 '벼슬할 만하면 벼슬하며 그만둘 만하면 그만두고',53) '나는 지켜야 할 벼슬도 없으며 나는 책임질 말도 없으니, 나아가고 물러감에 어찌 여유작작하지 않을 수 있겠는가'54)라는 것이 그것이다"라고 한 것은 바로 공자와 맹자를 해당시킨 것으로, 육삼의 뜻과는 크게 어긋난다. 성재양씨가 칠조개로 비긴 것은 또한 이미 삼을 가리켜 군자라고 한 것이다.

### 윤행임(尹行恁) 『신호수필(薪湖隨筆)·역(易)』

觀我, 難於觀人, 在人則善惡易見, 在我則善惡難見. 許仲平之言曰, 責己者可以成人之善, 責人者適以長己之惡, 眞名論也. 觀我生進退, 是君子之事, 可進可退自知也審, 然後可以進則進, 可以退則退, 故小象曰, 未失道也. 進退大節也, 戒在失道, 道之不失, 由於責己, 九五所謂君子无咎, 蓋此意也. 惟君子可以善觀我之所行也. 然而猶不能自信以觀民焉, 觀民所以反觀於我也. 及至上九自愼自省, 志意未平, 則是撿身如不及也, 觀之義大矣哉.

나를 보는 것은 남을 보는 것보다 어려우니, 남에 대해서는 선악을 쉽게 보지만, 나에 대해서는 선악을 보기 어렵다. 허중평의 말에 "자기를 책하는 사람은 남의 선을 이루고, 남을 책하는 사람은 다만 자기의 악을 기른다"고 했는데, 참으로 훌륭한 논의이다. '내가 내는 행동을 보아서 나아가고 물러가는 것'은 군자의 일로 나아갈 수 있고 물러갈 수 있는 것을 스스로 분명하게 안 다음에 나아갈 수 있으면 나아가고 물러갈 수 있으면 물러가기 때문에 「소상전」에서 "도를 잃지 않는다"고 말하였다. 나아가고 물러가는 것은 큰 절개이므로 경계할 것은 도를 잃는데 있는데, 도를 잃지 않는 것은 자기를 책함으로 말미암으니, 구오에서 군자가 허물이 없다고 한 것이 이 뜻이다. 오직 군자라야 나의 소행을 잘 볼 수 있다. 그러나 오히려 백성을 본다고 자신할 수 없으니, 백성을 보는 것이 거꾸로 나를 보는 방법이다. 상구에 이르러 스스로 삼가고 스스로 살펴서 뜻이 화평하지 못하면 자신을 검속하여 마치 미치지 못할 듯이 하니, 관괘의 뜻이 크도다!

### 박문건(朴文健) 『주역연의(周易衍義)』

欲進未能, 故有進退之象. 生, 民生也. 進退, 志疑也.

나아가고 물러가는 것은 뜻이 의심스럽기 때문이다.

〈問, 觀我生進退. 曰, 我生, 親之之辭也. 六三志在上九, 故有觀我生之象. 然彼剛我柔, 故進退而未能遂也.

물었다: "내가 내는 행동을 보아서 나아가고 물러간다"는 무슨 뜻입니까?

---

53) 『孟子·公孫丑』: 可以仕則仕, 可以止則止, 可以久則久, 可以速則速, 孔子也.

54) 『孟子·公孫丑』: 曰, 吾聞之也, 有官守者, 不得其職則去, 有言責者, 不得其言則去. 我無官守, 我無言責也, 則吾進退, 豈不綽綽然有餘裕哉.

답하였다: '내가 내는 행동'은 친밀하게 여긴다는 말입니다. 육삼은 뜻이 상구에 있기 때문에 '내가 내는 행동을 보는' 상이 있습니다. 그러나 저는 굳세고 나는 유약하기 때문에 나아가고 물러가지만 아직 이룰 수 없습니다.〉

〈○ 問, 三謂上爲生, 上謂三亦爲生, 其義何. 曰二剛在上, 四柔在下, 君民之相觀也, 故互取民生之義, 如蠱之初四互稱父之義也.

물었다: 삼효에서는 상효가 '생'이 된다고 하고, 상효에서는 삼효 또한 '생'이 된다고 하니, 그 뜻이 어떻습니까?

답하였다: 두 굳센 양이 위에 있고, 네 부드러운 음이 아래에 있어서, 임금과 백성이 서로 보기 때문에 민생의 뜻을 서로 취하였으니, 고괘에서 초효와 사효가 서로 아버지라고 칭한 뜻과 같습니다.〉

### 이지연(李止淵)『주역차의(周易箚疑)』

吾斯之未能信也者, 漆雕開之觀我而退也. 非予覺之而誰也, 如欲平治天下, 舍我其誰也者, 伊尹孟子之觀我而進也. 三爲進退之位, 巽有進退之象也.

"제가 이것을 아직 믿을 수 없습니다"[55]라고 한 것은 칠조개가 '나를 보아서 물러난 것'이고, "내가 깨우치지 않으면 누구이겠는가?",[56] "천하를 평화롭게 다스리고자 한다면, 나를 버리고 누구이겠는가?"[57]라고 한 것은 이윤과 맹자가 '나를 보아서 나아간 것'이다. 삼효는 나아가거나 물러가는 자리이고, 손괘에는 나아가거나 물러가는 상이 있다.

### 김기례(金箕澧)「역요선의강목(易要選義綱目)」

易中以陰居陽位, 多謂進退者, 以其未決也.

『주역』가운데 음으로서 양의 자리에 있는 경우에는 나아가거나 물러나는 것을 많이 말했는데, 아직 결정되지 않았기 때문이다.

○ 三居上下之間, 可進可退, 大觀在上, 非不可進之時也. 自審其可進之行, 而進退唯宜, 故象曰未失道.

삼효는 상괘와 하괘의 사이에 있어서 나아갈 수도 있고 물러갈 수도 있지만, 크게 보는 것이

---

55)『論語 · 公冶長』: 子使漆雕開仕, 對曰, 吾斯之未能信, 子說.

56)『孟子 · 萬章』: 予天民之先覺者也, 予將以斯道覺斯民也, 非予覺之而誰也.

57)『孟子 · 公孫丑』: 夫天未欲平治天下也. 如欲平治天下, 當今之世, 舍我其誰也. 吾何爲不豫哉.

위에 있으므로 나아갈 만한 때가 아니다. 스스로 나아갈 만한 행동을 살펴서 나아가고 물러가는 것을 알맞게 해야 하기 때문에, 「상전」에서 "도를 잃지 않는다"고 말하였다.

○ 觀以遠近取義, 六三稍近五, 故已觀大觀之德, 則不必觀五, 自觀其行之如何.
관괘는 멀고 가까움으로 뜻을 취하였는데, 육삼은 오효에 조금 가깝기 때문에 이미 크게 보는 덕을 보았으니, 오효를 볼 필요 없이 스스로 그 행동이 어떠한지 보아야 한다.

### 윤종섭(尹鍾燮) 『경(經)·역(易)』

三之進退, 在互巽之下, 四在坤之上, 有觀國之象.
삼효가 나아가거나 물러가는 것은 호괘인 손괘의 아래에 있기 때문이고, 사효는 곤괘의 위에 있어서 나라를 보는 상이 있다.

### 박종영(朴宗永) 「경지몽해(經旨蒙解)·주역(周易)」

傳曰, 觀我生, 謂動作施爲出於己者, 觀其所生而隨時進退, 求不失道也.
『정전』에서 말하였다: '내가 내는 행동을 봄'은 동작과 베풀어 행함이 자기에게서 나오는 것이니, 내가 낸 행동을 보아 때에 따라 나아가고 물러가 도를 잃지 않기를 구하는 것이다.

### 심대윤(沈大允) 『주역상의점법(周易象義占法)』

觀之漸䷴, 漸進也. 六三居剛而處下卦之上, 位德漸高, 觀仰者漸專而感化者漸衆. 觀我生者, 言觀自我生也. 我言專仰也. 震爲生, 下艮變爲兌, 則三居震體. 諸侯自專其國之敎化曰進, 其敎化之美惡係乎天子之仁暴曰退. 六三柔而應上, 爲係而退, 有剛隔而不專係, 爲自專而進. 离上坎下, 爲進退, 又巽爲進退, 言係乎上也.
관괘가 점괘(漸卦䷴)로 바뀌었으니, 점진적이다. 육삼은 굳센 양의 자리에 있고 하괘의 위에 있어서 지위와 덕이 점차 높아지니, 우러러보는 사람도 점차 전일하게 되고 감화되는 사람도 점차 많아진다. '관아생'이란 내가 내는 행동으로부터 본다는 말이다. '아'는 전적으로 우러러 보는 것을 말한다. 진괘가 '생'이 되니, 아래 간괘가 변하여 태괘가 되면 삼효가 진괘에 거하게 된다. 제후가 스스로 그 나라의 교화를 오로지 하는 것을 "나아간다"고 하고, 교화의 아름답고 나쁨은 천자의 인자함과 포악함에 달려 있는 것을 "물러간다"고 한다. 육삼이 유약하면서 상효에 호응하는 것이 얽매여 물러가는 것이 되고, 굳센 양에 막혀서 오로지 얽매이지 않는 것이 스스로 전일하게 하여 나아가는 것이 된다. 리괘가 위에 있고 감괘가 아래에 있는 것이 나아가거나 물러가는 것이 되고, 또한 손괘가 나아가거나 물러가는 것이 되니, 위에 얽매이는 것을 말한다.

### 오치기(吳致箕) 「주역경전증해(周易經傳增解)」

六三以柔居剛, 而在下之上, 當觀之時, 稍過於六二之闚觀, 不及於六四之觀光. 在乎過不及之間, 而以其志剛, 故欲進, 以其質柔, 故欲退, 未能定其進退者也. 故戒言當觀其動作施爲之自已出者, 而隨宜進退, 則未失其道也.

육삼은 부드러운 음으로 굳센 양의 자리에 있고 하괘의 위에 있으므로, 마땅히 보아야 하는 때에 육이의 엿보는 것을 조금 지나고, 육사의 '나라의 빛남을 보는' 데는 미치지 못한다. 지나치거나 미치지 못하는 사이에 있고 뜻이 굳세기 때문에 나아가고자 하고, 재질이 유약하기 때문에 나아갈지 물러갈지를 결정할 수 없다. 그러므로 마땅히 동작과 행위가 자기로부터 나가는 것을 보고 마땅함을 따라 나아가거나 물러가면 도를 잃지 않는다고 경계하여 말하였다.

○ 我者, 指六三也. 生, 猶言出也. 對體應震爲動生之象. 進退, 取於應體之巽也. 此爻陰柔不中不正而漸近九五, 故有此戒也.

'나'란 육삼을 가리킨다. '생'은 "나온다"고 말하는 것과 같다. 상괘(☴)의 음양이 바뀐 진괘(☳)가 움직여 생겨나는 상이다. 나아가고 물러가는 것은 상괘인 손괘에서 취하였다. 이 효는 부드러운 음의 효로서 가운데 있지도 않고 바른 자리도 아니며, 구오에 점차 가까워지기 때문에 이러한 경계가 있다.

### 이진상(李震相) 『역학관규(易學管窺)』

六三, 觀我生.

육삼은 내가 내는 행동을 보아서.

卦惟二陽爲下所觀. 六三非能自觀者也. 語類, 觀我生進退, 觀九五如何而爲進退也, 我字乃指九五而言耳. 蓋六三之體本陰柔, 故不能頓進, 處順之極, 故不必倒退. 惟觀九五之所行, 量宜而進退耳. 傳義, 恐皆未安.

괘에서 오직 두 양이 아랫사람들이 보는 바가 된다. 육삼은 스스로 볼 수 있는 자가 아니다. 『주자어류』에서 "'관아생진퇴(觀我生進退)'는 구오가 어떠한지를 보고서 나아가거나 물러가는 것이다",[58] "'아(我)'라는 글자는 구오를 가리켜 말한 것일 뿐이다"[59]라고 하였다. 육삼의 몸체는 본래 부드러운 음이기 때문에 갑작스럽게 나아갈 수 없고, 지극히 순한 곤괘의 끝에 있기 때문에 뒤로 물러갈 필요는 없다. 오직 구오의 소행을 보아 마땅함을 헤아려 나아 가거나 물러갈 뿐이다. 『정전』과 『본의』는 아마도 모두 타당하지 않은 듯하다.

### 박문호(朴文鎬) 「경설(經說)·주역(周易)」

三之於五, 無賓主難辨之嫌, 故皆稱觀我生. 上之於五, 則雖不當位, 乃居尊位之上, 有 難辨之嫌, 故以其字爲辨.

삼효는 오효에 대해서 손님과 주인을 구분하기 어렵다는 혐의가 없기 때문에 모두 '관아생 (觀我生)'이라고 칭하였다. 상효는 오효에 대해서 비록 자리가 마땅하지 않지만, 높은 자리 의 위에 있어서 구분하기 어렵다는 혐의가 있기 때문에 '기(其)'라는 글자를 가지고 구분하 였다.[60]

---

58) 『朱子語類·易五』: 六三觀我生進退者, 觀九五如何而爲進退也.

59) 『朱子語類·易五』: 如此, 則我字, 乃是指九五而言.

60) '관기생(觀其生)'이라고 했다는 말이다.

象曰, 觀我生進退, 未失道也.

「상전」에 말하였다: "내가 내는 행동을 보아서 나아가고 물러나니"는 도를 잃지 않는 것이다.

## ‖中國大全‖

### 傳

觀己之生而進退, 以順乎宜, 故未至於失道也.

자신이 내는 것을 보아 나아가고 물러나서 마땅함을 따르기 때문에 도를 잃는 데 이르지 않는다.

### 小註

中溪張氏曰, 五爲觀之主, 近五者宜進, 遠五者宜退. 若初二去五遠, 則无可進之理, 四去五近, 則用賓于王矣. 可進可退, 唯三之時[61]爲然. 道觀之道也. 觀四陰爻, 惟四得觀之道, 初二則失觀之道, 三之進退在我, 故曰未失道也.

중계장씨가 말하였다: 구오는 보는 주체이니, 구오에서 가까운 것은 마땅히 나아가고, 구오에서 먼 것은 마땅히 물러난다. 초육과 육이는 구오와 멀어서 나아갈 수 있는 이치가 없고, 육사는 구오와 가까워서 왕에게 손님이 된다. 나아갈 수도 있고 물러날 수도 있는 때는 육삼만이 그러하다. 도는 보는 도이다. 관괘의 네 음효 중에서 사효만이 보는 도를 얻었고, 초효와 이효는 보는 도를 잃었으며, 삼효는 나아가고 물러남이 나에게 있기 때문에 "도를 잃지 않는다"고 하였다.

---

61) 時: 경학자료집성DB와 영인본에는 모두 '特'으로 되어 있으나, 『주역』 원문에 따라 '時'로 바로잡았다.

## ‖韓國大全‖

### 김상악(金相岳) 『산천역설(山天易說)』

道者, 陰陽相生之道也.

도란 음과 양이 서로 낳는 도이다.

孔疏, 道得名生者, 道是開通生利萬物. 故繫辭云, 生生之謂易, 是道爲生也.

공영달의 소에서 말하였다: '도'가 '생'이라는 이름을 얻을 수 있는 것은, '도'가 개통되어 만물을 생겨나고 이롭게 하기 때문이다. 그러므로 「계사전」에서 "낳고 낳음을 역(易)이라 이른다"고 하였으니, 이것이 '도'가 '생'이 되는 것이다.

進則與五相比, 退則與五爲應, 是未失道也. 剝之三曰, 失上下也, 謂失同類之陰也. 復之四曰, 以從道也, 謂從初復之陽也.

나아가면 오효와 서로 나란히 하고, 물러나면 오효와 호응이 되니, 이것이 도를 잃지 않는 것이다. 박괘의 삼효에서는 "위아래를 잃는다"고 말하였으니, 동류인 음을 잃는 것을 말한다. 복괘의 사효에서는 "도를 따랐기 때문이다"라고 말하였으니, 처음 회복된 양을 따르는 것을 말한다.

### 서유신(徐有臣) 『역의의언(易義擬言)』

應於上九之君子, 故未失道也, 如復四曰從道也.

상구의 군자에게 호응하기 때문에 도를 잃지 않으니, 복괘 사효에서 "도를 따른다"고 말한 것과 같다.

### 박문건(朴文健) 『주역연의(周易衍義)』

我求觀, 則彼必與觀. 然恐有害己之患, 故進退而未能遂也. 此乃不失觀民之道也.

내가 보기를 구하면 저도 반드시 더불어 본다. 그러나 자기를 해치는 근심이 있을까 두려워하기 때문에 나아가고 물러나지만 아직 이룰 수 없다. 이것이 백성을 보는 도를 잃지 않는 것이다.

〈問, 何謂不失觀民之道. 曰, 可安者雖民也, 可危者亦民也. 觀我生而進退, 不失觀民之道也.

물었다: 무엇을 백성을 보는 도를 잃지 않는다고 합니까?

답하였다: 안정시킬 수 있는 것이 비록 백성이지만, 위태로울 수 있는 것 또한 백성입니다. "내가 내는 행동을 보아서 나아가고 물러난다면", 백성을 보는 도를 잃지 않을 것입니다.〉

## 오치기(吳致箕) 「주역경전증해(周易經傳增解)」

觀己之動作施爲, 而隨宜進退, 則未失於道也.

자기의 동작과 행위를 보고 마땅함을 따라 나아가거나 물러가기 때문에 도를 잃지 않는다.

## 이병헌(李炳憲) 『역경금문고통론(易經今文考通論)』

荀曰, 我謂五也. 生者, 敎化生也.

순상이 말하였다: '아(我)'는 오효를 말한다. '생(生)'은 교화가 생기는 것이다.

按, 敎化生卽五也. 三欲進觀于五, 而四旣在前三, 故退未失道也.

내가 살펴보았다: 교화가 생긴다는 것은 오효이다. 삼효가 나아가 오효를 보고자 하지만, 사효가 이미 삼효의 앞에 있기 때문에 물러나 도를 잃지 않는다.

按, 我生之生, 當作性字看. 國語注, 生與性同. 生生之謂易, 生之義, 微矣.

내가 살펴보았다: '아생(我生)'의 '생(生)'은 마땅히 '성(性)'자의 뜻으로 보아야 한다. 『국어』의 주석에 '생(生)'은 '성(性)'과 같다고 하였다. "낳고 낳음을 역(易)이라 이른다"고 하였으니, '생(生)'의 뜻이 은미하다.

## 六四, 觀國之光, 利用賓于王.

육사는 나라의 빛남을 봄이니, 왕에게 손님이 되는 것이 이롭다.

---

## 中國大全

### 傳

觀莫明於近, 五以剛陽中正, 居尊位, 聖賢之君也. 四切近之, 觀見其道, 故云觀國之光, 觀見國之盛德光輝也. 不指君之身而云國者, 在人君而言, 豈止觀其行一身乎. 當觀天下之政化, 則人君之道德, 可見矣. 四雖陰柔, 而巽體居正, 切近於五, 觀見而能順從者也. 利用賓于王, 夫聖明在上, 則懷抱才德之人, 皆願進於朝廷, 輔戴之以康濟天下. 四旣觀見人君之德, 國家之治, 光華盛美, 所宜賓于王朝, 效其智力, 上輔於君, 以施澤天下, 故云利用賓于王也. 古者有賢德之人, 則人君賓禮之, 故士之仕進於王朝, 則謂之賓.

보는 것은 가까이 보는 것보다 더한 밝음이 없다. 구오가 굳센 양의 중정(中正)으로 높은 자리에 있으니 성스럽고 어진 임금이다. 육사가 구오와 매우 가까이 있어 그 도를 보기 때문에 "나라의 빛남을 본다"고 하였으니, 나라의 성대한 덕이 빛남을 보는 것이다. 임금의 몸을 가리키지 않고 나라라고 한 것은 임금의 입장에서 말하면 어찌 다만 한 몸에 행함을 볼 뿐이겠는가? 마땅히 천하의 정치와 교화를 보면 임금의 도덕을 볼 수 있는 것이다. 육사가 비록 부드러운 음이나 손괘(☴)의 몸체로 바른 자리에 거처하고 구오와 매우 가까이 있으니, 보고서 순종하는 자이다. "왕에게 손님이 되는 것이 이롭다[利用賓于王]"는 말은 성스럽고 현명한 임금이 위에 있으면 재주와 덕을 품은 자들이 다 조정에 나아가 보필하고 떠받들어 천하를 편안히 구제하기를 원한다는 뜻이다. 육사가 이미 임금의 덕과 국가의 정치가 빛나고 성대하고 아름다움을 보았으니, 마땅히 왕의 조정에 손님이 되어 그 지혜와 힘을 바쳐서 위로 임금을 보필하여 천하에 혜택을 베풀어야 하기 때문에, "왕에게 손님이 되는 것이 이롭다"고 하였다. 옛날 어진 덕이 있는 사람은 임금이 손님으로 예우하였기 때문에 선비가 왕의 조정에 나아가 벼슬하는 것을 빈(賓)이라고 하였다.

### 本義

六四最近於五, 故有此象, 其占, 爲利於朝覲仕進也.

육사가 구오와 가장 가까이 있기 때문에 이러한 상이 있으니, 그 점이 조정에서 임금을 뵙고 나아가 벼슬하는 것이 이롭다고 여겼다.

### 小註

蘭氏廷瑞曰, 九五陽明居上, 是有光華者也.

난정서가 말하였다: 구오는 밝은 양으로 위에 있으니, 빛남이 있는 자이다.

○ 童溪王氏曰, 觀以遠陽爲晦, 近陽爲明.

동계왕씨가 말하였다: 관괘에서 멀리 있는 양은 어둡다고 하였고, 가까이 있는 양은 밝다고 하였다.

○ 漢上朱氏曰, 古者諸侯入見于王, 王以賓禮之, 士而未受祿者, 亦賓之.

한상주씨가 말하였다: 옛날에 제후가 천자에게 가서 알현하면 천자가 손님으로 그를 예우하고, 선비로서 아직 봉록을 받지 못한 자도 손님으로 예우하였다.

○ 雲峰胡氏曰, 觀國之光四字, 下與童觀闚觀相反, 上與九五觀我生相應. 蓋國之光, 卽九五所謂我生者也. 特五之自觀, 則曰生, 方出於我者也. 自四觀五則曰光, 已達於國者也. 不指君之生而曰國者, 觀其達於國者, 則其出於君者, 可知矣.

운봉호씨가 말하였다: '나라의 빛남을 봄[觀國之光]'은 아래에 '어린아이의 봄', '엿봄'과는 상반되고, 위로 구오의 '내가 내는 행동을 봄'과는 상응한다. 나라의 빛남은 구오에서 말한 '내가 내는 행동을 봄'이다. 다만 구오가 자신을 보면 "낸다"고 하니, 나에게서 막 나오는 것이다. 육사에서 구오를 보면 '빛남'이라 하니, 나라에 이미 통달한 자이다. 임금이 냄을 가리키지 않고 '나라'라고 한 것은 나라에 통달한 것을 보는 것이니, 임금에게서 나온 것임을 알 수 있다.

# ║韓國大全║

## 송시열(宋時烈) 『역설(易說)』

坤爲國. 四居近君之位, 觀坤國之光輝. 利用以下占辭. 且君以賓禮敬之, 此大臣之位也.

곤괘가 나라가 된다. 사효는 임금에게 가까운 자리에 있어서 곤괘인 나라의 빛남을 본다. '이용(利用)' 이하는 점치는 말이다. 또한 임금이 손님의 예로 공경하니, 이것이 대신의 지위이다.

## 강석경(姜碩慶) 『역의문답(易疑問答)』

觀之六四, 實是小人之魁也. 廹近君位, 將有爲剝爲坤之漸也, 而爻曰觀國之光利用賓于王, 其占若是其善, 何義耶. 曰, 九五剛中, 居君位, 爲衆陰所仰觀, 而四亦得正, 上同於五. 聖人特因卦名, 別取一義, 而利導之也, 此是用卦之微意也. 雖然陳敬仲遇此卦, 謂之吉, 而其終至於田氏纂齊, 爲陳筮則可云爾也, 爲齊謨, 則凶如何也. 此不可不知也.

관괘의 육사는 실로 소인의 괴수이다. 임금의 자리에 매우 가깝고 장차 점차로 박괘가 되고 곤괘가 될 것인데, 효에서 "나라의 빛남을 봄이니, 왕에게 손님이 되는 것이 이롭다"고 하여, 그 점이 이처럼 좋은 것은 무슨 뜻인가? 구오는 가운데 있는 굳센 양으로 임금의 자리에 있어 여러 음이 우러러 보며, 사효 또한 바름을 얻어 위로 오효와 함께 한다. 성인이 특별히 괘의 이름으로 인하여 한 뜻을 따로 취하여 이롭게 인도한 것이니, 이는 괘를 쓰는 은미한 뜻이다. 비록 그렇지만 진경중(陳敬仲)이 이 괘를 만난 것을 길하다고 하고, 끝내 전씨가 제나라를 찬탈하는데 이른 것은 진경중을 위해서는 그렇게 말할 수 있지만, 제나라를 위한 도모함으로써는 흉함이 어떻겠는가?[62] 이것을 알지 않으면 안 된다.

## 이익(李瀷) 『역경질서(易經疾書)』

四云, 觀國之光, 則三雖進觀, 不過仰觀都邑繁華之盛也. 光者, 禮樂文章之類, 惟四之賓, 可以觀矣.

사효에서 "나라의 빛남을 본다"고 했으니, 삼효는 비록 나아가 보지만 도읍의 번화한 성대함

---

62) 『춘추좌전·장공』.

을 우러러 보는 데 불과하다. '빛남'이란 예악과 문장의 종류로, 오직 사효의 손님만이 볼 수 있다.

### 유정원(柳正源) 『역해참고(易解參攷)』

左莊二十二年, 陳公子完奔齊. 初生敬仲, 周史筮之遇觀之否. 曰, 觀國之光, 利用賓于王, 此其代陳有國乎. 不在此, 其在異國, 非在其身, 在其子孫. 光遠而自他有耀者也. 坤土也, 巽風也, 乾天也. 風爲天, 於土上山也.〈正卦三四五爻爲艮, 變卦二三四爻亦爲艮, 故曰山也.〉有山之材,〈艮山巽木, 故有山之材.〉而照之以天光, 於是乎居土上,〈山材天光, 皆居坤上, 故曰居土上〉故曰, 觀國之光, 利用賓于王.〈四爲諸矦, 變而之乾, 此有國朝王之象.〉庭實旅百,〈艮爲門庭.〉奉之以玉帛,〈乾爲金玉, 坤爲布帛.〉天地之美具焉,〈天子錫之土田, 諸矦獻其國之所有, 天地之美具焉.〉故曰, 利用賓于王. 猶有觀焉, 故曰其在後乎. 風行而著〈直略反〉於土, 故曰其在異國乎. 若在異國, 必姜姓也. 姜, 大嶽之胤也. 山嶽則配天, 物莫能兩大, 陳衰此其昌乎.

『좌전』 장공(莊公) 이십이년에 진(陳) 공자 완(完)이 제나라로 망명하였다. 이전에 경중을 낳았을 적에 주나라의 사관이 점을 쳐서 관괘가 비괘로 바뀐 것을 만났다.

사관이 말하였다: "나라의 빛남을 봄이니, 왕에게 손님이 되는 것이 이롭다"고 하였으니, 이는 그가 진나라를 대신하여 나라를 소유한다는 뜻인 것 같습니다. 여기에 있지 않으면 다른 나라에 있을 것이며, 그 자신에게 있지 않으면 그 자손에게 있을 것입니다. 빛이 멀리 있더라도 그로부터 빛남이 있게 됩니다. 곤괘는 땅이고 손괘는 바람이고 건괘는 하늘입니다. 바람이 하늘이 되고, 흙 위에 쌓인 것이 산입니다.〈본괘의 삼·사·오효가 간괘이고, 변괘의 이·삼·사효가 또한 간괘가 되기 때문에 산이라고 말하였다.〉산에 재목이 있어서〈간괘가 산이 되고 손괘가 나무가 되기 때문에 산에 재목이 있는 것이다.〉하늘의 빛으로 비추고 이에 흙 위에 거처하게 되기 때문에〈산의 재목과 하늘의 빛이 모두 곤괘의 위에 있기 때문에 "흙 위에 거처한다"고 말하였다.〉"나라의 빛남을 봄이니, 왕에게 손님이 되는 것이 이롭다"고 말하였습니다.〈사효가 제후가 되고, 변하여 건괘가 되면 이것이 나라를 조유하여 조회를 받고 왕이 되는 상이 있는 것이다.〉뜰에는 많은 손님들로 가득 차고〈간괘가 문과 뜰이 된다.〉옥과 비단을 받들어〈건괘가 금과 옥이 되고, 곤괘가 베와 비단이 된다.〉천지의 아름다움이 갖추어지기 때문에〈천자가 전토를 내려주고 제후가 자기 나라의 소유를 바쳐서 천지의 아름다움이 갖추어진다.〉"왕에게 손님이 되는 것이 이롭다"고 말하였습니다. 오히려 볼만한 것이 있기 때문에 "후손에게 있을 것이다"라고 말하였습니다. 바람이 행하여 땅에 붙기 때문에[著於土]〈'著'은 '착'으로 읽는다.〉"다른 나라에 있을 것이다"라고 말하였습니다. 만약 다른 나라에 있다면 강(姜)씨 성일 것입니다. 강씨는 대악(大嶽)의 후손입니다.

산악은 하늘에 짝하고 만물을 둘 다 클 수는 없으므로, 진나라가 쇠하고 이 사람이 창대하게 될 것입니다.

○ 雙湖胡氏曰, 自四以下, 正互凡兩坤, 皆王國之象.
쌍호호씨가 말하였다: 사효 이하는 본괘와 호괘가 두 곤괘인데, 모두 왕국의 상이다.

○ 案, 賓, 周禮大宗伯以賓禮親邦國, 大司徒以鄕三物敎萬民而賓興之.
내가 살펴보았다: '빈(賓)'은 『주례』에 대종백이 손님의 예로 나라를 친밀하게 하고,[63] 대사도가 향삼물(鄕三物)로[64] 만민을 가르쳐 손님으로서 일어나게 한다고 하였다.[65]

### 김상악(金相岳) 『산천역설(山天易說)』

觀莫明於近. 六四以柔承剛, 坤互艮體爲觀國之光之象, 能巽順于盛德之君, 故利用賓于王也.
보는 것은 가까이 있는 것보다 분명하게 볼 수 있는 것이 없다. 육사는 부드러움으로 굳셈을 받들고 있고, 곤괘의 호체인 간괘가 나라의 빛남을 보는 상이 되어, 성대한 덕을 가진 임금에게 부드럽게 따를 수 있기 때문에 왕에게 손님이 되는 것이 이롭다.

○ 國坤象, 光艮體之篤實光輝也. 不指其身而云國者, 觀其達於國者, 則其出於君者可知, 光遠而自他有耀者是也. 故詩曰, 樂只君子, 邦家之光. 未濟之五曰, 君子之光, 亦以是也. 以四承五, 賓王之象. 士之仕進於王朝者, 謂之賓. 姤則一陰生於下, 故二曰不利賓, 觀則二陽居于上, 故四曰利用賓于王.
'나라'는 곤괘의 상이고, '빛남'은 간괘의 독실하고 빛남이다. 자신을 가리키지 않고 '나라'라고 말한 것은 나라에 도달하는 것을 보면 임금에게서 나온 것을 알 수 있으니, "빛이 멀리 있더라도 그로부터 빛남이 있게 된다"는 것이 그것이다. 그러므로 『시경』에 "즐거운 군자여, 나라의 빛남이로다"[66]라고 말하였다. 미제괘의 오효에서 '군자의 빛남'이라고 말한 것도 또한 이 때문이다. 사효가 오효를 받들고 있는 것이 '왕에게 손님이 되는' 상이다. 선비로서 벼슬하여 왕의 조정에 나아가는 자를 '손님'이라고 한다. 구괘는 한 음이 아래에서 생겨나기

---

63) 『周禮 · 大宗伯』: 以賓禮親邦國.
64) 향삼물(鄕三物): 여섯 가지 덕과 여섯 가지 행위와 여섯 가지 기예를 말한다.
65) 『周禮 · 大司徒』: 以鄕三物敎萬民而賓興之. 一曰六德, 知仁聖義忠和. 二曰六行, 孝友睦婣任恤. 三曰六藝, 禮樂射御書數.
66) 『詩經 · 南山有臺』: 南山有桑, 北山有楊. 樂只君子, 邦家之光.

때문에 이효에서 "손님이 되는 것이 이롭지 않다"고 말하였고, 관괘는 두 양이 위에 있기 때문에 사효에서 "왕에게 손님이 되는 것이 이롭다"고 말하였다.

或曰, 九五大觀在上, 盥而不薦, 爲國之光, 故利用賓于王之祭祀也. 書所謂作賓于王家者是也.

어떤 이가 말하였다: 구오는 크게 보는 것이 위에 있어서 손만 씻고 제사를 드리지 않는 것이 나라의 빛남이 되기 때문에 왕의 제사에 손님이 되는 것이 이롭다. 『서경』에서 말한 "왕가에 손님이 된다"[67]는 것이 그것이다.

### 김규오(金奎五) 「독역기의(讀易記疑)」

此爻互坤艮, 坤有國象, 而艮有輝光.

이 효의 호괘가 곤괘와 간괘인데, 곤괘는 나라의 상이 있고, 간괘는 빛나는 상이 있다.

### 서유신(徐有臣) 『역의의언(易義擬言)』

名臣碩輔, 爲國之光. 人之觀已, 是觀國之光也. 六四得正, 艮光明也. 四之位有賓象而近五, 故曰賓于王也.

훌륭한 신하와 재상이 나라의 빛남이 된다. 사람이 자기를 보는 것이 나라의 빛남을 보는 것이다. 육사는 바름을 얻고 간괘는 빛난다. 사효의 자리는 손님의 상이 있고 오효에 가깝기 때문에 "왕에게 손님이 된다"고 말하였다.

### 박문건(朴文健) 『주역연의(周易衍義)』

比賢從上, 故有觀國光之象. 光, 國之盛德光輝也.

현인을 가까이하고 윗사람을 따르기 때문에 나라의 빛남을 보는 상이 있다. '빛남'은 나라의 성대한 덕이 빛나는 것이다.

〈問, 觀國之光, 利用賓于王. 曰, 六四慕九五之盛德, 故有觀光之象. 是以用賓於王爲利, 賓者, 卽仕進朝覲之類, 是也.

물었다: "나라의 빛남을 봄이니, 왕에게 손님이 되는 것이 이롭다"는 무슨 뜻입니까?
답하였다: 육사는 구오의 성대한 덕을 사모하기 때문에 빛남을 보는 상이 있습니다. 그러므

---

67) 『書經‧微子之命』: 作賓于王家, 與國咸休, 永世無窮.

로 왕에게 손님이 되는 것이 이로우니, 손님이란 벼슬하여 나아가거나 조회하여 뵙는 종류가 그것입니다.〉

## 이지연(李止淵) 『주역차의(周易箚疑)』

上有陽德之君, 下爲坤, 坤有土有衆, 皆觀感而化, 故國之光也.

위에 양의 덕을 지닌 임금이 있고 아래가 곤괘가 되니, 곤괘는 땅도 갖고 백성도 가져서 모두 보고 느껴 감화되기 때문에 나라의 빛남이다.

## 김기례(金箕澧) 「역요선의강목(易要選義綱目)」

光, 指五陽.

'빛남'은 오효인 양을 가리킨다.

○ 王亦指五. 坤爲邑國. 觀乎光被國中而願賓于王朝.

'왕' 또한 오효를 가리킨다. 곤괘는 읍과 나라가 된다. 빛남이 나라 가운데 비추는 것을 보고 왕의 조정에 손님이 되기를 원한다.

○ 古者王待諸侯以賓士, 未受祿者, 亦賓之. 尙賓, 尙志而願賓.

옛적에 왕이 제후를 손님으로 대우하였고, 봉록을 받지 않은 자도 또한 손님으로 대우하였다. '상빈(尙賓)'이란 뜻을 숭상하여 손님이 되기를 원하는 것이다.

## 심대윤(沈大允) 『주역상의점법(周易象義占法)』

觀之否䷋, 不交也. 以柔居柔, 近五而從之. 大臣以德輔君, 天下想望其風采而感化, 匪如莅民分土者, 得下之專仰也, 故曰觀國之光. 光, 遠而有耀也, 言觀民以光也. 坤爲國, 艮爲光. 賓于王, 言敬承九五也. 乾爲賓. 二三四不言君子小人者, 以係乎上也.

관괘가 비괘(否卦䷋)로 바뀌었으니, 사귀지 아니한다. 부드러운 음으로 부드러운 음의 자리에 있고 오효를 가까이하여 따른다. 대신이 덕으로 임금을 보좌하고, 천하 사람들이 그 풍채를 바라보고 감화되는 것은 백성에게 군림하고 땅을 나누어받은 자가 아랫사람들의 전적인 우러름을 받는 것과는 같지 않기 때문에 "나라의 빛남을 본다"고 말하였다. '광(光)'은 멀어도 빛남이 있으니, 빛남으로 백성을 본다는 말이다. 곤괘가 나라가 되고 간괘가 빛남이 된다. "왕에게 손님이 된다"는 것은 구오를 공경하여 받드는 것을 말한다. 건괘가 손님이 된다. 이효·삼효·사효에서 군자와 소인을 말하지 않은 것은 위에 얽매여 있기 때문이다.

## 오치기(吳致箕) 「주역경전증해(周易經傳增解)」

六四柔得其正, 最近於九五之君, 快覩其德化之盛光被四國而爲賓于王朝. 若已仕者, 則賓禮而尊尙之, 未仕者, 則賓興而擧用之, 故言利用賓于王也. 程傳已備矣.

육사는 부드러움으로 바름을 얻고 구오의 임금에게 가장 가까이 있어서 덕스러운 교화의 성대함이 사방 나라에 빛나게 드리우는 것을 빨리 보고서 왕의 조정에 손님이 된다. 이미 벼슬한 사람이라면 손님의 예로 높이고, 아직 벼슬하지 않은 사람이라면 손님으로 불러서 등용하기 때문에 "임금에게 손님이 되는 것이 이롭다"고 말하였다. 『정전』에 이미 갖추어 설명하였다.

○ 國取於互坤, 而互艮爲輝光之象. 四承五, 故爲賓之象, 而王指五也.

'나라'는 호괘인 곤괘에서 취하였고, 호괘인 간괘는 빛나는 상이 된다. 사효가 오효를 받들고 있기 때문에 손님의 상이 되고, 왕은 오효를 가리킨다.

## 이진상(李震相) 『역학관규(易學管窺)』

坤本有光, 又有國象. 觀亦巽體之視, 尊卑之際不敢正視也. 九五以陽爲主, 故六四以陰爲賓. 且變而之乾, 有賓主之象, 乾又爲見.

곤괘에는 본래 빛남이 있고, 또한 나라의 상이 있다. 보는 것 또한 손괘의 보는 것이니, 높고 낮은 사이에 감히 바로 보지 못한다. 구오가 양으로 주인이 되기 때문에 육사는 음으로 손님이 된다. 또한 변하여 건괘로 바뀌어 손님과 주인의 상이 있으며, 건괘 또한 보는 것이 된다.

象曰, 觀國之光, 尚賓也.

「상전」에 말하였다: "나라의 빛남을 봄"은 손님을 숭상하는 것이다.

## ‖中國大全‖

傳

君子懷負才業, 志在乎兼善天下. 然有卷懷自守者, 蓋時无明君, 莫能用其道, 不得已也, 豈君子之志哉. 故孟子曰, 中天下而立, 定四海之民, 君子樂之. 旣觀見國之盛德光華, 古人所謂非常之遇也, 所以志願登進王朝, 以行其道, 故云觀國之光, 尚賓也. 尚, 謂志尚, 其志意願慕賓于王朝也.

군자는 재주와 사업을 품고서 뜻이 천하를 함께 선하게 함에 있다. 그러나 재주와 덕을 거두고 품어 스스로 지키는 자가 있는 것은 당시에 현명한 임금이 없어서 그 도를 쓰지 못하여 부득이해서 한 것이니, 어찌 군자의 뜻이겠는가? 그러므로 맹자가 "천하의 한 중앙에 서서 사해의 백성을 안정시킴을 군자가 즐거워한다"[68]고 하였다. 이미 나라의 성대한 덕이 빛남을 보았다면 옛사람이 말한 '비상한 만남'이니, 뜻이 왕의 조정에 올라가서 그 도를 행하려는 것이다. 그러므로 "나라의 빛남을 봄은 손님을 숭상하는 것이다"라고 하였다. '숭상함[尚]'은 뜻을 숭상함이니, 그 뜻이 왕의 조정에 손님이 되기를 원하고 사모하는 것이다.

## ‖韓國大全‖

유정원(柳正源) 『역해참고(易解參攷)』

尚賓也.

---

[68] 『孟子·盡心』: 中天下而立, 定四海之民, 君子樂之, 所性不存焉.

손님을 숭상하는 것이다.

案, 君子觀國之光, 而登進於王朝, 則遂以賓禮尊尙之也.

내가 살펴보았다: 군자가 나라의 빛남을 보고 왕의 조정에 올라 나아가면, 드디어 손님의 예로 그를 높이는 것이다.

傳, 盛德.

『정전』에서 말하였다: 성대한 덕이다.

案, 一本无觀民也.

내가 살펴보았다: 다른 판본에는 '관민(觀民)'이 없다.

正義, 觀民以觀我, 故觀我, 卽觀民也.

『주역정의』에서 말하였다: 백성을 보아 나를 보기 때문에 나를 보는 것이 곧 백성을 보는 것이다.

○ 林氏曰, 自四以下皆陰, 其象爲民.

임률이 말하였다: 사효 이하는 모두 음이고, 그 상이 백성이 된다.

## 김상악(金相岳)『산천역설(山天易說)』

尙, 尊尙之也. 國之所以光者, 陽剛之賢在賓師之位, 而盛德之君能尊尙之. 是誠可進之時, 故有賓王之願也. 艮有尙賢之象, 見大畜象傳.

'상(尙)'은 높이는 것이다. 나라가 빛날 수 있는 까닭은 굳센 양의 현인이 빈사(賓師)의 지위에 있고 성대한 덕을 가진 왕이 그를 높일 수 있기 때문이다. 이는 참으로 나아갈 수 있는 때이기 때문에 왕에게 손님이 되려는 희망이 있는 것이다. 간괘에는 현인을 높이는 상이 있으니, 대축괘「단전」을 보라.

## 서유신(徐有臣)『역의의언(易義擬言)』

居於三陰之上, 是爲尙也. 爲二陽之同體, 尙賓於國也.

세 음의 위에 있는 것이 높이는 것이 된다. 두 양과 같은 몸체에 있는 것이 나라에서 손님을 높이는 것이다.

## 박제가(朴齊家) 『주역(周易)』

六四象傳, 尙賓也.

육사 「상전」에서 말하였다: 손님을 숭상하는 것이다.

傳, 尙, 謂尙志, 其志意願慕賓于王朝也.

『정전』에서 말하였다: '숭상함[尙]'은 뜻을 숭상함이니, 그 뜻이 왕의 조정에 손님이 되기를 원하고 사모하는 것이다.

案, 孟子曰, 士尙志. 如蠱之上九高尙其事之尙. 豈以尙之一字而竝取志字, 以釋他尙乎. 此尙字, 只如舜尙見帝之尙, 更無別義, 只與下觀民作對說.

내가 살펴보았다: 『맹자』에 "선비는 뜻을 숭상한다"[69]고 하였다. 이는 고괘의 상구에서 "그 일을 높이 숭상한다"고 말한 '숭상함'과 같다. 어찌 '상(尙)'이라는 한 글자에다가 '뜻'이라는 글자를 아울러 취하여 '상'을 해석한 것이겠는가? 이 '상(尙)'자는 다만 "순임금이 위로 천자를 뵈었다"[70]라고 한 '위로'라는 뜻과 같아 다시 별다른 뜻이 없고 다만 아래의 "백성을 본다"는 것과 짝하여 설명한 것일 뿐이다.

## 박문건(朴文健) 『주역연의(周易衍義)』

尙賓, 言賓於上也.

손님을 숭상한다는 것은 윗사람에게 손님이 되는 것을 말한다.

## 심대윤(沈大允) 『주역상의점법(周易象義占法)』

尙, 崇尙也, 言志尙在五也.

'상(尙)'은 숭상하는 것이니, 뜻이 높이 오효에 있는 것을 말한다.

## 오치기(吳致箕) 「주역경전증해(周易經傳增解)」

言其志之所尙, 願爲王朝之賓, 以觀德化也.

뜻이 높아서 왕의 조정의 손님이 되어 덕스러운 교화를 보고자 한다는 말이다.

---

69) 『孟子·盡心』: 問曰, 士何事. 孟子曰, 尙志.
70) 『孟子·萬章』: 舜尙見帝, 帝館甥于貳室.

## 이병헌(李炳憲) 『역경금문고통론(易經今文考通論)』

虞曰, 坤爲國, 王謂五陽.
우번이 말하였다: 곤괘가 나라가 되고, 왕은 오효인 양을 말한다.

京曰, 當觀賢人性行, 推而貢之.
경방이 말하였다: 마땅히 현인의 성품과 행동을 보아 추천해야 한다.

程傳曰, 賢德之人, 仕進於王朝, 則人君賓禮之, 故謂之賓.
『정전』에서 말하였다: 어진 덕이 있는 사람이 왕의 조정에 나아가 벼슬하면 임금이 손님으로 예우하였기 때문에 '손님'이라고 말하였다.

崔憬〈唐人〉曰, 以進賢爲尙賓也.
최경(崔憬)〈당나라 사람이다.〉이 말하였다: 현명한 이를 나아오게 하는 것이 손님을 높이는 것이다.

九五, 觀我生, 君子, 无咎.

정전 구오는 내가 내는 행동을 보되 군자다우면 허물이 없으리라.
본의 구오는 내가 내는 행동을 보니, 군자다우면 허물이 없으리라.

## 中國大全

### 傳

九五居人君之位, 時之治亂, 俗之美惡, 係乎己而已. 觀己之生, 若天下之俗, 皆君子矣, 則是己之所爲政化善也, 乃无咎矣. 若天下之俗, 未合君子之道, 則是己之所爲政治未善, 不 能免於咎也.

구오는 임금의 자리에 있으니, 때의 다스려지고 혼란함과 풍속의 좋고 나쁨이 자기에게 달려 있을 뿐이다. 자기가 내는 것을 보되 만약 천하의 풍속이 모두 군자답다면 이는 자기가 행한 정치와 교화가 잘된 것이니 허물이 없을 것이다. 만약 천하의 풍속이 군자의 도에 합치되지 않으면 이는 자기가 행한 정치가 잘하지 못한 것이니, 허물을 면하지 못할 것이다.

### 本義

九五陽剛中正, 以居尊位, 其下四陰, 仰而觀之, 君子之象也. 故戒居此位, 得此占者, 當觀己所行, 必其陽剛中正, 亦如是焉, 則得无咎也.

구오는 굳센 양의 중정(中正)으로 높은 자리에 있어 아래에 있는 네 음이 우러러보니, 군자의 상이다. 그러므로 이런 자리에 있으면서 이 점괘를 얻은 자는 마땅히 자기가 행한 바를 보아야 할 것이니, 반드시 굳센 양의 중정(中正)함이 또한 이와 같다면 허물이 없을 수 있다고 경계한 것이다.

小註

朱子曰, 九五之觀我生, 如觀風俗之嫩惡, 民臣之從違, 可以見自家所施之善惡.
주자가 말하였다: 구오의 '내가 내는 행동을 봄'은 풍속의 착함과 악함, 백성과 신하의 따름과 어김을 보아 자신이 행하는 것이 선한가 악한가를 볼 수 있는 것과 같다.

○ 瓜山潘氏曰, 九五居尊處正, 爲觀於下, 反觀諸己所爲而皆君子, 則可以无咎矣.
과산반씨가 말하였다: 구오는 높은 데 있으면서 바른 데 처하여 아래 사람들에게 우러러 봄이 되니, 자기가 하는 것을 돌이켜 보아 모두 군자다우면 허물이 없을 것이다.

○ 進齋徐氏曰, 九五爲大, 觀之主, 巍乎在上, 乃天下之儀表, 在下四陰莫不仰之. 然民皆仰乎五矣, 五將何所觀乎. 亦唯先觀我身之所行, 揭其中正以觀示於天下可也. 亦必我爲陽明之君子, 乃能盡觀我之道, 而无陰侵陽之咎.
진재서씨가 말하였다: 구오는 위대하니 보는 주체로서 우뚝 위에 있어 천하의 본보기이며 아래에 있는 네 음이 우러러 보지 않음이 없다. 그러나 백성이 모두 구오를 우러러 본다면 구오는 장차 무엇을 보겠는가? 내가 하는 것을 먼저 보고 알맞고 바른 것을 세워 천하에 보여주는 것이 좋다. 반드시 내가 밝은 양의 군자가 되어 나를 보는 도를 다하여 음이 양을 침범하는 잘못이 없어야 한다.

○ 平庵項氏曰, 觀本是小人逐君子之卦. 但以九五中正在上, 群陰仰而觀之, 故聖人取以爲小人觀君子之象. 象雖如此, 勢實漸危, 故五上二爻皆曰君子无咎, 言君子方危, 能如九五之居中履正, 能如上九之謹身在上, 僅可无咎耳. 不然, 則九五居中正以觀天下, 雖元吉大亨可也, 豈止无咎而已哉. 明二陽向消, 故道大而福小也. 此卽唐武宗之時, 內之宦者外之牛黨之徒, 皆欲攻李德裕者也, 但以武宗剛明在位, 故仰視而不敢動. 一日事變萬事去矣.
평암항씨가 말하였다: 관괘는 본래 소인이 군자를 따르는 상이다. 구오가 중정으로 위에 있어서 여러 음이 우러러 보기 때문에 성인이 이것을 취하여 소인이 군자를 보는 상으로 여겼다. 상이 이와 같지만 형세는 점점 위태롭기 때문에 구오와 상구에서 모두 '군자다우면 허물이 없을 것'이라고 하였으니, 군자가 위험에 처하여 구오가 가운데 있으면서 바름을 행하며, 상구가 몸을 삼가 위에 있으면 겨우 허물이 없을 뿐이다. 그렇지 않다면 구오가 중정에 있으면서 천하를 봄에 크게 길하고 형통할 수 있을 것이니, 어찌 허물이 없을 뿐이겠는가? 두 양이 점차 사라지는 것이 분명하기 때문에 도는 크지만 복은 작다. 이것은 바로 당나라 무종(武宗)[71] 때 안의 환관들과 밖의 우당(牛黨)[72]의 무리들이 모두 이덕유(李德裕)[73]

를 공격하고자 하였지만 무종이 굳센 밝음으로 지위에 있었기 때문에 우러러 보고 감히 행동하지 못한 것이다. 하루에도 일이 변하여 온갖 일이 틀어지기도 한다.

○ 雙湖胡氏曰, 知時識勢, 學易之大方, 項氏深爲得之. 當觀之君知此, 所以自處者有道可也.
쌍호호씨가 말하였다: 때와 형세를 아는 것은 역을 배우는 큰 방도이니, 항씨가 깊이 그것을 터득하였다. 마땅히 보아야 하는 임금이 이것을 알아서 자처하는 데 도리가 있어야 될 것이다.

## 韓國大全

### 조호익(曺好益) 『역상설(易象說)』

九五, 觀我生, 君子.
구오는 내가 내는 행동을 보되 군자다우면.

生, 指出於己者, 風俗之美惡, 民臣之從違, 是也. 觀我生, 亦艮象. 君子指本爻.
'생(生)'은 자신에게서 나온 것을 가리키니, 풍속의 좋거나 나쁨, 백성과 신하가 따르거나 거역함이 그것이다. '관아생(觀我生)'은 또한 간괘의 상이다. '군자'는 본효인 오효를 가리킨다.

愚, 謂五上之生剛陽, 五又中正, 故俱稱君子. 三以陰居陰, 所生陰柔.
내가 살펴보았다: 오효와 상효는 굳센 양의 행동을 내고, 오효는 또 중정하기 때문에 모두

---

71) 무종(武宗: 814~846): 당나라의 15대 황제로 정치를 건청하던 환관들의 세력을 막기 위하여 이덕유를 등용하고, 도교를 숭상하고 불교를 억압하는 정책을 펼쳤다.

72) 우당(牛黨): 무종 때 우승유(牛僧孺)·이종민(李宗閔) 등이 중심이 되었던 당으로, 이덕유를 중심으로 하는 이당(李黨)과 맞섰다.

73) 이덕유(李德裕: 787~850): 무종 때 황제의 발탁으로 재상이 되어 환관을 억압하고 우당(牛黨)과 대립하였으며, 무종의 불교억압정책을 수행하기도 하였다. 무종이 죽고 선종(宣宗)이 즉위하자 우당(牛黨)의 탄핵을 받아 실각하였다.

군자라고 칭하였다. 삼효는 음으로서 음의 자리에 있으므로 부드러운 음의 행동을 낸다.

### 송시열(宋時烈) 『역설(易說)』

六五觀我之所以生斯民者何如, 而民之所以化之者亦何如也. 此居君位之君子也, 與六三觀生不同. 三之觀觀上也, 五之觀觀民也, 小象已分言之. 此君子之事也, 若非君子則有生成之不得其正, 故戒之曰君子則无咎.

육오는 내가 이 백성에게 내는 행동이 어떠한지, 백성이 교화되는 것이 어떠한지를 보는 것이다. 이는 임금의 자리에 있는 군자이니, 육삼이 내는 행동을 보는 것과는 같지 않다. 삼효가 보는 것은 위를 보는 것이고, 오효가 보는 것은 백성을 보는 것이니, 「소상전」에서 이미 나누어 말하였다. 이는 군자의 일이니, 군자가 아니라면 생성하는 것이 바름을 얻지 못하기 때문에 경계하여 "군자라면 허물이 없다"고 말하였다.

### 석지형(石之珩) 『오위귀감(五位龜鑑)』

臣謹按, 觀之九五, 剛中得位, 爲四陰之所瞻仰, 下焉者之嫩惡邪正, 一出乎己. 觀, 天下之俗合君子之道與否, 而可以驗己所生之善惡. 譬猶對鏡而知己之妍媸也. 蓋明於見人, 而暗於自見, 物之情也. 不徵諸我而徵諸彼, 則反觀而无蔽, 故象直曰觀我生, 觀民也. 臣不敢知今之時俗爲君子耶小人耶. 伏願殿下毋曰罪在臣民而觀我生焉.

신이 삼가 살펴보았습니다: 관괘의 구오는 굳센 양으로 가운데 있고 지위를 얻어서 네 음이 우러러보니, 아래에 있는 사람들의 아름다움과 추함, 그리고 바름이 한결같이 자기에게서 나옵니다. '관'은 천하의 풍속이 군자의 도에 합하는지의 여부를 보아서 자기가 내는 행동의 선악을 보는 것입니다. 비유하자면 거울을 대하고서 자기의 아름다움과 추함을 아는 것과 같습니다. 대체로 남을 보는 데에는 밝고 자기를 보는 데에는 어두운 것이 사람의 실정입니다. 나에게서 증거 하고 저에게서 증거 하면 돌이켜보아 가려짐이 없기 때문에 「상전」에서 바로 '관아생'이라고 말했으니, 백성을 보는 것입니다. 신은 지금의 풍속이 군자다운지 소인다운지 감히 알지 못하겠습니다. 엎드려 원하건대, 전하께서는 죄가 신하와 백성에게 있다고 말씀하지 마시고, '내가 내는 행동'을 보십시오.

### 이현석(李玄錫) 「역의규반(易義窺斑)」

五以陽剛中正居尊位, 而下之四陰無與同德, 是亦有君無臣也. 幸非屯艱之世, 故得免患難, 而僅能守成. 惟其無臣也, 故凡政令施措, 皆自君上一人而出. 是非無所考問, 論謨無所擬議, 惟當反觀乎自己之所行及政化之善否以省察其得失而已, 故曰无咎. 夫觀我生而君子, 則雖謂之元吉亦可, 而纔得无咎者, 以其無同德之臣而獨運於上, 非人君之吉道也.

오효는 굳센 양으로 중정하고 높은 지위에 있으며, 아래의 네 음 가운데 덕을 같이하는 이가 없으니, 이 또한 임금만 있고 신하가 없는 것이다. 다행히 어려움에 처한 세상은 아니기 때문에 환란을 면할 수 있고 이룬 것을 겨우 지킬 수 있다. 오직 신하가 없기 때문에 정령과 조치가 모두 임금 한 사람으로부터 나온다. 옳고 그름을 고찰하거나 물을 데가 없고 논의와 도모함을 의논할 데가 없으니, 오직 마땅히 자신의 행위와 정치적 교화의 선함 여부를 돌이켜 보고서 득실을 성찰할 뿐이므로 허물이 없다고 하였다. 내가 내는 행동을 보아 군자라면 비록 크게 길하다고 해도 되지만, 겨우 허물이 없을 수 있는 것은 덕을 같이하는 신하가 없고 위에서 홀로 움직여서 임금의 길한 도가 아니기 때문이다.

### 이익(李瀷) 『역경질서(易經疾書)』

只言觀我生, 則無善惡之別, 故又添君子字. 君子之觀民, 異諸小人之觀民, 救飢恤患, 使之各得隨其生是也. 不然, 觀爲虛名. 其不言大吉者, 天下之大兆民之衆, 君子常病其不能博施, 故但云無咎. 此聖人之意也.

다만 "내가 내는 행동을 본다"고 말하면, 선과 악의 구별이 없기 때문에 또한 '군자'라는 글자를 첨가하였다. 군자가 백성을 보는 것은 소인이 백성을 보는 것과 달라서 굶주림을 구제해주고 환란을 구제해주어 각각 그 삶을 이룰 수 있도록 해주는 것이 그것이다. 그렇지 않으면 본다는 것이 헛된 이름이 된다. 크게 길하다고 말하지 않은 것은 큰 천하와 많은 백성들에 대해서 군자가 널리 베풀지 못하는 것을 항상 안타깝게 생각하기 때문에 다만 "허물이 없다"고 말하였다. 이것이 성인의 뜻이다.

### 심조(沈潮) 「역상차론(易象箚論)」

此卽大學所謂在上者人所瞻仰, 僻則爲天下僇之意.

이것은 『대학』에서 위에 있는 사람은 다른 사람들이 우러러보기 때문에 치우치면 천하 사람들에게 죽임을 당한다고 한 뜻이다.[74]

### 김상악(金相岳) 『산천역설(山天易說)』

觀者, 觀示于下也. 九五陽剛居巽之中, 應二比四, 觀示我所生之陰, 故有觀我生之象.

---

74) 『大學』: 詩云, 節彼南山, 維石巖巖. 赫赫師尹, 民具爾瞻. 有國者不可以不愼, 僻則爲天下僇矣.

中正以觀天下而能盡君子之道, 則可以得无咎也.

'관'이란 아래를 살펴보는 것이다. 구오는 굳센 양으로 손괘의 가운데 있으며, 이효와 호응하고 사효와 비(比)의 관계이면서 내가 내는 음을 살펴보기 때문에 내가 내는 행동을 살펴보는 상이 있다. 중정함으로 천하를 보고서 군자의 도를 다할 수 있으면 허물이 없을 수 있다.

○ 當觀之時, 以陽居上者爲君子, 以陰居下者爲小人. 而觀一變則爲剝, 剝初二曰, 蔑貞凶, 指君子而言, 故五與上, 皆言君子无咎.

마땅히 보아야 하는 때에 양으로 위에 있는 자가 군자가 되고, 음으로서 아래에 있는 자가 소인이 된다. 관괘(䷓)가 한 번 변하면 박괘(䷖)가 되는데, 박괘의 초효와 이효에서 "곧음을 업신여기면 흉하다"고 말한 것은 군자를 가리켜 말한 것이고, 오효와 상효에서는 모두 군자는 허물이 없다고 말하였다.

### 김규오(金奎五) 「독역기의(讀易記疑)」

五上君子, 本義則只是一義, 而傳以五之君子爲天下之俗, 蓋仍舊說而舊說依象辭故也. 爻辭本義, 蓋主君身而兼言所施之地. 夫子恐人未達其妙, 特下觀民字以發其義. 是以本義旣言, 不但繼言又當. 蓋君之所行, 固當徵諸臣庶, 然亦豈可不先自察而必待觀民之後哉. 丘胡欲明本義, 而只作傳說滾作一事可歎.

오효와 상효의 군자에 대해서 『본의』는 다만 한 뜻으로 보았는데, 『정전』은 오효의 군자가 천하의 풍속을 이룬다고 하였으니, 옛 설명을 따랐고 옛 설명은 「상전」의 따랐기 때문이다. 효사에 대한 『본의』는 임금 자신을 주로하고 베푸는 곳을 겸하여 말하였다. 공자는 사람들이 그 묘함에 통달하지 못할까를 걱정하여 특별히 '관민(觀民)'이라는 글자를 써서 그 뜻을 밝혔다. 그러므로 『본의』에서 이미 말하고, 다만 이어서 말하지 않은 것도 또한 타당하다. 임금의 행한 바는 본래 마땅히 신하와 서민에게 징험해 보아야 하지만, 어찌 먼저 스스로를 살피지 않고서 반드시 백성을 관찰한 뒤를 기다리겠는가? 구씨와 호씨는 『본의』를 밝히려다가 다만 『정전』의 설명과 하나의 일로 만들고 말았으니, 탄식할만하다.

### 서유신(徐有臣) 『역의의언(易義擬言)』

九五, 天下觀之以爲皇極, 而其德也君子, 故无咎也. 四陰盛進, 君子道消. 然二陽居尊, 爲觀於下, 有鎭伏群小之象, 故皆稱君子无咎也. 但吉亨則未也.

구오는 천하 사람들이 보고 표준으로 삼고 그 덕이 군자답기 때문에 허물이 없다. 네 음이 왕성하게 나아가고 군자의 도가 사라진다. 그러나 두 양이 높은 자리에 있어 아래를 보므로 여러 작은 이들을 진압하여 복종시키기 때문에 군자는 허물이 없다고 칭하였다. 그러나 아직 길하여 형통하지는 않다.

## 박제가(朴齊家) 『주역(周易)』

位中正而爲天下之大觀矣. 旡君子之德, 則播其惡於衆者也. 故君子然後旡咎, 此爲君設. 由此論之, 六三之爲臣設, 而其所謂進退乃君子小人未決之觀, 非事皆合義之謂也, 明矣.

자리가 중정하여 천하의 '큰 봄'이 된다. 군자의 덕이 없으면 대중에게 악을 뿌리는 자이다. 그러므로 군자가 된 다음에 허물이 없으니, 이는 임금을 위해 말한 것이다. 이로써 논해보면 육삼은 신하를 위해 말한 것이고, 이른바 진퇴란 군자인지 소인인지 아직 결정되지 않은 '봄[觀]'이라는 말이지, 일이 모두 의로움에 맞는다는 말이 아니라는 것이 분명하다.

## 강엄(康儼) 『주역(周易)』

小註, 項氏說, 云云.
소주에서 항씨가 말하였다, 운운.

按, 項氏之說, 固善矣. 然以愚所見, 旡咎之意, 似非出於此, 何也. 夫人君居天下之至尊, 而四海至廣兆民至衆, 苟觀吾之政令敎化, 或有一事之未盡, 一民之不得, 則已非君子也, 已是有咎也. 人君之旡咎, 不亦難且難乎. 若能旡咎, 則卽是大亨也, 卽是元吉也. 而聖人之心旡窮, 雖以堯舜之極治, 而猶有病於博施濟衆, 則此旡咎之辭, 是就聖人心上說, 非以群陰逼陽勢實漸危而然也. 聖人若果以陰逼陽處此卦, 則伏羲必不以觀命卦, 文王繫象亦必有戒辭, 如臨卦八月有凶之例. 至於周公繫爻, 亦或取於此義, 而四爻以下不少槪見, 獨於上二爻見之, 是果何義也. 胡雙湖雖以項說爲深得學易之方, 然鄙見則不然. 故錄之以備後考.

내가 살펴보았다: 항씨의 설명은 본래 훌륭하다. 그러나 내 생각으로는 "허물이 없다"는 뜻이 여기에서 나오지 않은 것 같은 것은 왜인가? 임금은 천하의 지극히 높은 자리에 있고, 지극히 넓은 사해와 지극히 많은 백성이 나의 정령과 교화를 보고서, 만약 혹 한 일이라도 미진하고 한 백성이라도 제자리를 얻지 못하면, 이미 군자가 아니고 이미 허물이 있다. 임금의 허물이 없는 것이 또한 어렵고 어렵지 않은가! 만약 허물이 없을 수 있으면 곧 크게 형통한 것이고 곧 크게 길한 것이다. 성인의 마음은 무궁하여 비록 요순의 지극한 다스림이라도 오히려 널리 베풀고 대중을 구제하는 것을 어려워할 것이니,[75] 이 허물이 없다는 말은 성인

의 마음에 나아가 말한 것이지, 여러 음이 양을 핍박하는 형세가 점차로 위험해져서 그런 것이 아니다. 성인이 만약 과연 음이 양을 핍박하는 것으로 이 괘를 처리했다면 복희씨는 반드시 괘의 이름을 '관'이라고 하지 않았을 것이며, 문왕이 단사를 달면서 림괘에서 팔월에 흉함이 있다고 한 것처럼 반드시 경계하는 말을 하였을 것이다. 주공이 효사를 다는 데 이르러 또한 이 뜻을 취하였고, 사효 이하에서는 조금도 개괄하여 드러내 보이지 않고 유독 위의 두 효에서만 드러내었으니, 이것은 과연 무슨 뜻인가? 쌍호호씨는 비록 항씨의 설명이 역을 배우는 방법을 깊이 터득했다고 했지만, 내 생각으로는 그렇지 않다. 그러므로 기록하여 후세에 고찰할 내용으로 갖추어둔다.

或曰, 子之說似矣. 然上九之言无咎, 何義也. 曰, 上九亦猶是也. 今且依程傳言之, 賢人君子不在於位, 而道德爲天下所觀仰, 則其責重矣其任大矣. 或有一言一事之不合於君子, 則天下之責四而而至矣. 是何異於爲君之難乎. 雖得盡善盡美元吉大亨, 而君子不以爲元吉也不以爲大亨也. 但曰, 免於有咎, 則足矣. 孔子曰, 假我數年, 卒以學易, 可以无大過. 君子之心, 若是焉而已.

어떤 이가 말하였다: 그대의 설명이 그럴듯합니다. 그러나 상구에서 허물을 말하지 않은 것은 무슨 뜻입니까?

답하였다: 상구 또한 이와 같습니다. 지금 또한 『정전』에 의거해서 말해보면, 현인과 군자는 지위에 있지 않고, 도덕은 천하 사람들이 우러러보는 것이니, 그 책임이 중요하고 임무가 큽니다. 한 마디, 한 일이라도 군자다움에 합치되지 않으면, 천하 사람들이 사효를 책망하여 이를 것입니다. 이것이 어찌 임금노릇하기 어려운 것과 다르겠습니까? 비록 참으로 선하고 참으로 아름다우며 크게 길하고 크게 형통하더라도, 군자는 크게 길함으로 여기지 않고 크게 형통함으로 여기지 않습니다. 다만 허물이 있는 것을 면하면 충분하다고 합니다. 공자가 "나에게 몇 년을 빌려주어 주역을 배우는 것을 마친다면 큰 허물이 없을 수 있을 것이다"[76] 라고 하였습니다. 군자의 마음이란 이와 같을 뿐입니다.

### 박문건(朴文健) 『주역연의(周易衍義)』

志存四陰, 故有觀我生之象. 用中, 故无咎.
네 음을 보존하는데 뜻을 두기 때문에 '관아생'의 상이 있다. 중을 쓰기 때문에 허물이 없다.

---

75) 『論語・雍也』: 子貢曰, 如有博施於民而能濟衆, 何如, 可謂仁乎. 子曰, 何事於仁, 必也聖乎. 堯舜其猶病諸.
76) 『論語・述而』: 子曰, 加我數年, 五十以學易, 可以無大過矣.

### 이지연(李止淵) 『주역차의(周易箚疑)』

我與其, 同是我也, 而曰我者我直觀我之行事, 曰其者我傍觀我之行事也. 我觀我者, 湯之以六事自責也, 我觀其者, 孔子之視七十二弟子, 而知其出於已者如何也.

'아(我)'와 '기(其)'는 똑같이 '아(我)'이지만 '아(我)'라고 할 때의 '아(我)'는 바로 나의 행사를 보는 것이고, '기(其)'라고 할 때의 '아(我)'는 나의 행사를 곁에서 보는 것이다. '내가 나를 본다는 것'은 탕임금이 여섯 가지 일로 스스로를 책한 것이고,[77] '내가 그것을 본다는 것'은 공자가 칠십 이명의 제자를 보고서 자기에게서 나간 것이 어떠한지를 아는 것이다.

### 김기례(金箕澧) 「역요선의강목(易要選義綱目)」

九五觀我生, 在群陰仰觀之尊位, 反觀諸己爲天下觀. 君子无咎此一節, 非特言君德也. 蓋卦中下四陰漸盛, 二陽在上, 未久爲剝, 小人逐君子之卦, 可謂殆哉. 但五剛在位, 群陰仰觀, 故聖人取爲小人觀君子之義, 雖善不過无咎.

내가 내는 행동을 보는 구오는 여러 음이 우러러보는 높은 지위에 있어 자기를 돌이켜보는 것이 천하 사람들이 보는 것이 된다. "군자가 허물이 없다"는 이 한 절은 임금의 덕만을 말하는 것이 아니다. 괘 가운데 아래 네 음이 점차 성대해지고 두 양이 위에 있어 오래지 않아 박괘가 되어 소인이 군자를 쫓아내는 괘가 될 것이니, 위태롭다고 말할 수 있다. 다만 굳센 오효가 지위에 있고 여러 음이 우러러보기 때문에 성인이 취하여 소인이 군자를 보는 뜻을 삼았으니, 비록 선하더라도 허물이 없는데 지나지 않는다.

○ 易中, 爲君子謀, 可東可西, 不一其規. 觀民, 本諸身, 徵諸民.

『주역』 가운데에 군자를 위한 도모는 동쪽으로도 할 수 있고 서쪽으로도 할 수 있어서 그 규칙이 한결같지 않다. '백성을 보는 것'은 자신에게 근본하고 백성에게 징험한다.

### 이항로(李恒老) 「주역전의동이석의(周易傳義同異釋義)」

傳, 觀己之生, 若天下之俗, 皆君子矣, 則是己之所爲政化善也, 乃无咎矣.

『정전』에서 말하였다: 자기가 내는 것을 보되 만약 천하의 풍속이 모두 군자답다면 이는 자기가 행한 정치와 교화가 잘된 것이니 허물이 없을 것이다.

本義, 九五陽剛中正以居尊位, 其下四陰仰而觀之, 君子之象也. 故戒居此位得此占

---

77) 『尙書全解』: 成湯之遇旱, 以六事而自責.

者, 當觀已所行, 必其陽剛中正亦如是焉, 則得无咎也.

『본의』에서 말하였다: 구오는 굳센 양의 중정함으로 높은 자리에 있어 아래에 있는 네 음이 우러러보니, 군자의 상이다. 그러므로 이런 자리에 있으면서 이 점괘를 얻은 자는 마땅히 자기가 행한 바를 보아야 할 것이니, 반드시 굳센 양의 중정함이 또한 이와 같다면 허물이 없을 수 있다고 경계한 것이다.

按, 傳以君子屬天下, 義以君子屬占者. 此義同異見上.

내가 살펴보았다: 『정전』에서는 군자를 천하에 속하게 하였고, 『본의』에서는 군자를 점치는 사람에게 속하게 하였다. 이 뜻의 차이에 대해서는 위를 보라.

### 심대윤(沈大允) 『주역상의점법(周易象義占法)』

觀之剝䷖, 剝變也. 九五以陽德居剛, 中正以觀天下剝變而感化. 觀我生, 言天下專仰也. 下卦變爲乾, 則五居震體. 堯舜爲君天下, 无惡人, 桀紂爲君天下, 多淫夫. 故曰, 君子无咎.

관괘로부터 박괘(剝卦䷖)로 바뀌었으니, 깎여서 변하는 것이다. 구오는 양의 덕으로 굳센 자리에 있어 중정함으로 천하가 깎여서 변화하고 감화되는 것을 본다. '관아생'은 천하 사람들이 오로지 우러러보는 것을 말한다. 하괘가 변화하여 건괘가 되면 오효가 진괘의 몸체에 거한다. 요순이 천하의 임금이 되자 악인이 없었고, 걸주가 천하의 임금이 되자 음란한 사람들이 많아졌다. 그러므로 "군자는 허물이 없다"고 말하였다.

### 오치기(吳致箕) 「주역경전증해(周易經傳增解)」

九五陽剛中正而居尊, 以盛德大業之自我出者, 觀示于萬民以化天下, 所謂大觀在上者也. 在位之君子, 異於小民, 必先觀而化, 无攸不善, 故言君子无咎.

구오는 굳센 양으로 중정하며 높은 자리에 있어 성대한 덕과 큰 업적이 자기로부터 나오는 자이며, 만민을 관찰하여 보아 천하를 교화하니, 이른바 '큰 봄이 위에 있는' 자이다. 지위에 있는 군자는 작은 백성과 달라서 반드시 먼저 관찰하여 교화해야 하니, 불선한 바가 없으므로 "군자는 허물이 없다"고 말하였다.

○ 生取於對體之震也.

'생(生)'은 상괘의 음양이 바뀐 진괘에서 취하였다.

## 이진상(李震相) 『역학관규(易學管窺)』

九五, 觀我生.

구오는 내가 내는 행동을 본다.

人皆觀我, 故我自觀我, 此則君子反省之道也.

사람들이 모두 나를 보기 때문에 내가 스스로 나를 보니, 이것은 군자가 반성하는 도리이다.

## 박문호(朴文鎬) 「경설(經說)·주역(周易)」

君子, 程傳之釋於文義爲遠, 當以本義爲定論. 夫觀瞻於民, 非小人所堪當, 故小人遇此占, 則其咎可知.

군자에 대한 설명이 『정전』의 풀이는 문장의 뜻에서 멀기 때문에 마땅히 『본의』를 정론으로 삼아야 한다. 백성을 관찰하여 보는 것은 소인이 감당할 수 있는 것이 아니기 때문에, 소인이 이 점을 만나면 그 허물을 알 수 있다.

象曰, 觀我生, 觀民也.

「상전」에서 말하였다:"내가 내는 행동을 봄"은 백성을 보는 것이다.

## ┃中國大全┃

### 傳

我生, 出於己者. 人君, 欲觀己之施爲善否, 當觀於民, 民俗善則政化善也. 王弼
云, 觀民以察己之道, 是也.

'내가 내는 것[我生]'은 자기에게서 나온 것이다. 임금이 자기가 시행한 것이 잘되었는지 그렇지 않
은지를 보려고 하면 마땅히 백성을 관찰하여야 하니, 백성의 풍속이 선하면 정치와 교화가 잘된 것이
다. 왕필(王弼)이 "백성을 보아 자기의 도를 살핀다"고 한 것이 이것이다.

### 本義

此, 夫子以義言之, 明人君觀己所行, 不但一身之得失, 又當觀民德之善否, 以
自省察也.

이것은 공자가 의리로써 말한 것이니, 임금이 자기가 행한 바를 보는 것은 단지 한 몸의 얻고 잃음만
이 아니고, 또한 마땅히 백성의 덕이 선한가 선하지 않은가를 보아 스스로 살펴야 함을 밝힌 것이다.

#### 小註

建安丘氏曰, 象言觀民者, 蓋觀民正所以爲觀我之鑑. 欲觀吾身所行之當否, 但觀民俗
之善惡而已. 此本諸身而徵諸民者也. 書云, 當於民監, 亦此意也.

건안구씨가 말하였다:「상전」에서 "백성을 본다"고 한 것은 백성을 바르게 보아 나를 보는
거울로 삼는 것이다. 나의 행동이 마땅한지의 여부를 보고자 한다면 백성들의 풍속의 선과

악을 보아야 할 뿐이다. 이것은 자신에 근본하여 백성들에게서 징험한 것이다. 『서경』에서 "백성을 거울로 삼아야 한다"[78]고 한 것도 이 뜻이다.

○ 雲峰胡氏曰, 民德之善否, 生於我身之得失, 故觀民. 卽所以觀我生, 乃以義言之, 非以象言也.

운봉호씨가 말하였다: 백성의 덕이 선한가 아닌가의 여부는 내가 잘하고 못한 데에서 생기는 까닭에 백성을 보는 것이다. '내가 내는 행동을 봄'은 뜻으로 말한 것이지 상으로 말한 것이 아니다.

# 韓國大全

## 김상악(金相岳) 『산천역설(山天易說)』

觀民者, 以君子之道, 觀示于民也.

"백성을 본다"는 것은 군자의 도로 백성을 관찰하여 보는 것이다.

○ 民, 坤之衆也. 繫辭傳, 一君二民, 君子之道也. 卦凡二陽四陰, 故爻曰君子, 象曰觀民. 與剝上九曰君子得輿民所載也, 互見其象. 姤則一陰五陽之卦, 故其四曰遠民也.

'백성'은 곤괘가 상징하는 대중이다. 「계사전」에서 '한 임금과 두 백성'이라고 한 것이 군자의 도이다. 괘는 양이 둘이고 음이 넷이기 때문에 효사에서는 '군자'라고 말하였고, 「상전」에서는 "백성을 본다"고 말하였다. 박괘 상구에서 "군자가 수레는 얻는 것은 백성들이 추대하는 것이다"라고 한 것과 서로 참고해서 그 상을 보아야 한다. 구괘는 한 음과 다섯 양으로 이루어진 괘이기 때문에 사효에서 "백성을 멀리한다"고 하였다.

## 서유신(徐有臣) 『역의의언(易義擬言)』

觀民也者, 卽所謂中正以觀天下也. 先君子曰, 觀民, 爲觀於民也, 當作去聲.

---

78) 『書經 · 酒誥』: 人無於水監, 當於民監.

"백성을 본다"는 것은 이른바 중정으로 천하를 보는 것이다. 선군자께서 "'관민'은 백성에 대해 보는 것이니, '관'은 마땅히 거성으로 읽어야 한다"라고 하셨다.


## 박제가(朴齊家) 『주역(周易)』

象傳云, 觀我生觀民者, 合彼此通上下之義, 謂觀不薦之時之孚與否也.

「상전」에서 "내가 내는 행동을 봄은 백성을 보는 것이다"라고 한 것은 피차를 합하고 상하를 통한다는 뜻이니, 아직 제사를 드리지 않았을 때의 믿음의 여부를 보는 것을 말한다.


## 박문건(朴文健) 『주역연의(周易衍義)』

觀民, 言觀下四陰也.

"백성을 본다"는 것은 아래 네 음을 보는 것을 말한다.

〈問, 於此獨言觀民何. 曰, 觀天下之民者, 惟九五而已. 然民之一字, 特釋生之一字也, 與屯之三象從禽釋義同也.

물었다: 여기에서 유독 "백성을 본다"고 말한 것은 왜입니까?

답하였다: 천하의 백성을 보는 것은 오직 구오일 뿐입니다. 그러나 '민(民)'이라는 한 글자는 다만 '생(生)'이라는 한 글자를 풀이한 것이니, 준괘 삼효의 「상전」에서 짐승을 좇는 것으로 뜻을 풀이한 것과 같습니다.〉


## 박종영(朴宗永) 「경지몽해(經旨蒙解)·주역(周易)」

傳曰, 人君欲觀己之施爲善否, 當觀於民, 民俗善則政化善也.

『정전』에서 말하였다: 임금이 자기의 행위의 선함 여부를 보고자 하면 마땅히 백성을 보아야 하니, 백성의 풍속이 선하면 정사와 교화가 선하다.


## 오치기(吳致箕) 「주역경전증해(周易經傳增解)」

言以我之德業觀示于民也.

나의 덕업으로 백성을 관찰하여 보는 것을 말한다.


## 이병헌(李炳憲) 『역경금문고통론(易經今文考通論)』

虞曰, 坤爲民.

우번이 말하였다: 곤괘가 백성이 된다.

按, 六三之觀我生, 所以觀五之敎化也, 九五之觀我生, 所以觀坤民之習俗. 通卦中三生之義而觀之, 則神道備矣.
내가 살펴보았다: 육삼의 '관아생'은 오효의 교화를 보는 것이고, 구오의 '관아생'은 곤괘가 상징하는 백성의 습속을 보는 것이다. 괘 가운데 세 '생(生)'자의 뜻을 통해서 보면 신도(神道)가 갖추어져 있다.

上九, 觀其生, 君子, 无咎.

정전 상구는 내는 행동을 보되 군자다우면 허물이 없으리라.
본의 상구는 내는 행동을 보니, 군자다우면 허물이 없으리라.

## ‖中國大全‖

### 傳

上九以陽剛之德, 處於上, 爲下之所觀而不當位, 是賢人君子, 不在於位而道德, 爲天下所觀仰者也. 觀其生, 觀其所生也, 謂出於己者德業行義也. 旣爲天下所觀仰, 故自觀其所生, 若皆君子矣, 則无過咎也, 苟未君子, 則何以使人觀仰矜式, 是其咎也.

상구는 굳센 양의 덕으로 위에 처하여 아랫사람들에게 우러러보는 바가 되었으나 자리가 마땅하지 않으니, 이것은 어진 이와 군자가 지위에 있지 않으면서 도덕이 천하에 우러러봄을 받는 자이다. '내는 행동을 봄[觀其生]'은 그 내는 바를 봄이니, 자기에게서 나온 덕업과 행동한 의리를 말한다. 이미 천하에 우러러보는 바가 되었기 때문에 스스로 내는 바를 보되 만약 모두 군자답다면 허물이 없을 것이나, 만일 군자답지 않다면 어떻게 사람들로 하여금 우러러보고 공경하여 본받게 하겠는가? 이것은 그 허물인 것이다.

### 本義

上九陽剛, 居尊位之上, 雖不當事任, 而亦爲下所觀. 故其戒辭, 略與五同, 但以我爲其, 小有主賓之異耳.

상구가 굳센 양으로 높은 자리의 위에 있어 비록 일의 책임을 맡지 않았으나 또한 아랫 사람들에게 우러러보는 바가 되었다. 그러므로 그 경계하는 말이 대략 구오와 같으나 다만 '나[我]'를 '그[其]'라고 하여 주인[九五]과 손님[上九]의 차이가 조금 있을 뿐이다.

## 小註

朱子曰, 上九之觀其生, 是就自家視聽言動, 應事接物處自觀. 九五上九君子无咎, 蓋
爲君子有剛陽之德, 故无咎. 小人无此德, 自當不得此爻. 又曰, 觀我是自觀, 如視履考
祥底語勢. 觀其亦是自觀, 卻從別人說. 易中其字不說別人, 只是自家, 如乘其墉之類.
주자가 말하였다: 상구의 '내는 행동을 봄'은 자신의 보고 듣고 말하고 행동하는 것으로 사물
을 응접하는데 나아가 스스로 보는 것이다. 구오와 상구의 '군자다우면 허물이 없음'은 군자
가 굳센 양의 덕이 있기 때문에 허물이 없다는 것이다. 소인은 이 덕이 없어서 자신이 마땅
히 이 효를 얻을 수 없다.
또 말하였다: '내가 봄'은 스스로 봄이니, "밟아 온 것을 보아 상서로운 것을 상고하듯이 한다"[79]
는 어세이다. '관기(觀其)'도 스스로 본다는 말이니, 다른 사람을 따라 본다는 말이다. 『주역』
에 '기(其)'는 다른 사람을 말하지 않고 다만 자기 자신이니, "담에 올라간다"[80]는 것과 같다.

○ 平菴項氏曰, 上在卦外, 无民[81]无位, 小人之進退, 下民之向背, 皆不由己. 但謹視
其身, 思自免咎而已.
평암항씨가 말하였다: 위는 괘 밖에 있어 백성이나 지위가 없어서 소인의 나아감과 물러남
이나 백성들의 향배가 모두 자신으로 말미암지 않는다. 다만 자신을 보기를 삼가 스스로
허물을 면하기를 생각할 따름이다.

○ 潛室陳氏曰, 觀之時, 爲觀於天下者五也. 旣欲爲的於天下, 須當觀省我之所行. 上
九雖无位, 乃是位高之人, 亦下之所觀瞻. 故亦當自觀其所行, 但避九五, 不得稱我, 猶
若他人之辭耳. 六三去九五相遠, 又不爲觀於人, 止是自觀其所行, 當進與不進, 故不
嫌於同辭.
잠실진씨가 말하였다: 보는 때에 천하에서 우러러 봄이 되는 것은 오효이다. 이미 천하를
목표로 하고자 하면 마땅히 나의 행동을 보고 살펴야 한다. 상구가 비록 지위가 없으나 자리
가 높은 사람이니, 아래 사람들이 우러러본다. 그러므로 그 행동을 스스로 보되 구오처럼
하는 것을 피해야 하니, '내가[我]'라고 칭해서는 안 되고, 오히려 타인의 말인 것처럼 해야
할 뿐이다. 육삼은 구오와 거리가 멀어 다른 사람에게 우러러 보이지 않지만, 그 행동을
스스로 보고 나아가고 나아가지 않음에 마땅하기 때문에, 똑같이 '내가[我]'라고 말하기를
꺼려하지 않았다.

---

79) 『周易·履卦』: 上九, 視履, 考祥, 其旋, 元吉.
80) 『周易·同人卦』: 九四, 乘其墉, 弗克攻, 吉.
81) 民: 경학자료집성DB와 영인본에는 모두 '名'으로 되어 있으나, 『주역』 원문을 참조하여 '民'로 바로잡았다.

## ┃韓國大全┃

### 권근(權近) 『주역천견록(周易淺見錄)』

愚按, 觀我, 觀其, 程朱皆竝以自觀其所生. 但以朱子語錄觀之, 我者彼我待對之言, 是以彼觀此, 其生, 是以此自觀. 愚因爲之說曰, 稱我者, 對彼而自觀也, 稱其者, 卽己而自觀也. 故六三之臣, 自觀其道之可行於君, 則進而仕, 不然則退, 是對君而自觀也. 九五之君, 自觀其政之美惡於民, 是所謂觀民而察己也, 上九自觀所行之得失於其身也. 此程朱之意也.

내가 살펴보았다: '관아(觀我)'와 '관기(觀其)'에 대하여 정자(程子)와 주자(朱子)는 모두 '스스로 자기가 내는 행동을 보는 것'으로 보았다. 다만 『주자어류』로 살펴보면 '나'란 저와 나를 상대하는 말로 저를 통하여 나를 본다는 뜻이고, '기생(其生)'은 내가 스스로를 보는 것이다. 나는 그러므로 "'나'라고 칭한 것은 저를 통하여 나를 보는 것이고, '그'라고 칭한 것은 나에게 나아가 스스로 보는 것이다"라고 설명한다. 그러므로 육삼인 신하가 자신의 도를 임금에게 행할 만한지를 스스로 보아서 행할 만하면 나아가 벼슬하고 그렇지 않으면 물러나니, 이것이 임금을 통하여 스스로를 봄이다. 임금인 구오가 스스로 자신의 정치가 백성들에게 좋은지 나쁜지를 보는 것이 이른바 백성들을 보아서 자기를 살핀다는 것이며, 상구는 스스로 행위의 득실을 자신에게서 본다는 것이다. 이것이 정자와 주자의 생각이다.

愚僭謂, 觀我者, 自觀其所生也, 觀其者, 人觀其所生也. 上九處一卦之上, 至高之地, 爲群下所觀仰者也. 故曰觀其生, 群下皆觀其所生也. 處高而爲衆人所觀仰, 則其身之所行, 合於君子之道, 然後爲无咎也. 象曰, 觀其生, 志未平也. 以衆人皆觀其所生, 故其心志常懷戒愼, 而未敢安平也. 程傳雖兼說爲下所觀之意, 固以自觀爲主. 本義但曰, 爲下所觀, 則似不言自觀之意. 然其下又云, 戒辭略與五同, 但以我爲其, 小有主賓之異耳. 謂與九五皆是自觀, 但言有賓主而已. 又語錄明言皆是自觀也. 然此卦所謂大觀在上, 指上二陽, 而此爻又處一卦之上, 爲下所觀之意爲重, 故敢以人觀其所生爲說. 幸觀者恕其僭焉.

나는 감히 '관아(觀我)'는 스스로 자신이 내는 행동을 보는 것이고, '관기(觀其)'는 다른 사람이 자기가 내는 행동을 보는 것이라고 생각한다. 상구는 한 괘의 맨 윗자리, 즉 매우 높은 곳에 있어 여러 아랫사람들이 우러러보는 대상이다. 따라서 '관기생(觀其生)'이라고 하였으니, 뭇 아랫사람들이 그가 내는 행동을 본다는 것이다. 높은 자리에 처하여 많은 사람들이 우러러보게 된다면 자신의 행동이 군자의 도리에 합치한 뒤에야 허물이 없게 된다. 「상전」

에 "'내는 행동을 봄'은 뜻이 편안하지 못함이다"라고 하였다. 이는 많은 사람들이 모두 그가 내는 행동을 보고 있으므로 그 마음속에 항상 경계하고 조심하려는 생각을 품고 편안하게 있을 수 없다는 것이다. 『정전』은 아랫사람이 본다는 의미가 포함되어 있기는 하지만, 본래 스스로 본다는 의미를 위주로 하고 있다. 『본의』는 다만 "아랫사람이 보는 바가 된다"고만 하였으니, 스스로 본다는 의미는 포함되지 않는 듯하다. 그러나 그 아래에서 "경계한 말이 대략 구오와 같지만 '아(我)'를 '기(其)'라고 했으므로 주인과 손님의 차이는 조금 있다"라고 하였다. 이는 상구와 구오 모두가 스스로를 보는 것이기는 하지만 주인과 손님의 차이가 있을 뿐임을 말한 것을 의미한다. 또 『주자어류』에는 모두 스스로를 보는 것이라고 분명하게 말하고 있다. 그러나 이 괘에서 이른바 "큰 봄으로 윗자리에 있다"라고 한 것은 위의 두 양을 가리키고, 이 효도 한 괘의 윗자리에 있고 아랫사람들이 보는 바가 된다는 뜻이 중요하므로, 감히 다른 사람이 그가 내는 행동을 본다는 것으로써 설명하였다. 살피는 이들이 나의 주제넘은 생각을 용서해주길 바란다.

### 김장생(金長生) 『주역(周易)』

本義, 小註, 朱子說.
『본의』아래 소주에서 주자가 말하였다.

觀我生, 我自觀我所爲, 觀其生, 人觀我所爲也. 然小註朱子竝自觀, 可疑本義與小註有異乎.
'관아생'은 내가 스스로 나의 행위를 보는 것이고, '관기생'은 다른 사람이 나의 행위를 보는 것이다. 그러나 소주에서 주자가 스스로 보는 것을 아울러 말했으니, 『본의』와 소주가 다른 것으로 의심된다.

### 송시열(宋時烈) 『역설(易說)』

觀九五之所以生之者, 何如也. 上九處亢極之位, 雖貴而無民, 又無生成之權, 但下觀五爻之生而已. 旣不位得志常不安, 若小人居之, 必生禍敗, 故曰君子則无咎. 文雖同而戒之之意則不同. 蓋生字, 傳及先儒皆以動作施爲出於己者釋之. 動作施爲, 乃生成民物之事. 然而設敎生成之生字看如何. 傳以觀比之樓觀, 朱子以卦名之觀爲去聲, 毛西河之說, 亦有所受矣.
관괘 구오가 내는 행동은 어떠한가? 상구는 가장 높은 지위에 처하여 비록 귀하지만 백성이 없고 또한 생성하는 권한이 없으며, 다만 아래로 오효가 내는 행동을 볼 뿐이다. 이미 자리가 없고 뜻을 얻어도 항상 불안하니, 만약 소인이 거처하면 반드시 화와 실패를 낳기 때문에

"군자라면 허물이 없다"고 말하였다. 문장은 비록 같지만 경계하는 뜻은 같지 않다. '생(生)'이라는 글자는 『정전』과 이전의 학자들이 모두 자기에게서 나온 동작과 행위로 말했다. 동작과 행위는 백성의 물건들을 생성하는 일이다. 그러나 가르침을 베풀어 생성한다는 '생(生)'자로 보는 것이 어떠할지 모르겠다. 『정전』에서는 '관'을 '누관(樓觀)'에 비겼고, 주자는 괘 이름의 '관'을 거성으로 읽어야 한다고 했으니, 서하(西河) 모기령(毛奇齡)의 설명도 근거가 있다.[82]

### 이현익(李顯益) 「주역설(周易說)」

上九雖未當事任, 亦是爲下所觀而儀法者, 平菴項氏說, 未然.

상구는 비록 일이나 임무를 담당하지 않지만, 또한 아랫사람들이 보고서 본보기로 삼는 자이니, 평암항씨의 설은 그렇지 않은 것 같다.

### 이익(李瀷) 『역경질서(易經疾書)』

上九在事外無位之地, 時出而輔佐君德者也. 故變我言其, 其者指五也, 謂與觀九五之民生也. 其志若曰, 天下無事, 則將袖手遠引, 無所與於其間, 而今不能不觀其生者, 有所未安故也.

상구는 일에서 제외되고 지위가 없는 처지로서 때때로 나아가 임금의 덕을 보좌하는 자이다. 그러므로 '아(我)'를 변하여 '기(其)'라고 말하였으니, '기(其)'는 오효를 가리키며, 구오의 민생에 참여하여 본다는 말이다. 그 뜻은 대략 천하에 일이 없으면 손을 소매에 넣고서 멀리 물러나서 그 사이에 참여하지 않지만, 지금 그 내는 행동을 보지 않을 수 없는 것은 편안하지 않기 때문이라는 말이다.

### 유정원(柳正源) 『역해참고(易解參攷)』

正義, 生亦道也. 爲天下觀其已之道, 故云觀其生.

『주역정의』에서 말하였다. '생' 또한 도이다. 천하 사람들이 자기의 도를 보기 때문에 '관기생'이라고 말하였다.

○ 節齋蔡氏曰, 觀示也. 兼兩爻求之, 有艮之體, 二剛在上, 无所蔽掩, 有光明以示下也. 凡觀之道在上爲示在下爲瞻, 故五爲觀主. 觀瞻之際, 唯居高而近則有所見. 初位

---

82) 모기령도 '관(觀)'을 '누관(樓觀)'과 관련지을 수 있다고 보았다.[『仲氏易』: 觀有兩義, 以門闕爲樓觀之事, 則以上觀下.]

最下, 又遠乎五, 无得乎示之道也. 二雖爲應而隔三四, 特闚其所示者也. 三雖處高位, 亦隔乎四, 但能自瞻其所爲而已. 唯四上最近而高, 故四瞻五之光華, 而上亦瞻五之所爲也.

절재채씨가 말하였다: '관'은 보는 것이다. 두 효를 겸하여 살펴보면 큰 간괘의 몸체에 두 굳센 양이 위에 있으면서 가리는 것이 없어 광명으로 아래를 본다. 보는 도리는 위에서는 보는 것이고 아래에서는 우러르는 것이기 때문에 오효가 관괘의 주인이 된다. 보고 우러르는 즈음에 오직 높이 있으면서 가까우면 보는 바가 있다. 초효는 가장 아래이고 또한 구오로부터 멀어 보는 도에 대해 얻은 것이 없다. 이효는 비록 호응이 있지만 삼효와 사효에 막혀 다만 볼 대상을 엿볼 뿐이다. 삼효는 비록 높은 자리에 있지만, 또한 사효에 막혀 다만 스스로 자신의 행위를 볼 수 있을 뿐이다. 오직 사효와 상효는 가장 가깝고 높기 때문에, 사효는 오효의 빛남을 우러러보고, 상효 또한 오효의 행위를 우러러본다.


### 김상악(金相岳) 『산천역설(山天易說)』

上九以陽剛居觀之終, 與三爲應, 故有觀其生之象. 其戒辭, 與五同.

상구는 굳센 양으로 관괘의 끝에 있고 삼효와 호응하기 때문에 '내는 행동을 보는' 상이 있다. 경계하는 말이 오효와 같다.


○ 五曰觀我生, 上曰觀其生. 朱子以爲少有賓主之異耳. 五與上, 以陽剛居高位爲觀於下, 而不得其吉者. 觀本柔變剛之卦也. 二陽雖大觀在上, 其勢方消, 四陰雖仰而居下, 其勢漸陵, 故僅得无咎. 而卦德順而巽, 故六爻无凶.

오효에서는 '관아생'이라고 하였고, 상효에서는 '관기생'이라고 하였다. 주자는 "조금 손님과 주인의 차이가 있다"고 여겼다. 오효와 상효는 굳센 양으로 높은 자리에 있어 아랫사람들에게 보이지만 길함을 얻을 수 없는 자이다. 관괘는 본래 부드러운 음이 굳센 양으로 변하는 괘이다. 두 양이 비록 위에서 크게 보지만 그 형세는 막 사라지고, 네 음은 비록 우러러보지만 아래에 있어서 그 형세가 점차 줄어들기 때문에 겨우 허물이 없을 수 있다. 그러나 괘의 덕이 순종하고 공손하기 때문에 여섯 효에 흉함이 없다.


### 서유신(徐有臣) 『역의의언(易義擬言)』

居外卦而應於坤衆, 是人之望也. 居五之上, 爲人之觀範而其德也君子, 故得以无咎也. 觀我生, 自君而言之, 觀其生, 自人而言之也.

외괘에 있으면서 대중을 상징하는 곤괘에 호응하니, 이는 사람들이 바라보는 것이다. 오효의 위에 있어서 사람들이 보고 모범으로 삼으므로 그 덕이 군자답기 때문에 허물이 없을 수 있다. '관아생'은 임금으로부터 말한 것이고, '관기생'은 사람들로부터 말한 것이다.

## 박제가(朴齊家) 『주역(周易)』

上九, 觀其生.

상구는 내는 행동을 본다.

五之我生, 從現在而言也, 九之其生, 斷平生而論者也. 聖人文字有分數如此. 九爲觀之極, 如履之上九視履之終也. 朱子曰, 觀其亦是自觀, 卻從別人說. 觀我, 如視考祥底語勢. 幾幾說出而搔不及癢焉.

구오의 '관아생'은 현재로부터 말한 것이고, 상구의 '관기생'은 평생을 단정하여 논한 것이다. 성인의 문자에 분수가 있는 것이 이와 같다. 상구는 관괘의 끝이 되니, 리괘(履卦)의 상구가 밟아온 끝을 보는 것과 같다. 주자는 "'관기생'은 스스로를 보는 것인데, 도리어 다른 사람으로부터 말한 것이고, '관아생'은 '밟아 온 것을 보아 상서로운 것을 상고한다'는 말과 같은 어세이다"[83]라고 말했다. 교묘하게 말하기는 했지만, 긁은 것이 가려운 곳에는 미치지 못했다.

## 박문건(朴文健) 『주역연의(周易衍義)』

處極有疑, 故有觀其生之象. 不往, 故无咎.

끝에 있어서 의심스럽기 때문에 내는 행동을 보는 상이 있다. 가지 않기 때문에 허물이 없다.

〈問, 觀其生. 曰, 其生, 不親之辭也. 觀其生, 恐其逼己也.

물었다: '관기생'은 무슨 뜻입니까?

답하였다: '기생'이란 가깝지 않다는 말입니다. '관기생'이란 그가 자기에게 가까이 오는 것을 염려하는 것입니다.〉

## 김기례(金箕澧) 「역요선의강목(易要選義綱目)」

上雖无位, 居高則下民所瞻, 豈不反觀.

상효는 지위가 없지만 높이 있어서 아래 백성이 우러러보니, 어찌 자신을 돌이켜보지 않겠는가?

---

83) 『朱子語類·易五』: 觀我, 如視考祥底語勢. 觀其亦是自觀, 卻從別人說.

○ 其生, 猶言自生, 當自修也. 五曰我, 上曰其, 可觀當位不當位之有差.

'기생(其生)'은 '자생(自生)'이라고 말하는 것과 같으니, 마땅히 스스로 닦아야 한다. 오효에서는 '아(我)'라고 하고 상효에서는 '기(其)'라고 하였으니, 지위를 담당하고 지위를 담당하지 않는 차이가 있는 것을 볼 수 있다.

### 박종영(朴宗永) 「경지몽해(經旨蒙解)·주역(周易)」

傳曰, 賢人君子不在於位, 而道德爲天下所觀仰者也. 德業行義, 若皆君子矣, 則无過咎也.

『정전』에서 말하였다: 어진 이와 군자로서 지위에 있지 않으면서 도덕이 천하에 우러러봄을 받는 자이다. 덕업과 의리를 행한 것이 모두 군자답다면 허물이 없을 것이나, 만일 군자답지 않다면 어떻게 사람들로 하여금 우러러보고 공경하여 본받게 하겠는가? 이것은 그 허물인 것이다.

### 심대윤(沈大允) 『주역상의점법(周易象義占法)』

觀之比䷇, 親附也. 上九以陽德居柔, 處觀之極无位之地, 道德充實過化存神, 天下莫不附從而爲萬世之觀感. 然不得其位以見新民之績, 故不得觀仰之專也. 爲九五所阻而不接于下陰, 有其象, 故不言我而言其也. 其者, 无所專主也. 上九能變化上下, 而已不變, 故取本卦觀之對大壯, 而上九居震體矣. 唯吾夫子可以當之, 非君子而居是位者, 老佛是也.

관괘가 비괘(比卦䷇)로 바뀌었으니, 친하여 붙는 것이다. 상구는 양의 덕으로 부드러운 음의 자리에 있고 관괘의 끝인 지위가 없는 곳에 처하여, 도덕이 충실하고 지나는 곳이 교화되고 정신을 보존하여, 천하 사람들이 붙어 따르고 만세의 사람들이 보고 감화된다. 그러나 지위를 얻어서 백성을 새롭게 하는 공적을 볼 수 없기 때문에 우러러보는 것을 오로지 할 수 없다. 구오에 막혀서 아래의 음에 접하지 못하니, 그러한 상이 있기 때문에 '아(我)'라고 말하지 않고 '기(其)'라고 말하였다. '기(其)'라는 것은 오로지 주로 하는 것이 없는 것이다. 상구는 상하를 변화시킬 수 있지만, 자기는 변하지 않기 때문에 본 관괘 상괘의 음양이 바뀐 대장괘를 취하였고, 그 경우에 상구는 진괘에 있게 된다. 오직 공자가 거기에 해당할 수 있는데, 군자가 아니면서 이 지위에 있는 자는 노자와 불교가 그렇다.

## 오치기(吳致箕) 「주역경전증해(周易經傳增解)」

上九陽剛在上而處高无位. 然德行之自其身出者, 爲一世之表準, 故亦以觀示天下. 而
君子之類先觀而化, 皆能爲善, 故言君子无咎.

상구는 굳센 양으로 위에 있으며 높이 있지만 지위가 없다. 그러나 그 몸으로부터 나오는
덕행이 일세의 표준이 되기 때문에 그로써 천하를 살펴본다. 군자의 부류는 먼저 보고 교화
되어 모두 선을 행할 수 있기 때문에 "군자는 허물이 없다"고 말하였다.

○ 不曰我而曰其者, 以无位故與五異辭也. 卦中二陽在上, 以觀示于下爲義, 故五上
二爻之辭同也. 陰在下爲小人, 故初六言小人无咎. 陽在上爲君子, 故五上言君子无
咎. 此乃以卦體卦位而異也.

'아(我)'라고 말하지 않고 '기(其)'라고 말한 것은 지위가 없어서 오효와 말이 다른 것이다.
괘 가운데 두 양이 위에 있어서 아래를 살펴보는 것으로 뜻을 삼기 때문에 오효와 상효,
두 효의 말이 같다. 음이 아래에 있는 것이 소인이 되기 때문에 초육에서는 "소인이 허물이
없다"고 말하였다. 양이 위에 있는 것이 군자가 되기 때문에 오효와 상효에서는 "군자가 허
물이 없다"고 말하였다. 이것은 괘의 몸체와 괘의 자리가 다른 것이다.

## 이진상(李震相) 『역학관규(易學管窺)』

上九, 觀其生.
상구는 내는 행동을 본다.

上九非觀卦之主, 故言其自觀而謂之觀其生. 若九五則觀之主, 故自觀而曰觀我. 主五
而言, 則人之觀我, 亦當曰觀我, 故六三曰觀我.

상구는 관괘의 주인이 아니기 때문에, 스스로를 본다고 말하고 내는 행동을 본다고 말하였
다. 구오는 관괘의 주인이기 때문에 스스로를 보는 것이고 "나를 본다"고 말하였다. 오효를
주로 하여 말하면 남이 나를 보는 것도 마땅히 "나를 본다"고 말해야 하기 때문에, 육삼에서
"내가 내는 행동을 본다"고 말하였다.

## 박문호(朴文鎬) 「경설(經說)·주역(周易)」

此與九二利女貞爲丈夫之醜同. 上九亦云.
이는 구이에서 "엿보는 여자의 곧음이 이로우니, 장부는 추하다"고 한 것과 같다. 상구도
또한 그렇다.

## 이정규(李正奎) 「독역기(讀易記)」

上九无位无事者, 而爻辭與君位同者, 下民之所觀瞻德義, 與有位者无異矣. 爲士者, 凡視聽言動應事接物, 豈可自輕而不惕惕哉.

상구는 지위가 없고 일이 없는 자로서 효사가 임금의 자리와 같고, 아래 백성이 덕과 의를 가진 사람을 우러러보는 것은 지위를 가진 사람과 차이가 없다. 선비가 된 사람은 보고 듣고 말하고 움직이며, 일에 응하고 사물에 접하는 데에서 어찌 스스로를 가볍게 여겨 두려워하지 않겠는가?

象曰, 觀其生, 志未平也.

「상전」에서 말하였다: "내는 행동을 봄"은 뜻이 편안하지 못함이다.

## 中國大全

### 傳

雖不在位, 然以人觀其德, 用爲儀法. 故當自愼省, 觀其所生, 常不失於君子, 則人不失所望而化之矣. 不可以不在於位故, 安然放意, 无所事也, 是其志意, 未得安也. 故云志未平也. 平, 謂安寧也.

비록 지위에 있지 않으나 사람들이 그 덕을 보고서 본받고 법으로 삼는다. 그러므로 마땅히 스스로 삼가고 살펴서 그 내는 바를 보되, 항상 군자다움을 잃지 않는다면 사람들이 바라는 것을 잃지 아니하여 교화될 것이다. 지위에 있지 않다는 이유로 편안히 방심하여 일하는 바가 없어서는 안 된다. 이것은 그 뜻이 편안할 수 없는 것이므로 "뜻이 편안하지 못함이다"고 하였으니, '편안함[平]'은 안녕함이다.

### 小註

程子曰, 上九以剛陽之德, 居无位之地, 是賢人君子, 抱道德而不居其位, 爲衆人仰觀法式者也. 雖不當位, 然爲衆人所觀, 固不得安然放意, 謂已无與於天下也. 必觀其所生君子矣, 乃得无咎. 聖人又從而贊之, 謂志當在此, 固未得安然平定无所慮也. 觀聖人敎示, 後賢如是之深, 賢者存心如是之仁, 與夫素隱行怪獨善其身者異矣.

정자가 말하였다: 상구는 굳센 양의 덕으로 지위가 없는 자리에 있으니, 이것은 현인과 군자가 도덕을 품었지만 지위가 있지 않으나 여러 사람들의 본보기로 우러러봄이 되는 자이다. 지위가 마땅하지 않지만 여러 사람들이 우러러봄이 되어 참으로 편안히 방심할 수 없으니, 이미 천하에 간여함이 없음을 말한다. 반드시 내는 행동을 보되 군자다우면 허물이 없을 것이다. 성인이 그것을 찬미하였으니, 뜻이 마땅히 여기에 있으면 참으로 편안히 평정하여 염려하는 것이 없을 수 없다는 말이다. 성인이 가르쳐서 보임을 보고 뒷 현인들이 이와 같이

깊어지니, 어진 이가 마음가짐이 이와 같이 어짊은 '숨은 것을 찾고 괴이한 것을 행하'거나[84] '홀로 그 몸을 선하게 하는' 자[85]와는 다르다.[86]

本義

志未平, 言雖不得位, 未可忘戒懼也.

'뜻이 편안하지 못함'은 비록 지위는 얻지 못하였으나 경계하고 두려워함을 잊어서는 안 된다는 말이다.

小註

或問, 觀其生志未平也. 朱子曰, 其生, 謂言行事爲之見於外者, 旣有所省, 便是未得安然无事.

어떤 이가 물었다: '내는 행동을 봄은 뜻이 편안하지 못함'은 무슨 뜻입니까?

주자가 답하였다: '내는 행동'은 말과 일을 행함이 밖으로 드러나는 것을 말합니다. 이미 살핌이 있으면 편안히 아무 일이 없을 수 없습니다.

○ 雲峰胡氏曰, 五與上皆爲下四陰所觀, 五有位, 故當觀民以觀我之所爲. 上雖无位, 亦不敢安然不自省其所爲也.

운봉호씨가 말하였다: 구오와 상구는 모두 아래 네 음이 우러러보는 것이다. 구오는 지위가 있기 때문에 마땅히 백성을 보아서 나의 행동을 보는 것이다. 상구는 비록 지위가 없지만 편안히 자신의 행동을 스스로 반성하지 않을 수 없다.

○ 或問, 觀卦陰盛而不言凶咎. 朱子曰, 此卦取義不同. 蓋陰雖盛於下, 而九五之君, 乃當正位, 故只取爲觀於下之義, 而不取陰盛之象也.

어떤 이가 물었다: 관괘는 음이 성대하지만 흉이나 허물을 말하지 않은 것은 무슨 의미입니까?

주자가 답하였다: 이 괘가 뜻을 취한 것이 같지 않습니다. 음이 비록 아래에서 성대하지만 구오의 임금이 바른 자리에 있기 때문에 아랫사람들에게 우러러봄이 되는 뜻을 취하였고, 음이 성대한 상을 취하지 않았습니다.

---

84) 『中庸』: 子曰, 素隱行怪, 後世有述焉, 吾弗爲之矣.
85) 『孟子 · 盡心』: 古之人, 得志, 澤加於民, 不得志, 修身見於世. 窮則獨善其身, 達則兼善天下.
86) 『二程文集』.

○ 問, 觀六爻, 一爻勝似一爻, 豈所據之位愈高, 則所見愈大邪. 曰, 上二爻意自別下四爻, 是所據之位愈近, 則所見愈親切底意思.

물었다: 관괘의 여섯 효는 한 효가 다른 한 효를 능가하는 것이니, 아마도 처해있는 지위가 높을수록 보는 것이 더욱 큰 듯합니다.

답하였다: 위 두 효의 뜻은 본래 아래 네 효와 구별되니, 처해있는 자리가 가까울수록 보이는 것이 더욱 친절하다는 뜻입니다.

○ 建安丘氏曰, 觀有觀示之義. 以上二陽而示乎下四陰也. 然九五得位, 而上九不得位, 故五爲觀主. 是以在五曰觀我生, 而上曰觀其生而已. 其下四陰, 則皆以陽爲觀者, 而近者吉, 遠者凶. 初其最遠者也, 故曰童觀君子吝. 二三則漸近矣, 故二曰闚觀女貞, 三曰觀我生進退也. 惟四去陽獨近, 盡所觀之美, 故有觀光賓王之象焉, 豈非觀之道, 利近而不利遠者乎.

건안구씨가 말하였다: 관괘에는 보는 뜻이 있다. 위 두 양으로 아래 네 음을 보는 것이다. 그러나 구오가 지위를 얻었지만 상구는 지위를 얻지 못하였기 때문에 구오가 보는 주체가 된다. 이러므로 오효에서는 "내가 내는 행동을 본다"고 하였고, 상효에서는 "내는 행동을 본다"라고만 하였다. 아래 네 음은 모두 양으로 봄을 삼는 것이니, 양과 가까운 것은 길하고 먼 것은 흉하다. 초효는 가장 먼 것이기 때문에 "어린아이의 봄이니, 군자는 부끄러우리라"고 하였다. 이효와 삼효는 점점 가까와지기 때문에 이효에서는 "엿봄이니, 여자가 곧게 해야 한다"고 하였고, 삼효에서는 "내가 내는 행동을 보아서 나아가고 물러가도다"라고 하였다. 사효만이 홀로 양에 가까워 보여주는 아름다움을 다한다. 그러므로 빛남을 보고 왕에게 손님이 되는 상이 있으니, 어찌 관괘의 도가 가까운 것을 이롭게 여기고 먼 것을 불리하게 여기는 것이 아니겠는가?

## 韓國大全

유정원(柳正源) 『역해참고(易解參攷)』

志未平.

뜻이 편안하지 못함이다.

案, 以陽居陰, 故曰未平也.

내가 살펴보았다: 양으로서 음의 자리에 있기 때문에 "편안하지 못함이다"라고 말하였다.

傳, 在於位.

『정전』에서 말하였다: 지위에 있다.

案, 一无於字.

내가 살펴보았다: 다른 판본에는 '어(於)'자가 없다.

## 김상악(金相岳)『산천역설(山天易說)』

五曰觀我生, 爲大觀之主, 故上以其字易我字者, 爲避於五也. 故不曰觀民而志猶未平也.

오효에서 '관아생'이라고 한 것이 크게 보는 주인이 되기 때문에 상효에서는 '기(其)'자로 '아(我)'자를 바꾸었으니, 오효와 같아지는 것을 피한 것이다. 그러므로 "백성을 본다"고 말하지 않고 "뜻이 아직 편안하지 못함이다"라고 말하였다.

## 서유신(徐有臣)『역의의언(易義擬言)』

在五之上而有三之應, 故志未平也.

오효의 위에 있고 삼효의 호응이 있기 때문에 뜻이 아직 편안하지 못하다.

## 박제가(朴齊家)『주역(周易)』

此聖人讀易發嘆之辭, 歷斷平生俯仰無愧者, 幾人矣. 處觀之終, 老將至矣, 徒生徒死, 將何觀焉. 此所謂志未平也, 其警人之意深矣. 夫子雖自觀无咎, 鳳鳥不至河不出圖, 亦豈無不平之志耶. 本義未忘戒懼爲近之, 而志未平與戒懼少異. 爻雖有位, 一人之身亦有初上, 如觀之上九乃指處觀之極而爲言, 非別有一位抱道德而無位者存也. 如此卦一爻勝似一爻, 非必初進爲二, 二進爲三也. 卽童觀之終亦觀其生, 九五之末亦觀其生, 如視履之終者, 視其平生之履之云也. 如潛室陳氏曰, 避九五不得稱我, 有若他人之辭云者, 出於朱子卻從別人說之言, 而全失經旨矣.

이는 성인이 『주역』을 읽고 감탄을 발한 말이니, 평소 일일이 판단하여 위아래로 부끄러움이 없는 사람이 몇 명이나 되겠는가? 관괘의 끝에 처하여 늙음이 장차 닥쳐 올 것인데, 한갓 죽고 사는 것이라면 또한 무엇을 보겠는가? 이것이 이른바 "뜻이 아직 편안하지 못하다"는 것이니, 사람을 경계하는 뜻이 깊다. 공자는 비록 스스로 허물이 없는 것을 보았지만, '봉황이 이르지 않고, 황하에서 그림이 나오지 않는 것'[87])이 또한 어찌 편안하지 못한 뜻이 없는 것이겠는가?『본의』에서 경계를 잊지 않은 것이 그 뜻에 가깝고, "뜻이 아직 편안하지 못하다"는 것은 경계한 것과는 조금 다르다. 효에는 비록 자리가 있지만 한 사람의 몸에도 또한 처음[初]과 위[上]의 구분이 있으니, 예를 들어 관괘의 상구는 관괘의 끝에 처한 것을 가리켜 말한 것이지, 도덕을 품고서도 지위가 없는 한 사람이 따로 존재하는 것이 아니다. 이와 같이 괘의 한 효가 한 효보다 나을 수는 있지만, 반드시 초효가 나아가 이효가 되고 이효가 나아가 삼효가 되는 것은 아니다. 즉, 어린아이가 보는 끝에도 내는 행동을 보는 것이고, 구오의 끝에도 내는 행동을 보는 것이니, 예를 들어 리괘의 끝을 본다는 것은 평생 실천한 것을 본다는 말이다. 잠실진씨가 말한 것처럼 "구오처럼 하는 것을 피해야 하니, '내[我]'라고 칭해서는 안 되고, 오히려 타인의 말인 것처럼 해야 할 뿐이다"라고 한 것은 주자의 "도리어 다른 사람으로부터 말한 것이다"라는 말로부터 나온 것으로 경전의 뜻을 완전히 잃고 있다.

### 박문건(朴文健)『주역연의(周易衍義)』

未平, 猶言未安也.
'미평(未平)'이란 편안하지 않다고 말하는 것과 같다.

### 김기례(金箕澧)「역요선의강목(易要選義綱目)」

志未平.
뜻이 편안하지 못함이다.

雖不當位, 群陰所觀, 固不可肆志而自寧.
비록 자리를 담당하고 있지 않으나, 여러 음이 보고 있기 때문에 본래 뜻을 마음대로 하여 스스로 편안하게 여겨서는 안 된다.

贊曰, 天子在上, 萬方攸瞻. 作事可觀, 容止可嚴. 觀我觀民, 龜協我占. 行止宜愼, 觀化黎黔.
찬미하여 말하였다: 천자가 위에 있으니 만방이 바라보네. 일을 함에 볼만하며 용모는 엄숙하네. 나를 보고 백성을 보니 거북점도 내게 맞네. 행동거지를 삼가서 백성을 교화하네.

---

87)『論語・子罕』: 子曰, 鳳鳥不至, 河不出圖, 吾已矣夫.

박종영(朴宗永) 「경지몽해(經旨蒙解)·주역(周易)」

志未平.

뜻이 편안하지 못함이다.

雖不在位, 然人觀其德用爲儀法. 故當自愼省, 不可安然放意. 故云志未平也. 大凡君子抱道德, 而居無位之地, 雖不居位, 爲衆人所仰觀儀法, 則不可以已之無與於天下, 放心弛慮, 忽於言行威儀之際. 故朱子本義曰, 雖不得位, 未可忘戒懼也. 此正所謂眞正大英雄, 卻從臨深履薄處, 做將出來者也. 嗚呼, 凡隱居求志之士觀於此, 則豈無所知戒也哉.

비록 지위에 있지 않으나 사람들이 그 덕을 보고서 본받고 법으로 삼는다. 그러므로 마땅히 스스로 삼가고 살펴서 편안히 방심하여서는 안 된다. 그러므로 "뜻이 편안하지 못함이다"라고 말하였다. 대체로 군자가 도덕을 품었지만 지위가 없는 자리에 있어서, 비록 지위에 있지 않으나 여러 사람들의 본보기로 우러러봄이 되는 자이니, 자기가 천하에 간여함이 없다고 해서 방심하고 해이해서 언행과 위의를 소홀히 해서는 안 된다. 그러므로 주자의 『본의』에서 "비록 지위는 얻지 못하였으나 경계하고 두려워함을 잊어서는 안 된다"고 말하였다. 이것이 바로 진정한 대영웅으로서 도리어 위험한 곳에서 조심조심 행동해 나가는 자이다. 아, 은거하여 뜻을 구하는 선비가 이것을 본다면 어찌 경계할 줄 알지 못하겠는가!

심대윤(沈大允) 『주역상의점법(周易象義占法)』

泣麟悲鳳, 濟世行道之志, 未平也. 坤爲平, 言未得衆也. 觀之時, 初交相化也, 二不專而不廣矣, 三專而不廣矣, 四廣而不專矣, 五觀化天下也, 上感化萬世也.

기린에 대해서 눈물을 흘리고[88] 봉황이 오지 않는 것을 슬퍼한 것은[89] 세상을 구제하고 도를 행하려는 뜻이 아직 편안하지 않은 것이다. 곤괘가 '편안함'이 되니, 대중을 얻지 못한 것을 말한다. 관괘의 때에 초효는 사귀어 서로 교화하고, 이효는 오로지 하지도 못하고 넓게 하지도 못하고, 삼효는 오로지 하지만 넓지 못하고, 사효는 넓지만 오로지 하지 못하고, 오효는 천하를 보고 교화하고, 상효는 만세를 감화한다.

---

88) 『春秋公羊傳·哀公』: 十有四年, 春, 西狩獲麟. … 孔子曰, 孰爲來哉, 孰爲來哉. 反袂拭面, 涕沾袍.
89) 『論語·子罕』: 子曰, 鳳鳥不至, 河不出圖, 吾已矣夫.

### 오치기(吳致箕)「주역경전증해(周易經傳增解)」

无位而爲群下之表準, 亦當戒懼, 故其志未得平也.

지위는 없지만 여러 아랫사람들의 표준이 되니, 또한 마땅히 경계해야 하기 때문에 그 뜻이 아직 편안할 수 없다.

### 이병헌(李炳憲)『역경금문고통론(易經今文考通論)』

王曰, 觀其生, 爲民所觀者也. 生, 猶動出也.

왕필이 말하였다: '관기생'은 백성에게 보이는 것이다. '생'은 움직여 나오는 것과 같다.

或曰, 其謂三也.

어떤 이가 말하였다: '기'는 삼효를 말한다.

本義曰, 志未平, 言雖不得位, 未可忘戒懼也.

『본의』에서 말하였다: "뜻이 아직 편안하지 않다"는 것은 비록 지위는 얻지 못하였으나 경계하고 두려워함을 잊어서는 안 된다는 말이다.

按, 此一對爲辟卦, 亦一小綱領.

내가 살펴보았다: 이 하나의 짝은 벽괘가 되니, 또한 하나의 소강령이다.

# 21

## 서합괘

噬嗑卦䷔

# 中國大全

### 傳

噬嗑, 序卦, 可觀而後有所合. 故受之以噬嗑, 嗑者, 合也. 旣有可觀, 然後有來
合之者也, 噬嗑所以次觀也. 噬, 齧也, 嗑, 合也, 口中有物間之, 齧而後合之也.
卦上下二剛爻而中柔, 外剛中虛, 人頤口之象也, 中虛之中, 又一剛爻, 爲頤中
有物之象. 口中有物則隔其上下, 不得嗑, 必齧之則得嗑, 故爲噬嗑. 聖人以卦
之象, 推之於天下之事, 在口則爲有物隔而不得合, 在天下則爲有强梗或讒邪,
間隔於其間, 故天下之事不得合也, 當用刑法, 小則懲戒, 大則誅戮, 以除去之,
然後天下之治得成矣. 凡天下至于一國一家, 至于萬事, 所以不和合者, 皆由有
間也, 无間則合矣. 以至天地之生, 萬物之成, 皆合而後能遂, 凡未合者, 皆爲間
也. 若君臣父子親戚朋友之間, 有離貳怨隙者, 蓋讒邪間於其間也, 除去之則和
合矣. 故間隔者, 天下之大害也. 聖人, 觀噬嗑之象, 推之於天下萬事, 皆使去其
間隔而合之, 則无不和且治矣. 噬嗑者, 治天下之大用也, 去天下之間, 在任刑
罰, 故卦取用刑爲義. 在二體, 明照而威震, 乃用刑之象也.

서합괘(噬嗑卦䷔)는 「서괘전(序卦傳)」에 "볼 만한 뒤에 합함이 있기 때문에 서합괘로 받았으니,
합(嗑)은 합함이다"라고 하였다. 이미 볼 만한 것이 있는 뒤에 와서 합하는 자가 있는 것이니, 서합
괘가 이 때문에 관괘(觀卦)의 다음이다. '서(噬)'는 씹는 것이고 '합(嗑)'은 합함이니, 입속에 물건
이 끼어 있으면 이것을 씹은 뒤에 합쳐진다. 괘의 맨 위와 맨 아래에는 두 굳센 효가 있고 가운데
자리는 부드러우니, 밖이 굳세고 가운데가 빔은 사람의 턱과 입의 상이고, 가운데가 빈 가운데에 또
한 굳센 효가 있는 것은 턱 속에 물건이 있는 상이다. 입 속에 물건이 있으면 위아래를 가로막아
합할 수 없으니, 반드시 씹어야 합할 수 있기 때문에 서합(噬嗑)이라 한 것이다.
성인이 괘의 상으로써 천하의 일에 미루어 봄에 입에서는 물건이 있어 가로막혀 합하지 못함이 되고,
천하에서는 강경하거나 혹은 아첨하고 거짓된 자가 그 사이에 가로막고 있음이 되기 때문에 천하의
일이 합하지 못하는 것이니, 마땅히 형벌과 법을 써서 작으면 징계하고 크면 죽여서 제거한 뒤에야
천하의 다스림이 이루어지는 것이다. 천하로부터 한 나라와 한 집안에 이르고 만사에 이르기까지
화합하지 못하는 까닭은 다 간격이 있기 때문이니, 간격이 없으면 합한다. 천지의 낳음과 만물의 이
루어짐에 이르기까지 모두 합한 뒤에 이루어지니, 합하지 못하는 것은 다 간격이 있기 때문이다. 임
금과 신하, 아버지와 아들, 친척과 벗 사이에 배반하고 원망하며 틈이 있는 것은 아첨하고 거짓된
자가 그 사이에 끼어 있기 때문이니, 이를 제거하면 화합하기 때문에 간격이 천하의 큰 해로움이다.
성인이 서합괘의 상을 관찰하여 천하의 온갖 일에 미루어서 모두 그 간격을 제거하여 합하게 하니,
화합하고 다스려지지 않음이 없다. 서합은 천하를 다스리는 큰 쓰임이니, 천하의 간격을 제거함은

형벌을 쓰는데 있기 때문에 괘가 형벌을 씀을 취하여 뜻을 삼았다. 두 몸체로는 밝게 비추고(☲) 위엄을 떨침(☳)이 형벌을 쓰는 상이다.

## ‖韓國大全‖

### 송시열(宋時烈) 『역설(易說)』

此卦與賁相綜, 豐旅又相爲綜, 而四卦皆言獄. 蓋外圍陽爻, 內橫一爻, 若撓以垣墻內而藏物, 有獄中囚人之象故也. 然豐旅二卦, 毁去一面, 橫於中者, 有可出之路, 故以折不留獄言之. 此二卦以用獄毋敢折獄言之, 此不可不知也. 且以坎爲桎梏, 故有坎象處, 多以刑罰言之. 天之有雷電, 猶人主之有刑罰也. 離虛中爲明, 明決之道, 震爲雷爲動, 斷以威者也. 有互坎故曰亨, 山雷爲頤象, 而此以九四爲有物而曰噬嗑. 凡卦中互相取用焉, 多放此.

서합괘(噬嗑卦☲☳)와 비괘(賁卦☲☶)는 서로 거꾸로 된 괘이고, 풍괘(豐卦☳☲)와 려괘(旅卦☶☲)도 또한 서로 거꾸로 된 괘인데, 네 괘에서 모두 옥사를 말하였다. 밖에는 양이 둘러싸고 안에 한 효가 가로지르니, 마치 담으로 안을 둘러쳐서 물건을 감추고 있는 것과 같으니, 감옥 가운데 사람을 가둔 상이 되기 때문이다. 그러나 풍괘와 려괘는 한 면을 헐어서 가운데 가로지른 것이 나갈 수 있는 길이 있기 때문에 ‘옥사를 결단하는 것’과 ‘옥사를 지체하지 않는 것’으로 말하였다. 이 두 괘는[1] ‘옥사를 쓰는 것’과 ‘감히 옥사를 결단하지 않는 것’으로 말했으니, 이것을 알지 않으면 안 된다. 또한 감괘는 형틀이 되기 때문에 감괘의 상이 있는 곳에서는 형벌로 말한 것이 많다. 하늘에 우레와 번개가 있는 것은 임금에게 형벌이 있는 것과 같다. 리괘의 가운데가 빈 것이 밝음이 되니 밝게 판결하는 도리이고, 진괘는 우레가 되고 움직임이 되니, 위엄으로 결단하는 것이다. 호괘가 감괘이기 때문에 형통하다고 말했으며, 산과 우레가 이괘(頤卦)의 상이 있고, 이 괘는 구사가 음식물이 되기 때문에 서합이라고 말했다. 괘 가운데 서로 취하여 쓰는 것이 대부분 이와 같다.

---

1) 서합괘와 비괘를 말한다.

## 박문호(朴文鎬) 「경설(經說)·주역(周易)」

易之象與義, 明白丁寧者, 無如頤, 而噬嗑其尤者也. 蓋自頤又一轉而爲噬嗑耳. 頤指口也, 非指口下也.

『주역』의 상과 뜻이 명백하고 절실한 것이 이괘(頤卦)만한 것이 없고, 서합괘는 더욱 그러하다. 이괘로부터 한 번 변하여 서합이 되었을 뿐이다. '이(頤)'란 입을 가리키는 것이지, 입 아래를 가리키는 것이 아니다.

〈問, 在卦則四爲所間, 在爻則初與上乃爲所間何也. 曰, 此所以爲易也. 如此者, 豈特噬嗑而已哉.

물었다: 괘에서는 사효가 끼인 것이 되는데, 효에서는 초효와 상효가 끼인 것이 되는 것은 왜입니까?

답하였다: 이것이 바로 역이 되는 까닭입니다. 이와 같은 것이 어찌 다만 서합괘 뿐이겠습니까?〉

噬嗑, 亨, 利用獄.

서합(噬嗑)은 형통하니, 옥(獄)을 쓰는 것이 이롭다.

## ‖中國大全‖

### 傳

噬嗑亨, 卦自有亨義也. 天下之事所以不得亨者, 以有間也, 噬而嗑之則亨通矣. 利用獄, 噬而嗑之之道, 宜用刑獄也. 天下之間, 非刑獄, 何以去之. 不云利用刑而云利用獄者, 卦有明照之象, 利於察獄也. 獄者, 所以究察情僞. 得其情則知爲間之道, 然後可以設防與致刑也.

‘서합은 형통함[噬嗑亨]’은 괘 자체에 형통하는 뜻이 있는 것이다. 천하의 일이 형통함을 얻지 못하는 까닭은 간격이 있기 때문이니, 씹어서 합하면 형통할 것이다. ‘옥을 쓰는 것이 이로움’은 씹어 합하는 도가 형벌과 감옥을 씀이 마땅하다는 것이다. 천하의 간격을 형벌과 감옥이 아니면 어떻게 제거하겠는가? “형벌[刑]을 씀이 이롭다”고 말하지 않고 “옥(獄)을 씀이 이롭다”고 한 것은 괘에 밝게 비추는 상이 있어서 옥사(獄事)를 살피는데 이롭기 때문이다. 옥사(獄事)는 진실과 거짓을 규명하여 다스리는 것이다. 그 진실을 얻으면 간격이 되는 길을 알게 될 것이니, 그런 뒤에 예방을 하고 형벌을 다할 수 있는 것이다.

### 本義

噬, 齧也, 嗑, 合也, 物有間者, 齧而合之也. 爲卦, 上下兩陽而中虛, 頤口之象, 九四一陽, 間於其中, 必齧之而後合, 故爲噬嗑. 其占當得亨通者, 有間, 故不通, 齧之而合則亨通矣. 又三陰三陽, 剛柔中半, 下動上明, 下雷上電, 本自益卦, 六四之柔上行, 以至於五而得其中, 是知以陰居陽, 雖不當位, 而利用獄. 蓋治獄之道, 惟威與明而得其中之爲貴. 故筮得之者, 有其德則應其占也.

'서(噬)'는 씹는 것이고 '합(嗑)'은 합함이니, 물건 사이에 있는 것을 씹어 합하는 것이다. 괘는 위와 아래에 두 양이 있고 가운데가 비었으니 턱과 입의 상이고, 구사 한 양이 그 사이에 끼어 있으니, 반드시 씹은 뒤에 합하기 때문에 서합(噬嗑)이라 하였다. 그 점이 마땅히 형통함을 얻는 것은 간격이 있기 때문에 통하지 못하다가 씹어 합하면 형통하는 것이다. 또 세 음효와 세 양효로 굳셈과 부드러움이 반반이고, 하괘는 움직이고 상괘는 밝으며, 아래는 우레(☳)이고 위는 번개(☲)이다. 본래 익괘(益卦)로부터 육사의 부드러운 음이 위로 가서 오효에 이르러 가운데를 얻었으니, 음으로서 양의 자리에 있어 비록 자리에 마땅하지 않으나 '옥(獄)을 씀'이 이로움을 알 수 있다. 옥사(獄事)를 다스리는 도는 오직 위엄과 밝음이 중도를 얻는 것이 귀하다. 그러므로 점을 쳐서 이 괘를 얻은 자가 이러한 덕이 있으면 이 점에 호응하는 것이다.

### 小註

龜山楊氏曰, 噬嗑, 除間之卦也. 除間以刑爲用, 故利用獄. 獄者, 所以治間而求其情也. 治而得其情, 則刑之而天下服矣. 故不言利用刑而曰利用獄也.

구산양씨가 말하였다: 서합은 틈을 제거하는 괘이다. 틈을 제거할 때에는 형벌을 사용하기 때문에 "옥을 쓰는 것이 이롭다"고 하였다. 옥은 틈을 다스려 진실을 구하는 것이다. 다스려 그 진실을 얻으면 형벌을 주더라도 천하가 복종할 것이다. 그러므로 형벌을 씀이 이롭다고 하지 않고 "옥을 쓰는 것이 이롭다"고 하였다.

○ 隆山李氏曰, 噬嗑, 震下離上, 震雷離電, 天地生物, 有爲造物之梗者, 必用雷電擊搏之. 聖人治天下, 有爲民之梗者, 必用刑獄斷制之. 故噬嗑以去頤中之梗, 雷電以去天地之梗, 刑獄以去天下之梗也.

융산이씨가 말하였다: 서합괘는 아래가 진괘(☳)이고 위가 리괘(☲)이니, 진괘는 우레이고 리괘는 번개이다. 하늘과 땅이 만물을 낳을 때에 강경하게 만들어진 사물은 반드시 우레와 번개를 사용하여 쳐버린다. 성인이 천하를 다스릴 때에 백성 중에 강경한 자는 반드시 형벌과 감옥을 사용하여 판정한다. 그러므로 씹어 합하게 하여 턱 가운데 강경한 것을 제거하고, 우레와 번개로 하늘과 땅 사이의 강경한 것을 제거하며, 형벌과 감옥으로 천하의 강경한 자를 제거한다.

○ 雲峰胡氏曰, 凡物不合, 由有間也. 必噬而後嗑, 嗑而後亨, 不曰利用刑, 而曰利用獄者, 先之以電之明, 而雷從之也. 電之明, 所以察獄也, 雷之威, 所以決獄也. 雷電有時, 獄之用亦有時. 不至如頤中有物强梗者爲之間, 獄豈宜用哉. 旣明且威, 又柔且中, 治獄之道也, 不如是獄豈用哉.

운봉호씨가 말하였다: 사물이 합쳐지지 않는 것은 사이에 틈이 있기 때문이다. 반드시 씹은

후에 합해지고, 합해진 후에 형통하니, 형벌을 씀이 이롭다고 하지 않고 "옥을 씀이 이롭다"고 한 것은 번개의 밝음을 먼저 쓰고 우레가 뒤따르는 것이다. 번개의 밝음은 옥사를 살피는 것이고, 우레의 위엄은 옥사를 해결하는 것이다. 우레와 번개는 때가 있고, 옥사를 씀도 때가 있다. 턱 안에 강경한 물건이 끼어 있는 경우가 아니라면, 어찌 옥사를 마땅히 쓰겠는가? 밝고 또 위엄이 있으며, 또한 부드럽고 중도로 함이 옥사를 다스리는 도이니, 이와 같지 않다면 어찌 옥사를 쓰겠는가?

# ‖ 韓國大全 ‖

## 심조(沈潮) 「역상차론(易象箚論)」

利用獄.

옥을 쓰는 것이 이롭다.

卦體上下, 皆塞而中有互體之坎艮, 故爲獄象.

괘의 몸체는 위아래가 모두 막히고 중간은 호체인 감괘와 간괘가 있기 때문에 옥의 상이 된다.

## 강석경(姜碩慶) 『역의문답(易疑問答)』

噬嗑之卦曰, 利用獄, 觀其卦象, 則當治者在九四, 而觀其爻辭, 則受刑者在初上何也. 曰, 論其卦體, 則九四爲間, 文王所謂利用獄者, 欲治四之爲間也. 論其六爻, 則九四近君得位當國秉權, 而初上在無位之地, 爲受刑之人也. 此則文王周公父子之所見, 各有據而然也.

서합의 괘에서 "옥을 쓰는 것이 이롭다"고 한 것에 대해서, 괘의 상을 보면 마땅히 다스려야 할 것은 구사이고, 효사를 보면 형벌을 받는 사람은 초효와 상효인 것은 왜인가? 괘의 몸체를 논하면 구사가 사이에 끼어 있으니, 문왕의 이른바 "옥을 쓰는 것이 이롭다"는 것은 사효가 사이에 끼인 것을 다스리고자 하는 것이다. 육효를 논하면 구사는 임금에 가깝고 지위를 얻어 나라를 담당하고 권력을 쥐고 있으며, 초효와 상효는 지위가 없는 처지에 있어 형벌을 받는 사람이 된다. 이는 문왕과 주공 부자(父子)의 소견이 각각 근거하는 바가 있어서 그런 것이다.

## 이현익(李顯益) 「주역설(周易說)」

雙峯胡氏, 以象利用獄爲刑四. 蓋主爻而言, 則初上爲受噬者, 主卦而言, 則四爲受噬者, 故爲說如此. 然象傳言利用獄曰, 柔得中而上行, 雖不當位, 利用獄. 此則主六五言, 而六五所致者, 卽初上非四也. 何在其象之利用獄爲治四耶. 主噬嗑之義言, 則四固是頤中所間者, 而若利用獄, 則未必以治四言. 是以象傳釋利用獄, 以六五言, 本義之說, 亦如此矣.

쌍봉호씨는 단사의 "옥을 쓰는 것이 이롭다"고 한 것이 사효를 형벌하는 것이라고 여겼다. 대체로 효를 주로 해서 말하면 초효와 상효가 씹히는 자이고, 괘를 주로 해서 말하면 사효가 씹히는 자이므로 설명이 이와 같다. 그러나 "옥을 쓰는 것이 이롭다"고 한 것에 대해서 「단전」에서는 "부드러움이 중(中)을 얻어 위로 행하니, 비록 자리에 마땅하지 않으나 옥을 쓰는 것이 이롭다"고 하였다. 이는 육오를 주로 해서 말한 것이고, 육오가 불러오는 것은 초효와 상효이지 사효가 아니다. '단사의 옥을 쓰는 것이 이롭다고 한 것이 사효를 형벌하는 것'이 어디에 있는가? 서합괘의 뜻을 주로 해서 말하면, 사효는 본래 턱 가운에 끼어있는 것이니, 옥을 쓰는 것이 이롭다면 반드시 사효를 다스리는 것으로 말하지 않았을 것이다. 그러므로 「단전」에서 옥을 쓰는 것이 이로움을 풀이하면서 육오로 말하였으니, 『본의』의 설명 또한 이와 같다.

## 유정원(柳正源) 『역해참고(易解參攷)』

雙湖胡氏曰, 易六十四卦象辭, 唯噬嗑取象於獄者, 以上下兩陽而中虛, 有獄之象. 九四一陽, 間於其中, 有獄囚之象. 四陽不正, 互坎爲盜陷於囚獄, 明照而威震, 動必察情, 噬之使嗑, 有利用獄之象.

쌍호호씨가 말하였다: 주역 육십사괘의 단사 가운데 오직 서합괘가 옥에서 상을 취한 이유는 다음과 같다. 위아래의 두 양이 있고 가운데가 비어 옥의 상이 있다. 구사 한 양이 그 사이에 끼어 옥에 갇힌 죄수의 상이 있다. 사효인 양의 자리가 바르지 않고 호괘인 감괘가 도적이 옥에 갇힌 것이 되어,[2] 밝게 비추고 위엄을 떨쳐 움직임에 반드시 실정을 살펴 처리하도록 하는 것이 '옥을 쓰는 것이 이로운' 상이 있다.

○ 案, 卦旣以火雷得象, 則明照威動, 自然有治獄之道, 恐不必以中虛互坎取象.

내가 살펴보았다: 괘가 이미 불과 우레로 상을 얻었으므로 분명하게 살피고 위엄으로 움직여 자연히 옥을 다스리는 도가 있으니, 꼭 중간이 빈 것과 호괘인 감괘로 상을 취할 필요는 없을 듯하다.

---

2) 사효는 음의 자리에 양이 있고, 3・4・5의 호괘가 감괘이다.

## 김상악(金相岳) 『산천역설(山天易說)』

噬嗑之亨, 頤中之物齧之而合則亨矣. 卦體剛柔分居, 離震合體, 卦變六五得中而上行, 雖不當位, 利於用獄也.

서합괘의 형통함은 턱 안의 물건을 씹어서 합하면 형통한 것이다. 괘의 몸체는 굳센 양과 부드러운 양이 나뉘어 거하고 리괘와 진괘가 몸체를 합하며, 괘의 변화는 육오가 중을 얻어 위로 행하여 비록 자리에 마땅하지 않으나 옥을 쓰는 것에 이롭다.

○ 離互坎體, 陰之麗乎陽, 如罪人之罹于刑獄. 坎又爲叢棘, 叢棘猶棘寺也, 皆刑獄之象. 卦言刑獄者五, 噬嗑賁豊旅中孚是也. 文王惟於噬嗑言之, 而夫子取象於五卦, 以盡其義.

리괘(☲)의 음양이 바뀐 감괘(☵)는 음이 양에 걸려 있으니, 죄인이 형벌로 옥에 걸린 것과 같다. 감괘는 또한 가시 울타리가 되니, 가시 울타리는 옥사를 다스리던 관청과 같으니, 모두 형벌과 옥의 상이다. 괘에서 형벌과 옥을 말한 것이 다섯 괘인데, 서합·비·풍·려·중부괘가 그것들이다. 문왕은 오직 서합괘에서 말하였고, 공자는 다섯 괘에서 상을 취하여 그 뜻을 다 밝혔다.

## 김규오(金奎五) 「독역기의(讀易記疑)」

用獄, 沙隨進齋謂离爲刑獄之象, 以噬賁豊旅孚而言也. 蓋其外剛內虛, 有似囹圄也. 此卦上离, 而自初至四亦有离象, 故卦辭專以獄言. 賁亦宜然而以其上止又取他義. 然大象猶言无敢折獄, 雖不敢折而自有獄象故也.

"옥을 쓴다"는 것에 대해 사수정씨와 진재서씨는 리괘가 형벌과 옥의 상이 된다고 말하였는데, 서합괘(噬嗑卦☲)·비괘(賁卦☶)·풍괘(豊卦☳)·려괘(旅卦☲)를 가지고 말한 것이다. 그 괘들은 밖은 굳세고 안은 비어 있어서 감옥과 같다. 이 서합괘의 상괘는 리괘이고 초효부터 사효까지는 또한 큰 리괘의 상이 있기 때문에 괘사에서 오로지 옥으로 말하였다. 비괘 또한 마땅히 그래야 하지만 상괘가 멈춤을 상징하는 간괘이기 때문에 다른 뜻을 취하였다. 그러나 「대상전」에서 오히려 감히 옥사를 결단하지 않는다고 말한 것은 비록 옥사를 결단하지 않더라도 저절로 옥의 상이 있기 때문이다.

○ 小註, 爻各自取義, 不說頤中之物.

소주에서 효는 각각 그대로 뜻을 취하고, 턱 안의 물건을 설명하지 않았다.

ㅊ按, 膚腊胏肉, 皆頤中之物. 但无必欲噬去是物之意, 故云然耶.

내가 살펴보았다: 살·포·마른고기·고기는 모두 턱 안의 물건이다. 다만 반드시 이 물건

을 씹고자 하는 뜻이 없기 때문에 그렇게 말한 것 같다.


### 서유신(徐有臣) 『역의의언(易義擬言)』

噬其始也, 嗑其成也, 亨其功也, 獄其用也. 噬嗑之義, 雖當可噬, 猶且用獄審理, 不宜
遽然勘斷.

'서(噬)'는 시작이고, '합(嗑)'은 완성이고, '형(亨)'은 공이고, '옥(獄)'은 쓰임이다. 서합의 뜻
은 비록 마땅히 처벌할 수 있더라도 오히려 또한 옥을 써서 심리해야 하고, 갑작스럽게 판단
해서는 안 된다는 뜻이다.


### 윤행임(尹行恁) 『신호수필(薪湖隨筆)・역(易)』

噬嗑之利用獄, 卽物有梗化, 當用刑獄之意. 而利字非利益之利, 乃通利之利. 如是看
解然後, 可以防嗜殺之患.

서합괘의 옥을 사용하는 것이 순리적이라는 것은 곧 사람이 강경하게 되면 마땅히 형벌과
옥을 써야 한다는 뜻이다. '이(利)'라는 글자는 '이익'의 '이(利)'가 아니라, "통하여 순리적이
다[通利]"라고 할 때의 '이(利)'이다. 이와 같이 보고 해석한 다음에야 죽이기를 좋아하는[3]
근심을 방지할 수 있다.


### 박문건(朴文健) 『주역연의(周易衍義)』

陰升進而處五故亨, 得位得中故利, 人之用斷己獄也.

음이 올라가 나아가서 오효에 처하기 때문에 형통하고, 지위를 얻고 중을 얻었기 때문에
이로우니, 사람이 그로써 자기의 옥사를 결단한다.

〈問, 噬嗑有相害之道, 而何謂亨. 曰, 得位而用中, 故能順剛而亨也. 曰, 拘係於二剛
之中, 何謂利用獄. 曰, 處尊而行中, 故能麗明而出也. 問, 用字下疑有闕字. 曰夫子之
前, 已有所闕, 但未知何字, 故夫子只據爻義而釋之也.

물었다: 서합은 서로 해치는 도리가 있는데, 왜 형통하다고 말했습니까?
답하였다: 지위를 얻고 중을 얻었기 때문에 굳센 양에 순종하여 형통할 수 있습니다.
물었다: 두 굳센 양의 가운데에 매여 있는데, 왜 옥을 쓰는 것이 이롭다고 하였습니까?
답하였다: 높은 곳에 있고 중을 행하기 때문에 밝음에 걸려 나갈 수 있습니다.

---

3) 『孟子・梁惠王』: 今夫天下之人牧, 未有不嗜殺人者也. 如有不嗜殺人者, 則天下之民, 皆引領而望之矣.

물었다: '용(用)'자 아래에 아마도 빠진 글자가 있는 듯합니다.
답하였다: 공자 이전에 이미 빠진 글자가 있었지만 무슨 글자인지 알지 못했기 때문에, 공자가 다만 효의 뜻에 의거하여 풀이한 것입니다.〉

### 김기례(金箕澧) 「역요선의강목(易要選義綱目)」

可觀而後有合.

볼만한 이후에 합한다.

○ 上下二剛含中柔, 中柔之中又有一剛, 則必齧而合之. 如口有上下齒剛, 而齧剛肉而合之.

상하의 두 굳센 양이 부드러운 음을 가운데 포함하고 있고, 중간의 부드러운 음 가운데 또한 굳센 양이 있으니, 반드시 씹어서 합한다. 예를 들어 입에는 위아래 두 굳센 이[齒]가 있고, 질긴 고기를 씹어서 합한다.

○ 離明震威, 治獄而化梗, 使天下和合.

리괘는 밝고 진괘는 위엄이 있어 옥을 다스려 강경한 이를 교화하여 천하 사람들이 화합한다.

### 윤종섭(尹鍾燮) 『경(經)·역(易)』

噬嗑利用獄, 取明於离, 离有獄象. 舜之命皐陶曰, 惟明克允. 蓋刑政次於禮樂, 而王者之所不廢, 故取象於噬嗑. 凡言刑皆有离, 如大象賁之折獄, 豊之致刑, 旅之留獄也. 中孚大體似离而曰議獄.

서합괘에서 옥을 쓰는 것이 이로움은 리괘에서 밝음으로 취하였으니, 리괘에는 옥의 상이 있다. 순임금이 고요를 명하여 "밝게 살펴야 백성들이 믿을 것이다"[4]라고 하였다. 형벌과 정치는 예와 음악 다음이고 왕도를 행하는 사람이 폐할 수 없는 것이기 때문에 서합괘에서 상을 취하였다. 형벌을 말한 괘에는 리괘가 있으니, 「대상전」에서 비괘(賁卦䷕)는 옥사를 결단한다고 하였고, 풍괘(豊卦䷶)는 형벌을 다한다고 하였고, 려괘(旅卦䷷)는 옥사를 지체한다고 하였다.

---

4) 『書經·舜典』: 帝曰, 皐陶. 蠻夷猾夏, 寇賊姦宄, 汝作士, 五刑有服, 五服三就, 五流有宅, 五宅三居, 惟明克允.

## 허전(許傳) 「역고(易考)」

明且威者, 可以治獄, 而離明震威, 故曰利用獄, 獄者所以究察情僞也. 知其情僞得其情然後, 方可用刑, 故不云刑而云獄也. 程子深得文王之本意, 後世之人每每先施刑而取服, 則何以盡人之情僞乎. 斷非哀矜欽恤之義, 而違於噬嗑之象也.

현명하고 위엄이 있는 사람이 옥을 다스릴 수 있는데, 리괘는 밝고 진괘는 위엄이 있기 때문에 "옥을 쓰는 것이 이롭다"고 말하였으니, 옥이란 실정과 거짓을 궁구하여 살피는 것이다. 실정과 거짓을 알고 그 실정을 얻은 다음에야 형벌을 쓸 수 있기 때문에 '형벌'이라고 말하지 않고 '옥'이라고 말하였다. 정자는 문왕의 본래의 뜻을 깊이 터득했는데, 후세 사람들은 매양 형벌을 먼저 베풀고 복종을 강요했으니, 사람의 실정과 거짓을 다했다고 할 수 있겠는가? 결단코 안타깝고 불쌍하게 여기는 뜻이 아니고, 서합의 상에 어긋난다.

## 심대윤(沈大允) 『주역상의점법(周易象義占法)』

刑獄得其當, 則可以通天下之壅蔽阻梗而致盛大故, 曰亨.

형벌과 옥이 마땅함을 얻으면 천하의 막힌 것과 강경한 것을 통하여 성대함을 이룰 수 있기 때문에 형통하다고 하였다.

## 오치기(吳致箕) 「주역경전증해(周易經傳增解)」

噬者齧也, 嗑者合也. 頤中有物間之, 則齧而後合也. 下動而上止, 爲頤之象. 上下剛實而中則柔虛, 爲口之象. 一剛在中, 爲有物不得合之象. 以其下動, 故爲噬而得合之象也. 卦體則明動相交, 卦義則噬而必合, 故曰亨. 斷以雷威, 察以電明, 故爲利於用獄之象也.

'서(噬)'는 씹는 것이고, '합(嗑)'은 합하는 것이다. 턱 가운데 물건이 들어 있으면 씹는 다음에 합한다. 아래가 움직이고 위는 멈추어 있는 것이 턱의 상이 된다. 위와 아래가 굳센 양으로서 차있고 가운데는 부드러운 음이 비어 있으니, 입의 상이 된다. 한 굳센 양이 가운데 있는 것이 물건이 끼어 있어서 합할 수 없는 상이 된다. 아래가 움직이기 때문에 씹어서 합할 수 있는 상이 된다. 괘의 몸체는 밝음과 움직임이 서로 사귀고, 괘의 뜻은 씹어서 반드시 합하기 때문에 형통하다고 말하였다. 우레의 위엄으로 판단하고 번개의 밝음으로 살피기 때문에, 옥을 쓰는 것이 이로운 상이 된다.

○ 離失其位, 故不言貞. 二五无應, 故不言大亨. 賁卦亦有一剛在中而无下動之象, 故卦義不同也. 雷威電明, 爲用獄之義, 故夫子於大象凡遇雷火者, 皆言刑獄也.

리괘가 자리를 잃었기 때문에 곧음을 말하지 않았다. 이효와 오효는 호응이 없기 때문에 크게 형통함을 말하지 않았다. 비괘(賁卦)도 또한 한 굳센 양이 가운데 있지만 아래에 움직이는 상이 없기 때문에 괘의 뜻이 같지 않다. 우레는 위엄이 있고 번개는 밝은 것이 옥사를 쓰는 뜻이 되기 때문에, 공자가 「대상전」에서 우레와 불을 만나는 것에 대해서는 모두 형벌과 옥사를 말하였다.

## 이진상(李震相) 『역학관규(易學管窺)』

利用獄.

옥을 쓰는 것이 이롭다.

上下兩陽而中虛爲獄象. 九四一陽乃獄中之囚也. 四旣不正, 又互坎爲盜, 陷於囚獄, 固其所也. 火以照之, 雷以威之, 又是治獄之道, 有是象而後有是道.

상하의 두 양이 있고 가운데가 비어 있는 것이 옥의 상이 된다. 구사 한 양이 옥 가운데의 죄수이다. 사효가 이미 자리가 바르지 않고 호괘인 감괘가 도둑이 되어 옥중에 빠지니, 본래 그가 있을 곳이다. 불로 비추고 우레로 위엄을 떨치는 것 또한 옥을 다스리는 도이니, 이러한 상이 있은 다음에 이러한 도가 있다.

## 박문호(朴文鎬) 「경설(經說)·주역(周易)」

設防, 言設爲防限, 使不復犯也, 蓋不刑而赦之也.

'설방(設防)'이란 설치하여 방지하는 것으로 삼아 다시 범하지 않도록 하는 것이니, 형벌을 주지 않고 용서하는 것이다.

## 이정규(李正奎) 「독역기(讀易記)」

噬嗑上電下雷, 而聖人斷之以用獄. 至哉, 聖人觀象之妙也. 夫獄者, 疑似姦欺之□□也, 非明无以察其情, 非威無以得其情. 故必明威之至, 然後可以用獄. 凡治天下之事, 雖繁且大, 莫勝於獄也. 可不愼哉.

서합괘는 위는 번개이고 아래는 우레이니, 성인이 옥을 쓰는 것으로 단정하였다. 지극하도다, 성인이 상을 보는 오묘함이여! 옥이라는 것은 의심스럽고 유사한 것, 간사하고 속이는 것이 □□하는 것이니, 밝음이 아니면 실정을 살필 수 없고, 위엄이 아니면 실정을 얻을 수 없다. 그러므로 반드시 지극히 밝고 위엄이 있은 다음에야 옥을 쓸 수 있다. 천하를 다스리는 일은 비록 번잡하고 크지만, 옥보다 더한 것은 없다. 삼가지 않을 수 있겠는가?

象曰, 頤中有物, 曰噬嗑,

「단전」에서 말하였다: 턱 안에 음식물이 있으므로 서합이라 하였으니,

## ‖中國大全‖

### 本義

以卦體, 釋卦名義.

괘의 몸체로 괘의 이름을 해석하였다.

### 小註

童溪王氏曰, 易之立卦, 其命名立象, 各有所指. 鼎井大過棟橈, 小過飛鳥, 若此類者, 遠取諸物也, 艮背頤頤噬嗑頤中有物, 若此類者, 近取諸身也.

동계왕씨가 말하였다: 『주역』에서 괘를 세울 때 이름을 정하고 상을 세움에 각각 가리키는 것이 있다. 정괘(鼎卦)·정괘(井卦)·대과괘(大過卦)는 ‘대들보가 휘어지고’, 소과괘(小過卦)는 ‘나는 새’라고 하였으니, 이러한 부류들은 멀리 사물에서 취하였고, 간괘(艮卦)는 등, 이괘(頤卦)는 턱, 서합괘(噬嗑卦)는 ‘턱 안에 물건’이라고 하였으니, 이러한 부류들은 가까이 몸에서 취하였다.

## ‖韓國大全‖

### 이익(李瀷) 『역경질서(易經疾書)』

頤中有物, 指四也. 四不言七而言九, 則變在其中, 變則頤矣. 賁三亦同, 而下卦非震,震動也. 上止下動, 故云爾. 頤六四互參.

"턱 안에 음식물이 있다"는 것은 사효를 가리킨다. 사효에 대해서 '칠'이라고 하지 않고 '구'라고 말했으니, 변화가 그 가운데 있고, 변화하면 이괘(頤卦☲☳)이다. 비괘(賁卦☲☳)의 삼효도 또한 같지만, 하괘가 진괘가 아니니, 진괘는 움직임이다. 위는 멈추어 있고 아래는 움직이기 때문에 그렇게 말했을 뿐이다. 이괘의 육사를 참조하라.

### 김상악(金相岳) 『산천역설(山天易說)』

以卦體釋卦名義. 物謂四也, 无物則爲頤也.

괘의 몸체로 괘의 이름을 풀이하였다. 음식물은 사효를 말하니, 음식물이 없으면 이괘(頤卦☲☳)가 된다.

### 서유신(徐有臣) 『역의의언(易義擬言)』

頤卦之中九四麗焉, 口中有物而嗑齧之象也. 頤中之物, 必食物, 坎象也. 頤中有物必噬之, 是爲噬嗑也.

이괘(頤卦☲☳)의 가운데 구사가 걸려 있으니, 입 안에 음식물이 있어서 서합괘(噬嗑卦☲☳)의 상이 된다. 턱 안에 있는 것은 반드시 음식물이니, 감괘의 상이다. 턱 안의 음식물은 반드시 씹어야 하니, 이것이 서합괘가 된다.

### 박문건(朴文健) 『주역연의(周易衍義)』

陰居陽中, 故謂之頤中有物, 此以卦體釋卦名.

음이 양 가운데 있기 때문에 "턱 안에 음식물이 있다"고 말하였으니, 이는 괘의 몸체로 괘의 이름을 해석한 것이다.

### 윤종섭(尹鍾燮) 『경(經)·역(易)』

象傳曰, 頤中有物, 取象之謂也. 四之一畫, 橫在於頤之中, 爲噬嗑之象焉. 聖人名卦, 皆如是, 後之論易, 不以象而曷以哉.

「단전」에서 "턱 안에 음식물이 있다"고 말한 것은 상을 취한 것을 말한다. 사효의 한 획이 턱 가운데 걸려있는 것이 서합의 상인이 된다. 성인이 괘의 이름을 지은 것이 모두 이와 같은에, 후에 역을 논하는 자들이 상으로 하지 않고 무엇으로 하겠는가?

### 심대윤(沈大允) 『주역상의점법(周易象義占法)』

全卦爲頤而中有剛爻間之, 爲有物之象.

전체 괘의 모습은 이괘(頤卦䷚)의 가운데에 굳센 양효가 끼어서䷔ 음식물이 있는 상이 된다.

噬嗑而亨.

씹어 합하여 형통하다.

## ‖中國大全‖

### 傳

頤中有物, 故爲噬嗑, 有物間於頤中則爲害, 噬而嗑之則其害亡, 乃亨通也. 故云噬嗑而亨.

턱 안에 음식물이 있기 때문에 서합(噬嗑)이 된다. 음식물이 턱 안에 끼어 있으면 해가 되는데 씹어 합하면 그 해가 없어져 형통할 것이기 때문에 "씹어 합하여 형통하다"고 하였다.

### 小註

建安丘氏曰, 頤卦初上二爻皆陽, 其間四爻皆陰, 有頤口之象. 噬嗑變六四而爲九四, 則爲頤中有物之象. 去其所謂物者, 合則无間矣, 故曰噬嗑. 夫噬嗑乃賁之反對, 皆頤中有物之象. 噬嗑得頤之下動, 則四九爲梗. 賁得頤之上止, 則九三爲梗. 上止而下不動, 則无可合之理, 上止而下動, 則有噬而合之之象. 噬嗑而亨, 乃噬去强梗, 无所間隔, 而自亨通也.

건안구씨가 말하였다: 이괘는 초효와 이효가 모두 양이고, 그 사이 네 효는 모두 음이어서 턱과 입의 상이 있다. 서합괘는 이괘의 육사가 변하여 구사가 되었으니, 턱 안에 음식물이 있는 상이 되었다. 턱 안에 있는 음식물을 제거하여 합하면 사이가 없을 것이기 때문에 "씹어 합한다"고 하였다. 서합괘는 비괘가 거꾸로 된 괘이니, 모두 턱 안에 음식물이 있는 상이다. 서합괘에서 턱의 아래가 움직이면 구사가 강경한 것이 되고, 비괘에 턱의 위가 정지하면 구삼이 강경한 것이 된다. 위가 정지하고 아래가 움직이지 않으면 합해질 수 있는 이치가 없고, 위가 정지하고 아래가 움직이면 씹어 합하는 상이 있다. '씹어 합하여 형통함'은 씹어 강경한 것을 제거하여 간격이나 틈이 없어져서 스스로 형통할 것이다.

## 剛柔分, 動而明, 雷電, 合而章,

굳셈과 부드러움이 나뉘고, 움직이고 밝으며, 우레와 번개가 합하여 빛나고,

## ║中國大全║

### 傳

以卦才言也. 剛爻與柔爻相間, 剛柔分而不相雜, 爲明辨之象, 明辨, 察獄之本也. 動而明, 下震上離, 其動而明也. 雷電合而章, 雷震而電耀, 相須並見, 合而章也. 照與威並行, 用獄之道也, 能照則无所隱情, 有威則莫敢不畏. 上旣以二象, 言其動而明. 故復言威照並用之意.

괘의 재질로써 말하였다. 굳센 양효와 부드러운 음효가 서로 사이하여 굳셈과 부드러움이 나뉘어져 서로 섞이지 않아서 밝게 분별하는 상이 되니, 밝게 분별함은 옥사를 살피는 근본이다. ‘움직이고 밝음[動而明]’은 아래는 진괘(震卦☳)이고 위는 리괘(離卦☲)이니, 움직이고 밝은 것이다. ‘우레와 번개가 합하여 빛남[雷電合而章]’은 우레는 진동하고 번개는 빛나서 서로 기다려 함께 나타나니, 합하여 빛나는 것이다. 비춤과 위엄을 아울러 행하는 것이 옥사(獄事)를 쓰는 도이니, 비추면 진실을 숨길 수 없고, 위엄이 있으면 감히 두려워하지 않을 수 없다. 앞에서 이미 두 상으로 움직이고 밝음을 말하였기 때문에 다시 위엄과 비춤을 아울러 쓰는 뜻을 말한 것이다.

### 小註

龜山楊氏曰, 剛在下則動, 柔在上則明, 動而明也. 初未章, 合而後章.
구산양씨가 말하였다: 굳셈이 아래에 있으면 움직이고, 부드러움이 위에 있으면 밝으니, 움직이고 밝은 것이다. 처음에는 빛나지 않다가 합한 이후에 빛난다.

○ 進齋徐氏曰, 剛柔分, 未噬之象, 動而明, 方噬之象, 雷電合而章, 已噬之象, 猶噬物然. 噬則頤分, 嗑則頤合也.
진재서씨가 말하였다: ‘굳셈과 부드러움이 나누어짐’은 아직 씹지 않은 상이고, ‘움직이고

밝음'은 바야흐로 씹는 상이고, '우레와 번개가 합하여 빛남'은 이미 씹은 상이니, 음식물을 씹는 것과 같다. 씹으면 턱이 나누어지고, 합하면 턱이 합해진다.

## ‖韓國大全‖

### 유정원(柳正源) 『역해참고(易解参攷)』

王氏曰, 剛柔分, 動不溷乃明, 雷電竝合不亂乃章, 皆利用獄之義. 能爲齧合而通, 必有其主五則是也.

왕필이 말하였다: 굳셈과 부드러움이 나뉘고 움직임에 어지럽지 않아서 밝으며 우레와 번개가 합하여 어지럽지 않아서 빛나는 것이 모두 옥을 쓰는 것이 이로운 뜻이다. 깨물어 합하여 통할 수 있는 것은 반드시 오효를 주로 하는 것이 그것이다.

○ 正義, 明之與動, 各是一事, 故剛柔云分也. 明動雖各一事, 相須而用, 故雷電云合也.

『주역정의』에서 말하였다: 밝음과 움직임은 각각 한 일이기 때문에 굳셈과 부드러움에 대해서는 나뉜다고 말하였다. 밝음과 움직임이 각각 하나의 일이지만, 서로 기다려서 작용하기 때문에 우레와 번개에 대해서는 합한다고 말하였다.

○ 西溪李氏曰, 人之頤中自有雷電, 齒剛而舌柔. 雷之擊搏, 必與電合, 齒之噬嗑, 必與舌俱然後成章.

서계이씨가 말하였다: 사람의 턱 가운데 저절로 우레와 번개가 있으니, 이는 굳세고 혀는 부드럽다. 우레가 침에 반드시 번개와 합하고, 이가 씹음에 반드시 혀와 함께 한 다음에야 빛남을 이룬다.

### 강엄(康儼) 『주역(周易)』

按, 剛柔分, 本義只云三陰三陽剛柔中半. 又於小註曰, 語意與日夜分同. 又曰, 偶於此言之. 其不以剛柔分作深意看者, 可見矣. 然程傳云, 剛柔分而不相雜, 爲明辨之象, 讀者以程傳意看之似好.

내가 살펴보았다: '굳셈과 부드러움이 나누어짐'에 대해서 『본의』에서는 다만 세 음과 세 양으로서 굳셈과 부드러움이 각각 반이라고 말하였다. 또한 소주에서는 "말의 뜻이 '밤낮'이라고 하는 것과 같다"고 말하였다. 또 "우연히 이 괘에서 그렇게 말한 것이다"라고 하였다. 이를 보면 주자가 굳셈과 부드러움이 나뉜다는 것을 깊은 뜻을 가진 것으로 보지 않았음을 알 수 있다. 그러나 『정전』에서 "굳셈과 부드러움이 나뉘어져 서로 섞이지 않는 것이 밝게 분별하는 상이 된다"고 하였으니, 독자는 『정전』의 뜻으로 보는 것이 좋을 듯하다.

## 박문건(朴文健) 『주역연의(周易衍義)』

噬嗑而亨. 剛柔分, 動而明, 雷電合而章.
씹어 합하여 형통하다. 굳셈과 부드러움이 나뉘고, 움직이고 밝으며, 우레와 번개가 합하여 빛난다.

嗑者, 合也. 合而能亨, 是以剛柔分而位合正中. 動而明, 則進合遲速, 合而章, 則文合經緯也. 此以卦名釋亨之義, 而又以卦體卦德卦象申其道之由合也.
'합(嗑)'은 합하는 것이다. 합하여 형통할 수 있기 때문에 굳셈과 부드러움이 나뉘고 자리가 바르고 알맞음에 합한다. 움직이고 밝으면 나아가는 것이 느리고 빠른 데 합하고, 합하여 빛나면 문채가 경위(經緯)에 합한다. 이는 괘의 이름으로 형통하다는 뜻을 풀이하고, 또한 괘의 몸체와 괘의 덕과 괘의 상으로 도가 합하는 연유를 거듭 풀이하였다.

〈問, 剛柔分. 曰, 剛柔分上下之體, 而柔則爲主於外, 剛則爲主於內. 然柔爲成卦之主, 而進居中正之位也. 節之彖, 亦釋亨義也.
물었다: "굳셈과 부드러움이 나뉜다"는 무슨 뜻입니까?
답하였다: 굳셈과 부드러움으로 상체와 하체를 나누었으니, 부드러움은 밖을 주관하고 굳셈은 안을 주관하고 있습니다. 그러나 부드러움이 괘를 이루는 주인이 되고, 나아가 중정한 자리에 거하고 있습니다. 절괘의 「단전」에서도 또한 형통하다는 뜻을 풀이하였습니다.〉

## 이지연(李止淵) 『주역차의(周易箚疑)』

頤, 卽山雷頤也. 剛柔分, 三字未詳.
'이(頤)'는 간괘와 진괘로 이루어진 이괘(頤卦)이다. '강유분(剛柔分)' 세 글자는 상세하지 않다.

六五六二之俱柔者, 甚非治人之道, 而至於治獄則利. 聖人愛人之心可見.

육오와 육이가 갖추고 있는 부드러움은 전혀 사람은 다스리는 도가 아니지만, 옥을 다스리는데 이르면 이롭다. 성인이 사람을 사랑하는 마음을 알 수 있다.

### 이진상(李震相) 『역학관규(易學管窺)』

傳, 剛柔分, 亦以卦變言.

『정전』에서 말하였다: '굳셈과 부드러움이 나뉨'은 또한 괘의 변화로 말한 것이다.

胡氏曰, 下體本坤, 分初柔上而爲五, 上體本乾, 分五剛下而爲初, 此說良是. 柔得中者, 六二之柔旣得其中也. 上行者, 初六之柔又能上行而得其中也. 單言初之變五, 則當曰柔上行而得中, 而此則兼說六二故也. 不當位, 言六五之不當位也. 六五未爲當位, 故得中之義, 主乎六二. 或曰, 噬嗑與賁相綜, 柔之得中者同也. 但又上進於四, 易剛爲柔, 其說亦通.

호씨가 "하체는 본래 곤괘인데, 초효의 부드러움을 나누어 위로 올라가 오효가 되었고, 상체는 본래 건괘인데 오효의 굳셈을 나누어 아래로 내려와 초효가 되었다"고 말하였으니, 이 설이 참으로 옳다. '부드러운 음이 중을 얻음'은 육이의 부드러운 음이 중을 얻은 것이다. '위로 행함'은 초육의 부드러운 음이 또한 위로 행할 수 있어서 그 중을 얻은 것이다. 초효가 오효로 변한 것만을 말하려면 마땅히 "부드러운 음이 위로 행하여 중을 얻었다"고 해야 하지만, 여기에서는 육이를 겸하여 말했기 때문이다. '자리에 마땅하지 않음'은 육오가 자리에 마땅하지 않음을 말한다. 육오가 자리에 마땅하지 않기 때문에 중을 얻은 뜻은 육이를 주로 한다. 어떤 이는 "서합괘(噬嗑卦☲☳)는 비괘(賁卦☶☲)와 서로 거꾸로 된 괘인데, 부드러운 음이 중을 얻은 것은 같다. 다만 또한 위로 사효에 올라가 굳센 양을 부드러운 음으로 바꾸었다"라고 말하니, 그 설도 또한 통한다.

# 柔得中而上行, 雖不當位, 利用獄也.

부드러움이 중(中)을 얻어 위로 행하니, 비록 자리에 마땅하지 않으나 "옥(獄)을 쓰는 것이 이롭다."

## 中國大全

### 傳

六五以柔居中, 爲用柔得中之義. 上行, 謂居尊位, 雖不當位, 謂以柔居五, 爲不當. 而利於用獄者, 治獄之道, 全剛則傷於嚴暴, 過柔則失於寬縱, 五爲用獄之主, 以柔處剛而得中, 得用獄之宜也. 以柔居剛, 爲利用獄, 以剛居柔爲利否. 曰, 剛柔, 質也, 居, 用也, 用柔, 非治獄之宜也.

육오가 부드러운 음으로서 가운데에 있으니, 부드러움을 쓰고 가운데를 얻은 뜻이 된다. '위로 행함[上行]'은 높은 자리에 있음이고, '비록 자리에 마땅하지 않음[雖不當位]'은 부드러운 음으로 오효에 있는 것이 마땅하지 않다는 것이다. 옥(獄)을 씀이 이로운 것은 옥(獄)을 다스리는 도는 전적으로 강하게만 하면 엄하고 사나움에 손상되고, 지나치게 유약하면 너그럽고 풀어줌에 잘못되는데, 육오가 옥(獄)을 쓰는 주체가 되어 부드러움으로 강함에 처하여 중을 얻었으니, 옥(獄)을 쓰는 마땅함을 얻은 것이다. "부드러움으로 강함에 있음이 옥(獄)을 씀에 이롭다니, 강함으로서 부드러움에 있음이 이로운 것이 아닌가?" "강함과 부드러움은 자질이고 '있음[居]'는 쓰임[用]이니, 부드러움을 쓰는 것은 옥(獄)을 다스리는 마땅함이 아니다."

### 小註

漢上朱氏曰, 六五柔中, 雖不當位, 施之用獄, 則无若柔中之爲利矣. 或曰, 柔足以用獄乎. 曰爲人君止於仁, 不以剛斷稱也.

한상주씨가 말하였다: 육오는 부드러우면서 가운데이지만 '비록 자리에 마땅하지 않으나' 옥을 쓰게 되면 부드러우면서 가운데인 것이 이익 되는 것만 못하다.

어떤 이가 물었다: 부드러움은 옥을 쓰기에 충분합니까?

답하였다: 임금이 인에 머물러야 하고 굳세게 결단하는 것으로 해서는 안 됩니다.

○ 龜山楊氏曰, 古之治獄, 吏以獄成, 告于正, 正聽之, 正以獄成告于大司寇, 司寇聽之棘木之下, 大司寇以獄成告于王, 王命三公參聽之, 三公以獄成告于王, 王三宥之而後制刑, 此以柔用之意也.

구산양씨가 말하였다: 옛날에 옥사를 다스릴 때에 관리는 옥사가 성립되면 옥관의 책임자에게 보고하며, 옥관의 책임자는 옥사를 듣고 옥사가 성립되었다는 것을 대사구에게 보고한다. 대사구는 가시나무 아래에서 그것을 듣고 옥사가 성립되었다는 것을 왕에게 보고한다. 왕은 삼공에게 참여하여 듣기를 명하고, 삼공은 옥사가 성립되었다는 것을 왕에게 보고한다. 왕은 세 번 용서한 뒤에 형벌을 제정하니, 이것이 부드러움을 쓰는 뜻이다.

## ‖中國大全‖

**本義**

以卦名卦體卦德二象卦變, 釋卦辭.

괘의 이름, 괘의 몸체, 괘의 덕, 두 상, 괘의 변화로써 괘사를 해석하였다.

**小註**

朱子曰, 彖辭中剛柔分以下, 都掉了頤中有物, 只說利用獄. 爻各自取義, 不說頤中之物. 問, 易中言剛柔分兩處, 一是噬嗑, 一是節, 此頗難解. 曰, 據某所見, 只是一卦三陰三陽謂之剛柔分, 分猶均也. 又問, 易中三陰三陽卦多, 獨於此言之何也. 曰, 偶於此言之, 其他卦別有義. 又曰, 剛柔分, 語意與日夜分同.

주자가 말하였다: 단사에서 ‘굳셈과 부드러움이 나뉘고’ 이하는 모두 ‘턱 안에 음식물이 있음’ 뒤에 떨어져 있으면서 “옥을 쓰는 것이 이롭다”만을 설명하였다. 효는 각자 스스로 뜻을 취하였고 ‘턱 안에 음식물이 있음’에 대하여는 설명하지 않았다.

물었다: 『주역』 가운데 굳셈과 부드러움을 나눈 곳이 두 군데인데, 서합괘와 절괘입니다. 이것이 꽤 이해하기 힘듭니다.

답하였다: 내 생각에 하나의 괘에 음과 양이 각각 세 개인 것을 굳셈과 부드러움이 나누어졌다고 하는데, 나누어짐은 고르다고 하는 것과 같습니다.

또 물었다:『주역』가운데 음과 양이 각각 세 개인 괘가 많은데, 이 괘에만 그렇게 말한
것은 무엇 때문입니까?
답하였다: 우연히 이 괘에서 그렇게 말한 것이고, 다른 괘에서는 다른 뜻이 있습니다.
또 말하였다: ‘굳셈과 부드러움이 나뉨’은 낮과 밤이 나뉘는 것과 뜻이 동일합니다.

○ 雲峰胡氏曰, 卦辭云噬嗑亨, 象傳加一而字, 謂必噬嗑之而後亨也, 此以卦名釋辭.
운봉호씨가 말하였다: 괘사에서 “서합은 형통하다”고 하였고,「단전」에서 ‘이(而)’를 더하여
반드시 씹어 합한 이후에 형통하다고 하였으니, 이것은 괘의 이름으로 말을 풀이한 것이다.

○ 臨川吳氏曰, 剛柔分動而明, 言未噬之前以噬而致亨, 雷電合而章, 言旣噬之後以
嗑而致亨, 此二句解噬嗑亨也. 柔自六四上行至五, 雖不當位, 然以柔居剛, 爲以剛濟
柔而不過於柔, 治獄所宜也, 結之以利用獄也四字者, 此兩句解利用獄也. 噬嗑而亨,
何事不利, 而獨利用獄者, 六五以柔在上, 才不當位, 不足以致大利, 獨以柔得中, 利於
用獄而已.
임천오씨가 말하였다: ‘굳셈과 부드러움이 나뉘고, 움직이고 밝으며’는 아직 씹기 전에 합하
여 형통함을 이루는 것이고, ‘우레와 번개가 합하여 빛나고’는 이미 씹은 후에 합하여 형통함
을 이루는 것이니, 이 두 구절은 ‘서합은 형통하니’를 해석한 것이다. 부드러움이 육사로부터
위로 오효에 이르기까지 자리에 마땅하지 않으나 부드러움이 굳셈에 자리하여 굳셈이 부드
러움을 구제하지만 부드러움에서 지나치지 않아 옥을 다스림에 마땅하니, “옥을 쓰는 것이
이롭다”는 네 글자로 맺었다. 이 두 구절은 “옥을 쓰는 것이 이롭다”를 풀이한 것이다. ‘씹어
합하여 형통’하니, 어떤 일이 이롭지 않겠는가? ‘옥을 쓰는 것이 이로운’ 것은 위에 있는 부드
러운 육오로 재주가 자리에 마땅하지 않아 큰 이로움을 이룰 수는 없지만, 부드러움으로
가운데를 얻어 옥을 쓰는 데는 이롭다.

○ 雲峰胡氏曰, 動不如雷, 不能斷獄, 明不如電, 不能察獄. 不柔則失之, 暴柔而不中,
則失之縱甚, 言用獄之難也.
운봉호씨가 말하였다: 움직임이 우레만한 것이 없지만 옥사를 판단할 수 없고, 밝음이 번개
만한 것이 없지만 옥사를 살필 수 없다. 부드럽지 않으면 잃고, 사납게 부드러워 가운데를
잃으면 잃음이 심할 것이니, 옥을 쓰는 것이 어렵다는 말이다.

# ‖韓國大全‖

**홍여하(洪汝河) 「책제(策題):문역(問易)·독서차기(讀書箚記)-주역(周易)」**

柔得中而上行.

부드러움이 중(中)을 얻어 위로 행한다.

柔得中而上行, 兼二言之, 猶訟之剛來而得中, 兼九五而言之也. 上行, 謂離火炎上, 訟之剛來下也, 坎水潤下.

"부드러움이 중(中)을 얻어 위로 행한다"는 것은 이효를 겸하여 말한 것이니, 송괘의 굳센 양이 와서 중을 얻었다는 것이 구오를 겸하여 말한 것과 같다. 위로 행한다는 것은 리괘인 불이 타 올라간다는 말이고, 송괘의 굳센 양이 아래로 내려가는 것은 감괘인 물이 적셔 내려가는 것이다.

本義, 以卦名卦體卦德二象卦變, 釋卦辭.

『본의』에서 말하였다: 괘의 이름, 괘의 몸체, 괘의 덕, 두 상, 괘의 변화로 괘사를 해석하였다.

卦名噬嗑而亨, 卦體剛柔分, 卦德動而明, 二象雷電合而章, 卦變自益卦來.

괘의 이름은 서합으로서 형통하고, 괘의 몸체는 굳센 양과 부드러운 음이 나뉘어 있고, 괘의 덕은 움직여서 밝고, 두 상은 우레와 번개가 합하여 빛나고, 괘의 변화는 익괘로부터 왔다.

**유정원(柳正源) 『역해참고(易解參攷)』**

柔得中.

부드러움이 중을 얻었다.

雙湖胡氏曰, 下體本坤, 分初柔上而爲五, 上體本乾, 分五剛下而爲初, 此剛柔之分也. 柔得中而上行, 卽初柔上而得中也. 噬嗑剛柔分而柔得中, 節剛柔分而剛得中, 故於兩卦發其義.

쌍호호씨가 말하였다: 하체는 본래 곤괘인데, 초효의 부드러움을 나누어 위로 올라가 오효가 되었고, 상체는 본래 건괘인데 오효의 굳셈을 나누어 아래로 내려와 초효가 되었으니, 이것이 굳셈과 부드러움의 나뉨이다. 부드러움이 중을 얻어서 위로 행하니, 곧 초효의 부드

러움이 올라가 중을 얻은 것이다. 서합괘에서는 굳셈과 부드러움이 나뉘어 부드러움이 중을 얻었고, 절괘에서는 굳셈과 부드러움이 나뉘어 굳셈이 중을 얻었기 때문에 두 괘에서 그 뜻을 말하였다.

○ 案, 上節言剛柔分, 則所貴乎用獄者, 剛柔之得中也. 繼之曰, 柔得中, 是欽恤之意也.
내가 살펴보았다: 위 구절에서 굳셈과 부드러움이 나뉜다고 말했으니, 옥을 쓰는 데에서 귀한 것은 굳셈과 부드러움이 중을 얻는 것이다. 이어서 "부드러움이 중을 얻었다"고 말한 것은 공경하는 뜻이다.

### 김상악(金相岳) 『산천역설(山天易說)』

以卦名卦體卦德卦象卦變, 釋卦辭.
『본의』에서 말하였다: 괘의 이름, 괘의 몸체, 괘의 덕, 괘의 상, 괘의 변화로 괘사를 해석하였다.

物之在頤中者, 必先噬而後嗑, 所以噬嗑而後亨也. 剛柔分, 辨別之象, 動與雷, 震之象, 明與電, 離之象. 六五得中而上行, 爲噬嗑之主. 剛柔相濟, 威照竝用而得中爲善, 故雖不當位, 利於用獄也. 剛柔分, 未噬之象, 動而明, 方噬之象, 雷電合而章, 已嗑之象也.
턱 가운데 있는 음식물을 반드시 먼저 씹은 다음에 턱을 합하기 때문에 서합이 된 다음에 형통하다. 굳센 양과 부드러운 음이 나뉘는 것은 변별하는 상이고, 움직임과 우레는 진괘의 상이고, 밝음과 번개는 리괘의 상이다. 육오는 중을 얻어 위로 가서 서합의 주인이 된다. 굳셈과 부드러움이 서로 보완하고 위엄과 비춤을 아울러 써서 중을 얻는 것이 선함이 되기 때문에, 비록 자리에 마땅하지 못하더라도 옥을 쓰는 것이 이롭다. 굳센 양과 부드러운 음이 나뉘는 것은 아직 씹지 않은 상이고, 움직이고 밝은 것은 막 씹은 상이고, 우레와 번개가 합하여 빛나는 것은 이미 합한 상이다.

### 서유신(徐有臣) 『역의의언(易義擬言)』

噬嗑而亨. 剛柔分, 動而明, 雷電合而章, 柔得中而上行.
씹어 합하여 형통하다. 굳셈과 부드러움이 나뉘고, 움직이고 밝으며, 우레와 번개가 합하여 빛나고, 부드러움이 중(中)을 얻어 위로 행한다.
噬嗑之象, 有物爲梗之義, 而乃曰亨者何也. 卦德甚備故也. 三剛三柔平分, 震動而離明, 雷電相合而成章. 豊變爲噬嗑而離上行, 故曰柔得中而上行. 卦德如此, 所以爲亨也. 震而離, 是爲春而夏, 雷電用事之日, 品物咸亨之時也.

서합의 상은 물건이 강경하게 되는 뜻이 있는데, 형통하다고 한 것은 왜인가? 괘의 덕이 잘 갖추어져 있기 때문이다. 세 굳센 양과 세 부드러운 음이 고르게 나뉘며, 진괘는 움직이고 리괘는 밝으며, 우레와 번개가 서로 합하여 빛남을 이루며, 풍괘(豊卦䷶)와 변하여 서합괘가 되면서 리괘가 위로 올라가기 때문에 "부드러움이 중을 얻어 위로 행한다"고 말하였다. 괘의 덕이 이와 같기 때문에 형통하다. 진괘와 리괘로 이루어진 것이 봄과 여름이 되고, 우레와 번개가 일을 하는 날은 만물이 모두 형통한 때이다.

雖不當位, 利用獄也.

비록 자리에 마땅하지 않으나 옥(獄)을 쓰는 것이 이롭다.

不當位, 九四也. 以不正居匪據, 有爲梗之象, 是誠可噬者也. 雖然欽恤之政, 宜用審理也.

자리에 마땅하지 않은 것은 구사이다. 바르지 않음으로 거처하지 않을 곳에 거처하는 것이 강경하게 되는 상이 있으니, 이것이 참으로 씹을 수 있는 것이다. 비록 그렇지만 공경하는 정치는 마땅히 심리를 써야 한다.


## 박문건(朴文健)『주역연의(周易衍義)』

以陰居陽, 則雖不當位, 所履中正, 故不留於獄也. 此以卦變釋利用獄之義.

음으로 양에 거하고 있으니 비록 자리는 마땅하지 않지만, 밟는 것이 중정하기 때문에 옥에 머물지 않는다. 이는 괘의 변화로 "옥을 다스리는 것이 이롭다"는 뜻을 풀이하였다.

〈問, 不曰柔上行而得中, 必曰柔得中而上行何. 曰, 賁反則爲噬嗑, 噬嗑之五卽賁二也. 在賁則得中於二, 在噬嗑則上行於五, 故謂之柔得中而上行也.

물었다: "부드러움이 위로 행하여 중을 얻었다"고 말하지 않고, 반드시 "부드러움이 중을 얻어 위로 행한다"고 말한 것은 왜입니까?

답하였다: 비괘(賁卦䷕)가 거꾸로 되면 서합괘(噬嗑卦䷔)가 되니, 서합괘의 오효는 비괘의 이효입니다. 비괘에서는 이효에서 중을 얻고, 서합괘에서는 오효로 위로 행하기 때문에, "부드러움이 중을 얻어 위로 행한다"고 말하였습니다.〉


## 김기례(金箕澧)「역요선의강목(易要選義綱目)」

頤中有物, 指九四在兩剛中三柔間.

"턱 안에 음식물이 있다"는 것은 구사가 두 굳센 양의 가운데 세 부드러운 음의 사이에 있는 것을 가리킨다.

○ 近取諸身, 噬嗑而亨. 用獄化梗, 如口有物, 則齧合而致亨通. 剛柔分, 卦中三剛三柔相間而有未噬前象. 動而明, 離明而察, 震動而威, 有方噬之象. 雷電合而章, 震威離明, 旣嚴旣察, 有噬而合亨之象. 柔得中, 指六五柔中而得位. 上行, 卦變自益來, 六四往居五而得中. 雖不當位, 利用獄也, 以柔居尊, 故曰不當位.

가까이 몸에서 취하여 씹어 합하여 형통하다. 옥을 써서 교화하기를 입에 음식물이 있는 것처럼 하면 깨물어 합하여 형통함을 이룬다. '굳셈과 부드러움이 나뉨'은 괘 가운데 세 굳센 양과 세 부드러운 음이 서로 끼어서 앞에 있는 것을 깨물지 않는 상이 있다. '움직이고 밝음'은 리괘가 밝고 살피며 진괘가 움직이고 위엄이 있어, 막 씹는 상이 있다. '우레와 번개가 합하여 빛남'은 진괘는 위엄이 있고 리괘는 밝아서 이미 엄하고 이미 살피니, 씹어 합하여 형통한 상이 있다. '부드러움이 중(中)을 얻음'은 육오가 부드러운 음으로서 가운데 있고 지위를 얻은 것을 말한다. '위로 행함'은 괘의 변화가 익괘(益卦䷩)로부터 와서 육사가 가서 오효의 자리에 거하여 알맞음을 얻은 것이다. '비록 자리에 마땅하지 않으나 옥을 쓰는 것이 이로움'은 부드러운 음으로 존귀한 자리에 거하기 때문에 자리에 마땅하지 않다고 말한 것이다.

○ 柔居剛位, 恩威竝施, 故曰利用獄.

부드러운 음이 굳센 양의 자리에 있어 은혜와 위엄을 같이 베풀기 때문에 "옥을 쓰는 것이 이롭다"고 하였다.

### 심대윤(沈大允) 『주역상의점법(周易象義占法)』

而者, 明非噬嗑之中有亨也. 噬嗑, 所以致亨之道也. 書曰, 刑期于无刑. 君子非欲用刑也, 不得已也. 故其刑人者, 乃所以全人也, 殺人者, 乃所以生人也. 刑殺者, 忠厚慈愛之道也. 若夫刑人殺人而不以全人生人之道, 則是桀紂之行也. 剛柔分者, 震剛离柔而中間有二陰爻, 爲分間而不相混雜之象, 言明辨而分別也, 章文之成也. 离柔上進而六五得中, 故曰柔得中而上行. 六五柔而聽九四, 故曰不當位. 治獄之道, 不可自用其喜怒也. 以柔居剛以仁行嚴, 故利用獄也. 獄, 讞議也.

'이(而)'라는 것은 서합의 가운데 형통함이 있는 것이 아니라는 점을 밝힌 것이다. 서합은 형통함을 이루는 도이다. 『서경』에 "형벌은 형벌이 없기를 기대하는 것이다"[5]라고 하였다.

---

5) 『書經·大禹謨』: 刑期于無刑, 民協于中, 時乃功, 懋哉.

군자가 형벌을 쓰고자 하는 것이 아니라, 어쩔 수 없이 쓰는 것이다. 그러므로 한 사람을 형벌하는 것은 모든 사람을 온전하게 하는 방법이고, 한 사람을 죽이는 것은 모든 사람을 살리는 방법이다. 형벌과 죽임은 충후하고 자애로운 도인 것이다. 사람을 형벌하고 사람을 죽이면서 사람을 온전하게 하고 사람을 살리는 도를 쓰지 않는다면, 그것은 걸(桀)이나 주(紂)와 같은 행동이다. '굳셈과 부드러움이 나뉨'은 진괘는 굳세고 리괘는 부드러우며, 중간에 두 음효가 있어서 나뉘어 서로 섞이지 않는 상이 되니, 분명히 밝혀서 분별하고 문장을 이룬다는 말이다. 리괘의 부드러운 음이 올라가 육오가 중을 얻기 때문에 "부드러움이 중(中)을 얻어 위로 행한다"고 하였다. 육오는 부드러운 음으로서 구사의 말을 듣기 때문에 "자리에 마땅하지 않다"고 말하였다. 옥을 다스리는 도는 스스로 자기의 기쁨과 노여움을 써서는 안 된다. 부드러운 음으로 굳센 양의 자리에 있고, 인자함으로 엄함을 행하기 때문에 옥을 쓰는 것이 이롭다. 옥은 죄를 조사하여 판결하는 것이다.

## 오치기(吳致箕) 「주역경전증해(周易經傳增解)」

此以卦體之形, 釋卦名義及亨之義, 以卦反卦德卦象卦體, 釋卦辭也. 剛柔分, 亦以卦反言, 而不曰柔上剛下者, 離雖卦反而其體不變, 故言剛柔分以明卦反也. 蓋賁與噬嗑, 卦體之形雖若相似, 然柔來而文剛, 分剛而上以文柔, 則爲賁之義, 剛柔分而動在下明在上, 則爲噬嗑之義. 此所以言卦反而明其義也. 噬嗑爲卦義故言合, 而離爲文明故言章也. 柔得中而上行, 亦言卦反, 而六五以柔居尊, 雖不若以剛居尊, 然能得中而柔以用剛, 故曰雖不當位利用獄也. 餘詳見程傳.

이는 괘의 몸체의 형상으로 괘의 이름 및 형통함의 뜻을 해석한 것이며, 괘의 반대괘, 괘의 덕, 괘의 상, 괘의 몸체로 괘사를 해석한 것이다. '굳셈과 부드러움이 나뉨'은 또한 괘의 반대괘로 말한 것이고, 부드러운 음이 위로 올라가고 굳센 양이 내려온다고 말하지 않은 것은 리괘가 비록 괘의 반대괘이지만, 그 몸체는 변하지 않기 때문에 '굳셈과 부드러움이 나뉨'을 말하여 괘의 반대괘라는 것을 밝힌 것이다. 비괘(賁卦䷕)와 서합괘(噬嗑卦䷔)는 괘의 몸체의 모습이 비록 비슷한 것 같지만, 부드러움이 와서 굳셈을 꾸미고 굳셈을 나누어 위로 올라가 부드러움을 꾸미면 비괘의 뜻이 되고, 굳셈과 부드러움이 나뉘어 움직임이 아래에 있고 밝음이 위에 있으면 서합괘의 뜻이 된다. 이것이 괘의 반대괘를 말하여 그 뜻을 밝힌 까닭이다. 서합괘는 괘의 뜻이 되기 때문에 합함을 말하고, 리괘는 밝기 때문에 빛남을 말하였다. 부드러움이 중을 얻어 위로 행하는 것도 또한 괘의 반대괘를 말하고, 육오는 부드러운 음으로 높은 자리에 있어서 비록 굳센 양으로 높은 자리에 있는 것만은 못하지만, 중을 얻어 부드러움으로 굳셈을 쓸 수 있기 때문에, "비록 자리에 마땅하지 않으나 옥을 쓰는 것이 이롭다"고 말하였다. 나머지는 『정전』에 상세하게 보인다.

### 최세학(崔世鶴) 「주역단전괘변설(周易彖傳卦變說)」

剛柔分, 柔得中而上行.

굳셈과 부드러움이 나뉘고, 부드러움이 중(中)을 얻어 위로 행한다.

噬嗑, 否之二體變也. 初與五二爻爲主, 故象以剛柔分柔得中言之. 泰初來居於下體之下, 以剛分柔, 泰五往居於上體之中, 以柔分剛而又得其中也.

서합괘(噬嗑卦䷔)는 비괘(否卦䷋)의 두 몸체가 변한 것이다. 초효와 오효 두 효가 주인이 되기 때문에 「단전」에서 '굳셈과 부드러움이 나뉨', '부드러움이 중(中)을 얻음'으로 말하였다. 태괘(泰卦䷊)의 초효가 와서 하체의 아래에 있는 것이 굳셈으로 부드러움을 나누는 것이고, 태괘의 오효가 가서 상체의 가운데 있는 것이 부드러움으로 굳셈을 나누고 또한 그 중을 얻는 것이다.

### 박문호(朴文鎬) 「경설(經說)・주역(周易)」

天下之大惡, 如殷小乙死於雷電者, 是天之用刑也. 故噬嗑一卦, 皆取用刑爲義.

벼락에 맞아 죽은 은나라의 소을(小乙)처럼 천하의 큰 악인은 하늘이 형벌을 쓴 것이다. 그러므로 서합 한 괘는 모두 형벌을 쓰는 것을 취하여 뜻으로 삼았다.

其動而明, 其字, 恐讀如是字義.

'기동이명(其動而明)'의 '기(其)'자는 아마도 '시(是)'자의 뜻으로 읽어야 할 듯하다.

### 이병헌(李炳憲) 『역경금문고통론(易經今文考通論)』

王曰, 噬齧也, 嗑合也. 凡物之不親, 由有間也. 齧而合之, 所以通也. 刑克以通, 獄之利也.

왕필이 말하였다: '서(噬)'는 깨무는 것이고, '합(嗑)'은 합하는 것이다. 사람들이 친하지 못하는 것은 틈이 있기 때문이다. 깨물어 합하는 것은 통하는 방법이다. 형벌로 극해서 통하게 하는 것은 옥사의 이로움이다.

虞曰, 物謂四. 頤中无物, 則口不噬, 故先擧頤中有物曰噬嗑也.

우번이 말하였다: '음식물[物]'은 사효를 가리킨다. 턱 안에 음식물이 없으면 입이 씹지 않기 때문에 먼저 "턱 안에 음식물이 있으므로 서합이라 한다"는 것을 들었다.

宋曰, 雷動而威, 電動而明, 二者合而其道章也.

송충이 말하였다: 우레는 움직여 위엄이 있고 번개는 움직여 밝으니, 두 가지가 합하여 그 도가 빛난다.

按, 有物間隔, 則必噬而後, 乃能合而通之. 天下事, 未有不遇挫折阻碍而後得成者也. 故所藏乎身者, 非利器不可能也. 利器者何? 電以通之之神力也.

내가 살펴보았다: 사물 사이에 간격이 있으면 반드시 씹은 다음에 합하여 통할 수 있다. 천하의 일 가운데 좌절과 장애를 만난 다음에 이루어지지 않는 것이 없다. 그러므로 몸에 감추어져 있는 것이 예리한 도구가 아니면 불가능하다. 예리한 도구란 무언인가? 우레로 통하게 하는 신비한 힘이다.

象曰, 雷電噬嗑, 先王以, 明罰勑法.

「상전」에서 말하였다: 우레와 번개가 서합(噬嗑)이니, 선왕이 그것을 본받아 형벌을 밝히고 법령을
정비하였다.

## ‖中國大全‖

### 傳

象无倒置者, 疑此文互也. 雷電, 相須竝見之物, 亦有嗑象, 電明而雷威. 先王觀
雷電之象, 法其明與威, 以明其刑罰, 飭其法令, 法者, 明事理而爲之防者也.

「상전」에서는 거꾸로 말한 경우가 없는데, 아마도 이 구절은 글자의 앞뒤가 바뀐 구절일 것이다.[6]
‘우레와 번개’는 서로 기다려 함께 나타나는 물건이고 또한 합하는 상이 있으니, 번개는 밝고 우레는
위엄이 있다. 선왕이 우레와 번개의 상을 관찰하여 그 밝음과 위엄을 본받아 형벌을 밝히고 법령을
삼갔으니, 법은 일의 이치를 밝혀서 미리 방비하는 것이다.

### 本義

雷電, 當作電雷.

‘뇌전(雷電)’은 마땅히 ‘전뢰(電雷)’가 되어야 한다.

#### 小註

或問, 諸卦象皆順說, 獨雷電噬嗑倒說, 何邪. 朱子曰, 先儒皆以爲倒寫二字, 相似疑是
如此.

---

6) 「대상전」에서는 상괘를 먼저 말하고 하괘를 나중에 말하므로, 여기에서도 그 순서대로 ‘전뢰(電雷)’라고
해야 하는데, ‘뇌전(雷電)’이라고 썼기 때문에 이렇게 말한 것이다. 아마도 「단전」에서 ‘뇌전(雷電)’이라고
썼기 때문에 그대로 따라 쓴 것으로 보인다.

어떤 이가 물었다: 모든 괘의 상은 모두 순서대로 말하였는데 "우레와 번개가 서합이대雷電噬嗑]"에서 거꾸로 말한 것은 어째서 입니까?

주자가 답하였다: 선유들이 모두 이 두 글자를 거꾸로 베꼈다고 생각하는데 아마 두 글자가 비슷해서 그런 것 같습니다.

○ 中溪張氏曰, 蔡邕石經本作電雷.

중계장씨가 말하였다: 채옹의 『석경』에는 본래 '전뢰(電雷)'로 되어 있다.

○ 臨川吳氏曰, 明者, 辨別精審之意, 勅者, 整飭嚴警之意. 明象電光, 勅象雷威. 罰者一時所用之法, 法者平日所定之罰, 一時所用之允當者, 示平日所定之信必也. 故明其罰所以勅其法.

임천오씨가 말하였다: '밝힘'은 분별하고 자세히 살핀다는 뜻이고, '정비함'은 정돈하고 엄하게 살피는 뜻이다. '밝힘'은 번개의 빛을 상징하고, '정비함'은 우레의 위엄을 상징한다. '형벌'은 한 때 사용하는 법이고, '법'은 평소에 정한 형벌이다. 한 때 사용한 것이 참으로 마땅한 것은 평소에 정한 믿음을 반드시 보여주기 때문에 그 형벌을 밝힘이 그 법령을 정비하는 까닭이다.

○ 進齋徐氏曰, 明罰者, 所以示民而使之知所避, 勅法者, 所以防民而使之知所畏, 此先王忠厚之意也. 未至折獄致刑處, 故與豐象異. 然罰之當避, 人猶有冒法而爲之, 法之可畏, 猶有犯法, 不顧者, 先王不得已而後, 用刑焉.

진재서씨가 말하였다: '형벌을 밝힘'은 백성에게 보여 주어 피해야 할 것을 알려주는 것이고, '법령을 정비함'은 백성을 막아서 두려워해야 할 것을 알려주는 것이니, 이것이 선왕의 충성되고 두터운 뜻이다. 아직 "옥사를 결단하고 형벌을 집행"하는 데까지 이르지 않았기 때문에 풍괘의 「상전」과는 다르다. 그러나 형벌은 마땅히 피해야 하는데 사람들은 오히려 법을 범하여 행동하고, 법을 두려워해야 하는데 오히려 법을 침범하니, 꺼리지 않는 자에 대하여 선왕이 부득이한 뒤에야 형벌을 사용하였다.

# ║韓國大全║

### 권근(權近) 『주역천견록(周易淺見錄)』

大象曰, 雷電噬嗑.

「대상전」에서 말하였다: 우레와 번개가 서합이다.

程傳, 象无倒置者, 宜〈宜程傳作疑〉此文互也.

『정전(程傳)』에서 말하였다: 「상전」에서는 거꾸로 말한 경우가 없는데, 아마도〈'의(宜)'는 『정전』에 '의(疑)'라고 되어 있다.〉 이 구절은 글자의 앞뒤가 바뀐 구절일 것이다.

愚按, 象傳雷電合而[7]章, 二字相似, 象因象而誤倒也. 大抵象言二象, 自內而外, 象自上而下. 如屯象曰, 雷雨之動滿盈, 象曰, 雲雷屯, 是也. 但恒之象曰, 雷風相與, 其言雷風, 與象辭同. 然其下言卦德巽而動, 亦自內而外, 與諸卦之象例同. 象例言卦德卦象, 皆先內而後外. 然則恒象雷風, 亦當作風雷, 蓋噬嗑之象, 因象而誤, 恒卦之象, 因象而錯也歟.

내가 살펴보았다: 「단전」에 '우레가 번개와 합하여 빛나고'라고 되어 있고, 이는 두 글자가 서로 비슷하여 「상전」이 「단전」을 따라서 잘못 뒤바꾸어 놓은 것이다.[8] 「단전」에서 두 개의 상을 말할 때에는 내괘로부터 외괘로 진행하고, 「상전」에서는 상괘로부터 하괘로 설명한다. 예를 들어 준괘 「단전」에 "우레와 비의 움직임이 가득하다"라고 하고 「상전」에 "구름과 우레가 준이다"라고 한 것이 그것이다. 다만 항괘(恒卦)의 「단전」에 "우레와 바람이 서로 함께 한다"고 하여 우레와 바람을 말한 것은 「상전」의 글과 동일하다. 그러나 그 밑에서 괘의 덕을 "공손하면서 움직인다"라고 말하면서 내괘로부터 외괘로 진행한 것은 여러 괘의 「단전」의 용례와 동일하다. 「단전」에서 늘 괘의 덕과 괘의 상을 말할 때에 모두 내괘를 먼저 하고 외괘를 뒤에 한다. 그렇다면 항괘 「단전」의 '우레와 바람'도 마땅히 '바람과 우레'가 되어야 한다. 서합괘의 「상전」은 「단전」 때문에 잘못된 것이고, 항괘의 「단전」은 「상전」 때문에 착오를 범한 것 같다.

---

7) 而: 경학자료집성DB와 영인본에는 모두 '二'로 되어 있으나, 「단전」에 따라 '而'로 바로잡았다.
8) '전(電)'자와 '뢰(雷)'자의 글자 모습이 서로 비슷하여 '전뢰(電雷)'를 '뢰전(雷電)'이라고 썼다는 것이다.

## 송시열(宋時烈) 『역설(易說)』

不曰大雷而曰雷電, 以天之火與威取象, 非有他意. 明罰取離, 勅法取震.

'큰 우레'라고 말하지 않고 '우레와 번개'라고 말한 것은 하늘의 불과 위엄으로 상을 취한 것이지, 다른 뜻은 아니다. '형벌을 밝히는 것'은 리괘를 취하였고, '법령을 정비하는 것'은 우레를 취하였다.

## 김도(金濤) 「주역천설(周易淺說)」

愚按, 本義下所釋凡四條, 而皆合於大象之旨矣. 蓋天下之事, 離合相隨, 而所以不合者, 有間故也. 君臣不合者, 讒夫間之也, 父子不合者, 姑婦間之也. 噬嗑者, 去間之卦也. 離明在上, 雷威在下, 何地不照, 何物不威. 是以先王法此象而治之, 使天下怨隙者, 罔不和且合, 則噬嗑之用至矣哉. 大概噬嗑者, 治天下之大用, 去天下之有間者, 必在乎任刑罰, 而刑罰得中則民服, 不中則民无所措手足. 文王之克明德慎罰者, 良以此也. 後之人君, 苟能明以察之, 威以行之, 小大罪惡, 莫不明察, 而使不至於失刑之歸, 則豈不忠且厚也哉. 勉之哉, 慎之哉.

내가 살펴보았다: 『본의』아래에서 풀이한 것이 네 조목인데 모두 「대상전」의 뜻에 부합한다. 천하의 일은 떨어짐과 합함이 서로 따르는데, 합하지 않게 되는 까닭은 사이가 있기 때문이다. 임금과 신하가 합하지 못하는 것은 참소하는 사람이 이간질하기 때문이고, 아버지와 아들이 합하지 못하는 것은 간사한 며느리가 이간질하기 때문이다. 서합이란 사이를 제거하는 괘이다. 밝은 리괘가 위에 있고 위엄 있는 진괘가 아래에 있으니, 어디인들 비추지 않으며 어느 물건인들 위엄 있게 하지 않겠는가? 그러므로 선왕이 이 상을 본받아 다스려 천하의 원망하는 사람들로 하여금 화합하지 않음이 없게 하면, 서합의 작용이 지극할 것이다. 대체로 서합이란 천하를 다스리는 큰 작용이고, 천하의 이간하는 자들을 제거하는 것은 반드시 형벌을 쓰는데 달려있으니, 형벌이 알맞음을 얻으면 백성이 복종하고 맞지 않으면 백성이 손발을 놓을 데가 없게 된다. 문왕이 덕을 밝히고 벌을 신중하게 할 수 있었던 것은 참으로 이 때문이다. 후세의 임금들이 만일 분명하게 살펴서 위엄 있게 행하여 크고 작은 악을 분명하게 살펴 형벌이 잘못되는 데 이르지 않도록 한다면, 어찌 진실하고 도탑지 않겠는가? 힘쓰고 신중하게 해야 할 것이다.

## 심조(沈潮) 「역상차론(易象箚論)」

象, 明罰勅法.

「상전」에서 말하였다: 형벌을 밝히고 법령을 정비하였다.

明字, 從日月者, 離坎也. 罰字, 從四者, 震數也, 從言者, 雜兌也, 從刀者, 雜乾也. 勑字, 從木者, 震也. 法字, 從水者, 互坎也.

'명(明)'이라는 글자가 '일(日)'과 '월(月)'로 이루어진 것은 리괘와 감괘를 따른 것이다. '벌(罰)'이라는 글자에 '사(四)'자가 들어간 것은 진괘의 숫자이고,[9] '언(言)'자가 들어간 것은 태괘(兌卦)를 따른 것이고, '도(刀)'자가 들어간 것은 건괘를 따른 것이다. '칙(勑)'자에 '목(木)'자가 있는 것은 진괘이다. '법(法)'자에 '수(水)'자가 있는 것은 호괘가 감괘이기 때문이다.

### 김상악(金相岳) 『산천역설(山天易說)』

雷電本義作電雷. 明者, 辨別精審之意, 離象也, 勑者, 整勑嚴警之意, 震象也. 明勑而立法, 則曰先王, 折致而用法, 則曰君子.

'뇌전(雷電)'이 『본의』에는 '전뢰(電雷)'로 되어 있다. '명(明)'이란 번별하고 깊이 살핀다는 뜻으로 리괘의 상이고, '칙(勑)'이란 바르게 정리하고 엄히 경계한다는 뜻으로 진괘의 상이다. 밝히고 정비하여 법을 세우는 것은 '선왕'이라고 하고, 결단하고 집행하여 법을 쓰는 것은 '군자'라고 한다.

○ 言刑獄者, 噬嗑豊取離震, 賁旅則取離艮, 中孚則厚畫底離, 又互震艮. 蓋震之威能斷, 離之明能辨, 艮之止能愼, 皆用獄之道也. 又四卦皆以六居五者, 貴其柔中也, 中孚則全體亦柔中也. 聖人所以謹刑獄者, 有如是者.

형벌과 옥사를 말한 것 가운데 서합괘(噬嗑卦☲)와 풍괘(豊卦☳)는 리괘와 진괘를 취하였고, 비괘(賁卦☲)와 려괘(旅卦☲)는 리괘와 간괘를 취하였으며, 중부괘(中孚卦☲)는 두 획씩 합친 것이 리괘이고 또 호괘가 진괘와 간괘인 것을 취하였다. 우레의 위엄은 결단할 수 있고, 리괘의 밝음은 변별할 수 있으며, 간괘의 그침은 신중할 수 있으니, 모두 옥사를 쓰는 도이다. 그 가운데 네 개의 괘는 육(六)이 오효의 자리에 있으니, 부드럽고 알맞음을 귀하게 여기는 것이고, 중부괘는 괘 전체의 모습이 또한 부드러운 음이 가운데에 있다. 성인이 형벌과 옥사를 신중하게 한 것이 이와 같다.

### 서유신(徐有臣) 『역의의언(易義擬言)』

雷電, 前儒云, 漢石經作電雷. 罰者, 治民者也, 法者, 禁民者也. 明罰離電象, 勑法震雷象. 噬嗑曰電雷, 豊曰雷電, 皆至噬嗑曰明罰勑法, 豊曰折獄致刑, 其辭煞有深淺何

---

9) 팔괘의 순서에서 진괘가 네 번째이다.

哉. 上電下雷, 震耀之象, 上雷下電, 霆擊之象也.
'뇌전(雷電)'에 대해서 이전 학자가 "한나라 석경에는 '전뢰(電雷)'라고 되어 있다"고 하였다. 벌이란 백성을 다스리는 것이고, 법이란 백성을 금하는 것이다. 형벌을 밝히는 것은 리괘의 번개의 상이고, 법령을 정비하는 것은 진괘의 우레의 상이다. 서합괘에서는 '전뢰(電雷)'라고 하였고, 풍괘에서는 '뇌전(雷電)'이라고 하였는데, 서합괘에 이르러서는 "형벌을 밝히고 법령을 정비한다"고 하고, 풍괘에서는 "옥사를 결단하고 형벌을 집행한다"고 하여 그 말이 조금 깊거나 얕은 차이가 있는 것은 왜인가? 위가 번개이고 아래가 우레인 것은 번개가 번쩍거리는 상이고, 위가 우레이고 아래가 번개인 것은 우레가 치는 상이기 때문이다.

## 박문건(朴文健) 『주역연의(周易衍義)』

雷電, 蔡邕石經本, 作電雷. 見張氏註.
'뇌전(雷電)'은 채옹의 석경본에는 '전뢰(電雷)'라고 되어 있다. 장씨의 주석을 보라.

○ 電出於雷, 雷隨於電, 電雷本相合之物也.
번개는 우레에서 나오고 우레는 번개를 따르니, 번개와 우레는 본래 서로 합하는 존재이다.
〈問, 明罰勅法. 曰, 明罰勅法, 象電雷之明與威也. 明之勅之, 合其不合者.
물었다: "형벌을 밝히고 법령을 정비한다"는 무슨 뜻입니까?
답하였다: "형벌을 밝히고 법령을 정비한다"는 것은 번개와 우레의 밝음과 위엄을 상징하는 것입니다. 밝히고 정비하는 것은 합하지 않는 것을 합하는 것입니다.〉

## 김기례(金箕澧) 「역요선의강목(易要選義綱目)」

象以典刑, 卽堯舜欽恤之政, 故稱先王.
법과 형벌로 상징한다면 요순의 공경하고 아끼던 정치이기 때문에 선왕이라고 칭하였다.

○ 明之如離, 威之如震.
밝음은 리괘와 같고, 위엄은 진괘와 같다.

## 심대윤(沈大允) 『주역상의점법(周易象義占法)』

不言電雷而言雷電者, 噬嗑議獄也, 非行刑. 卦義獨取動而明也, 故先雷而後電, 以明動而明之義爲重也, 以言動而明之爲議獄而非行刑也. 噬嗑, 雷電合而章, 動而明, 則明罰勅法而不行刑也. 豊, 雷電皆至明而動, 則折獄致刑而斷於果行也. 明罰象离震, 勅法象艮坎, 艮爲議, 坎爲果行, 有勅法之義.

'전뢰(電雷)'라고 말하지 않고 '뇌전(雷電)'이라고 말한 것은 서합이 옥사를 의논하는 것이지, 형벌을 행하는 것이 아니기 때문이다. 괘의 뜻이 오직 움직여서 밝음을 취하였기 때문에 우레를 앞세우고 번개를 뒤로 하여, 움직여서 밝다는 뜻이 중요함을 밝히고, 움직여서 밝힌다는 것은 옥사를 의논하는 것이지 형벌을 행하는 것이 아님을 말하였다. 서합괘는 우레와 번개가 합하여 빛나고 움직여서 밝으면 형벌을 밝히고 법령을 정비하는 것이지, 형벌을 행하는 것이 아니다. 풍괘는 우레와 번개가 모두 이르러 밝고 움직이면 옥사를 결단하고 형벌을 집행하여 과감하게 행하기를 결단한다. 형벌을 밝히는 것은 리괘와 진괘를 상징하고, 법령을 정비하는 것은 간괘와 감괘를 상징한다. 간괘가 의논이 되고 감괘가 과감하게 행함이 되니, 형법을 집행하는 뜻이 있다.

## 오치기(吳致箕) 「주역경전증해(周易經傳增解)」

本義, 雷電當作電雷. 〈卦例也.〉

『본의』에서 말하였다: '뇌전(雷電)'은 마땅히 '전뢰(電雷)'가 되어야 한다. 〈괘의 예이다.〉

電明而雷威, 先王觀電雷之象, 以之明其刑罰勅其法令. 而辨刑罰之輕重, 其明如電, 勅法令之嚴厲, 其威如雷也.

번개는 밝고 우레는 위엄이 있으니, 선왕이 번개와 우레의 상을 보고서 형벌을 밝히고 법령을 집행한다. 형벌의 경중을 변별함은 그 밝음이 번개와 같고, 법령을 집행하는 엄함은 그 위엄이 우레와 같다.

## 이진상(李震相) 『역학관규(易學管窺)』

明罰離象, 勅法震象. 中有互坎而罰與法生焉.

형벌을 밝히는 것은 리괘의 상이고, 법령을 집행하는 것은 진괘의 상이다. 가운데에 호괘인 감괘가 있어서 형벌과 법령이 생겨난다.

## 박문호(朴文鎬) 「경설(經說)・주역(周易)」

文互, 言字倒也.

『정전』에서 '문호(文互)'라고 한 것은 글자가 거꾸로 되었다는 말이다.

## 이병헌(李炳憲) 『역경금문고통론(易經今文考通論)』

李富孫易經異文釋云, 玩象辭, 引漢石經作電雷.

이부손(李富孫)의 『역경이문석(易經異文釋)』에서 말하였다: 「상전」의 말을 음미하고 한나라 석경을 인용하여 '전뢰(電雷)'라고 하였다.

六十四卦大象無倒置者, 程朱說同據宋衷侯果, 俱作雷電. 然當從石經.

육십사괘의 「대상전」에 도치된 구절이 없는데, 정자와 주자의 설은 똑같이 송충(宋衷)과 후과(侯果)에 근거하여 모두 '뇌전(雷電)'이라고 하였다. 그러나 마땅히 석경을 따라야 할 것이다.

鄭曰, 勅理也.

정현이 말하였다: '칙(勅)'은 다스림이다.

初九, 屨校, 滅趾, 无咎.

초구는 형틀을 채워 발꿈치를 상하게 하니, 허물이 없다.

## │中國大全│

### 傳

九居初, 最下无位者也, 下民之象, 爲受刑之人, 當用刑之始, 罪小而刑輕. 校, 木械也, 其過小, 故屨之於足, 以滅傷其趾. 人有小過, 校而滅其趾, 則當懲懼, 不敢進於惡矣, 故得无咎. 繫辭云, 小懲而大誡, 此小人之福也, 言懲之於小與初, 故得无咎也. 初與上, 无位, 爲受刑之人, 餘四爻, 皆爲用刑之人. 初居最下, 无位者也, 上處尊位之上, 過於尊位, 亦无位者也. 王弼, 以爲无陰陽之位, 陰陽, 係於奇偶, 豈容无也. 然諸卦初上, 不言當位不當位者, 蓋初終之義爲大, 臨之初九則以位爲正. 若需上六云不當位, 乾上九云无位, 爵位之位, 非陰陽之位也.

구(九)가 초효 자리에 있으니 가장 낮아 지위가 없는 자로 백성의 상이고 형벌을 받는 사람이지만, 형벌을 쓰는 초기에 해당하여 죄가 작아 형벌이 가볍다. ‘형틀[校]’은 나무 형틀이니, 허물이 작기 때문에 발에 형틀을 채워서 그 발꿈치를 상하게 하는 것이다. 사람이 작은 허물이 있을 때 형틀을 채워서 그 발을 상하게 하면 마땅히 징계하고 두려워하여 감히 악한 데에 나아가지 못하기 때문에 ‘허물이 없게’ 된다. 「계사전(繫辭傳)」에서 “작게 징계하여 크게 경계시킴은 소인의 복이다”라고 하였으니, 죄가 작고 초기에 징계하기 때문에 허물이 없게 된다는 것이다. 초구와 상구는 지위가 없으니 형벌을 받는 사람이고, 나머지 네 효는 모두 형벌을 쓰는 사람이다. 초구는 가장 낮은 자리에 있으니 지위가 없는 자이며, 상구는 높은 자리[육오(六五)]의 위에 처하여 높은 자리를 넘었으니, 또한 지위가 없는 자이다. 왕필(王弼)은 “음과 양의 자리가 없는 것이다”고 하였으나, 음과 양은 홀수와 짝수에 매어 있는 것이니, 어찌 자리가 없겠는가? 그러나 여러 괘의 초효와 상효에서 자리가 마땅하다거나 자리가 마땅하지 않다고 말하지 않은 것은 처음과 끝의 뜻이 크기 때문이다. 림괘(臨卦)의 초구에서 자리가 바르다고 하였고, 수괘(需卦)의 상육에서는 “지위가 마땅하지 않다”고 하였으며, 건괘(乾卦)의 상구에서는 “지위가 없다”고 말한 것은 벼슬자리[爵位]의 지위[位]이지 음과 양의 자리[位]가 아니다.

本義

初上, 无位, 爲受刑之象, 中四爻, 爲用刑之象. 初在卦始, 罪薄過小, 又在卦下. 故爲屨校滅趾之象, 止惡於初. 故得无咎, 占者小傷而无咎也.

초구와 상구는 지위가 없으니 형벌을 받는 상이 되고, 가운데 네 효는 형벌을 쓰는 상이 된다. 초구는 괘의 처음에 있어서 죄가 엷고 허물이 적으며, 또 괘의 아래에 있기 때문에 '형틀을 채워 발꿈치를 상하게 하는' 상이 되고, 악을 초기에 그치게 하기 때문에 '허물이 없게' 되는 것이니, 점치는 자가 조금 다치나 허물은 없을 것이다.

小註

漢上朱氏曰, 周官, 掌囚下罪桎, 桎足械也, 械亦曰校.

한상주씨가 말하였다:『주례 · 장수(掌囚)』에서 죄수를 지키는 관리는 하등(下等)의 죄인에게는 족쇄만 채운다고 하였다. '족쇄[桎]'는 발에 채우는 형틀이니, '형틀[械]'을 '교(校)'라고도 한다.

○ 臨川吳氏曰, 屨謂著於其足, 如納屨. 然校足械也.

임천오씨가 말하였다: '구(屨)'는 발에 채우는 것이니, 신발을 신는 것과 같다. '교(校)'는 발에 채우는 형틀이다.

○ 雲峰胡氏曰, 趾乃人之所用以行者. 屨校滅趾, 懲之於初使不得行, 乃小人之福也. 小人受刑而所傷者尙小, 故曰无咎.

운봉호씨가 말하였다: '발꿈치'는 사람이 다니는 데에 사용하는 부분이다. '형틀을 채워 발꿈치를 상하게 함'은 초기에 징벌하여 다니지 못하게 하는 것이니, 소인의 복이다. 소인이 형벌을 받아 상한 것이 오히려 작기 때문에 "허물이 없다"고 하였다.

○ 誠齋楊氏曰, 屨校不懲, 必至何校, 滅趾不戒, 必至滅耳. 初九之小人, 能懲於薄刑, 止其惡而不行, 則不貽上九惡積罪大之凶禍矣.

성재양씨가 말하였다: '형틀을 채워' 징벌하지 않으면 언젠가는 형틀에 반드시 이를 것이며, '발꿈치를 상하게 하여' 경계하지 않으면 반드시 멸망함에 이를 것이다. 초구의 소인이 낮은 형벌에 혼나서 자신의 악을 그쳐 가지 못하게 하면, 상구처럼 악을 쌓아 죄가 커지는 흉한 화를 끼치지 않을 것이다.

# ┃韓國大全┃

### 조호익(曺好益) 『역상설(易象說)』

趾取震象. 變則失震體, 有滅象.

'발꿈치'는 진괘의 상을 취하였다. 초구가 변하면 진괘의 몸체를 잃어버리니, 상하게 하는 상이 있다.

### 곽설(郭卨) 『역전요의(易傳要義)』

釋噬嗑初九, 子曰, 小人不恥不仁, 不畏不義. 不見利不勸, 不威不懲, 小懲而大誠, 此小人之福也. 易曰, 屨校滅趾无咎, 此之謂也.

서합괘 초구를 풀이하여 공자가 말하였다: 소인은 어질지 못함을 부끄러워하지 않으며, 의롭지 못함을 두려워하지 않는다. 이익을 보이지 않으면 장려되지 않으며 위엄을 보이지 않으면 징계되지 않으니, 적게 징계하여 크게 조심하게 하는 이것이 소인의 복이다. 『주역』에 "형틀을 채워 발꿈치를 상하게 하니, 허물이 없다"고 하니, 이것을 말한다.

○ 善不積, 不足以成名, 惡不積, 不足以滅身, 小人, 以小善爲无益而弗爲也, 以小惡爲无傷而弗去也. 故惡積而不可掩, 罪大而不可解, 易曰, 何校, 滅耳, 凶.

선을 쌓지 못하면 이름을 이루지 못하고, 악을 쌓지 않으면 몸을 망치지 않을 것이니, 소인은 작은 선을 유익함이 없다고 하지 않으며 작은 악을 해로움이 없다고 버리지 않는다. 그러므로 악이 쌓여서 가릴 수가 없으며, 죄가 커져서 풀 수가 없으니, 『주역』에 "형틀을 채워서 귀를 없어지게 하였으니, 흉하다"고 하였다.

○ 子曰, 危者, 安其位者也, 亡者, 保其存者也, 亂者, 有其治者也. 是故, 君子安而不忘危, 存而不忘亡, 治而不忘亂. 是以身安而國家可保也, 易曰, 其亡其亡, 繫于包桑.

공자가 말하였다: 위태할까 걱정함은 그 자리를 편안히 하는 것이고, 망할까 걱정함은 그 존재를 지키는 것이며, 어지러울까 걱정함은 그 다스림을 유지하는 것이다. 이런 까닭으로 군자가 편안해도 위태함을 잊지 않고, 존재해도 망함을 잊지 않으며, 다스려도 어지러움을 잊지 않는다. 이 때문에 자신이 편안하여 국가를 지킬 수 있으니, 『주역』에 "망하게 되지나 않을까 망하게 되지나 않을까 해야 무더기로 난 뽕나무 뿌리에 맬 수 있다"고 하였다.

## 송시열(宋時烈) 『역설(易說)』

屨者履也, 着於震足而言已. 校者械也, 拘於坎梏鎖足之象也. 滅者, 刑傷也. 趾者, 震足之在後也. 蓋以互坎之桎梏, 加之於震足, 傷其後趾, 傷趾則不能進也. 以陽爻遇陽爻之正應, 無陰陽交接之理, 而有刑傷相害之道故也. 傳引繫辭小懲大誡, 釋无咎之意, 可謂切至矣.

'구(屨)'는 신발이니, 진괘인 발에 신는 것으로 말했을 뿐이다. '교(校)'는 기구이니, 구덩이에 빠지고 족쇄가 발을 채우는 상이다. '멸(滅)'은 형벌로 상하는 것이다. '지(趾)'는 진괘인 발의 뒤에 있는 것이다. 호괘인 감괘의 족쇄를 진괘인 발에 더하여 발꿈치를 상하니, 발꿈치를 상하면 나아갈 수 없다. 양효가 양효의 정응을 만나 음양이 교접하는 이치가 없고, 형벌로 상하여 서로 해치는 도가 있기 때문이다. 『정전』에서 「계사전」의 "작게 징계하여 크게 조심한다"는 말을 인용하여 "허물이 없다"는 뜻을 풀이하였으니, 절실하고 지극하다고 말할 수 있다.

## 윤동규(尹東奎) 『경설(經說)·역(易)』

噬嗑之初九, 以陰陽之位言之, 本得位也. 王弼注云, 居无位之地, 則似指爵位之地也, 未見必以爲陰陽之位也. 程傳以王說爲非, 恐未安. 无位字, 本非經文也. 自王註始有, 而程傳亦云最下无位, 則亦因王說也. 无論陰陽爵位之位因王說而攻王說可乎. 有所指而未知所以, 更詳之.

서합의 초구를 음양의 자리로 말하면 본래 자리를 얻었다. 왕필의 주석에서는 "지위가 없는 처지에 거했다는 것은 작위의 자리를 가리키는 듯하며, 반드시 음양의 자리로 말한 것이라고는 할 수 없다"고 하였다. 『정전』에서는 왕필의 설이 잘못이라고 했는데, 아마도 그렇지 않은 것 같다. '무위(无位)'라는 글자는 본래 경문이 아니다.

## 유정원(柳正源) 『역해참고(易解參攷)』

王氏曰, 凡過必始於微而後至於著, 罰必始於薄而後至於誅. 過輕戮薄, 故屨校滅趾, 桎其行也, 足懲而已. 過而不改, 乃謂之過. 小懲大戒, 乃得其福, 故无咎也.

왕필이 말하였다: 허물은 반드시 작은 데서 시작한 다음에 드러나는 데에 이르고, 벌은 반드시 작은 데서 시작한 다음에 죽이는 데에 이른다. 허물이 가벼우면 벌이 작기 때문에 형틀을 채워 발꿈치를 상하게 해서 그 행동을 막도록 하면 징계가 충분하다. 잘못을 하고도 고치지 않으면 그것을 바로 잘못이라고 한다. 작게 징계하여 크게 조심하는 것이 그 복이기 때문에 허물이 없다.

○ 雙湖胡氏曰, 按趾只取下體初爻, 不論陰陽. 噬賁壯夬皆陽, 鼎艮皆陰. 咸其拇, 足大指, 亦指初六. 屨亦初象, 校在足曰屨, 在項曰何, 獄中物.

쌍호호씨가 말하였다: 살펴보건대, 발꿈치는 다만 하체의 초효인 것을 취하였고, 음양은 논하지 않았다. 서합괘(噬嗑卦☲☳)와 비괘(賁卦☶☲)와 대장괘(大壯卦☳☰)와 쾌괘(夬卦☱☰)는 모두 양이고, 정괘(鼎卦☲☴)와 간괘(艮卦☶☶)는 모두 음이다. "그 발가락에서 느낀다"는 것은 발의 큰 발가락을 가리키는 것으로, 또한 초육을 가리킨다. '구(屨)' 또한 초효의 상이니, '교(校)'가 발에 있는 것을 '구(屨)'라고 하고, 목에 있는 것을 '하(何)'라고 한다.

○ 案, 震爲足趾象.

내가 살펴보았다: 진괘가 발꿈치의 상이 된다.

傳, 言懲.

『정전』에서 말하였다: 징계함을 말한다.

案, 言一作然.

내가 살펴보았다: '언(言)'은 한 판본에는 '연(然)'으로 되어있다.

### 김상악(金相岳) 『산천역설(山天易說)』

校, 木械也. 初上爲用獄之始終, 而初九以震遇離, 互爲坎體, 故有屨校滅趾之象. 止惡於初, 故得无咎也.

'교(校)'는 나무로 만든 기구이다. 초효와 상효는 옥사를 쓰는 처음과 끝이며, 초구는 진괘로 리괘를 만났고 호괘가 감괘가 되기 때문에 형틀을 채워 발꿈치를 상하게 하는 상이 있다. 초기에 악을 그치기 때문에 허물이 없을 수 있다.

○ 屨者, 着於其足, 如納履然, 離之象. 校者, 坎之桎梏也. 趾, 震象, 校加於足, 則不見其趾, 故曰屨校滅趾. 象傳曰, 動而明, 雷電合而章, 以初上爲主而爻則初之滅趾上之滅耳, 以其无位爲受刑之象也. 趾下耳上, 與鼎同象, 而二之膚, 三之腊, 四之胏, 五之肉, 皆鼎之實也. 所以曰噬嗑食也.

'구(屨)'는 신발을 신는 것처럼 발에 채우는 것이니, 리괘의 상이다. '교(校)'는 감괘의 형틀이다. 발꿈치는 진괘의 상이니 발에 형틀을 채우면 발꿈치가 보이지 않기 때문에, "형틀을 채워 발꿈치를 상하게 한다"고 하였다. 「단전」에서 "움직여서 밝고, 우레와 번개가 합하여 빛난다"고 하였는데 초효와 상효가 주가 되고, 효는 초효는 발꿈치를 상하고 상효는 귀를 상하니, 지위가 없어 형을 받는 상이 되기 때문이다. 발꿈치는 아래이고 귀는 위이니, 정괘

(鼎卦䷱)와 상이 같고, 이효의 '부(膚)', 삼효의 '석(腊)', 사효의 '자(胏)', 오효의 '육(肉)'은 모두 솥을 채우는 것이다. 그래서 "씹어 합하는 것이 음식이다"라고 하였다.

## 김규오(金奎五) 「독역기의(讀易記疑)」

初九滅趾, 震爲足, 而初又處下也. 六二滅鼻, 二至四互艮, 艮爲鼻也. 上九滅耳, 上體离, 离之反爲坎, 坎爲耳也.

초구는 발꿈치를 상하게 하는데, 진괘가 발이 되고 초효는 또한 아래에 있다. 육이는 코를 상하게 하는데, 이효로부터 사효까지의 호괘가 간괘이고 간괘는 코가 된다. 상괘는 귀를 상하게 하는데, 상체는 리괘이고 리괘의 음양이 바뀐 괘는 감괘가 되고, 감괘는 귀가 된다.

## 서유신(徐有臣) 『역의의언(易義擬言)』

初九以被刑者言之, 則惡之始罪之小, 而初受輕刑之象. 以治獄者言之, 則用輕刑而略治之, 懲惡於小與初之象也. 曰屨曰趾, 施於下也. 小懲而大戒, 故无咎. 噬之者與受噬者, 皆无咎也.

초구는 형벌을 받는 사람으로 말하면 악은 작은 죄에서 시작하고, 초효는 가벼운 형벌을 받는 상이다. 옥을 다스리는 사람으로 말하면 가벼운 형벌을 쓰고 간략하게 다스려서 작고 처음인데서 악을 징계하는 상이다. 형틀이라고 하고 발꿈치라고 한 것은 아래에 베푸는 것이다. 작게 징계하여 크게 조심하기 때문에 허물이 없다. 씹는 것과 씹히는 것이 모두 허물이 없다.

## 박제가(朴齊家) 『주역(周易)』

初九屨校滅趾.

초구는 형틀을 채워 발꿈치를 상하게 한다.

傳, 屨之於足, 以滅傷其趾.

『정전』에서 말하였다: 발에 형틀을 채워서 그 발꿈치를 상하게 한다.

臨川吳氏曰, 屨謂著於其足, 如納屨然.

임천오씨가 말하였다: '구(屨)'는 발에 채우는 것이니, 신발을 신는 것과 같다.

案, 屨入於械而没其趾也. 滅, 没也, 非傷滅也. 若傷之, 則必有其具, 校則拘之而已.

足自著屨, 何必跣而後械之耶. 若傷滅其足, 則刖矣, 豈薄罪耶. 但校而亦不行矣. 與下滅鼻同.

내가 살펴보았다: 신발을 형틀에 들여놓아 그 발꿈치가 보이지 않게 한다. '멸(滅)'은 보이지 않게 하는 것이지 상하여 없애는 것이 아니다. 만약 상하게 한다면 반드시 그러한 도구가 있을 것인데, 형틀은 구속할 뿐이다. 발은 자연스럽게 신을 신는 것이니, 어찌 반드시 맨발이 된 후에야 형틀을 채우겠는가? 발을 상하여 없앤다면 발꿈치를 자르는 형벌인데, 어찌 가벼운 죄이겠는가? 다만 형틀을 채워서 가지 못하게 하는 것이니, 아래의 코를 보이지 않게 한다는 것과 같다.

### 박문건(朴文健) 『주역연의(周易衍義)』

犯上欲進, 故有滅趾之象. 校械也, 滅沒也. 不進, 故无咎.

윗사람을 범하고 나아가고자 하기 때문에 발꿈치를 상하는 상이 있다. '교(校)'는 기구이고, '멸(滅)'은 감추는 것이다. 나아가지 않기 때문에 허물이 없다.

〈問, 屨校滅趾. 曰, 初有犯上之志, 故使之履校而不進也. 滅趾, 言沒其趾於校中也. 與大過上滅頂之滅義同也.

물었다: "형틀을 채워 발꿈치를 상하게 하니, 허물이 없다"는 무슨 뜻입니까?

답하였다: 초효는 윗사람을 범하려는 뜻이 있기 때문에 그에게 형틀을 채워 나아가지 못하게 합니다. 발꿈치를 상하는 것은 형틀에 발꿈치를 넣는 것입니다. 이는 대과괘 상효의 '멸정(滅頂)'의 '멸(滅)'과 뜻이 같습니다.〉

### 김기례(金箕澧) 「역요선의강목(易要選義綱目)」

卦中初與上无位, 故爲受刑之人, 中四爻爲用刑之人.

괘 가운데 초효와 상효는 지위가 없기 때문에 형벌을 받는 사람이 되고, 가운데 네 효는 형벌을 쓰는 사람이 된다.

○ 初爲下民, 下民罪輕罰小而不進於惡, 所傷小而爲福大, 故曰无咎.

초효는 아래 백성이 되고 아래 백성은 죄가 가볍고 벌이 작아서 악에 나아가지 않으며, 상하는 것은 작고 복은 크기 때문에 "허물이 없다"고 말하였다.

○ 震爲足, 故曰趾, 蓋下罰而使不進惡.

진괘가 발이 되기 때문에 발꿈치라고 말하였으니, 아래로 벌을 주어 악에 나아가지 못하게 하는 것이다.

## 윤종섭(尹鍾燮) 『경(經)·역(易)』

初上以校取之, 皆陽畫遮攔. 初以震取足, 上互坎取耳, 二之滅鼻取互艮. 九四之乾腒, 离爲乾卦, 金矢, 互坎爲弓矢, 逐爻極功.

초효와 상효는 형틀을 취하였는데, 모두 양이 막는 것이다. 초효는 진괘로서 발을 취하였고, 상효는 호괘가 감괘로서 귀를 취하였으며, 이효에서 코를 없어지게 한 것은 호괘인 간괘를 취하였다. 구사의 '마른 고기'는 리괘가 마른 것을 상징하는 괘이고, '금과 화살'은 호괘인 감괘가 활과 화살이 되니, 효를 따라 공을 지극히 한 것이다.

## 심대윤(沈大允) 『주역상의점법(周易象義占法)』

噬嗑之六爻, 皆治獄之人與治獄之法也. 卦位上下, 治獄人之位也. 卦時初終, 罪狀之輕重深淺也. 爻位剛柔, 寬恕嚴斷之異也.

서합괘의 여섯 효는 모두 옥사를 다스리는 사람과 옥사를 다스리는 법이다. 괘의 자리의 상하는 옥사를 다스리는 사람의 자리이다. 괘의 때의 처음과 끝은 죄상의 가벼움과 무거움, 깊음과 얕음이다. 효의 자리의 굳셈과 부드러움은 너그럽게 용서함과 엄하게 결단함의 차이이다.

噬嗑之晉䷢, 進也. 初九以剛居剛, 剛明而嚴斷而无私應, 居卑而狎近, 民无畏憚之心, 當嚴斷而无恕也. 小人則畏威而寡罪, 不於罪過微細之初邪心萌動之始痛斷而絶之, 則惡習漸長, 後不可改也. 屨校滅趾, 言罪小而深治也. 离震爲麗於足曰屨. 兌刑巽木, 互离中虛爲校, 校木枷也. 下震之對爲鼎, 鼎變惡爲善也. 而有巽兌而本卦有离, 變坤之對乾, 而有兌體而本卦之离坎爲亡而不見. 曰滅趾者, 在下而行之象, 能變下之惡習慝心而爲善, 故竝取下卦本變二體之對也. 治獄之道, 明自下而進於上, 晉之義也.

서합괘가 진괘(晉卦䷢)로 바뀌었으니, 나아감이다. 초구는 굳센 양으로 굳센 양의 자리에 있어서 굳센 양은 밝고 엄하게 결단하여 사사로운 호응이 없으며, 낮은 자리에 있어서 가까이 있는 자와 친밀하니, 백성들이 두려워하고 꺼리는 마음이 없는 것은 마땅히 엄하게 결단하여 용서하지 말아야 한다. 소인은 위엄을 두려워하여 죄가 작으니, 죄와 허물이 미세한 초기와 사사로운 마음이 싹트는 처음에 통렬히 끊지 않는다면 악습이 점점 자라나서 후에는 고칠 수 없다. "형틀을 채워 발꿈치를 상하게 하니, 허물이 없다"는 말은 죄가 작아도 깊이 다스린다는 말이다. 리괘와 진괘가 발에 붙은 것이 되어 신발이라고 하였다. 태괘는 형벌이고 손괘는 나무이며, 호괘인 리괘의 가운데가 빈 것이 '교(校)'가 되니, '교(校)'는 나무 형틀이다. 아래의 진괘가 음양이 바뀐 것이 정괘(鼎卦䷱)가 되니, 정괘는 악을 변화시켜 선을 만든다. 손괘와 태괘가 있고 본괘에는 리괘가 있어 곤괘가 변하여 음양이 바뀐 건괘가 되며, 태괘의 몸체가 있고 본괘의 리괘와 감괘가 없어져서 보이지 않는다. "발꿈치를 상한다"고 말한 것은 아래에 있으면서 행하는 상이니, 아래의 악습과 사특한 마음을 변하여 선을 행할 수 있기 때문에 하괘의 본괘와 변괘 두 몸체의 음양이 바뀐 것을 취하였다. 옥사를 다스리는 도는 밝음이 아래로부터 위로 올라가니, 진괘(晉卦䷢)의 뜻이다.

### 오치기(吳致箕) 「주역경전증해(周易經傳增解)」

初九在下无位, 爲下民之象, 而以剛居剛不能柔順, 卽犯于刑者也. 方其在初, 惡小未大之時, 宜使知懲而不長其惡. 故薄施其罰, 屨校于足, 沒其趾而不得行, 使其改過而无咎也. 繫辭傳備矣.

초구는 아래에 있어 지위가 없으니 아래 백성의 상이 되고, 굳센 양으로 굳센 양의 자리에 있어서 유순할 수 없으니, 형벌을 범하는 자이다. 막 그 처음에 있기 때문에 악이 적어서 아직 크지 않은 때에 마땅히 징계함을 알아 그 악을 기르지 않도록 한다. 그러므로 그 벌을 가볍게 베풀어서 발에 형틀을 채워 그 발꿈치를 가려 행하지 못하여 잘못을 고쳐 허물이 없도록 한다. 「계사전」에 갖추어 설명되어 있다.

○ 校者, 足械也. 屨, 謂加于足如納履, 而應體互坎爲桎梏之象, 震爲足趾之象也. 滅者, 沒也. 初與上皆當无位之地, 故爲犯刑者, 而中間四爻皆有位, 故爲治獄之人也.

'교(校)'는 발에 채우는 형구이다. '구(屨)'는 신을 신는 것처럼 발에 더하니, 호응하는 몸체의 호괘인 감괘가 질곡의 상이 되고, 진괘가 발꿈치의 상이 된다. '멸(滅)'이란 감추는 것이다. 초효와 상효는 지위가 없는 처지를 당했기 때문에 형벌을 범하는 자가 되고, 중간의 네 효는 모두 지위가 있기 때문에 옥사를 다스리는 사람이 된다.

### 이진상(李震相) 『역학관규(易學管窺)』

震爲足, 屨者, 足之餙, 趾者, 足之陽也. 九四以剛克剛, 故震木以校之深沒其趾, 坎之浸也, 艮之止也. 不行, 故无咎.

진괘가 발이 되고, 신은 발을 꾸미는 것이고, 발꿈치는 발의 양(陽)이다. 구사는 굳센 양으로 굳센 양을 이기기 때문에 진괘의 목이 형틀로 깊이 발꿈치를 숨기니, 감괘의 침범함이고 간괘의 그침이다. 행하지 않기 때문에 허물이 없다.

## 박문호(朴文鎬) 「경설(經說)·주역(周易)」

爵位之位, 非陰陽之位, 若明言之, 則當曰需. 乾所謂位者, 皆以爵位而言, 非謂陰陽之位也.

"작위를 가리키는 지위이지 음양의 자리가 아니다"라는 것을 분명하게 말하려면 마땅히 "수괘와 건괘에서 말한 자리는 모두 작위로 말한 것이지 음양의 자리를 말한 것이 아니다"라고 해야 한다.

滅趾滅鼻滅耳, 三滅字不容異同, 而程子於滅鼻訓作沒義, 恐當以本義之一以傷義訓之者爲定論. 況訓滅以傷, 於乘剛之文, 又爲襯著者乎.

'멸지(滅趾)', '멸비(滅鼻)', '멸이(滅耳)'의 세 '멸(滅)'자는 뜻이 다를 수 없는데, 정자는 '멸비(滅鼻)'에 대해서 '몰(沒)'이라는 뜻으로 풀이했으니, 아마도 마땅히 『본의』에서 한결같이 "손상하다"는 뜻으로 풀이한 것을 정론으로 삼아야 할 듯하다. '멸(滅)'을 "손상하다"는 뜻으로 풀이하는 것이 굳셈을 탄다는 문장에도 맞는데 있어서이겠는가!

## 이정규(李正奎) 「독역기(讀易記)」

初九上九, 雖剛无位而又當不利之時, 反爲受刑之人. 然初九當用刑之初, 則有改新之路, 故无咎. 上九當用刑之末, 則其罪極矣故凶也. 且以淺見論象, 則初九下也, 故有屨校滅趾之象矣, 上九上也故有何校滅耳之象, 未知何如. 正己而正人, 天下之定理也. 六三以不正不中之位, 欲用刑而服人, 豈無腊肉過毒之難. 以此觀之, 惟如皐陶者, 可以用獄, 雖其下者, 當先察己之正不正位之中不中, 然後可以當用獄之任.

초구와 상구는 비록 굳세지만 지위가 없고 또한 불리한 때를 당하여 도리어 형벌을 받는 사람이 된다. 그러나 초구가 형벌을 쓰는 처음에 해당하여 새롭게 고칠 수 있는 길이 있기 때문에 허물이 없다. 상구는 형벌을 쓰는 마지막에 해당하여 그 죄가 지극하기 때문에 흉하다. 또한 나의 얕은 식견으로 상을 논하면 초구는 아래이기 때문에 '형틀을 채워 발꿈치를 상하게 하는' 상이 있고, 상구는 위이기 때문에 '형틀을 채워 귀를 상하게 하는' 상이 있는 것 같은데, 어떤지 모르겠다. 자기를 바르게 하고서 남을 바르게 하는 것이 천하의 정한 이치이다. 육삼은 바르지 않고 알맞지 않은 지위로 형벌을 써서 사람을 복종시키려고 하니, 어찌 마른 고기에 독이 많은 어려움이 없을 수 있겠는가? 이로써 보면 고요(皐陶)와 같은 사람은 옥사를 쓸 수 있고, 비록 그 아래인 사람도 마땅히 자기의 바름과 바르지 않음, 지위의 알맞음과 알맞지 않음을 먼저 살핀 다음에 옥사를 다스리는 임무를 담당할 수 있다.

象曰, 屨校滅趾, 不行也.

「상전」에서 말하였다: "형틀을 채워 발꿈치를 상하게 함"은 가지 못하게 하는 것이다.

## ‖中國大全‖

### 傳

屨校而滅傷其趾, 則知懲誡而不敢長其惡, 故云不行也. 古人制刑, 有小罪則校其趾, 蓋取禁止其行, 使不進於惡也.

발에 형틀을 채워서 그 발꿈치를 상하게 하면 징계할 줄을 알아 감히 악을 키우지 못하기 때문에 "가지 못하게 한다"고 말한 것이다. 옛사람이 형벌을 제정할 때 작은 죄가 있으면 발에 형틀을 채웠으니, 악행을 금지하여 악에 나아가지 못하게 하는 뜻을 취한 것이다.

### 本義

滅趾, 又有不進於惡之象.

'발꿈치를 상하게 함[滅趾]'은 또 악에 나아가지 못하게 하는 상이 있다.

### 小註

雲峰胡氏曰, 下卦爲震滅趾, 使其不敢如震之動也, 動則進於惡矣.

운봉호씨가 말하였다: 아래 괘는 진괘(☳)의 '발꿈치를 상하게 함'이 되니, 진괘처럼 움직이게 하지 못하게 하는 것이다. 움직이면 악에 나아가게 된다.

# ‖韓國大全‖

### 유정원(柳正源) 『역해참고(易解參攷)』

不行也.

가지 못하게 하는 것이다.

王氏曰, 過止於此.

왕씨가 말하였다: 허물이 여기에 그치는 것이다.

○ 正義, 小懲大戒, 故罪過止息不行也.

『주역정의』에서 말하였다: 작게 징계하여 크게 조심하기 때문에 죄와 허물을 멈추어 행하지 않는 것이다.

### 김상악(金相岳) 『산천역설(山天易說)』

不行, 則不進於惡也.

가지 않으면 악에 나아가지 않는 것이다.

○ 震反艮, 艮之初曰, 艮其趾, 亦不行者, 故无咎同占. 又初曰滅趾不行, 上曰滅耳不明, 與履三曰眇能視不足以有明跛能履不足以與行相似.

진괘(震卦䷲)가 거꾸로 된 것이 간괘(艮卦䷳)인데, 간괘의 초구에 "발꿈치에 그친다"고 하여 또한 가지 않는 것이므로 허물이 없어서 점이 같다. 초효에서는 "발꿈치를 상하게 하여 가지 못하게 한다"고 하였고, 상효에서는 "귀를 없어지게 하여 밝지 못하게 한다"고 하였으니, 리괘 삼효에 "애꾸눈으로 볼 수 있으나 분명히 보기에는 부족하고", "절름발이가 걸을 수 있으나 더불어 가기에 부족한" 것과 서로 비슷하다.

### 서유신(徐有臣) 『역의의언(易義擬言)』

法所以屨之校而滅其足者, 罪其不行也. 不行者, 當行而不行也. 當行者, 正道也. 震體, 曷爲不行歟. 爲九四互艮之所止也. 然則罪在四乎. 爲外物之所沮而不能行其義者, 外物之罪歟.

법에서 발에 형틀을 채워서 발을 보이지 않게 하는 것은 행하지 않는 것을 죄 주는 것이다. 행하지 않는다는 것은 마땅히 행해야 하는데 행하지 않는 것이다. 마땅히 행해야 하는 것은 바른 도리이다. 진괘의 몸체가 왜 행하지 않는 것이 되는가? 호괘인 간괘에 속하는 구사의 저지를 당하기 때문이다. 그렇다면 죄가 사효에 있는가? 외물에 저지를 당하여 그 의를 행할 수 없는 것이 외물의 죄이겠는가?

### 박문건(朴文健) 『주역연의(周易衍義)』

不行, 猶言不進也.
'가지 못하게 하는 것'은 나아가지 않는다는 말과 같다.

### 오치기(吳致箕) 「주역경전증해(周易經傳增解)」

履校而使不得行, 蓋取知懲而不進於惡也.
발꿈치에 형틀을 채워서 행할 수 없게 하는 것은 징계함을 알아 악에 나아가지 않는 것을 취하였다.

### 이병헌(李炳憲) 『역경금문고통론(易經今文考通論)』

正義曰, 屨, 謂着而履踐也. 校, 謂所施之械也. 校之在足, 已没其趾, 乃不復重犯, 故无咎.
『주역정의』에서 말하였다: 신이란 신고서 밟는 것이다. 형틀은 형벌을 베푸는 기구이다. 형틀이 발에 있어서 이미 발꿈치를 숨겨서 다시 무겁게 범하지 않기 때문에 허물이 없다.

虞曰, 屨, 貫趾足也. 震爲足.
우번이 말하였다: 신은 발꿈치와 발에 착용하는 것이다. 진괘가 발이 된다.

程傳曰, 初與上无位, 爲當刑之人.
『정전』에서 말하였다: 초효와 상효는 지위가 없어서 형벌을 당하는 사람이 된다.

本義曰, 滅趾, 有不進於惡之象.
『본의』에서 말하였다: 발꿈치를 상하는 것은 악에 나아가지 않는 상이 있다.

# 六二, 噬膚, 滅鼻, 无咎.

정전 육이는 살을 깨물되 코를 없어지게 하니, 허물이 없다.
본의 육이는 살을 깨무나 코를 없어지게 하니, 허물이 없을 것이다.

## 中國大全

### 傳

二, 應五之位, 用刑者也, 四爻皆取噬爲義. 二居中得正, 是用刑得其中正也. 用刑, 得其中正, 則罪惡者易服, 故取噬膚爲象, 噬齧人之肌膚, 爲易入也. 滅, 沒也, 深入, 至沒其鼻也. 二以中正之道, 其刑易服, 然乘初剛, 是用刑於剛强之人, 刑剛强之人, 必須深痛. 故至滅鼻而无咎也. 中正之道, 易以服人, 與嚴刑以待剛强, 義不相妨.

이효는 오효와 호응하는 자리이니 형벌을 쓰는 자이고, 네 효가 모두 깨무는 것을 취하여 뜻을 삼았지만, 육이는 가운데 있고 바름을 얻었으니, 이것은 형벌을 씀이 중정(中正)함을 얻은 것이다. 형벌을 씀이 중정(中正)함을 얻으면 죄와 악을 저지른 자가 쉽게 승복하기 때문에 살을 깨무는 것을 취하여 상으로 삼았으니, 사람의 살을 깨물면 쉽게 들어간다. '멸(滅)'은 없어짐이니, 깊이 들어가서 코를 없애는 데에 이른 것이다. 육이가 중정(中正)한 도로 하여 형벌함에 쉽게 복종하나 초구의 굳셈을 타고 있으니, 이것은 굳세고 강한 사람에게 형벌을 쓰는 것이다. 굳세고 강한 사람에게 형벌을 쓸 때에는 반드시 깊고 아프게 하여야 하기 때문에 코를 없애는 데에 이르지만 허물은 없는 것이다. 중정(中正)한 도는 쉽게 사람을 승복시키니, 형벌을 엄하게 하여 굳세고 강한 사람을 상대하는 것과 뜻이 서로 방해되지 않는다.

### 小註

厚齋馮氏曰, 膚, 皮之表也. 噬者, 治獄之人. 膚肉腊肺, 囚[10]也. 爻取噬爲治獄之象,

---

10) 囚: 경학자료집성DB에 '肉'으로 되어 있으나, 경학자료집성 영인본을 참조하여 '囚'로 바로잡았다.

又取膚爲獄囚之象. 二之滅鼻无咎者, 指治獄也. 初之无咎, 囚可无咎也. 二三五之无咎, 囚不得而咎之也. 中四爻, 治獄者也. 初上, 囚之始惡怙終者也.

후재풍씨가 말하였다: ‘부(膚)’는 피부의 표면이고, ‘깨무는’ 자는 옥을 다스리는 사람이다. ‘부(膚)’, ‘육(肉)’, ‘석(腊)’, ‘자(胏)’는 죄수이다. 효에서 ‘씹는 것’을 취하여 옥을 다스리는 상을 삼았고, ‘살’을 취하여 옥에 있는 죄인의 상을 삼았다. 이효에서 “코를 없어지게 하니, 허물이 없다”는 옥을 다스리는 것을 가리킨다. 초효에서 “허물이 없다”는 것은 죄수가 허물이 없는 것이다. 이·삼·오효에서 “허물이 없다”는 것은 죄수를 허물할 수 없는 것이다. 중간의 네 효는 옥을 다스리는 자이며, 초효와 상효는 처음 죄를 짓고 다시 죄를 짓는 자이다.

### 本義

祭有膚鼎, 蓋肉之柔脆, 噬而易嗑者. 六二中正, 故其所治如噬膚之易, 然以柔乘剛. 故雖甚易亦不免於傷滅其鼻. 占者雖傷而終无咎也.

제사에 ‘부정(膚鼎)’이 있으니, 고기 중에 부드럽고 연한 것으로 깨물어 합하기 쉬운 것이다. 육이는 중정(中正)하기 때문에 그 다스림이 살을 깨무는 것처럼 쉬우나, 부드러운 음으로서 굳센 양을 타고 있기 때문에 비록 아주 쉬워도 또한 그 코를 상하고 멸함을 면할 수 없다. 점치는 자가 비록 상하나 끝내 허물이 없을 것이다.

### 小註

涑水司馬氏曰, 噬嗑食也, 故以食物明之.
속수사마씨가 말하였다: ‘씹어 합함’은 음식이기 때문에 음식으로 밝혔다.

○ 臨川吳氏曰, 膚者豕腹之下柔軟无骨之肉, 古禮別實于一鼎, 曰膚鼎.
임천오씨가 말하였다: ‘살[膚]’은 돼지 배 아래 연하면서 뼈가 없는 고기이니, 옛날 예에 하나의 솥에 따로 담아 두었기 때문에 ‘부정(膚鼎)’이라고 하였다.

○ 雲峰胡氏曰, 噬而言膚腊胏肉者, 取頤中有物之象也. 各爻雖取所噬之難易而言, 然因各爻自有此象, 故其所噬者因而爲之象耳. 六二柔而中正, 故所治如噬膚之易入. 但初剛未服反不能无傷, 然始雖有傷, 終而无咎, 是初之剛終可服也.
운봉호씨가 말하였다: 씹는 데 ‘부(膚)’, ‘석(腊)’, ‘자(胏)’에 해당하는 고기를 말한 것은 ‘턱 안에 음식물이 있음’의 상을 취한 것이다. 각 효에서 씹는 것의 어려움과 쉬움을 취하였지만

각 효에 본래 이러한 상이 있기 때문에 씹히는 것이 상이 된 것이다. 육이가 부드러우면서 중정하기 때문에 살을 씹듯이 다스림이 쉽게 들어간다. 초효가 굳세어 복종하지 않아 도리어 다치지 않을 수 없다. 그러나 처음에는 다치지만 끝내 허물이 없을 것이니, 초효가 굳세지만 끝내 복종하는 것이다.

## ▌韓國大全▌

### 조호익(曺好益) 『역상설(易象說)』

鄭氏剛中曰, 膚, 二陰柔象.

정강중이 말하였다: '부(膚)'는 육이의 부드러운 음의 상이다.

雲峯曰, 六二以柔居柔, 故所噬象膚之易.

운봉호씨가 말하였다: 육이는 부드러운 음으로 음의 자리에 있기 때문에 깨무는데 살을 깨무는 것이 쉬움을 형상하였다.

愚謂, 自二至上, 全體似艮, 艮爲身膚, 因身取象.

내가 살펴보았다: 이효부터 상효까지는 전체의 모양이 간괘와 비슷한데, 간괘는 몸의 피부가 되니, 몸을 인하여 상을 취하였다.

或曰, 膚者, 豕腹軟脆之肉. 自初至四似體離, 離爲腹. 自三至五互體坎, 坎爲豕, 故取象.

어떤 이가 말하였다: '부(膚)'는 돼지 배의 부드러운 살이다. 초효부터 사효까지의 모양이 리괘의 몸체와 비슷한데, 리괘는 배가 된다. 삼효부터 오효까지는 호체가 감괘인데, 감괘는 돼지가 되기 때문에 상을 취하였다.

又曰, 二似體離, 離之伏坎, 坎爲豕. 初在下, 故取象. 二變則失艮體, 故有滅象.

또 말하였다: 이효가 리괘의 몸체와 비슷한데, 리괘에 숨어 있는 몸체가 감괘이고, 감괘는 돼지가 된다. 초효가 아래에 있기 때문에 상을 취하였다. 이효가 변하면 간괘의 몸체를 읽어버리기 때문에 없어지게 하는 상이 있다.

### 김장생(金長生) 『주역(周易)』

滅鼻.

코를 없어지게 한다.

鼻, 用刑者之鼻.

코는 형벌을 쓰는 사람의 코이다.

### 송시열(宋時烈) 『역설(易說)』

卦本噬, 故中四爻皆以噬言之. 初爻六爻之不言噬, 丘氏言之. 然見下膚者, 膚淺而肉之軟者在下, 故淺而不深. 以陰爻居陰位, 故軟而不固. 鼻者, 互艮爲鼻, 滅鼻者, 又綜艮爲鼻. 二爻過艮之鼻, 當與五應而不有艮鼻, 捨其正應, 反與初陽昵比, 若乘跨於剛爻, 以柔乘剛, 必致傷害. 然有上下同德, 又明離之君在上, 必無橫加之禍, 此无咎之道也.

괘가 본래 씹는 것이기 때문에 가운데 네 효에서 모두 씹는 것으로 말하였다. 초효와 육효에서 씹는 것을 말하지 않은 것에 대해서는 구씨가 말하였다. 그러나 아래 피부를 보면 피부는 얇고 부드러운 살이 아래에 있기 때문에 얇고 깊지 않다. 음효로 음의 자리에 있기 때문에 부드럽고 견고하지 않다. 코는 호괘인 간괘가 코가 되고, '코를 없어지게 하는 것은' 또한 하괘가 거꾸로 된 간괘가 코가 된다. 이효는 간괘의 코를 지났으니 마땅히 오효와 호응해야 하지만, 간괘의 코를 가지고 있지 않아서 정응을 버리고 도리어 초효의 양과 가까이하고 있어서 굳센 양효를 타고 걸터앉은 것과 같으니, 부드러운 음으로 굳센 양을 타면 반드시 상해를 초래한다. 그러나 상하가 같은 덕이고 또한 리괘의 밝은 임금이 위에 있어서 반드시 횡역을 더하는 화는 없을 것이니, 이것이 허물이 없는 도이다.

### 심조(沈潮) 「역상차론(易象箚論)」

六二滅鼻.

육이는 코를 없어지게 한다.

艮爲鼻, 故稱鼻.

간괘는 코가 되기 때문에 코를 칭하였다.

## 유정원(柳正源) 『역해참고(易解參攷)』

王氏曰, 噬, 齧也, 齧者, 刑克之謂也. 處中得位, 所刑者當, 故曰噬膚.

왕필이 말하였다: '서(噬)'는 깨무는 것이니, 깨문다는 것은 형벌을 말한다. 가운데 처하여 지위를 얻어 형벌이 마땅하기 때문에 "살을 깨문다"고 말하였다.

○ 漢上朱氏曰, 陰爲膚.

한상주씨가 말하였다: 음이 '살'이 된다.

○ 朱子曰, 膚, 腹腴拖泥處. 滅, 浸沒也, 謂因噬膚而沒其鼻於器中也.

주자가 말하였다: '살'은 배의 아래가 늘어진 곳이다. '멸(滅)'은 빠뜨리는 것이니, 살을 깨무는 것으로 인하여 그 코를 그릇 가운데 빠뜨리는 것이다.

○ 林氏曰, 互艮爲鼻, 二乘剛有沒鼻象.

임씨가 말하였다: 호괘인 간괘가 코가 되고, 이효가 굳센 양을 타고 있는 것이 코를 깨무는 상이 있다.

## 김상악(金相岳) 『산천역설(山天易說)』

膚者, 肉外皮也. 當噬嗑之時, 二之柔居震, 互艮有噬膚滅鼻之象. 所治之易, 如噬齧肌膚, 故得无咎也.

피부는 살 바깥의 가죽이다. 서합의 때를 당하여 부드러운 이효가 진괘에 거하고, 호괘인 간괘는 피부를 깨물어 코를 없어지게 하는 상이 있다. 다스리기 쉬움이 피부를 깨무는 것과 같기 때문에 허물이 없을 수 있다.

○ 初上爲頤, 二三五爲齒, 九四爲頤中之物, 而二之動, 噬之始也. 所以諸爻之噬, 皆因二之動也. 祭有膚鼎, 膚者, 豕腹之柔軟者, 坎離象. 坎爲豕, 離爲腹. 來註, 凡卦中次序相近者言膚. 剝卦言膚者, 艮七坤八也. 睽卦言膚者, 兌二離三也. 此卦言膚者, 離三震四也, 蓋謂陰陽相比也. 鼻, 艮象. 麻衣圖南以艮爲鼻面之山也. 噬膚而深入, 則不見其鼻, 故曰滅鼻. 二變則爲睽, 睽之義, 始異終同, 與先噬後嗑相似. 故其六三曰其人天且劓, 六五曰厥宗噬膚. 取象同而睽則剛柔相應, 故三曰遇剛, 與乘剛不同.

초효와 상효가 턱이 되고, 이·삼·오효는 이가 되며, 구사는 턱 가운데의 음식물이 되니, 이효의 움직임이 씹는 시작이다. 그래서 여러 효의 씹음은 모두 이효의 움직임으로 말미암는다. 제사에 '부정(膚鼎)'이 있는데, '부(膚)'는 돼지 배의 부드러운 껍질이니, 감괘과 리괘의 상이다. 감괘가 돼지가 되고 리괘가 배가 된다. 래지덕의 주석에서 괘 가운데 차서가 서로 가까운 것에 대해 피부라고 말하였다. 박괘에서 피부를 말한 것은 일곱 번째 간괘와 여덟 번째 곤괘이다. 규괘에서 피부를 말한 것은 두 번째 태괘와 세 번째 리괘이다. 이 괘에서 피부를 말한 것은 세 번째 리괘와 네 번째 진괘이니, 음양이 서로 가까운 것을 말한다. 코는 간괘의 상이다. 마의(麻衣)와 도남(圖南)은 간괘를 콧등과 같은 산으로 여겼다. 피부를 깨물어 깊게 들어가면 그 코를 볼 수 없기 때문에 "코를 없어지게 한다"고 하였다. 이효가 변하면 규괘가 되는데, 규괘의 뜻은 처음은 다르고 끝은 같은 것이니, 먼저 깨물고 후에 합하는 것과 비슷하다. 그러므로 육삼에서는 "그 사람이 머리가 깎이고 또 코가 베임을 본다"고 하였고, 육오에서는 "그 친족이 살을 깨물듯이 하면"이라고 말하였다. 상을 취한 것은 같지만 규괘는 굳셈과 부드러움이 서로 호응하기 때문에 삼효에서 굳셈을 만난다고 했으니, 굳셈을 타는 것과는 같지 않다.

### 서유신(徐有臣) 『역의의언(易義擬言)』

六二以被噬者言之, 則爲膚象, 以噬之者言之, 則爲滅鼻象也. 以膚而易之, 能無損乎. 膚裏有骨, 觸其鼻也, 雖滅鼻, 亦无咎也.

육이는 씹히는 것으로 말하면 살의 상이 되고, 씹는 것으로 말하면 코를 빠뜨리는 상이다. 살이라고 해서 쉽게 여긴다면 손해가 없겠는가? 살 속에는 뼈가 있어 코에 닿으니, 코를 빠뜨리더라도 또한 허물이 없다.

### 박제가(朴齊家) 『주역(周易)』

傳, 噬嗑人之肥膚.

『정전』에서 말하였다: 사람의 살을 깨문다.

案, 噬人而至於没鼻, 則非刑人也, 乃食人也. 下之腊肺豈人耶. 本義引膚鼎爲肉之柔脆者是矣. 而乃曰傷滅其鼻, 不用程義, 蓋互有得失矣. 食肉而自滅其鼻則乃大眚, 豈爲无咎乎. 今兒童貪食南瓜, 往往没其鼻, 此亦遽食軟肉而有此象耳. 夫革外薄皮之謂膚, 竝血而言則謂之肥, 指其裏血者而言, 則謂之膚, 過此以往, 或通稱肉. 臨川吳氏曰, 膚者, 豕腹下柔軟無骨之肉. 夫膚奚但豕耶.

내가 살펴보았다: 사람을 깨물어 코가 없어지게 하는데 이른다면 사람을 형벌하는 것이 아니라 사람을 먹는 것이다. 아래의 마른 고기가 어찌 사람이겠는가? 『본의』에서 '부정(膚鼎)'을 인용하여 고기의 부드러운 부분이라고 한 것이 옳다. 그런데 "그 코를 상하여 없어지게

한다"고 말하여 『정전』의 뜻을 쓰지 않은 것은 서로 간에 득실이 있다. 고기를 먹어 스스로 그 코를 빠뜨리는 것은 큰 잘못이니, 어떻게 허물이 없을 수 있겠는가? 지금 어린이들이 남과를 탐식하다가 왕왕 그 코를 빠뜨리는데, 이 또한 갑자기 부드러운 살을 먹어서 이러한 상이 있을 뿐이다. 가죽 바깥의 얇은 피부를 '부(膚)'라고 말하는데, 피까지 아울러 말하면 '비(肥)'라고 하고, 속의 피를 가리켜 말하면 '부(膚)'라고 말하며, 그 이상은 살이라고 통칭한다. 임천오씨는 "'부(膚)'는 돼지 배 아래 연하면서 뼈가 없는 살이다"라고 말하였다. '부(膚)'가 어찌 다만 돼지뿐이겠는가?

膚又非肉也, 肉則革內裏骨者也. 此膚字, 當指牲體未分者而言. 凡物小而取物入口, 則鼻不滅矣, 物大而以口就噬, 則鼻接于物而滅矣. 此文中三滅字, 皆云没而不見, 非傷而殘滅也. 上九之何校滅耳, 亦言校掩耳而不見也, 非刵之而滅也. 初之滅在足, 而上之滅在耳, 故爲惡進而極之象. 此之噬膚, 非易噬之云也, 乃食之在始之象. 從牲之外體而言, 外體先接口者也. 其曰乘剛者, 非以膚爲剛也, 乃物大而不能入口, 口就之而蔽鼻, 故以其大而謂之剛, 以擬乘陽之大耳. 遽食没鼻, 亦物大故然耳. 若物小則入口矣, 鼻不滅矣.
'부(膚)'는 살이 아니니, 살이라면 가죽 안에 뼈가 있는 것이다. 이 '부(膚)'라는 글자는 분명 희생의 몸뚱이가 아직 분리되지 않은 것을 가리켜 말한 것이다. 음식물이 작은데 그 음식물을 취하여 입으로 먹으면 코가 음식물에 빠지지 않고, 음식물이 큰데 입으로 깨물게 되면 코가 음식물에 닿아서 빠진다. 이 문장 가운데 세 '멸(滅)'이라는 글자는 모두 빠져서 보이지 않는 것이지, 상하여 없어지게 하는 것이 아니다. 상구의 "형틀을 채워서 귀가 보이지 않게 한다"는 것도 또한 형틀이 귀를 가려서 보이지 않는다는 것이지 깎아서 없애는 것이 아니다. 초효에서 보이지 않는 것은 발인데, 상효에서 보이지 않는 것은 귀이기 때문에 악이 커져서 극에 이른 상이 된다. 여기에서 피부를 깨무는 것은 깨물기 쉽다는 말이 아니라 처음에 먹는 상이다. 희생의 바깥 몸체로 말한다면 바깥 몸체가 먼저 입에 닿는다는 것이다. "굳셈을 탔다"는 것은 '부(膚)'를 굳셈으로 여긴 것이 아니라, 음식물이 커서 입에 들어갈 수 없어, 입을 대서 코가 가려지기 때문에 큰 것을 굳셈이라고 말하여 양의 큰 것을 타는 것에 비교했을 뿐이다. 갑자기 먹어서 코를 빠뜨리는 것 또한 음식물이 크기 때문일 뿐이다. 음식물이 작다면 입에 들어가 코를 빠뜨리지 않는다.

## 박문건(朴文健) 『주역연의(周易衍義)』

見傷噬五, 故有滅鼻之象. 膚, 肉之柔脆者也. 用中, 故无咎.
손상을 받고 오효를 깨물기 때문에 코를 빠뜨리는 상이 있다. '부(膚)'는 살의 부드러운 부분이다. 중도를 쓰기 때문에 허물이 없다.

〈問, 噬膚滅鼻. 曰, 六二方長, 六五方窮, 有噬膚之勢. 然爲初剛所傷, 故有滅鼻之災也. 滅鼻, 言沒其鼻於膚中也. 取滅鼻之義者, 仰噬其上故也.

물었다: "살을 깨물어 코를 빠뜨린다"는 무슨 뜻입니까?

답하였다: 육이는 막 자라고 육오는 막 궁하기 때문에 살을 깨무는 형세가 있습니다. 그러나 굳센 초효에게 상하기 때문에 코를 빠뜨리는 재앙이 있습니다. 코를 빠뜨린다는 것은 살 가운데 코를 빠뜨리는 것을 말합니다. 코를 빠뜨리는 뜻을 취한 것은 그 위를 우러러 깨물기 때문입니다.〉

## 이지연(李止淵) 『주역차의(周易箚疑)』

罪人之如六二者, 如脆膚之无骨, 吐盡實情而无隱. 刑官之如六二者, 治獄如口中之噬膚, 噬之深入至於没鼻. 在斷獄之道, 雖曰无咎, 而在被刑之人, 不得无深痛. 治獄之道, 以柔爲正, 而六二桀剛故也.

육이와 같은 죄인은 뼈가 없는 부드러운 살과 같아서 실정을 모두 토설하고 숨기지 않는다. 육이와 같은 옥관은 옥사를 다스리기를 입속의 부드러운 살과 같이해서 깨물어 깊이 들어가 코를 빠뜨리는데 이른다. 옥사를 결단하는 도리에는 허물이 없지만, 형벌을 받는 입장에서는 깊은 고통이 없을 수 없다. 옥사를 다스리는 도가 부드러움을 바름으로 삼는데, 육이는 굳셈을 탔기 때문이다.

## 김기례(金箕澧) 「역요선의강목(易要選義綱目)」

噬, 言膚腊肺乾, 取所噬之肉, 而以位之剛柔, 別肉之剛柔.

"씹는다"는 것은 '부(膚)'·'석(腊)'·'자(肺)'·'간(乾)'을 말하니 씹는 고기를 취하고, 자리의 굳세고 부드러움으로 고기의 굳세고 부드러움을 구별한 것이다.

○ 膚, 豕腹肉. 古禮祭有膚鼎. 二以柔居中, 刑人得正. 初雖剛梗之罪人, 用刑如噬軟肉之易入, 初雖剛, 深入滅鼻之痛, 故易服.

'부(膚)'는 돼지의 뱃살이다. 고례에 제사에는 '부정(膚鼎)'이 있다. 이효는 부드러운 음으로 가운데 있어 사람을 형벌하는데 바름을 얻는다. 초효는 비록 강경한 죄인이지만 부드러운 고기를 씹어 쉽게 들어가는 것처럼 형벌을 쓴다면, 초효가 비록 굳세더라도 코를 없애는 고통에 쉽게 들어가기 때문에 쉽게 복종한다.

○ 无咎, 指治獄者乘剛. 初剛, 故二雖柔中, 有傷鼻之刑.

"허물이 없다"는 것은 옥사를 다스리는 사람이 굳셈을 탄 것을 가리킨다. 초효가 굳세기 때문에 이효가 비록 부드럽고 알맞더라도 코를 상하는 형벌이 있다.

### 이항로(李恒老) 「주역전의동이석의(周易傳義同異釋義)」

傳, 噬齧人之肌膚, 爲易入也. 滅没也, 深入至没其鼻也.

『정전』에서 말하였다: 사람의 살을 깨물면 쉽게 들어간다. '멸(滅)'은 없어짐이니, 깊이 들어가서 코를 없애는 데에 이른 것이다.

本義, 祭有膚鼎, 蓋肉之柔脆噬而易嗑者. 所治如噬膚之易, 然以柔乘剛, 故雖甚易, 亦不免於傷滅其鼻.

『본의』에서 말하였다: 제사에 '부정(膚鼎)'이 있으니, 고기 중에 부드럽고 연한 것으로 깨물어 합하기 쉬운 것이다. 다스림이 살을 깨무는 것처럼 쉬우나, 부드러운 음으로서 굳센 양을 타고 있기 때문에 비록 아주 쉬워도 또한 그 코를 상하고 멸함을 면할 수 없다.

按, 初上非當位者, 故爲受刑之象. 禁止於其身, 有始有終滅趾滅耳是也. 二三四五是當位者, 故取用刑之象. 譬如噬物有難有易, 膚腊肺肉是也. 若曰噬人之膚, 則人膚非可噬之物, 且比喩失倫. 故本義改之.

내가 살펴보았다: 초효와 상효는 지위를 담당한 자가 아니기 때문에 형벌을 받는 상이 있다. 그 자신을 금지하여 처음이 있고 끝이 있으며 발꿈치를 멸하고 귀를 멸하는 것이 그것이다. 이·삼·사·오효는 지위를 담당하고 있기 때문에 형벌을 쓰는 상을 취하였다. 비유하자면 음식물을 씹는데 어려움이 있고 쉬움이 있으니, 살과 마른 고기가 그것이다. "사람의 살을 깨문다"고 말한다면 사람의 살은 깨물 수 있는 것이 아니니, 또한 차례를 잃은 것을 비유한 것이다. 그러므로 『본의』에서 고친 것이다.

### 심대윤(沈大允) 『주역상의점법(周易象義占法)』

噬嗑之暌䷥, 立異也. 六二之位獄之佐史是也. 居柔寬恕而近民, 通知其情, 多所寬恕而可否于主司不爲和同也. 中正无應无挾私, 縱出而失刑也. 乘初之剛, 俯從下情. 噬膚, 言寬柔也. 滅鼻, 言无私也. 兌爲滅, 离爲膚, 艮爲鼻. 鼻, 氣息之所出也, 言斷其氣息相接也. 罪人則有眚災祜終之異, 原情而定罪也.

서합괘가 규괘(暌卦䷥)로 바뀌었으니, 다른 것을 세운다. 육이의 지위는 옥의 좌사가 그것이다. 부드러움에 거하여 관대하면서 백성에게 가까이 하여 그 실정을 잘 통하여 알며, 관대함이 많아서 가부에 대해 실무자에게 부화뇌동하지 않는다. 중정하고 호응이 없으며 사사로움을 끼지 않아서 비록 나가더라도 형벌을 잃는다. 굳센 초효를 타고 아랫사람들의 실정을 낮추어 따른다. 살을 깨문다는 것은 관대하고 부드러움을 말한다. 코를 없어지게 한다는 것은 사사로움이 없는 것을 말한다. 태괘가 없애는 것이 되고, 리괘가 살이 되며, 간괘가 코가 된다. 코는 숨이 나오는 곳이니, 숨이 서로 접하는 것을 끊는 것을 말한다. 죄인은 과실로 지은 죄와 일부러 지은 죄의 차이가 있으니, 실정에 근거해서 죄를 정해야 한다.

### 오치기(吳致箕) 「주역경전증해(周易經傳增解)」

六二柔得中正而應六五同德之君, 卽主刑獄者也. 以其中正之道治獄, 其刑易服, 如噬膚肉而易入. 然以柔乘剛, 治剛者, 當深用其法, 故如噬柔肉沒其鼻之象. 而用法過深, 雖若有咎, 以其乘犯刑之剛者而用嚴, 故言无失刑之咎也.

육이는 부드러운 음으로서 중정하고 같은 덕인 육오의 임금에 호응하니, 형옥을 주장하는 자이다. 중정의 도로 옥사를 다스리니, 그 형벌에 쉽게 복종하는 것이 살을 깨물어 쉽게 들어가는 것과 같다. 그러나 부드러움으로 굳셈을 타고 있으니, 굳셈을 다스리는 자는 마땅히 그 법을 깊이 써야 하기 때문에 부드러운 살을 씹어 코가 보이지 않는 상과 같이 한다. 법을 쓰는 것이 지나치게 깊어서 비록 허물이 있는 듯하지만, 형벌을 범한 굳센 자를 타고서 엄함을 쓰기 때문에 형벌을 잃는 허물이 없다고 말하였다.

○ 膚者, 祭有膚鼎而肉之柔脆者也. 互艮爲鼻之象, 而滅者沒也.

'부(膚)'란 제사에 '부정(膚鼎)'이 있으니, 살 가운데 부드러운 것이다. 호괘인 간괘가 코의 상이 되고, '멸(滅)'이란 보이지 않는 것이다.

### 이진상(李震相) 『역학관규(易學管窺)』

體入互艮, 故曰膚曰鼻. 蓋艮體在下而陰深者爲膚, 在上而陽竦者爲鼻. 旣入頤中, 故言噬, 離坎相射, 故言滅.

몸이 호괘인 간괘에 들어있기 때문에 살이라고 하고 코라고 하였다. 간괘의 몸체가 아래에 있어서 음이 깊은 것은 살이 되고, 위에 있어서 양이 높은 것은 코가 된다. 이미 턱 가운데 들어갔기 때문에 씹는다고 말하였고, 리괘와 감괘가 서로 쏘기 때문에 없앤다고 말하였다.

象曰, 噬膚滅鼻, 乘剛也.

정전 「상전」에서 말하였다: "살을 깨물되 코를 없어지게 함"은 굳셈을 탔기 때문이다.
본의 「상전」에서 말하였다: "살을 깨무나 코를 없어지게 함"은 굳셈을 탔기 때문이다.

║ 中國大全 ║

**傳**

深至滅鼻者, 乘剛故也. 乘剛, 乃用刑於剛强之人, 不得不深嚴也. 深嚴則得宜,
乃所謂中也.

코를 없앰에 깊이 이른 것은 굳센 양을 탔기 때문이다. '굳셈을 탐'은 굳세고 강한 사람에게 형벌을
쓰는 것이니, 깊고 엄하게 하지 않을 수 없다. 깊고 엄하게 하면 마땅함을 얻으니, 중도(中道)라고
할 수 있다.

║ 韓國大全 ║

**김상악(金相岳) 『산천역설(山天易說)』**

用柔而噬, 其能嗑之功, 在於乘剛, 與他卦柔乘之危不同.
무르러움을 써서 씹으니 힙할 수 있는 능려은 굳센을 타는데 있어서, 다른 괘에서 부드러운
음이 타는 위험과는 같지 않다.

**서유신(徐有臣) 『역의의언(易義擬言)』**

二雖柔而易治, 然能乘剛, 則亦自不易也. 此謂噬乘剛者, 非謂噬剛者也.

이효는 비록 부드러워 쉽게 다스리지만, 굳셈을 탈 수 있으면 저절로 쉽지 않다. 이는 씹는 것이 굳셈을 탔기 때문이라는 말이지, 굳셈을 씹는다는 말이 아니다.

### 박문건(朴文健) 『주역연의(周易衍義)』

乘剛, 故致災於五也.

굳셈을 탔기 때문에 오효에 재앙을 가져온다.

### 오치기(吳致箕) 「주역경전증해(周易經傳增解)」

以其乘犯刑者之剛强, 故深用其法也.

형벌을 범한 자의 굳세고 강함을 탔기 때문에 그 법을 깊이 쓰는 것이다.

### 이병헌(李炳憲) 『역경금문고통론(易經今文考通論)』

馬曰, 柔脆肥美曰膚.

마융이 말하였다: 부드럽고 살지고 아름다운 것을 '부(膚)'라고 한다.

虞曰, 噬食也.

우번이 말하였다: '서(噬)'는 먹는 것이다.

姚曰, 二應在五, 故噬膚, 謂貪其祿位也. 用漢哀帝語及孟康語.

요신이 말하였다: 이효가 오효에 호응하기 때문에 살을 깨문다고 말하였으니, 봉록과 작위를 탐내는 것을 말한다. 한나라 애제와 맹강의 말을 인용하였다.

六三, 噬腊肉, 遇毒, 小吝, 无咎.

육삼은 포를 씹다가 독을 만났으니, 조금 부끄러우나 허물은 없을 것이다.

## ┃中國大全┃

### 傳

三居下之上, 用刑者也. 六居三, 處不當位. 自處不得其當而刑於人, 則人不服而怨懟悖犯之, 如噬齧乾腊堅韌之物, 而遇毒惡之味, 反傷於口也. 用刑而人不服, 反致怨傷, 是可鄙吝也. 然當噬嗑之時, 大要噬間而嗑之, 雖其身處位不當而强梗難服, 至於遇毒, 然用刑, 非爲不當也. 故雖可吝而亦小, 噬而嗑之, 非有咎也.

육삼은 아래 괘의 위에 있으니, 형벌을 쓰는 자이다. 육(六)인 음이 삼효 자리에 있으니, 처한 자리가 마땅하지 않다. 스스로 처함이 마땅함을 얻지 못하면서 사람을 형벌하면 사람들이 복종하지 않고 원망하면서 대드니, 마른 포처럼 단단하고 질긴 물건을 씹다가 악독한 맛을 만나서 도리어 입을 상하는 것과 같다. 형벌을 쓰다가 사람이 복종하지 않아 도리어 원망을 받고 다치게 되니, 이것은 속되고 부끄러운 것이다. 그러나 서합(噬嗑)의 때에 크게 중요한 것은 끼어 있는 음식물을 씹어 합하여야 하니, 비록 자신이 처한 자리가 마땅하지 않고, 강경하여 복종시키기 어려워 독을 만남에 이르나, 형벌을 씀이 부당한 것은 아니다. 그러므로 비록 부끄러우나 또한 작은 것이니, 씹어 합하면 허물이 있는 것이 아니다.

### 本義

腊肉, 謂獸腊, 全體骨而爲之者, 堅韌之物也. 陰柔不中正, 治人而人不服, 爲噬腊遇毒之象. 占雖小吝, 然時當噬嗑, 於義爲无咎也.

'석육(腊肉)'은 짐승의 포이니, 전체를 뼈 채로 만든 것으로 단단하고 질긴 물건이다. 부드러운 음으로 중정(中正)하지 못하여 사람을 다스림에 사람들이 복종하지 않으니, 포를 씹다가 독을 만나는 상이 된다. 점은 비록 '조금 부끄러우나' 씹어 합하는 때이므로 뜻에는 '허물은 없음'이 된다.

### 小註

朱子曰, 六三噬腊肉遇毒, 是所噬者堅韌難合. 三以陰柔不中正而遇此, 所以遇毒而小吝. 然此亦是合當治者, 但難治耳. 治之雖小吝, 終无咎也.

주자가 말하였다: 육삼에 '고기를 씹다가 독을 만남'은 씹는 것이 딱딱하고 질겨 합하기 어려운 것이다. 삼효가 부드러운 음으로 중정이 아니면서 이런 경우를 만났으니, 독을 만났지만 조금 부끄러울 것이다. 그렇지만 이것도 다스리기에 합당하게 다스려야 하는 것이지만, 다만 다스리기가 어려울 뿐이다. 다스림에 조금 부끄러우나 끝내 허물이 없을 것이다.

○ 節初齊氏曰, 周禮, 腊人掌田獸之脯, 注薄物爲脯, 小物全乾爲腊.

절초제씨가 말하였다: 『주례』11)에서 포를 담당하는 사람은 사냥한 짐승의 포를 담당한다고 하였는데, 주석에서 얇은 것을 '포(脯)', 완전히 말린 작은 것을 '석(腊)'이라고 하였다.

○ 雲峰胡氏曰, 肉, 因六柔取象, 腊, 因三剛取象. 三至五互坎, 坎有毒象, 師有坎, 故釋象亦曰毒. 六二柔居柔, 故所噬象膚之柔. 六三柔居剛, 故所噬象腊肉. 柔中有剛, 三比之二難矣. 然三遇毒二亦滅鼻, 甚言刑之不可輕用也. 二三皆无咎, 而三小吝者, 中正不中正之分也.

운봉호씨가 말하였다: '육(肉)'은 육효의 부드러움을 상으로 취하였고, '석(腊)'은 삼효의 굳셈을 상으로 취하였다. 삼효에서 오효까지는 호괘인 감괘이니, 감괘는 독의 상이 있고, 사괘(師卦)에도 감괘가 있으므로 「단전」을 풀이하여 '독'이라고 하였다. 육이가 부드러운 음으로 부드러운 음의 자리에 있기 때문에 씹는 것을 부드러운 살로 상징하였고, 육삼이 부드러움으로 굳셈에 있기 때문에 씹는 것을 포로 상징하였다. 부드러움 속에 굳셈이 있으니, 삼효는 이효에 비하여 어렵다. 그러나 삼효가 '독'을 만나고, 이효도 '코를 없어지게 하니', 형벌을 가볍게 쓸 수 없음을 심하게 말하였다. 이·삼효에 "허물이 없다"라고 하였지만 삼효가 허물이 적은 것이 중정과 중정하지 못함의 구분이다.

---

11) 『周禮·天官冢宰上』「腊人」.

# 韓國大全

## 송시열(宋時烈) 『역설(易說)』

腊肉者, 肉中有骨者. 陰爻故始爲柔, 而三[12]爲陽位故有堅, 又應爲陽. 柔爲肉而堅爲骨也. 遇毒者, 堅骨有以傷之也. 傷者, 以其陰不當合於三[13]之陽位.

'석육(腊肉)'은 살 가운데 뼈가 있는 것이다. 음효이기 때문에 처음에는 부드러움이 되지만, 삼효가 양의 자리이기 때문에 굳셈이 있고 또한 호응이 양이다. 부드러움은 살이 되고, 굳셈은 뼈가 된다. 독을 만난다는 것은 굳센 뼈가 상하게 하는 것이다. 상하게 하는 것은 음효가 삼의 양 자리에 맞지 않기 때문이다.

## 이현익(李顯益) 「주역설(周易說)」

雲峯胡氏以六三之腊肉, 九四之乾胏, 六五之乾肉, 分爲剛柔之象, 其說甚鑿. 本義於六二之噬膚曰中正, 故如噬膚之易. 然則所謂噬膚, 只是言噬之易, 而其能爲易, 則只以中正之故也. 六三九四六五之噬腊噬胏噬乾, 以此例之, 亦只以不中正之故, 所噬堅而不易, 苟爲中正, 則爲不堅而易矣. 然則膚腊胏乾, 豈爲爻剛柔之象而必如此言乎. 其以乾胏之乾爲乾卦之象, 亦不成語矣. 胡氏謂六二柔居柔, 故所噬象膚之柔, 殊不知此以中正之故爲噬膚, 若不中正而只是以柔居柔, 則不得爲噬膚而爲噬堅矣. 且不知膚腊胏乾爲初上, 噬爲二三四五, 而初上之或爲膚爲腊爲胏爲乾, 則隨二三四五中正與否如何也. 然則膚腊胏乾, 豈爲二三四五之象乎.

운봉호씨는 육삼의 '석육(腊肉)', 육사의 '간자(乾胏)', 육오의 '간육(乾肉)'을 굳셈과 부드러움의 상으로 나누었는데, 그 설명이 매우 천착되었다. 『본의』는 육이의 '살을 깨무는 것'이 "중정하기 때문에 살을 깨무는 것처럼 쉽다"고 말하였다. 그렇다면 '살을 깨무는 것'은 다만 깨물기 쉬운 것은 말하고, 쉬울 수 있는 것은 다만 중정하기 때문이다. 육삼·구사·육오의 '서석(噬腊)', '서자(噬胏)', '서간(噬乾)'을 이로써 추론해 본다면 또한 단지 중정하지 않기 때문에 굳센 것을 깨물어 쉽지 않은 것이니, 중정한다면 굳세지 않아서 쉬울 것이다. 그렇다면 '부(膚)'·'서(腊)'·'자(胏)'·'간(乾)'이 어찌 효의 굳셈과 부드러움의 상이 되어 반드시 이와 같이 말한 것이겠는가? '간자(乾胏)'의 '간'이 건괘의 상이 된다는 것도 또한 말이 되지

---

12) 三: 경학자료집성DB와 영인본에는 모두 '四'로 되어 있으나, 문맥을 살펴 '三'으로 바로잡았다.
13) 三: 경학자료집성DB와 영인본에는 모두 '四'로 되어 있으나, 문맥을 살펴 '三'으로 바로잡았다.

않는다. 호씨는 "부드러운 음으로 부드러운 음의 자리에 있기 때문에 씹는 것을 부드러운 살로 상징하였다"고 하였는데, 이것이 중정하기 때문에 살을 깨무는 것이 되고, 만약 중정하지 않고 단지 부드러운 음으로 부드러운 양의 자리에 있다면, 살을 깨무는 것이 되지 못하고, 굳센 것을 깨무는 것이 된다는 점을 전혀 알지 못한 것이다. 또한 '부(膚)'·'석(腊)'·'자(胏)'·'간(乾)'은 초효와 상효가 되고 깨무는 것은 이·삼·사·오가 되는데, 초효와 상효가 혹 '부(膚)'·'석(腊)'·'자(胏)'·'간(乾)'이 된다면 이·삼·사·오의 중정 여부가 어떠한지를 따라야 한다는 점을 알지 못한 것이다. 그렇다면 '부(膚)'·'석(腊)'·'자(胏)'·'간(乾)'이 어찌 이·삼·사·오의 상이 되겠는가?

### 유정원(柳正源) 『역해참고(易解參攷)』

林氏栗曰, 腊者, 肉見於外而骨藏於中. 以六居三, 外柔內剛, 腊肉之象. 噬之遇骨, 不期遇其害也. 外示柔弱, 中藏險狠以匿其情, 姦民也. 揣其骨而徐齧之, 故小吝.

임율이 말하였다: '석(腊)'은 살이 밖에 보이고 뼈가 가운데 숨어있는 것이다. 육으로 삼에 거하여 밖으로는 부드럽고 안은 굳세니, '석육(腊肉)'의 상이다. 씹다가 뼈를 만나는 것은 해로움을 만나리라고 생각하지 않은 것이다. 밖으로는 유약하게 보이지만 가운데는 험함을 감추어 그 실정을 속이고 있으니, 간사한 백성이다. 뼈가 있으리라고 생각하여 천천히 씹기 때문에 허물이 적다.

### 김상악(金相岳) 『산천역설(山天易說)』

腊肉, 獸腊全體骨而乾之者. 六三以陰居陽, 互爲坎體, 故有噬腊遇毒之象. 雖小吝終能嗑之. 故得无咎也. 噬嗑以爻位之剛柔爲象, 故不以其應比也.

'석육(腊肉)'은 짐승의 포로서 전체를 뼈 채로 말린 것이다. 육삼은 음으로 양의 자리에 있고 호괘가 감괘이기 때문에 포를 씹다가 독을 만나는 상이 있다. 비록 조금 부끄럽지만 끝내 합할 수 있기 때문에 허물이 없을 수 있다. 서합괘는 효의 자리의 굳셈과 부드러움으로 상을 삼았기 때문에 호응과 비(比)를 쓰지 않았다.

○ 毒者坎之象, 故師卦亦言毒. 遇毒, 謂所治强梗, 反致怨傷, 如噬齧堅韌之物而遇毒惡之味也. 雖小吝, 離互坎體, 水火相濟以制其毒, 故无咎. 无咎者, 噬剛而去其毒也.

독은 감괘의 상이기 때문에 사괘(師卦䷆)에서도 독을 말하였다. 독을 만났다는 것은 다스림이 강경하여 도리어 원망과 상해를 초래하는 것이니, 굳세고 질긴 음식물을 씹다가 악독한 맛을 만나는 것과 같다. 비록 조금 부끄럽지만, 리괘의 호괘가 감괘여서 물과 불이 서로 보완하여 그 독을 제어하기 때문에 허물이 없다. 허물이 없다는 것은 굳센 것을 씹어 그 독을 제거하는 것이다.

## 서유신(徐有臣) 『역의의언(易義擬言)』

六三以被噬者言之, 則柔中有剛, 爲腊肉有毒之象. 以噬之者言之, 則處不當位, 爲遇毒之象也. 腊肉非毒, 其中有毒, 噬其當噬, 避其有毒, 斯可也. 三乃不擇當否, 一口齧去, 而遇其毒矣. 然竟是柔物, 其毒不過蹔爲口惡而已. 故爲小吝而无咎也.

육삼은 씹히는 것으로 말하면 부드러움 가운데 굳셈이 있어서 '석육(腊肉)'에 독이 있는 상이 된다. 씹는 것으로 말하면 처하는 곳이 자리에 마땅하지 않아서 독을 만나는 상이 된다. '석육(腊肉)'이 독이 아니라 그 가운데 독이 있는 것이니, 마땅히 씹어야 할 곳을 씹어서 그 독을 피하면 된다. 삼효는 가부를 가리지 않고 한 입에 씹어서 독을 만난다. 그러나 끝내 부드러운 음식물이기 때문에 그 독은 잠시 입에 나쁜 것에 불과할 뿐이다. 그러므로 조금 부끄럽지만 허물은 없다.

## 박제가(朴齊家) 『주역(周易)』

六三腊肉, 本義獸腊全體骨而爲之者.

육삼의 '석육(腊肉)'에 대해 『본의』에서는 짐승의 포로서 전체를 뼈 채로 만든다고 하였다.

案, 釋腊則是矣, 釋腊肉則非. 此乃腊之肉, 亦乾肉也. 不可帶骨說, 帶骨則爲四之胏矣. 然則乾肉不嫌五乎. 曰, 此之爲言食腊中之肉者, 乃肉之小者. 若乾肉之肉, 則肉之統稱, 比腊中之肉爲大肉矣. 且腊肉外乾而中未乾者, 非至乾也. 大象但曰, 明罰勅法, 非豐之折獄至刑, 則初上之不可謂受刑明矣. 朱子曰, 先立這法, 在此未有犯底人, 留待異時之用, 故云明罰勅法. 伊川以明在上, 豐則明在下, 分言之甚當. 然則何必以初上爲受刑耶.

내가 살펴보았다: '석(腊)'을 풀이한 것은 맞지만, '석육(腊肉)'을 풀이한 것은 맞지 않다. 이것은 포로 만든 고기로 또한 마른 고기이다. 뼈가 있다고 말해서는 안 되니, 뼈가 있다면 사효의 '자(胏)'가 된다. 그렇다면 '간육(乾肉)'이 오효가 되는 것은 문제가 없겠는가? 이것은 '석(腊)' 가운데의 고기를 먹는 것이니, 고기의 작은 것이다. '간육(乾肉)'의 '육(肉)'은 고기의 통칭으로 '석(腊)' 가운데의 고기에 비해서 커다란 고기이다. 또한 '석육(腊肉)'이 밖은 말랐는데 가운데가 아직 마르지 않았다면 지극히 마른 것이 아니다. 「대상전」에서는 다만 "형벌을 밝히고 법령을 정비한다"고 하였고, 풍괘(豐卦☲☳)에서처럼 "옥사를 결단하고 형벌을 집행한다"[14]고 하지 않았으니, 초효와 상효에 대해 형벌을 받는다고 말할 수 없는 것이

분명하다. 주자는 "먼저 이 법을 세워서 이 아직 범하지 않은 사람에 대해 다른 때에 쓸 것을 대비하기 때문에 '형벌을 밝히고 법령을 정비한다'고 하였다"고 말하였다. 이천이 서합괘는 밝음이 위에 있고 풍괘는 밝음이 아래에 있다고 하여 나누어 말한 것이 매우 타당하다. 그렇다면 어찌 반드시 초효와 상효를 형벌을 받은 자로 삼겠는가?

## 박문건(朴文健) 『주역연의(周易衍義)』

柔能逼剛, 故有噬腊之象. 腊, 獸之全體骨者也. 始毒故小吝, 終吞故无咎.

부드러움으로 굳셈을 핍박할 수 있기 때문에 '석육(腊肉)'을 씹는 상이 있다. '석(腊)'은 짐승의 몸에 들어 있는 뼈이다. 처음에는 독을 만나기 때문에 조금 부끄럽고, 끝내는 삼키기 때문에 허물이 없다.

## 이지연(李止淵) 『주역차의(周易箚疑)』

罪人之如六三者, 外雖柔而內剛, 且心術不正不中, 足以反毒其上, 如腊肉之毒人. 然而質柔, 故終不敢抵賴而吐其實, 則刑官之如六三者, 亦內剛治獄, 如口中之噬腊, 不避其毒而終得其情, 故小吝而无咎也.

육삼과 같은 죄인은 밖으로는 비록 부드럽지만 안으로 굳세고, 또한 심술이 중정하지 않아서 충분히 윗사람에게 해독을 끼치는 것이 '석육(腊肉)'이 사람에게 해독을 끼치는 것과 같다. 그러나 바탕이 부드럽기 때문에 끝내 감히 버티지 못하고 실정을 토로하면, 육삼과 같은 형관 또한 안으로 굳세어 옥사를 다스리는 것이 입속에서 '석육(腊肉)'을 씹는 듯이 하여 그 독을 피하지 않고 끝내 그 실정을 얻기 때문에 조금 부끄럽지만 허물이 없다.

## 김기례(金箕澧) 「역요선의강목(易要選義綱目)」

三至五互坎, 坎有毒象, 故曰遇毒.

삼효에서 오효까지의 호괘가 감괘인데, 감괘는 독이 있는 상이기 때문에 "독을 만난다"고 말하였다.

○ 坤爲吝嗇, 故易中陰爻多言吝.

곤괘가 부끄럽고 인색한 것이 되기 때문에 『주역』에서 음효에는 부끄러움을 말한 것이 많다.

---

14) 『周易 · 豊卦』: 象曰, 雷電皆至, 豊, 君子以, 折獄致刑.

○ 位剛故取腊, 爻柔故取肉.

자리가 굳세기 때문에 '석(腊)'을 취하였고, 효가 부드럽기 때문에 '육(肉)'을 취하였다.

○ 陰柔不中正, 治强梗之人而不服, 則難化也, 如噬腊而傷口可羞. 其位剛才柔, 然威明在上, 用刑非不當, 則雖梗必服, 故无咎. 三難於二.

부드러운 음으로서 중정하지 않아서 강경한 사람을 다스려 복종하지 않으면 교화하기 어려움이 마치 '석육(腊肉)'을 씹어서 입을 상하여 부끄러울 만한 것과 같다. 자리가 굳세고 재질이 유약하지만, 밝은 위엄이 위에 있고 형벌을 쓰는 것이 마땅하면 비록 강경한 사람이라도 반드시 복종할 것이므로 허물이 없다. 삼효가 이효보다 어렵다.

### 심대윤(沈大允) 『주역상의점법(周易象義占法)』

噬嗑之离䷝. 以柔居剛, 仁柔而嚴斷, 治獄之正也. 六三之位, 士師牧守主獄者是也. 有應係乎上, 奏當決讞, 皆得聞報而不敢擅斷也. 嚴斷而不中, 故曰噬腊肉, 肉之多骨者也. 离兌象, 言明于刑也. 巽爲毒藥爲遇, 言巽于九四而不自擅斷也. 雖小吝而无咎, 罪人則情狀詭秘繆結, 訊鞫而取招也.

서합괘가 리괘(離卦䷝)로 바뀌었다. 부드러운 음으로 굳센 양의 자리에 있어서 어질고 부드러우면서도 엄히 결단하니, 옥사를 바르게 다스리는 것이다. 육삼의 자리는 재판관·지방관·옥관이 그것이다. 호응이 있어 위에 얽매여 처벌을 아뢰고 논의를 결정하는 것을 모두 위에 보고하고 멋대로 결단하지 못한다. 엄히 결단하여 맞지 않기 때문에 "석육(腊肉)을 씹는다"고 말하였으니, '석육'은 뼈가 많은 고기이다. 리괘와 태괘의 상은 형벌에 밝은 것을 말한다. 손괘가 독약이 되고 만남이 되니, 구사에게 겸손하여 혼자 멋대로 결단하지 않음을 말한다. "비록 조금 부끄럽지만 허물이 없다"는 것은 죄인이란 정상을 속이고 감추지만 신문하고 취조하여 밝히는 것이다.

### 오치기(吳致箕) 「주역경전증해(周易經傳增解)」

六三陰柔不中正, 而居下之上, 亦用刑者也. 以柔而失正, 故治獄而人不服, 反有犯悖, 如噬腊肉而遇其毒害, 是爲小吝. 然獄不可不治而終能受服, 故言无咎也. 詳見程傳.

육삼은 부드러운 음으로 중정하지 않고, 하괘의 맨 위에 있으니, 또한 형벌을 쓰는 사람이다. 부드러움으로 바름을 잃었기 때문에 옥사를 다스려도 사람들이 복종하지 않고 도리어 법을 어기는 것이 마치 '석육'을 씹어서 독을 만나는 것과 같으니, 조금 부끄러움이 된다. 그러나 옥사를 다스리지 않을 수 없어서 끝내 복종을 받을 수 있기 때문에, "허물이 없다"고 말하였다. 『정전』에 상세하게 보인다.


○ 腊肉, 火乾之肉堅靭者也. 取於應體之離爲乾卦也. 遇毒, 言所噬者堅靭反傷其口
而毒取於互坎爲險也.
'석육'은 불로 구운 고기로 질긴 것이다. 호응하는 몸체인 리괘가 마른 것을 상징하는 괘가
되는 데에서 취하였다. "독을 만난다"는 것은 씹히는 것이 질겨서 도리어 입을 상한다는 말
이고, '독'은 호괘인 간괘가 험함이 되는 데에서 취하였다.


### 이진상(李震相) 『역학관규(易學管窺)』

噬腊, 遇毒.
포를 씹다가 독을 만났다.


初九之趾, 震爲足也. 六二之鼻, 互艮而爲鼻也, 六三之腊互坎而剛中藏毒也. 六四離
體也, 故以乾胏言, 而上九之耳, 又離之中虛也.
초구의 발꿈치는 진괘가 발이 되는 것이다. 육이의 코는 호괘인 간괘가 코가 되는 것이다.
육삼의 '석(腊)'은 호괘가 감괘이니, 굳센 가운데 독을 숨기고 있는 것이다. 육사는 리괘의
몸체이기 때문에 마른 고기로 말하였고, 상구의 '귀'는 또한 리괘의 가운데가 빈 것을 상징
한다.

象曰, 遇毒, 位不當也.

「상전」에서 말하였다: "독을 만남"은 자리가 마땅하지 않기 때문이다.

## 中國大全

#### 傳

六三以陰居陽, 處位不當, 自處不當, 故所刑者難服而反毒之也.

육삼은 음으로서 양의 자리에 있어서 처한 자리가 마땅하지 않으니, 스스로 처함이 마땅하지 않기 때문에 형벌을 받는 자를 복종시키기 어려워 도리어 독을 당한 것이다.

#### 小註

誠齋楊氏曰, 六三以柔弱之才, 居剛決之位, 此[15]弱於齒而噬夫堅者也, 能不遇毒乎, 故曰位不當也.

성재양씨가 말하였다: 육삼은 유약한 재질로서 강하게 결단하는 자리에 있으니, 이것은 이빨로 단단한 것을 씹는 것보다 약한 것으로 어찌 독을 만나지 않겠는가? 그러므로 '자리가 마땅하지 않기 때문'이라고 하였다.

## 韓國大全

유정원(柳正源) 『역해참고(易解參攷)』

位不當.

---

15) 此: 경학자료집성DB에는 '比'로 되어 있으나, 경학자료집성 영인본을 참조하여 '此'로 바로잡았다.

자리가 마땅하지 않기 때문이다.

案, 象傳曰, 雖不當位, 利用獄. 六三當噬嗑之時, 於義當然, 則雖不當位亦无咎也.

내가 살펴보았다: 「단전」에 "비록 자리에 마땅하지 않으나 옥(獄)을 쓰는 것이 이롭다"고 말하였다. 육삼은 서합의 때를 당하여 의리상 마땅히 그래야 하니, 비록 자리에 마땅하지 않으나 또한 허물이 없다.


傳, 所刑.

『정전』에서 말하였다: 소형(所刑).

案, 所一作用.

내가 살펴보았다: '소(所)'는 다른 판본에는 '용(用)'으로 되어 있다.


### 김상악(金相岳) 『산천역설(山天易說)』

以柔治剛, 位不當也. 六五則爲治噬之主, 利於用獄, 故曰得當也.

부드러움으로 굳셈을 다스리는 것이 자리가 마땅하지 않은 것이다. 육오는 씹는 것을 다스리는 주인이 되어 옥을 쓰는 것이 이롭기 때문에 "마땅함을 얻는다"고 하였다.


### 서유신(徐有臣) 『역의의언(易義擬言)』

居不當位, 有噬之失當之象也

거처하는 것이 자리에 마땅하지 않기 때문에 씹어 마땅함을 잃는 상이 있다.


### 박문건(朴文健) 『주역연의(周易衍義)』

體柔而輕進, 故遇毒也.

몸체가 부드럽고 가볍게 나아가기 때문에 독을 만난다.


### 심대윤(沈大允) 『주역상의점법(周易象義占法)』

係乎上而不得信其剛決, 故曰位不當也.

위에 얽매여 굳세게 결단함을 믿을 수 없기 때문에 "자리가 마땅하지 않다"고 하였다.


### 오치기(吳致箕) 「주역경전증해(周易經傳增解)」

以柔失正所處不當, 故其刑難服而反遇毒也.

부드러움으로 바름을 잃고 처한 곳이 마땅하지 않기 때문에 형벌이 복종을 이끌어내기 어렵고 도리어 독을 만난다.


## 이병헌(李炳憲) 『역경금문고통론(易經今文考通論)』

馬曰, 晞於陽而煬於火曰腊.
마융이 말하였다: 햇볕에 말리거나 불에 말린 것은 '석(腊)'이라고 한다.

本義曰, 腊肉, 謂獸腊全體骨而爲之者, 堅韌之物也. 陰柔不中正, 治人而人不服, 爲噬腊遇毒之象.
『본의』에서 말하였다: '석육(腊肉)'은 짐승의 포이니, 전체를 뼈 채로 만든 것으로 단단하고 질긴 물건이다. 부드러운 음으로 중정(中正)하지 못하여 사람을 다스림에 사람들이 복종하지 않으니, 포를 씹다가 독을 만나는 상이 된다. 점은 비록 '조금 부끄러우나' 씹어 합하는 때이므로 뜻에는 '허물은 없음'이 된다.

周語曰, 位高實疾僨, 厚味實腊毒.
『국어 · 주어』에서 말하였다: 지위가 높은 것이 실제로는 괴로운 일이며, 맛이 좋은 것이 실제로는 '석육(腊肉)'과 같다.

韓詩外傳引, 荊蒯芮曰, 食其食, 死其事, 吾旣食亂君之食, 遂驅車而入死其事. 崔杼弑齊莊公時, 此其噬肉遇毒者歟.
『한시외전』에서 인용하여 말하였다: 형괴외가 "그의 음식을 먹고 그의 일을 위해 죽는다고 하는데, 나는 이미 어지러운 임금의 음식을 먹었다"고 하고, 드디어 수레를 몰아 들어가 그 일을 위해 죽었다. 최저가 제나라 장공을 시해하였을 적에 이것이 아마도 고기를 씹어 독을 만난 것과 같을 것이다.[16]

按, 先秦西漢所引噬膚噬肉之義, 皆指位祿而言, 不當以中四爻爲用刑設. 如王弼所云也.
내가 살펴보았다: 선진과 서한 시대에 인용한 '서부(噬膚)', '서육(噬肉)'의 뜻은 모두 지위와 봉록을 가리켜 말한 것이니, 중간의 네 효가 형을 베푸는 것으로 말해서는 안 된다. 왕필이 말한 것과 같다.

---

16) 『韓詩外傳』: 荊蒯芮可謂守節死義矣. 僕夫則無爲死也, 猶飲食而遇毒也.

九四, 噬乾胏, 得金矢, 利艱貞, 吉.

정전 구사는 뼈에 붙은 마른 고기를 씹어 금과 화살을 얻으나, 어렵고 곧게 함이 이로우니, 길하리라.
본의 구사는 뼈에 붙은 마른 고기를 씹어 금과 화살을 얻으나, 어렵고 곧게 함이 이로우니, 길하리라.

## ▌中國大全▌

### 傳

九四, 居近君之位, 當噬嗑之任者也. 四已過中, 是其間愈大而用刑愈深也, 故云噬乾胏. 胏, 肉之有聯骨者, 乾肉而兼骨, 至堅難噬者也. 噬至堅而得金矢, 金, 取剛, 矢, 取直. 九四陽德剛直, 爲得剛直之道, 雖用剛直之道, 利在克艱其事而貞固其守則吉也. 九四剛而明體, 陽而居柔, 剛明則傷於果. 故戒以知難, 居柔則守不固. 故戒以堅貞. 剛而不貞者有矣, 凡失剛者皆不貞也, 在噬嗑, 四最爲善.

구사는 임금과 가까운 자리에 있으니, 씹어 합하는 임무를 맡은 자이다. 구사가 이미 가운데를 지났으니, 이것은 그 간격이 더욱 커져서 형벌을 씀이 더욱 깊어야 하기 때문에 "뼈에 붙은 마른 고기를 씹는다"고 한 것이다. '자(胏)'는 고기에 뼈가 붙어 있는 것이니, 마른 고기에 뼈까지 있어서 지극히 단단하여 씹기 어려운 것이다. 지극히 단단한 것을 씹어 "금과 화살을 얻었으니", '금'은 강한 뜻을 취하고 '화살'은 곧은 뜻을 취하였다. 구사가 양의 덕으로 굳세고 곧아 굳세고 곧은 도를 얻음이 되니, 비록 굳세고 곧은 도를 쓰나 이로움이 일을 어렵게 여기고 지킴을 곧고 견고하게 함에 있으니, 길하다. 구사는 굳셈으로서 밝은 몸체이고,[17] 양으로서 부드러운 음에 있으니, 굳세고 밝으면 과감하여 다칠 수 있으므로 어려워할 줄을 알라고 경계하였고, 부드러움에 있으면 지킴이 견고하지 못하므로 곧음을 견고하게 하라고 경계한 것이다. 굳세나 곧지 못한 자가 있는데, 굳셈을 잃는 것은 모두 곧지 못한 것이니, 서합괘에서는 구사가 가장 좋은 것이 된다.

---

17) 구사가 밝음을 상징하는 리괘에 속해 있기  때문에 이렇게 말한 것이다.

**小註**

龜山楊氏曰, 九四合一卦言之, 則爲間者也, 以六爻言之, 則居大臣之位, 任除間之責者也.

구산양씨가 말하였다: 구사는 한 괘를 합하여 말하면 틈이 되는 자이며, 여섯 효로 말하면 대신의 지위에 있어 틈을 제거하는 책임을 맡은 자이다.

○ 建安丘氏曰, 噬嗑惟四五兩爻, 能盡治獄之道. 象以五之柔爲主, 故曰柔得中而上行, 雖不當位, 利用獄也. 利用之言獨歸之五, 而他爻不與焉. 爻以四之剛爲主, 故曰噬乾胏, 得金矢, 利艱貞, 吉, 吉之言獨歸之四, 而他爻謂之无咎也. 主柔而言以仁爲治獄之本, 主剛而言以威爲治獄之用. 仁以寓其哀矜, 威以懲其奸慝, 剛柔迭用, 畏愛兼施, 治獄之道得矣.

건안구씨가 말하였다: 서합괘에서 사효와 오효 두 효만이 옥사를 다스리는 도를 다할 수 있다. 「단전」에서 부드러운 오효를 주인으로 여기는 까닭에 "부드러움이 중을 얻어 위로 행하니, 비록 자리에 마땅하지 않으나 옥을 쓰는 것이 이롭다"고 하였다. 쓰는 것이 이롭다는 말은 오직 오효에게만 귀착시켰으며 다른 효는 상관이 없다. 효에서는 굳센 사효를 주인으로 여기는 까닭에 "뼈에 붙은 마른 고기를 씹어 금과 화살을 얻으니, 어렵고 곧게 함이 이로우니, 길하리라"고 하였다. 길하다는 말은 오직 사효에게만 귀착시켰으며 다른 효에는 "허물이 없다"고 하였다. 부드러움을 위주로 인자함이 옥사를 다스리는 근본이라고 여겼고, 굳셈을 위주로 위엄이 옥사를 다스리는 쓰임이라고 여겼다. 인자함은 불쌍하게 여길 수 있고, 위엄은 간악한 무리들을 징계할 수 있으니, 굳셈과 부드러움을 번갈아 사용하고 두려움과 사랑을 함께 실시하여야 옥사를 다스리는 도를 얻을 수 있다.

○ 雙湖胡氏曰, 以全體言, 九四爲一卦之間, 則受噬者在四, 卦辭利用獄, 是刑四也. 以六爻言, 則受噬者在初上, 故初上皆受刑, 四反爲噬之主, 與三陰爻同噬初上者也. 卦言其位, 則梗在其中, 爻言其才, 則剛足以噬, 其取義故不同也.

쌍호호씨가 말하였다: 전체로 말하면 구사가 한 괘의 사이가 되면 씹음을 받는 것은 사효에 있으니, 괘사에서 "옥을 쓰는 것이 이롭다"고 한 것은 사효를 형벌한 것이다. 여섯 효로 말하면 씹음을 받는 것은 초효와 상효에 있기 때문에 초효와 상효가 모두 형벌을 받고 사효는 도리어 씹는 주인이 되어 세 음효와 함께 초효와 상효를 씹는 것이다. 괘에서 그 자리를 말하면 형틀이 그 가운데 있고, 효에서 그 재질로 말하면 굳셈이 씹으니, 그렇게 뜻을 취하기 때문에 같지 않다.

## 本義

肺, 肉之帶骨者, 與胾同. 周禮, 獄訟, 入鈞金束矢而後聽之. 九四以剛居柔, 得用刑之道. 故有此象, 言所噬愈堅而得聽訟之宜也. 然必利於艱難正固則吉, 戒占者宜如是也.

'자(肺)'는 고기에 뼈가 붙어 있는 것이니, 자(胾)와 통한다. 『주례(周禮)』에 "소송 사건에서 삼십 근의 금과 화살 한 묶음을 납입한 뒤에 송사를 듣는다"고 하였다. 구사는 굳센 양으로 부드러운 음의 자리에 있어 형벌을 쓰는 도를 얻었다. 그러므로 이러한 상이 있으니, 씹는 것이 더욱 견고하여 송사를 듣는 마땅함을 얻었다는 말이다. 그러나 반드시 어려워하고 바르고 견고하게 함이 이롭고 길하니, 점치는 자가 마땅히 이와 같이 해야 한다고 경계한 것이다.

## 小註

或問, 古人獄訟, 要鈞金束矢之意如何. 朱子曰, 這不見得. 想是詞訟時, 便令他納此, 教他无切要之事, 不敢妄來.

어떤 이가 물었다: 옛사람들이 소송 사건에서 삼십 근의 금과 화살 한 묶음을 내야 한다는 것은 어째서 입니까?

주자가 답하였다: 이러한 사실은 잘 모르겠습니다. 생각해보면, 소송할 때에 그들에게 이것을 납부하게 하면 절실한 일이 아니면 함부로 오시 않을 것이기 때문인 듯합니다.

又問, 如此, 則不問曲直, 一例出此, 則實有寃枉者, 亦懼而不敢訴矣. 曰, 這箇須是大切要底事. 古人如平常事, 又別有所在, 如劑石之類.

또 물었다: 이와 같이 하여 불문곡직하고 모두 이것을 내게 하면 참으로 누명을 쓴 자도 두려워서 감히 소송을 하지 못할 게 아닙니까?

답하였다: 이것은 반드시 크게 절실한 일의 경우일 것입니다. 옛사람들이 일반적인 일은 별도로 처리하는 것이 있었을 것이니, 죄인의 죄목을 기록한 문서인 제(劑)[18]와 돌 위에 죄인을 꿇어앉히는 돌[嘉石][19] 같은 종류입니다.

○ 周禮秋官大司寇, 以兩造, 禁民訟, 入束矢於朝然後聽之. 以兩劑, 禁民獄, 入鈞金三日, 乃致於朝然後聽之.

『주례·추관·대사구』에서 말하였다: 두 사람이 재물을 다투는 경우에 백성의 송사를 금지

---

18) 『周禮·大司寇』: 以兩劑禁民獄, 入鈞金, 三日乃致于朝, 然後聽之.
19) 『周禮·大司寇』: 以嘉石平罷民.

하고 화살 한 묶음을 관청에 내게 한 다음에 송사를 처리한다. 두 사람이 죄목을 기록한 문서로 다투는 경우 백성의 송사를 금지하고 삼십 근의 금을 삼일 안에 관청에 내게 한 다음에 그 옥사를 처리한다.

注, 訟謂以財貨相告者, 造, 至也. 使訟者兩至, 旣兩至, 使入束矢乃治之. 不至, 不入束矢, 則是自服其不直者也. 必入束矢者, 取其直也. 束矢, 百矢也. 獄謂相告以罪名者, 劑, 今券書. 使獄者各齎券書, 旣兩券書, 使入鈞金, 又三日乃治之, 重刑也. 不券書, 不入金, 則是亦自服不直者也. 必入金者, 取其堅也. 三十斤爲鈞.

주석에서 다음과 같이 말하였다: '송(訟)'은 재물로 서로 고소한 자이고, '조(造)'는 도달함이다. 소송한 두 사람을 오게 하여 두 사람이 오면 화살 한 묶음을 내게 하여 그것을 다스린다. 오지 않거나 화살 한 묶음을 내지 않으면 정직하지 않다고 스스로 고백하는 것이다. 반드시 화살 한 묶음을 낸 자가 정직함을 취하게 된다. '속시(束矢)'는 백 개의 화살이다. '옥(獄)'은 범죄의 명칭으로 서로 고소한 자이고, '제(劑)'는 지금은 죄인의 죄목을 기록한 문서이다. 소송한 자들에게 각자 죄목을 기록한 문서를 가져오게 하여 두 문서가 도착하면 삼십 근의 금을 삼일 안에 내게 하여 그것을 다스리니, 중한 형벌이다. 죄목을 기록한 문서가 없거나 금을 납부하지 않으면 정직하지 않다고 스스로 고백하는 것이다. 반드시 금을 납부하는 것을 굳셈을 취한 것이다. 30근이 1균이다.

○ 雲峰胡氏曰, 胏, 肉之帶骨者, 骨, 因九取象, 肉, 因四取象. 離爲乾卦, 故爲乾胏. 腊肉, 肉藏骨, 柔中有剛, 六三柔居剛, 故所噬如之. 乾胏, 骨連肉, 剛中有柔, 九四剛居柔, 故所噬如之. 三遇毒, 所治之人, 不服也, 四得金矢, 其人服矣. 然必艱難正固, 乃无咎.

운봉호씨가 말하였다: '자(胏)'는 고기에 뼈가 붙은 것이니, 뼈는 양인 구로 상을 취했고, 고기는 사효 자리로 상을 취했다. 리괘는 건괘가 되기 때문에 '뼈에 붙은 마른 고기'가 된 것이다. '석육(腊肉)'은 고기 속에 뼈가 감추어진 것이고, 부드러움 속에 굳셈이 있는 것이니, 육삼은 부드러우면서 굳센 자리에 있기 때문에 씹는 것이 이와 같다. '뼈에 붙은 마른 고기'는 뼈와 고기가 연결되어 굳셈 속에 부드러움이 있는 것이니, 구사는 굳셈으로 부드러운 자리에 있기 때문에 씹는 것이 이와 같은 것이다. 삼효가 독을 만난 것은 다스려지는 사람이 굴복하지 않은 것이고, 사효가 금과 화살을 얻는 것은 형벌 받는 사람이 굴복한 것이다. 그러나 반드시 어렵게 하고 바르고 굳게 해야 허물이 없을 것이다.

# ▌韓國大全▌

### 조호익(曺好益) 『역상설(易象說)』

九四, 噬乾胏, 金矢.

구사는 뼈에 붙은 마른 고기를 씹어 금과 화살을 얻는다.

或曰, 三陽乾爲金, 二陰坤爲黃.

어떤 이가 말하였다: 세 개의 양이 건(乾)으로 금(金)이 되고, 두 개의 음이 곤(坤)으로 황(黃)이 된다.

矢, 坎木象, 伏兌, 金𨭉之象.

'시(矢)'는 감괘의 나무의 상이며, 숨은 태괘(兌)는 금(金)이 번쩍이는 상이다.

### 김장생(金長生) 『주역(周易)』

九四金矢, 六五黃金.

구사의 금과 화살, 육오의 황금.

崔岦曰, 四五金矢黃金, 妄恐金皆取斷獄之義而已, 矢取九之剛直而以其居四, 故戒以利艱貞吉未光也. 黃取五之中道而以六居之, 故戒以貞厲无咎也.

최립이 말하였다: 사효의 금과 화살, 오효의 황금에 대해서 내가 생각해 보건대, 금이라는 것은 모두 옥사를 결단하는 뜻을 취했으며, 화살은 구(九)의 강직함을 취하고, 사효의 자리에 있기 때문에 "어렵고 곧게 함이 이로움은 아직 빛나지 못한 것이다"라고 경계하였다. '황(黃)'은 오효의 중도를 취하였고 육(六)으로서 거처하고 있기 때문에 "곧고 위태롭게 여기면 허물이 없다"고 경계하였다.

本義, 得用刑之道.

『본의』에서 말하였다: 형벌을 쓰는 도를 얻었다

象下程傳云, 以剛居柔非治獄之宜, 義云, 以剛居柔得用刑之道, 二說不同.

「단전」 아래의 『정전』에서 "굳센 양으로 부드러운 음의 자리에 있는 것은" "옥사를 다스리는 마땅함이 아니다"라고 하였는데, 『본의』에서는 "굳센 양으로 부드러운 음의 자리에 있어서 형벌을 쓰는 도를 얻었다"고 하였으니, 두 설이 같지 않다.

## 송시열(宋時烈)『역설(易說)』

陽剛之爻, 有乾燥之象, 乾而聯骨, 堅固之肉也, 故以乾肺言之. 乾爲金而坎之中爻得之, 離爲失而上卦得之. 又坎錯離, 故曰得金矢也, 以決訟言. 金取剛, 矢取直. 利於艱難而貞固爲无咎之道. 然利於艱貞者, 坎有艱險之象, 又坎爲幽暗而不能光明故也. 本義句金束矢之訓, 果似吻合, 而此爻何以云得金矢耶.

굳센 양의 효가 건조한 상을 갖고 있고, 마르고 뼈와 연결되어 질긴 고기이기 때문에 '간자(乾肺)'로 말하였다. 건괘는 금이 되고, 감괘의 가운데 효가 그것을 얻으며, 리괘가 얻는 것이 되고 상괘가 그것을 얻는다. 또한 감괘의 음양이 바뀐 것이 리괘이기 때문에 "금과 화살을 얻는다"고 말하였으니, 송사를 결정하는 것으로 말한 것이다. 금은 굳셈을 취하고 화살은 곧음을 취하였다. 어렵고 곧게 함을 이롭게 여기는 것이 허물이 없는 도가 된다. 그러나 어렵고 곧게 함을 이롭게 여기는 것은 감괘에 어려움의 상이 있고, 또한 감괘가 어두움이 되어 광명할 수 없기 때문이다. 『본의』에서 '삼십 근의 금과 화살 한 묶음'으로 풀이한 것은 과연 맞는 것 같은데, 이 효에 어찌하여 "금과 화살을 얻는다"고 말하였는가?

## 양응수(楊應秀)『곤괘강의 · 역본의차의(坤卦講義 · 易本義箚疑)』

得金矢니 니 恐當改나.

"'득금시'니"의 '니'는 아마도 마땅히 '나'로 고쳐야 할 것 같다.

○ 金과 矢를 得ᄒ야시나.

금과 화살을 얻었으나.

## 유정원(柳正源)『역해참고(易解參攷)』

案, 金剛陽爻, 矢直互坎.

내가 살펴보았다: 금은 굳센 양의 효이고, 화살은 곧으니 호괘인 감괘이다.

## 김상악(金相岳)『산천역설(山天易說)』

肺, 乾肉之帶骨者. 金者剛也, 矢者直也. 九四離體互坎, 雖剛直不撓, 然噬肺難於膚臘, 故利於遇艱而守正則吉也. 四爲受噬之爻, 故戒之以此.

'자(肺)'는 마른 고기에 뼈가 들어있는 것이다. 금은 굳센 것이고, 화살은 곧은 것이다. 구사는 리괘의 몸체에 있고 호괘가 감괘이니, 비록 강직하여 굽히지 않지만, 뼈에 붙은 마른 고기를 씹는 것이 살이나 마른 고기를 씹는 것보다 어렵기 때문에 어려움을 만나는 것을 이롭게 여겨 바름을 지키면 길하다. 사효는 씹히는 효이기 때문에 이로써 경계하였다.

○ 卦言所噬者四, 爻言治噬者亦四也. 與豊九四相類. 離爲乾卦, 胏者坎之外柔而內剛也. 三之腊肉, 五之乾肉, 皆分得四之乾胏而爲象也. 金者, 坎得乾中爻也, 矢者, 坎之本象, 又坎陷離麗, 皆有矢象. 故解以坎體, 旅以離體, 噬嗑兼取離坎也. 卦變而柔變爲剛, 故云得金矢. 旅六五, 則剛變爲柔, 曰一矢亡. 此爻卽頤中之物而噬之最難, 故爻曰艱貞, 象曰未光. 若噬而合之, 則无作梗者, 故頤之四曰, 上施光也.

괘에서 씹힌다고 말한 것이 사효이고, 효에서 씹는 것을 다스리는 것이 또한 사효이다. 풍괘의 구사와 서로 비슷하다. 리괘가 마른 것을 상징하는 괘이고, '자(胏)'는 감괘의 밖이 부드럽고 안이 굳센 것이다. 삼효의 '석육(腊肉)'과 오효의 '간육(乾肉)'은 사효의 '간자(乾胏)'를 나누어 상으로 삼은 것이다. 금은 감괘가 건괘의 가운데 효를 얻은 것이고, 화살은 감괘의 본래의 상이며, 또한 감괘가 험하고 리괘가 붙는 것이 모두 화살의 상이다. 그러므로 해괘는 감괘의 몸체이고, 려괘는 리의 몸체이며, 서합괘는 리괘와 감괘를 겸하여 취하였다. 괘가 변하여 부드러움이 변하여 굳셈이 되기 때문에 "금과 화살을 얻는다"고 말하였다. 려괘의 육오는 굳셈이 변하여 부드러움이 되기 때문에 "화살 하나를 잃는다"고 말하였다. 이 효는 턱 가운데의 물건으로서 씹는 것이 가장 어렵기 때문에 이 효에서는 '어렵고 곧게 함'을 말하였고, 「상전」에서는 "아직 빛나지 못한 것이다"라고 말하였다. 씹어 합한다면 강경하게 될 수 있는 자가 없기 때문에 이괘의 사효에서 "위에서 베푸는 것이 빛나기 때문이다"라고 말하였다.

### 김규오(金奎五) 「독역기의(讀易記疑)」

四金矢, 五黃金, 實與周禮相符, 而亦因爻自有此象, 非泛言訟獄所入之物也.

사효의 금과 화살, 오효의 황금은 실제로 『주례』와 서로 부합하고, 또한 효에 저절로 이러한 상이 있기 때문에 송사에 들어가는 물건을 범범하게 말한 것이 아니다.

### 서유신(徐有臣) 『역의의언(易義擬言)』

九四以被噬者言之,[20] 則乾胏之象, 爲梗甚大, 而治之不可不嚴也. 以噬之者言之, 則爲得金矢艱貞之象. 金剛柔不偏也, 矢直而中也. 四卽所謂頤中有物者, 故其物也胏而堅

---

20) 被噬者言之: 경학자료집성DB와 영인본에는 모두 '被者言噬之'로 되어 있으나, 문맥을 살펴 '被噬者言之'로 바로잡았다.

矣, 亦所謂利用獄者, 故其噬之也艱矣. 噬之爲當, 故貞矣. 旣艱且貞而去其梗, 故吉矣.
구사는 씹히는 것으로 말하면 '간자(乾胏)'의 상이 있으니, 굳은 것이 심하여 엄격하게 다스리지 않을 수 없다. 씹는 것으로 말하면 금과 화살을 얻고 어렵게 여기고 곧은 상이 된다. 금은 굳셈과 부드러움이 치우치지 않고, 화살은 곧고 알맞다. 사효는 곧 턱 가운데 음식물이 있는 것이기 때문에 그 음식물이 '자(胏)'이면서 굳고, 또한 옥을 쓰는 것이 이롭기 때문에 씹는 것이 어렵다. 씹는 것이 마땅하기 때문에 곧다. 이미 어렵게 여기고 또한 곧게 하여 그 강경함을 제거하기 때문에 길하다.

## 박제가(朴齊家) 『주역(周易)』

六四胏, 本義與胾通.
육사의 '자(胏)'에 대해 『본의』에서는 '자(胾)'와 통한다고 하였다.

案, 胾乃濡肉, 有湆汁, 次於羹者, 恐不當先引濡物而乾之也. 肺與胏, 字相近, 或肺之訛. 肺, 本柔軟而乾則至韌, 不可食, 義或近之.
내가 살펴보았다: '자(胾)'는 젖은 고기로 즙이 있고 국 다음에 올리니, 아마도 먼저 젖은 음식을 가지고 말리지는 않을 것이다. '폐(肺)'와 '자(胏)'는 글자가 서로 비슷하니, 혹 '폐(肺)'자가 잘못된 글자일 수도 있다. '폐(肺)'는 본래 부드럽고 연하나 말리면 매우 질겨서 먹을 수 없으니, 뜻이 혹 가까울 수 있다.

## 박문건(朴文健) 『주역연의(周易衍義)』

上下勢敵, 故有噬胏之象. 胏, 肉之帶骨者也. 雖有得金矢之道, 然艱其貞則吉.
위와 아래의 형세가 대등하기 때문에 '자(胏)'를 씹는 상이 있다. '자(胏)'는 고기에 뼈가 붙어있는 것이다. 비록 금과 화살을 얻는 도가 있지만, 곧음을 어렵게 여기면 길하다.
〈問, 噬乾胏得金矢利艱貞吉. 曰, 九四噬胏而雖得金與矢, 然利其艱貞而不進, 則有吉也. 蓋古者訟者納金矢而得伸, 則必返金矢, 故有此義也.
물었다: "뼈에 붙은 마른 고기를 씹어 금과 화살을 얻으나 어렵고 곧게 함이 이로우니 길하다"는 무슨 뜻입니까?
답하였다: 구사는 뼈에 붙은 마른 고기를 씹어 금과 화살을 얻지만, 어렵고 곧은 것을 이롭게 여겨 나아가지 않으면 길합니다. 옛날에 송사하는 사람이 금과 화살을 바치고 신원하면 반드시 금과 화살을 돌려주었기 때문에 이러한 뜻이 있습니다.〉

## 이지연(李止淵) 『주역차의(周易箚疑)』

罪人之如九四者, 內雖柔而外剛, 如乾胏之堅然, 而所訟之事則正也, 故吉. 刑官之如
九四者, 治獄亦如口中之噬乾胏, 噬之愈堅而終得其情. 知其事之至難, 恐其決之不
正, 故吉也.

구사와 같은 죄인은 내면은 비록 부드럽지만 외면은 강하여 뼈에 붙은 마른 고기처럼 질기
지만 소송하는 일에는 바르기 때문에 길하다. 구사와 같은 형관은 옥사를 다스리는 것이
입속에서 뼈에 붙은 마른 고기를 씹는 것과 같아서, 씹는 것이 어려울수록 끝내 그 실정을
얻는다. 일이 지극히 어려운 것을 알고 판결이 바르지 않을 것을 걱정하기 때문에 길하다.

## 김기례(金箕澧) 「역요선의강목(易要選義綱目)」

離爲乾卦, 故四五皆曰乾.
리괘가 마른 것을 상징하는 괘이기 때문에, 사효와 오효에서 모두 ‘마른 것’을 말하였다.

○ 四有剛直之德, 故取金矢.
사효는 강직한 덕이 있기 때문에 금과 화살을 취하였다.

○ 卦體則四爲受噬者, 爻辭則初上受噬, 四與三柔爻爲噬主, 居大臣之位, 責重則深
刑强梗者, 故有噬胏象.
괘의 몸체는 사효가 씹힘을 받는 자가 되며, 효사로는 초효와 상효가 씹힘을 받고 사효와
삼효는 부드러운 음효로서 씹는 주인이 되고 대신의 지위에 있어 책임이 무거우니, 강경한
사람을 깊이 형벌하는 자이기 때문에 뼈에 붙은 마른 고기를 씹는 상이 있다.

○ 周禮, 訟者入束矢, 獄者入斤金而後聽訟獄. 蓋取其理直而辭固.
『주례』에 송사하는 사람은 네 개의 화살을 바치고, 옥사에 가는 사람은 한 근의 금을 바친
다음에 송사와 옥사를 듣는다고 하였으니, 이치가 곧고 말이 곧은 것을 취하였다.

○ 卦中四爲最善者, 用刑不可不剛決也. 四難於三.
괘 가운데 사효가 최선이 되니, 형벌을 쓰는 것을 굳세고 결단력 있게 하지 않으면 안 된다.
사효가 삼효보다 어렵다.

## 이항로(李恒老) 「주역전의동이석의(周易傳義同異釋義)」

傳, 金取剛, 矢取直.

『정전』에서 말하였다: '금'은 강한 뜻을 취하고 '화살'은 곧은 뜻을 취하였다.

本義, 周禮獄訟入鈞金束矢而後聽之.

『본의』에서 말하였다: 『주례(周禮)』에 "소송 사건에서 삼십 근의 금과 화살 한 묶음을 납입한 뒤에 송사를 듣는다"고 하였다.

按, 金矢, 本繫獄訟諸具, 如桎梏徽纆之類, 故於此取象. 不然則生割扞捏, 此非大義, 亦宜照檢. 六五倣此.

내가 살펴보았다: 금과 화살은 본래 형틀이나 포승처럼 옥사와 관련된 여러 도구이기 때문에 이러한 상을 취하였다. 그렇지 않다면 위험하고 해치는 것이라서 이는 큰 뜻이 아니니, 또한 마땅히 살펴 점검해 보아야 한다. 육오도 이와 같다.

## 심대윤(沈大允)『주역상의점법(周易象義占法)』

噬嗑之頤䷚, 養之漸成也. 九四大臣議獄者也. 居坎而上下皆离, 有憂疑審察次且之象. 周有八議, 漢唐有三覆五訊. 九四以剛居柔, 剛明而寬恕, 六三之奏決旣上, 不遽從之, 詢議覆案, 求其可生之理, 故曰噬乾肺, 筋肉也. 筋者, 附骨而纏肉, 言剛柔相雜也. 离肉互兌骨巽絲爲肺, 言明而巽以刑也. 下卦變爲鼎, 則有巽兌. 九四能變三之決案有縱出, 故取下卦之對也. 坎互离兵爲矢, 金矢, 言剛直也. 坎艱坤貞. 罪人則罪疑而覆問也.

서합괘가 이괘(頤卦䷚)로 바뀌었으니, 봉양이 점차 이루어지는 것이다. 구사는 대신으로서 옥사를 의논하는 자이다. 감괘에 있고 위와 아래가 모두 리괘이기 때문에 근심하고 의심하며 깊이 살피고 주저하는 상이 있다. 주나라에는 형을 감해주는 여덟 가지 조건이 있었고, 한나라와 당나라에는 다섯 번 심문하고 세 번 심사하는 제도가 있었다. 구사는 굳센 양으로 부드러운 음의 자리에 있어서 굳세고 밝으면서도 너그러워, 육삼이 판결문을 이미 올렸더라도 그것을 다시 살피고 의논하여 살릴 수 있는 이치를 구하기 때문에, "간자(乾肺)'를 씹는다"고 말하였으니, '간자(乾肺)'는 힘줄이 붙어있는 고기이다. 힘줄이란 뼈에 붙어서 고기를 연결해 주는 것이니, 굳셈과 부드러움이 서로 조화됨을 말한다. 리괘는 고기이고 호괘인 태괘가 뼈이며 손괘는 실로서 '자(肺)'가 되니, 밝으면서도 겸손하게 형벌을 쓰는 것을 말한다. 하괘가 변하여 정괘(鼎卦䷱)가 되면 손괘(☴)와 태괘(☱)가 있다. 구사는 삼효의 판결문이 나왔더라도 변경시킬 수 있기 때문에 하괘[(☲)]의 음양이 바뀐 손괘(☴)를 취하였다. 감괘의 음양이 바뀐 리괘가 병(兵)이므로 화살이 되고, 금과 화살은 강직함을 말한다. 감괘는 어려움이고 곤괘는 곧음이다. 죄인은 죄가 의심스러우면 다시 묻는다.

## 오치기(吳致箕) 「주역경전증해(周易經傳增解)」

九四以剛居柔, 處近君之位, 主治獄之任者也. 以其剛而失正, 故獄情難治, 如噬乾肺, 而又陷於二陰之間, 恐有徇私未能光明, 故戒言以陽剛之才如得金之堅而不變如得矢之直而无枉. 艱治其事而審愼, 正固其志而莫忽, 則可以得治獄之利, 故言利于艱貞而吉也.

구사는 굳센 양으로 부드러운 음의 자리에 있어 임금에게 가까운 자리에 거처하면서 옥사를 다스리는 임무를 주관하는 자이다. 굳센 양으로서 바름을 잃었기 때문에 옥사의 실정을 다스리기 어려운 것이 마치 뼈에 붙은 마른 고기를 씹는 것과 같고, 또한 두 음의 사이에 빠져 있어서 사사로움에 빠져서 광명하지 못할까 걱정스럽기 때문에, 굳센 쇠처럼 굳센 양의 재질로 화살이 곧아서 굽지 않은 것처럼 변하지 않아야 한다고 경계하여 말하였다. 일을 다스리기를 어렵게 여기고 신중하게 살피며 뜻을 바르고 곧게 하여 소홀히 하지 않는다면, 옥사를 다스리는 이익을 얻을 수 있기 때문에 어렵게 여기고 곧게 하는 것이 이로워 길하다고 말하였다.

○ 乾肺, 肉之帶骨而乾者也. 離爲乾卦而剛爲骨之象也. 金取陽之剛, 矢取陽之直, 而互坎爲矢之象也.

'간자(乾肺)'는 고기를 뼈째로 말린 것이다. 리괘가 마른 것을 상징하는 괘가 되고 굳셈이 뼈의 상이 된다. 금은 양의 굳셈을 취하였으며, 화살은 양의 곧음을 취하였고 호괘인 감괘가 화살의 상이 된다.

## 이진상(李震相) 『역학관규(易學管窺)』

得金矢.

금과 화살을 얻는다.

九四互坎, 故取矢之直. 六五離體動則之乾, 故有黃金之象.

구사가 포함된 호괘가 감괘이기 때문에 곧은 화살을 취하였다. 육오인 리괘의 몸체가 움직이면 건괘가 되기 때문에 황금의 상이 있다.

## 박문호(朴文鎬) 「경설(經說)·주역(周易)」

鈞金束矢, 蓋亦取剛直之義. 雖與程傳不同, 不害其爲同歸矣.

'삼십 근의 금과 화살 한 묶음'은 강직한 뜻을 취하였다. 비록 『정전』과 같지 않지만, 같은 결론이 되는 데는 문제가 없다.


## 이정규(李正奎) 「독역기(讀易記)」

九四以卦象言之, 所噬而嗑者在此, 則宜爲受刑者, 而反爲用刑之主爻. 時之變如此, 而其於事物之變義理之无窮, 欲執膠見而通者, 可得而言易歟. 束矢鈞金, 可見獄之廣大, 而非二三之可比也.

구사를 괘의 상으로 말하면 씹어서 합하는 것이 여기에 있으면 마땅히 형을 받는 자가 되어야 하는데, 도리어 형벌을 쓰는 주효가 되었다. 때의 변화가 이와 같은데 사물의 변화와 의리의 무궁함에 대해서 고정된 견해에 집착하여 통하려고 하는 자를 역을 말할 수 있다고 하겠는가? '삼십 근의 금과 화살 한 묶음'에서는 옥사의 광대함을 볼 수 있으니, 이효나 삼효에 비할 바가 아니다.

## 象曰, 利艱貞吉, 未光也

「상전」에서 말하였다: "어렵고 곧게 함이 이로움"은 아직 빛나지 못한 것이다.

## ┃中國大全┃

### 傳

凡言未光, 其道未光大也. 戒於利艱貞, 蓋其所不足也, 不得中正故也.

'아직 빛나지 못함'이라는 말은 그 도가 빛나고 크지 못한 것이다. "어렵게 곧게 함이 이롭다"고 경계한 것은 부족한 것이니, 중정(中正)함을 얻지 못했기 때문이다.

### 小註

臨川吳氏曰, 六二以所噬之易, 而有易心焉, 故至滅鼻. 九四則噬之難矣, 戒以艱貞而後得吉, 是其道之未光也.

임천오씨가 말하였다: 육이는 씹는 것이 쉬워서 쉽게 여기는 마음이 있게 되기 때문에 '코를 없어지게 함'에 이르게 된다. 구사는 씹는 것이 어려워서 '어렵고 곧게 한' 이후에 길하다고 경계하였으니, 이것이 도가 아직 빛나지 못한 것이다.

## ┃韓國大全┃

### 조호익(曺好益) 『역상설(易象說)』

光, 艮象. 未光, 五掩之也.

'광(光)'은 간괘의 상이다. '미광(未光)'은 오효가 그것을 가린 것이다.


## 유정원(柳正源) 『역해참고(易解参攷)』

案, 光字協韻.
내가 살펴보았다: '광(光)'자는 운을 맞춘 것이다.


龜山楊氏曰, 未能使旡訟, 故曰未光也.
구산양씨가 말하였다: 송사가 없도록 할 수 없기 때문에 "아직 빛나지 못한 것이다"라고 말하였다.


○ 誠齋楊氏曰, 有强梗者, 天下之不幸, 去强梗者, 聖人之不得已也, 故曰未光也.
성재양씨가 말하였다: 강경한 자는 천하의 불행이니, 강경한 자를 제거하는 것은 성인이 어쩔 수 없는 일이기 때문에 "아직 빛나지 못한 것이다"라고 말하였다.


傳, 蓋其所.
『정전』에서 말하였다: '개기소(蓋其所).'
案, 其所一作所以.
내가 살펴보았다: '소(所)'가 한 판본에는 '소이(所以)'라고 되어 있다.


## 김상악(金相岳) 『산천역설(山天易說)』

艱貞而後得吉乃其未光也. 與明夷曰利艱貞晦其明也相似.
어렵고 곧게 한 후에 길함을 얻으니, 아직 빛나지 않은 것이다. 명이괘에서 "어려울 때에 곧음이 이로움은 밝음을 감춘 것이다"라고 말한 것과 서로 비슷하다.


## 서유신(徐有臣) 『역의의언(易義擬言)』

此卽雖不當位, 利用獄者. 未光, 卽其不當位之致也.
이는 비록 자리가 마땅하지 않으나, 옥을 쓰는 것이 이롭다. 빛나지 않은 것은 자리가 마땅하지 않음이 불러온 것이다.

### 박문건(朴文健) 『주역연의(周易衍義)』

未光, 言道未光大象. 健於爭辯, 故有艱貞之戒.
'아직 빛나지 못한 것'은 도가 아직 광대하지 못한 상을 말한다. 쟁변하는데 굳건하기 때문에 어렵게 여기고 곧게 하라는 경계가 있다.

### 김기례(金箕澧) 「역요선의강목(易要選義綱目)」

未光.
아직 빛나지 못한 것이다.

用刑甚難, 而四剛爻柔位, 不得中正, 艱貞而吉, 未有光.
형벌을 쓰는 것은 매우 어렵고, 사효는 굳센 양의 효로서 부드러운 음의 자리에 있고 중정을 얻지 못하며, 어렵게 여기고 곧으며 길하지만 아직 빛나지 못한다.

### 오치기(吳致箕) 「주역경전증해(周易經傳增解)」

四失正而有陷, 未能光明, 故戒以利于艱貞而吉也.
사효는 바른 자리를 잃고 빠져서 광명할 수 없기 때문에, 어렵게 여기고 곧게 하는 것이 이롭고 길하다고 경계하였다.

### 이병헌(李炳憲) 『역경금문고통론(易經今文考通論)』

馬曰, 有骨謂之肺.
마융이 말하였다: 뼈가 있는 것을 '자(胏)'라고 한다.

陸曰, 離爲矢, 金矢取其剛直也.
육씨가 말하였다: 리괘가 화살이 되니, 금과 화살은 그 강직함을 취하였다.

本義曰, 九四以剛居柔, 必利於艱難貞固則吉.
『본의』에서 말하였다. 구사는 굳센 양으로 부드러운 음의 자리에 있으니, 반드시 어려워하고 바르고 견고하게 함이 이롭고 길하다.

六五, 噬乾肉. 得黃金, 貞厲无咎.

정전 육오는 마른 고기를 씹어 황금을 얻었으니, 곧고 위태롭게 여기면 허물이 없으리라.
본의 육오는 마른 고기를 씹어 황금을 얻었으니, 곧고 위태롭게 여겨야 허물이 없으리라.

## 中國大全

### 傳

五在卦愈上, 而爲噬乾肉, 反易於四之乾胏者, 五居尊位, 乘在上之勢, 以刑於下, 其勢易也. 在卦, 將極矣, 其爲間, 甚大, 非易嗑也, 故爲噬乾肉也. 得黃金, 黃, 中色, 金, 剛物, 五居中, 爲得中道, 處剛而四輔以剛, 得黃金也. 五无應, 而四居大臣之位, 得其助也. 貞厲无咎, 六五雖處中剛, 然實柔體, 故戒以必正固而懷危厲則得无咎也. 以柔居尊而當噬嗑之時, 豈可不貞固而懷危懼哉.

오효는 괘에서 더욱 위에 있으나 마른 고기를 씹는 것이 되어 도리어 구사의 뼈에 붙은 마른 고기를 씹는 것보다 쉬운 것은 오효가 높은 자리에 있어 위에 있는 세력을 타고 아랫사람을 형벌하니, 그 형세가 쉽기 때문이다. 괘에서 장차 끝에 이르려고 하여 그 간격이 매우 커서 쉽게 합할 수 있는 것이 아니기 때문에 마른 고기를 씹는 것이 된다. 황금을 얻었다는 것은 황색은 중앙의 색이고 금은 강한 물건이니, 오효가 가운데 있어 중도(中道)를 얻음이 되고, 굳셈에 처하였는데 사효가 굳셈으로써 도움이 황금을 얻은 것이다. 육오는 호응이 없으나 구사가 대신의 지위에 있어 그 도움을 얻은 것이다. '곧고 위태롭게 여기면 허물이 없음'은 육오가 비록 가운데이면서 굳셈에 처하였으나, 실제로는 부드러운 몸체이기 때문에 반드시 바르고 견고하며 위태로운 마음을 품으면 허물이 없을 것이라고 경계한 것이다. 부드러운 음으로 높은 자리에 거처하여 씹어 합해야 하는 때를 당했으니, 어찌 곧고 견고하게 하며 위태롭게 여기고 두려워하는 마음을 품지 않겠는가?

### 小註

建安丘氏曰, 噬嗑三柔爻, 皆用獄者也, 而五最勝. 五之位與二同, 而五能噬乾肉, 二但能噬膚者, 二以柔居柔而五以柔居剛, 五之才勝乎二之才也. 五之才與三同, 而五得黃金, 三不免遇毒者, 三之柔不中, 五之柔得中, 五之位勝乎三之位也. 六五之才之位, 視二三固有間矣, 而爻辭但无咎而不及九四之吉者, 五之柔又不如四之剛也. 然則欲盡 噬嗑治獄之道, 捨九四其何以哉.

건안구씨가 말하였다: 서합괘의 부드러운 세 음효는 모두 옥을 쓰는 자인데 오효가 가장 뛰어나다. 오효의 자리는 이효와 같은데 오효는 '마른 고기를 씹고', 이효는 '살을 깨무니', 이효는 부드러움으로 부드러운 자리에 있고, 오효는 부드러움으로 굳센 자리에 있어 오효의 재질이 이효의 재질보다 뛰어나다. 오효의 재질이 삼효와 같지만 오효는 '황금을 얻고', 삼효는 '독을 만남'을 면하지 못하고, 삼효의 부드러움은 가운데가 아니고 오효의 부드러움은 가운데이어서 오효의 자리가 삼효의 자리보다 뛰어나다. 육오의 재질과 자리는 이효와 삼효와 사이가 있음을 볼 수 있어서 효사에서 "허물이 없다"고만 하면서 구사의 '길함'에는 미치지 않았으니, 오효의 부드러움이 사효의 굳셈 같지 못하기 때문이다. 그렇다면 씹고 합하여 옥을 다스리는 도를 다하려 한다면 구사를 버리고 무엇으로 하겠는가?

○ 西溪李氏曰, 九四以剛噬, 六五以柔噬, 以剛噬者, 有司執法之公, 以柔噬者, 人君 不忍之仁也. 然猶貞厲則无咎, 正如穆王訓夏贖刑, 刑旣輕矣, 猶曰朕言多懼是也.

서계이씨가 말하였다: 구사는 굳셈으로 씹고 육오는 부드러움으로 씹으니, 굳셈으로 씹는 것은 유사가 법을 집행하는 공정함이고, 부드러움으로 씹는 것은 임금이 차마 어쩌지 못하는 인자함이다. 그러나 "곧고 위태롭게 여기면 허물이 없다"라고 하였으니, 『서경』에서 "목왕이 하(夏)나라의 속형(贖刑)[21]을 기르쳐서" 형벌이 이미 가벼워졌는데도 오히려 "나는 말하려니 많이 두렵다"[22]고 한 것이 이것이다.

### 本義

噬乾肉, 難於膚而易於腊胏者也. 黃, 中色, 金, 亦謂鈞金. 六五柔順而中, 以居 尊位, 用刑於人, 人无不服, 故有此象. 然必貞厲, 乃得无咎, 亦戒占者之辭也.

'마른 고기를 씹음'은 살을 씹는 것보다는 어렵고 석(腊)과 자(胏)를 씹는 것보다는 쉽다. 황색은 중앙의 색이고 금은 또한 삼십 근의 금이다. 육오는 유순하고 가운데이면서 높은 자리에 있으니, 사람에게 형벌을 씀에 복종하지 않는 자가 없기 때문에 이러한 상이 있다. 그러나 반드시 곧고 위태롭게 여겨야 허물이 없을 것이니, 또한 점치는 사람을 경계한 말이다.

---

21) 속형(贖刑): 돈을 바쳐 형벌을 면하는 것이다.
22) 『書經·呂刑』: 呂命, 穆王訓夏贖刑, 作呂刑. 王曰, 嗚呼, 敬之哉. 官伯族姓, 朕言多懼. 朕敬于刑, 有德 惟刑.

## 小註

或問, 九四利艱貞, 六五貞厲, 皆有艱難正固危懼之意, 故皆爲戒占者之辭. 朱子曰, 亦是爻中元自有此道理. 大抵纔是治人, 彼必爲敵, 不是易事. 故雖是時位卦德得用刑之宜, 亦須以艱難正固處之.

어떤 이가 물었다: 구사에서 "어렵고 곧게 함이 이롭다"고 하고 육오에서 "곧고 위태롭게 여기다"고 한 것은 모두 어려워하고 바르고 견고하게 하고 위태롭고 두려워하는 뜻이 있기 때문에 모두 점치는 자를 경계하는 말이 된다는 뜻입니까?

주자가 답하였다: 효 가운데 원래 이러한 도리가 있습니다. 다른 사람을 다스릴 때 그 사람이 반드시 적이 되기 때문에 쉬운 일이 아닙니다. 그러므로 때·자리·덕이 형벌을 쓰는 마땅함을 얻었을지라도 반드시 어려워하고 바르고 견고하게 하여 처리해야 합니다.

○ 雲峰胡氏曰, 乾因五取象, 肉因六取象. 噬膚噬腊肉噬乾胏, 一節難於一節. 六五噬乾肉則易矣. 五君位也, 以柔居剛, 柔而得中, 用獄之道也, 何難之有. 然六三亦以柔居剛, 遇毒何也. 六三柔不中正, 故噬之難而且遇毒. 六五柔而得中, 故噬之易而得黃金. 九四金矢兼得, 五獨得黃金何也. 獄訟而出金矢, 已非尋常小小之訟. 訟則出矢, 獄則出金, 訟爲小, 獄爲大矣. 四於獄訟兼得, 大小兼理之也. 五君也, 非大獄不敢以聞. 書所謂罔攸兼於庶獄是也. 故獨曰得黃金, 蓋君臣之分如此.

운봉호씨가 말하였다: '마른 것'은 오효의 자리로 상을 취하였고, '고기'는 음인 육으로 상을 취하였다. '살을 깨묾'·'포를 씹음'·'뼈에 붙은 마른 고기를 씹음'은 한 마디로 갈수록 어려워진다. 육오의 '마른 고기를 씹음'은 쉽다. 오효는 임금의 자리로 부드러움으로 굳셈에 있고, 부드러우면서 가운데를 얻어 옥을 쓰는 도이니, 어찌 어려움이 있겠는가? 그러나 육삼이 부드러움으로 굳셈에 있는데도 '독을 만남'은 어째서인가? 육삼은 부드럽지만 중정하지 않기 때문에 씹는 것이 어렵고 독을 만난다. 육오는 부드러우면서 가운데를 얻었기 때문에 씹는 것이 쉬워서 황금을 얻는다. 구사는 금과 화살을 함께 얻는데 오효가 황금만을 얻는 것은 어째서인가? 옥사와 송사에서 황금과 화살을 내는 것은 이미 보통의 작은 송사가 아니다. 송사에는 화살을 내고, 옥사에는 황금을 내니, 송사는 작고 옥사는 큰 것이다. 사효가 옥사와 송사를 함께 얻어 큰 것과 작은 것을 함께 다스린다. 오효는 임금으로 큰 옥사를 감히 듣지 않을 수 없으니, 『서경』에서 "문왕은 옥사아 송사를 겸하지 않으셨다"[23]고 한 것이 이것이다. 그러므로 "황금을 얻었다"고만 하였으니, 임금과 신하의 구분이 이와 같다.

---

23) 『書經·立政』: 文王, 罔攸兼于庶言庶獄庶愼, 惟有司之牧夫, 是訓用違.

# 韓國大全

### 송시열(宋時烈) 『역설(易說)』

離爲乾, 故曰乾肉, 略與九四同, 而取象則不同. 坤爲黃而離得其中爻, 故云黃. 五爲陽位, 故取剛謂金. 五當以柔德處君位, 若以位之剛而處之貞固, 則其道危厲. 然得此占者爲无咎也. 小象雖有貞厲之道而終必无咎者, 以其得當君位之謂也, 非謂用剛守正之爲當然也. 傳多可疑.

리괘가 마른 것이 되기 때문에 '마른 고기'라고 말하였으니, 대략 구사와 같지만 상을 취한 것은 같지 않다. 곤괘가 황색이 되고 리괘가 중효를 얻었기 때문에 '황(黃)'이라고 말하였다. 오효는 양의 자리이기 때문에 굳셈을 취하고 금이라고 말하였다. 오효는 마땅히 부드러운 덕으로 임금의 자리에 처해야 하니, 만약 자리의 굳셈으로 정고하게 처한다면 그 도가 위태롭다. 그러나 이 점을 얻은 사람은 허물이 없다. 「소상전」에는 비록 곧고 어려운 도가 있으나 끝내 반드시 허물이 없는 것은 임금의 자리를 담당하기 때문이라는 말이지, 굳셈을 쓰고 바름을 지키는 것이 당연하다는 말은 아니다. 『정전』에는 의심할 만한 것이 많다.

### 석지형(石之珩) 『오위귀감(五位龜鑑)』

臣謹按, 噬嗑之六五, 爲間者大, 故難於噬膚. 乘上之勢, 故易於噬肺. 居中而處剛, 故爲得黃金之象. 用刑非吉道, 故有厲无咎之戒. 蓋二陽象上下唇, 四陰象左右齒者, 頤之象也. 而六四一爻變爲陽畫, 則爲剛靭之物間隔頤中之象. 必待噬而嗑之, 乃得其安. 以人事類之, 君臣本无間而小人讒間于其中, 人君能斥而去之, 則可謂能體噬嗑矣. 且刑法之設, 亦所以鋤其强梗, 故聖人於此取治獄之義, 而必欲其得中者, 慮其偏也. 伏願殿下讒間之務去而刑期于中焉.

신이 삼가 살펴보았습니다: 서합의 육오는 끼어있는 것이 크기 때문에 살을 씹기에는 어렵고, 위의 형세를 타기 때문에 마른 고기를 씹기에는 쉽습니다. 중간에 거하고 굳센 양의 자리에 처하기 때문에 황금을 얻는 상이 됩니다. 형벌을 쓰는 것은 길한 도가 아니기 때문에 위태로우나 허물이 없다는 경계가 있습니다. 두 양은 위아래 입술을 상징하고 네 입은 좌우의 이를 상징하니, 턱의 상입니다. 육사 한 효가 변하여 양획이 되면 강인한 물건이 턱 가운데 끼어있는 상이 됩니다. 반드시 씹어 합하기를 기다려야 편안할 수 있습니다. 인사로 예를 들어보면 임금과 신하는 본래 틈이 없지만, 소인이 그 가운데서 참소하여 틈을 내게 되는데, 임금이 그것을 배척하여 제거하면 서합의 뜻을 잘 체득했다고 할 수 있습니다. 또한 형법을 설치한 것은 강경한 것을 제거하기 위한 것이기 때문에, 성인이 이에 대해서 옥사를 다스리는 뜻을 취하여, 반드시 중을 얻은 사람이 치우침을 염려하도록 하였습니다. 엎드려 원하건대 전하께서는 참소와 이간질을 힘써 제거하여 형벌이 알맞음을 기대하도록 하십시오.

### 양응수(楊應秀) 『곤괘강의 · 역본의차의(坤卦講義 · 易本義箚疑)』

得黃金이니 이니 恐當改이나.

"'득황금'이니"의 '이니'는 아마도 마땅히 '이나'로 고쳐야 할 것 같다.

○ 黃金을 得ᄒᆞ야시나.

황금은 얻었으나.

### 유정원(柳正源) 『역해참고(易解參攷)』

王氏曰, 以陰居陽, 以柔乘剛, 以噬於物, 物亦不服, 故曰噬乾肉也. 噬雖不服, 得中而勝, 故曰得黃金也.

왕필이 말하였다: 음으로서 양의 자리에 있고 부드러움으로 굳셈을 타며 물건을 씹어도 물건이 복종하지 않기 때문에 "마른 고기를 씹는다"고 말하였다. 씹어서 비록 복종하지 않더라도 중을 얻어서 이기기 때문에 "황금을 얻는다"고 말하였다.

○ 林氏栗曰, 乾肉, 折肉披筋而燻, 似剛非剛似柔非柔, 噬之嗑不噬不嗑也. 以六居五剛柔得中, 乾肉象.

임율이 말하였다: '마른 고기'는 살을 자르고 힘줄을 나누어 말린 것이니, 굳센 것 같지만 굳세지 않고 부드러운 것 같지만 부드럽지 않으며, 씹으면 합하고 씹지 않으면 합하지 않는다. 육(六)으로 오(五)의 자리에 있고 부드러움으로 중을 얻어서 마른 고기의 상이 있다.

○ 節齋蔡氏曰, 黃象離中.

절재채씨가 말하였다: '황(黃)'은 리괘의 가운데를 상징한다.

○ 盧陵龍氏曰, 按, 項氏曰, 噬者, 除其惡, 得者, 取其善. 噬乾胏之强而收金矢之用, 噬乾肉之强而收黃金用. 夫圖扉叢棘之間, 未必皆强梗不肯者居之也, 而有金矢黃金之屬在焉, 小則爲堂皐之夷吾, 蓋齊之名卿也, 大則爲郡邸之皇孫, 蓋漢之英主也. 微鮑叔之知人丙吉之長者, 逡已矣. 治獄者其可苟哉.

여릉용씨가 말하였다: 살펴보건대, 항씨가 "씹는다는 것은 악을 제거하는 것이고, 얻는다는 것은 선을 취하는 것이다"[24]라고 하였다. 강한 '간자(乾胏)'를 씹고 금과 화살의 작용을 거두어들이며, 강한 '간육(乾肉)'을 씹고 황금의 작용을 거두어들인다. 감옥이나 가시나무 울타리 속이라고 해서 반드시 강경하고 불초한 사람이 거처하는 것은 아니고 금이나 화살, 황금의 등속도 있어서, 작게는 당고(堂皐)의 관중은 제나라의 이름난 재상이 되었고, 크게는 군저(郡邸)의 황손은 한나라의 뛰어난 군주가 되었다. 이들은 포숙이 사람을 알아보고 병길(丙吉)이 길러주지 않았다면 그만이었을 것이다.[25] 옥사를 다스리는 사람이 구차해서야 되겠는가?

傳, 懷危.

『정전』에서 말하였다: 회위(懷危)

案, 一无危字.

내가 살펴보았다: 한 판본에는 '위(危)'자가 없다.

## 김상악(金相岳) 『산천역설(山天易說)』

噬乾肉, 難乎膚而易乎腊胏者也. 黃中色, 金剛物. 六五以柔居剛, 得離體之中, 成噬嗑之功. 然上行而不當位, 必貞厲而處之, 則无咎也.

마른 고기를 씹는 것은 살을 씹는 것 보다는 어렵고, 포나 뼈에 붙은 마른 고기를 씹는 것보다는 쉽다. '황'은 중간색이고, 금은 굳센 물건이다. 육오는 부드러운 음으로 굳센 양의 자리에 있고 리괘의 가운데를 얻어 서합의 공을 이룬다. 그러나 위로 행하지만 자리에 마땅하지 않으니, 반드시 곧고 어렵게 여겨서 대처하면 허물이 없다.

○ 離得坤中爻, 納己土而生金, 故曰得黃金. 鼎之黃耳金鉉, 亦以是也. 貞厲无咎, 六五雖處中剛, 實柔體, 故戒之以此. 且治人之事, 彼必爲敵, 不是易事, 故四曰艱貞, 五曰貞厲.

리괘는 곤괘의 가운데 효를 얻어 기(己)・토(土)에 들어가 금을 낳기 때문에 "황금을 얻는다"고 말하였다. 정괘의 '누런 솥귀에 금으로 장식한 현'도 또한 이 때문이다. "곧고 위태롭게 여기면 허물이 없다"는 것은 육오가 비록 굳센 양으로 가운데 있지만 실제로 부드러움 몸체이기 때문에 이로써 경계한 것이다. 또한 사람을 다스리는 일은 상대가 반드시 대적이 되어

---

24) 『周易玩辭』: 噬者, 除其惡, 得者, 取其善.

25) 관중의 인물됨을 알아보고 천거한 것은 포숙이었고, 선제가 정치 투쟁의 희생양으로 옥에 갇혔을 때, 그를 구하여 후일의 선제가 되게 한 것은 병길이었다.

쉬운 일이 아니기 때문에, 사효에서는 "어렵고 곧게 한다"고 말하였고, 오효에서는 "곧고 위태롭게 여긴다"고 말하였다.

## 서유신(徐有臣) 『역의의언(易義擬言)』

六五以被噬者言之, 則乾肉之象, 以噬之者言之, 則得黃金之象也. 黃中色, 金剛柔不偏. 得黃金故貞矣, 貞故雖厲亦无咎也. 五尊位, 故獨稱厲也. 旣云厲矣, 未足言吉也.

육오는 씹히는 것으로 말하면 마른 고기의 상이고, 씹는 것으로 말하면 황금을 얻는 상이다. 황색은 중간의 색이고, 금은 굳셈과 부드러움이 치우치지 않는다. 황금을 얻었기 때문에 곧고, 곧기 때문에 비록 위태롭더라도 허물은 없다. 오효는 높은 자리이기 때문에 유독 '위태로움'을 칭하였다. 이미 "위태롭다"고 말했다면, 길함을 말하기에는 충분하지 않다.

## 박제가(朴齊家) 『주역(周易)』

六五, 乾肉.

육오, 마른 고기.

此之乾肉, 非他卽指四也. 其變肺爲肉何也. 四從剛說, 五從柔說, 非剛變爲柔也. 位有難易也.

이곳의 마른 고기는 다른 것이 아니라 곧 사효를 가리킨다. '자(肺)'를 변하여 '육(肉)'으로 한 것은 왜인가? 사효는 굳셈을 따라 말하고, 오효는 부드러움을 따라 말한 것이지, 굳셈을 변하여 부드러움을 만든 것이 아니다. 자리에는 어려움과 쉬움이 있다.

大抵此卦噬嗑爲象, 利獄爲德. 爻之初上說罪之終始, 則象義已明. 二與三乃本體之象, 不必牽入象義, 如初上之不必合噬義. 若必欲牽强說, 則何患無辭, 而舍之不論, 不害爲卦義. 至於四五然後乃合說焉. 以象言, 則四爲被噬之位, 以象言, 則乃斷獄之位. 曰艱則屬被噬, 曰利則屬得金. 爻之曲有意義如此. 先儒每以上下爲無位受刑, 中四爻爲用刑. 然受刑不必無位, 有位亦可刑. 此但言其積而極也.

대체로 이 괘는 서합을 상으로 삼았고, 옥사를 이롭게 여기는 것을 덕으로 삼았다. 효 가운데 초효와 상효가 죄의 시작과 끝을 말한다는 것은 「단전」의 뜻에 이미 분명하다. 이효와 삼효는 본체의 상이므로 「단전」의 뜻을 끌어들일 필요가 없는 것은 초효와 상효를 씹는다는 뜻에 합치시킬 필요가 없는 것과 같다. 만약 반드시 견강부회하여 설명하려고 하면 어찌 할 말이 없겠는가마는, 놓아두고 논하지 않더라도 괘의 뜻에는 해로움이 없다. 사효와 오효에 이른 다음에야 합하여 설명한다. 상(象)으로 말하면 사효는 씹히는 자리이고, 단(彖)으로 말하면 옥사를 결단하는 자리이다. 어렵게 여긴다고 말한 것은 씹히는 것에 속하고, 이롭다고 말한 것은 금을 얻는 것에 속한다. 효의 곡절이 의의가 있는 것이 이와 같다. 이전의 학자들은 매양 상하를 지위가 없어 형벌을 받는 자로 하고, 중간 네 효를 형벌을 쓰는 것으로 하였다. 그러나 형벌을 받는다고 해서 지위가 없을 필요는 없고, 지위가 있어도 형벌할 수 있는 것이다. 이는 다만 쌓여서 지극하게 되었다는 말이다.

且爻只說械之在足在首而已. 雖何校於耳, 但將刑云, 耳非受刑. 雖四五亦言聽訟, 何嘗有用刑之象. 此蓋以噬當刑而以滅爲傷故耳. 故大象云明勅, 未嘗曰罄甸, 則象之利用之義亦可見矣. 夫有物在口, 故立象如旣囓而吞之, 則此卦非噬嗑矣. 有囚未決, 故曰利用, 旣刑而滅之, 則安用獄耶. 故電雷利獄而筮嗑非獄矣. 故四五噬自噬, 金自金, 非先以噬比獄而更說正獄. 西溪李氏曰, 四以剛噬, 五以柔噬, 當曰四以剛被噬, 五以柔能噬.

또한 효는 다만 형틀이 발에 있고 머리에 있다는 말일 뿐이다. 비록 귀에 형틀을 맨다고 할지라도 다만 형벌을 한다는 말이지 귀가 형벌을 받는 것은 아니다. 비록 사효와 오효도 또한 송사를 듣는다고 말하지만, 도대체 형벌을 쓰는 상이 어디에 있는가? 이는 씹는 것을 형벌에 해당시켜서 '멸(滅)'을 '상(傷)'으로 여겼기 때문일 뿐이다. 그러므로 「대상전」에서 "형벌을 밝힌다"고 말하고 "형벌을 내린다"[26]고는 말하지 않았으니, 「단전」에서 "쓰는 것이 이롭다"고 한 뜻도 또한 알 수 있다. 음식물이 입에 있기 때문에 씹어서 삼키는 것으로 상을 세웠다면, 이 괘는 서합괘가 아니었을 것이다. 미결수이기 때문에 "쓰는 것이 이롭다"고 말했으니, 이미 형벌을 내려 없앴다면 어찌 감옥을 쓰겠는가? 그러므로 '번개와 우레'는 '옥을 쓰는 것이 이롭고', 씹어 합하는 것은 옥사가 아니다. 그러므로 사효와 오효의 씹는 것은 그대로 씹는 것이고 금은 그대로 금이지, 먼저 씹는 것을 옥사에 비유하고 옥사를 바르게 하는 일을 더 설명한 것이 아니다. 서계이씨는 "사효는 굳셈으로 씹고 오효는 부드러움으로 씹는다"고 말했는데, 마땅히 "사효는 굳세기 때문에 씹히고 오효는 부드럽기 때문에 씹을 수 있다"고 말해야 할 것이다.

### 강엄(康儼) 『주역(周易)』

按, 此卦初上爻爲受刑之人, 中四爻爲用刑之人. 然初是惡之初, 上是惡之極, 初而不懲, 則必至於上之極也. 曰膚曰腊肉曰乾胏曰乾肉, 皆頤中之物, 而物之堅脆, 卽惡之

---

26) 경전(罄甸): 원래 종실(宗室) 출신의 역적에게 교외에서 교형(絞刑)을 시행하는 법이다.

淺深. 而物自堅脆, 故噬有難易, 而難易之分, 隨具惡之淺深而不同. 是以六二曰噬膚而惡之未大也, 六三曰噬腊肉而惡之稍大也, 九四曰噬乾胏而惡之愈大也. 六五曰噬乾肉, 則似乎反不如乾胏之大. 然以人君之尊而猶曰噬乾肉, 則其惡已極而不啻如乾胏矣. 惟其罪大而惡極, 故至上九而有何校滅耳之凶, 是豈一朝一夕之故哉.

내가 살펴보았다: 이 괘는 초효와 상효가 형벌을 받는 사람이 되고, 가운데 네 효가 형벌을 쓰는 사람이 된다. 그러나 초효는 악의 처음이고 상효는 악의 끝이니, 초효의 처음에 징계하지 않으면 반드시 상효의 끝에 이른다. '부(膚)'·'석육(腊肉)'·'간자(乾胏)'·'간육(乾肉)'이라고 말한 것은 모두 턱 가운데의 음식물로 음식물의 부드럽고 질김은 악의 얕고 깊음을 상징한다. 음식물에 저절로 부드럽고 질김이 있기 때문에 씹는데도 어렵고 쉬움이 있는데, 어렵고 쉬움이 나뉘는 것은 악의 얕고 깊음에 따라 같지 않다. 그러므로 육이에서 "부(膚)'를 씹는다"고 한 것은 악이 아직 크지 않은 것이고, 육삼에서 "석육(腊肉)'을 씹는다"고 한 것은 악이 조금 큰 것이고, 육사에서 "간자(乾胏)'를 씹는다"고 한 것은 악이 조금 더 큰 것이다. 육오에서 "간육(乾肉)'을 씹는다"고 한 것은 도리어 커다란 '간자(乾胏)'를 씹는 것만 못한 듯이 보인다. 그러나 임금의 높음으로 오히려 "간육(乾肉)'을 씹는다"고 말했다면, 악이 이미 지극하여 '간자(乾胏)'를 씹는 것뿐만이 아니다. 오직 죄가 크고 악이 지극하기 때문에 상구에 이르러 '형틀을 채워서 귀를 없어지게 하는' 흉함이 있으니, 이것이 어찌 하루 아침이나 하루 저녁에 이루어진 연고이겠는가?

### 박문건(朴文健) 『주역연의(周易衍義)』

小有危難, 故有乾肉之象, 用中, 故得黃金.

조금 위험과 어려움이 있기 때문에 마른 고기의 상이 있고, 중을 쓰기 때문에 황금을 얻는다. 〈問, 四之金矢, 五之黃金. 曰, 四之金矢, 用剛而得也, 五之黃金, 用中而得也. 於五止言得金之獄, 則得矢之訟, 亦在其中矣.

물었다: 사효의 금과 화살, 오효의 황금은 무슨 뜻입니까?

답하였다: 사효의 금과 화살은 굳셈을 써서 얻고, 오효의 황금은 중을 써서 얻습니다. 오효에서는 다만 금을 얻는 옥사를 말했으니, 화살을 얻는 송사도 그 가운데 있습니다.〉

### 이지연(李止淵) 『주역차의(周易箚疑)』

位尊威重而且有內剛之德, 質雖柔而體則明也, 故能得用刑之道. 然而死者不可復生, 刑者不可復續, 恐有不正之道而每懷未安之心也.

지위가 높고 위엄이 중하며 또한 안에 굳센 덕이 있어, 바탕은 비록 부드럽지만 몸체는 밝기 때문에 형벌을 쓰는 도를 얻을 수 있다. 그러나 죽은 자는 다시 살아날 수 없고, 형벌은 다시 속해줄 수 없으니, 바르지 않은 도리가 있을까 걱정하여 매양 편안하지 않은 마음을 품어야 한다.

### 김기례(金箕澧) 「역요선의강목(易要選義綱目)」

用刑之道, 法官有剛決之公, 王者有不忍之仁而後得平. 四剛公執法, 所噬最難處, 故曰胏. 胏, 連骨之至堅者. 乾肉, 則反柔於胏. 位尊而處中正, 何難乎用獄哉. 事半四而功倍者, 以其君臣之等也.

형벌을 쓰는 도리는, 법관은 굳세게 판결하는 공적인 마음을 갖고, 왕은 차마 하지 못하는 인을 갖고 있는 다음에야 공평하게 된다. 사효는 굳세고 공평하게 법을 집행하는데, 씹는 것이 가장 어려운 곳이기 때문에 '자(胏)'라고 말하였다. '자(胏)'는 뼈에 붙은 매우 질긴 고기이다. '마른 고기'는 '뼈에 붙은 매우 질긴 고기'보다는 도리어 부드럽다. 지위가 높고 중정한 데 있으니, 옥사를 쓰는 데 무슨 어려움이 있겠는가? 일은 사효의 반이고 공은 배가 되는 것은 임금과 신하의 등급이 다르기 때문이다.

○ 黃中色, 金堅也, 謂獄者所入之斤金. 以中道聽大獄而付小小訟獄於攸司, 何咎之有.

황색은 중간의 색이고 금은 굳세니, 송사하는 사람이 바치는 한 근의 금이다. 중도로 큰 옥사를 듣고 소소한 소송과 옥사는 실무자에게 맡기니, 무슨 허물이 있겠는가?

○ 雖以中正剛位, 有柔順之體, 故戒貞厲屬无咎. 五易於四. 得當, 謂剛位柔體, 中正而无咎.

비록 중정하고 굳센 자리이지만 유순한 몸체를 가졌기 때문에 "곧고 위태롭게 여기면 허물이 없다"고 경계하였다. 오효는 사효보다 쉽다. "마땅함을 얻었다"는 것은 굳센 자리이고 부드러움 몸체로 중정하고 허물이 없다는 말이다.

### 심대윤(沈大允) 『주역상의점법(周易象義占法)』

噬嗑之无妄䷘, 无不也. 治獄之理, 无不當也. 六五以柔居剛, 嚴斷而得中, 有九四之賢臣以委事而不自用焉. 故曰噬乾肉. 五與四, 俱居离爲乾肉, 言柔而能剛也. 黃言五之中, 金言四之剛, 謂中而從四也. 艮爲得. 獄案之決雖得當, 而尙有危懼, 故曰厲. 不言吉者, 刑獄非吉道也. 九四求生, 獨爲吉也. 罪人, 則罪當而決案也.

서합괘가 무망괘(无妄卦䷘)로 바뀌었으니, 무(无)는 불(不)과 같다. 옥을 다스리는 이치는 마땅하지 않음이 없다. 육오는 부드러운 음으로 굳센 양의 자리에 있어서 엄단하면서도 중을 얻으니, 구사의 현명한 신하를 얻어서 일을 맡겨 스스로의 힘을 쓰지 않는다. 그러므로 "마른 고기를 씹는다"고 말하였다. 오효와 사효는 모두 리괘에 있어서 마른 고기가 되니, 부드러우면서도 굳셀 수 있다는 말이다. 황색은 오효가 가운데 있음을 말하고, 금은 사효가 굳셈을 말하니, 가운데 있으면서 사효를 따름을 말한다. 간괘가 얻음이 된다. 판결문이 결정된 것이 비록 마땅함을 얻었더라도 오히려 위험과 두려움이 있기 때문에 '위태로움'이라고 말하였다. 길함을 말하지 않은 것은 형벌과 옥사는 길한 도가 아니기 때문이다. 구사는 삶을 구하기 때문에 유독 길함이 된다. 죄인은 죄가 타당하면 판결문을 결정하는 것이다.

## 오치기(吳致箕) 「주역경전증해(周易經傳增解)」

六五以柔居剛, 得中而位尊, 當用獄之時. 獄情, 非剛非柔而如噬乾肉然. 雖中而不得其正, 雖尊而質旣柔弱, 故戒言如黃之得中而无所偏倚, 如金之得剛而无所柔緩, 正固其志而惕厲然後, 可以无失刑之咎也.

육오는 부드러운 음으로 굳센 양의 자리에 있으며, 중을 얻고 자리가 높으니, 마땅히 옥사를 써야 할 때이다. 옥사의 실정은 굳셈도 아니고 부드러움도 아니며 마치 마른 고기를 씹듯이 해야 한다. 비록 중을 얻더라도 바름을 얻지 못하고 비록 높더라도 바탕이 이미 유약하기 때문에, 황색이 중을 얻어서 치우침이 없는 것처럼 하고, 금이 굳셈을 얻어서 지나치게 부드러움이 없는 것처럼 하여, 그 뜻을 바르고 굳게 하며 두렵게 여긴 다음에야 형벌을 잘못 적용하는 허물이 없을 수 있다고 경계해서 말하였다.

○ 乾肉, 剛于膚而柔于腊胏者也. 取象於以柔居剛, 而治獄非難非易之象也. 黃取中色, 金取於爻變之乾也.

마른 고기는 살보다는 굳세고 포나 뼈에 붙은 마른 고기보다는 부드러운 것이다. 부드러움으로 굳셈에 있는 데서 상을 취하였고, 옥사를 다스리는 것은 어렵지도 않고 쉽지도 않은 상이다. 황색은 중색을 취하였고, 금은 효가 변한 건괘에서 취하였다.

## 이진상(李震相) 『역학관규(易學管窺)』

坎體將終, 外柔而內剛, 故取乾肉象. 坎入離中, 故曰乾, 坎乘艮上, 故言肉. 黃金, 離體變乾, 乾爲金, 離爲黃也. 處坎之陰, 故不言矢.

감괘의 몸체가 장차 끝나려고 할 적에 밖은 부드럽고 안은 굳세기 때문에 마른 고기의 상을 취하였다. 감괘가 리괘의 가운데로 들어가기 때문에 '마른'이라고 하였고, 감괘가 간괘의 위에 타기 때문에 '고기'라고 하였다. 황금은 리괘의 몸체가 건괘로 변하여 건괘가 금이 되며, 리괘가 황색이 된다. 감괘의 음에 있기 때문에 화살을 말하지 않았다.

### 박문호(朴文鎬) 「경설(經說)・주역(周易)」

其位處剛, 已足以當金, 而兼取四輔以剛之義者, 蓋不厭其剛而又剛之意也.

자리가 굳센 양에 있어 이미 충분히 금에 해당하고, 사효가 굳셈으로 보필한다는 뜻을 겸하여 취하였으니, 굳셈을 싫어하지 않고 더욱 굳세다는 뜻이다.

象曰, 貞厲无咎, 得當也.

정전 「상전」에서 말하였다: "곧고 위태롭게 여기면 허물이 없음"은 마땅함을 얻었기 때문이다.
본의 「상전」에서 말하였다: "곧고 위태롭게 여겨야 허물이 없음"은 마땅함을 얻었기 때문이다.

## ‖ 中國大全 ‖

### 傳

所以能无咎者, 以所爲得其當也. 所謂當, 居中用剛而能守正慮危也.

"허물이 없음"이 된 까닭은 하는 것이 마땅함을 얻었기 때문이다. 마땅하다는 것은 가운데에 있으면서 굳셈을 쓰며 바름을 지키고 위태로움을 염려하는 것이다.

### 小註

中溪張氏曰, 得當者, 謂處剛而得中也. 剛則不茹, 中則不偏. 五貞厲无咎者, 其以是歟.

중계장씨가 말하였다: "마땅함을 얻음"은 굳셈에 처하면서도 가운데를 얻음이니, 굳세면 먹히지 않고, 가운데이면 치우치지 않는다. 오효가 "곧고 위태롭게 여기면 허물이 없음"이 이것일 것이다.

# ▌韓國大全▌

### 유정원(柳正源) 『역해참고(易解參攷)』

傳, 所爲得.

『정전』에서 말하였다: '소위득(所爲得)'.

案, 一无爲字.

내가 살펴보았다: 한 판본에는 '위(爲)'자가 없다.


### 김상악(金相岳) 『산천역설(山天易說)』

雖不當位, 治獄之道, 用中爲善, 故得當也.

비록 자리가 마땅하지 않지만 옥사를 다스리는 도는 중도를 쓰는 것을 선하게 여기기 때문에 마땅함을 얻는다.


### 서유신(徐有臣) 『역의의언(易義擬言)』

得當者, 噬得其當也, 非謂位當也.

마땅함을 얻는다는 것은 씹는 것이 마땅함을 얻는다는 것이지, 자리가 마땅하다는 말이 아니다.


### 박문건(朴文健) 『주역연의(周易衍義)』

貞則雖厲, 得位用中, 故无咎.

곧게 하면 비록 어렵더라도 지위를 얻어 중을 쓰기 때문에 허물이 없다.

〈問, 象曰不當位, 而象曰得當何. 曰居尊而用中, 故謂之得當也.

물었다: 「단전」에서는 "자리에 마땅하지 않다"라고 했는데, 「상전」에서는 "마땅함을 얻었다"고 한 것은 왜입니까?

답하였다: 높은 데 있으면서 중을 쓰기 때문에 "마땅함을 얻었다"고 말하였습니다.〉


### 오치기(吳致箕) 「주역경전증해(周易經傳增解)」

得中而行正, 質柔而用剛, 以是惕厲其心, 乃所以得當也.

중을 얻어 바름을 행하고 바탕은 부드럽지만 작용은 굳세니, 이로써 마음에 두렵게 여기고 어렵게 여겨서 마땅함을 얻는다.

### 이병헌(李炳憲) 『역경금문고통론(易經今文考通論)』

此乃柔得中而上行者也. 乾肉, 非易噬之物, 黃金, 非易得之寶. 平一訟獄而四國歸之. 得當, 如文王質虞芮之成而得其平也.

이는 부드러움이 중을 얻어 위로 행하는 것이다. 마른 고기는 씹기 쉬운 음식물이 아니고, 황금은 쉽게 얻을 수 있는 보배가 아니다. 옥사와 송사를 공평하고 한결같이 하면 사방의 나라들이 그에게 돌아가게 된다. "마땅함을 얻는다"는 것은 문왕이 '우나라와 예나라의 공평함을 질정하여'[27] 평화를 얻은 것과 같다.

---

27) 『詩經 · 緜』: 虞芮質厥成, 文王蹶厥生.

# 上九, 何校, 滅耳, 凶.

상구는 형틀을 채워서 귀를 없어지게 하였으니, 흉하다.

║中國大全║

**傳**

上過乎尊位, 无位者也, 故爲受刑者. 居卦之終, 是其間大, 噬之極也. 繫辭所謂惡積而不可揜, 罪大而不可解者也. 故何校而滅其耳, 凶可知矣. 何, 負也, 謂在頸也.

상구는 높은 자리를 지나서 지위가 없는 자이기 때문에 형벌을 받는 자가 된 것이다. 괘의 끝에 있어 그 간격이 커서 씹기를 지극히 하는 것이다. 「계사전(繫辭傳)」에 이른바 "악이 쌓여 가릴 수 없고 죄가 커서 풀 수 없다"는 것이다. 그러므로 "형틀을 채워서 귀를 없어지게 하니", 흉함을 알 수 있다. '하(何)'는 짊어짐이니, 형틀이 목에 있는 것이다.

**本義**

何, 負也. 過極之陽, 在卦之上, 惡極罪大, 凶之道也. 故其象占如此.

'하(何)'는 짊어짐이다. 지나치게 지극한 양이 괘의 위에 있으니, 악이 지극하고 죄가 커서 흉한 도이다. 그러므로 그 상과 점이 이와 같다.

**小註**

胡氏曰, 居卦之極, 罪之大者也. 校加於首, 而没其耳, 所以凶也.

호씨가 말하였다: 괘의 끝에 있어 죄가 큰 것이다. 형틀을 머리에 차서 귀를 없어지게 하니, 흉하다.

○ 中溪張氏曰, 上九居噬嗑之極, 爲用獄之終, 是小人惡積罪大怙終而不悛者也. 故有何校滅耳之凶.

중계장씨가 말하였다: 상구는 서합괘의 끝에 있어 옥을 쓰는 끝이 되니, 소인이 악을 쌓아 죄가 큰데도 다시 죄를 저지르고도 고치지 않는 것이다. 그러므로 "형틀을 채워서 귀를 없어지게 하는" 흉함이 있다.

○ 雲峰胡氏曰, 本義於初曰過小, 於上則曰惡極. 蓋過而不改, 必流於惡. 初能改過, 是止惡於始, 故曰无咎. 上則怙惡於終, 直曰凶矣.

운봉호씨가 말하였다:『본의』에서 초효에 "허물이 적다", 상효에 "악이 지극하다"고 하였으니, 잘못하였는데 고치지 않으면 반드시 악으로 흐른다. 초효에서 잘못을 고치면 이것은 악을 초기에 그치게 하는 것이므로 "허물이 없다"고 하였다. 상효가 끝까지 악을 저지르기 때문에 "흉하다"고 하였다.

## ‖韓國大全‖

### 조호익(曺好益)『역상설(易象說)』

耳, 取坎下象.〈雙湖說.〉

'귀'는 감괘가 아래로 내려가는 상을 취하였다.〈쌍호호씨의 설이다.〉

愚謂, 離之伏坎, 坎爲耳. 上變則失坎體, 故曰滅.

내가 살펴보았다: 리괘에 숨어있는 괘가 감괘이고 감괘가 귀가 된다. 상효가 변하면 감괘의 몸체를 잃어버리므로 "없어지게 한다"고 하였다.

○ 雲峯說好.

운봉호씨의 설이 좋다.

### 송시열(宋時烈)『역설(易說)』

何者, 荷也, 說見上. 坎爲耳, 滅耳者, 亦過滅坎耳, 言荷坎之桎梏而過互坎之耳. 滅耳, 故其聰不明也.

'하(何)'는 '하(荷)'와 같으니, 설명이 위에 보인다. 감괘가 귀가 되고, 귀를 없어지게 한다는 것은 또한 감괘인 귀를 넘어서 보이지 않게 하는 것이니, 감괘인 형틀을 매어서 호괘인 감괘의 귀를 넘어서게 한다는 말이다. 귀를 없어지게 하기 때문에 그 귀밝음이 분명하지 않게 된다.

蓋此卦諸儒說多可疑. 初爻六爻之不言噬者, 丘氏說未知如何. 噬者, 旣取頤中有物之象, 則在上在下者, 亦可噬乎. 故中四爻以噬言, 初九上九爲上下頤而已. 且卦象雖云利用獄, 然逐爻皆以治獄刑人解之者, 果無牽合之意耶. 必將牽合强引, 何卦不然. 而獨於此卦, 用此例耶. 利用獄, 是象辭, 非名卦者也. 卦中取象, 爻中取象, 各自不同, 而以象辭蒙下六爻, 有若卦名之時義看, 未知如何. 說到甚悚, 未究愚見.

이 괘에 대한 여러 학자들의 설명에는 의심스러운 것이 많다. 초효와 육효에서 씹는 것을 말하지 않은 것에 대해서는 구씨의 설명이 어떤지 모르겠다. 씹는다는 것은 이미 턱 가운데 음식물이 있는 상을 취하였으니, 위에 있는 것과 아래에 있는 것을 씹을 수 있겠는가? 그러므로 가운데 네 효는 씹는 것으로 말하였고, 초구에 상구는 위 아래의 턱으로 말했을 뿐이다. 또한 괘의 상에 대해 비록 "옥을 쓰는 것이 이롭다"고 말했지만, 효를 따라 모두 옥사를 다스리고 사람을 형벌하는 것으로 해설한 것이 과연 견강부회하는 뜻이 없겠는가? 꼭 견강부회하려고 한다면 어느 괘인들 그렇지 않겠는가? 그런데 유독 이 괘에서만 이러한 예를 쓴다는 말인가? "옥을 쓰는 것이 이롭다"는 말은 단사이지 괘를 이름 지은 것이 아니다. 괘 가운데 상을 취한 것과 효 가운데 상을 취한 것이 각각 같지 않은데, 단사로 아래 여섯 효를 다 포괄하여 괘 이름의 때와 뜻으로 보는 것이 어떤지 모르겠다. 말이 매우 송구하여 나의 견해를 다 하지 못하겠다.

## 이익(李瀷) 『역경질서(易經疾書)』

履何之校, 恐無自滅趾耳之理, 當以孔子之言爲斷. 此蓋明罰勅法之事, 行必以趾, 聰必以耳. 當行而不行, 其罰爲履校滅趾, 當聰而不聰, 其罰爲何校滅耳. 聖王制刑, 各有其義, 故未斷則履校, 旣斷則滅趾, 滅趾者刖也. 未斷則何校, 旣斷則滅耳, 滅耳者刵也. 初上有頤之象, 故不言噬之爲何物, 中四爻各有所噬之物. 膚及腊肉鼎實也, 牲體是也. 乾肺乾肉豆實也, 田獵所得是也. 噬莫過於肉味, 肉味莫過於薦羞, 故以爲言.

형틀을 매는 것은 아마도 발꿈치를 없애고 귀를 없앨 이치는 없으니, 마땅히 공자의 말을 가지고 판단을 해야 한다. 이는 형벌을 밝히고 법령을 정비하는 일이니, 가는 것은 반드시 발로 가고 듣는 것은 반드시 귀로 듣는다. 마땅히 가야 하는데 가지 않은 것은 그 벌이 형틀을 매고 발꿈치를 없애는 것이고, 마땅히 들어야 하는데 듣지 않은 것은 그 벌이 형틀을 매고 귀를 없애는 것이다. 성왕이 형벌을 제정한 것은 각각 뜻이 있기 때문에, 아직 판결하지 않았을 때에는 형틀을 매고 이미 판결했으면 발꿈치를 없애는 것이니, 발꿈치를 없애는 것은 발꿈치를 베는 것이다. 아직 판결하지 않았을 때에는 형틀을 매고 이미 판결했으면 귀를 없애는 것이니, 귀를 없애는 것은 귀를 베는 것이다. 초효와 상효는 턱의 상이 있기 때문에 씹는다는 것이 어떤 것인지 말하지 않았고, 가운데 네 효는 각각 씹는 물건이 있다. 부(膚)와 석육(腊肉)은 솥에 담는 것이니, 희생의 몸체가 그것이다. 간자(乾胏)와 간육(乾肉)은 접시에 담는 것이니, 사냥해서 얻는 것이 그것이다. 씹는 것은 고기맛보다 나은 것이 없고, 고기맛은 제사에 올리는 것보다 나은 것이 없기 때문에 그렇게 말하였다.

按禮鼎有膚鼎腊鼎, 此烹熟之物. 腊者, 無論乾與鮮, 至烹熟以薦之, 則不可謂乾也. 王制天子諸侯歲三田, 一爲乾豆, 二爲賓客, 三爲充君之庖. 巽九四所謂田獲三品是也. 言豆則籩在其中. 凡麋鹿三殺之類皆是也. 或乾設或腥設, 皆爲乾豆之用, 與濕鼎爲別, 故曰乾胏乾肉也. 胏與胾通, 則非帶骨也. 曲禮云, 左殽右胾, 殽是肉帶骨, 則胾必切肉也. 胏若切肉, 則肉必臠肉也. 其滅鼻何也. 以初上之例推之, 當是劓刑, 以不行不明之例推之, 當是噬膚之罰也.

예를 살펴보면 솥에는 부정(膚鼎)과 석정(腊鼎)이 있는데, 이는 삶고 익힌 음식물이다. 석(腊)이란 마른 것이건 날 것이건 상관없이 삶고 익혀서 올리니, 간(乾)이라고 말할 수 없다. 「왕제」에 "천자와 제후는 한 해에 세 번 사냥을 한다. 한 번은 제기에 담은 마른 고기를 마련하기 위한 것이고, 두 번은 빈객을 위한 것이고, 세 번은 임금의 푸줏간을 채우기 위한 것이다"[28]라고 하였다. 손괘의 구사에서 "사냥을 하여 삼품(三品)의 짐승을 얻는다"고 말한 것이 그것이다. '두(豆)'를 말했다면, '변(籩)'은 그 가운데 있다. 미록(麋鹿)이나 삼살(三殺)의 종류가 모두 그것이다. 말려서 진설을 하건 날것으로 진설을 하건 모두 마른 접시를 써서 젖은 솥과를 구별되기 때문에 간자(乾胏)·간육(乾肉)이라고 하였다. 자(胏)는 자(胾)와 통용되니 뼈가 붙어 있는 것이 아니다. 「곡례」에 "왼쪽에 효(殽), 오른쪽에 자(胾)"라고 했는데, 효(殽)가 뼈에 붙은 고기라면 자(胾)는 반드시 자른 고기일 것이다. 자(胏)가 자른 고기라면 고기는 반드시 저민 고기일 것이다. 코를 없어지게 했다는 것은 무엇인가? 초효와 상효의 예로 추론해보면 마땅히 코를 베는 형벌일 것이고, 가지 않고 밝게 듣지 못하는 예로 추론해보면 마땅히 살을 깨무는 벌일 것이다.

噬膚易入饞饕. 凡飮食者, 口辨其味, 鼻辨其鼻, 其於饞饕之罪, 口不可刑, 則劓而已矣. 乘剛, 故犯此罰也. 其噬腊遇毒何也. 士昏禮云, 腊必用鮮, 則未必乾久者也. 周語云, 高位寔疾偾, 厚味寔腊毒〈腊從肉昔聲〉, 恐是留宿之義. 其義若曰, 厚味之中, 必留

---

宿其毒也, 此亦厚味之留宿者, 故云爾. 序卦云, 主器, 莫若長子. 器者, 鼎也. 於震言器宜也. 金矢黃金何也. 均是金也, 而彼云黃金, 則此必是黑金也. 此云金矢, 則彼必是黃金矢也. 金非可爲矢幹, 則指鏃而言也. 黃金爲矢, 亦必天子諸侯爲然.

살을 깨물면 쉽게 도철[饕餮]로 들어간다. 마시고 먹는 사람은 입으로 맛을 구별하고 코로 냄새를 구별하는데, 도철의 죄에 대해서 입을 형벌할 수는 없으므로 코를 벨뿐이다. 굳센 양을 탔기 때문에 이 죄를 범한다. 「사혼례」에 "석(腊)은 반드시 날 것을 쓴다"[29]라고 했으니, 반드시 마르고 오래된 것이 아닐 것이다. 「주어」에 "높은 지위는 오히려 병통이고, 풍부한 맛은 오히려 오래된 포[腊]〈석(腊)은 육(肉)부수에 소리는 석(昔)이다.〉의 독이다"[30]라고 하였는데 아마도 머물러 둔다는 뜻일 것이다. 그 뜻이 풍부한 맛 가운데 반드시 독이 머물러 있다는 뜻이라면, 이것 또한 풍부한 맛이 머물러 있기 때문에 그렇게 말했을 뿐이다. 「서괘전」에 "그릇을 주관하는 자는 맏아들만한 자가 없다"고 하였다. 그릇은 솥이니, 진괘에서 그릇을 말하는 것은 마땅하다. 금 화살, 황금은 무엇인가? 똑같은 금이지만 저것을 황금이라고 했다면 이것은 반드시 흑금일 것이다. 이것을 금 화살이라고 했다면 저것은 반드시 황금 화살일 것이다. 금은 화살대가 될 수 없으니, 화살촉을 가리켜 말한 것이다. 황금으로 화살을 만드는 것 또한 반드시 천자와 제후가 그럴 수 있다.

據大傳, 畋漁蓋取諸離. 故惟四五擧田獵所得, 而五乃君位, 其矢必黃金而與群下有別也. 如解九二得黃矢, 不言金, 則色黃而非鏃也. 其曰得矢何也. 用矢得禽, 則得矢便是得禽. 旅六五射雉一矢亡, 射雉而矢亡, 非亡雉而何. 亡之反則得, 噬肺噬肉而得矢, 則明其田獵所得. 以是知非辭射詭遇而得也.

「역대전」에 의하면 "사냥하며 고기 잡게 하는 것은 리괘(離卦☲)에서 취하였다."[31] 그러므로 오직 사효와 오효에서 사냥에서 얻은 것을 들었고, 오효는 임금의 자리이므로 화살을 반드시 황금으로 하여 여러 아랫사람들과 구별이 있다. 해괘 구이와 같은 경우는 황색 화살을 얻었다고 하고 금을 말하지 않았으니, 색은 황색이고 화살촉은 아니다. 그런데 화살을 얻었다고 한 것은 왜인가? 화살을 써서 새를 얻었다면 화살을 얻는 것이 곧 새를 얻는 것이다. 려괘 육오에 "꿩을 쏘아 화살 하나를 잃는다"고 했는데, 꿩을 쏘아 화살을 잃은 것이지 꿩을 잃은 것이 아닌 것은 왜인가? 잃는 것의 반대는 얻는 것이니, 마른 고기를 씹고 고기를 씹어 화살을 얻었다면 사냥을 해서 얻은 것이 분명하다. 이로써 화살을 쏘아 짐승을 속여 만나서 얻었다는 말이 아닌 것을 알 수 있다.[32]

---

29) 『儀禮·士昏禮』: 腊必用鮮, 魚用鮒, 必殽全.

30) 『國語·周語』: 高位寔疾顚, 厚味寔腊毒.

31) 『周易·繫辭傳』: 作結繩而爲網罟, 以佃以漁, 蓋取諸離.

### 심조(沈潮) 「역상차론(易象箚論)」

上九, 滅耳.

상구는 귀를 없어지게 한다.

此在坎上而坎爲耳, 故說滅耳.

이는 감괘가 위에 있고 감괘가 귀가 되기 때문에 "귀를 없어지게 한다"고 말하였다.

### 유정원(柳正源) 『역해참고(易解參攷)』

王氏曰, 處罰之極, 惡積不改者也. 罪非所懲, 故刑及其首, 至于滅耳. 及首非誡, 滅耳非懲, 凶莫甚焉.

왕씨가 말하였다: 처벌을 심하게 하는 것은 악이 쌓여 고치지 않는 자이다. 죄를 징계하지 않았기 때문에 형벌이 머리에 미치고, 귀를 없어지게 하는데 이르렀다. 머리에 미쳐도 징계하지 않고 귀를 없애는 데도 징계하지 않는다면 흉함이 그보다 심한 것이 없다.

○ 白雲郭氏曰, 初上滅字, 或以爲刑, 獨孔氏訓沒. 屨校桎其足, 桎大而滅趾, 何校械其首, 械大而沒其耳也. 若以滅耳爲刵, 滅鼻爲劓, 滅趾爲剕, 則上九復不爲凶, 而初二又不爲无咎也. 書註劓輕刑, 呂刑剕辟爲重, 故漢斬趾同於棄市. 方初六小刑, 固不當斷趾, 上九罪大, 復不當輕刑. 以是知三者之滅, 皆非刑也.

백운곽씨가 말하였다: 초효와 상효의 '멸(滅)'자를 어떤 이들은 형벌이라고 여겼는데, 유독 공씨는 보이지 않는다고 풀이하였다. 형틀을 발에 채우면 형틀이 커서 발꿈치를 가리고, 형틀을 머리에 채우면 형틀이 커서 귀를 가린다. 멸이(滅耳)를 귀를 자르는 것으로 여긴다면 멸비(滅鼻)는 귀를 자르는 것이고 멸지(滅趾)는 발을 자르는 것이니, 상구가 흉함이 되지 않고 초효와 이효 또한 허물이 없는 것이 되지 않는다. 『서경』의 주석에 코를 자르는 것은 가벼운 형벌이고 「여형」에 발을 자르고 죽이는 것은 무거운 형벌이라고 했기 때문에, 한나라에서는 발을 자르는 것을 시체를 시장에 버리는 것과 같게 여겼다. 초육에 대해서는 작은 형벌이기 때문에 발을 자르는 것이 본래 마땅하지 않고, 상구는 죄가 크기 때문에 가벼운 형벌이 마땅하지 않다. 이로써 세 가지 멸(滅)이 형벌이 아님을 알 수 있다.

○ 縉雲馮氏曰, 卦有四无咎一吉一凶. 治天下, 至於用獄, 皆出於不獲已, 不獲已而爲之, 得粗免於過咎可也. 九四之吉, 以對上九之凶, 使四不艱貞, 則其凶如上矣.

32) 『孟子·藤文公』: 吾爲之範我馳驅, 終日不獲一, 爲之詭遇, 一朝而獲十.

진운풍씨가 말하였다: 괘에는 허물이 없는 것이 넷, 길한 것이 하나, 흉한 것이 하나이다. 천하를 다스리는 것은 옥을 쓰는 것에 이르기까지 모두 부득이한 데서 나오는 것이니, 부득이하게 한다면 대략 허물을 면할 수 있으면 된다. 구사의 길함은 상구의 흉함과 상대적이니, 만일 사효가 어렵게 여기고 곧게 하지 않는다면 그 흉함이 상효와 같을 것이다.

○ 節齋蔡氏曰, 噬之用在中, 故中四爻爲噬也. 初上二爻, 受噬者也. 爲噬, 故爻辭皆稱噬, 受噬, 故爻无噬辭.
절재채씨가 말하였다: 씹는 작용은 가운데 있기 때문에 가운데 네 효가 씹는 것이 된다. 초효와 상효의 두 효는 씹히는 것이다. 씹기 때문에 효사에 모두 씹는다고 하였고, 씹히기 때문에 효에 씹는다는 말이 없다.

## 김상악(金相岳) 『산천역설(山天易說)』

過極之陽, 處卦之上, 離互艮坎, 故有何校滅耳之象, 何凶如之.
극한을 지난 양으로서 괘의 위에 있고, 리괘의 호괘가 간괘와 감괘이기 때문에 형틀을 채워서 귀를 없어지게 하는 상이 있으니, 어떤 흉함이 그와 같겠는가?

○ 何, 負也. 艮爲背何之象. 坎之桎梏在中, 而初居下, 故曰屨, 上居終, 故曰何. 坎耳痛滅耳之象. 所謂屨校不懲, 必至何校, 滅趾不戒, 必至滅耳者, 是也. 初之滅趾, 上之滅耳, 二之噬膚, 五之噬肉, 三之噬腊, 四之噬胏, 皆以剛柔相對爲象.
'하(何)'는 등에 지는 것이다. 간괘가 등에 지는 상이 된다. 감괘의 형틀이 가운데 있고 초효가 아래에 있기 때문에 '구(屨)'라고 하고, 상효는 끝이 있기 때문에 '하(何)'라고 하였다. 감괘는 귀가 아프고 귀를 없애는 상이다. 발에 형틀을 채워도 징계하지 않으면 반드시 머리에 형틀을 채우는데 이르고, 발을 없애도 경계하지 않으면 반드시 귀를 없애는데 이른다는 것이 그것이다. 초효의 발을 없애는 것과 상효의 귀를 없애는 것, 이효의 살을 씹는 것과 오효의 고기를 씹는 것, 삼효의 포를 씹는 것과 사효의 뼈에 붙은 마른 고기를 씹는 것은 모두 굳셈과 부드러움을 상대하여 상을 삼았다.

## 김규오(金奎五) 「독역기의(讀易記疑)」

傳, 噬之極也.
『정전』에서 말하였다: 씹기를 지극히 하는 것이다

噬, 卽刑人之謂而非受刑者. 此蓋謂受噬之極也.

씹는다는 것은 형벌하는 사람을 말하는 것이지 형벌을 받는 사람이 아니다. 이 경우는 씹히기를 지극히 하는 것을 말한다.


### 서유신(徐有臣) 『역의의언(易義擬言)』

上九, 獄之終也, 惡之積也. 以被刑者言之, 則怗終不悛, 遂罹重刑之象. 以治獄者言之, 則申用重法, 痛繩大惡之象也. 曰何曰耳, 施於上也.

상구는 옥사의 끝이자 악이 쌓인 것이다. 형벌을 받는 사람으로 말하면, 믿는 구석이 있어 끝까지 고치지 않아서 드디어 무거운 형벌을 받는 상이다. 옥사를 다스리는 사람으로 말하면, 무거운 법을 거듭 써서 큰 악을 통렬하게 묶어버리는 상이다. 형틀이라고 말하고 귀라고 말한 것은 위에 베푸는 것이다.


### 이지연(李止淵) 『주역차의(周易箚疑)』

刑獄者, 天下之大政也. 以柔道治之, 則漢網疏闊, 以剛道治之, 則楚獄多濫. 且夫外柔而內剛者, 反不如外剛而內柔者, 何也. 外柔之人, 已爲訟者之所輕視而不肯吐實, 內則剛, 故痛其罪人之不肯吐實, 而傾陷之意, 已動於胸中, 安得爲公平乎.

형벌과 옥사는 천하의 큰 정치이다. 부드러운 방법으로 다스리면 한나라의 그물이 성긴 것과 같고, 굳센 방법으로 다스리면 초나라의 옥이 넘친 것과 같다. 밖이 부드럽고 안이 굳센 자는 밖이 굳세고 안이 부드러운 자만 못한 것은 왜인가? 밖이 부드러운 사람은 이미 소송하는 사람이 가볍게 여겨서 즐겨 실정을 드러내지 않고, 안은 굳세기 때문에 죄인이 즐겨 실정을 드러내지 않는 것을 통렬하게 여겨 기울고 빠뜨리려는 뜻이 이미 가슴 속에서 움직이니, 어떻게 공평할 수 있겠는가?

外剛之人, 已爲訟者之所驚畏不敢隱違, 而卽地吐實, 內則柔, 故矜其罪人之蒼黃失措而隱然有附生之心. 噬嗑之六爻惟九四爲吉者, 良以此也.

밖으로 굳센 사람은 이미 소송하는 사람이 놀라고 두려워하여 감히 숨길 수 없어 곧바로 실정을 드러내고, 안이 부드럽기 때문에 죄인이 창황하고 어찌할 줄 모르는 것을 안타깝게 여겨서 은연중에 살리려는 마음이 있다. 서합괘의 여섯 효 가운데 오직 구사가 길한 것은 참으로 이 때문이다.

## 김기례(金箕澧) 「역요선의강목(易要選義綱目)」

何, 荷也. 陽極无位, 與初爲受刑者.

'하(何)'는 '하(荷)'와 같다. 양효가 끝에 있고 지위가 없어 초효와 함께 형벌을 받은 자가 된다.

○ 履校不懲而至於何校, 滅趾不悔而至於滅耳. 夫子所謂罪大而不可解者.

발에 형틀을 채워도 징계하지 않으면 반드시 머리에 형틀을 채우는데 이르고, 발을 없애도 후회하지 않으면 반드시 귀를 없애는데 이른다. 공자가 말한 죄가 커서 해결할 수 없다는 것이다.

○ 震爲的顙, 故二曰滅鼻.

진괘는 이마가 흰 것이 되기 때문에 이효에서 "코를 없어지게 한다"고 하였다.

○ 上卦離體而聰不明, 故上曰滅耳. 古者劓荆截耳, 皆刑聰不明. 向使聽履校之戒, 何至何校, 向使聽滅趾之喩, 何至滅耳.

상괘는 리괘의 몸체이고 귀가 밝지 못하기 때문에 상효에서 "귀를 없어지게 한다"고 하였다. 옛날에 코·발·귀를 베는 것은 모두 귀가 밝지 못한 것을 형벌한 것이다. 이전에 발에 형틀을 채우는 경계를 들었다면 어찌 머리에 형틀을 채우는데 이르며, 이전에 발꿈치를 없애는 비유를 들었다면 어찌 귀를 없애는데 이르렀겠는가?

贊曰, 電明雷動, 合之以章. 齧肉如何, 以剛噬剛. 察獄如何, 矢直金黃. 旣中旣直, 率服萬方.

찬미하여 말한다: 번개는 밝고 우레는 움직이니, 합하여 빛나네. 고기를 씹는 것을 어떻게 하나? 굳셈으로 굳셈을 씹네. 옥사를 살피기를 어떻게 하나? 화살처럼 곧고 금처럼 적중해야 하네. 이미 적중하고 이미 곧아서 만방을 모두 복종시키네.

## 심대윤(沈大允) 『주역상의점법(周易象義占法)』

噬嗑之震☲, 遷動也. 上九居柔寬恕, 而處卦之終, 刑幾措矣而用輕. 典治之時, 有大貸, 罪疑者予民, 法重者末減. 或治之, 或赦之, 不用其明察而法不必行罰不必信, 故曰何校滅耳. 凶, 言有不聞不察也. 离艮爲麗於背曰何. 鼎巽之兌互, 本卦之离爲校, 兌爲滅, 坎爲耳. 罪人則罪大惡積, 冥頑而不悟, 染習成性. 春秋之法, 痛絶於未著之初,

而至其成習, 則從同而緩治之矣. 或治之, 或赦之, 不爲據法直斷, 而多所寬貸, 能止其
爲惡於聞見之地, 而不能斷其隱慝於心術微闇之中. 故曰何校滅耳凶, 言滅其見聞而
不能滅其心也.

서합괘가 진괘(震卦☳)로 바뀌었으니, 옮겨 움직이는 것이다. 상구는 부드러운 자리에 있어
서 너그럽고 용서하며 괘의 끝에 처하여 형벌을 쓰더라도 가벼운 형벌을 쓴다. 맡아 다스릴
적에 크게 관대하여 죄가 의심스러우면 백성에게 맡겨 가벼운 죄를 적용하고, 법이 무거운
것은 결국 감해준다. 혹은 다스리고 혹은 용서하여 밝게 살피는 것을 쓰지 않으며, 법은
반드시 행하려고 하지 않고 벌은 반드시 믿음을 받으려고 하지 않기 때문에 "형틀을 매어
귀를 없어지게 한다"고 하였다. 흉함은 듣지 않고 살피지 않는 경우가 있다는 말이다. 리괘
와 간괘는 등에 붙는 것이 되므로 맨대(何)고 하였다. 정괘(鼎卦☲)와 손괘(巽卦☴)의 호괘
인 태괘와 본괘의 리괘가 교(校)가 되고, 태괘는 멸(滅)이 되고 감괘가 이(耳)가 된다. 죄인
은 죄가 크고 악이 쌓이는데도 어리석고 깨닫지 못하여 물든 습관이 본성을 이룬 것이다.
『춘추』의 법은 아직 드러나지 않은 처음에 통렬하게 끊고, 습관을 이룸에 이르러서는 따라
서 천천히 다스리는 것이다. 혹은 다스리고 혹은 용서하여 법에 의해 바로 판단하지 않고
관대하게 하여, 듣고 보는 곳에서 악을 행하는 것을 그치게 할 수 있지만, 마음의 어두운
가운데 사특함을 숨기고 있는 것을 판단할 수는 없는 것이다. 그러므로 "형틀을 매어 귀를
없어지게 하니 흉하다"고 하였으니, 보고 들음을 없앨 수는 있지만 마음을 없앨 수는 없는
것을 말한다.

夫刑法能禁民之爲惡於顯明, 而不能禁於隱暗, 禁於形迹而不能禁於心術, 能禁於己
然而不能禁於未然. 故子曰齊之以刑, 民免而无恥. 故言凶, 不言吉也. 刑當理則措,
措則寬, 寬則慢, 故必寬猛相濟也. 是故於刑之幾措, 言凶不言吉也. 夫刑之所以措, 以
有敎化也. 若但用刑法而爲治者少措, 而民復犯之矣. 故上九爲刑法之盡善, 而言凶不
言吉也.

형법이란 드러나고 밝은 가운데서 백성들이 악을 행하는 것을 금할 수는 있지만, 숨고 어두
운 가운데서 행하는 것을 금할 수는 없으며, 형적을 금할 수는 있지만 마음을 금할 수는
없으며, 이미 그러한 데서 금할 수는 있지만 아직 그렇지 않은 데서는 금할 수는 없다. 그러
므로 공자가 "형벌로 가지런히 하면, 백성을 면하기만 하고 부끄러움이 없다"[33]고 하였다.
그러므로 흉함을 말하고 길함을 말하지 않았다. 형벌이 이치에 합당하면 실행하는데, 실행
하면 관대해지고 관대해지면 게을러지기 때문에, 반드시 너그러움과 엄격함이 서로 보완해
주어야 한다. 그러므로 형벌을 시행하는 것에 대해서 흉함을 말하고 길함을 말하지 않았다.

---

33) 『論語 · 爲政』: 子曰, 道之以政, 齊之以刑, 民免而無恥.

형벌을 시행하는 까닭은 교화하기 위한 것이다. 만약 다만 형과 법을 써서 다스리는 것이 덜 실행되면 백성이 다시 범하게 된다. 그러므로 상구는 형과 법이 다 훌륭한 것이 되지만, 흉함을 말하고 길함을 말하지 않았다.

### 오치기(吳致箕) 「주역경전증해(周易經傳增解)」

上九剛而不正, 在噬之極, 當用獄之終, 惡極而罪大者也, 故何校而沒其耳. 有此受刑之重, 凶當如何哉.

상구는 굳세고 바르지 않으며 서합괘의 끝에 옥사를 쓰는 끝에 해당하니, 악이 지극하고 죄가 큰 자이므로 형틀을 매어 귀를 없어지게 한다. 이처럼 형벌을 받는 것이 무거우니, 흉함이 마땅히 어떠하겠는가?

○ 何, 負也. 校之取象, 已見初九. 負校在頸, 故沒耳, 取於對體之坎也.

'하(何)'는 매는 것이다. 형틀이 상을 취한 것에 대해서는 초구에 이미 보인다. 형틀을 매는 것이 목에 있기 때문에 귀를 없애니, 리괘의 음양이 바뀐 감괘에서 취한 것이다.

### 이진상(李震相) 『역학관규(易學管窺)』

何校滅耳.

형틀을 채워서 귀를 가린다.

滅者, 没也. 初六屨大而没其趾, 六二膚淩而没其鼻, 上九械大而没其耳. 初非上六之大罪, 刑止於刵, 而初六之小過, 刑極於剕也. 呂刑, 劓刵輕而剕辟重.

'멸(滅)'은 가리는 것이다. 초육은 형틀이 커서 발을 가리고, 육이는 살이 깊어서 코를 가리고, 상구는 형틀이 커서 귀를 가린다. 애초에 상육은 큰 죄인데 형벌이 귀를 가리는데 그치고, 초육의 작은 허물에 형벌이 발을 베는 지극한 데 이른 것이 아니다. 「여형」에 코를 베고 귀를 베는 형벌은 가볍고, 발을 베고 죽이는 형벌은 무겁다고 하였다.

### 이병헌(李炳憲) 『역경금문고통론(易經今文考通論)』

何, 經典釋文及易校勘記曰, 古本作荷, 古本卽今文.

'하(何)'에 대해서 『경전석문』과 『역교감기』에서 "고본에서 '하(荷)'라고 했다"고 하였는데, 고본은 곧 금문이다.

象曰, 何校滅耳, 聰不明也.

「상전」에서 말하였다: "형틀을 채워서 귀를 없어지게 함"은 귀가 밝지 못하기 때문이다.

## ‖中國大全‖

### 傳

人之聾暗不悟, 積其罪惡, 以至於極. 古人制法, 罪之大者, 何之以校, 爲其无所聞知, 積成其惡. 故以校而滅傷其耳, 誠聰之不明也.

사람이 귀먹고 어두워 깨닫지 못하여 죄악을 쌓아 지극함에 이른 것이다. 옛사람이 법을 제정할 때 죄가 큰 자는 형틀을 채웠으니, 듣고 아는 것이 없어서 악을 쌓아 이루었기 때문이다. 그러므로 형틀로써 그 귀를 상하고 없어지게 한 것이니, 귀가 밝지 못함을 징계한 것이다.

### 本義

滅耳, 蓋罪其聽之不聰也, 若能審聽而早圖之, 則无此凶矣.

'귀를 없앰[滅耳]'은 듣는 것이 밝지 못함을 죄주는 것이니, 만약 자세히 듣고 일찍 도모한다면 이러한 흉함이 없을 것이다.

### 小註

雲峰胡氏曰, 上卦爲離, 滅耳, 言其不能如離之明也. 明則能審聽而早圖之, 无此凶矣

운봉호씨가 말하였다: 상괘는 리괘이니, '귀를 없앰'은 리괘의 밝음과 같이 하지 못한다는 말이다. 밝으면 잘 살펴서 일찍 도모하여 이러한 흉함이 없을 것이다.

○ 建安丘氏曰, 噬嗑, 去間之卦也, 故六爻皆言用獄之事. 初上无位, 爲受刑之人. 初

過小而在下, 爲用獄之始, 故以屨校滅趾爲象. 上惡極而怙終, 爲用獄之終, 故以何校滅耳爲象. 中四爻有位, 爲治獄之人. 然卦才之剛柔不同, 故所噬之難易亦異. 六二以柔居柔, 純乎柔者, 故象爲噬膚, 膚易噬之物也. 六五以柔居剛, 爲剛柔得中, 於象爲噬乾肉, 乾肉比膚則難矣. 六三柔中有剛, 故爲噬腊肉, 腊則有骨矣, 比乾肉又難也. 九四剛中有柔, 故爲噬乾胏, 胏則骨大於腊, 噬之最難者也. 然二噬膚滅鼻, 三噬腊遇毒, 四噬乾胏艱貞, 五噬乾肉貞厲者, 皆言治獄之道, 不可不謹也. 至于占辭, 三爻无咎, 四獨吉者, 則治獄又以剛爲尙也, 柔豈去間之道哉.

건안구씨가 말하였다: 서합괘는 틈을 제거하는 괘이기 때문에 여섯 효에서 모두 옥을 쓰는 일을 말하였다. 초효와 상효는 지위가 없이 형벌을 받는 사람이다. 초효는 허물이 적으면서 아래에 있어 옥을 쓰는 시작이 되므로 '형틀을 채워 발꿈치를 상하게 됨'을 상으로 삼았다. 상효는 악이 지극한데도 끝까지 악을 저질러 옥을 쓰는 끝이 되므로 '형틀을 채워서 귀를 없앰'을 상으로 삼았다. 가운데 네 효는 모두 지위가 있어 옥을 다스리는 사람이 된다. 그러나 괘의 재질의 굳셈과 부드러움이 같지 않기 때문에 씹는 것의 어려움과 쉬움도 다르다. 육이는 부드러움으로 부드러운 자리에 있어 순수하게 부드럽기 때문에 '살을 깨무는' 상이니, 살은 쉽게 깨물 수 있는 물건이다. 육오는 부드러움으로 굳센 자리에 있어 굳셈과 부드러움이 가운데를 얻었기 때문에 상에서는 '마른 고기를 씹음'이 되니, 마른 고기는 살에 비해 씹기가 어렵다. 육삼은 부드러운 가운데 굳셈이 있기 때문에 "'석육(腊肉)'을 씹으니", '석육(腊肉)'은 뼈가 있어서 마른 고기에 비해 더 어렵다. 구사는 굳센 가운데 부드러움이 있기 때문에 "'자육(胏肉)'을 씹으니", '자육(胏肉)'은 뼈가 '석육'에 비해 커서 씹기가 가장 어렵다. 그러나 이효에서 "살을 깨물되 발꿈치를 상하게 한다", 삼효에서 "포를 씹다가 독을 만난다", 사효에서 "뼈에 붙은 마른 고기를 씹어 어렵고 곧게 한다", 오효에서 "마른 고기를 씹어 곧고 위태롭게 한다"는 것은 모두 옥을 다스리는 도를 말한 것이니, 삼가지 않을 수 없다. 점사에서 세 효에서는 허물이 없고, 사효만 길하다고 한 것은 옥을 다스림에 굳셈을 숭상하기 때문이니, 부드러움이 어찌 사이를 제거하는 도이겠는가?

## ┃韓國大全┃

### 유정원(柳正源) 『역해참고(易解參攷)』

聰不明.

귀가 밝지 못하기 때문이다.

鄭氏曰, 目不明, 耳不聰.

정씨가 말하였다: 눈이 밝지 못하고 귀가 밝지 못하다.

○ 王氏曰, 聰不明, 故不慮惡積至于不可解也.

왕필이 말하였다: 총명하지 못하기 때문에 악이 쌓여 해결할 수 없는데 이를 것을 염려하지 않는다.

○ 王氏肅曰, 聽之不明.

왕숙이 말하였다: 듣는 것이 분명하지 못하다.

小註雲峯說, 離之明.

소주에서 운봉호씨가 말하였다: 리괘의 밝음이다.

案, 鼎卦亦離在上而言耳目聰明, 則離固兼耳言. 蓋耳中虛離象, 上九居卦之上, 自有耳象.

내가 살펴보았다: 정괘도 또한 리괘가 위에 있는데 귀와 눈의 밝음을 말했으니, 리괘는 본래 귀를 겸하여 말한다. 귀의 가운데가 빈 것이 리괘의 상이고, 상구는 괘의 위에 있으니 저절로 귀의 상이 있다.

○ 案, 人齒牙牢潔吞嚥有道, 則大肉硬餅渾然消化, 故聖人觀此立爲噬嗑之卦, 以示刑罰之不可不用. 屨校何校, 刑罰之器也. 滅趾滅耳, 刑罰之法也. 然其本體, 先務其明, 如電其威, 如雷自然, 有以畏服民之心志, 故亦有个待器而自化, 不待法而自戢, 天下熙熙同歸於善. 然則其器與法, 特一文具而已. 豈要人必用哉. 後世不知此義, 以爲大易已有噬嗑之卦, 遂以爲吞噬人命之權, 煩細苛察, 天下无幸民矣. 然愈噬而愈不嗑, 何時何代, 无强梁之臣, 頑愚之民哉. 蓋於噬嗑之卦, 但得其噬嗑之象, 而不得其電雷之本體故也. 後之人辟, 可不知其所務哉.

내가 살펴보았다: 사람의 치아가 음식물을 씹어 삼키는데 도리가 있으면, 큰 고기와 딱딱한 빵도 자연스럽게 소화할 수 있기 때문에, 성인이 이것을 보고서 서합의 괘를 세워서 형벌을 쓰지 않을 수 없다는 것을 보여주었다. 발과 머리에 쓰는 형틀은 형벌하는 기구이고, 발을 보이지 않게 하고 귀를 보이지 않게 하는 것은 형벌하는 법이다. 그러나 그 본래의 모습은 먼저 밝히는 데 힘써서 번개처럼 위엄 있고 우레처럼 자연스럽게 하여 백성들의 마음을 굴복시키기 때문에, 형틀을 쓰지 않고도 저절로 교화되고 법을 기다리지 않고도 저절로 화평하여 천하 사람들이 기쁘게 함께 선으로 돌아간다. 그렇다면 형틀과 법은 다만 하나의 도구에 불과할 뿐이다. 어찌 사람이 반드시 써야만 하는 것이겠는가? 후세 사람들이 이 뜻을 알지 못하고 위대한 『주역』에 이미 서합괘가 있다고 해서 드디어 사람의 목숨을 삼키는 권한이 있다고 여기고 번쇄하게 꼼꼼히 살펴, 천하에 요행히 면하는 백성이 없게 되었다. 그러나 씹을수록 더욱 합하지 못하니, 어느 시대 어느 왕조인들 강포한 신하와 완악한 백성이 없겠는가? 서합의 괘에서 다만 씹어 합하는 상만을 얻고, 번개와 우레의 참 모습을 얻지 못했기 때문이다. 후세의 임금들이 힘쓸 것을 알지 못해서야 되겠는가?

### 김상악(金相岳) 『산천역설(山天易說)』

聰, 聽也. 何校在耳, 故聰聽不明也. 初居震體之下, 能動而不行, 故无咎. 上處離體之極, 宜聰而不明, 故凶也.

‘총(聰)’은 듣는 것이다. 형틀이 귀에 있기 때문에 듣는 것이 분명하지 못하다. 초효는 진괘의 아래에 있어서 움직일 수 있으면서도 가지 않기 때문에 허물이 없다. 상효는 리괘의 끝에 있어서 마땅히 들어야 하는데 분명하게 듣지 못하기 때문에 흉하다.

### 서유신(徐有臣) 『역의의언(易義擬言)』

不悟於屨校之日, 終至於滅耳之刑, 不聰明之象也. 法所以何之校而滅其耳者, 罪其不聰明之義也. 夫趾之官行也, 不行則失其職矣, 校而滅之當也. 耳之官聰也, 不聰則失其職矣, 校而滅之當也.

발에 형틀을 매는 날에 깨닫지 못하고 끝내 귀를 없애는 형벌에 이르니 총명하지 못한 상이다. 법에서 형틀을 매어 귀를 없애는 것은 총명하지 못한 것에 대해 죄를 준다는 뜻이다. 발의 기능은 가는 것인데, 가지 않는다면 직책을 잃은 것이니, 형틀을 매어 없애는 것이 당연하다. 귀의 기능은 듣는 것인데, 듣지 못한다면 직책을 잃은 것이니, 형틀을 매어 없애는 것이 당연하다.

## 박문건(朴文健) 『주역연의(周易衍義)』

聞言不信, 故有滅耳之象. 何, 負也. 用剛, 故致凶.

말을 듣고도 믿지 않기 때문에 귀를 없애는 상이 있다. '하(何)'는 등에 지는 것이다. 굳셈을 쓰기 때문에 흉함을 부른다.

〈問, 聰不明. 曰, 上九用剛而陵下, 故不信傍人之言而反遇滅耳之刑, 是不明也.

물었다: "귀가 밝지 못하기 때문이다"는 무슨 뜻입니까?

답하였다: 상구는 굳셈을 써서 아랫사람을 능멸하기 때문에 곁에 있는 사람들을 믿지 않고 도리어 귀를 없애는 형벌을 받으니, 이것이 밝지 못한 것입니다.

曰, 所言何事. 曰, 敬以持身, 禮以接物之道也. 以小善爲无益, 以小惡爲无傷者, 是不信故也.

물었다: 무슨 일을 말하는 것입니까?

답하였다: 경으로 자신을 간직하고 예로 남을 접하는 도입니다. 작은 선은 무익하다고 하고 작은 악은 괜찮다고 하니, 이것은 믿지 않기 때문입니다.〉

## 오치기(吳致箕) 「주역경전증해(周易經傳增解)」

罪之大者, 何之以校, 誠其聰之不明, 无所聞知而成其惡也.

죄가 큰 자에 대해서 형틀을 매는 것은 귀가 밝지 못하여 듣고 아는 것이 없어 악을 이룬 것을 경계하는 것이다.

# 22

## 비괘

賁卦 ䷰

# ┃中國大全┃

傳

賁, 序卦, 嗑者, 合也. 物不可以苟合而已, 故受之以賁. 賁者, 飾也. 物之合, 則
必有文, 文乃飾也. 如人之合聚, 則有威儀上下, 物之合聚, 則有次序行列, 合則
必有文也. 賁所以次噬嗑也. 爲卦山下有火. 山者, 草木百物之所聚也, 下有火,
則照見其上, 草木品彙, 皆被其光彩, 有賁飾之象, 故爲賁也.

비괘(賁卦䷕)는 「서괘전」에서 "합(嗑)은 합하는 것이다. 사물이 구차하게 합해서는 안 되기 때문에
비괘로 받았다"라고 하였다. 비(賁)는 꾸미는 것이다. 사물이 합하면 반드시 문채가 있으니, 문채는
바로 꾸미는 것이다. 마치 사람들이 모이면 위의와 상하가 있고 사물이 모이면 순서와 행렬이 있어서
합하면 반드시 문채가 있는 것과 같다. 비괘가 그래서 서합괘(噬嗑卦䷔) 다음에 있다. 괘의 모양은
산 아래에 불이 있는 것이다. 산은 초목과 온갖 것들이 모인 곳인데, 아래에 불이 있으면 초목과 사물
들이 모두 그 불빛을 받아 꾸미는 상이 있기 때문에 비괘이다.

賁, 亨, 小利有攸往.

정전 비는 형통하니 가는 것이 조금 이롭다.
본의 비는 형통하고 가는 것이 조금 이롭다.

## 中國大全

### 傳

物有飾而後能亨, 故曰无本不立, 无文不行, 有實而加飾, 則可以亨矣. 文飾之道, 可增其光彩, 故能小利於進也.

사물은 꾸민 다음에 형통하기 때문에 "근본이 없으면 서지 못하고 문채가 없으면 행하지 못한다"[1]라고 하였으니, 실질이 있으면서 꾸밈을 더하면 형통할 수 있다. 문채로 꾸미는 도는 광채를 더할 수 있기 때문에 나아가는 데에 조금 이로울 수 있다.

### 本義

賁, 飾也. 卦自損來者, 柔自三來而文二, 剛自二上而文三. 自旣濟而來者, 柔自上來而文五, 剛自五上而文上. 又內離而外艮, 有文明而各得其分之象, 故爲賁. 占者以其柔來文剛陽得陰助, 而離明於內, 故爲亨, 以其剛上文柔, 而艮止於外, 故小利有攸往.

비괘(賁卦䷕)는 꾸미는 것이다. 괘가 손괘(損卦䷨)에서 왔을 경우는 부드러움이 삼효에서 와서 이효를 꾸미고, 굳셈은 이효에서 올라가서 삼효를 꾸민다. 기제괘(旣濟卦䷾)에서 왔을 경우는 부드러움이 상효에서 와서 오효를 꾸미고, 굳셈이 오효에서 올라가서 상효를 꾸민다. 또 내괘가 리괘(離卦☲)이고 외괘가 간괘(艮卦☶)이니 문채로 밝으면서 제각기 그 분수를 얻는 상이 있기 때문에 비괘(賁卦䷕)가 되었다. 점치는 자는 그 부드러움이 와서 굳셈을 꾸미고 양이 음의 도움을 받아 불[離☲]이 안에서 밝기 때문에 형통하고, 그 굳셈이 위로 부드러움을 꾸미고 산[艮☶]이 밖에 멈춰 있기 때문에 가는 것이 조금 이롭다.

---

1) 『禮記·禮器』: 先王之立禮也, 有本有文, 忠信禮之本也, 義理禮之文也. 無本不立, 無文不行.

### 小註

雲峯胡氏曰, 无本不立, 无文不行, 有賁之文, 所以能亨, 然不過小利有所往而已. 何者. 本爲大, 文爲小也. 至象乃分上下體言, 亨與小利有攸往, 亦謂有本而復有文. 內離則質本剛而柔文之故亨, 外艮則質本柔而剛文之, 故小利有攸往.

운봉호씨가 말하였다: 근본이 없으면 서지 못하고 문채가 없으면 행하지 못하니, 꾸미는 문채가 있기 때문에 형통할 수 있지만 가는 것은 조금 이로운 데 불과할 뿐이다. 왜 그런가? 근본은 대단하고 문채는 하찮기 때문이다. 「단전」에서 상체와 하체를 나누어서 말하였으니, 형통함과 가는 것이 조금 이로운 것도 근본이 있고 다시 문채가 있다는 말이다. 내괘인 리괘(離卦☲)는 바탕이 본래 굳센데 부드러움이 꾸며주기 때문에 형통하고, 외괘인 간괘(艮卦☶)는 바탕이 본래 부드러운데 굳셈이 꾸며주기 때문에 가는 것이 조금 이롭다.

## ▌韓國大全▌

### 권근(權近) 『주역천견록(周易淺見錄)』

愚謂, 陰爲小, 此卦主六二而言, 故小利有攸往. 蓋六二居离之中, 文明之主而在艮下. 火性炎上照及山上, 故能通. 然火在山下, 炎上於山, 將有焚烈之患, 故小利而不可大利於進. 然其上有艮, 又爲能止之象, 故其下之火, 但能照及草木, 增其光彩以爲賁而已.

내가 살펴보았다: 음은 작으니, 이 괘는 육이를 위주로 하여 말하였으므로 "가는 것이 조금 이롭다"고 하였다. 육이는 리괘(☲)의 가운데 있어 문명(文明)의 주체로 간괘(☶)의 아래에 있다. 불의 성질은 타올라 그 빛이 산 위까지 미치므로 형통할 수 있다. 그러나 불이 산 아래 있어 불꽃이 산으로 올라오면 맹렬하게 태우는 환난이 있게 되므로 조금 이롭고 나아가는 것이 크게 이로울 수 없다. 그러나 그 위에 간괘가 있어 다시 멈출 수 있는 상이 되므로, 아래에 있는 불이 초목까지만 비추고 그 광채를 더하여 꾸밀 뿐이다.

### 이익(李瀷) 『역경질서(易經疾書)』

按, 家語, 孔子筮得賁, 愀然有不平之色曰, 非正色之謂也. 夫質也黑, 白宜正焉, 今得賁, 非吾色也. 吾聞丹柒不文, 白玉不雕. 何謂也. 質有餘, 不受飾也. 先儒又引太賢礦之次二黃不純之文, 謂火色黃白, 故不純. 此孔子所謂非正色也. 蓋火之照山, 日之未出於山, 其色亦然. 離爲火, 火者日也, 故火在天上爲大有, 明出地上爲晉, 皆指日也. 山比於地爲高, 故日之始入爲黃昏, 日未及出爲昧爽, 在黑白之間, 而非正色也. 聖人將大明斯道於天下如日中天, 筮得此, 豈不爲之咨歎. 道之不行, 聖人蓋自此已決

내가 살펴보았다: 『공자가어』에 공자가 점쳐 비괘(賁卦)를 얻었는데, 추연히 편하지 않은 기색으로, "비(賁)는 바른 색이 아님을 말한다. 바탕은 흑색이나 흰 색이 바른 것인데, 이제 비괘를 얻었으니, 나의 색이 아니다. 나는 붉은 칠은 꾸미지 않고, 백옥은 새기지 않는다고 들었다. 무슨 말인가 하면 바탕이 넉넉하면 꾸미지 않는다는 말이다"라고 말하였다. 이전의 유학자는 또 『태현경』의 "다음 두 번째는 황색이 불순함이다"는 글을 인용하였는데, 화(火)의 색은 황색과 백색이므로 순수하지 못하다는 말이다. 이는 공자가 이른바 "바른 색이 아니다"라고 한 것이다. 대개 불이 산을 비추는 것이 해가 아직 산에서 나오지 않았을 때에 그 색이 또한 그러하다. 리괘(離卦)는 불이 되니, 불은 해이므로 불이 하늘위에 있으면 대유괘(大有卦䷍)가 되고, 밝음이 땅위로 나오면 진괘(晉卦䷢)가 되는 것이 모두 해를 가리킨다. 산은 땅보다 높으므로 해가 막 들어가면 황혼이 되고 해가 아직 나오지 않으면 먼동이 틀 때가 되니, 어둡고 밝은 사이에 있어서 바른 색이 아니다. 성인이 장차 이 도를 천하에 크게 밝히려 함이 해가 중천에 있는 것과 같은데, 점쳐 이 괘를 얻었으니 어찌 탄식하지 않겠는가? 도가 행해지지 않을 것을 성인이 이때부터 이미 안 것이다.

郭京易擧正云, 不利有攸往, 今本不字誤作小字, 剛柔交錯, 天文也. 今本誤脫剛柔交錯一句, 本義所引先儒說卽此也.

곽경(郭京)의 『주역거정(周易擧正)』에서는 '불리유유왕(不利有攸往)'이라고 하였는데, 지금 판본에는 '불(不)'자가 '소(小)'자로 잘못 쓰였으며, '강유교착천문야(剛柔交錯天文也)'는 지금 판본에는 '강유교착(剛柔交錯)' 한 구절이 잘못 탈락되었으니, 『본의』에서 인용한 이전 유학자의 설명이 바로 이것이다.

### 유정원(柳正源) 『역해참고(易解參攷)』

家語, 孔子筮得賁, 愀然有不平之色. 子張進曰, 師, 聞卜得賁卦者吉也, 而夫子有不平之意, 何也. 孔子曰, 以其離耶. 在周易, 山下有火賁, 非正色之謂也. 夫質也, 黑白宜正焉, 今得賁, 非吾兆也. 吾聞丹漆不文, 白玉不雕, 質有餘, 不受飾也. 〈雙湖胡氏曰, 象傳所謂剛柔相文, 觀天文以察時變, 觀人文以化成天下者, 正切夫子事也.〉

『공자가어』에서 공자가 점쳐 비괘를 얻었는데, 추연히 편하지 않은 기색이 있었다.

자장이 나아가 물었다: 선생님, 점쳐 비괘(賁卦)를 얻은 것은 길하다고 들었는데, 선생님께서 편하지 않은 기색이 있는 것은 어째서 입니까?

공자가 답하였다: 리괘(離卦) 때문이다. 『주역』에서 산 아래 불이 있는 것이 비(賁)인데, 바른 색이 아님을 말한다. 바탕은 흑색이나 흰 색이 바른 것인데, 이제 비괘를 얻었으니, 나의 색이 아니다. 나는 붉은 칠은 꾸미지 않고 백옥은 새기지 않는다고 들었으니, 바탕이 넉넉하면 꾸미지 않는 것이다. 〈쌍호호씨가 말하였다: 「단전」에서 굳셈과 부드러운 음이 서로 꾸미고, 하늘의 문채를 관찰하여 사시의 변화를 살피며 사람의 문채를 관찰하여 천하를 변화시켜 이룩한다는 것이 바로 공자의 일과 딱 맞는다.〉

○ 進齋徐氏曰, 有質必有文, 質者本也, 文者所以賁飾之也. 賁以剛柔往來交錯爲文而成卦, 則剛大柔小, 乾剛爲質於內, 而柔來文之本, 剛得柔, 大者通矣. 又六二中正得位, 无往不通, 故亨. 坤柔爲質於外, 而剛往文之本, 柔得剛, 小者利矣.

진재서씨가 말하였다: 바탕이 있으면 반드시 문채가 있는데, 바탕은 근본이고 문채는 바탕을 꾸미는 것이다. 비괘(賁卦)는 굳센 양과 부드러운 음이 왕래하여 서로 섞인 것으로 문채를 삼아 괘가 이루어지니, 굳센 양은 크고 부드러운 음은 작아서 건괘(乾卦)의 굳셈이 안에서 바탕이 되고 부드러운 음은 와서 꾸미는 근본이니, 굳셈이 부드러움을 얻어 큰 것이 통한다. 또 육이는 중정하고 제자리를 얻었으니, 가서 통하지 않음이 없으므로 형통하다. 곤괘의 부드러움은 밖에서 바탕이 되고 굳셈은 가서 꾸미는 근본이니, 부드러움이 굳셈을 얻어 적은 것이 이롭다.

○ 雙湖胡氏曰, 小利有攸往, 文王卦變例也. 孔子象傳, 分明以賁自泰變來, 爲泰上六, 來文九二之剛, 泰九二, 上文上六之柔, 則成賁卦. 朱子, 又推及損與既濟變來, 亦有相文之義. 若謂自噬嗑變賁, 則小正指噬嗑六三, 言六自三往居四, 九自四來居三, 謂之小利有攸往, 可也, 況賁乃噬嗑之反, 其象尤近, 意文王所取, 或在此所謂小往, 是也. 夫子自發柔來剛上相文之義, 朱子又自象推廣之.

쌍호호씨가 말하였다: "가는 것이 조금 이롭다[小利有攸往]"는 문왕의 괘의 변화의 예이다. 공자의 「단전」은 분명 비괘(賁卦䷕)는 태괘(泰卦䷊)가 변한 것으로부터 왔기 때문에 태괘의 상육이 와서 구이의 굳셈을 꾸미고 태괘의 구이가 올라가 상육의 부드러움을 꾸미게 되면 비괘가 된다. 주자는 또 손괘(損卦䷨)와 기제(既濟䷾)가 변해서 온 것으로 유추하였으니, 또한 서로 꾸미는 뜻이 있다. 서합괘(噬嗑卦䷔)로부터 변해 비괘가 되었다고 한다면 조금 바름은 서합의 육삼을 가리키니, 육(六)은 삼효자리로부터 가서 사효자리에 있고, 구(九)는 사효자리로부터 와서 삼효자리에 있으니, "가는 것이 조금 이롭다"고 말한 것이 옳을 것이니, 하물며 비괘는 바로 서합괘가 뒤집어진 것이라서 그 상이 더욱 근접하니, 생각건대 문왕이 취한 것이 있는 듯하니, 혹 여기에 있는 이른바 '소왕(小往)'이 이것이다. 공자 자신

은 부드러운 음이 오고 굳센 양이 올라가 서로 꾸미는 뜻을 드러냈고, 주자는 또 「단전」으로 부터 그것을 추론하여 넓혔다.

傳, 有實. 〈案, 實一作質, 是.〉
『정전』에서 말하였다: 실질이 있다[有實]. 〈내가 살펴보았다: '실질[實]'은 어떤 본에는 질(質)로 되어있는데, 옳다.〉

本義, 有攸往. 〈案, 攸一作所.〉
『본의』에서 말하였다: 유유왕(有攸往). 〈내가 살펴보았다: '유(攸)'는 어떤 본에는 '소(所)'로 되어있다.〉

小註, 雲峯說有賁. 〈案, 賁恐質.〉
소주(小註)에서 운봉(雲峯)의 '유비(有賁)'에 대한 설명. 〈내가 살펴보았다: 비(賁)는 아마도 '질(質)'이다.〉

### 김상악(金相岳) 『산천역설(山天易說)』

剛柔相文曰賁. 卦變, 柔自三來而文剛, 剛自五上而文柔, 文剛而明於內, 故亨, 文柔而止於外, 故小利有攸往. 內離外艮, 有文明, 而各得其分之象, 故象傳分二體言也.

굳센 양과 부드러운 음이 서로 꾸미는 것을 '비(賁)'라고 한다. 괘의 변화가 부드러운 음은 삼효에서 와서 굳센 양을 꾸미고, 굳센 양은 오효에서 올라가 부드러운 음을 꾸미니, 굳셈을 꾸미며 안에서 분명하게 하므로 형통하고, 부드러움을 꾸미며 밖에서 그치게 하므로 가는 것이 조금 이롭다. 안은 리괘(離卦)이고 밖은 간괘(艮卦)이니, 문채가 밝아 각각 그 분수를 얻는 상이 있으므로 「단전」에서 두 몸체를 나누어 말하였다.

### 김규오(金奎五) 「독역기의(讀易記疑)」

以隨卦卦變例之, 當曰自節來者, 兼此二體. 又節象剛柔分, 與此柔來分剛之說相應. 蓋損濟之變, 已盡其文. 然就節一卦之中, 二文三, 三文二, 五文上, 上文五, 尤可見交錯成文之象, 而本義不言, 必有精義矣.

수괘(隨卦☱☳)의 괘의 변화로 예를 들면 마땅히 절괘(節卦☵☱)로부터 온 것은 이 두 몸체를 겸한다. 또 절괘 「단전」에서 '굳센 양과 부드러운 음이 나뉨'은 여기 비괘에서 "부드러운 음이 오고 굳센 양을 나눈다"는 설명과 서로 호응한다. 대체로 덜거나 구제하는 변화는 이미 그 꾸밈을 다하였다. 그러나 절괘 안으로 나아가 보면 이효는 삼효를 꾸미고 삼효는 이효를 꾸미며, 오효는 상효를 꾸미고 상효는 오효를 꾸미는 것이 서로가 섞여 꾸밈을 이루는 상을 더욱 볼 수 있는데, 『본의』에서 말하지 않은 것은 반드시 정밀한 뜻이 있다.

○ 二五之從三上, 皆剛上也, 三上之來二五, 皆柔來也. 義若以柔來文剛, 屬离, 剛上文柔, 屬艮. 然上文旣說卦變之下, 特下又字, 折轉言二體, 故申言之際, 不嫌其混說矣. 抑二五, 雖來而二爲之主, 三上, 雖皆剛上而上爲之主, 故申言之際, 帶說餘意耶.
절괘의 이효와 오효가 삼효와 상효자리를 따르는 것은 모두 굳셈이 올라가는 것이고, 삼효와 상효가 이효와 오효의 자리로 오는 것은 모두 부드러움이 오는 것이다. 의리상 부드러움이 와서 굳셈을 꾸미기 때문에 리괘(離卦☲)에 속하고, 굳셈이 올라가서 부드러움을 꾸미므로 간괘(艮卦☶)에 속한다. 그러나 위의 글에서 이미 '괘의 변화'를 설명한 아래에 특별히 '우(又)'자를 써서 꺾어 돌려서[折轉] 두 몸체를 말하였으므로 거듭 말하는 때에 그 섞어 말하는 혐의가 없다. 그런데 이효와 오효의 자리로 비록 오지만 이효가 주인이 되며, 삼효와 상효의 자리는 비록 모두 굳센 양이 올라가지만 상효가 주인이 되므로 거듭 말하는 때에 속뜻을 함께 말한 듯하다.

### 서유신(徐有臣) 『역의의언(易義擬言)』

剛受文故亨, 柔受文故小利有攸往也. 外卦故爲往也. 賁內則亨, 賁外則小利. 君子賁躬之道, 正如此也. 曰亨曰小利, 皆由乎其質之剛柔, 不係乎其文之剛柔, 賁之貴質, 此可見也.
굳센 양이 꾸밈을 받으므로 형통하고 부드러운 음이 꾸밈을 받으므로 가는 것이 조금 이롭다. 외괘이므로 '가는 것'이 된다. 안을 꾸미면 형통하고 밖을 꾸미면 조금 이롭다. 군자가 자신을 꾸미는 도가 바로 이와 같다. "형통하다"고 하고 "조금 이롭다"고 한 것은 모두 그 바탕이 굳세거나 부드러움에 말미암는 것이지 그 꾸밈이 굳세거나 부드러움에 관계되는 것은 아니니, 비괘가 바탕을 귀하게 여기는 것을 여기에서 알 수 있다.

### 박문건(朴文健) 『주역연의(周易衍義)』

陰有升進之勢, 故亨, 始伏而終出, 故有小利之象也.
음이 오르고 나아가는 형세가 있으므로 형통하니, 처음엔 엎드렸다가 나중엔 나오므로 조금 이로운 상이 있다.

### 이지연(李止淵) 『주역차의(周易箚疑)』

制嫁娵, 以儷皮爲禮爲文章, 以表貴賤.

결혼 제도를 제정함에 여피(儷皮)[2]로 예를 삼고 문채를 삼아 귀하고 천함을 표시하였다.

## 김기례(金箕澧) 「역요선의강목(易要選義綱目)」

賁.

비는.

執贄而君臣合, 受幣而男女合, 合必以賁飾.

예물(禮物)로 경의를 표하여 임금과 신하가 합하고, 납폐(納幣)로써 남자와 여자가 합하니, 합하기를 반드시 꾸밈으로 하였다.

○ 山下有火, 草木照而賁然.

산 아래 불이 있으니, 초목이 비추어져 환히 빛난다.

亨.

형통하니.

內卦爲離, 離爲文明. 賁而文, 故亨.

내괘는 리괘(☲)가 되니, 리괘는 문채가 밝음이 된다. 꾸며서 문채가 나므로 형통하다.

小利攸有往.

가는 것이 조금 이롭다.

艮止於外, 故不大往, 而小利於攸往.

간괘(艮卦)는 밖에서 그치므로 크게 가지는 못하지만, 가는 바에 조금 이롭다.

## 심대윤(沈大允) 『주역상의점법(周易象義占法)』

文飾以致其盛, 故曰亨. 賁之道, 非能增其質也. 但加之文彩耳, 故曰小利有攸往.

꾸며서 성대함을 이루므로 "형통하다"고 하였다. 꾸미는 도가 그 바탕을 더할 수 있는 것은 아니다. 다만 문채만을 더하기 때문에 "가는 것이 조금 이롭다"고 하였다.

## 오치기(吳致箕) 「주역경전증해(周易經傳增解)」

賁者, 飾也. 山下有火, 草木群物, 皆生光彩, 爲賁之象. 剛柔交錯, 上下成章, 亦爲賁

---

2) 여피(儷皮): 암수 한 쌍의 사슴 가죽이니, 옛날 혼례 때 폐백으로 쓰였다.

之象也. 卦體, 則剛柔相賁, 卦義, 則文明而致飾, 故曰亨. 離明在下, 艮止在上, 柔皆
得中而成賁, 故曰小利有攸往.

비(賁)는 꾸밈이다. 산 아래에 불이 있어 초목과 뭇 사물들이 모두 광채를 내어 꾸미는 상이
된다. 굳센 양과 부드러운 음이 서로 섞여 위아래가 문채[章]를 이루니, 또한 비의 상이 된
다. 괘의 몸체는 굳센 양과 부드러운 음이 서로 꾸미며, 괘의 뜻은 문채가 밝아 꾸밈을 이루
므로 “형통하다”고 하였다. 리괘(離卦)인 밝음이 아래에 있고 간괘(艮卦)인 그침이 위에 있
어 부드러운 음이 모두 알맞음을 얻어 꾸밈을 이루므로 “가는 것이 조금 이롭다”고 하였다.

○ 小, 指陰也. 艮失正位, 故不言貞. 二五无應, 故不言大亨

‘소(小)’는 음을 가리킨다. 간괘(艮卦)는 바른 지위를 잃었으므로 “곧대[貞]”고 말하지 않았
다. 이효와 오효는 호응이 없으므로 “크게 형통하다”고 말하지 않았다.


### 이진상(李震相) 『역학관규(易學管窺)』

卦體

괘의 몸체.

噬嗑之反也. 乾坤交而爲否泰. 否泰一互而爲隨蠱, 再互而爲噬嗑賁. 卦各三變而六位
成矣. 此則中男中女入內, 而長男少男退于外.

서합괘(噬嗑卦䷔)가 거꾸로 된 것이다. 건괘와 곤괘가 사귀어 비괘(否卦䷋)와 태괘(泰卦
䷊)가 된다. 비괘와 태괘가 위아래 한 획씩 바뀌어 수괘(隨卦䷐)와 고괘(蠱卦䷑)가 되고,
위아래가 두 획씩 바뀌어 서합괘(噬嗑卦䷔)와 비괘(賁卦䷕)가 된다. 괘는 각각 세 번 변하
여 여섯 자리가 이루어진다. 여기서는 둘째 아들과 둘째 딸이 안으로 들어가고 맏아들과
막내아들이 밖으로 물러난다.


### 박문호(朴文鎬) 「경설(經說)・주역(周易)」

專尙文飾, 則必失本實, 故小利二字有微抑之義, 程子見得此義矣.

오로지 꾸미기만을 숭상하면 반드시 근본과 실질을 잃으므로 “조금 이롭다[小利]”는 두 글자
에 조금 억누르는[微抑] 뜻이 있는데, 정자는 이 뜻을 알았다.

象曰賁亨,

정전 「단전」에서 말하였다: "비괘가 형통함"은
본의 「단전」에서 말하였다: "비"는

‖中國大全‖

**本義**

亨字疑衍.

"형통하다"는 말은 잘못 들어간 듯하다.

‖韓國大全‖

서유신(徐有臣) 『역의의언(易義擬言)』

亨恐當作文也.
형(亨)자는 문(文)자로 써야 할 듯하다.

박문건(朴文健) 『주역연의(周易衍義)』

柔來而文剛, 故亨, 分剛上而文柔, 故小利有攸往, 天文也.
부드러움이 와서 굳셈을 꾸미므로 형통하고, 굳셈을 나누어 올라가 부드러움을 꾸미므로
가는 것이 조금 이로우니, 하늘의 문채이다.

柔來而文剛, 故亨, 分剛上而文柔, 故小利有攸往, 天文也.

부드러움이 와서 굳셈을 꾸미기 때문에 형통하고, 굳셈을 나누어 올라가서 부드러움을 꾸미기 때문에 가는 것이 조금 이로우니 하늘의 문채이다.

## ‖中國大全‖

### 本義

以卦變釋卦辭. 剛柔之交, 自然之象, 故曰天文. 先儒說天文上當有剛柔交錯四字, 理或然也.

괘의 변화로 괘사를 해석하였다. 굳셈과 부드러움의 사귐은 자연스러운 형상이므로 하늘의 문채라고 하였다. 이전의 학자들은 하늘의 문채라는 말 위에 굳셈과 부드러움이 서로 뒤섞인다는 말이 있어야 한다고 하였으니, 이치상 그럴 수도 있겠다.

### 小註

雲峯胡氏曰, 柔來而文剛, 是以剛爲主也. 剛往文柔, 必曰分剛上而文柔者, 亦以剛爲主也. 故本義於柔文剛, 則曰陽得陰助, 於剛文柔而不曰陰得陽助. 蓋一陰下而爲離, 則陰爲陽之助, 而明於內, 一陽上而爲艮, 則陽爲陰之主, 而止於外. 是知皆以剛爲主, 而象傳以陰爲小者, 此也.

운봉호씨가 말하였다: 부드러움이 와서 굳셈을 꾸미는 것은 굳셈을 주인으로 여긴 것이다. 굳셈이 가서 부드러움을 꾸몄는데, 굳셈을 나누어 올라가서 부드러움을 꾸몄다고 굳이 말하는 것도 굳셈을 주인으로 여긴 것이다. 그러므로『본의』에서 부드러움이 굳셈을 꾸민 것에 대해서는 양이 음의 도움을 받았다고 하고, 굳셈이 부드러움을 꾸민 것에 대해서는 음이 양의 도움을 얻었다고 하지 않았다. 하나의 음이 내려가서 리괘가 된 것은 음이 양의 도움이 되어 안에서 밝은 것이고, 하나의 양이 올라가 간괘가 된 것은 양이 음의 주인이 되어 밖에서 머무는 것이다. 이것으로 모두 굳셈을 주인으로 여긴 것을 알 수 있으니,「단전」에서 음을 하찮게 여긴 것은 이 때문이다.

# ‖韓國大全‖

### 조호익(曺好益) 『역상설(易象說)』

剛而明故亨, 柔而止故小利往.

굳세면서 밝으므로 형통하고, 부드러우면서 그치므로 감이 조금 이롭다.

### 홍여하(洪汝河) 「책제(策題):문역(問易)·독서차기(讀書箚記)-주역(周易)」

賁, 象傳, 分剛.

비괘 「단전」에서 말하였다: 굳셈을 나눈다.

文王, 反對卦卦辭相應, 故孔子象傳其辭亦相應. 分剛二字, 與噬嗑象剛柔分相應.

문왕의 경우는 거꾸로 된 괘의 괘사가 서로 호응하므로 공자의 「단전」에서 그 말이 또한 서로 호응한다. "굳셈을 나눈다[分剛]"는 두 글자는 서합괘(噬嗑卦䷔) 「단전」에서 "굳셈과 부드러움이 나뉜다"는 것과 서로 호응한다.

### 이익(李瀷) 『역경질서(易經疾書)』

分剛, 恐與噬嗑剛柔分相似. 陽三陰三爲均分也.

"굳셈을 나눈다"는 서합괘(噬嗑卦䷔)의 "굳셈과 부드러움이 나뉜다"는 것과 비슷한 듯하다. 세 양과 세 음이 고르게 나뉘었다.

天道任運, 人事有節文, 而不止, 則易至於過, 故必以止爲斷. 周末文勝者, 文而不止之弊也, 博文約禮, 宜於此求之.

하늘의 도는 운행을 맡고 사람의 일은 절문(節文)이 있는데, 알맞음에 그치지 않으면 쉽게 지나치는데 이르므로 반드시 그치는 것으로 결단한다. 주나라 말기에 문채가 이긴다는 것[3] 이 꾸미기만 하고 그치지 않은 폐단이니, 박문약례(博文約禮)를 마땅히 여기에서 구해야 한다.

---

3) 『논어·선진』 주석.

## 유정원(柳正源) 『역해참고(易解參攷)』

柔來 [至] 文也.

부드러운 음이 와서 … 꾸민다.

王氏曰, 剛柔不分, 文何繇生. 故坤之上六來居二位, 柔來文剛之義也. 乾之九二, 分居
上位, 分剛上而文柔之義也.

왕필이 말하였다: 굳센 양과 부드러운 음이 나뉘지 않는데, 꾸밈이 어디로부터 생기는가?
그러므로 곤괘(坤卦)의 상육이 와서 이효의 자리에 있는 것이 부드러운 음이 와서 굳센 양
을 꾸미는 뜻이다. 건괘의 구이가 나뉘어 맨 윗자리에 있는 것이 굳셈을 나누어 올라가 부드
러움을 꾸미는 뜻이다.

○ 厚齋馮氏曰, 柔自上而來, 文乾之剛, 柔陰小也. 所謂亨小, 指六二也. 分二之剛,
上於上, 而文坤之柔, 所謂利有攸往, 指上九也. 今本誤於卦下便添一亨字, 卻於亨字
下, 移一小字, 置於利有攸往之上, 錯亂文義. 今當正之曰, 柔來而文剛, 故亨小, 分剛
上而文柔, 故利有攸往, 則理與象不舛謬矣. 柔不能自亨, 麗於剛則亨, 故曰亨小. 剛不
皆利, 分於上則利, 故利有攸往.

후재풍씨가 말하였다: 부드러운 음이 위에서 내려와 건괘의 굳셈을 꾸미니, 부드러운 음은
작은 것이다. 이른바 "형통함이 작다"는 육이를 가리킨다. 이효의 굳센 양을 나누어 맨 위로
올라가 곤괘의 부드러움을 꾸미니 이른바 "가는 것이 이롭다"는 것은 상구를 가리킨다. 지금
의 판본은 잘못하여 괘 아래에 '형(亨)' 한 글자를 첨가하였고, 도리어 '형'자 아래에서 '소
(小)'자 한 자를 옮겨다가 '이유유왕(利有攸往)'의 위에 두어 문장(글)의 뜻을 어지럽혔다.
이제 마땅히 그것을 바로잡아 "부드러운 음이 와서 굳센 양을 꾸미기 때문에 형통함이 작고,
굳센 양을 나누어 올라가서 부드러운 음을 꾸미기 때문에 가는 것이 이롭다"고 말한다면
이치와 상이 어그러지지 않을 것이다. 부드러운 음은 스스로 형통할 수 없고 굳센 양에게
걸리면 형통하기 때문에 "형통함이 작다"고 하였다. 굳센 양이 모두 이롭지는 않아서 나누어
서 올라감에 이롭기 때문에 "가는 것이 이롭다"고 하였다.

本義, 先儒. 〈案, 指郭京擧正.〉

『본의』에서 말하였다: 이전의 유학자. 〈내가 살펴보았다: 곽경(郭京)의 『주역거정(周易擧
正)』을 가리킨다.〉

## 김기례(金箕澧) 「역요선의강목(易要選義綱目)」

柔來而文剛, 故亨, 分剛上而文柔, 故小利有攸往.

부드러움이 와서 굳셈을 꾸미기 때문에 형통하고, 굳셈을 나누어 올라가서 부드러움을 꾸미기 때문에 가는 것이 조금 이롭다.

卦變, 自節而來, 六三來居二而爲離, 故曰柔來文剛. 九五往居上而爲艮, 故曰分剛上而文柔.

괘의 변화가 절괘(節卦䷽)에서 오니, 육삼은 와서 이효자리에 있어 리괘(☲)가 되므로 "부드러움이 와서 굳셈을 꾸민다"고 하였다. 구오는 가서 상효자리에 있어 간괘(☶)가 되므로 "굳셈을 나누어 올라가 부드러움을 꾸민다"고 하였다.

○ 明於內, 則亨通, 止於外, 則小利有攸往.

안에서 밝으면 형통하고, 밖에서 그치면 가는 것이 조금 이롭다.

天文.

하늘의 문채이다.

兌一陰來居下體之中, 陽得陰助, 明於內. 坎一陽, 往居上體之上, 陽爲陰主, 止於外, 剛爲主柔爲內, 陰陽定位, 故曰天文.

태괘(☱)의 한 음이 와서 하체(下體)의 가운데에 있고 양이 음의 도움을 얻어 안에서 밝다. 감괘의 한 양이 가서 상체(上體)의 맨 위에 있고 양이 음의 주인이 되어 밖에서 그치니, 굳센 양이 주인이 되고 부드러운 음은 안이 되어 음과 양이 자리를 정하므로 '하늘의 문채'라고 하였다.

## 심대윤(沈大允) 『주역상의점법(周易象義占法)』

坤之中爻, 來居乾之中, 而爲离, 故曰柔來而文剛, 言文之以質爲本也. 賁之義, 本无可亨, 而其所以亨者, 以有質爲之體也, 故亨, 是以再言亨也. 乾分其三爻, 而往居于坤之上, 而爲艮, 故曰分剛上而文柔, 言質已足而後乃文也. 分者, 自足而分施之辭, 質有餘而後文, 故能進往也. 賁之道有質有文, 故分言之也.

곤괘의 가운데 효가 와서 건괘의 가운데에 있어 리괘(☲)가 되므로 "부드러움이 와서 굳셈을 꾸민다"고 하였으니, 꾸밀 때는 바탕을 근본으로 한다는 말이다. 비(賁)의 뜻이 본래 형통할 만한 것이 없는데도 형통할 수 있는 것은 바탕이 그 몸체가 되기 때문에 형통한 것이니, 이 때문에 형통하다고 거듭 말하였다. 건괘가 그 세 효를 나누고 가서 곤괘의 맨 위에 있어 간괘(☶)가 되므로 "굳셈을 나누어 올라가 부드러움을 꾸민다"고 하였으니, 바탕이 이미 넉넉한 뒤에 이에 꾸민다는 말이다. "나눈다[分]"는 것은 스스로 넉넉하여 나누어 베푼다는 말이니, 바탕이 넉넉함이 있은 뒤에 꾸미므로 나아가 갈 수 있다. 비(賁)의 도에 바탕도 있고 꾸밈도 있으므로 나누어 말하였다.

### 이진상(李震相) 『역학관규(易學管窺)』

柔來文剛.

부드러움이 와서 굳셈을 꾸민다.

伊川只說乾坤卦變, 理順而易曉. 然衆卦之變, 又不可不推易, 豈典要也哉.

이천이 다만 건괘와 곤괘의 변화를 설명한 것은 이치가 순하여 쉽고 분명하다. 그러나 여러 괘의 변화가 또 옮기고 바뀌지 않을 수 없으니, 어찌 불변한 법칙이겠는가?

### 최세학(崔世鶴) 「주역단전괘변설(周易彖傳卦變說)」

賁, 彖曰, 柔來而文剛, 分剛上而文柔.

비괘 「단전」에서 말하였다: 부드러움이 와서 굳셈을 꾸미고, 굳셈을 나누어 올라가서 부드러움을 꾸민다.

賁, 泰之二體變也. 二與上二爻爲主, 故象以柔來剛上言之. 否二來居於下體兩剛之中, 而文其剛, 否六往居於上體兩柔之上, 而文其柔也.

비괘(賁卦䷔)는 태괘(泰卦䷊)의 두 몸체가 변한 것이다. 이효와 상효 두 효가 주인이 되므로 「단전」에서 부드러움이 오고 굳셈이 올라간다는 것으로 말하였다. 비괘(否卦䷋)의 이효가 와서 태괘 하체의 두 굳센 양 사이에 있고 그 굳셈을 꾸미며, 비괘의 상효가 가서 태괘 상체의 두 부드러운 음의 맨 위에 있고 그 부드러움을 꾸민다.

文明以止, 人文也.

정전 문채가 밝아서 머무니 사람의 문채이다.
본의 문채가 밝고 머무니 사람의 문채이다.

## 中國大全

**傳**

卦爲賁飾之象, 以上下二體剛柔交, 相爲文飾也. 下體本乾, 柔來文其中而爲離, 上體本坤, 剛往文其上而爲艮, 乃爲山下有火, 止於文明而成賁也. 天下之事, 无飾不行, 故賁則能亨也. 柔來而文剛故亨, 柔來文於剛而成文明之象, 文明, 所以爲賁也. 賁之道能致亨, 實由飾而能亨也. 分剛上而文柔, 故小利有攸往, 分乾之中爻, 往文於艮之上也, 事由飾而加盛, 由飾而能行. 故小利有攸往. 夫往而能利者, 以有本也. 賁飾之道, 非能增其實也, 但加之文彩耳. 事由文而顯盛, 故爲小利有攸往. 亨者, 亨通也, 往者, 加進也. 二卦之變, 共成賁義, 而象分言上下, 各主一事者, 蓋離明足以致亨, 文柔又能小進也. 天文也文明以止人文也, 此承上文, 言陰陽剛柔相文者, 天之文也, 止於文明者, 人之文也. 止謂處於文明也. 質必有文, 自然之理, 理必有對待, 生生之本也. 有上則有下, 有此則有彼, 有質則有文, 一不獨立, 二則爲文. 非知道者, 孰能識之. 天文天之理也, 人文人之道也.

괘가 꾸미는 상인 것은 상하 두 몸체의 굳셈과 부드러움이 사귀어 서로 꾸미기 때문이다. 하괘는 본래 건괘(乾卦☰)인데 부드러움이 와서 그 가운데를 꾸며 리괘(離卦☲)가 되었고, 상괘는 본래 곤괘(坤卦☷)인데 굳셈이 가서 그 위를 꾸며 간괘(艮卦☶)가 되었으니, 바로 산 아래에 불이 있어 문채가 밝음에 미물러 꾸밈을 이룬 것이다. 천하의 일은 문식이 없으면 시행되지 않기 때문에 꾸밈이 형통할 수 있다. 부드러움이 와서 굳셈을 꾸미기 때문에 형통한 것은 부드러움이 와서 굳셈을 꾸며 문채가 밝은 상을 이룬 것이니, 문채가 밝은 것이 꾸밈이 되는 까닭이다. 꾸밈의 도가 형통할 수 있는 것은 실로 꾸밈으로 말미암아 형통할 수 있기 때문이다. 굳셈을 나누어 올라가서 부드러움을 꾸미기 때문에 가는 것이 조금 이로운 것은 건괘의 가운데 효를 나누어 가서 간괘의 상효를 꾸민 것이니, 일이 꾸밈으로 말미암아 더 성대해지고 일이 꾸밈으로 말미암아 행해질 수 있다. 그러므로 가는 것이 조금 이롭다. 가서 이로울 수 있는 것은 근본이 있기 때문이다. 꾸미는 도는 그 실질을 더할 수 있는 것이 아니라 단지 문채를 더하는 것일 뿐이다. 일은 문채로 말미암아 성대함을 드러내기 때문에 가는 것이 조금 이롭다. 형통하다는 것은 순조롭다는 것이다. 간다는 것은 더 나아간다는 것이다. 두 괘의 변화가 함께 꾸미는 의미를 이루는데, 「단전」에서 상하를 나눠 말하여 제각기 하나의 일을 주도하는 것은 리괘의 밝음이 형통함을 충분히 이룰 수 있고, 부드러움을 꾸밈이 또 다소 나갈 수 있기 때문이다. "하늘의 문채이다. 문채가 밝아서 머무니 사람의 문채이다"라는 구절은 위의 글을 이어서 음과 양, 굳셈과 부드러움이 서로 꾸미는 것은 하늘의 문채이고 문채의 밝음에 머무는 것은 사람의 문채라는 말이다. 머문다는 말은 문채의 밝음에 머물러있다는 말이다. 바탕에 반드시 꾸밈이 있는 것은 자연의 이치이고, 이치에 반드시 상대가 있는 것은 낳고 낳는 근본이다. 위가 있으면 아래가 있고, 바탕이 있으면 꾸밈이 있으니, 하나는 홀로 서지 못하고 둘은 꾸밈이 된다. 도를 아는 자가 아니면 누가 알 수 있겠는가! 하늘의 문채는 하늘의 이치이고 사람의 문채는 사람의 도이다.

### 本義

**又以卦德言之. 止, 謂各得其分.**

또 괘의 덕으로 말하였다. 멈춤은 제각기 그 분수를 얻는 것을 말한다.

### 小註

潛齋胡氏曰, 日月五星之運, 錯行乎二十八宿經星之次舍, 此天之文也, 卽卦中剛柔, 交錯乎六位者也. 君臣父子兄弟夫婦朋友, 粲然有禮以相接者, 文之明也, 截然有分以相守者, 文之止也. 是則卦中離明而艮止者也.

잠재호씨가 말하였다: 일월(日月)과 오성(五星)이 이십팔수와 경성(經星)의 구역을 운행하니, 이것이 하늘의 문채 곧 괘 가운데의 굳셈과 부드러움이 여섯 자리로 서로 뒤섞이는 것이다. 군신·부자·부부·붕우가 분명하게 예로 서로 대하는 것이 문채의 밝음이고, 딱 잘라서 분수를 서로 지키는 것이 문채의 머물음이다. 이것은 괘 가운데 리[離☲]는 밝고 간(艮☶)은 머무는 것이다.

○ 雲峯胡氏曰, 上文以卦變言, 則剛柔之交, 可以見天文, 此以卦德言, 則文明各得其分, 可以見人文.

운봉호씨가 말하였다: 위의 글에서는 괘의 변화로 말하였으니, 굳셈과 부드러움의 사귐으로는 하늘의 문채를 볼 수 있고, 여기에서는 괘의 덕으로 말하였으니, 문채의 밝음이 제각기 그 분수를 얻음으로는 사람의 문채를 알 수 있다.

## ‖韓國大全‖

### 권근(權近) 『주역천견록(周易淺見錄)』

愚謂, 柔來文剛, 分剛上而文柔者, 下卦本兌, 六三之柔, 自外來中, 以文初九之剛, 九二之剛, 自內上三, 以文六二之柔. 兌本初九九二二剛相疊, 今分九二以上於三, 則一剛一柔交錯成文, 故曰分剛上而文柔也. 是雖言剛柔互換, 皆主六二而言, 故曰小利有攸往, 於柔則曰柔來, 於剛則分剛, 其言自有賓主, 意甚明矣. 天文也者, 兌變成离, 剛柔交錯, 又上下皆陽, 中含一陰, 天包地外之象, 而又离明, 故曰天文也. 上卦本坎, 上六來五, 九五往上, 亦柔來而剛上, 柔居中而爲主也. 全卦, 又爲上下皆陽, 中含一陽三陰, 一元貫乎皿辭. 又有日出山下之象, 是亦天文也. 然象辭多主內卦而言, 外卦, 但一陽爻, 不可言分剛也. 文明以止, 人文也, 雖兼內外, 是主外卦而言也.

내가 살펴보았다: "부드러움이 와서 굳셈을 꾸미고, 굳셈을 나누어 올라가 부드러움을 꾸민다"는 것은 아래 괘는 본래 태괘(☱)였는데 부드러운 음인 육삼은 밖에서 가운데로 와서 초구인 굳센 양을 꾸미고, 굳센 양인 구이는 안에서 세 번째 자리로 올라가 부드러운 음인 육이를 꾸미는 것이다. 태괘는 본래 초구와 구이의 굳센 두 양이 중첩해 있는데, 이제 구이를 나누어 세 번째 자리로 올린다면 굳센 양 하나와 부드러운 음 하나가 교대로 무늬를 이루므로 "굳셈을 나누어 올라가 부드러움을 꾸민다"고 하였다. 이는 비록 굳셈과 부드러움이 서로 교환하는 것이지만 모두 육이를 위주로 말했으므로 "가는 것이 조금 이롭다"고 하였으니, 부드러운 음에 있어서는 "부드러움이 온다"고 하고 굳센 양에 있어서는 "굳셈을 나눈다"고 하여 그 말이 자연스럽게 손님과 주인이 있어 뜻이 매우 분명하다. '천문'이라는 것은 태괘가 변하여 리괘(☲)가 되고 굳셈과 부드러움이 서로 뒤섞이고, 다시 위와 아래가 모두 양이며 가운데서 한 음을 머금어 하늘이 땅을 밖에서 감싸 안고 있는 상이며, 또 리괘는 밝으므로 '천문'이라고 하였다. 상괘(上卦)는 본래 감괘(☵)였는데 상육이 오효자리로 오고 구오가 맨 위로 가서 역시 부드러움이 오고 굳셈이 올라가서 부드러운 음이 가운데 있어 주인이 된다. 전체 괘가 또 위아래가 모두 양이고 가운데 굳센 양 하나와 부드러운 음 셋을 포함하고 있어 하나의 양[一元]이 덮개가 있는 그릇을 관통한 형상이다. 또 해가 산 아래에서 나오는 상이 있으니 이것도 '천문'이다. 그러나 「단전」의 글은 대부분 내괘를 위주로 말하고, 외괘는 다만 양효가 하나뿐이어서 "굳셈을 나눈다"고 말할 수 없다. "문채가 밝고 그치니 사람의 문채이다"라고 한 것은 비록 내괘와 외괘를 아우른 것이지만 외괘를 위주로 하여 말하였다.

### 홍여하(洪汝河) 「책제(策題): 문역(問易)·독서차기(讀書箚記)-주역(周易)」

程傳, 上下二體, 剛柔相交, 爲文飾.

『정전』에서 말하였다: 위아래 두 몸체의 굳셈과 부드러움이 서로 사귀어 꾸미기 때문이다.

六十二卦, 皆以乾坤剛柔兩爻相錯而成, 則其三陰三陽之卦, 剛柔上下, 取法於乾坤交易之義, 恐或爲易中一例也.

육십이괘가 모두 건괘와 곤괘의 굳셈과 부드러움의 두 효가 서로 섞여 이루어지니, 세 음과 세 양의 괘에서 굳셈과 부드러움의 위아래가 건괘와 곤괘가 서로 바뀌는 뜻에서 취한 방법은 아마도 혹 『주역』 가운데의 한 예가 된다.

### 유정원(柳正源) 『역해참고(易解參攷)』

文明以止.

문채가 밝고 머무니,

小註, 潛齋說五星 [至] 錯行.

소주(小註)에서 잠재의 "오성(五星)이 … 번갈아 운행한다"는 것에 대한 설명.

〈漢天文志, 五行精氣, 成形在地, 爲水火土金木, 成象在天, 木歲星, 火熒惑, 金太白, 水辰星, 土鎭星.

한나라의 『천문지』에서 오행의 정기(精氣)가 땅에서 모양을 이룬 것이 수·화·목·금·토가 되고, 하늘에서 상(象)을 이룬 것이 목은 세성(歲星)[4]이고 화는 형혹성(熒惑星)[5]이고 금은 태백성(太白星)[6]이고 수는 진성(辰星)[7]이고 토는 진성(鎭星)[8]이라고 하였다.

○ 案, 歲星, 十二歲一周天, 熒惑, 二歲一周天, 太白, 一歲一周天, 辰星, 亦一歲一周

---

4) 목성(木星): 오행(五行: 木·火·土·金·水星의 5개 행성)의 하나. 중국에서는 목성이 하늘을 12등분한 구획인 12차를 차례로 1년에 하나씩 거쳐서 간다고 생각했기 때문에 목성을 세성이라 하였다. 목성이 머무는 12차의 별자리 이름으로 그 해의 이름을 지었는데, 이를 세성기년법(歲星紀年法)이라 한다. 고대 기록의 세재성기(歲在星紀)·세재석목(歲在析木)은 그 해 목성이 12차의 하나인 성기, 석목에 머무는 해라는 뜻이다. 그 후 하늘의 12개 구획을 12지(支)로 하고 이를 10간(干)과 연결하여 60갑자로 해를 구별하여 표시하였다.

5) 형혹성(熒惑星): 화성(火星)을 말한다.

6) 태백(太白): 태백성(太白星). 매우 밝은 별이라는 뜻으로 샛별, 즉 금성(金星)을 달리 이르던 말로서 장경(長庚)이라고도 한다.

7) 진성(辰星): 보통 수성을 말하며, 고대 중국에서는 1년의 계절을 정하기 위한 관측 기준이 되는 별을 '진'이라고 했으므로, 진성에는 시각측정의 기준이 되는 항성이라는 의미도 담겨 있다.

8) 진성(鎭星): 토성(土星)을 말한다.

天, 鎭星, 二十八歲一周天, 遲速大率如此.

내가 살펴보았다: 세성은 십이 년에 하늘을 한 바퀴 돌고, 형혹성은 이 년에 하늘을 한 바퀴 돌고, 태백성은 일 년에 하늘을 한 바퀴 돌고, 진성(辰星)도 일 년에 하늘을 한 바퀴 돌고, 진성(鎭星)은 이십팔 년에 하늘을 한 바퀴 도니, 더디고 빠름이 대체로 이와 같다.〉

### 김상악(金相岳) 『산천역설(山天易說)』

以卦變卦德, 釋卦辭, 而言六二一柔文初三二剛, 故亨, 上九一剛文五一柔, 故小利有攸往. 天文, 天之理也. 人文, 人之道也.

괘의 변화와 괘의 덕으로 괘사를 해석하였는데, 육이인 부드러운 음 하나가 초효와 삼효의 굳센 두 양을 꾸미므로 형통하고, 상구인 굳센 양 하나가 오효인 부드러운 음 하나를 꾸미므로 가는 것이 조금 이롭다고 하였다. 하늘의 문채는 하늘의 이치이다. 사람의 문채는 사람의 도이다.

○ 上亨字, 將言賁之亨, 下亨字, 中言賁所以亨也, 與旅小亨同例. 分者, 剛柔分之分也. 六畫卦上居天位, 三畫卦二居人位, 故以天理人道言之.

위의 "형통하다[亨]"는 글자는 꾸밈의 형통함을 가지고 말했고, 아래의 "형통하다"는 글자는 꾸밈이 형통하게 되는 까닭을 거듭 말하였으니, 려괘(旅卦䷷)의 "조금 형통하다"는 것과 예가 같다. "나눈대[分]"는 "굳셈과 부드러움이 나뉜다"고 할 때의 나뉨이다. 육획괘에서 상효는 하늘의 자리에 있고, 삼획괘에서 이효는 사람의 자리에 있으므로 하늘의 이치와 사람의 도로써 말하였다.

### 서유신(徐有臣) 『역의의언(易義擬言)』

旅變爲賁, 離來于內, 而六二文於內, 故曰柔來而文剛也. 艮往于外, 而上九文於上, 故曰剛上而文柔也. 旅三四疊剛, 而賁則分之也. 此所以爲賁, 亦所以爲亨, 爲小利有攸往也. 天文, 變化自然之文也, 人文, 制作秩然之文也.

려괘(旅卦䷷)가 위아래가 바뀌면 비괘(賁卦䷕)가 되니, 리괘(☲)가 안으로 와서 육이가 안에서 꾸미므로 부드러움이 와서 굳셈을 꾸민다고 하였다. 간괘(☶)는 밖으로 가서 상구가 위에서 꾸미므로 굳셈이 올라가 부드러움을 꾸민다고 하였다. 려괘의 삼효와 사효는 굳센 양이 중첩하였으나 비괘에서는 나뉜다. 이것이 꾸밈이 되는 까닭이고, 또 형통함이 되는 까닭이어서 가는 것이 조금 이로움이 된다. '하늘의 문채'는 자연스러운 문채를 변화시키는 것이고, 사람의 문채는 질서정연한 문채를 만드는 것이다.

## 박제가(朴齊家) 『주역(周易)』

象傳, 文明以止.

「단전」에서 말하였다: 문채가 밝고 머무니,

傳連用止於文明, 又曰處於文明, 卦自內而上, 故經曰以止. 若曰止於, 則艮爲往而非止矣.

『정전』에서 "문채로 밝음에 머문다"는 것을 이어서 쓰고, 또 "문채의 밝음에 머물러 있다"고 하였으니, 괘는 안으로부터 올라가므로 경문에서 "~함으로써 머문다[以止]"고 썼다. 만약 "~에 머문다[止於]"고 말한다면 간괘(艮卦)는 가는 것이 되어 머무름이 아니게 될 것이다.

案, 卦變出於經中來往二字, 最先見乎訟之剛來. 程子從乾坤單卦爲言, 其說亦自可通, 朱子以爲不是. 卦不是旋取象了方畫, 須是都畫了, 就已成底卦上面取象, 所以有剛柔來往上下. 蓋從重卦說至謂伊川說兩儀四象, 自不分明, 蓋程子不用加倍法, 與邵子不同故也.

내가 살펴보았다: 괘의 변화가 경문 가운데 "오고 간다"는 왕래(往來) 두 글자에서 나오는 경우는 송괘(訟卦☰)의 "굳셈이 온다"에서 가장 먼저 보인다. 정자는 건괘(☰)와 곤괘(☷)의 단괘(單卦)로부터 괘의 변화를 말했으니, 그 설명이 또한 저절로 통할 수 있는데, 주자는 옳지 않다고 여겼다. 괘는 상을 취한 것을 따라서 그리는 것이 아니라 반드시 모두 그리고 나서 이미 이루어진 괘에 나아가 상을 취하기 때문에 굳셈과 부드러움, 오고 감, 위와 아래가 있다. 대체로 중괘(重卦)의 설명으로부터 이천이 양의(兩儀)와 사상(四象)을 설명한 것을 말한데 이르기까지는 자연 분명하지가 않으니, 대체로 정자는 가배법(加倍法)을 쓰지 않아서 소자(邵子)와 같지 않기 때문이다.

## 박문건(朴文健) 『주역연의(周易衍義)』

賁亨之亨, 疑衍, 見本義.

"비괘가 형통하다"고 할 때의 형통함은 아마도 잘못 들어간 글자이니, 『본의』를 보라.

○ 柔來文剛, 二文二剛也. 剛上文柔, 上文二柔也. 此以卦變釋卦辭, 而歸於天道, 又以卦德承上文, 而係於人道也.

부드러움이 와서 굳셈을 꾸밈은 이효가 굳센 두 양을 꾸밈이다. 굳셈이 올라가 부드러움을 꾸밈은 상효가 부드러운 두 음을 꾸밈이다. 이는 괘의 변화로 괘사를 해석하였으나 하늘의 도에 돌아가며, 또 괘의 덕으로 윗글을 이었으나 사람의 도에 관계한다.

〈問, 分剛. 曰, 噬嗑反, 則爲賁也. 賁之上, 卽噬嗑之初也. 在噬嗑之時, 分體而爲主於初, 故於賁謂之分剛上也. 曰, 於二不言分柔, 何. 曰, 剛非成卦之主, 故特言分剛也.

물었다: 굳셈을 나눈다는 것은 무엇입니까?

답하였다: 서합괘(噬嗑卦䷔)가 뒤집어지면 비괘(賁卦䷕)가 됩니다. 비괘의 상효는 서합괘의 초효입니다. 서합의 때에 있어서는 몸체를 나누어 초효에서 주인이 되므로 비괘에서 "굳셈을 나누어 위로 간다"고 하였습니다.

물었다: 이효에서 부드러움을 나눈다고 말하지 않은 것은 어째서입니까?

답하였다: 굳셈은 괘를 이루는 주인이 아니므로 다만 "굳셈을 나눈다"고 말하였습니다.〉

〈○ 問, 柔來而文剛以下. 曰, 文剛則來者伸, 故有亨道, 文柔則往者屈, 故有小利之象. 往來交錯, 互文剛柔, 天文也, 文明而有所定止, 人文也.

물었다: "부드러움이 와서 굳셈을 꾸민다" 이하는 무슨 뜻입니까?

답하였다: "굳셈을 꾸민다"고 말하면 오는 것은 펴지므로 형통한 도가 있고, 부드러움을 꾸민다고 하면 가는 것은 구부러지므로 "조금 이롭다"는 상이 있습니다. 가고 옴이 서로 섞여 서로가 굳셈과 부드러움을 꾸밈은 하늘의 문채이고, 문채가 밝아 정하여 멈추는 바가 있음은 사람의 문채입니다.〉

## 김기례(金箕澧) 「역요선의강목(易要選義綱目)」

二體剛柔相交, 內陰外陽, 愼徽五典, 上下有分, 截然相守, 故曰人文.

두 몸체의 굳셈과 부드러움이 서로 사귀어 안은 음이고 밖은 양이어서 오전(五典)을 삼가 아름답게 하며[9], 위아래에 분수가 있어 분명하게 서로 지키므로 '사람의 문채'라고 하였다.

## 심대윤(沈大允) 『주역상의점법(周易象義占法)』

天文也. 文明以止, 人文也.

하늘의 문채이다. 문채가 밝고 머무니, 사람의 문채이다.

先儒云, 天文上當有剛柔交錯四字, 今從之. 日月星辰, 山川草木, 剛柔交錯, 天文也. 尊卑親疏, 儀章文物, 各有等威限節, 人文也. 火附物而文, 明附質而餙, 故文明以止也. 程子曰, 凡言剛來者, 非自上體而來也, 柔上者, 非自下體而上也. 乾坤變爲六子,

---

9) 『書經·舜典』.

八卦重爲六十四, 皆由乾坤之變也, 非謂卦變也, 此至論也. 夫卦變之說, 可謂妄矣. 卽
賁之一卦, 自損來者, 三柔來二, 而二剛上三. 自旣濟來者, 五剛進上而上柔來五. 自噬
嗑來者, 四剛來三而三柔上四. 自蠱來者, 二剛來初而初柔上二. 凡每卦, 皆有剛來剛
上, 柔來柔進焉. 隨處而可用, 鶻突甚矣. 且賁之自損旣濟來者, 則柔來剛上, 而自噬嗑
蠱來者, 乃剛來柔上也, 何以獨取自損旣濟, 而不取自蠱噬嗑乎. 何以賁之一卦, 自四
卦來乎. 何以不用乾坤之變, 至平而易知, 而乃用卦變之詭而无據者乎.

이전의 유학자들은 '하늘의 문채'라는 말 앞에 "굳셈과 부드러움이 서로 섞인다[剛柔交錯]"
는 네 글자가 있어야 한다고 하였으니, 이제 그것을 따른다. 해와 달과 별과 산천(山川)과
초목이 굳셈과 부드러움이 서로 섞임은 하늘의 문채이다. 높고 낮음, 친하고 소원함, 의장
(儀章)과 문물(文物)이 각각 등급에 따라 의례제도에 구분을 두는 것은 사람의 문채이다.
불이 물건에 붙어 문채가 나고 밝음이 바탕에 붙어 꾸미므로 문채가 밝아 그친다. 정자는
"굳셈이 온다는 것은 상체로부터 오는 것이 아니며, 부드러움이 올라간다는 것이 하체로부
터 올라가는 것은 아님을 말한다. 건괘와 곤괘가 변하여 여섯 괘가 되고 팔괘가 거듭하여
육십사괘가 되는 것이 모두 건괘와 곤괘의 변화에 말미암는 것이니, 괘의 변화를 말하는
것이 아니다"고 하였으니, 이는 지극한 논의이다. 괘가 변화한다는 설명은 망령된다고 말할
수 있다. 비괘(賁卦䷕) 한 괘가 손괘(損卦䷨)에서 왔다는 것은 삼효의 부드러운 음이 이효
자리로 오고 이효의 굳센 양이 삼효자리로 올라간 것이다. 기제괘(旣濟卦䷾)에서 왔다는
것은 오효의 굳센 양이 위로 나아가고 상효의 부드러운 음이 오효 자리로 온 것이다. 서합괘
(噬嗑卦䷔)에서 왔다는 것은 사효의 굳센 양이 삼효 자리로 오고 삼효의 부드러운 음이
사효 자리로 올라간 것이다. 고괘(蠱卦䷑)에서 왔다는 것은 이효의 굳센 양이 초효 자리로
오고 초효의 부드러운 음이 이효 자리로 올라간 것이다. 모든 괘가 다 굳센 양이 오기도
하고 굳센 양이 가기도 하며, 부드러운 음이 오기도 하고 부드러운 음이 나아가기도 한다.
필요한대로 어디에나 쓰니, 분명하지 못함이 심하다. 또 비괘가 손괘와 기제괘에서 왔다는
것은 부드러운 음이 오고 굳센 양이 올라간 것이고, 서합괘와 고괘에서 왔다는 것은 굳센
양이 오고 부드러운 음이 올라간 것이니, 어째서 유독 손괘와 기제괘에서만 취하고, 고괘와
서합괘에서는 취하지 않은 것인가? 어째서 비괘 한 괘가 이 네 개의 괘에서만 온 것이겠는
가? 어째서 건괘와 곤괘의 변화가 지극히 평이하여 알기 쉬운 것을 쓰지 않고, 이에 괘가
변한다는 기이하고 근거가 없는 것을 쓰는가?

## 觀乎天文, 以察時變,

하늘의 문채를 관찰하여 사시의 변화를 살피며,

### ‖中國大全‖

**傳**

天文, 謂日月星辰之錯列, 寒暑陰陽之代變, 觀其運行, 以察四時之遷改也.

하늘의 문채는 일월(日月)과 성신(星辰)이 뒤섞이며 나열되고 한서와 음양이 교대로 변하는 것을 말하니, 그 운행을 관찰하여 사시의 변화를 살핀다.

### ‖韓國大全‖

#### 유정원(柳正源) 『역해참고(易解參攷)』

正義, 聖人當觀察天文, 剛柔交錯, 相飾成文, 以察四時變化. 若四月純陽用事, 陰在其中, 靡草死也. 十月純陰用事, 陽在其中, 薺麥生也.

『주역정의』에서 말하였다: 성인이 천문(天文)을 관찰하여 굳센 양과 부드러운 음이 서로 뒤섞여 서로 꾸며서 문채를 이루는 것은 사시의 변화를 살피기 때문이다. 가령 사월의 순전한 양이 일을 할 때 음은 그 가운데 있어 미초(靡草)10)가 죽는다. 시월의 순음이 일을 할 때 양은 그 가운데 있어 제맥(薺麥)이 생겨난다.

---

10) 미초(靡草): 냉이를 말하는 듯하다.

○ 瓊山丘氏曰, 日月星辰, 象之懸於天者也, 寒暑陰陽, 氣之運於天者也. 日月星辰寒暑陰陽, 雖若有常也, 然亦有時而不常, 雖若齊一也, 然亦有時而不二, 故聖人旣運其心目之力, 以察其隨時之變, 又創爲歷象之器, 以定其變動之時.

경산구씨가 말하였다: 일월성신(日月星辰)은 상이 하늘에 걸려있고, 추위·더위·음·양은 기운이 하늘에서 운행된다. 일·월·성·신과 추위·더위·음·양은 비록 항상된 것이 있는듯하나 또한 때때로 항상되지 못한 것이 있고, 비록 가지런하여 한결같은 듯하나 또한 때때로 한결같지 못한 것이 있으므로, 성인이 사물을 알아보는 마음의 힘을 운용하여 그 때에 따른 변화를 관찰하고, 또 역상(歷象)의 기구를 발명하여 그 변화하여 움직이는 때를 정하였다.

### 이지연(李止淵) 『주역차의(周易箚疑)』

日月星辰, 皆有當行之定度, 而止天文, 亦文明而止者也.

해와 달과 별[星辰]은 모두 마땅히 행해야 할 정해진 도수가 있는데, 하늘의 문채에 그침이 또한 문채가 밝아 그치는 것이다.

### 김기례(金箕澧) 「역요선의강목(易要選義綱目)」

聖人南面, 協用五紀, 以閏月, 定四時, 允釐百工.

성인이 남면(南面)하여 합하기를 오기(五紀)로써 하며[11], 윤달로써 사시를 정하여 모든 장인을 다스린다.[12]

---

11) 『書經·洪範』.
12) 『書經·堯典』.

## 觀乎人文, 以化成天下.

사람의 문채를 관찰하여 천하를 변화시켜 이룩한다.

### ‖中國大全‖

**傳**

人文, 人理之倫序, 觀人文以敎化天下, 天下成其禮俗, 乃聖人用賁之道也. 賁之象取山下有火, 又取卦變柔來文剛, 剛上文柔. 凡卦有以二體之義, 及二象而成者. 如屯取動乎險中與雲雷, 訟取上剛下險與天水違行, 是也. 有取一爻者成卦之由也. 柔得位而上下應之, 曰小畜, 柔得尊位大中而上下應之, 曰大有, 是也. 有取二體, 又取消長之義者. 雷在地中復, 山附於地剝, 是也. 有取二象兼, 取二爻交變爲義者. 風雷益, 兼取損上益下, 山下有澤損, 兼取損下益上, 是也. 有旣以二象成卦, 復取爻之義者. 夬之剛決柔, 姤之柔遇剛, 是也. 有以用成卦者. 巽乎水而上水井, 木上有火鼎, 是也. 鼎又以卦形爲象, 有以形爲象者. 山下有雷頤, 頤中有物曰噬嗑是也. 此成卦之義也. 如剛上柔下, 損上益下, 謂剛居上柔在下, 損於上益於下, 據成卦而言, 非謂就卦中升降也. 如訟无妄云剛來, 豈自上體而來也. 凡以柔居五者, 皆云柔進而上行. 柔居下者也, 乃居尊位, 是進而上也, 非謂自下體而上也. 卦之變, 皆自乾坤, 先儒不達, 故謂賁本是泰卦. 豈有乾坤重而爲泰, 又由泰而變之理. 下離本乾中爻變而成離, 上艮本坤上爻變而成艮. 離在內, 故云柔來, 艮在上, 故云剛上, 非自下體而上也. 乾坤變而爲六子, 八卦重而爲六十四, 皆由乾坤之變也.

사람의 문채는 인두(人道)의 질서이니, 사람의 문채를 보고 천하를 변화시켜 그 예와 풍속을 이루는 것이 바로 성인이 꾸밈을 쓰는 도이다. 비괘(賁卦䷲)의 상은 산 아래에 불이 있는 것을 취하였고, 또 부드러움이 와서 굳셈을 꾸미고 굳셈이 올라가서 부드러움을 꾸미는 괘의 변화를 취하였다. 괘에는 두 몸체의 뜻과 상을 둘로 하여 이룬 것이 있다. 이를테면 준괘(屯卦䷂)는 험한 가운데 움직이는 것과 구름과 우레를 취하였고, 송괘(訟卦䷅)는 상괘가 굳세고 하괘가 험한 것과 하늘과 물이 어긋나게 가는 것을 취하였으니, 여기에 해당한다. 어떤 효가 괘를 이룬 연유를 취한 것이 있다. 부드러움이 자리를 얻어 위아래로 호응하는 것을 소축(小畜☴)이라 하고, 부드러움이 존귀한 자리와 크게 중심이 되는 것을 얻어 위아래로 호응하는 것을 대유(大有☲)라고 하니, 여기에 해당한다. 두 몸체를 취하고 또 소장(消長)의 뜻을 취한 것이 있다. 우레가 땅속에 있는 것이 복괘(復卦䷗)이고, 산에 땅에 붙어 있는 것이 박괘(剝卦䷖)이니, 여기에 해당한다. 두 상을 취하면서 겸하여 두 효가 서로 변하는 것을 취하여 뜻으로 한 것이 있다. 바람과 우레인 익괘(益卦䷩)는 위에서 덜어 아래에 보태는 것을 겸하여 취하였고, 산 아래 못이 있는 손괘(損卦䷨)는 아래에서 덜어 위에 보태는 것을 겸하여 취하였으니, 여기에 해당한다. 이미 두 개의 상으로 괘를 이루었는데 다시 효의 뜻을 취한 것이 있다. 쾌괘(夬卦䷪)의 굳셈이 부드러움을 터놓고, 구괘(姤卦䷫)의 부드러움이 굳셈을 만나니, 여기에 해당한다. 쓰임으로 괘를 이룬 것이 있다. 물에 들어가 물을 끌어올리는 것이 정괘(井卦䷯)이고, 나무 위에 불이 있는 것이 정괘(鼎卦䷱)이니, 여기에 해당한다. 정괘(鼎卦䷱)는 또 형태로 상을 삼았는데, 형태로 상을 삼은 것이 있다. 산 아래 우레가 있는 것이 이괘(頤卦䷚)이고, 턱 속에 사물이 있는 것이 서합괘(噬嗑卦䷔)이니, 여기에 해당한다. 이것이 괘를 이루는 의미이다. 이를테면 굳셈이 위에 있고 부드러움이 아래에 있는 것과 위에서 덜어 아래에 보태는 것은 굳셈이 위에 있고 부드러움이 아래에 있으며, 위에서 덜어 아래에 보태주는 것이니, 이루어진 괘를 근거로 말한 것이지 괘의 가운데에서 오르내리는 것으로 말한 것이 아니다. 송괘(訟卦䷅)와 무망괘(無妄卦䷘)에서 "굳셈이 온다"[13]고 하는 것이 어찌 위의 몸체에서 온 것이겠는가? 부드러움이 오효에 있을 경우는 모두 부드러움이 나아가서 위로 갔다고 하였다. 그런데 부드러움은 아래에 있는 것인데 존귀한 자리에 있다면 이것은 나아가서 올라간 것이지 아래의 몸체에서 올라간 것을 말하는 것이 아니다. 괘의 변화가 모두 건괘와 곤괘에서 온 것을 선대의 학자들이 알지 못했기 때문에 비괘(賁卦䷕)는 본래 태괘(泰卦䷊)라고 말한다. 어찌 건괘와 곤괘가 중첩되어 태괘가 되었는데 또 태괘에서 변하는 이치가 있겠는가? 아래의 리괘(離卦☲)는 본래 건괘(乾卦☰)의 가운데 효가 변하여 리괘가 된 것이고, 위의 간괘(艮卦☶)는 본래 곤괘(坤卦☷)의 상효가 변하여 간괘가 된 것이다. 리괘가 내괘에 있기 때문에 부드러움이 왔다고 하고, 간괘가 상괘이기 때문에 굳셈이 올라갔다고 하였으니, 아래 몸체에서 올라간 것이 아니다. 건과 곤이 변하여 여섯 자식이 되고, 팔괘가 겹쳐서 육십사괘가 되는 것은 모두 건곤의 변화로 말미암은 것이다.

### 小註

朱子曰, 伊川說乾坤變爲六子, 非是. 卦不是逐一卦畫了, 旋變去, 這話難說. 伊川說兩儀四象, 自不分明. 卦不是旋取象了方畫, 須是都畫了這卦, 方只就已成底卦上面取象, 所以有剛柔來往上下.

주자가 말하였다: 이천이 건과 곤이 변하여 여섯 자식이 된다고 설명한 것은 옳지 않다. 괘는 어떤 괘의 획을 따라가면서 변하는 것이 아니라는 이 말은 설명하기 어렵다. 이천이 양의와 사상을 설명한 것은 본래 분명하지 않다. 괘는 상을 취한 것을 따라서 그리는 것이

---

13) 『周易·訟卦』: 象曰, … 剛來而得中也. 『周易·無妄卦』: 象曰, 无妄, 剛自外來, 而爲主於內.

아니라 반드시 이 괘를 모두 그리고 나서 이미 이루어진 괘에 나아가 상을 취하기 때문에 굳셈과 부드러움·감과 옴·위와 아래가 있다.

### 本義

極言賁道之大也.

비괘의 도가 큼을 극도로 말하였다.

### 小註

臨川吳氏曰, 此廣賁義. 以卦體言, 交錯者, 初與二三與四五與上, 皆以一剛一柔相間. 在天日月之行, 星辰之布, 亦剛柔交錯, 故曰天文也. 以卦德言, 文明者, 文采著明. 止者, 不踰分限, 在人五典之敍, 五禮之秩, 粲然有文, 而各安所止, 故曰人文也. 時變, 謂四時寒暑代謝之變, 化謂舊者化新, 成謂久而成俗.

임천오씨가 말하였다: 여기에서는 비괘의 뜻을 넓혔다. 괘의 몸체로 말하면 서로 뒤섞이는 것은 초효와 이효·삼효와 사효·오효와 상효가 모두 하나의 굳셈과 하나의 부드러움으로 서로 사이에 있기 때문이다. 하늘에서 일월의 운행과 성신(星辰)이 떠 있는 것도 굳셈과 부드러움이 서로 뒤섞이는 것이기 때문에 "하늘의 문채이다"라고 하였다. 괘의 덕으로 말하면 문채로 밝은 것은 문채가 드러나서 환한 것이다. "머문다"는 것은 본분을 넘어서지 않는 것이니, 사람에게 오륜과 오례의 질서가 분명하게 꾸미는 것이 있어 제각기 머무는 곳에서 편안한 것이기 때문에 "사람의 문채이다"라고 하였다. '사시의 변화'는 사시와 한서가 교체하는 변화이다. "변화시킨다"는 것은 옛것이 새것으로 변화되는 것이고, "이룩한다"는 것은 오래되어서 풍속을 이루는 것이다.

○ 潛齋胡氏曰, 聖人南面而立, 視昏旦之星, 日月之次, 以知四時寒暑之變. 觀君臣父子兄弟夫婦朋友之文, 則導以禮樂, 風以詩書, 彰以車服, 辨以采章, 而化成於天下.

잠재호씨가 말하였다: 성인이 남면하고 서 있으면서 아침저녁의 별과 해와 달의 위치를 보고 사시와 한서의 변화를 안다. 군신·부자·형제·부부·붕우의 문채를 살펴보면, 예악(禮樂)으로 인도하고 시서(詩書)로 감화시키며, 수레와 예복으로 드러내고 채색과 무늬로 분변하여 천하를 변화시켜 이룩한다.

# ‖韓國大全‖

### 조호익(曺好益) 『역상설(易象說)』

時變, 亦柔來剛往之象. 化成, 亦剛變柔柔變剛之象.

사시의 변화가 또한 부드러운 음이 오고 굳센 양이 가는 상이다. 변화시켜 이룸이 또한 굳셈이 변하여 부드러움이 되고 부드러움이 변하여 굳셈이 되는 상이다.

### 유정원(柳正源) 『역해참고(易解參攷)』

觀乎人文.

사람의 문채를 관찰한다.

傳, 先儒. 〈案, 王弼孔穎達說, 見首卷卦變條.〉

『정전』에서 말하였다: 이전의 유학자. 〈내가 살펴보았다: 왕필과 공영달의 설명은 첫 권 괘변(卦變) 조목에 보인다.〉

本義, 小註, 潛齋說星次. 〈案, 昏朝之星, 如月令, 孟春, 昏參中, 朝尾中之類. 日月之次, 如玉齋說, 正月日月會亥, 其辰爲娵訾之類.〉

『본의』 소주(小註)에서 말하였다: 잠재의 이십팔수의 차례에 관한 설명. 〈내가 살펴보았다: 아침저녁의 별은 「월령(月令)」에서 맹춘(孟春)에 해질녘에는 삼성(參星)이 남중하고 아침에는 미성(尾星)이 남중한다는 경우와 같다. 해와 달의 차례는 옥재(玉齋)의 설과 같은데, 정월에는 해와 달이 해(亥)에서 모이니, 그 별이 추자(娵訾)[14]에 있다는 부류이다.〉

---

14) 추자(娵訾): 원래 목성(木星)은 세성(歲星)이라고도 하여 대항성(對恒星) 주기가 11,86년, 즉 약 12년이므로, 12차는 목성의 천구상의 위치를 나타내기 위하여 쓰인 것이다. 목성은 1년에 1차씩 동쪽으로 옮겨가서 12년 뒤에는 천구상의 제자리에 돌아오게 된다. 12차의 이름은 하늘을 서에서 동으로 세어나가며 붙인 것으로, 수성(壽星)·대화(大火)·석목(析木)·성기(星紀)·현효(玄枵)·추자(娵訾)·강루(降婁)·대량(大梁)· 실침(實沈)·순수(鶉首)·순화(鶉火)·순미(鶉尾)의 차례이다. 중국에서는 예로부터 적도를 기준으로 하는 28수(宿)가 12차와 같이 사용되었는데, 이는 황도상의 불규칙하게 분할된 28개의 구역을 가리키는 것으로, 12차보다도 널리 쓰였다. 28수에서는 적도 부근의 밝은 별을 주성(主星)으로 하였지만, 12차는 적도 1주를 균분하였다. 12차와 28수는 모두 서에서 동으로 향한 하늘의 구분법인데, 28수는 주로 역술가(曆術家)에 의하여 해와 달의 위치를 가리키기 위한 것이고, 12차는 주로 점성가에 의하여 오성(五星)의 위치를 가리키기 위한 것이다.

## 김상악(金相岳) 『산천역설(山天易說)』

極言賁道之大也. 時變者, 寒暑四時之變也. 化者, 變而爲新也. 成者, 久而成俗也.
비(賁)의 도가 큼을 극언하였다. '사시의 변화'는 한서(寒暑)와 사시(四時)의 변화이다. "변화시킨다[化]"는 변하여 새롭게 됨이다. "이룬다[成]"는 오래되어 풍속을 이룸이다.

○ 賁曰化成天下, 以被於人而言, 恒曰天下化成, 以本乎身而言也.
비괘에서 "천하를 변화시켜 이룬다"고 한 것은 다른 사람에 의한 것으로 말하였고, 항괘(恒卦䷟)에서 "천하가 변화하여 이루어진다"고 한 것은 자신에게 근본한 것으로 말하였다.

## 서유신(徐有臣) 『역의의언(易義擬言)』

卦變而剛柔相文, 天文也, 而可以察時變矣, 節候之推嬗古今之異同, 是也. 文明以止人文也, 而可以化成天下矣, 禮樂之損益, 儀章之降殺, 倫序之親疏, 是也, 皆推廣之也.
괘가 변하여 굳셈과 부드러움이 서로 꾸미는 것이 천문인데 사시의 변화를 살필 수 있으니, 계절의 추이와 변화, 고금의 다르고 같은 것이 이것이다. 문명함으로 멈추는 것이 인문이니, 천하를 변화시켜 이룰 수 있으니, 예악(禮樂)의 덜고 더함과 의장(儀章)의 등급을 내림과 인륜의 질서[倫序]에서 친하고 소원함이 이것으로 모두 미루어서 넓힌 것이다.

## 박문건(朴文健) 『주역연의(周易衍義)』

天文, 日月星辰之運, 是也. 人文, 父子君臣之分, 是也. 此贊聖人能用天人之賁也.
하늘의 문채는 해와 달과 별[星辰]의 운행이 이것이다. 사람의 문채는 아버지와 아들, 임금과 신하의 분수가 이것이다. 이것은 성인이 하늘과 사람의 꾸밈을 쓸 수 있음을 칭찬한 것이다.

## 김기례(金箕澧) 「역요선의강목(易要選義綱目)」

五典克從, 五禮有秩, 文化著明, 燦然有等
오전(五典)이 순하게 됨[15]은 오례(五禮)에 차례가 있는 것이고, 문채가 변화하여 밝음을 드러냄은 밝게 등급이 있는 것이다.

---

15) 『서경·순전』.

## 오치기(吳致箕) 「주역경전증해(周易經傳增解)」

此以卦反卦德, 釋卦名義及卦辭也. 離柔, 自噬嗑上體來爲本卦下體, 而柔皆文剛.〈二之柔, 文初之剛, 四之柔, 文三之剛.〉剛而賁, 故亨矣. 分噬嗑下體之震剛, 上往爲本卦上體之艮剛, 而文柔.〈上之剛, 文五之柔.〉柔而賁, 故小者利往也. 以卦體言, 則剛柔交錯, 如日月星辰之運, 錯行於二十八宿經星之次, 而煥乎有象, 此天之文也. 以卦德言, 則離明而艮止, 乃君臣父子夫婦兄弟朋友, 燦然以節文相接, 文之明也, 截然各守其分, 文之止也. 觀乎天文, 以察時變, 觀乎人文, 以化天下, 卽極言聖人賁道之大也.

이것은 괘가 뒤집어진 것과 괘의 덕으로 괘의 이름과 뜻 및 괘사를 해석하였다. 리괘(離卦☲)의 부드러움은 서합괘(噬嗑卦䷔) 상체(上體)에서 와서 본괘의 하체(下體)가 되어 부드러움이 모두 굳셈을 꾸민다.〈이효의 부드러운 음이 초효의 굳센 양을 꾸미고, 사효의 부드러운 음이 삼효의 굳센 양을 꾸민다.〉굳세면서 꾸미므로 형통하다. 서합괘 하체인 진괘(☳)의 굳셈을 나누어 위로 올라가 본괘 상체(上體)인 간괘(☶)의 굳셈이 되어 부드러운 음을 꾸민다.〈상효의 굳센 양이 오효의 부드러운 음을 꾸민다.〉부드러우면서 꾸미므로 작은 것은 감이 이롭다. 괘의 몸체로 말하면 굳셈과 부드러움이 서로 섞이는 것이 해와 달과 별의 운행이 이십팔수와 경성의 구역을 운행하는 것과 같아서 환히 상(象)이 있으니, 이것이 하늘의 문채이다. 괘의 덕으로 말하면 리괘(☲)는 밝고 간괘(☶)는 그치니, 임금과 신하, 아비와 자식, 남편과 아내, 형과 아우, 벗이 찬연하게 규범에 따라[節文] 서로 교류하니, 문채의 밝음이며, 분명하게 각각 그 분수를 지키니, 문채의 그침이다. 하늘의 문채를 관찰하여 사시의 변화를 살피며, 사람의 문채를 관찰하여 천하를 변화시킴은 성인에 있어 비괘(賁卦)의 도가 큼을 극언한 것이다.

## 박문호(朴文鎬) 「경설(經說)・주역(周易)」

理本無對之名, 而此云理必有待對, 非謂有對待者, 理也, 乃謂天下萬物, 以理言之, 則必有對待, 如上下彼此質文, 是也.

이치는 본래 상대가 없는 이름인데, 여기에서 이치는 반드시 마주대함[待對]이 있다고 말한 것은 마주대함이 있는 것이 이치라고 말하는 것이 아니라, 천하의 만물을 이치로 말하면 반드시 마주대하는 것이 있음을 말하니, 위와 아래, 저것과 이것, 바탕과 문채와 같은 것이다.

卦之變, 皆自乾坤, 以占法言之, 其說恐不通, 且六子八卦, 皆由乾坤之變, 以先天自然之畫論之, 亦恐不然. 蓋程子不取占法與先天之學, 故其論卦變者, 如此云.

괘의 변화가 모두 건괘와 곤괘로부터 비롯하는데, 점치는 법으로 말하면 그 설명이 아마도 통하지 않으며, 또 여섯 괘와 팔괘가 모두 건괘와 곤괘의 변화에 말미암는데 선천의 자연한 획(畫)으로 논하면 또한 그렇지 않은 듯하다. 대체로 정자는 점치는 법과 선천의 학문을 취하지 않았으므로 그 괘의 변화를 논함에 이와 같이 말했다.

### 이병헌(李炳憲) 『역경금문고통론(易經今文考通論)』

京傳曰, 五色不成, 謂之賁, 文彩雜也.
『경방역전』에서 말하였다: 오색(五色)이 이루어지지 않음을 비(賁)라고 하니, 문채가 섞인 것'이다.

或曰, 賁, 色不純也.
어떤 이가 말하였다: 비(賁)는 색이 순수하지 않은 것이다.

接內卦一轉而成外卦, 則前已屢言, 今已省文. 觀卦下直看反看之目, 亦已記, 省不願道. 此本泰卦也. 小利有攸往, 指六二也. 文明而止, 指上九也. 天文, 順陰陽之時也. 人文, 如君止仁, 臣止敬, 子止孝, 父止慈, 交止信之類, 是也. 策準中數, 自同人至賁, 可謂火開闢.
내괘가 한 번 도는 것을 이어서 외괘를 이루는 것은 앞에서 이미 누차 말하였으니, 여기에서는 생략한다. 관괘(觀卦䷓) 아래 직간(直看)과 반간(反看)의 조목에 이미 기록하였으니 생략하여 설명하지 않는다. 이는 태괘(泰卦䷊)에 근본한다. "가는 것이 조금 이롭다"는 것은 육이를 가리킨다. "문채가 밝아서 그친다"는 것은 상구를 가리킨다. '하늘의 문채'는 음과 양의 때를 따르는 것이다. '사람의 문채'는 임금이 어진 데에 그치고 신하가 공경하는데 그치고 자식이 효도하는데 그치고 부모가 자애로운데 그치고 사귐에 신뢰하는데 그치는 부류가 이것이다. 책수가 360이니 동인괘(同人卦䷌)에서 비괘(賁卦䷕)까지 불이 개벽하는 것이라고 말할 수 있다.

象曰, 山下有火賁, 君子以明庶政, 无敢折獄.

「상전」에서 말하였다: 산 아래 불이 있는 것이 꾸밈이니, 군자가 그것을 본받아 정사를 분명하게 하지만 감히 옥사를 결단하지 않는다.

## 中國大全

### 傳

山者, 草木百物之所聚生也. 火在其下, 而上照庶類, 皆被其光明, 爲賁飾之象也. 君子觀山下有火明照之象, 以修明其庶政, 成文明之治, 而无果敢於折獄也. 折獄者, 人君之所致愼也, 豈可恃其明, 而輕自用乎. 乃聖人之用心也, 爲戒深矣. 象之所取, 唯以山下有火, 明照庶物, 以用明爲戒, 而賁亦自有无敢折獄之義. 折獄者, 專用情實. 有文飾, 則沒其情矣, 故无敢用文以折獄也.

산은 초목과 온갖 것들이 모여서 자라는 곳이다. 불이 그 아래에 있어 위로 여러 사물을 비추면 모두 비춤을 입으니 꾸미는 상이다. 군자는 산 아래에 불이 밝게 비추는 상을 보고 여러 정사를 닦고 밝혀 문명의 다스림을 이루지만 과감하게 옥사를 결단하지 않는다. 옥사를 결단하는 것은 임금이 신중하게 하는 것이니, 어찌 그 밝음을 믿고 경솔하게 직접 하겠는가? 바로 성인의 마음 씀이어서 경계가 깊다. 상에서 취한 것은 오직 산 아래 불이 있는 것으로 여러 것들을 밝게 비추면서 밝음을 쓰는 것을 경계하였는데 비괘에도 본래 옥사를 감히 결단하지 않는 뜻이 있다. 옥사를 결단하는 것은 오로지 실정을 써야 한다. 꾸미는 것이 있으면 그 실정이 사라지기 때문에 감히 꾸미는 것으로 옥사를 결단하지 않는다.

### 本義

山下有火, 明不及遠, 明庶政, 事之小者, 折獄, 事之大者. 內離明, 而外艮止, 故取象如此.

산 아래 불이 있어 밝음이 멀리 미치지 못하니, 여러 정사를 분명하게 하는 것은 작은 일이고, 옥사를 결단하는 것은 큰일이다. 안이 리괘(離卦☲)여서 밝고 밖이 간괘(艮卦☶)여서 머물기 때문에 이처럼 상을 취했다.

### 小註

或問, 本義云, 明庶政是明之小者, 无敢折獄, 是明之大者, 此專是就象上取義. 伊川說此, 則又就賁飾上說, 不知二說可相備否. 朱子曰, 明庶政是就離上說, 無敢折獄是就艮上說. 離明在內, 艮止在外, 則是事之小者, 可以用明. 折獄是大事, 一折便了, 有止之義. 明在內不能及他, 故止而不敢折也. 大凡就象中說, 則意味長. 若懸空說道理, 雖說得去, 亦不甚親切也.

어떤 이가 물었다:『본의』에서 여러 정사를 분명하게 하는 것은 밝음의 작은 것이고 감히 옥사를 결단하지 않는 것은 밝음의 큰 것이라고 하였으니, 이것은 오로지 상에서 뜻을 취한 것입니다. 이천이 이것을 설명한 것은 또 꾸민다는 것으로 설명하였으니, 두 설명이 서로 보완이 되는지 모르겠습니다.

주자가 답하였다: 여러 정사를 분명하게 한 것은 리괘(離卦☲)로 설명한 것이고, 감히 옥사를 결단하지 않는 것은 간괘(艮卦☶)로 설명한 것입니다. 리괘(離卦☲)의 밝음이 안에 있고 간괘(艮卦☶)의 멈춤이 밖에 있으니, 작은 일에는 밝음을 사용할 수 있습니다. 옥사를 결단하는 것은 큰일이니, 대번에 결단할 뿐인 것에는 멈춘다는 의미가 있습니다. 밝음이 안에서 다른 것에 미치지 못하기 때문에 멈추어 감히 결단하지 않습니다. 대체로 상 가운데에서 설명하면 의미가 더 분명합니다. 추상적으로 도리를 설명하면 말은 될지라도 별로 맞아떨어지지 않습니다.

又曰, 此與旅卦都說刑獄事, 但爭艮與離之在內外, 故其說相反. 止在外, 明在內, 故明庶政而不敢折獄, 止在內, 明在外, 故明謹用刑而不敢留獄.

또 말하였다: 이것과 려괘(旅卦䷽)는 모두 형옥의 일을 설명하였는데, 다만 간괘와 리괘가 안에 있느냐 밖에 있느냐 하는 차이가 있기 때문에 그 설명이 상반됩니다. 멈춤이 밖에 있고 밝음이 안에 있기 때문에 여러 정사를 분명하게 하지만 감히 옥사를 결단하지 않고, 멈춤이 안에 있고 밝음이 밖에 있기 때문에 밝음을 형옥에 씀에 삼가지만 감히 옥사를 지체하지 않습니다.

粗言之, 如今州縣治獄, 禁勘審覆, 自有許多節次. 過乎此而不決, 便是留獄, 不及乎此而決, 便是敢於折獄. 書曰, 要囚服念五六日, 至于旬時丕蔽要囚. 周禮秋官, 亦有此數句, 便是有合如此者. 若獄未具而決之, 是所謂敢折獄也, 若獄已具而留之不決, 是所謂留獄也.

대충 설명하면, 요즘 주현(州縣)에서 옥사를 처리하는 것과 같으니, 심문과 조사에는 본래 허다한 절차가 있습니다. 이것을 지나쳤는데도 결단하지 않는 것은 옥사를 지체하는 것이고 이것에 미치지 못했는데도 결단하는 것은 과감하게 옥사를 결단하는 것입니다. 『서경』에 "범인의 진술을 오륙일 동안 가슴에 담아두고 열흘이나 한 철이 되면 크게 결단하라"[16]라고 하였습니다. 『주례・추관』에도 이런 말이 여러 구절이나 있으니, 바로 이처럼 합치하는 것입니다. 옥사에 아직 자세하지 않은데도 결단한다면 이것은 이른바 감히 옥사를 결단하는 것이고, 옥사에 이미 자세한데도 지체하며 처리하지 않는다면 이것은 이른바 옥사를 지체하는 것입니다.

○ 雲峯胡氏曰, 明庶政之小者, 而不敢折其獄之大者, 亦以明不及遠故也. 明, 離象, 无敢折, 艮象.

운봉호씨가 말하였다: 여러 정사의 작은 것은 밝히지만 옥사의 큰 것은 감히 결단하지 않으니, 또한 밝음이 멀리 미치지 않기 때문이다. 밝음은 리괘(離卦☲)의 상이고, 감히 결단하지 않는 것은 간괘(艮卦☶)의 상이다.

○ 沙隨程氏曰, 離爲刑獄之象, 凡四卦. 賁旅不嫌於用明, 故稱火. 豐噬嗑稱電者, 暫明於幽暗之間, 不以爲常也.

사수정씨가 말하였다: 리괘(離卦☲)가 형벌과 감옥의 상인 것은 모두 네 괘이다. 비괘(賁卦☲☶)와 려괘(旅卦☲☶)는 밝음을 쓰는 것을 의심하지 않았기 때문에 불이라고 하였고,[17] 풍괘(豐卦☲☳)와 서합괘(噬嗑卦☲☳)에서 우레를 칭한 것[18]은 어두운 사이에 잠시 밝아 일정하지 않기 때문이다.

---

16) 『書・康誥』: 要囚服念五六日, 至于旬時丕蔽要囚.
17) 『周易・旅卦』: 象曰, 山上有火, 旅.
18) 『周易・豐卦』: 象曰, 雷電皆至, 豐. ; 『周易・噬嗑卦』: 象曰, 雷電, 噬嗑.

## 韓國大全

### 권근(權近) 『주역천견록(周易淺見錄)』

山下有火, 照及于上, 光彩炫燿. 然在下照[19]上, 或恐其熾烈而焚燒也, 故必爁〈爁音廉, 火不絶也.〉燎而止, 其勢不使至於熾烈也. 君子觀其在下照上之象, 明其庶政, 以顯其君之德. 戒其熾烈焚山之象, 無敢果於折獄, 以傷其君之仁也. 君子之觀象, 有所當法者, 有所當戒者, 此象二義皆備矣.

산 아래 불이 있어 불빛이 위에까지 미치고 광채가 현란하다. 그러나 아래에서 위로 비추는데 혹 맹렬하게 타올라 불태워 버릴까 염려하므로 반드시 초목을 태우는데〈렴(爁)의 음은 렴(廉)이고, 불길이 끊어지지 않는 것이다.〉그치고, 그 세력이 맹렬하게 타오르지 못하게 하여야 한다. 군자는 아래에서 위를 비추는 상을 보고 그 정사를 분명히 하여 임금의 덕을 드러낸다. 맹렬하게 타올라 산을 태우는 상을 경계하니, 옥사를 함부로 결단하여 임금의 어짊을 해치지 않는다. 군자가 상을 관찰할 때에 본받아야 할 것이 있고 경계해야 할 것이 있는데, 이 상에는 두 가지 뜻이 모두 갖추어져 있다.

### 조호익(曺好益) 『역상설(易象說)』

愚謂, 明政, 在於辨物, 折獄, 貴於得情. 火之於山, 品彙可辨, 深厚莫測. 品彙可辨, 故以之而明庶政, 深厚莫測, 故以之而无敢折獄.

내가 살펴보았다: '정사를 분명하게 함'은 물건을 변별하는데 있고, '옥사를 결단함'은 실정을 얻음을 귀하게 여긴다. 불이 산에 있어 물건의 종류를 변별할 수 있고, 깊고 두터워서 헤아릴 수 없다. 물건의 종류를 변별할 수 있으므로 그것으로 정사를 분명하게 하며, 깊고 두터워서 헤아릴 수 없으므로 그것으로 감히 옥사를 결단하지 않는다.

### 김도(金濤) 「주역천설(周易淺說)」

愚按, 本義下所釋, 朱子惟一條, 胡氏程氏凡二條, 而朱子之論, 至明且詳, 可以因此而推極矣. 蓋政者, 治衆之具, 獄者, 用刑之地, 政而不明, 則衆不能治之矣. 獄而不慎, 則必及於无辜矣. 賁之爲卦, 山與火成卦, 火則在下, 山則居上, 火體雖明, 而不及於遠, 山體至靜, 而可止於物, 是以君子體火之象, 而庶政以明, 體山之象, 而无敢於折

---

19) 照: 경학자료집성DB와 영인본에는 '炤'로 되어 있으나, 문맥을 살펴 '照'로 바로잡았다.

獄, 君子之明愼, 可謂至矣. 大槪文明以止, 乃君子之美德, 而觀乎天文, 以察時變, 觀
乎人文, 以化成天下, 則賁之爲用, 豈不大哉. 後之人, 苟能法此象, 而用以爲治身, 則
剛柔竝立, 本末俱到, 而可增其光彩矣, 豈不休哉.

내가 살펴보았다: 『본의』 아래에 해석한 것이 주자는 한 조목뿐이고 호씨와 정씨는 두 조목
인데, 주자의 논의가 지극히 분명하고 상세하여 이것을 통해 미루어 지극히 할 수 있다.
'정사'는 무리를 다스리는 도구이고, '옥사'는 형벌을 쓰는 곳이니, 정사를 하면서 분명하지
않으면 무리가 다스려질 수 없다. 옥사를 행하면서 신중하지 않으면 반드시 무고함에 미치
게 된다. 비괘(賁卦)의 됨됨이가 산과 불이 괘를 이루었으니, 불은 아래에 있고 산은 위에
있어 불의 몸체는 비록 밝더라도 멀리까지 미치지 못하고, 산의 몸체는 지극히 고요하여
물건을 그치게 할 수 있으니, 이 때문에 군자가 불의 상을 체득하여 밝음으로 정사를 하고,
산의 상을 체득하여 옥사를 결단함에 함부로 함이 없어서 군자가 밝고 신중함이 지극하다
고 할만하다. 대체로 문채가 밝아서 머무름은 곧 군자의 아름다운 덕이고, 하늘의 문채를
관찰하여 사시의 변화를 살피며, 사람의 문채를 관찰하여 천하를 변화시켜 이룬다면 비괘
(賁卦)의 쓰임이 어찌 크지 않겠는가? 뒷사람이 진실로 이러한 상을 본받아서 몸을 다스리
는데 쓴다면 굳셈과 부드러움이 함께 서고 근본과 말단이 함께 이르러 그 광채를 더할 수
있을 것이니, 어찌 아름답지 않겠는가?

### 이만부(李萬敷) 「역통(易統)·역대상편람(易大象便覽)·잡서변(雜書辨)」

本義曰, 山下有火, 明不及遠, 明庶政, 事之小者, 折獄, 事之大者, 內離明, 而外艮止,
故取象如此.

『본의』에서 말하였다: 산 아래 불이 있어 밝음이 멀리 미치지 못하니, 여러 정사를 분명하게
하는 것은 작은 일이고, 옥사를 결단하는 것은 큰일이다. 안이 리괘(離卦☲)여서 밝고 밖이
간괘(艮卦☶)여서 머물기 때문에 이처럼 상을 취했다.

臣謹按, 朱子又曰, 止在外, 明在內, 故明庶政, 而不敢折獄, 止在內, 明在外, 故明謹
用刑, 而不敢留獄. 又曰, 獄未是而決之, 是所謂敢折獄也, 獄已具而留之不決, 是所謂
留獄也. 本義之說, 於取象尤近, 而此其竝旅象論之者, 亦分曉. 大抵皆愼獄之意也.

신이 삼가 살펴 보았습니다: 주자는 또 "그침이 밖에 있고 밝음이 안에 있으므로 정사를
분명하게 하고 감히 옥사를 결단하지 않으며, 그침이 안에 있고 밝음이 밖에 있으므로 형벌
쓰기를 밝게 하고 삼가하여 감히 옥사를 지체하지 않는다"라고 하였습니다. 또 "옥사가 아직
갖추어지지 않았는데도 결단한다면 이것은 이른바 '감히 옥사를 결단하는 것'이며, 옥사가
이미 갖추어졌는데도 지체하여 결단하지 않는다면 이것은 이른바 '옥사를 지체하는 것'이다"

라고 하였습니다. 『본의』의 설명은 상을 취하는데 더욱 가까우나, 여기서는 려괘(旅卦䷷)의 상과 함께 논하는 것도 분명합니다. 대체로 모두 옥사를 삼가는 뜻입니다.

## 이익(李瀷) 『역경질서(易經疾書)』

兂敢, 恐嚴字之誤也. 明而折獄, 宜無禁抑. 六十四卦無此例, 更詳之.

'무감(兂敢)'은 아마도 '엄(嚴)'자의 잘못이다. 분명하게 하여 옥사를 결단하면 의당 금지하여 억누름이 없게 된다. 육십사괘에 이러한 예가 없으니, 다시 자세히 보아야 한다.

## 심조(沈潮) 「역상차론(易象箚論)」

象, 兂敢折獄.

「상전」에서 말하였다: 감히 옥사를 결단하지 않는다.

賁字, 從土艮也. 從卉互震, 從目離也. 敢從耳者, 互坎也. 折從手者, 艮也. 獄字從犬者, 亦艮也, 從言者, 互兌也.

'비(賁)'자가 토(土)를 따르니 간괘(☶)가 되고 훼(卉)를 따르니 호괘인 진괘(☳)가 되고 목(目)을 따르니 리괘(☲)가 된다. '감(敢)'은 이(耳)를 따르니 호괘인 감괘(☵)가 된다. '절(折)'은 수(手)를 따르니 간괘(☶)가 된다. '옥(獄)'자는 견(犬)을 따르니 또한 간괘(☶)가 되며, 언(言)을 따르니 간괘의 음양이 바뀐 태괘(☱)가 된다.

## 유정원(柳正源) 『역해참고(易解參攷)』

王氏曰, 處賁之時, 止物以文明, 不可以威刑, 故君子以明庶政, 而兂敢折獄.

왕씨가 말하였다: 비(賁)의 때에 처해서는 문채의 밝음으로 물건을 그치게 하고 위엄과 형벌로써 해서는 안 되니, 군자가 그것을 본받아 정사를 분명하게 하고 감히 옥사를 결단하지 않는다.

○ 節齋蔡氏曰, 有山之材, 而照之以火, 則光采外著, 賁之象也. 政者, 治具文飾也. 折獄, 貴乎情實矣.

절재채씨가 말하였다: 산에 재목이 있어 빛으로 비추면 광채(光彩)가 밖으로 드러나니, 비(賁)의 상이다. '정사[政]'는 다스림이 꾸밈을 갖춘 것이다. '옥사를 결단함'은 실정을 귀하게 여긴다.

## 김상악(金相岳) 『산천역설(山天易說)』

明庶政者, 離之明, 无敢折獄者, 艮之止也.

'정사를 분명히 하는 것'은 리괘(離卦)의 밝음이며, "감히 옥사를 결단하지 않는다"는 것은 간괘(艮卦)의 그침이다.

○ 噬嗑曰, 利用獄者, 離明乘震而動也, 賁曰, 无敢折獄者, 離明承艮而止也, 豊者噬嗑之交, 故曰折獄致刑, 旅者賁之交, 故曰明愼用刑而不留獄.

서합괘(噬嗑卦☲☳)에서 "옥사를 씀이 이롭다"는 것은 리괘(☲)의 밝음이 진괘(☳)를 타고서 움직이는 것이며, 비괘(賁卦☲☶)에서 "감히 옥사를 결단하지 않는다"는 것은 리괘의 밝음이 간괘를 이어서 그치는 것이며, 풍괘(豊卦☳☲)는 서합괘의 위아래가 바뀐 것이므로 "옥사를 결단하고 형벌을 이룬다"고 하였으며, 려괘(旅卦☶☲)는 비괘의 위아래가 바뀐 것이므로 "형벌을 씀을 밝게 하고 삼가여 옥사를 지체하지 않는다"고 하였다.

## 박제가(朴齊家) 『주역(周易)』

大象, 明庶政, 无敢折獄.

「대상전」에서 말하였다: 정사를 분명하게 하지만 감히 옥사를 결단하지 않는다.

本義, 明庶政, 事之小者, 折獄, 事之大者.

『본의』에서 말하였다: 여러 정사를 분명하게 하는 것은 작은 일이고, 옥사를 결단하는 것은 큰일이다.

案, 庶政, 無所不包, 折獄, 是政中之一事. 經義謂於政無所不明, 而但无敢折獄, 豈以火小山大而分屬之耶. 蓋卦與噬嗑之用獄政相反, 故如此. 夫卦象明在上, 然後爲折獄, 觀乎旅亦然. 下雖明, 上不動, 文則文矣. 非威斷, 若折獄必不利, 治天下, 文無不當, 而獨於刑獄之事, 則不可文也. 傳所謂有文飾, 則没其政者, 近之矣. 朱子曰, 此與旅卦都說刑獄事, 明在內, 不敢折獄, 明在外, 不敢留獄. 獄未是而決之, 是敢折獄也, 獄已具而留之不決, 是留獄. 夫折獄, 是敢非折獄之中, 別有敢折, 與留獄作對也. 敢與不敢作對, 折與留作對, 在旅則勿滯囚, 在此則勿斷獄而已. 敢者, 只是觀象而戒愼之辭. 雲峯胡氏曰, 明庶政之小者, 而不敢折其獄之大者, 以明不及遠故也. 夫君子見明不及遠之象, 則當益思明之及遠, 然後乃爲大象之義, 固不可以見小明而已. 亦小明也, 如山附於地, 剝則聖人反以厚下安宅言也. 此曰庶, 則大小皆在其中, 若折獄, 則雖獄之小者, 亦不爲矣.

내가 살펴보았다: '정사[庶政]'는 포함하지 않는 것이 없으니, '옥사를 결단함'은 정사가운데 하나이다. 경전의 뜻은 정사에 분명하지 않은 것이 없으나 다만 감히 옥사를 결단하지 않는다는 것이니, 어찌 불이 작고 산이 큰 것으로 나누어 소속시킨 것이겠는가? 대체로 괘가 서합괘(噬嗑卦)에서 '옥사를 쓰는' 정사와는 서로 반대되므로 이와 같다. 괘의 상이 밝음이 위에 있고 그런 뒤에 옥사를 결단하게 되니, 려괘(旅卦䷷)를 관찰하더라도 그러하다. 하괘가 비록 밝으나 상괘가 움직이지 않으니, 꾸밈은 꾸밀 뿐이다. 위엄으로 결단하지 않고, 만약 옥사를 결단하면 반드시 이롭지 못하고, 천하를 다스림은 문채가 마땅하지 않음이 없으나 오직 형벌과 옥사의 일에 있어서만 꾸밀 수가 없다. 『정전』에서 이른바 꾸미는 것이 있으면 정사가 사라진다는 것이 그에 가깝다.

주자는 "이것과 려괘(旅卦)는 모두 형벌과 옥사의 일을 설명하였는데, 밝음이 안에 있으면 감히 옥사를 결단하지 못하며, 밝음이 밖에 있으면 감히 옥사를 지체하지 못하는 것이다. 옥사가 옳고 그름이 아직 밝혀지지 않았는데 결단함이 감히 옥사를 결단하는 것이며, 옥사가 이미 옳고 그름이 분명한데 지체하여 결단하지 못함은 옥사를 지체하는 것이다"라고 하였다. '옥사를 결단함'은 감히 옥사를 결단하는 가운데 '감히 결단함'과 '옥사를 지체함'이 따로 상대함이 있는 것은 아니다. '감히 하고' '감히 하지 못하는 것'이 상대가 되고, '결단하고' '지체하는 것'이 상대가 되니, 려괘(旅卦䷷)에서는 수인(囚人)을 지체하지 말며, 여기 비괘에서는 옥사를 결단하지 않는다고 말했을 뿐이다. '감히[敢]'라는 것은 다만 상을 살펴서 경계하고 삼간다는 말이다. 운봉호씨는 "여러 정사의 작은 것은 밝히지만 옥사의 큰 것은 감히 결단하지 않음은 밝음이 멀리 미치지 않기 때문이다"라고 하였다. 군자는 밝음이 멀리 미치지 못하는 상을 관찰하면 마땅히 밝음이 멀리까지 이를 것을 더욱 생각해야 하니, 그런 뒤에 「대상전」의 뜻이 진실로 작은 밝음으로 볼 뿐만이 아니다. 또 작은 밝음은 산이 땅에 붙은 것과 같아서 박괘(剝卦䷖)에서는 성인이 도리어 "본받아서 아래를 두텁게 해서 집안을 편안하게 한다"는 것으로 말하였다. 여기서 '서(庶)'라고 말한 것은 크고 작은 것이 모두 그 가운데 있어서 가령 옥사를 결단함과 같은 것은 비록 옥사가 작은 것일지라도 하지 말아야 한다.

### 서유신(徐有臣) 『역의의언(易義擬言)』

山光明, 而又受火之光彩, 是爲賁也. 火光遍照, 故曰明庶政, 山體止重, 故曰无敢折獄, 皆所以賁治也.

산이 빛나고 밝으며 또 불의 광채를 받으니, 이것이 꾸밈이 된다. 불의 빛이 두루 비추므로 "정사를 분명하게 한다"고 하며, 산의 몸체가 멈추고 중후하므로 "감히 옥사를 결단하지 않는다"고 하니, 모두 다스림을 꾸미는 것이다.

## 윤행임(尹行恁)『신호수필(薪湖隨筆)·역(易)』

賁者, 文也. 承噬嗑之後, 有舞文之慮, 故以无敢折獄著之大象, 先聖愛人之意, 可謂切矣.

비(賁)는 꾸밈이다. 서합괘(噬嗑卦)의 뒤를 이어 교묘하게 하는[舞文] 걱정이 있으므로 감히 옥사를 결단하지 않음으로써 「대상전」의 뜻을 드러냈으니, 옛 성인이 사람을 사랑하는 뜻이 절실하다고 할 만하다.

## 박문건(朴文健)『주역연의(周易衍義)』

明不及遠, 故明庶政而无折獄.

밝음이 멀리 미치지 못하므로 정사를 분명하게 하지만, 옥사를 결단함이 없다.

〈問, 山下有火, 賁. 曰, 賁本无色, 而以順麗剛, 故飾其文, 而有色也. 在二, 象亦爲小明也. 曰, 何謂无色. 曰, 離體在下, 而柔伏剛中, 故无色也. 然處得中正, 故能麗剛而致明也. 曰, 何謂柔伏剛中. 曰, 有所恐懼也. 伏而隱, 則內暗而无色, 麗而出, 則中虛而有明也. 曰, 飾而不至於盛, 何. 曰, 賁者, 飾其无而致有者也, 非本有之明也.

물었다: 산 아래 불이 있는 것이 비(賁)입니까?

답하였다: 비(賁)는 본래 색이 없는데 순종함으로써 굳셈에 걸리므로 그 문채를 꾸며서 색이 있습니다. 이효에 있어서는 상이 또한 조금 밝음이 됩니다.

물었다: 어째서 색이 없다고 말하는 것입니까?

답하였다: 리괘(☲)의 몸체는 아래에 있고 부드러운 음이 굳센 양 안에 엎드려 있으므로 색이 없습니다. 그러나 처함이 중정함을 얻었으므로 굳센 양에 걸려 밝음을 이룰 수 있습니다.

물었다: 어째서 부드러운 음이 굳센 양 안에 엎드려 있다고 합니까?

답하였다: 두려워하는 바가 있기 때문입니다. 엎드려서 숨으면 안으로 어두워서 색이 없고, 걸려서 나오면 가운데가 비어서 밝음이 있습니다.

물었다: 꾸미지만 무성한데 이르지 않음은 어째서입니까?

답하였다: 비(賁)는 그 없는 것을 꾸며 있는 것을 이루니, 본래 있는 밝음이 아닙니다.〉

〈○ 問, 无敢折獄. 曰, 折獄, 事之大者也. 非飾明者之所敢當也.

물었다: "감히 옥사를 결단하지 않는다"는 무슨 뜻입니까?

답하였다: 옥사를 결단함은 일의 큰 것입니다. 밝은 것을 꾸미는 자가 감당할 수 있는 바가 아닙니다.〉

이지연(李止淵)『주역차의(周易箚疑)』

折獄, 非賁飾之事.

'옥사를 결단함'은 꾸밈의 일이 아니다.


김기례(金箕澧)「역요선의강목(易要選義綱目)」

君子以明庶政, 无敢折獄.

군자가 그것을 본받아 정사를 분명하게 하지만 감히 옥사를 결단하지 않는다.


山下火, 不及遠照, 故只明小事, 外止, 而賁飾則无實, 故不敢折獄.

산 아래의 불은 멀리 비추는데 미치지 못하므로 다만 작은 일을 밝힐 뿐이어서 밖으로 그치고, 꾸미면 실질이 없으므로 감히 옥사를 결단하지 않는다.


이항로(李恒老)「주역전의동이석의(周易傳義同異釋義)」

傳, 君子觀山下有火明照之象 [止] 无敢用文以折獄也.

군자는 산 아래에 불이 밝은 상을 보고 … 때문에 감히 꾸미는 것으로 옥사를 결단하지 않는다.

本義, 山下有火, 明不及遠, 明庶政, 事之小者, 折獄, 事之大者. 內離明, 而外艮止, 故取象如此.

산 아래 불이 있어 밝음이 멀리 미치지 못하니, 여러 정사를 분명하게 하는 것은 작은 일이고, 옥사를 결단하는 것은 큰일이다. 안이 리괘(離卦☲)여서 밝고 밖이 간괘(艮卦☶)여서 머물기 때문에 이처럼 상을 취했다.


按, 象取兩象, 則君子以以下, 配貼兩象, 說有意味.

내가 살펴보았다:「상전」에서 두 가지 상을 취하였으니, '군자가 그것을 본받아' 이하는 두 가지 상을 짝으로 붙였으니, 설명에 의미가 있다.


허전(許傳)「역고(易考)」

賁卦爲噬嗑之反對, 故噬嗑則曰利用獄, 賁則曰无敢折獄.

비괘(賁卦䷕)는 서합괘(噬嗑卦䷔)의 위아래가 뒤집어져 상대하는 것이 되므로 서합괘에서는 "옥사를 씀이 이롭다"고 하였고, 비괘에서는 "감히 옥사를 결단하지 않는다"고 하였다.

## 심대윤(沈大允) 『주역상의점법(周易象義占法)』

大有之火, 在天上, 明无所不照, 大明也. 賁之山下有火, 明有所限止, 小明也. 山下有
火, 物之雜亂細瑣, 无不明燭, 庶政之叢雜細瑣, 非明察詳細, 不能了也. 若折獄, 則以
忠實而不以文法也. 苟察煩瑣, 其害多矣. 賁之明而止, 與豊之明而動, 相反也.

대유괘(大有卦䷍)의 불은 하늘 위에 있어서 밝음이 비추지 않는 곳이 없으니, 크게 밝다.
비괘(賁卦)는 산 아래 불이 있어 밝음이 한정되어 그치는 바가 있으니, 조금 밝다. 산 아래
에 불이 있으니 물건이 뒤섞이고 자잘한 것을 밝게 비추지 않을 수 없고, 정사가 모두 뒤섞
이고[叢雜] 자잘한 것을 밝게 살피고 상세히 하지 않으면 이해할 수 없다. '옥사를 결단함'과
같은 것은 실질을 충실하게 하고 법을 꾸미지 말아야 한다. 까다롭게 살펴 번잡하게 함은
그 해가 많다. 비괘(賁卦)의 밝고 그침은 풍괘(豊卦䷶)가 밝고 움직이는 것과 서로 반대가
된다.

## 오치기(吳致箕) 「주역경전증해(周易經傳增解)」

山下有火, 明不及遠, 故徒能明庶政之小, 无敢折刑獄之大, 而亦以无雷震之威也. 卦
自噬嗑反, 故以折獄爲言也. 明取於離, 无敢取於艮, 爲止也.

산 아래 불이 있어 밝음이 멀리 미치지 못하므로 한갓 정사의 작은 것만 밝힐 수 있고, 감히
형벌과 옥사의 큰 것을 결단함이 없으며 또 우레가 치는 듯한 위엄이 없기 때문이다. 괘가
서합괘(噬嗑卦䷔)의 위아래가 뒤집어진 것에서 왔으므로 '옥사를 결단하는 것'으로 말을 삼
았다. '밝음'은 리괘(☲)에서 취하였고, '감히 하지 않음'은 간괘(☶)에서 취하였으니, 그침이
된다.

## 이진상(李震相) 『역학관규(易學管窺)』

明庶政, 離象, 无敢折獄, 艮象. 且上體厚離, 獄象, 下有互坎, 獄囚象, 而艮以止之, 明
未達外, 故不敢折獄, 互震爲果敢, 故戒之.

'정사를 분명하게 함'은 리괘(☲)의 상이고 '감히 옥사를 결단하지 않음'은 간괘(☶)의 상이
다. 또 상체가 리괘를 두텁게 감싸는 것은 옥사의 상이고, 아래에 호괘인 감괘(☵)가 있는
것은 옥에 갇힌 죄인의 상인데, 간괘(☶)로써 그치게 하지만 밝음이 아직 밖으로 도달하지
못하므로 감히 옥사를 결단하지 못하며, 호괘인 진괘(☳)가 과감함이 되므로 그것을 경계하
였다.

## 박문호(朴文鎬) 「경설(經說)·주역(周易)」

內離明, 爲明庶之象, 外艮止, 爲无敢之象.

안은 리괘(☲)인 밝음이니 무리를 밝히는 상이 되며, 밖은 간괘(☶)인 그침이니 감히 하는 것이 없는 상이 된다.

## 이정규(李正奎) 「독역기(讀易記)」

以賁之明, 但能明其庶政, 不敢敢於折獄, 則折獄之事, 豈不重且大乎. 然火之爲物, 外明內暗, 故雖有文明之象, 不能爲至明故歟, 或山止於外, 故取其止之意, 而无果敢歟.

비괘(賁卦)의 밝음으로써 다만 그 정사를 분명하게 할 수 있고, 감히 옥사를 결단하는 데에는 과감하지 못하니, 옥사를 결단하는 일이 어찌 중하고 크지 않겠는가? 그러나 불이란 것이 밖은 밝고 안은 어두우므로 비록 문채가 밝은 상이 있지만 지극히 밝은 것이 될 수는 없는 것이다. 혹은 산이 밖에서 그치므로 그 그치는 뜻을 취하여 과감함이 없는 것이다.

## 이병헌(李炳憲) 『역경금문고통론(易經今文考通論)』

鄭曰, 折, 斷也, 程傳曰, 折獄者, 專用情實, 故无敢用文以折獄也, 本義曰, 內離明, 而外艮止, 故取象如此.

정현이 절(折)은 결단함이라고 하였고,『정전』에서는 "옥사를 결단하는 것은 오로지 실정을 써야 한다. 감히 꾸미는 것으로 옥사를 결단하지 않는다"고 하였고,『본의』에서는 "안이 리괘여서 밝고 밖이 간괘여서 머물기 때문에 이처럼 상을 취했다"고 하였다.

初九, 賁其趾, 舍車而徒.

초구는 발을 꾸미니, 수레를 놔두고 걸어간다.

## 中國大全

傳

初九以剛陽居明體而處下, 君子有剛明之德而在下者也. 君子在无位之地, 无所施於天下, 唯自賁飾其所行而已. 趾, 取在下而所以行也. 君子修飾之道, 正其所行, 守節處義. 其行不苟, 義或不當, 則舍車輿而寧徒行, 衆人之所羞, 而君子以爲賁也. 舍車而徒之義, 兼於比應取之. 初比二而應四, 應四, 正也, 與二, 非正也. 九之剛明守義, 不近與於二, 而遠應於四, 舍易而從難, 如舍車而徒行也. 守節義, 君子之賁也. 是故君子所賁, 世俗所羞, 世俗所貴, 君子所賤. 以車徒爲言者, 因趾與行爲義也.

초구는 굳센 양이 밝은 몸체를 차지하여 아래에 있으니, 군자가 굳세고 밝은 덕이 있으면서 아래에 있는 것이다. 군자가 지위가 없는 처지에서는 천하에 베풀 것이 없어 단지 자신이 행하는 바를 꾸밀 뿐이다. 발은 아래에 있으면서 걸어가는 것을 취하였다. 군자가 꾸미는 도는 그 행동을 바르게 하여 절개와 의리를 지킨다. 그 행동이 구차하지 않지만 의리에 혹 합당하지 않으면 수레를 놔두고 차라리 걸어가는 것은 많은 사람들이 부끄럽게 여기는 것이지만, 군자는 그것으로 꾸밈을 삼는다. 수레를 놔두고 걸어간다는 의미는 가까운 것과 호응하는 것에서 겸하여 취한 것이다. 초효는 이효와 가까우나 사효와 호응하니, 사효와 호응하는 것은 바른 것이고, 이효와 함께 하는 것은 바른 것이 아니다. 초효의 굳셈과 밝음이 의리를 지켜 이효와 가까이 함께 하지 않고 멀리 사효와 호응하니, 쉬운 것을 버리고 어려운 것을 따르는 것이 수레를 놔두고 걸어가는 것과 같다. 절개와 의리를 지키는 것이 군자의 꾸밈이다. 이 때문에 군자가 꾸미는 것은 세속에서 수치스럽게 여기는 것이고, 세속에서 귀하게 여기는 것은 군자가 하찮게 보는 것이다. 수레와 걷는 것으로 말한 것은 발은 걷는 것과 함께 하는 것이 의리이기 때문이다.

**本義**

剛德明體, 自賁於下, 爲舍非道之車, 而安於徒步之象. 占者自處, 當如是也.

굳센 덕과 밝은 몸체로 스스로 아래에서 꾸미니, 도리에 마땅하지 않은 수레를 놔두고 걸어가는 것을 편안히 여기는 상이다. 점치는 자가 자처하기를 이와 같이 해야 한다.

**小註**

白雲郭氏曰, 君子以義爲榮, 不以徒行爲辱. 初九以賤自居, 舍車而徒, 所謂窮不失義者矣.

백운곽씨가 말하였다: 군자는 의리를 영화롭게 여기고 걸어가는 것을 치욕으로 여기지 않는다. 초구는 신분이 낮은 것을 자처하여 수레를 놔두고 걸어가니 이른바 곤궁함에도 의리를 잃지 않는 자이다.

○ 雲峯胡氏曰, 壯初剛居剛而健體, 故壯于趾. 賁初剛居剛, 而明體, 故賁其趾. 壯初壯于趾, 不安在下之分者也, 賁初舍車而徒, 能安在下之分者也. 蓋易之義, 所乘者在下, 而乘之者在上. 初在下卦之下, 而无所乘分也. 然曰, 賁其趾, 非徒安分而已, 舍車之榮而徒行, 是不以徒爲辱, 而自以義爲榮也. 是故君子行義, 必於在下之時發足之初, 觀之.

운봉호씨가 말하였다: 대장괘(大壯卦☳☰)의 초효는 굳센 양이 굳센 자리에 있고 강건한 몸체에 있기 때문에 발에서 씩씩하다.[20] 비괘(賁卦☲☶)의 초효는 굳센 양이 굳센 자리에 있고 밝은 몸체에 있기 때문에 발을 꾸민다. 대장괘의 초효는 발에서 씩씩하니 낮은 신분에 편안하지 않은 자이고, 비괘의 초효는 수레를 놔두고 걸어가니 낮은 신분에 편안할 수 있는 자이다. 역의 뜻에서 태우는 것은 아래에 있고, 타는 것은 위에 있다. 초효는 하괘의 아래에 있어 올라탈 것이 없는 신분이다. 그러나 "발을 꾸민다"고 한 것은 걸어가는 것이 신분에 편안할 뿐만이 아니라, 영화로운 수레를 놔두고 걸어가니, 걸어가는 것을 치욕으로 여기지 않고 본래 의리를 영화로 여기는 것이다. 이 때문에 군자가 의리를 행하는 것은 반드시 낮은 자리에서 발을 내딛는 처음에서 살핀다.

---

20) 『周易・大壯卦』: 初九, 壯于趾.

# ┃韓國大全┃

### 조호익(曺好益) 『역상설(易象說)』

坎, 輪象. 所乘者在下, 乘之者在上, 初在坎體之下, 有舍車徒之象.

감괘는 수레의 상이다. 태우는 것은 아래에 있고 타는 것은 위에 있으니, 초효가 호괘인 감괘(☵)의 아래에 있어서 수레를 버리고 걸어가는 상이 있다.

### 송시열(宋時烈) 『역설(易說)』

趾, 取互震之足也. 傳曰, 兼於比應而取之, 信乎以互震中爻與初爲應故也, 非獨以初之在下象也. 互坎爲車輪, 故捨坎車而用震足之謂也. 徒者, 以足徒步而行也. 於義不可乘車, 故小象云, 義不乘也, 言初當越互坎, 而與互震中爻爲應也.

발[趾]은 호괘인 진괘(☳)의 발[足]을 취하였다. 『정전』에 "비(比)의 관계와 호응하는 것을 겸하여 취한 것이다"라고 한 것은 참으로 호괘인 진괘의 가운데 효가 초효와 호응이 되기 때문이지 초효가 아래에 있는 상이기 때문만이 아니다. 호괘인 감괘(坎卦)는 수레의 바퀴가 되므로 감괘인 수레를 버리고 진괘인 다리를 쓰는 것을 말한다. "걸어간다"는 것은 다리로 걸어서 가는 것이다. 의리에 있어 수레를 탈 수 없기 때문에 「소상전」에서 "의리상 탈 수 없기 때문이다"고 한 것은 초효가 호괘인 감괘를 넘어 호괘인 진괘(震卦)의 가운데 효와 호응이 되어야 함을 말한다.

### 이익(李瀷) 『역경질서(易經疾書)』

互卦上震下坎, 坎有車象, 而初九在其外. 車者, 君之所以榮臣. 五乃君位, 而初非其應. 君子處在幽隱, 無貪進之意, 故曰舍車而徒, 不舍則負乘矣. 在解可考. 至二則乘而行, 故曰與上興也.

호괘가 위는 진괘이고 아래는 감괘인데, 감괘에는 수레의 상이 있고 초구는 그 수레의 밖에 있다. 수레는 임금이 그것으로 신하를 영예롭게 해주는 것이다. 오효는 임금의 자리이고 초효는 그 호응이 아니다. 군자가 드러나지 않는 데에 처하여 나아가기를 탐하는 뜻이 없으므로 "수레를 버리고 걸어간다"고 하였으니, 수레를 버리지 않으면 짐을 지고 수레를 타는 것이다. 해괘에서 살펴볼 수 있다. 이효에 이르면 타고서 가므로 "위와 함께 움직이는 것이다"고 하였다.

初有趾象, 則二無須義. 須, 蓋指五而言也. 二爲卦主, 五爲君位而相應.

초효에 발의 상이 있으면 이효에 수염의 뜻이 없다. 수염[須]은 오효를 가리켜 말한다. 이효가 괘의 주인이 되고 오효는 임금의 자리가 되어 서로 호응한다.

按, 明夷二爲股, 四爲腹, 則三無首象, 而云獲其大首, 首者, 指上六之應也. 易文蓋多此類, 以例推之, 二當股, 五當須. 火性上賁, 則二之上賁者, 其在五之應乎. 傳曰, 與上興也, 上者五也, 興者起也, 以人事言, 在下中正之賢, 起而輔柔弱之君也. 初九在互坎之外, 而義不乘, 則至此, 其義當乘車而行. 五有束帛之聘, 此有乘車之義, 可以互參而得也. 何以須言. 須居上體而垂向下者也.

내가 살펴보건대, 명이괘(明夷卦䷣) 이효는 넓적다리[股]가 되고 사효는 배[腹]가 되니 삼효에는 머리의 상이 없는데 "큰 머리를 얻는다"고 하였으니, '머리'는 상육의 호응을 가리킨다. 『주역』의 문장이 대체로 이런 종류가 많아서 예를 들어 미루어보면, 이효는 넓적다리가 되어야 하고 오효는 수염이 되어야 한다. 불의 성질은 위로 올라가고 꾸미니, 이효가 올라가고 꾸밈은 오효의 호응에 있다. 이효의 「상전」에서 "위와 함께 움직인다"고 한 '위'는 오효이며 '움직인다'고 말한 것은 일어남이니, 사람의 일로 말하면 아래에 있는 중정한 현인이 일어나 유약한 임금을 돕는 것이다. 초구는 호괘인 감괘(☵)의 밖에 있어 의리상 타지 못하나, 여기 이효에 이르면 그 의리에 있어 마땅히 수레를 타고 가야 한다. 오효에 '묶어놓은 비단[束帛]'[21]의 예가 있고 여기에 수레를 타는 뜻이 있으니, 서로 참고하여 이해할 수 있다. 어째서 수염으로 말하였는가? 수염은 상체에 있으면서 아래로 드리우는 것이다.

互卦上震下坎, 潤萬物者, 莫潤乎水. 濡者潤也. 賁有日出之象, 三四在欲明未明之際, 濡則萬物尙猶濡潤未燥, 皤則漸向明而白矣, 其勢將有不可禦者. 陵禦也. 從晦至明, 則永貞吉, 可知. 震有馬象而在賁, 故爲白馬, 翰如白貌.

호괘가 위는 진괘(☳)이고 아래는 감괘(☵)이니, 만물을 윤택하게 하는 것은 물보다 윤택한 것이 없다. 유(濡)는 윤택하게 함이다. 비괘는 해가 나오는 상이 있으니, 삼효와 사효는 밝아지려고 하지만 아직 밝지 않은 때에 있어 적시면 만물이 더욱 젖어 들어가 마르지 않고, 희면 점차 밝음을 향해 희어지니 그 형세가 막을 수 없는 것이 있다. '릉(陵)'은 막는 것이다. 어둠으로부터 밝아지면 곧음을 영구히 하면 길하다는 것을 알 수 있다. 진괘(☳)에는 말[馬]의 상이 있는데 비괘(賁卦䷕)에 있으므로 백마가 된다. '한여(翰如)'는 흰 모양이다.

按, 檀弓, 殷人尙白, 戎事乘翰, 是也. 初九爲正應, 四旣有皤如之實, 而又乘此馬往就

---

21) 속백(束帛): 나라 사이에 서로 방문할 때에 공경의 뜻으로 보내던 물건. 비단 다섯 필을 각각 양 끝을 마주 말아 한데 묶었다.

卽婚媾之義也. 然初之正處, 在幽隱, 不欲行, 故疑其爲寇也. 當位而見疑者, 非實, 故
終與之合而無尤也. 尹㓒章云, 據帝乙歸妹, 則婚禮卽至殷始備也. 殷尙白, 故婚之用
白馬. 禮不忘本也. 吾邦是箕子肇化之地, 遺則尙多留者, 不獨衣白, 貴勢之家婚, 必用
白馬, 其言必有理.

내가 살펴보건대『예기·단궁』에 "은나라는 흰 색을 숭상하고 전쟁에 흰 말에 멍에를 맨다"
고 한 것이 이것이다. 초구는 정응이 되고 사효에는 이미 흰 실상이 있고, 또 이 말을 타고
감이 곧 혼구(婚媾)의 뜻이다. 그러나 초구의 바른 자리는 드러나지 않는데 있고 행하려고
하지 않으므로 도적으로 의심한다. 자리에 합당한데도 의심받는 것은 실질이 아니므로 끝내
합하고 허물이 없다. 윤유장(尹㓒章)은 "제을(帝乙)이 여동생을 시집보내는 것을 근거해보
면 혼례는 곧 은나라에 이르러 비로소 갖추어졌다"고 하였다. 은나라는 흰 색을 숭상했으므
로 혼례에 백마를 썼다. 예는 근본을 잊지 않은 것이다. 우리나라는 기자가 교화한 곳으로
남아 있는 규범이 오히려 많으니, 유독 흰 의상을 입을 뿐만이 아니어서 귀하고 세력이 있는
집안의 혼인에 반드시 백마를 썼으니, 그 말에 반드시 이치가 있다.

### 심조(沈潮) 「역상차론(易象箚論)」

趾, 足爻也. 徒, 亦足象, 前有坎, 坎爲車輪, 故稱車.

'지(趾)'는 발[足]에 해당하는 효이기 때문에 그렇게 썼다. "걸어간다[徒]"는 것도 발의 상이
다. 앞에 감괘(☵)가 있고, 감괘는 수레의 바퀴가 되므로 수레를 말한다.

### 유정원(柳正源)『역해참고(易解參攷)』

正義, 棄不義之車, 而從有義之徒步.

『주역정의』에서 말하였다: 의롭지 못한 수레를 버리고 의로운 걸음을 따른다.

○ 案, 此爻言象, 不言占, 何也. 窮不失義, 自是在下者之常分, 何吉何咎.

내가 살펴보았다: 이 효에서 상은 말하고 점은 말하지 않은 것은 어째서인가? 곤궁하여도 의리를
잃지 않음은 원래 아래에 있는 자의 항상 된 분수인데, 무엇이 길하고 무엇이 허물이겠는가?

### 김상악(金相岳)『산천역설(山天易說)』

趾, 所以行者也. 初九明體在下, 四互震體, 二互坎體, 而舍比從應, 故取象如此. 不以
徒行爲恥, 以不乘爲義, 所以賁其趾也.

발은 행할 수 있는 것이다. 초구는 밝은 몸체의 아래에 있고, 사효는 호괘인 진괘의 몸체이

고 이효는 호괘인 감괘의 몸체인데, 비(比)의 관계인 이효를 버리고 호응인 사효를 따르므로 상을 취한 것이 이와 같다. 걸어서 가는 것을 부끄러움으로 여기지 않고, 수레를 타지 않는 것을 의리로 여기니, 이 때문에 발을 꾸민다.

○ 趾, 震象. 噬嗑之滅趾者, 至賁, 而賁其趾也. 初變, 則爲重艮, 故與艮同象, 而得行止之義也. 車, 坎象. 初居下, 故曰舍車而徒, 解六三, 則居坎之上, 負四而乘二, 故與此相反. 又與困爲對, 困之四曰困于金車, 故本爻之象如此. 蓋車者, 行旅之用, 徒者, 行旅之事也. 能舍其非道之車, 安於徒步之勞, 所以賁飾其行也. 故曰義不乘也. 旅則三與上之過剛, 不善於處旅者, 故三曰旅焚其次, 上曰喪牛于易, 焚次則並失其車, 喪牛則不免於徒, 故曰其義焚也, 曰其義喪也. 又與明夷爲同體之卦, 明夷曰垂其翼, 與賁其趾, 取象相似. 君子于行三日不食, 與舍車而徒, 其義亦同. 又離火生坤土, 變而爲剝, 剝之初曰剝牀以足, 故此曰賁其趾, 雖君子得輿, 義不可乘也. 賁之爲卦, 柔來文剛, 則初當受賁於二, 而從應於四者, 何也. 卦辭者, 卦之靜也, 爻辭者, 爻之動也. 見其靜者, 則皆相比而爲賁, 見其動者, 則有相應而爲賁, 與家人同.

'발[趾]'은 진괘의 상이다. 서합괘(噬嗑卦䷔)에서 '발을 베어냄'은 비괘(賁卦䷕)에 와서는 '발을 꾸밈'이 된다. 초효가 변하면 거듭된 간괘(艮卦䷳)가 되므로 간괘(☶)와 상이 같아서 가고 그치는 뜻을 얻었다. 수레는 감괘의 상이다. 초효는 아래에 있으므로 "수레를 버리고 걸어간다"고 하였다. 해괘(解卦䷧)의 육삼은 감괘의 맨 위에 있으니, 사효를 등에 지고 이효를 타고 있으므로 이와 서로 반대된다. 또 비괘는 곤괘(困卦䷮)와 음양이 바뀐 상대가 되니, 곤괘의 사효에서 "쇠수레에 곤(困)하다"고 하였으므로 본효의 상이 이와 같다. '수레'는 나그네[行旅]가 쓰는 것이고 '걸어감'은 나그네의 일이다. 그 도리가 아닌 수레를 버리고 걸어가는 수고로움에 편안할 수 있으니, 이 때문에 그 감을 꾸미는 것이다. 그러므로 "의리상 탈 수 없다"고 하였다. 려괘(旅卦䷷)에서는 삼효와 상효의 '지나치게 굳셈'이 나그네에 처한 자에게 좋지 않으므로 삼효에서 "나그네가 그 집을 불사른다"고 하고, 상효에서 "소를 쉽게 잃어버린다"고 하였으니, 집을 불사르면 그 수레를 함께 잃으며, 소를 잃어버리면 걷는 것을 면치 못하므로 "그 뜻이 불사른다"고 하고 "그 의리를 상실한다"고 하였다. 또 명이괘(明夷卦䷣)와 몸체가 같은 괘가 되니, 명이괘에서 "그 날개를 드리운다"는 것과 "발을 꾸민다"는 것은 상을 취한 것이 서로 비슷하다. "군자가 가는 바에 삼일을 먹지 않는다"는 것과 "수레를 버리고 걸어간다"는 것이 그 뜻이 또한 같다. 또 리괘(☲)인 불에서 곤괘인 흙이 생기는데 변하면 박괘가 되니, 박괘(剝卦䷖)의 초효에 "평상을 다리에서 깎는 것이다"고 하였으므로 여기에서 "발을 꾸민다"고 하였으니, 비록 군자가 수레를 얻었으나 의리상 탈 수 없는 것이다. 비괘는 부드러움이 와서 굳셈을 꾸미니, 초효는 이효에게 꾸밈을 받는 것이 마땅한데 사효를 따라 호응하는 것은 어째서인가? 괘사는 괘의 고요함이고 효사는 효의 움직임이다.

그 고요함을 보면 모두 서로가 비(比)의 관계가 되어 꾸밈이 되며, 그 움직임을 보면 서로 호응하여 꾸미게 됨이 있으니 가인괘(家人卦䷤)와 같다.


## 김규오(金奎五) 「독역기의(讀易記疑)」

初九, 无震象而言趾, 大壯之初亦然. 特以一卦之下, 故云然耶. 二至四互坎, 坎亦稱車, 如困之金車, 是也. 蓋四爲初應, 乃其所當乘之車也. 然四比於三, 而三阻其間, 故初不欲爭而捨之, 所謂貧與賤, 不以其道得之, 不去者也.

초구는 진괘(震卦)의 상이 없는데 발이라고 말하였으니, 대장괘(大壯卦䷡) 초효가 또한 그러하다. 다만 한 괘의 맨 아래에 있기 때문에 그렇게 말한 것이다. 이효에서 사효까지는 호괘가 감괘(☵)인데 감괘는 또한 수레로 말하니, 곤괘(困卦䷮)의 쇠수레 같은 것이 이것이다. 대개 사효는 초효의 호응이 되니, 사효가 마땅히 타는 바의 수레이다. 그러나 사효는 삼효와 비(比)의 관계에 있고, 삼효가 그 사이를 막으므로 초효가 다투려 하지 않아서 그를 버리는 것이니, "가난과 천한 것이 그 도로써 얻은 것이 아닐지라도 떠나지 않는다"[22]고 하였다.


## 서유신(徐有臣) 『역의의언(易義擬言)』

賁其趾, 猶云所賁者趾也. 我有足而履文明, 無所慕於輿衛之外餙也. 初在下而賁, 賁趾也. 不求應於六四, 舍車徒也. 互坎爲多眚之輿, 又爲衆也. 車而徒, 猶云輿而衛, 皆代步者也. 麗於艮, 門之內, 故不用車徒之象也.

"발을 꾸민다"는 것은 꾸며지는 것이 발이라고 말하는 것과 같다. 내게 발이 있어 문채의 밝음을 밟아서 수레를 몰고 호위하는 외적인 꾸밈에 마음을 두지 않는다. 초효는 아래에 있고 꾸밈이니, 발을 꾸미는 것이다. 육사에게 호응해주기를 구하지 않고, 수레와 무리를 버린다. 호괘인 감괘(坎卦)는 재앙이 많은 수레가 되고, 또 무리가 된다. 수레와 무리는 수레와 호위라고 말하는 것과 같으니, 모두 걸어가는 것을 대신하는 것이다. 간괘(艮卦)에 걸리고 문의 안쪽이기 때문에 수레와 무리를 쓰지 않는 상이다.


## 박제가(朴齊家) 『주역(周易)』

徒然後見其趾之文, 若車則賁在輪矣. 如著新靴襪者立, 然後方見其餙, 坐則無所謂賁者, 故必曰舍車而徒者, 所以明其賁之初也. 象傳義弗乘者, 取以爲後世安步當車之義, 而此爻遂爲素履之君子矣.

---

22) 『論語·里仁』.

걸은 뒤에 발의 꾸밈을 보니, 가령 수레라면 꾸밈이 수레바퀴에 있다. 마치 새로운 신과 버선을 신은 자가 서 있는 뒤에 꾸민 것을 볼 수 있으나, 앉았다면 이른바 꾸민 것이 없는 것과 같으므로 반드시 "수레를 버리고 걸어간다"고 한 것은 그 꾸밈이 초효임을 밝힌 것이다. 「상전」에서 "의리상 탈 수 없다"고 말한 것은 후세 사람들이 편하고 안정되게 걸으면 수레를 탄 듯 편안하다는 뜻으로 삼았는데, 이 효가 드디어 군자가 저마다 가지는 명분이 되었다.

### 박문건(朴文健) 『주역연의(周易衍義)』

用柔升進, 故有賁其趾之象. 車, 蹯轢之物也.

부드러움으로써 오르고 나아가므로 발을 꾸미는 상이 있다. 수레는 바퀴로 굴러가는[蹯轢] 물건이다.

### 이지연(李止淵) 『주역차의(周易箚疑)』

舍車而徒者, 必不犯負乘之譏也.

"수레를 버리고 걸어간다"는 것은 반드시 짊어지고 탄다는 비웃음을 범하지 않는 것이다.

### 윤종섭(尹鍾燮) 『경(經)·역(易)』

賁之舍車而徒, 互坎有車象, 而在坎之外, 故曰徒. 三之濡如, 四之白馬, 皆互坎也, 匪寇之寇, 亦互坎, 而與屯二睽上同象. 五之丘園, 艮體而三之一畫橫於互坤之中有束帛象.

비괘에서 수레를 버리고 걸어감은 호괘인 감괘에 수레의 상이 있고, 감괘의 밖에 있기 때문에 "걸어간다"고 하였다. 삼효에서 "윤택하다"고 한 것과 사효에서 '백마'라고 한 것이 모두 호괘가 감괘이며, "도둑이 아니다"고 한 도둑도 호괘가 감괘인데, 준괘(屯卦☵☳) 이효, 규괘(睽卦☲☱) 상효와 상이 같다. 오효의 '언덕과 동산'은 간괘의 몸체인데 삼효자리의 한 획이 호괘인 곤괘(坤卦)의 사이를 가로질러 '묶어놓은 비단'의 상이 있다.

### 김기례(金箕澧) 「역요선의강목(易要選義綱目)」

文明在下, 故曰賁趾.

문채의 밝음이 아래에 있기 때문에 "발을 꾸민다"고 하였다.

○ 初不比二之近, 而遠從四正應, 卽君子窮不失義.

초효는 가까운 이효와 함께 하지 않고 멀리 사효의 정응을 따르니, 곧 군자가 곤궁하여도 의리를 잃지 않는 것이다.

○ 剛明在下, 无位而守分, 非其招不往也. 何必須非分之車, 安於徒行.

굳세고 밝음이 아래에 있으나 지위가 없어 분수를 지키니, 그 부름이 아니면 가지 않는 것이다.[23] 어찌 반드시 분수가 아닌 수레를 기다리겠는가? 걸어서 감에 편안한 것이다.

## 박종영(朴宗永) 「경지몽해(經旨蒙解)·주역(周易)」

程傳曰, 君子有剛明之德, 而在下无位之地, 無所施於天下, 唯自賁飾其所行而已. 趾, 取在下所以行也. 君子修飾之道, 正其所行, 守節處義, 其行不苟, 義或不當, 則舍車輿而寧徒行, 衆人之所羞, 而君子以爲賁也.

『정전』에서 말하였다: 군자가 굳세고 밝은 덕이 있으면서 아래에 지위가 없는 자리에 있으니, 천하에 베풀 것이 없어 단지 자신이 행하는 바를 꾸밀 뿐이다. 발은 아래에 있으면서 걸어가는 것을 취하였다. 군자가 꾸미는 도는 그 행동을 바르게 하여 절개를 지키고 의리에 처하니, 그 행동이 구차하지 않아 의리에 혹 합당하지 않으면 수레를 버리고 차라리 걸어가는 것인데, 사람들은 부끄럽게 여기는 것이지만 군자는 그것으로 꾸밈을 삼는다.

## 심대윤(沈大允) 『주역상의점법(周易象義占法)』

賁之爻位, 居剛尚質也, 居柔尚文也.

비괘(賁卦) 효의 자리가 굳센 양의 자리에 있어서는 바탕을 숭상하고 부드러운 음의 자리에 있어서는 문채를 숭상한다.

賁之艮☶. 居賁之初, 以剛居剛, 先質行而後文飾, 故曰賁其趾. 趾在下而行之象, 行爲趾動爲拇. 艮爲舍, 坎爲車, 言舍二也. 艮爲徒, 言從四也.

비괘가 간괘(艮卦☶)로 바뀌었다. 비괘의 처음에 있어 굳센 양으로 굳센 자리에 있으니, 먼저 바탕이 행하고 그런 뒤에 문채가 꾸미므로 "발을 꾸민다"고 하였다. 발은 아래에 있어 행하는 상이니, 행하는 것은 발이 되고 움직이는 것은 발가락이 된다. 간괘는 버리는 것이고 감괘는 수레가 되니, 이효를 버림을 말한다. 간괘는 걸어감이 되니, 사효를 따름을 말한다.

## 오치기(吳致箕) 「주역경전증해(周易經傳增解)」

初九, 陽剛居正, 在下无位, 而上有六四之正應, 可以相賁. 然爲九三所隔, 不得遂其賁, 故有舍車徒步, 无文之象, 而以剛得正, 居于明體, 故能知內重外輕之辨, 舍匪義之

---

車, 而安于徒行. 此所以爲賁趾之象也. 雖不言占, 卽象可知矣.

초구는 굳센 양이 바른 자리에 있고, 아래에 있어 지위가 없으며 위로 육사의 정응이 있어서 서로 꾸밀 수 있다. 그러나 구삼에게 가로막혀 그 꾸밈을 이룰 수 없으므로 수레를 버리고 걸어감이 있어 꾸미는 상이 없고, 굳셈으로 바름을 얻어서 밝은 몸체에 있기 때문에 안이 중하고 밖이 가벼운 분별을 알 수 있으니, 의리에 맞지 않는 수레를 버리고 걸어가는 것을 편안해한다. 이것이 발을 꾸미는 상이 되는 까닭이다. 비록 점은 말하지 않았지만, 상에 나아가면 알 수 있다.

○ 趾, 取於應體互震爲足也. 舍, 止也, 取於爻變之艮, 已見屯三應體. 互坎爲車之象, 而初在下, 故爲舍而不乘之象. 徒謂徒步而行也. 賁之義, 在於剛柔相賁, 故諸爻有應者, 以應而賁, 无應者, 以比而賁也.

'발'은 응체로서 호괘인 진괘에서 취하였으니, 발[足]이 된다. '사(舍)'는 그침이니, 초효가 변한 간괘(☶)에서 취하였는데, 호괘로 이루어진 준괘(屯卦) 삼효의 응체에 보인다. 호괘인 감괘는 수레의 상이 되고, 초효는 아래에 있기 때문에 버리고 타지 않는 상이 된다. '도(徒)'는 걸어서 감을 말한다. 비괘의 뜻이 굳셈과 부드러움이 서로 꾸미는데 있기 때문에 여러 효에 호응하는 것이 있으니, 호응하는 것으로 꾸미고 호응함이 없는 것은 비(比)의 관계로써 꾸민다.

### 이진상(李震相) 『역학관규(易學管窺)』

舍車而徒.

수레를 버리고 걸어간다.

此不言吉凶者, 義所當安, 不問休咎也.

초구에서 길하고 흉함을 말하지 않은 것은 의리상 편안해야할 바이지, 좋고 나쁨을 물은 것은 아니다.

### 이병헌(李炳憲) 『역경금문고통론(易經今文考通論)』

虞曰, 徒, 步行也. 位在下, 故舍車而徒.

우번이 말하였다: '도(徒)'는 걸어가는 것이다. 자리가 아래에 있기 때문에 수레를 버리고 걸어간다.

象曰, 舍車而徒, 義弗乘也.

「상전」에서 말하였다: "수레를 놔두고 걸어감"은 의리상 탈 수 없기 때문이다.

## 中國大全

### 傳

舍車而徒行者, 於義不可以乘也. 初應四, 正也, 從二非正也. 近舍二之易, 而從四之難, 舍車而徒行也. 君子之賁, 守其義而已.

수레를 놔두고 걸어가는 것은 의리상 탈 수 없기 때문이다. 초효가 사효와 호응하는 것은 바른 것이고, 이효를 따라가는 것은 바른 것이 아니다. 가까이 이효의 쉬움을 버리고 사효의 어려움을 따르는 것은 수레를 놔두고 걸어가는 것이다. 군자의 꾸밈은 의리를 지키는 것일 뿐이다.

### 本義

君子之取舍, 決於義而已.

군자가 취하고 버리는 것은 의리에서 결단할 뿐이다.

#### 小註

雲峯胡氏曰, 初九以徒爲義, 不以乘爲義, 卽孟子所謂往役義也往見不義也.

운봉호씨가 말하였다: 초구는 걸어가는 것을 의미로 여기고 수레를 타고 가는 것을 의리로 여기지 않으니, 바로 『맹자·만장』에서 "서민은 왕이 부르면 가서 일하는 것이 의리이고 가서 만나보는 것은 의리가 아니다"라고 하는 것이다.

# ▌韓國大全▌

### 김상악(金相岳) 『산천역설(山天易說)』

徒行者, 安其分也, 不乘者, 守其義也. 顔淵之死, 顔路請子之車以爲之槨, 子曰吾從大夫之後, 不可徒行也. 時孔子雖已致仕, 尙在大夫之列矣. 本爻居下而无位, 故以不乘爲義.

걸어가는 것은 그 분수에 편안한 것이고, 타지 않는 것은 그 의리를 지키는 것이다. 안연의 죽음에 안로(顔路)가 공자의 수레를 청하여 곽(槨)으로 하고자 하였는데, 공자는 "내가 대부의 뒤를 따르기 때문에 걸어 다닐 수 없다"[24]고 하였다. 당시에 공자가 비록 벼슬을 그만두었으나, 대부의 반열에 있었다. 본효는 아래에 있고 지위가 없으므로 수레를 타지 않는 것을 의리로 삼았다.

### 서유신(徐有臣) 『역의의언(易義擬言)』

義者, 應與之義, 此以不應四爲義也.

'의리상'이라는 말은 호응하여 함께 한다는 뜻인데, 이것은 사효와 호응하지 않는 것으로 뜻을 삼았다.

### 강엄(康儼) 『주역(周易)』

按, 明夷初九象曰君子于行, 義不食也, 雲峯已有辨說, 見於明夷卦註. 然賁之上爻變, 則爲明夷, 所爭只一爻而已. 山下有火, 雖愈於明入地中之象, 而賁亦非甚好底卦. 以象言之, 則山下有火, 明不及遠, 六便有賢人君子屛處山林, 獨善其身, 不能遠施之象, 故賁之初九與明夷之初九, 其辭略相近, 皆有獨往之意, 而象皆以義斷之, 其旨深哉.

내가 살펴보았다: 명이괘(明夷卦䷣) 초구의 「상전」에 "군자가 떠남에 의리상 음식을 먹지 않는다"고 한 것에 대해 운봉이 이미 분변한 설명이 있으니 명이괘의 주석을 살펴보라. 그런데 비괘(賁卦)의 상효가 변하면 명이괘가 되니, 달라진 바가 다만 한 효일 뿐이다. 산 아래 불이 있는 것이 비록 밝음이 땅 속으로 들어가는 상보다는 낫지만, 비괘가 또한 매우 좋은 괘는 아니다. 상으로 말하면 산 아래 불이 있어서 빛이 멀리까지 미치지 못하니, 육(六)은

---

24) 『論語·先進』.

현인과 군자가 산림에 숨어 있어 홀로 그 몸만 선하게 하고 멀리 베풀지 못하는 상이므로 비괘의 초구가 명이괘의 초구와 그 말이 대략 서로 비슷하니, 모두 홀로 가는 뜻이 있고 상에서는 모두 의리로써 결단하였으니, 그 뜻이 깊다.


### 박문건(朴文健)『주역연의(周易衍義)』

所處卑下, 於義不當用剛也.
있는 곳이 낮고 아래여서 의리상 굳셈을 쓸 수 없다.


### 박종영(朴宗永)「경지몽해(經旨蒙解)·주역(周易)」

本義曰, 君子之取舍, 決於義而已.
『본의』에서 말하였다: 군자가 취하고 버리는 것은 의리에서 결단할 뿐이다.

蓋君子以徒行爲義弗乘爲義, 如孟子所謂往役義也. 往見不義也.
군자는 걸어가는 것을 의리로 삼고 타지 않는 것을 의리로 삼으니, 맹자가 이른바 "가서 부역함은 의리이지만 가서 만나봄은 의리가 아니다"[25]는 것과 같다.


### 오치기(吳致箕)「주역경전증해(周易經傳增解)」

當賁而不賁, 義在不乘, 故舍車而徒行, 少旡顧戀也.
마땅히 꾸며야 하는데 꾸미지 않고, 의리는 타지 않는데 있으므로 수레를 버리고 걸어가니, 조금도 마음에 껄끄러움이 없다.

---

25)『孟子·萬章』.

# 六二, 賁其須.

육이는 수염을 꾸민다.

## ‖中國大全‖

### 傳

卦之爲賁, 雖由兩爻之變, 而文明之義爲重, 二實賁之主也. 故主言賁之道. 飾
於物者, 不能大變其質也, 因其質而加飾耳. 故取須義. 須, 隨頤而動者也, 動止
惟係於所附, 猶善惡不由於賁也. 二之文明, 唯爲賁飾, 善惡則係其質也.

괘가 비괘(賁卦䷕)인 것은 두 효가 변한 것으로 말미암았지만 문채로 밝은 의미가 중요하니, 이효가
실로 비괘의 주인이다. 그러므로 비괘의 도를 주로 말하였다. 사물을 꾸밀 경우 그 바탕을 크게 바꿀
수 없어 그 본질에 따라 꾸밈을 더할 뿐이다. 그러므로 수염의 뜻을 취하였다. 수염은 턱에 따라 움
직이는 것이어서 움직임과 멈춤이 오직 의지하는 것에 달려 있으니, 선과 악이 꾸밈으로 말미암지
않는 것과 같다. 이효가 문채로 밝은 것은 단지 꾸민 것일 뿐이니, 선과 악은 그 바탕에 달려 있다.

### 本義

二以陰柔居中正, 三以陽剛而得正, 皆无應與, 故二附三而動, 有賁須之象. 占
者, 宜從上之陽剛而動也.

이효는 음의 부드러움으로 가운데 있고 바르며, 삼효는 양의 굳셈으로 바름을 얻었지만 모두 호응하
여 함께 하는 것이 없기 때문에 이효가 삼효에 의지하여 움직이고 수염을 꾸미는 상이 있다. 점치는
자는 위에 있는 양의 굳셈을 따라 움직여야 한다.

小註

漢上朱氏曰, 毛在頤曰須, 在口曰髭, 在頰曰髥. 三至上有頤體, 二在頤下, 須之象. 二三剛柔相賁, 賁其須也. 夫文不虛生, 須生於頤. 血盛則煩滋, 血衰則減耗, 須所以賁其頤也.

한상주씨가 말하였다: 털이 턱에 있는 것을 수염이라고 하고, 입에 있는 것을 코밑수염이라고 하며, 뺨에 있는 것을 구레나룻이라고 한다. 삼효에서 상효까지 턱[頤卦䷚]의 몸체가 있는데, 이효가 턱의 아래에 있는 것은 수염의 상이다. 이효와 삼효가 군셈과 부드러움으로 서로 꾸미는 것은 수염을 꾸미는 것이다. 문채는 공연히 생기지 않고 수염은 턱에서 나온다. 혈맥이 왕성하면 번거롭게 많아지고, 혈맥이 쇠퇴하면 줄어드니, 수염이 그 때문에 턱을 꾸민다.

○ 臨川吳氏曰, 須之美者, 生而美也, 美由中出, 不假外飾. 六二柔, 麗乎中正, 固有其美, 而須之賁, 非有待於外物而賁者. 然陰柔不能自動, 必附麗於陽, 如須雖有美, 必附麗於頤也.

임천오씨가 말하였다: 수염이 아름다운 것은 나면서부터 아름다운 것이니, 아름다움이 속에서 나와 밖에서 꾸밀 필요가 없다. 육이의 부드러움이 가운데 있으면서 바른 데에 붙어 있어 본래 아름다운 것이어서 수염의 꾸밈을 바깥 사물에 의지해서 꾸밀 필요가 없다. 그러나 음의 부드러움은 스스로 움직일 수 없어 반드시 양에 의지하여 따르니, 수염이 아름답지만 반드시 턱에 의지하여 따르는 것과 같다.

○ 雲峯胡氏曰, 本義以二與三, 皆無應與, 故二自附三而動, 如須附頤而動. 二柔居中正, 三剛而得正, 得其附矣.

운봉호씨가 말하였다: 『본의』에서 "이효와 삼효가 모두 서로 호응하여 함께 하는 것이 없기 때문에 이효가 스스로 삼효에 의지하여 움직인다"는 것은 수염이 턱에 의지하여 움직이는 것과 같다. 이효의 부드러움이 가운데 있고 바른데, 삼효가 군세고 바름을 얻었으니, 그 의지함을 얻은 것이다.

# 韓國大全

### 송시열(宋時烈) 『역설(易說)』

卦本與噬嗑相綜, 故取頤下隨動之物, 須象是也. 言頤之所以貴飾者須也, 隨頤而動,故小象云, 與上興也.

괘가 본래 서합괘(噬嗑卦䷔)와 서로 거꾸로 된 관계이므로 턱 아래에서 움직임에 따르는 물건을 취하였으니, 수염의 상이 이것이다. 턱이 꾸밈을 귀하게 여기는 바가 수염이라고 한 것이니, 수염은 턱을 따라 움직이므로 「소상전」에서 "위와 함께 움직이는 것이다"고 하였다.

### 유정원(柳正源) 『역해참고(易解參攷)』

王氏曰, 二得其位而旡應, 三亦旡應, 俱旡應而比焉, 近而相得者也. 須之爲物, 上附者也. 循其所履, 以附於上, 故曰賁其須.

왕씨가 말하였다: 이효가 제자리를 얻었으나 호응이 없고, 삼효도 호응이 없어 모두 호응이 없지만 비(比)의 관계에 있어 가까이서 서로 얻은 것이다. 수염은 위로 붙은 것이다. 그 붙은 바에 따르니, 위에 붙었기 때문에 "수염을 꾸민다"고 하였다.

傳, 善惡係質.

『정전』에서 말하였다: 선악은 바탕에 달려있다.

案, 澤中之皙, 邑中之黔, 天質一定, 而須旡擇焉. 傳所謂善惡係質者, 執此而言歟. 本質旣惡, 則賁飾之道, 亦旡益矣. 若謂戒惡人之徒事文餙, 旡益於本質者, 則似矣, 而其於六二立象之意, 未見其必然, 恐當從本義說.

내가 살펴보았다: 못 안의 밝음과 읍 안의 어두움은 타고난 성질이 일정하여 모름지기 선택할 것이 없다. 『정전』에서 "선악이 바탕에 달려있다"는 것은 이것을 가지고 말한 것인가? 본바탕이 이미 악하다면 꾸미는 도가 또한 이로움이 없을 것이다. 만약 나쁜 사람이 헛되이 꾸밈을 일삼는 것이 본바탕에 이로울 것이 없다는 것을 경계한다는 말이라면 그럴 듯하나, 육이의 상을 세운 뜻에서는 반드시 그러함을 볼 수 없으니, 아마도 『본의』의 설명을 따라야 할 듯하다.

### 김상악(金相岳) 『산천역설(山天易說)』

六二, 居離之中, 比三而麗, 以柔文剛, 故其象爲賁其須. 程子曰, 二之文明, 唯爲賁飾, 善惡則在其質, 質, 謂三也.

육이는 리괘의 가운데 있고 삼효와 비(比)의 관계이고 걸려있으니, 부드러움으로 굳셈을 꾸미기 때문에 그 상이 '수염을 꾸밈'이 된다. 정자는 "이효가 문채로 밝은 것은 단지 꾸몄기 때문이니, 선과 악은 그 바탕에 달려있다"고 하였으니, 바탕은 삼효를 말한다.

○ 在頤曰須, 離爲頤口. 又賁者, 噬嗑之反也. 噬嗑原有頤象, 而口旁之文, 莫如須,

故曰賁其須. 賁之義, 剛柔相文, 如无三之剛, 二无以施賁. 所謂皮之不存, 毛將焉傳者
也. 如无二之柔, 三无以受賁, 所謂虎豹之鞟, 猶犬羊之鞟也, 故曰賁其須. 不言吉, 文
勝之戒也.

턱에 있는 것을 '수염'이라고 하니, 리괘가 턱과 입이 되어서이다. 또 비괘는 서합괘(噬嗑卦
䷔)가 거꾸로 된 괘이다. 서합괘에 원래 턱의 상이 있고 입의 주위를 꾸밈이 수염만한 것이
없으므로 "수염을 꾸민다"고 하였다. 비괘의 뜻은 굳셈과 부드러움이 서로 꾸밈이니, 가령
삼효의 굳셈이 없으면 이효는 꾸밈을 베풀 수가 없다. 이른바 털가죽이 없으면 털이 어떻게
붙어있을 수 있을 것인가! 가령 이효의 부드러움이 없으면 삼효가 꾸밈을 받을 수 없으니
이른바 호랑이와 표범의 가죽이 개나 양의 가죽과 같을 것이므로 "수염을 꾸민다"고 말하였
다. 길함을 말하지 않은 것은 문채가 이길까봐 경계함이다.

### 서유신(徐有臣) 『역의의언(易義擬言)』

須, 猶資也. 此卽柔來而文剛者, 故下卦須二而成賁也. 不曰由賁者, 爲有上九也.
수(須)는 자(資)와 같다. 이는 곧 부드러움이 와서 굳셈을 꾸미는 것이므로 하괘에서 수염은
이효이고 꾸밈을 이룬다. 꾸밈에서 말미암지 않는다고 말한 것은 상구가 있기 때문이다.

### 박제가(朴齊家) 『주역(周易)』

漢上朱氏曰, 在頤曰須, 在口曰髭, 在頰曰髥, 三至上有頤體, 二在頤下須之象. 又曰,
文不虛生, 須生於頤, 須所以賁其頤也.
한상주씨가 말하였다: 턱에 있어서는 '수염'이라고 하였고, 입에 있어서는 '콧수염'이라고 하
였고, 뺨에 있어서는 '구렛나루'라고 하였으며, 삼효에서 상효까지는 턱의 몸체가 있으니,
이효는 턱 아래에 있는 수염의 상이다.
또 말하였다: 문채는 허공에서 생겨나지 않으니, 수염은 턱에서 생겨나기에 수염이 턱을 꾸
미는 것이다.

案, 朱氏當有所考. 然上須下髥, 看象傳與上興之言, 惟須與上興. 若在頤者, 則動則
動, 而非興也. 至如賁頤云, 則是說頤, 非說賁, 當說須之爲賁, 不當再說須之賁頤矣.
내가 살펴보았다: 주씨가 마땅히 고찰한 것이 있겠으나 위는 수염이고 아래는 구렛나루이
니, 「상전」의 "위와 함께 움직인다"는 말을 보면 콧수염만 위와 함께 움직인다. 턱에 있는
경우는 턱이 움직이면 움직이기는 하지만 일어나는 것은 아니다. 주씨가 "턱을 꾸민다"고
한 경우에 이르러서는 턱을 말한 것이지 꾸밈을 말한 것이 아니니, 마땅히 수염이 꾸밈이
된다고 말해야 하고, 다시 수염이 턱을 꾸민다고 말하는 것은 마땅하지 않다.

## 박문건(朴文健) 『주역연의(周易衍義)』

伺上竝興, 故有賁其須之象. 須, 頤毛也.

위를 보고 함께 일어나므로 수염을 꾸미는 상이 있다. 수(須)는 턱수염이다.

〈問, 須之取義. 曰, 須, 陰物之屬陽者也. 六二, 以柔用剛, 故取須義也.

물었다: 수염이 취한 뜻은 무엇입니까?

답하였다: 수염은 음인 물건 중에 양에 속한 것입니다. 육이는 부드러운 음의 자리이지만 굳셈을 쓰므로 수염의 뜻을 취하였습니다.〉

〈○ 問, 賁其須. 曰, 頤動, 則須隨而動, 六二勢敵於上, 故伺視其上之所爲如何者也. 上若暴下, 則下亦陵上, 必矣.

물었다: 수염을 꾸민다는 뜻은 무엇입니까?

답하였다: 턱이 움직이면 수염이 따라서 움직이니, 육이의 형세가 위에 대적하므로 그 위가 하는 바가 어떠한지 엿보는 것입니다. 윗사람이 만약 아랫사람에게 사납게 굴면 아랫사람도 윗사람을 능멸하는 것이 필연적인 것입니다.〉

## 이지연(李止淵) 『주역차의(周易箚疑)』

賁其湏, 待文王而後興者也.

"수염을 꾸민다"는 것은 문왕을 기다린 뒤에 흥한 것이다.

## 김기례(金箕澧) 「역요선의강목(易要選義綱目)」

二麗而三剛, 皆无應援, 故附三而動, 如鬚雖美, 附頤動.

이효는 걸려있고 삼효는 굳세니, 모두 호응하여 구원함이 없으므로 삼효에 붙어서 움직이니 수염이 비록 아름다우나 턱에 붙어서 움직인다.

○ 陰不自明, 得陽而明, 故象曰與上興.

음은 스스로 밝지 못하고 양을 얻어서 밝으므로 「상전」에서 "위와 함께 움직이는 것이다"고 하였다.

## 심대윤(沈大允) 『주역상의점법(周易象義占法)』

賁之大畜䷙. 物畜然後交錯成章, 質行旣足然後可以文飾. 文附于質, 六二之謂也. 故曰賁其須, 須附頤而動者也, 言文之不能舍質而獨章也. 坎爲須, 外四爻中虛象頤, 而二附於三, 故取須言也.

비괘가 대축괘(大畜卦䷙)로 바뀌었다. 만물이 그친 뒤에 서로 섞이어 문채를 이루고, 바탕이 행하여 이미 넉넉한 뒤에 꾸밀 수 있다. 문채는 바탕에 붙어있으니, 육이를 말한다. 그러므로 "수염을 꾸민다"고 한 것은 수염이 턱에 붙어서 움직이는 것이니, 문채가 바탕을 버리고 홀로 드러날 수 없음을 말한다. 감괘는 수염이 되니, 밖의 네 효의 가운데가 빈 것은 턱을 형상하고, 이효가 삼효에 붙었으므로 수염을 취하여 말하였다.


### 오치기(吳致箕) 「주역경전증해(周易經傳增解)」

六二, 柔得中正, 而外无正應, 上比九三之剛, 而爲賁如, 須附于頤下而動, 故有賁其須之象, 觀乎其象, 而占可知矣.

육이는 부드러운 음이 중정함을 얻었으나 밖으로 정응이 없으니, 위로 구삼의 굳셈과 비(比)의 관계가 되어 꾸민 것이 되며, 수염은 턱 아래에 붙어서 움직이므로 수염을 꾸미는 상이 있으니, 그 상을 살펴서 점을 알 수 있다.


○ 附頤之毛曰須, 而自三至上爲頤之象. 亦以卦自噬嗑反, 故原有頤象也. 須者, 血之餘, 而互坎爲血也. 離有附麗之義, 而頤下所附者, 卽須也. 二柔故言須也.

턱에 붙은 털을 '수염'이라고 하고 삼효에서 상효까지가 턱의 상이 된다. 또 괘가 서합괘(噬嗑卦䷔)가 위아래가 뒤집어진 것으로부터 왔기 때문에 원래 턱의 상이 있다. 수염은 혈기의 나머지인데, 호괘인 감괘(坎卦)가 혈기가 된다. 리괘에는 붙고 걸리는 뜻이 있어서 턱 아래에 붙은 것이 바로 수염이다. 이효는 부드럽기 때문에 수염이라고 말하였다.


### 이진상(李震相) 『역학관규(易學管窺)』

三以上有頤象, 而二附其下, 乃能有動, 故取須義.

삼효 이상에 턱의 상이 있고 이효는 턱 아래에 붙어 움직임이 있을 수 있으므로 수염의 뜻을 취하였다.


### 박문호(朴文鎬) 「경설(經說)·주역(周易)」

程傳, 以六二爲卦主, 本義, 以六五爲卦主, 更詳之

『정전』에서는 육이를 괘의 주인으로 삼았고, 『본의』에서는 육오를 괘의 주인으로 삼았으니, 더욱 상세히 하였다.

象曰, 賁其須, 與上興也.

"수염을 꾸밈"은 위와 함께 움직이는 것이다.

## ‖中國大全‖

### 傳

以須爲象者, 謂其與上同興也. 隨上而動, 動止唯係所附也, 猶加飾於物, 因其質而賁之, 善惡在其質也.

수염으로 상을 삼은 것은 그것이 위와 움직이는 것을 함께 함을 말한다. 위에 따라 움직여 움직임과 멈춤이 오직 붙은 것에 달려있으니, 사물에 꾸밈을 더함에 그 바탕에 따라 꾸며 선과 악이 그 바탕에 있는 것과 같다.

### 小註

梅巖袁氏曰, 陰不能以自明也, 得陽而後明, 柔不能以自立也, 得剛而後立, 下不能以自興也, 得上而後興.

매암원씨가 말하였다: 음은 스스로 밝을 수 없어 양을 얻은 다음에 밝고, 부드러움은 스스로 설 수 없어 굳셈을 얻은 다음에 서며, 아래에 있는 것은 스스로 움직일 수 없어 위에 있는 것을 얻은 다음에 움직인다.

## ‖韓國大全‖

### 김상악(金相岳) 『산천역설(山天易說)』

上, 謂三也. 興, 起也. 柔來文剛, 卽此爻而只曰與上興者, 初自從應而賁趾, 故二之賁,不及於下也.

'위'는 삼효를 말한다. '흥(興)'은 일어난다는 뜻이다. 부드러움이 와서 굳셈을 꾸밈을 이 효에서는 다만 "위와 함께 움직이는 것이다"고 말한 것은 초효가 스스로 호응인 사효를 따라 발을 꾸미므로 이효의 꾸밈이 아래에 미치지 못하기 때문이다.


### 서유신(徐有臣) 『역의의언(易義擬言)』

與上九, 成其賁也. 山與火, 皆興起之物也.

상구와 그 꾸밈을 이룬다. 산과 불이 모두 떨쳐 일어나는 물건이다.


### 박문건(朴文健) 『주역연의(周易衍義)』

上, 謂六五也.

'위'는 육오를 말한다.


### 오치기(吳致箕) 「주역경전증해(周易經傳增解)」

上, 指三之剛而言. 柔不能以自立, 得剛而後立, 下不能以自興, 得上而後興也.

위[上]는 삼효의 굳셈을 가리켜 말한다. 부드러움은 스스로 설 수 없기 때문에 굳셈을 얻은 뒤에 설 수 있으니, 아랫사람은 스스로 일어날 수 없고 윗사람을 얻은 뒤에 일어날 수 있다.


### 이병헌(李炳憲) 『역경금문고통론(易經今文考通論)』

諸家舊注, 以須作鬚者, 誤引歸妹六三注, 而不自知也. 今刪之, 須待也. 上, 謂上九也. 內則二爲賁主, 修飾以待命, 外則白賁爲主, 故六二之須與上興也.

여러 학자들의 옛 주석이 수(須)를 유(鬚)로 쓰면서 귀매괘(歸妹卦䷵) 육삼의 주석을 잘못 인용하면서도 스스로는 알지 못하였다. 이제 그것을 지우니, 수(須)는 기다림이다. 위는 상구를 말한다. 안에서는 이효가 비괘의 주인이 되니 수식하여 명을 기다리며, 밖에서는 꾸밈을 희게 함이 주인이 되므로 육이의 수염이 위와 함께 움직이는 것이다.

# 九三, 賁如濡如, 永貞吉.

구삼은 꾸민 것이 윤택하니 영구히 하고 곧게 하면 길할 것이다.

## ‖中國大全‖

### 傳

三處文明之極, 與二四二陰, 間處相賁, 賁之盛者也. 故云賁如, 如, 辭助也. 賁飾之盛, 光彩潤澤, 故云濡如. 光彩之盛, 則有潤澤, 詩云麀鹿濯濯. 永貞吉, 三與二四, 非正應相比, 而成相賁, 故戒以常永貞正. 賁者, 飾也, 賁飾之事, 難乎常也. 故永貞則吉. 三與四相賁, 又下比於二, 二柔文一剛, 上下交賁, 爲賁之盛也.

삼효가 문채로 밝은 극단에 있고 이효·사효와는 사이에 있으면서 서로 꾸며주니 꾸밈이 성대하다. 그러므로 ‘꾸민 것[賁如]’이라고 했으니, ‘여(如)’은 어조사이다. 꾸미는 것의 성대함은 광채가 윤택하므로 윤택하다고 했다. 광채의 성대함에는 윤택이 있으니, 『시경·영대』에서 “암사슴과 수사슴이 윤택하다”고 하였다. “영구히 하고 바르게 하면 길하다”는 삼효가 이효·사효와 바르게 호응함이 아닌데도 서로 꾸밈을 이루기 때문에 “영구히 하고 곧게 하라”고 경계하였다. 꾸밈은 치장하는 것이니, 꾸미는 일은 오래하기 어렵다. 그러므로 영구히 하고 곧게 하면 길하다. 삼효가 사효와 서로 꾸미는데, 또 아래로 이효와 가까워 이효의 부드러움이 하나의 굳셈을 꾸며 위아래로 서로 꾸미니, 꾸밈이 성대하다.

### 本義

一陽居二陰之間, 得其賁而潤澤者也. 然不可溺於所安, 故有永貞之戒.

하나의 양이 두 음의 사이에 있어 그 꾸밈을 얻어 윤택한 것이다. 그러나 편안한 데에 빠져서는 안 되기 때문에 영원히 하고 곧게 하라는 경계를 하였다.

**小註**

童溪王氏曰, 剛柔相賁, 相與潤色, 以成其文, 此所謂賁如濡如也. 六二六四柔之正也, 九三剛之正也, 相比而相賁, 不失正道, 則爲吉矣.

동계왕씨가 말하였다: 굳셈과 부드러움이 서로 꾸미면서 서로 함께 빛을 윤택하게 하여 문채를 이루니, 이것이 이른바 꾸민 것이 윤택하다는 것이다. 육이와 육사는 부드러움의 바름이고, 구삼은 굳셈의 바름이니, 서로 가까이하여 서로 꾸며주면서 바른 도리를 잃지 않는다면 길하다.

○ 節齋蔡氏曰, 三陷二柔之中, 有坎象, 故曰濡如. 坎剛中必亨, 故永貞吉.

절재채씨가 말하였다: 삼효가 두 부드러움의 가운데에 빠져 감괘(坎卦☵)의 상이 있으므로 "윤택하다"고 하였다. 감괘의 굳센 가운데는 반드시 형통하기 때문에 영원히 하고 곧게 하면 길하다.

○ 雲峯胡氏曰, 互坎有濡義, 亦有陷義, 旣未濟濡首濡尾, 濡而陷者也. 九三非不貞也, 能永其貞, 則二陰於我爲潤澤之濡, 我於彼不爲陷溺之濡矣.

운봉호씨가 말하였다: 호괘인 감괘(坎卦☵)에는 윤택하다는 의미도 있고 빠진다는 의미도 있으니, 기제괘(旣濟卦䷾)와 미제괘(未濟卦䷿)의 머리를 적시고 꼬리는 적시는 것26)은 적셔서 빠지는 것이다. 구삼은 바르지 않은 것은 아니나 그 바름을 영원히 할 수 있으면 두 음이 나에게 윤택하게 적셔주는 것이고, 내가 저것에게 빠지게 적셔주는 것이 아니다.

---

26) 『周易·旣濟卦』: 初九, 濡其尾. 上六, 濡其首. 『周易·未濟卦』: 未濟, 濡其尾. 象曰, 濡其尾. 初六, 濡其尾. 上九, 濡其首.

## ∥韓國大全∥

### 김장생(金長生) 『주역(周易)』

傳, 麀鹿濯濯.

『정전』에서 말하였다: 암사슴과 수사슴이 윤택하다.

麀鹿濯濯, 引用不切.

"암사슴과 수사슴이 윤택하다"는 것은 인용한 것이 적절하지 못하다.

### 송시열(宋時烈) 『역설(易說)』

儒如者, 互有坎水, 如水之儒濕也. 以剛過剛, 往無應與, 當永守貞固之德, 則吉, 雖往而求之, 上九在上, 其勢不可以相敵, 故小象曰終莫之陵也.

"윤택하다"는 것에는 호괘에 감괘(☵)인 물이 있어 물이 젖어 윤택함이다. 굳센 양으로 지나치게 굳세어 가지만 호응하여 함께 함이 없어 마땅히 정고(貞固)한 덕을 길이 지키면 길하니, 비록 가서 구하더라도 상구가 위에 있으니, 그 형세가 서로 대적할 수 없으므로 「소상전」에서 "끝내 능멸하는 자가 없다"고 하였다.

### 유정원(柳正源) 『역해참고(易解參攷)』

王氏曰, 旣得其飾, 又得其潤, 故曰賁如濡如.

왕씨가 말하였다: 이미 꾸밈을 얻었고, 또 그 윤택함을 얻었으므로 "꾸민 것이 윤택하다"고 하였다.

○ 案, 九三以剛居剛, 而二陰之間, 易溺於所安, 故戒以永貞, 所以戒陰爻也.

내가 살펴보았다: 구삼은 굳센 양으로 양의 자리에 있으나 두 음 사이에 있어 쉽게 편안한 바에 빠지므로 "영구히 하고 바르게 한다"는 것으로 경계하였으니, 이 때문에 음효를 경계하였다.

本義, 賁潤.

『본의』에서 말하였다: 꾸며 윤택하다.

案, 賁下一有而字.

내가 살펴보았다: 비(賁) 아래에 어떤 본에는 '이(而)'자가 있다.


## 김상악(金相岳) 『산천역설(山天易說)』

九三, 居離之終, 比二四, 互坎體, 故有賁如濡如之象, 謂賁飾之盛, 光彩潤澤也. 然賁者, 火之文也. 濡之過, 則易失其賁, 故有永貞之戒.

구삼은 리괘의 끝에 있고 이효·사효와 비(比)의 관계에 있으며 호괘인 감괘의 몸체이므로 꾸민 것이 윤택한 상이 있으니, 꾸밈이 왕성하고 광채가 윤택함을 말한다. 그러나 꾸밈은 불의 문채이다. 젖음이 지나치면 쉽게 그 꾸밈을 잃으므로 영구히 하고 바르게 하는 경계가 있다.


○ 濡者, 坎水之潤也. 永其貞, 則彼爲我潤澤之濡, 我不爲彼陷溺之濡也. 二濟之濡首濡尾, 皆陷溺之濡, 夬三之遇雨若濡, 非潤澤之濡也.

윤택함은 감괘인 물의 윤택함이다. 그 곧음을 영구히 하면 내가 윤택하도록 저것이 적시는 것이고, 저것이 빠져들도록 내가 적시는 것이 아니다. 기제괘(旣濟卦䷾)와 미제괘(未濟卦䷿)에서 "머리를 적신다"고 하고 "꼬리를 적신다"고 한 것은 모두 빠져들도록 적시는 것이고, 쾌괘(夬卦䷪)의 삼효에서 "비를 만난다"고 하고 "만약에 적시면"이라고 한 것은 윤택하도록 적시는 것은 아니다.


## 서유신(徐有臣) 『역의의언(易義擬言)』

賁如, 賁餙於已也. 濡如, 漸及於物也. 旣賁如, 又濡如, 其爲文大矣. 互坎有漸及於二四之象也. 賁餙之道, 貴乎漸染而不遽, 故永且貞而得吉也.

꾸민 것은 자신을 꾸밈이다. 윤택함은 점차 물건에 미치는 것이다. 이미 꾸미고 또 윤택하다면 그 문채가 크다. 호괘인 감괘에 점진하여 이효와 사효에 미치는 상이 있다. 꾸밈의 도는 점차 물들이고 갑작스럽게 하지 않음을 귀하게 여기므로 영구히 하고 또 곧게 하여 길함을 얻는다.


## 박문건(朴文健) 『주역연의(周易衍義)』

守柔見逼, 故有濡如之象. 永其貞, 則禦侮而致吉.

부드러움을 지켜 핍박받으므로 윤택한 상이 있다. 그 곧음을 영구히 하면 업신여김을 막아 길함을 이룬다.

〈問, 賁如濡如, 永貞吉. 曰, 九三, 守柔道而見害, 故所賁之物, 如水之霑濡, 若永其貞,則終必有吉也.

물었다: "꾸민 것이 윤택하니 영구히 하고 바르게 하면 길할 것이다"는 무슨 뜻입니까?

답하였다: 구삼은 부드러운 도를 지켜서 해를 입으므로 꾸며지는 물건이 물이 젖어 들어가는 것과 같으니, 만약 그 곧음을 영구히 하면 끝에 반드시 길함이 있을 것입니다.〉

### 이지연(李止淵) 『주역차의(周易箚疑)』

賁如者, 離之體也. 需〈氵邊〉如者, 互坎之象也. 所謂人孰敢侮修身士, 天不能窮力穡家者也.

꾸민 것은 리괘의 몸체이다. 윤택함〈수(氵)변이다.〉은 호괘가 감괘의 상이다. 이른바 사람 가운데 누가 감히 수신(修身)하는 선비를 업신여길 수 있겠는가? 하늘은 힘써 농사짓는 이를 궁핍하게 할 수 없다는 것이다.

### 김기례(金箕澧) 「역요선의강목(易要選義綱目)」

三爲互坎, 故曰濡如.

삼효는 호괘가 감괘가 되므로 "윤택하다"고 하였다.

○ 居二陰之間, 相賁而潤澤也.

두 음의 사이에 있고 서로 꾸며 윤택한 것이다.

○ 以陽居剛, 非不正而處陰中, 故戒永貞.

양으로 굳센 자리에 있어 바르지 않은 것은 아니지만 음 사이에 처하므로 곧음을 영구히 함을 경계하였다.

### 심대윤(沈大允) 『주역상의점법(周易象義占法)』

賁之頤䷚, 養之漸成也. 九三, 以剛居剛, 尙其質, 行而文自生, 其質美, 故其文澤. 离麗, 互坎水爲濡, 濡如猶沃若也. 永貞, 坎坤之德也.

비괘가 이괘(頤卦䷚)로 바뀌었으니, 기름이 점진적으로 이루어지는 것이다. 구삼은 굳센 양으로 굳센 자리에 있고 그 바탕을 숭상하고 행하여 문채가 저절로 생겨나니, 바탕이 아름답기 때문에 문채가 윤택하다. 리괘(☲)는 걸림이고 호괘로서 감괘(☵)인 물은 젖음이 되니, '윤택함'은 기름져 무성함과 같다. '곧음을 영구히 함'은 감괘와 곤괘의 덕이다.

## 오치기(吳致箕) 「주역경전증해(周易經傳增解)」

九三, 陽剛居正, 而外无應與, 故下比于二之柔, 上比于四之柔, 以一陽而居兩陰之間, 上下得其賁而潤澤, 有濡如之象. 然不可溺於所安, 故戒言旣得其正, 而又能永長其貞固之道, 則陰終不能陵犯于陽, 而爲吉也.

구삼은 굳센 양이 바른데 있고 밖으로 호응하여 함께 함이 없으므로 아래로 이효의 부드러움과 비(比)의 관계에 있고, 위로 사효의 부드러움과도 비의 관계에 있어 한 양으로 두 음의 사이에 있어서 위아래가 그 꾸밈을 얻어 윤택하니, 젖어드는 상이 있다. 그러나 편안한 바에 빠질 수 없으므로 경계하는 말이 이미 그 바름을 얻고, 또 그 정고(貞固)한 도를 길고 오래 할 수 있으면 음이 끝내 양을 능멸하여 범할 수 없어서 길하게 된다.

○ 如, 語辭也. 沾而潤澤曰濡, 而互坎爲水, 濡潤之象也. 永者, 長也.

'여(如)'는 어조사이다. 점점이 윤택함을 "윤택하다[濡]"고 하는데 호괘인 감괘가 물이 되니, 젖어 윤택한 상이다. '영(永)'은 오래함이다.

## 이진상(李震相) 『역학관규(易學管窺)』

處互坎之中, 有濡象. 又兩柔之中, 剛以文之, 故其賁如濡, 以剛居剛, 故曰永. 象言莫之陵者, 艮本陵矣, 而三實剛正, 故終莫能也.

호괘인 감괘의 가운데 처하여 윤택한 상이 있다. 또 부드러운 두 음 사이에서 굳셈으로 꾸미므로 그 꾸밈이 윤택하며, 굳센 양으로 굳센 자리에 있으므로 "영구히 한다"고 하였다. 「상전」에서 "능멸하는 자가 없다"는 것은 간괘(艮卦)가 본래 능멸하는데, 삼효가 실상 굳세고 바르므로 끝내 할 수 없는 것이다.

## 이병헌(李炳憲) 『역경금문고통론(易經今文考通論)』

程傳曰, 如, 辭助也. 賁飾之時, 光彩潤澤, 故云濡如. 按, 三得位, 處二四之間, 雖無正應, 各當其位, 故濡如而永貞, 則終莫陵之.

『정전』에서 말하였다: '여(如)'는 어조사이다. 꾸미는 때에 광채가 윤택하므로 "윤택하다"고 하였다. 내가 살펴보건대 삼효가 지위를 얻었으나 이효와 사효의 사이에 처하였으니, 비록 정응은 없지만 각각 그 자리에 합당하므로 윤택하여 곧음을 영구히 하면 끝내 능멸함이 없다.

象曰, 永貞之吉, 終莫之陵也.

"영원히 하고 곧게 함의 길함"은 끝내 능멸하는 자가 없는 것이다.

## ‖中國大全‖

### 傳

飾而不常, 且非正, 人所陵侮也, 故戒能永正, 則吉也. 其賁旣常而正, 誰能陵之乎.

꾸며서 영원하지 않고 또 바르지 않으면 사람들이 능멸하기 때문에 영원히 하고 바르게 할 수 있으면 길하다고 경계하였다. 그 꾸밈이 이미 영원하고 바르니, 누가 능멸하겠는가?

### 小註

節齋蔡氏曰, 陵, 侮也. 三能永貞, 則二柔雖比已而濡如, 然終莫之陵侮而不至陷溺也.

절재채씨가 말하였다: "능멸한다"는 것은 업신여긴다는 것이다. 삼효가 영원히 하고 곧게 할 수 있으면, 이효의 부드러움이 비록 자신을 가까이 하여 윤택하게 할지라도 끝내 능멸하여 빠지게 하지 않을 것이다.

# ▮韓國大全▮

### 김상악(金相岳) 『산천역설(山天易說)』

三, 能永貞, 則二與四, 雖比己而濡, 終莫之陵侮而陷之也.

삼효가 곧음을 영구히 할 수 있으면 이효와 사효가 비록 삼효와 비(比)의 관계로 적시더라도 끝내 능멸하여 빠뜨릴 수 없다.

### 서유신(徐有臣) 『역의의언(易義擬言)』

陵上九, 艮象, 漸賁而永貞, 終不至於極也.

상구를 능멸함은 간괘(艮卦)의 상이니, 점차 꾸며 곧음을 영구히 하면 끝내 다하는 데까지는 이르지 않는다.

### 박문건(朴文健) 『주역연의(周易衍義)』

永貞, 則上莫之陵下也.

곧음을 영구히 하면 윗사람이 아랫사람을 능멸함이 없다.

### 김기례(金箕澧) 「역요선의강목(易要選義綱目)」

終莫之陵.

끝내 능멸하는 자가 없는 것이다.

文明而永貞, 不溺於二陰, 則二陰亦不敢侮.

문채가 밝고 곧음을 영구히 하여 두 음에 빠지지 않으면 두 음이 또한 감히 업신여기지 못한다.

### 오치기(吳致箕) 「주역경전증해(周易經傳增解)」

三能永貞, 則両柔雖比己而濡如, 終莫能侵陵而陷溺也.

삼효가 곧음을 오래할 수 있으면 부드러운 두 음이 비록 삼효 자신과 비(比)의 관계에 있어 윤택하지만 끝내 능멸하여 빠지게 할 수 없다.

# 六四, 賁如皤如, 白馬翰如, 匪寇婚媾.

정전 육사는 꾸민 것이 희고 백마가 날아가는 듯이 달려가니, 도둑이 아니면 혼인하려는 것이다.
본의 육사는 꾸민 것이 희고 백마가 날아가는 듯이 달려가니, 도둑이 아니라 혼인하려는 것이다.

## 中國大全

### 傳

四與初爲正應, 相賁者也, 本當賁如, 而爲三所隔, 故不獲相賁而皤如. 皤, 白也,
未獲賁也. 馬在下而動者也, 未獲相賁, 故云白馬. 其從正應之志如飛, 故云翰
如. 匪爲九三之寇讎所隔, 則婚媾遂其相親矣. 己之所乘, 與動於下者, 馬之象
也. 初四正應, 終必獲親, 第始爲其間隔耳.

사효와 초효는 정응이라서 서로 꾸미니, 본래 꾸미는 것이 당연한데 삼효에게 가로막혔기 때문에
서로 꾸며주는 것을 얻지 못해 희다. "희다"는 것은 하얗다는 것이니, 꾸미는 것을 아직 얻지 못한
것이다. 말은 아래에서 움직이는 것이니 서로 꾸미는 것을 얻지 못했기 때문에 '백마'라고 하였다.
그것이 정응인 초효의 뜻을 따르는 것이 날아가는 것 같아 '날아가는 듯이'라고 하였다. 구삼이라는
도둑에게 막힌 것이 아니라면 혼인할 자가 서로 친하게 될 것이다. 자신을 타고 있는 것과 아래에서
함께 움직이는 것이 말의 상이다. 초효와 사효는 정응이기 때문에 끝내 반드시 친함을 얻는데, 처음
에는 그 사이가 가로막혔을 뿐이다.

### 本義

皤, 白也. 馬人所乘, 人白則, 馬亦白矣. 四與初相賁者, 乃爲九三所隔, 而不得
遂, 故皤如, 而其往求之心, 如飛翰之疾也. 然九三剛正, 非爲寇者也, 乃求婚媾
耳. 故其象如此.

"희다"는 것은 하얗다는 것이다. 말은 사람이 타는 것이어서 사람이 희면 말도 희다. 사효와 초효는
서로 꾸며주는 것인데 바로 구삼에게 가로막혀 이루어지지 않기 때문에 희고, 가서 구하려는 마음이

날아가는 듯이 빠르다. 그러나 구삼은 굳건하고 바르니, 도둑이 아니고 바로 혼인을 구하는 것일 뿐이다. 그러므로 그 상이 이와 같다.

王氏大寶曰, 皤, 髮白. 柔飾於柔, 陰盛陽衰, 皤如之象.
왕대보가 말하였다: 희다는 것은 머리가 하얀 것이다. 부드러움이 부드러움을 꾸미며, 음은 성대하고 양은 쇠약한 것이 희다는 상이다.

○ 平庵項氏曰, 三當賁道之隆, 四當賁道之變也.
평암항씨가 말하였다: 삼효는 꾸미는 도가 융성함에 해당하고, 사효는 꾸미는 도가 변함에 해당한다.

○ 雲峯胡氏曰, 二與五三與上非應, 則亦非相賁者. 惟四以初之應爲賁, 而爲三所隔, 所謂賁如者, 皤如矣. 皤, 白也. 曰皤如, 又曰白馬者, 人與馬俱白, 象六四德與位俱柔也. 白馬而曰翰如者, 六四陰柔之正, 下求初九陽剛之正, 雖爲三所隔, 而其往求之心, 如飛翰之疾也. 然三剛正, 亦非與己爲寇, 乃欲與己爲婚媾耳. 此與屯六二相似, 屯剛柔始交, 賁剛柔相雜, 皆有婚媾象. 然屯之二乘馬斑如, 應五之心, 何其緩, 賁之四白馬翰如, 應初之心, 何其急. 時不同也. 屯二應五, 下求上也, 不可以急, 賁四應初, 上求下也, 不可以緩.
운봉호씨가 말하였다: 이효와 오효・삼효와 상효가 호응하지 않으니, 또한 서로 꾸며주는 것이 아니다. 사효만 초효의 호응으로 꾸밈을 삼는데 삼효에게 가로 막혔으니, 이른바 꾸미는 것이 희다는 것이다. '희다'는 것은 하얗다는 것이다. '희다'고 하고 또 '백마'라고 한 것은 사람과 말이 모두 하얀 것이니, 육사의 덕과 자리가 모두 부드러움을 상징한다. 백마인데 '날아가는 듯이'라고 한 것은 육사라는 부드러운 음의 바름이 아래로 초구라는 굳센 양의 바름을 구하니, 비록 삼효에게 가로막혀 있지만 가서 구하려는 마음이 날아가는 것처럼 빠르다. 그러나 굳센 삼효의 바름도 자신과 도둑이 아니라 혼인하려는 것일 뿐이다. 이것은 준괘(屯卦䷂)의 육이와 서로 비슷하니, 준괘(屯卦䷂)는 굳셈과 부드러움이 처음 사귀고, 비괘(賁卦䷕)는 굳셈과 부드러움이 서로 섞이니, 모두 혼인하는 상이 있다. 그러나 준괘의 이효는 말을 탔지만 내려오니 오효와 호응하는 것이 어쩌면 그리도 느슨하고, 비괘의 사효는 백마가 날아가는 듯이 하니 초효와 호응하는 마음이 어쩌면 그리도 다급한가? 때가 같지 않기 때문이다. 준괘의 이효가 오효와 호응하여 아래에서 위로 구하니 다급해서는 안 되고, 비괘의 사효는 초효와 호응하여 위에서 아래로 구하니 느슨해서는 안 된다.

# ▌韓國大全▌

### 조호익(曺好益) 『역상설(易象說)』

六四, 賁如皤如, 白馬翰如,

육사는 꾸민 것이 희고 백마가 날아가는 듯이 달려간다.

翰, 離象, 又作足象. 白馬, 震的顙. 伏巽爲白. 巽或作宣髮, 頭髮皓落也.

'날아가는 듯함[翰]'은 리괘(☲)의 상이고, 또 '발빠름[作足]'의 상이 된다. '백마'는 진괘(☳)인데 이마가 흰[的顙] 상이다. 진괘의 음양이 바뀐 몸체[伏體]가 손괘(☴)이므로 흰 것이 된다. 손괘는 혹 머리털이 적음[宣髮]이 되니, 머리털이 빠지는 것이다.

○ 白馬, 傳指初爻, 故云所乘動下云.

'백마(白馬)'는 『정전』에서는 초효를 가리키므로 "타고 있는 것과 아래에서 움직인다"고 한 것으로 말하였다.

### 송시열(宋時烈) 『역설(易說)』

賁如, 與三同意. 互震爲馬, 陰爻故云白. 又震錯巽, 巽爲白也. 離爲飛鳥象, 故曰翰如. 寇者, 指坎之中爻也. 四昵比於三之陽爻, 若非三爻, 則當與初爻之正應, 爲婚媾也. 四當大臣之位, 危疑之地也. 以象言, 坎爲疑, 故小象曰當位疑也. 終必與初爲應, 故云無尤也, 占者, 亦如之.

꾸민 것은 삼효와 뜻이 같다. 호괘인 진괘(☳)는 말이 되는데, 음효이므로 "희다"고 하였다. 또 진괘의 음양이 바뀐 괘가 손괘(☴)인데, 손괘도 '흰 것'이 된다. 리괘(☲)는 날아가는 새의 상이 되므로 "날아가는 듯하다"고 하였다. '도둑'은 감괘(☵)의 가운데 효를 가리킨다. 사효는 삼효인 양효와 가깝고 비(比)의 관계에 있는데, 삼효가 아니라면 마땅히 정응인 초효와 혼인할 자가 된다. 사효는 대신의 지위에 해당하니, 위태롭고 의심받는 곳이다. 상으로 말하면 삼괘가 의심이 되므로 「소상전」에서 "해당되는 자리가 의심스럽다"고 하였다. 끝내는 반드시 초효와 호응이 되므로 "원망이 없다"고 하였으니, 점치는 자가 또한 그와 같다.

### 심조(沈潮) 「역상차론(易象箚論)」

巽爲白, 三爲巽體之中爻, 而此爻在其上, 故曰白馬. 又巽爲風, 飛翰之象也. 四卽人位, 而下乘陽剛, 此非人乘馬之象乎. 坎爲寇, 故初疑其爲寇也.

손괘(☴)는 흰 것이 되니, 삼효는 손괘 몸체의 가운데 효가 되고[27] 사효는 그 위에 있으므로 '백마'라고 하였다. 또 손괘는 바람이 되니, 날아가는 듯한 상이다. 사효는 사람의 자리인데 아래로 굳센 양을 타니, 이것이 사람이 말을 타는 상이 아니겠는가? 감괘(☵)는 도둑이 되므로 초효가 도둑이 됨을 의심하는 것이다.

### 유정원(柳正源) 『역해참고(易解參攷)』

姚氏〈小彭〉曰, 戎事乘翰, 翰與皤, 皆白色.

요씨가 〈소팽이다〉 말하였다: 전쟁에서 흰말을 타니, '한(翰)'과 '파(皤)'는 모두 흰 색이다.

○ 雙湖胡氏曰, 皤如, 四之自飾也. 白馬翰如, 恐是指三, 言三之來, 匪寇乃是求婚媾耳. 馬取互坎震象, 亦皆以九三成坎震, 則馬九三象矣. 寇, 坎象, 不言吉凶者, 四守正以待正應, 可知矣.

쌍호호씨가 말하였다: "희대[皤如]"는 사효가 스스로를 꾸밈이다. "백마가 날아가는 듯이 달려간다"는 것은 삼효를 가리키는 듯 하니, 삼효가 옴은 도둑이 아니라 혼인할 자를 구하는 것임을 말한다. '말'은 호괘인 감괘와 진괘에서 취하였고, 또 모두 구삼으로 감괘와 진괘를 이루니 말은 구삼의 상이다. '도둑'은 감괘의 상인데, 길하고 흉함을 말하지 않은 것은 사효가 바름을 지켜서 정응을 기다림을 알 수 있다.

○ 呂氏曰, 三近而不相得, 知爲己寇.

여씨가 말하였다: 삼효가 가까운데도 서로 얻지 못하니, 자기에게 도둑이 됨을 안다.

○ 案, 六四陰柔守正, 皤如者, 其本質也. 馬從人所尙, 故本義曰, 人白則馬亦白.

내가 살펴보았다: 육사는 부드러운 음으로 바름을 지키니, "희대[皤如]"는 것은 본래의 바탕이다. 말은 사람이 향하는 바를 따르므로 『본의』에서 "사람이 희면 말도 희다"고 하였다.

傳〈案, 傳末, 本有媾古豆反四字.〉

『정전』〈내가 살펴보았다: 『정전』 끝에 본래 '구고두반(媾古豆反)'이라는 네 글자가 있다.〉

---

27) 사효를 효변하면 이효에서 사효까지가 손괘(巽卦)가 된다.

## 김상악(金相岳) 『산천역설(山天易說)』

皤, 老人白也. 六四, 應初相賁, 而三互坎體, 以爲間, 未成其賁, 而皤如. 然互震以動, 其志如飛翰之疾, 故始雖相隔, 終則相親. 寇, 指三也, 婚媾, 指初也.

'파(皤)'는 노인의 머리가 흰 것이다. 육사는 초효와 호응하여 서로 꾸미는데, 삼효가 호괘인 감괘(☵)의 몸체이고 둘의 사이에 끼어 있어 아직 그 꾸밈을 이루지 못하여 흰 것이다. 그러나 호괘인 진괘(☳)로써 움직이니, 그 뜻이 날아가는 듯이 빠르므로 처음엔 비록 서로 막혔으나 끝엔 서로 친하다. '도둑'은 삼효를 가리키고, '혼인할 자'는 초효를 가리킨다.

○ 四之皤, 非本然之白, 與上之白, 賁不同. 震爲鼻足的額, 白馬之象. 本義人白則馬亦白, 是也. 又坎之亟心乘震之動, 翰如之象. 困九四, 與初相應, 爲二所阻, 故金車白馬, 取象相似. 故有來徐翰如之別也. 寇, 坎象. 匪寇婚媾, 見屯六二. 屯則剛柔始交, 賁則柔剛相文, 故皆以婚媾言. 然屯之乘馬班如以下, 求上不可以急也. 賁之白馬翰如以上, 求下不可以緩也. 故屯六四曰求婚媾往, 又與睽上九同象, 而睽則謂三非爲寇, 乃我之婚媾也, 故象釋以群疑亡, 與當位疑相反.

사효가 흰 것은 본래부터 흰 것이 아니어서 상효의 흰 것과 꾸밈이 같지 않다. 진괘는 발이 희고 이마에 흰 털이 많은 것이 되니, 백마의 상이다. 『본의』에서 "사람이 희면 말도 희다"는 것이 이것이다. 또 감괘의 급한 마음이 진괘의 움직임을 타는 것이 날아가는 듯이 달려가는 상이다. 곤괘(困卦䷮)의 구사가 초효와 서로 호응하는데, 이효에게 막히므로 '쇠수레'와 '백마'가 상을 취한 것이 비슷하다. 그러므로 오는 것이 느리고 날아가는 듯이 달려가는 차이가 있다. '도둑'은 감괘의 상이다. '도둑이 아니라 혼인할 자'는 준괘(屯卦䷂) 육이에 보인다. 준괘에서는 굳셈과 부드러움이 처음 사귀고, 비괘(賁卦)에서는 굳셈과 부드러움이 서로 꾸미므로 모두 혼인할 자로 말하였다. 그러나 준괘에서 '말을 타고 머뭇거림' 이하는 위의 호응(짝)을 구하지만 급하게 할 수 없는 것이다. 비괘에서 "백마가 날아가는 듯이 달려간다"는 이하는 아래의 호응(짝)을 구하지만 천천히 할 수 없는 것이다. 그러므로 준괘 육사에서 "혼인할 자를 구하여 간다"고 하였으니 또 규괘(睽卦䷥) 상구와 상이 같지만, 규괘에서는 삼효가 도둑이 되지 않고 내가 혼인할 자라고 말하므로 「상전」에서 "모든 의심이 없어졌다"는 것으로 해석하였으니, 비괘의 "해당되는 자리가 의심스럽다"는 것과 서로 반대된다.

## 김규오(金奎五) 「독역기의(讀易記疑)」

六四馬, 互坎互震, 皆有馬象.

육사는 말이니, 호괘인 감괘와 진괘에 모두 말의 상이 있다.

## 서유신(徐有臣) 『역의의언(易義擬言)』

六四, 賁而無文者也. 賁如, 賁也, 皤如, 無文也. 乘馬, 賁也, 翰如, 無文也. 四與三五
互震爲馬, 而不相賁, 故爲白馬也. 然其皤如翰如, 不失本質之白, 有其質者, 終必受采
矣. 應於初九之婚媾, 則有文矣. 稱馬, 謂其往從於初九也. 其馬翰如, 有似戎事之乘
翰, 故曰匪寇也.

육사는 꾸미지만 문채가 없는 자이다. '비여(賁如)'는 꾸미는 것이고 '희대(皤如)'는 것은 꾸
밈이 없는 것이다. '말을 탐'은 꾸미는 것이고, "날아가는 듯이 달려간다"는 것은 꾸밈이 없는
것이다. 사효는 삼효·오효와 함께 호괘가 진괘로 말이 되지만, 서로 꾸미지 못하므로 백마
가 된다. 그러나 그 '희고' 날아가는 듯이 달려감'이 본래의 실질이 흼을 잃지 않아 그 실질
이 있는 것이 마침내 반드시 꾸밈을 받는다. 초구인 혼인할 자에 호응하면 꾸밈이 있다.
'말'이라고 일컬은 것은 그 감이 초구에 따름을 말한다. 그 말이 날아가는 듯이 달려감은
전쟁에 흰 말을 타는 것과 같기 때문에 "도둑이 아니다"고 하였다.

## 강엄(康儼) 『주역(周易)』

本義, 其往求之心, 如飛翰之疾.

『본의』에서 말하였다: 가서 구하려는 마음이 날아가는 듯이 빠르다.

按, 屯之六四曰, 乘馬班如, 求婚媾往, 吉, 无不利, 象曰, 求而往明也, 蓋以六四必待
初九之來求, 而後往爲美也. 賁之六四, 則其往求初九之心, 如飛翰之疾, 而象曰, 終无
尤者, 何也. 蓋屯之六四, 以婚姻之禮言, 婚姻之禮, 无女先之義, 故以六四之待求而往
爲明. 賁之六四, 以陰陽相賁之道爲主, 而陰必得陽而後爲文, 則從陽之志, 不可緩也.
況賁之六四, 又有九三間之, 若往求之志不篤, 則將或係於九三, 而失其正應矣. 是豈
可遲遲而不疾乎.

내가 살펴보았다: 준괘(屯卦䷂)의 육사에서 "말을 타고 머뭇거리니, 혼인할 자를 구하여 가
면 길하여 이롭지 않음이 없다"고 하였고, 「상전」에서는 "구하여 감은 밝기 때문이다"라고
한 것은 대체로 육사는 반드시 초구가 와서 구하기를 기다린 뒤에 가는 것을 아름답게 여기
기 때문이다. 비괘(賁卦䷕)의 육사에서는 가서 초구의 마음을 구하는 것이 날아가는 듯이
빠른데, 「상전」에서 "끝내 원망이 없다"고 말한 것은 어째서인가? 대체로 준괘의 육사는 혼
인의 예로써 말하였으니, 혼인의 예는 여자가 먼저하는 뜻이 없으므로 육사가 구하기를 기
다려서 가는 것으로 밝음을 삼았다. 비괘의 육사는 음양이 서로 꾸미는 도로써 주를 삼았으
나 음은 반드시 양을 얻은 뒤에 꾸미게 되니, 양을 따르는 뜻을 천천히 할 수 없다. 하물며
비괘의 육사는 또 구삼이 막음이 있으니, 만약 가서 구하는 뜻이 돈독하지 않으면 혹 구삼에

게 매이게 되어 그 바른 호응을 잃게 될 것이다. 이것을 어찌 천천히 하고 빠르게 하지 않을 수 있겠는가?

## 박문건(朴文健)『주역연의(周易衍義)』

不進致潔, 故有白馬翰如之象. 翰, 毛翰之白者也. 匪寇婚媾, 勉進之辭也.

나아가지 않고 깨끗함을 이루므로 백마가 날아가는 듯이 달려가는 상이 있다. '한(翰)'은 날개깃이 흰 것이다. "도둑이 아니고 혼인할 자이다"라는 것은 힘써 나아간다는 말이다.

〈問, 賁如皤如, 白馬翰如, 匪寇婚媾. 曰, 六四, 雖當位, 我柔彼剛, 故疑而不進, 弗見汗穢者也. 是以所賁之色, 皤皤然如白馬之毛也. 然匪與寇, 婚媾也, 釋疑而往從, 則終必相遇而无過尤也.

물었다: '꾸민 것이 희고 백마가 날아가는 듯이 달려가니 도둑이 아니라 혼인할 자'는 무슨 뜻입니까?

답하였다: 육사가 비록 마땅한 자리이지만, 나는 부드럽고 상대는 굳세므로 의심하여 나아가지 않아 더럽혀지지 않는 자입니다. 이 때문에 꾸미는 색이 하얀 것이 백마의 털과 같습니다. 그러나 도둑과 함께 함이 아니고 혼인할 자이니, 의심이 풀어져 가서 따르면 끝내 반드시 서로 만나 잘못이 없습니다.〉

## 이지연(李止淵)『주역차의(周易箚疑)』

六四, 亦互坎之體, 坎多有寇婚媾馬之象.

육사가 또한 호괘인 감괘(☵)의 몸체이니, 감괘에 도둑·혼인할 자·말의 상이 많이 있다.

## 김기례(金箕澧)「역요선의강목(易要選義綱目)」

互坎, 故曰馬, 曰寇.

호괘가 감괘이기 때문에 '말'이라고 하고 '도둑'이라고 하였다.

○ 以陰居陰, 故曰皤, 曰白.

음으로 음의 자리에 있기 때문에 '파(皤)'라고 하고 '백(白)'이라고 하였다.

○ 寇, 指三, 婚, 指初.

도둑[寇]은 삼효를 가리키고, 혼(婚)은 초효를 가리킨다.

○ 翰如, 如泰四翩翩, 同義.

"날아가는 듯이 달려간다"는 것은 태괘(泰卦䷊) 육사의 "펄펄 난다"는 것과 같으니, 뜻이 같다.

○ 四應初欲賁, 而爲三所隔, 故有翩翩下來之心, 言非三寇, 則往求初應也.

사효가 초효에 호응하여 꾸미고자 하지만 삼효에게 막히므로 펄펄 날아 아래로 오려는 마음이 있으니, 삼효가 도둑이 아니면 초효의 호응을 가서 구함을 말한다.

○ 欲相賁之精白, 故曰皤如.

서로 꾸미고자 함이 매우 희므로 "희다"고 하였다.

○ 如, 疑之之辭也.

여(如)는 의심하는 말이다.

### 심대윤(沈大允)『주역상의점법(周易象義占法)』

賁之离䷝. 六四, 才柔居柔, 匪能自有美質, 而乃附麗於物, 而爲餙也. 文雖美華而不澤, 故曰賁如皤如. 艮巽爲皤, 言承五也. 坎爲馬, 巽爲白, 爲翰, 震爲速, 白馬翰如, 言從初之志亟也. 匪寇婚媾, 言不從三也. 坎爲寇, 言不於寇而婚媾也.

비괘가 리괘(離卦䷝)로 바뀌었다. 육사는 재질이 부드러운데 부드러운 음의 자리에 있어 스스로 아름다운 실질을 가질 수 없고 물건에 붙고 걸려 꾸미게 된다. 꾸밈이 비록 화려하더라도 윤택하지 못하므로 "꾸미는 것이 희다"고 하였다. 간괘(☶)와 손괘(☴)가 흼이 되니, 오효를 받드는 것을 말한다. 감괘는 말이 되고 손괘는 흼이 되고 날아가는 것이 되며, 진괘는 빠름이 되니, '백마가 날아가는 듯이 달려감'은 초효의 뜻을 따르는 것이 빠름을 말한다. "도둑이 아니라 혼인할 자이다"는 삼효를 따르지 않음을 말한다. 감괘가 도둑이 됨은 도둑에 대한 것이 아니라 혼인할 자를 말한다.

### 오치기(吳致箕)「주역경전증해(周易經傳增解)」

六四, 柔得其正, 下應初九之剛, 而爲九三所隔, 不能相賁, 故未成其文, 有皤如之象. 然旣爲正應, 故往求之心, 疾速如飛, 乃以白馬翰如而從之. 不以三之寇盜而永隔, 終與初之婚媾而成賁也. 卽象而占, 可知矣.

육사는 부드러운 음이 그 바름을 얻고 아래로 초구의 굳센 양과 호응하지만 구삼에게 막히게 되어 서로 꾸밀 수 없으므로 아직 그 꾸밈을 이루지 못하여 흰 상이 있다. 그러나 이미 정응이 되므로 가서 구하는 마음이 날아가듯 빨라서 이에 백마가 날아가듯 하여 따른다. 삼효의 도둑이 끝까지 막을 수 없기 때문에 끝내 초효의 혼인할 자와 함께 꾸밈을 이룬다.

○ 皤, 白也. 爻變互巽爲白, 而皤與白, 皆未成賁旡文之象也. 互震爲馬而翰, 謂疾如鳥. 翰取於互坎, 有飛鳥之象. 寇亦取互坎爲盜也. 婚媾, 指正應也.

'파(皤)'는 흰 것이다. 효가 변하면 호괘인 손괘(☴)가 되어 흰 것이 되니, 파(皤)와 백(白)이 모두 아직 꾸밈을 이루지 못하여 문채가 없는 상이다. 호괘인 진괘(☳)는 말이 되어 날아가듯 달려감은 새와 같이 빠름을 말한다. '날아가듯 달려감[翰]'은 호괘인 감괘(☵)에서 취하였으니, 새가 날아가는 상이 있다. '구(寇)' 또한 호괘인 감괘에서 취하여 도둑이 된다. '혼인할 자(婚媾)'는 정응을 가리킨다.

## 이진상(李震相) 『역학관규(易學管窺)』

白馬翰如.

백마가 날아가는 듯이 달려간다.

記曰, 殷人乘翰, 翰, 白馬也. 四與三不相賁, 故人白而馬亦白. 然乘白馬者, 非爲寇盜, 實求婚媾, 苟守正而不許, 則彼退而正應至矣. 卦互震坎, 而震爲的顙驈足之馬, 坎乃爲盜, 故其象如此.

『예기』에서 "은나라 사람들은 흰 말을 탔다"고 하였는데, '한(翰)'은 백마이다. 사효와 삼효는 서로 꾸미지 않으므로 사람이 희면 말도 희다. 그러나 백마를 탄 사람이 도둑이 되지 않고 실상 혼인할 자를 구하니, 진실로 바름을 지키고 허락하지 않으면 삼효가 물러가고 정응이 이른다. 괘의 호괘가 진괘와 감괘인데, 진괘는 이마에 흰 털이 있고 발이 흰 말이 되고 감괘는 도둑이 되므로 그 상이 이와 같다.

## 박문호(朴文鎬) 「경설(經說)·주역(周易)」

賁如皤如, 言賁反爲皤也. 白賁, 言白其賁也.

"꾸민 것이 희나"는 것은 꾸밈이 돌이켜 희게 됨을 말한다. '백비(白賁)'는 그 꾸밈을 희게 하는 것이다.

## 이병헌(李炳憲) 『역경금문고통론(易經今文考通論)』

孟曰, 皤, 老人白也.

맹씨가 말하였다: ‘파(皤)’는 노인의 머리가 흰 것이다.

鄭曰, 翰, 白色馬也.
정씨가 말하였다: ‘한(翰)’은 흰색의 말이다.

姚曰, 當位疑, 皤如, 飾外, 所以動初之疑也. 初四終相應, 故終无尤.
요씨가 말하였다: “해당되는 자리가 의심스럽다”는 것과 “희다”는 것은 밖을 꾸밈이니, 이 때문에 초효의 의심을 일으킨다. 초효와 사효는 끝내 서로 호응하므로 끝내 허물이 없다.

象曰, 六四, 當位疑也, 匪寇婚媾, 終无尤也.

정전 「상전」에서 말하였다: 육사는 해당되는 자리가 의심스럽기 때문이니, "도둑이 아니면 혼인하려
　는 것"에는 끝내 원망이 없다.

본의 「상전」에서 말하였다: 육사는 해당되는 자리가 의심스럽기 때문이니, "도둑이 아니라 혼인하려
　는 것"에는 끝내 원망이 없다.

## ‖中國大全‖

### 傳

四與初相遠, 而三介於其間, 是所當之位爲可疑也. 雖爲三寇讎所隔, 未得親於婚媾,
然其正應, 理直義勝, 終必得合, 故云終无尤也. 尤, 怨也. 終得相賁, 故无怨尤也.

사효는 초효와 서로 멀리 있는데 삼효가 그 사이에 끼어 있으니, 해당되는 자리가 의심스럽다. 삼효
라는 도둑에게 가로막혀 혼인에 가까울 수 없지만 그것이 바르게 호응함에 이치가 곧고 의리가 우세
하여 끝내 반드시 합하기 때문에 "끝내 원망이 없다"고 하였다. '우(尤)'는 한탄이다. 끝내 서로 꾸밀
수 있기 때문에 원망하여 탓함이 없다.

### 本義

當位疑, 謂所當之位可疑也. 終无尤, 謂若守正而不與, 亦無他患也.

"해당되는 자리가 의심스럽다"는 것은 해당하는 바의 자리가 의심할만하다는 것을 말한다. "끝내 원
망이 없다"는 것은 바름을 지켜서 함께 하지 않으니, 또한 다른 근심이 없다는 것을 말한다.

## ‖韓國大全‖

### 김상악(金相岳) 『산천역설(山天易說)』

三近而初遠, 故所當之位, 爲可疑也. 然守正而從應, 終无過尤也. 凡於爻辭, 不言吉凶者, 有以終无尤釋象者.

삼효는 가깝고 초효는 멀기 때문에 해당되는 자리가 의심스러울 만하다. 그러나 바름을 지켜 호응을 따르니, 끝내 허물이 없다. 효사에서 길하고 흉함을 말하지 않은 것은 끝내 허물이 없다는 것으로 상을 해석했기 때문이다.

### 김규오(金奎五) 「독역기의(讀易記疑)」

○ 象, 當位疑.

「상전」에서 말하였다: 해당되는 자리가 의심스럽다.

以近則三可與也, 以應則初可從也.

가까운 것으로는 삼효가 함께 할 수 있고, 호응하는 것으로는 초효가 따를 수 있다.

### 서유신(徐有臣) 『역의의언(易義擬言)』

兩柔相比, 疑其難於賁也. 正應相與, 爲无尤也.

부드러운 두 음이 서로 가까워 꾸밈에 어려움을 의심한다. 정응이 서로 함께 하니, 허물이 없게 된다.

### 김기례(金箕澧) 「역요선의강목(易要選義綱目)」

當位疑.

해당되는 자리가 의심스럽다.

三隔, 故疑.

삼효가 가로막기 때문에 의심한다.

終无尤

끝내 원망이 없다.

守正而不應他, 則无尤.
바름을 지키고 삼효에게 호응하지 않으니, 허물이 없다.


## 심대윤(沈大允) 『주역상의점법(周易象義占法)』

大臣儀仗外餙, 似君之盛, 而實因君以得也. 六四之文, 華而不澤, 盛而不殷, 似而非也, 故曰當位疑也. 附麗得正, 故曰終无尤也.
대신의 의장(儀仗)은 겉을 꾸밈이 임금처럼 왕성하지만 실상 임금으로 인하여 얻은 것과 같다. 육사의 꾸밈이 화려한 듯하나 윤택하지 못하고, 왕성한 듯하나 무성하지 못하여 비슷하지만 아니므로 "해당되는 자리가 의심스럽다"고 하였다. 붙고 걸려 바름을 얻었기 때문에 "끝내 허물이 없다"고 하였다.


## 오치기(吳致箕) 「주역경전증해(周易經傳增解)」

乘三之剛, 故始雖當位而見疑, 從其正應, 故終乃相賁而无尤也.
삼효의 굳센 양을 타므로 처음엔 비록 마땅한 자리이지만 의심을 받고, 그 정응을 따르므로 마침내 서로 꾸며서 허물이 없다.

# 六五, 賁于丘園, 束帛戔戔, 吝, 終吉.

정전 육오는 언덕과 동산에서 꾸미니, 묶어놓은 비단이 재단되어 있는 듯이 하면 부끄럽지만 마침내 길할 것이다.

본의 육오는 언덕과 동산에서 꾸미나, 묶어놓은 비단이 작으니 부끄럽지만 마침내 길할 것이다.

## ‖ 中國大全 ‖

### 傳

六五以陰柔之質, 密比於上九剛陽之賢. 陰比於陽, 復无所繫應, 從之者也, 受賁於上九也. 自古設險守國, 故城壘多依丘坂. 丘, 謂在外而近且高者. 園圃之地, 最近城邑, 亦在外而近者. 丘園謂在外而近者, 指上九也. 六五雖居君位, 而陰柔之才, 不足自守, 與上之剛陽, 相比而志從焉, 獲賁於外比之賢, 賁于丘園也. 若能受賁於上九, 受其裁制, 如束帛而戔戔, 則雖其柔弱, 不能自爲, 爲可少吝, 然能從於人, 成賁之功, 終獲其吉也. 戔戔, 剪裁分裂之狀. 帛, 未用則束之, 故謂之束帛. 及其制爲衣服, 必剪裁分裂, 戔戔然, 束帛, 喩六五本質, 戔戔, 謂受人剪製而成用也. 其資於人, 與蒙同, 而蒙不言吝者, 蓋童蒙而賴於人, 乃其宜也. 非童幼而資賁於人, 爲可吝耳, 然享其功, 終爲吉也.

육오는 음의 부드러운 자질로 현명하고 굳센 양인 상구에 매우 가깝다. 음이 양에 가까이 있고 또 매달려 호응하는 것이 없어 상구를 따르는 자이니, 그것에게서 꾸밈을 받는다. 예로부터 험한 곳을 만들어 나라를 지켰기 때문에 성채는 언덕에 의지함이 많았다. 언덕은 밖에 있으면서 가깝고 높은 것을 말한다. 동산과 밭이라는 땅은 성읍에서 가장 가까운데, 또 밖에 있으면서 가까운 것이다. 동산과 밭은 밖에 있으면서 가까운 것이니 상구를 가리킨다. 육오는 임금의 자리에 있지만 음의 부드러운 자질이 스스로 지키기에 부족하고, 굳센 양인 상구와 서로 가까이 하여 마음이 따르며, 가까이 밖에 있는 현자에게서 꾸밈을 얻으니, 언덕과 동산에서 꾸미는 것이다. 상구에게서 꾸밈을 받고 그 재제를 받아 묶어놓은 비단이 재단되어 있듯이 하면, 그 유약함이 스스로 일을 하지 못해 조금 부끄럽지만, 남을 따라 꾸미는 공을 이룰 수 있으니 끝내 길함을 얻는다. '재단되어 있는 듯이'는 가위질하고 마름질하여 나눠 놓은 모양이다. 비단은 쓰지 않으면 묶어놓기 때문에 묶어놓은 비단이라고 했다. 그것을 재단하여 의복을 만들면 반드시 가위질하고 마름질하여 나누니 재단되어 있는 듯이 된다. 묶어놓은 비단은 육오의 본질을 비유하였고, '재단되어 있는 듯이'는 사람들의 가위질과 재단을 받아 쓰임을 이룬 것을 말한다. 남에게 의지하는 것은 몽괘(蒙卦䷃)와 같지만 몽괘에서 부끄럽다고 하지 않은 것은 철부지 어린이이면서 남에게 의지하는 것은 당연하기 때문이다. 철부지 어린이가 아닌데 남에게 꾸밈을 의지하는 것은 부끄러워할만하지만 그 공을 누리니 마침내 길하다.

---

### 小註

或問, 伊川解賁于丘園, 指上九而言, 看來似好. 蓋賁三陰皆受賁于陽, 不應, 此爻獨異, 而作敦本務實說也. 朱子曰, 如何丘園便能賁人. 束帛戔戔, 他解作剪裁之象, 尤艱曲說不出, 這八字只平白在這裏. 若如所說, 則曲折多, 意思遠. 舊說指上九作高尙隱于丘園之賢, 而用束帛之禮聘召之. 若不用某說, 則此說似近. 若將丘園作上九之象, 束帛戔戔作剪裁紛裂之象, 則與象意大故相遠也.

어떤 이가 물었다: 이천이 "언덕과 동산에서 꾸민다"를 해석하면서 구오를 가리켜서 말한 것은 보기에 좋은 것 같습니다. 비괘(賁卦䷕)의 세 음이 모두 양에게서 꾸밈을 받으면서 호응하지 않는데, 여기의 효에서 유독 달리하여 근본을 돈독히 하고 실질에 힘쓰라는 설로 하였습니다.

주자가 답하였다: 어떻게 '언덕과 동산[丘園]'이 사람을 꾸며줄 수 있겠습니까? '묶어놓은 비단이 적으니[束帛戔戔]'는 그가 마름질하고 가위질한 상으로 해석하여 더욱 어렵고 잘못되게 해석하지는 않았습니다만, 이 구절은 단지 여기에서 쉽고 통속적인 것입니다. 설명한 것처럼 하면 곡절이 많아지고 의미가 멀어집니다. 옛 설명에서는 상구를 가리켜 언덕과 동산에 숨어 있는 현인을 높이 숭상하여 묶어놓은 비단의 예로 초빙하여 부르는 것으로 하였습니다. 제 설명을 받아들이지 않는다면 이 설명이 가깝습니다. '언덕과 동산[丘園]'을 상구의 상으로 하고 '묶어놓은 비단이 작으니[束帛戔戔]'를 가위질하고 재단하여 나눠놓은 상으로 하면, 상의 의미와 크게 잘못되어 서로 멀어집니다.

○ 孔氏曰, 諸儒以此爻爲賁飾丘園之士, 且爻象无待士之文, 此蓋普論爲國之道, 不尙華飾而貴儉約也. 若唯用束帛招聘丘園, 以儉約待賢, 豈其義也.

공씨가 말하였다: 여러 학자들이 오효를 언덕과 동산의 선비를 꾸미는 것으로 여겼는데, 아무래도 효의 상에 선비를 기다리는 말이 없으니, 이것은 나라를 다스리는 도를 널리 논하면서 꾸미는 것을 숭상하지 않고 근검절약을 귀하게 여긴 것이다. 단지 묶어놓은 비단으로 언덕과 동산의 선비를 초빙함에 근검절약으로 현인을 대하는 것일 뿐이라니, 어찌 그런 의미이겠는가?

**本義**

六五柔中, 爲賁之主, 敦本尙實, 得賁之道, 故有丘園之象. 然陰性吝嗇, 故有束帛戔戔之象. 束帛, 薄物, 戔戔, 淺小之意. 人而如此, 雖可羞吝, 然禮奢寧儉, 故得終吉.

부드럽고 가운데 있는 육오가 비괘(賁卦䷕)의 주인이라서 근본을 돈독하게 하고 실질을 숭상하여 꾸밈의 도를 얻었기 때문에 언덕과 동산의 상이 있다. 그러나 음의 특성은 인색하기 때문에 묶어놓은 비단이 작은 상이 있다. '묶어놓은 비단'은 얇은 것이고, '작다'는 것은 얼마 되지 않는다는 의미이다. 사람으로서 이와 같이 하면 부끄러울만하지만, 예는 사치하기보다는 차라리 검소한 것이기 때문에 마침내 길함을 얻는다.

**小註**

朱子曰, 賁于丘園, 束帛戔戔, 此兩句只是當來卦辭, 非主事而言. 看如何用, 皆是這箇道理. 賁于丘園, 是箇務實底. 束帛戔戔, 是賁得不甚大, 所以說吝. 兩句是兩意. 戔戔, 淺小之意. 凡淺字箋字, 皆從戔. 淺小卽是儉之義, 所以下文云吝終吉. 吝者, 雖不好看, 然終卻吉. 問, 六五是在艮體, 故安止于丘園, 而不復有外賁之象. 曰雖是止體, 亦是上比於九, 漸漸到極處. 若一向賁飾去, 亦自不好, 須是收斂方得. 問, 敦本務實, 莫是反朴還淳之義否. 曰賁取賁飾之義, 他今卻來賁田園爲農圃之事. 當賁之時, 似若鄙吝, 然儉約, 故終得吉. 吉則有喜, 故象云有喜也.

주자가 말하였다: "언덕과 동산에서 꾸미나, 묶어놓은 비단이 작다"는 두 구절은 단지 괘사에 해당하니 일을 주로해서 말한 것이 아니다. 어떻게 사용되었는지를 보면 모두 이런 규칙이다. "동산에서 꾸민다"는 것은 실질에 힘쓰는 것이다. "묶어놓은 비단이 작다"는 것은 꾸미는 것이 아주 크지 않기 때문에 부끄럽다고 하였다. 두 구절은 두 가지 의미이다. '작대[戔戔]'는 것은 얼마 되지 않는다는 의미이다. '천(淺)'자와 '전(箋)'자는 모두 '잔(戔)'자 부수이다. 얼마 되지 않는다는 것은 모두 검소하다는 의미이기 때문에 아래의 글에서 "부끄럽지만 마침내 길하다"라고 하였다. 부끄러운 것이 보기 좋지는 않지만 마침내 도리어 길하다.

물었다: 육오는 간(艮☶)의 몸체에 있기 때문에 언덕과 동산에서 편하게 머물러 다시 밖으로 꾸미는 상이 있지 않습니다.

답하였다: 머무는 몸체일지라도 위로 상구와 가까워 점점 꼭대기로 나아갑니다. 줄곧 꾸며 가는 것은 또한 본래 좋지 않으니, 반드시 수렴해야 합니다.

물었다: 근본을 돈독히 하고 실질에 힘쓰는 것은 순박한 데로 되돌아간다는 의미가 아니겠습니까?

답하였다: 비괘(賁卦䷕)는 꾸민다는 의미를 취하였으니, 그것은 이제 전원을 꾸미며 밭일을 하는 것입니다. 꾸미는 때를 만나 부끄러울 것 같지만 검약하기 때문에 마침내 길합니다.

길하면 기쁘기 때문에 「상전」에서 "기쁨이 있는 것이다"라고 하였습니다.

○ 雲峯胡氏曰, 諸家多言賁于丘園之賢. 本義謂不賁于市朝, 而賁于丘園, 敦本也. 束帛戔戔, 尚實也. 陰性吝嗇, 而終吉, 林放問禮之本, 夫子答以與其奢也寧儉, 卽此意也. 聖人謂賁以文飾成卦, 後世必有因飾而過者, 故於五明敦本尚儉之爲吉, 又於上見賁極反本之爲无咎也.

운봉호씨가 말하였다: 여러 학자들은 대부분 언덕과 동산의 현인에게서 꾸민다고 하였다. 『본의』에서는 시장과 조정에서 꾸미는 것이 아니라 언덕과 동산에서 꾸민다고 하였으니, 근본을 돈독하게 하는 것이다. "묶어놓은 비단이 작다"는 것은 실질을 숭상하는 것이다. 음의 특성은 인색하지만 마침내 길하니, 임방이 예의 근본을 물었을 때, 공자가 사치스럽게 하기보다는 차라리 검소하게 하겠다고 답한 것이[28] 바로 이런 의미이다. 성인은 비괘가 문식으로 괘를 이룬 것은 후세에 반드시 꾸미는 것으로 말미암아 잘못된다고 여겼기 때문에 오효에서 근본을 돈독하게 하고 근검을 숭상하는 것이 길하다고 밝혔던 것이고, 또 상구에서 꾸밈의 궁극에서는 근본으로 되돌아가면 허물이 없다고 드러냈다.

## ‖韓國大全‖

### 권근(權近) 『주역천견록(周易淺見錄)』

愚按, 舊說以上九爲隱丘園之賢者, 而六五之君, 用束帛之幣, 以聘召也. 程傳謂六五受賁丘園之賢, 能如束帛之用, 裁翦分裂戔戔然, 雖其不能自用爲吝, 終獲其吉. 本義以爲敦本尚質儉嗇之象, 吳氏, 又用舊說而反之, 以六五爲丘園之賢, 受上九之君, 聘幣之禮. 戔戔, 委積之多也.

愚竊意, 此三說, 皆未安, 當從舊說. 夫上九所謂剛上而文柔者也, 而居无位之地, 猶賢德之人, 其道可以丹靑王化, 而隱于丘園者也. 六五以柔居尊仁, 而受賁於剛, 猶人君求賢, 以自輔而賁飾大平也. 束帛戔戔, 言人君於賢者, 致敬盡禮, 所當親之, 而不敢召, 如周文王之載呂望, 蜀先主之顧孔明, 可也. 但用束帛以聘之, 禮敬未至, 誠意尚

---

28) 『論語·八佾』: 林放問禮之本, 子曰, 大哉問, 禮與其奢也, 寧儉.

淺, 爲可吝也. 然得賢而用以成其治, 則終得吉也. 戔戔, 猶淺淺, 非謂束帛之小, 謂誠意未深也. 蓋以此卦爲賁, 有文而无其實, 故爲誠意未至之象也. 程傳以不能自用爲吝, 則於舍己從人, 自用則小之意未合也. 吳氏以戔戔爲束帛之多, 則有何吝也. 又不當以居尊之六五爲臣, 无位之上九爲君. 雖曰陽君陰臣, 恐不可如此言也. 本義以六五爲丘園, 疑當以艮山之上爲丘園, 頤之于丘, 亦指艮上也.

내가 살펴보았다: 구설에서는 상구를 언덕과 동산에 은둔한 어진 이로 보고 육오의 임금이 비단을 묶은 폐백으로 초빙하는 것이라고 보았다. 『정전』에서는 육오가 언덕과 동산의 어진 이로부터 꾸밈을 받아 묶인 비단을 쓰듯이 하며 가위질하여 나누니 재단되어 있는 듯이 되어, 비록 육오 스스로 쓸 수가 없어서 인색하게 되지만 끝내는 길함을 얻게 된다고 하였다. 『본의』에서는 근본을 돈독하게 하고 실질을 숭상하며 검소한 상으로 보았다. 오징은 구설을 인용하여 이러한 해석을 반대하고, 육오는 언덕과 동산에 있는 어진 이로 상구인 임금으로 부터 폐백으로 초빙하는 예우를 받으며, '잔잔'은 많이 쌓여있다는 의미로 보았다.

내가 가만히 살펴보았다: 이 세 설명은 모두 타당치 않으므로 구설을 따라야 한다. 상구는 이른바 "굳셈이 올라가 부드러움을 꾸민다"는 것으로 지위가 없는 곳에 있어 마치 어진 덕을 지닌 사람이 그의 덕으로 임금의 교화를 꾸밀 수 있는데도 언덕과 동산에 은둔하고 있는 이와 같다. 육오는 부드러운 음으로 높은 지위에 있어 굳셈에게 꾸밈을 받으니, 임금이 어진 이를 구하여 자신을 돕게 하고 태평을 이루도록 하는 것과 같다. "묶어 놓은 비단이 재단되어 있는 듯하다"는 것은 임금이 어진 이에게 공경과 예를 다하여 가까이 해야 하고, 감히 어진 이를 오라 가라 할 수 없음을 말한다. 예컨대, 주(周)나라 문왕(文王)이 여망(呂望)을 모셔 오고, 촉(蜀)나라 선주(先主)가 공명(孔明)을 찾아보았던 것처럼 하는 것이 옳다. 다만 묶어 놓은 비단을 보내 초빙하는데 예의와 공경이 정성된 뜻에 이르지 못하고 오히려 얕다면 인색하게 된다. 그러나 어진 이를 얻어서 그를 등용하여 다스림을 완성한다면 끝내는 길함을 얻는다. '잔잔(戔戔)'은 '천천(淺淺)'과 같으니, 묶어 놓은 비단이 적다는 것을 말하는 것이 아니라 정성스런 마음가짐이 깊지 않음을 말한다. 대개 이 괘가 비괘가 되어 문채는 있으나 그 실질이 없으므로 정성스런 마음가짐이 아직 지극하지 않은 상이 된다. 『정전』에서는 스스로 일을 하지 못한 것을 부끄럽게 여긴다면 자기를 버리고 남을 따르게 되니 스스로 일을 하는 것은 뜻이 조금 부합하지 않는다. 오징은 '잔잔'을 묶어 놓은 비단이 많다고 보았는데, 그렇다면 무슨 부끄러움이 있겠는가? 또 높은 육오의 자리에 있는 것을 신하로 보고 지위가 없는 상구를 임금으로 본 것은 합당치 않다. 비록 양이 임금이고 음이 신하라고 할지라도 이와 같이 말해서는 안 될 듯하다. 『본의』는 육오를 언덕과 동산으로 여겼는데 아마도 간괘인 산의 위를 언덕과 동산으로 여겨야 할 듯하니, 이괘(頤卦)의 '언덕에서'라는 것 역시 간괘(艮卦)의 맨 위를 가리킨다.

## 조호익(曺好益) 『역상설(易象說)』

六五, 賁于丘園.

육오는 언덕과 동산에서 꾸민다.

丘, 艮象. 園, 自三至五, 互體震, 自四至上, 反體震. 震爲蕃, 四五虛中, 有園象.

언덕[丘]은 간괘의 상이다. 동산[園]은 삼효에서 오효까지 호괘의 몸체가 진괘이고 사효에서 상효까지는 거꾸로 된 몸체의 진괘이다. 진괘는 번성한 것이 되고 사효와 오효는 가운데가 비어서 동산의 상이 있다.

## 송시열(宋時烈) 『역설(易說)』

艮爲丘山, 震爲園, 故曰賁于丘園. 艮爲手, 以手結束之象. 坤爲帛, 離得坤中爻, 在下爲應, 以陰柔之道, 受裁制於五爻, 戔戔者, 裁制之意也, 言五爻在艮震之囬, 如賁飾. 然又以艮之手, 結束離之中爻, 如裁割節制. 然五爲陰爻, 匪主張裁制者, 故始有各道, 然終則得吉者, 震有喜笑象, 故小象及之.

간괘는 언덕과 산이 되고, 진괘는 동산이 되므로 "언덕과 동산에서 꾸민다"고 하였다. 또 간괘는 손이 되니, 손으로 묶는 상이다. 곤괘가 비단이 되니, 리괘(☲)가 곤괘의 가운데 효를 얻고 아래에 있어 호응이 됨은 부드러운 음의 도로써 오효에게 재단되기 때문이다. '잔잔(戔戔)'은 '재단한다'는 뜻이니, 간괘와 진괘의 순환속에 오효가 있어 꾸미는 것과 같다는 말이다. 그러나 또 간괘인 손[手]으로 리괘의 가운데 효를 묶는 것이 재단하여 알맞게 하는 것과 같다. 그런데 오효는 음효가 되니 재단을 주장하는 자가 아니므로 처음엔 각각의 도가 있으나, 끝엔 길함을 얻는 것이 진괘에 기뻐서 웃는 상이 있기 때문에 「소상전」에서 그것을 언급하였다.

## 석지형(石之珩) 『오위귀감(五位龜鑑)』

臣謹按, 賁之六五, 朱熹謂程傳所解艱曲說不出. 若不用敦本尙實, 禮奢寧儉之說, 則當從舊註. 束帛聘召之說, 以臣淺見不敢折衷於二者, 而姑就卦象論之, 艮爲山林, 非丘園之象乎, 離爲文物, 非束帛之象乎. 六五陰柔, 而无助柔弱之君也, 上九陽剛, 而无位高尙之士也, 以束帛之幣, 聘丘園之賢, 正合此爻之義, 而以其戔戔薄略, 故於待賢之禮爲可吝. 然賴有誠實, 不假文飾, 故終得其吉, 伏願殿下, 勿謂世无高賢, 盡誠以羅致焉.

신이 삼가 살펴보았습니다: 비괘(賁卦)의 육오에 대해 주희는 『정전』에서 풀이한 것이 간곡하게 말하지 못하였다고 하였습니다. 만약 근본을 돈독하게 하고 실질을 숭상하여 예는 사치하기보다 차라리 검소하여야 한다[29]는 설을 쓰지 않는다면 마땅히 옛 주석을 따라야 할 것입니다. '묶어놓은 비단[束帛]'으로 초빙한다는 설명은 신의 얕은 소견으로 감히 두 가지를 절충할 수 없으나, 짐짓 괘상에서 논한다면 간괘는 산림(山林)이 되니 언덕과 동산의 상이 아니겠으며, 리괘는 문물이 되니 '속백'의 상이 아니겠습니까? 육오는 부드러운 음으로 도움이 없는 유약한 임금이고, 상구는 굳센 양으로 지위가 없이 고상한 선비이니, 속백의 예물[納幣]로 언덕과 동산의 어진 이를 초빙하는 것이 바로 이 효의 뜻에 부합하고, 비단을 잘라내어 박하고 약소함으로써 하기 때문에 어진 이를 대우하는 예에 부끄러울 만합니다. 그러나 성실함을 바탕삼아 거짓으로 꾸미지 않기 때문에 끝내 그 길함을 얻게 되니, 엎드려 바라건대, 전하께서는 세상에 고상한 어진 이가 없다고 말씀하지 마시고, 정성을 다하시어 인재를 모으십시오.

## 강석경(姜碩慶) 『역의문답(易疑問答)』

賁之六五曰, 賁于丘園, 束帛戔戔.

비괘의 육오에서 말하였다: 언덕과 동산에서 꾸미니, 묶어놓은 비단이 재단되어 있는 듯이 한다.

程傳以爲受賁於丘園之賢, 朱子以爲如何丘園, 便能賁人. 只是敦本尙實之義云云, 當從何義. 曰, 卦之象曰, 分剛上而文柔, 正指六五受賁于上九也. 且頤之六五曰, 頤于丘拂經居貞吉, 所謂頤于丘, 卽指艮之上九. 所謂拂經, 言以人君之尊, 反賴人之養, 是爲違拂經常之道也. 然賴賢師傳以治其國, 故曰居貞吉, 此亦無異於賁五之終吉也. 程傳之義, 實本於象傳, 豈有可疑者乎. 剝六五之辭曰, 貫魚以宮人寵, 此亦與觀四之別取義同一例乎. 曰, 五爲君位, 而以六居之, 是乃王后與君同處之象也. 上比一陽率群陰, 以順承於下, 則豈非后妃率嬪御, 以順承一人之象乎.

『정전』은 언덕과 동산의 현인에게 꾸밈을 받는다고 여겼는데, 주자는 언덕과 동산이 어떻게 현인을 꾸밀 수 있겠는가라고 생각하여 다만 근본을 돈독하게 하고 실질을 숭상하는 뜻이라고 하였으니, 마땅히 어떤 뜻을 따라야겠습니까?

답하였다: 괘의 「단전」에서 "굳셈을 나누어 올라가서 부드러움을 꾸민다"고 한 것이 바로 육오가 상구에게 꾸밈을 받음을 가리킵니다. 또 이괘(頤卦䷚)의 육오에 "언덕에서 기름이 상도에서 어긋나나 곧음을 지키면 길하다"고 하였으니, 이른바 '언덕에서 기름'은 곧 간괘의

---

29) 『論語·八佾』: 禮與其奢也, 寧儉, 喪與其易也, 寧戚.

상구를 가리킵니다. 이른바 '상도에서 어긋남'은 임금의 존엄이 오히려 남에게 길러짐을 받으니, 이는 상도에 어긋나게 되는 것입니다. 그러나 어진 사부에게 도움을 받아 그 나라를 다스리므로 "곧음을 지키면 길하다"고 하였으니, 이 또한 비괘 오효가 "마침내 길하다"는 것과 다를 것이 없습니다. 『정전』의 뜻은 실상 「단전」에 근본하니, 어찌 의심할 것이 있겠습니까?

물었다: 박괘(剝卦䷖) 육오의 효사에서 "물고기를 꿰어서 궁인이 총애를 받듯이 한다"는 것은 이 또한 관괘(觀卦䷓) 사효가 따로 뜻을 취한 것과 같습니까?

답하였다: 오효는 임금의 자리인데 육이 있으니, 이는 왕후(王后)와 임금이 같이 있는 상입니다. 위로 한 양과 비(比)의 관계에 있으면서 여러 음을 거느려 아래에 따르고 있으니, 어찌 후비(后妃)가 빈어(嬪御)[30]를 거느리고 한 사람에게 순종하여 받드는 상이 아니겠습니까?

## 이현익(李顯益) 「주역설(周易說)」

本義, 以賁于丘園爲得賁之道, 以束帛戔戔爲可羞者. 然則吝字, 只屬束帛戔戔, 不必並賁于丘園看, 而語類曰, 當賁飾華盛之時, 而安于丘園樸陋之事, 其道雖可吝, 而終則有吉. 又曰, 敦本尙儉, 便以吝嗇, 此則以賁于丘園, 亦爲吝也, 未知如何. 然恐當以本義爲正. 語類有曰, 賁于丘園, 是皆務實底, 束帛戔戔, 是賁得不甚大. 所以說吝兩句是兩意, 此段與本義合.

『본의』에서는 "언덕과 동산에서 꾸민다"는 것으로 꾸밈의 도를 얻은 것으로 삼고, "묶어놓은 비단이 재단된 듯하다"는 것을 부끄러울 만 한 것으로 여겼다. 그렇다면 "부끄럽다"는 글자는 다만 묶어놓은 비단이 재단된 듯함에 속하여 반드시 "언덕과 동산에서 꾸민다"는 것을 아울러서 볼 필요는 없는데, 『주자어류』에서 "꾸밈이 화려하고 왕성한 때를 맞이하여 언덕과 동산의 보잘 것 없는 일[樸陋]에 편안하니, 그 도가 비록 부끄러울 만하나 끝에는 길함이 있다"고 하였다.

또 말하였다: '근본을 돈독하게 하고 검소함을 숭상함'은 곧 인색하기 때문인데, 여기서는 '언덕과 동산에서 꾸밈'을 또한 인색한 것으로 삼았으니, 어떠한지 모르겠다. 그러나 아마도 『본의』로써 정론을 삼아야 할 듯하다. 『주자어류』에 "언덕과 동산에서 꾸민다"고 말한 것이 있는데, 이것은 모두 실질에 힘쓰려는 것이고, "묶어놓은 비단이 재단된 듯하다"는 것은 꾸민 것이 매우 크지는 않음이다. 이 때문에 "부끄럽다"고 말한 두 구절이 두 가지 뜻인데, 이 단락은 『본의』와 부합한다.

---

30) 빈어(嬪御): 임금의 첩들을 말한다.

## 이익(李瀷) 『역경질서(易經疾書)』

丘園, 指六二也. 五之賁于丘園, 如二之賁其須, 互著其象也. 丘園, 卽山下耕農之地, 君子未達者之所處也. 上艮, 山也, 下離, 麗也. 離象云, 百果草木, 麗乎土, 百果草木, 所麗之土, 非丘園乎. 束帛, 幣物也, 互震爲玄黃. 孟子所謂篚厥玄黃, 是也. 以玄黃之幣, 盛之于篚, 非束帛而何. 周用玄纁, 而於此云爾者, 恐是殷禮如此, 而殷民用之也. 此未必用黃而爲幣, 則定矣. 或曰, 黃居三帛之一, 幣之薄, 不必取震象也. 戔戔, 不豊之貌. 六五中而不正, 故雖有束帛之聘, 而戔戔. 然不豊爲可吝, 然其意旣勤, 故六二之賢, 不以爲嫌, 而與上興起, 則終吉也. 愼耳老云, 五與二同陰, 無相比之義, 不若比上之爲得. 上九與蠱上九相似, 人君所當尊禮. 宜兩存, 以竢更考.

언덕과 동산은 육이를 가리킨다. 오효에서 ‘언덕과 동산에서 꾸밈’은 이효에서 “수염을 꾸민다”는 것과 같아서 서로 그 상을 드러낸다. 언덕과 동산은 곧 산 아래의 농사짓는 땅이니, 군자로서 아직 달통하지 못한 자가 머무르는 곳이다. 위는 간괘(☶)이니 산이고 아래는 리괘(☲)이니 걸림이다. 리괘(離卦☲)의 「단전」에서 “온갖 곡식과 초목이 땅에 걸려있다”고 하였는데, 온갖 곡식과 초목이 걸려 있는 땅이 언덕과 동산이 아니겠는가? 속백(束帛)은 폐물(幣物)이니, 호괘인 진괘가 현황(玄黃)[31]이 된다. 『맹자』에 이른바 ‘비궐현황(篚厥玄黃)’이라고 한 것이 이것이다. 현황의 폐백으로 광주리를 채우니, 속백이 아니고 무엇이겠는가? 주나라는 현훈(玄纁)[32]을 썼는데 여기에서 ‘이(爾)’라고 말한 것은 아마도 은나라의 예가 이와 같아서 은나라 백성들이 그것을 쓴 것인 듯하다. 여기서는 반드시 황(黃)을 써서 폐백을 삼은 것이 아닌 것은 확실하다. 어떤 이는 황(黃)은 삼백(三帛)[33]의 하나인데, 폐백의 박함이 반드시 진괘의 상을 취한 것은 아니라고 하였다. “재단되어 있는 듯하다”는 것은 풍성하지 않은 모양이다. 육오는 가운데 있지만 바르지 않기 때문에 비록 속백으로 초빙함이 있으나 풍성하지 않은 것이다. 그러나 풍성하지 않음이 부끄러울 만하지만, 그 뜻이 이미 삼가하기 때문에 육이의 어진 이가 인색하다 여기지 않고 위와 함께 일어나면 끝내 길하다. 신이로(愼耳老)는 “오효와 이효는 같은 음이어서 서로 가까이 하는 뜻이 없으니 비(比)의 관계인 상효를 얻는 것만 못하다. 상구는 고괘(蠱卦☶)의 상구와 비슷한데, 임금이 마땅히 예(禮)를 높여야 한다”라 하였으니 두 설을 보존하여 다시 고찰하기를 기다려야 할 것이다.

---

31) 현황(玄黃): 검은빛과 누런빛의 비단이다.

32) 현훈(玄纁): 장사 지낼 때에 산신에게 드리는 검은 헝겊과 붉은 헝겊의 두 조각 폐백. 나중에 무덤 속에 묻는다.

33) 삼백(三帛):『史記·帝堯』, 集解馬融曰, 三孤所執也. 鄭玄曰, 帛, 所以薦玉也. 必三者, 高陽氏後用赤繒, 高辛氏後用黑繒, 其餘諸侯皆用白繒. 正義孔安國云, 諸侯世子執纁, 公之孤執玄, 附庸之君執黃也. 案, 三統紀推伏羲爲天統, 色尙赤. 神農爲地統, 色尙黑. 黃帝爲人統, 色尙白. 少昊, 黃帝子, 亦尙白. 故高陽氏又天統, 亦尙赤. 堯爲人統, 故用白.

## 심조(沈潮) 「역상차론(易象箚論)」

六五, 賁于丘園, 束帛戔戔

육오는 언덕과 동산에서 꾸미니, 묶어놓은 비단이 재단되어 있는 듯이 한다.

艮爲山, 而又有互震巽體之象, 故稱丘園. 震爲玄黃, 束帛之象也. 戔戔, 陰之吝嗇也.
간괘는 산이 되고 또 호괘인 진괘는 음양이 바뀐 손괘 몸체의 상이 있기 때문에 언덕과
동산이라고 말했다. 진괘는 현황(玄黃)이 되니, 속백의 상이다. 잔잔(戔戔)은 음의 인색함
이다.

## 유정원(柳正源) 『역해참고(易解參攷)』

子夏傳, 五匹爲束, 二玄三纁, 象陰陽.
『자하역전』에서 말하였다: 다섯 필(匹)이 속(束)이 되니, 검은 비단 두 필, 분홍 비단 세
필[二玄三纁]은 음양을 형상한다.

○ 正義, 丘園, 是質素之處, 六五處得尊位, 爲飾之主. 若能施飾, 在於質素之處, 不華
侈費用, 則所束之帛, 戔戔衆多也. 吝終吉者, 初時儉約之吝, 乃得終吉而有喜也.
『주역정의』에서 말하였다: 언덕과 동산은 꾸밈이 없는 순박한 곳이며, 육오는 처한 곳이
높은 자리여서 꾸밈의 주체가 된다. 만약 꾸밈없이 소박한 곳에 장식하여 사치스럽게 낭비
하지 않을 수 있다면 묶은 비단이 자잘하게 많다. "부끄럽지만 마침내 길하다"는 것은 처음
엔 검약함이 인색하지만, 마침내 길하여 기쁨이 있음을 얻는 것이다.

○ 漢上朱氏曰, 艮, 爲山, 爲果蓏. 山半爲丘, 而有果蓏, 園之象.
한상주씨가 말하였다: 간괘는 산이 되고 열매가 된다. 산의 반이 언덕이 되는데 열매가 있으
니, 동산의 상이다.

○ 朱子曰, 賁于丘園束帛戔戔, 是箇務農尙儉底意. 戔戔, 是狹小不足之意. 六五, 居
尊位, 卻如此崇本尙儉, 便似吝嗇, 如衛文公漢文帝, 是也. 雖是吝, 卻終吉. 此在賁卦
有反本之義, 到上九便白賁, 和束帛, 都沒了.
주자가 말하였다: "언덕과 동산에서 꾸미나, 묶어놓은 비단이 작다"는 것은 농사일에 힘쓰고
검소함을 숭상하는 뜻이다. 잔잔(戔戔)은 협소하고 넉넉하지 못하다는 뜻이다. 육오는 높은
자리에 있으나 오히려 이와 같이 근본을 높이고 검소함을 숭상하는 것이 곧 인색한 듯하니,
위나라 문공과 한나라 문제와 같은 이가 이 경우이다. 비록 인색하지만 도리어 마침내 길하

다. 이는 비괘에 근본으로 돌아가는 뜻이 있는 것으로 상구에 이르면 '꾸밈을 희게 함'과 '묶어놓은 비단'이 모두 없어진다.

○ 案, 戔戔, 束帛貌, 束帛, 聘賢之幣也. 幣, 必用帛者, 或非帛之爲文, 其經緯綜理, 自然成章, 有似乎賁之剛柔相文者歟. 其曰吝者, 指際遇之難也. 其曰吉者, 指契合之亨也. 此本於舊說, 而朱子亦以爲近故, 今姑存之.

내가 살펴보았다: '잔잔(戔戔)'은 '묶어놓은 비단'의 모양이니, '묶어놓은 비단'은 어진 이를 초빙할 때의 폐백(幣帛)이다. 폐백[幣]에 반드시 비단을 쓰는 것은 혹 비단이 꾸밈이 되어서가 아니라, 씨줄 날줄로 짜여진 것이 자연히 문채를 이루어 마치 비괘에서 굳셈과 부드러움이 서로 꾸며주는 것과 비슷하기 때문인가 보다. 그 "부끄럽대[吝]"고 말한 것은 뜻이 맞기 어려움을 가리킨다. "길하다"고 말한 것은 들어맞아 형통함을 가리킨다. 이는 옛 설명에 근본하지만, 주자가 또한 근래의 일로 여겼으니 이제 짐짓 그대로 둔다.

## 김상악(金相岳) 『산천역설(山天易說)』

邱園, 皆在外, 而高且近者, 指上九也. 束帛, 薄物也. 戔戔, 淺小之意也. 六五居艮遇離, 與上相比, 故有賁于邱園, 束帛戔戔之象. 招聘邱園, 待以儉約, 未免乎吝. 然獲賁于外比之賢, 故得終吉也.

언덕과 동산은 모두 밖에 있고, 높고 또 가까운 것이니, 상구를 가리킨다. '묶어놓은 비단'은 보잘 것 없는 물건이고, '작대[戔戔]'는 얼마 되지 않는다는 뜻이다. 육오는 간괘(艮卦)에 있으면서 리괘(離卦)를 만나고 상효와 함께 서로 비(比)의 관계이기 때문에 언덕과 동산에서 꾸미나 묶어놓은 비단이 작은 상이 있다. 언덕과 동산에 있는 어진 이를 초빙하는데 검약함으로 대접하니 인색함을 면하지 못한다. 그러나 밖으로 비(比)의 관계에 있는 어진 이에게서 꾸밈을 얻었기 때문에 마침내 길함을 얻는다.

○ 邱, 艮之山也. 又震木在下, 園之象, 山林, 卽賢者所居也. 人君能親而下之, 則可以成賁之功, 故曰賁于邱園. 束帛, 聘幣之物, 離有布帛成章之象. 又四五皆陰而一陽連于上, 有分剛文柔之象, 故以束帛言. 困九二曰, 朱紱方來, 卽束帛之應也, 朱紱, 帛之有章者也. 蓋艮之爲卦, 上陽下陰, 有尙賢之象. 蠱上九曰, 不事王侯, 高尙其事, 亦邱園之賢也. 戔戔, 陰之小也. 陰性吝嗇, 而二陰相比, 故曰戔戔, 猶旅初之瑣瑣. 終吉, 謂始雖羞吝, 終能成賁之功而吉也.

언덕[邱]은 간괘인 산이다. 또 진괘(震卦)인 나무가 아래에 있음은 동산의 상이니, 산림(山林)은 곧 어진 이가 있는 곳이다. 인군(人君)이 친하게 하여 낮출 수 있으면 꾸미는 공을 이룰 수 있으므로 "언덕과 동산에서 꾸민다"고 하였다. '묶어놓은 비단'은 빙폐(聘幣)의 물건이니, 리괘에 베와 비단이 꾸밈을 이루는 상이 있다. 또 사효와 오효는 모두 음이고 한 양이 위에 이어져 있어 굳셈을 나누고 부드러움을 꾸미는 상이 있기 때문에 '묶어놓은 비단'으로 말하였다. 곤괘(困卦䷮) 구이에서 "주색 슬갑(朱紱)이 바야흐로 온다"고 함은 곧 '묶어놓은 비단'의 호응이니, 주색 슬갑은 비단에 꾸밈이 있는 것이다. 대체로 간괘의 됨됨이 위는 양이고 아래는 음이어서 어진 이를 숭상하는 상이 있다. 고괘(蠱卦䷑) 상구에서 "왕후를 섬기지 않고 그 일을 높이 숭상한다"고 한 것도 언덕과 동산에 있는 어진 이이다. '잔잔(戔戔)'은 음이 작은 것이다. 음의 성질은 인색하고, 두 음이 서로 가깝기 때문에 '작다[戔戔]'고 한 것은 려괘(旅卦䷷) 초효의 '자잘함'과 같다. "마침내 길하다"는 것은 처음엔 비록 부끄럽지만 마침내 꾸미는 공을 이룰 수 있어 길함을 말한다.

## 김규오(金奎五) 「독역기의(讀易記疑)」

六五邱, 蓋艮象, 而帛爲坤象. 戔戔, 吝嗇, 亦有坤意. 舊說謂外體本爲坤者, 或以此耶.
육오의 언덕은 대체로 간괘의 상이지만, 비단은 곤괘의 상이 된다. 잔잔(戔戔)은 인색함인데, 또한 곤괘의 뜻이 있다. 옛 설명에 바깥 몸체는 본래 곤괘가 된다고 말한 것이 혹 이 때문일 것이다.

○ 賁于邱園, 自是不賁之賁. 束帛, 始爲賁之可見者, 而戔戔, 亦甚些略, 蓋幾於无色矣.
"언덕과 동산에서 꾸민다"는 것은 자연히 꾸미지 않는 듯한 꾸밈이다. '묶어놓은 비단'은 처음엔 꾸밈이 드러나는 것이 되는데, '작음[戔戔]'이 또한 매우 사소하고 간략한 것이니, 대개 거의 색이 없다.

○ 義, 敦本尚實同釋, 賁于邱園而束帛云云, 則反語而解之者. 雲峯分敦本屬邱園, 以尚實屬束帛, 恐失之太析.
『본의』에서 "근본을 돈독하게 하고 실질을 숭상한다"는 것을 언덕과 동산에서 꾸미나, 묶어놓은 비단이 작으니 운운한 것은 상반된 말로 풀이한 것이다. 운봉은 이를 나누어 "근본을 돈독하게 하다"는 언덕과 동산에 소속시키고, "실질을 숭상한다"는 '묶어놓은 비단'에 소속시켰으니, 지나치게 분석하여 어긋난 듯하다.

## 박제가(朴齊家) 『주역(周易)』

朱子論程傳曰, 如何丘園便能賁人. 束帛戔戔, 他解作剪裁之象, 尤艱曲說不出, 舊說指上九作高尙隱于丘園之賢, 而用束帛之禮聘召之. 若不用某說, 則此說似近. 本義六五柔中爲賁之主, 敦本尙實, 得賁之道, 然陰性吝嗇, 有束帛戔戔之象. 禮奢寧儉, 故終吉. 案, 本義確矣. 賁非爲上九, 而自賁無疑, 所謂敦本也. 但束帛, 屬之尙實, 終無來歷. 當曰五自賁于丘園, 而朝廷招聘之禮, 只是束帛戔戔, 乃待士之儉約, 而於五則無失, 故其象則吝而終吉. 蓋五爲陰柔, 不能大受其賁, 故云耳. 如此則通兩[34]家之郵, 而義始完矣.

주자는 『정전』을 논하여 "어떻게 언덕과 동산이 사람을 꾸며줄 수 있겠습니까? '묶어놓은 비단이 적으니'에 대해 정자는 가위질하여 자르는 상으로 해석하여 더욱 어렵고 곡진하게 설명하지 못하였습니다. 옛 설명에서는 상구를 가리켜 '언덕과 동산에 숨어있는 어진 이를 높이 숭상하여 묶어놓은 비단의 예로 초빙하여 부르는 것'이라고 하였습니다. 제 설명을 쓰지 않는다면 이 설명이 가깝습니다"라고 하였다. 『본의』에서는 "육오는 부드럽고 가운데 있어 비괘의 주인이 되니, 근본을 돈독히 하고 실질을 숭상하여 꾸미는 도를 얻었으나, 음의 성질은 인색하여 묶어놓은 비단이 작은 상이 있습니다. 예는 사치하기보다 차라리 검소한 것이기 때문에 마침내 길함을 얻는다"고 하였다.

내가 살펴보았다: 『본의』가 확실하다. 꾸밈은 상구를 꾸미기 위함이 아니고 스스로 꾸미는 것임에 틀림이 없으니, 이른바 근본을 돈독히 함이다. 다만 '묶어놓은 비단'을 실질을 숭상함에 소속시키면 끝내 근거가 없다. 마땅히 오효가 스스로 언덕과 동산에서 꾸민다고 해야 하고, 조정에서 초빙하여 부르는 예는 다만 묶어놓은 비단이 작으니, 이에 선비를 대접함이 검약한 것으로 오효에 있어서는 잘못이 없으므로 그 상은 인색하나 마침내 길하다. 대개 오효는 부드러운 음이 되니, 크게 그 꾸밈을 받을 수 없음을 말한 것이다. 이와 같으면 두 분의 설을 통할 수 있어서 뜻이 비로소 완전해진다.

### 서유신(徐有臣) 『역의의언(易義擬言)』

丘園, 艮山之象也. 夫朝廷之餙黼黻文章也, 丘園之餙帛也. 庶民布褐, 而未足爲餙也. 六五以朝廷而爲丘園之餙. 又其帛止於一束, 戔戔然可吝也. 然質素如此, 而終得上九之賢, 以成賁, 故吉也.

언덕과 동산은 간괘인 산의 상이다. 조정의 꾸밈은 보불문장(黼黻文章)[35]이고, 언덕과 동산에서의 꾸밈은 비단이다. 서민의 의복은 포갈(布褐)이니 꾸밈이라 하기엔 부족하다. 육오

---

34) 兩: 경학자료집성DB와 영인본에는 '雨'로 되어 있으나, 문맥을 살펴 '兩'으로 바로잡았다.

35) 보불문장(黼黻文章): 임금의 예복(禮服) 하의(下衣)인 치마에 놓은 수(繡). 보(黼)는 흑색과 백색으로 도끼 모양을 수놓은 것이고, 불(黻)은 흑색과 청색으로 아(亞) 자 모양을 수놓은 것이며, 청색과 적색인 것은 문(文), 적색과 백색인 것이 장(章)이다.

는 조정으로서 언덕과 동산의 꾸밈을 하고, 또 그 비단은 한 묶음에 그치니 자잘해서 인색하다할 수 있다. 그러나 꾸밈없는 소박함이 이와 같아서 마침내 상구의 어진 이를 얻어서 꾸밈을 이루기 때문에 길하다.

### 강엄(康儼) 『주역(周易)』

本義, 敦本尙實.
『본의』에서 말하였다: 근본을 돈독히 하고 실질을 숭상한다.

按, 此四字, 皆指賁于丘園而言. 至下陰性吝嗇, 方說束帛戔戔之義, 而雲峯乃以此四字分屬於兩句, 恐未然.
내가 살펴보았다: 이 네 글자는 모두 "언덕과 동산에서 꾸민다"는 것을 가리켜서 한 말이다. 아래 음의 성질이 인색한데 이르러 비로소 묶어놓은 비단이 작다는 뜻을 설명하였는데, 운봉은 이에 이 네 글자를 두 구절로 나누어 소속시켰으니 그렇지 않은 듯하다.

### 하우현(河友賢) 『역의의(易疑義)』

九五, 以陽居君位, 應六二之陰, 而內外尊卑, 中正順應, 家道以正, 故象曰交相愛也.
구오는 양으로 임금의 자리에 있고 육이의 음에 호응하여 안팎이 높고 낮으며 중정하고 순응하니, 집안의 도로써 바르게 하기 때문에 가인괘(家人卦䷤) 구오「상전」에서 "서로 사랑함이다"고 하였다.

### 박문건(朴文健) 『주역연의(周易衍義)』

處鄕不出, 故有賁丘園之象. 丘以樵薪, 園以種果, 皆近人家之地也. 帛, 文繒也. 戔戔, 分裂之貌也.
고향에 거처하여 나오지 않기 때문에 언덕과 동산을 꾸미는 상이 있다. 언덕은 땔감을 벌목하고 동산은 과실을 기르니, 모두 인가(人家)에 가까운 곳이다. 백(帛)은 무늬가 있는 비단이디. 간간(戔戔)은 갈라놓은 모양이다.
〈問, 賁于丘園以下. 曰, 六五有疑, 故賁其丘園. 然未免戔戔之禍也. 以束置之文繒, 而盡爲分裂, 可謂始吝. 然用中, 故終必相信而吉, 象所謂有喜者, 此也.
물었다: "언덕과 동산에서 꾸민다" 이하는 무슨 뜻입니까?
답하였다: 육오는 의심이 있기 때문에 그 언덕과 동산을 꾸밉니다. 그러나 찢어지는 잘못을 면할 수 없습니다. 한 묶음의 무늬가 있는 비단이었는데, 모두 나뉘고 찢어지게 되었으니,

처음엔 인색하다고 할 만 합니다. 그러나 중도를 쓰기 때문에 마침내 반드시 서로 믿어서 길하니, 「상전」에서 "기쁨이 있다"고 한 것이 이것입니다.〉

## 이지연(李止淵) 『주역차의(周易箚疑)』

當賁之時, 陰陽交錯, 然後可以成賁. 六五爲賁之主, 以陰柔之質, 欲引初九之賢, 則舍車而徒, 欲引九三之賢, 則永貞勢不得, 不引其所承之上六, 而上六居賁之外, 以白爲賁, 其志之高遠, 又甚矣. 不盡誠敬, 則雖聘之以珠玉車馬, 必不肯來. 但以戔戔之束帛聘之, 而以質素敦朴之意示之, 則彼賢者, 或可感誠意而惠. 然以成我之賁, 則於我有喜耳. 邱園, 艮之象, 隱者所處. 戔戔有二義, 皆是昭險尙實之義也.

꾸미는 때에는 음과 양이 서로 섞이니, 그런 뒤에 꾸밈을 이룰 수 있다. 육오는 꾸미는 주인이 되는데 부드러운 음의 자질로 초구의 어진 이를 이끌려고 하면 수레를 버리고 걸어서 가며, 구삼의 어진 이를 이끌려고 하면 영구히 하고 곧게 하여 형세를 얻지 못하니, 그 이어야 할 바의 상육을 이끌지 못하고 상육은 꾸밈의 밖에 있어 흰 것으로 꾸미니, 그 뜻이 높고 멀며 또 깊다. 정성과 공경을 다하지 않으면 비록 주옥(珠玉)과 거마(車馬)로 초빙하더라도 반드시 기꺼이 오지 않는다. 다만 작은 묶음의 비단으로 초빙하고 수수하고 질박함의 뜻으로 보이면 저 어진 이가 혹 성의에 감응하여 사랑한다. 그러나 나의 꾸밈을 이룬다면 나에게 있어서는 기쁨이 될 따름이다. 언덕과 동산은 간괘의 상이니, 은둔하는 자가 거처하는 곳이다. 잔잔(戔戔)은 두 가지 뜻이 있으나, 모두 험함을 밝게 비추고 실질을 숭상하는 뜻이 있다.

## 김기례(金箕澧) 「역요선의강목(易要選義綱目)」

程傳本義, 不相同. 諸儒多從本義說去.

『정전』과 『본의』가 서로 같지 않다. 여러 학자들은 대부분 『본의』의 설명을 따랐다.

○ 艮爲山, 故曰丘園.

간괘가 산이 되기 때문에 "언덕과 동산"이라고 하였다.

○ 束帛, 言賁飾.

'묶어놓은 비단'은 꾸밈을 말한다.

○ 五, 柔中而爲賁主. 不賁于市朝, 賁于丘園, 自潔自守, 如束布帛之文, 淺小而尙實, 尙儉. 當賁時似若吝嗇, 守約而終吉.

오효는 부드러운 음으로 가운데 있고 꾸밈의 주인이 된다. 시정과 조정에서 꾸미지 않고 언덕과 동산에서 꾸밈이니, 스스로 깨끗이 하고 스스로 지킴이 베와 비단을 묶는 꾸밈이 얼마 되지 않지만 실상을 숭상하고 검소함을 숭상함과 같다. 꾸미는 때에는 인색한 것과 같으나, 검약함을 지켜서 마침내 길하다.

## 이항로(李恒老) 「주역전의동이석의(周易傳義同異釋義)」

傳, 獲賁於外比之賢, 賁于丘園也. 若能受賁於上九, 受其裁制, 如束帛而戔戔, 則雖其柔弱, 不能自爲, 爲可少吝, 然能從於人, 成賁之功, 終獲其吉也. 戔戔, 剪裁分裂之狀云云.

『정전』에서 말하였다: 가까이 밖에 있는 현자에게서 꾸밈을 얻으니 언덕과 동산에서 꾸미는 것이다. 상구에게서 꾸밈을 받고 그 재제를 받아 묶어놓은 비단이 재단되어 있듯이 하면, 그 유약함이 스스로 일을 하지 못해 조금 부끄럽지만, 남을 따라 꾸미는 공을 이룰 수 있으니 끝내 길함을 얻는다. '재단되어 있는 듯이'는 가위질하고 마름질하여 나눠 놓은 모양이다, 운운.

本義, 敦本尙實, 得賁之道, 故有丘園之象. 然陰性吝嗇, 故有束帛戔戔之象. 束帛, 薄物, 戔戔, 淺小之意云云.

『본의』에서 말하였다: 근본을 돈독하게 하고 실질을 숭상하여 꾸밈의 도를 얻었기 때문에 언덕과 동산의 상이 있다. 그러나 음의 특성은 인색하기 때문에 묶어놓은 비단이 작은 상이 있다. '묶어놓은 비단'은 얇은 것이고, '작다'는 것은 얼마 되지 않는다는 의미이다, 운운.

按, 朱子曰, 如何丘園, 便能賁人. 束帛戔戔, 他解作剪裁之象, 尤艱曲說不出, 這八字只平白在這裏, 若如所說, 則曲折多意思遠. 舊說指上九作高尙隱于丘園之賢, 而用束帛之禮聘召之. 若不用某說, 則此說近是云云. 愚謂三說剪裁之說, 已經朱子辨柝, 聘賢之說, 孔氏曰唯用束帛, 招聘丘園, 以儉約待賢, 豈其義也. 孔氏之辨又精當, 從本義无疑. 蓋五是君位, 而所賁者宮闕壯麗, 臺池華盛, 所用者錦繡龜玉, 山堆丘積, 而卻以丘園爲賁, 以束帛爲資, 則其敦本實尙儉約之意, 可知矣. 賁本小利之卦, 而五居艮止之體, 中孚篤實, 下應文明, 故其象如此.

내가 살펴보았다: 주자는 "어떻게 언덕과 동산이 사람을 꾸며줄 수 있겠습니까? '묶어놓은 비단이 적다'는 것은 그가 마름질하고 가위질한 상으로 해석하여 더욱 어렵고 잘못되게 해석하지는 않았습니다만, 이 여덟 자[如何丘園, 便能賁人]는 단지 여기에서 쉽고 통속적인 것인데, 만약 설명한 것처럼 하면 곡절이 많아지고 의미가 멀어집니다. 옛 설명에서는 상구

를 가리켜 언덕과 동산에 숨어 있는 어진 이를 높이 숭상하여 묶어놓은 비단의 예로 초빙하여 부르는 것으로 말하였습니다. 제 설명을 받아들이지 않는다면 이 설명이 이에 가깝습니다"고 운운하였다. 내가 생각해보건대, 세 설명 가운데 마름질하고 가위질한다는 설명은 이미 주자가 변척하였고, 어진 이를 초빙하는 설명은 공씨가 "단지 묶어놓은 비단으로 언덕과 동산의 선비를 초빙함에 검약으로 어진 이를 대접하는 것일 뿐이라면 어찌 그런 의미이겠는가?"라고 하였으니, 공씨의 분변함이 또 정밀하고 합당하나, 『본의』를 따름에 의심이 없다. 대개 오효는 임금의 자리이고 꾸미는 바가 궁궐의 장엄하고 화려함이며, 대(臺)와 못의 아름답고 성함이며, 쓰이는 바가 아름답고 화려한 옷과 귀중한 것이어서 산처럼 쌓이고 언덕처럼 모이는데 도리어 언덕과 동산으로 꾸밈을 삼고 묶어놓은 비단으로 의지를 삼으니, 그 근본을 돈독히 함이 실상 검약함을 숭상하는 뜻임을 알 수 있다. 비괘는 본래 조그만한 이익의 괘인데 오효가 간괘로서 그치는 몸체에 있고 중부괘(中孚卦䷼)의 실상을 돈독히 함이 아래로 문채의 밝음에 호응하므로 그 상이 이와 같다.

## 심대윤(沈大允) 『주역상의점법(周易象義占法)』

賁之家人䷤, 私鄙也. 賁道旣成, 其美惡, 隨質而異也. 六五以柔居剛, 以文而尙質也. 附于上九而爲賁, 故曰賁于丘園, 言其文章已著, 而猶尙質素也. 艮爲丘, 巽爲園. 束帛戔戔, 言隨其質而裁制成章也. 戔戔, 裁制之貌. 艮爲束, 巽爲帛, 有所係也, 故曰吝, 文質得中, 故曰終吉.

비괘가 가인괘(家人卦䷤)로 바뀌었으니, 사사롭게 무리를 짓는 것이다. 꾸미는 도가 이미 이루어지면 아름다움과 추함은 실질에 따라 달라진다. 육오는 부드러운 음으로 굳센 양의 자리에 있고 꾸밈으로 실질을 숭상한다. 상구에 붙어서 꾸밈이 되므로 "언덕과 동산에서 꾸민다"고 하였으니, 그 문채가 이미 드러났으나 오히려 실질과 바탕을 숭상함을 말한다. 간괘는 언덕이 되고 손괘는 동산이 된다. "묶어놓은 비단이 재단되어 있는 듯하다"는 그 실질에 따라서 재단하여 꾸밈을 이루는 것이다. 잔잔(戔戔)은 재단하는 모양이다. 간괘는 묶음이 되고 손괘는 비단이 되니, 매인 바가 있으므로 "인색하다"고 하였으며, 꾸밈과 실질이 알맞음을 얻었기 때문에 "마침내 길하다"고 하였다.

## 오치기(吳致箕) 「주역경전증해(周易經傳增解)」

六五, 柔中居尊, 而下无正應, 乃與上九之剛, 相比而爲賁, 故有賁于丘園之象, 而束帛戔戔, 禮幣勤摯, 乃尙賢之誠. 然柔失其正, 而下无正應之相賁, 雖若爲吝, 而以君位之尊, 獲賁於在外之賢, 爲賁道之善, 故言終得其吉.

육오는 부드러운 음이 가운데 있고 높은 자리에 있으며 아래로 정응이 없어 이에 상구의 굳셈과 함께 서로 비(比)의 관계로 꾸밈이 되므로 언덕과 동산에서 꾸미는 상이 있고, 묶어 놓은 비단이 작음은 예폐(禮幣)를 삼가 받드니, 곧 어진 이를 숭상하는 정성이다. 그러나 부드러운 음이 그 바름을 잃고 아래로 정응이 서로 꾸며줌이 없어서 비록 인색한 것 같으나 임금 자리의 높음으로 밖에 있는 어진 이에게 꾸밈을 받아 꾸미는 도의 좋음이 되므로 마침 내 그 길함을 얻었다고 말하였다.

○ 山麓爲丘園, 而取於艮爲山也. 束者, 結也. 坤爲帛之象, 而一陽橫于互坤之中, 爲 結束之象. 戔戔, 委積之貌, 而一剛一柔相錯, 爲委積之象也.
산기슭이 언덕과 동산이 되는데 간괘가 산이 되는 것에서 취했다. '속(束)'은 묶음이다. 곤괘 는 비단의 상이 되는데 한 양이 호괘인 곤괘의 가운데를 가로질러 묶는 상이 된다. 잔잔(戔 戔)은 쌓이는 모양인데 굳센 양 하나와 부드러운 음 하나가 서로 섞여 쌓이는 상이 된다.

### 이진상(李震相) 『역학관규(易學管窺)』

賁于邱園.
언덕과 동산에서 꾸민다.

戔戔, 是委積貌. 蓋以束帛之幣, 外比丘園之賢者, 而上九无位, 又非正應, 即不過耕山 灌圃之遺老, 於事雖吝, 而尊賢之意, 則可尙, 故終吉也. 賁體白而求餙, 故以帛言.
잔잔(戔戔)은 쌓이는 모양이다. 대체로 비단을 묶은 폐백으로 언덕과 동산의 어진 이를 밖 으로 친히 하지만, 상구는 지위가 없고 또 정응이 아니어서 산과 밭에서 경작하는 유로(遺 老)에 불과하니, 일에 비록 인색하나 어진 이를 높이는 뜻은 숭상할만 하므로 마침내 길하 다. 꾸밈의 몸체가 흰데, 장식을 구하므로 비단으로 말하였다.

### 이진상(李震相) 『역학관규(易學管窺)』

朱氏曰, 艮爲山, 爲果蓏. 山半爲丘, 有果蓏, 園之象.
주씨가 말하였다: 간괘는 산이 되고 열매가 된다. 산의 중턱이 언덕이 되고 열매가 있으니, 동산의 상이다.

愚按, 四至上, 外實內虛, 有園象. 坤爲帛, 而艮從坤, 故有束帛象. 此爻動, 則爲巽, 又 有束意. 陰本乏嗇, 故有戔戔之象. 離戈以剗之, 所以戔也.

내가 살펴보았다: 사효에서 상효까지는 밖이 실하고 안이 비었으니, 동산의 상이 있다. 곤괘는 비단이 되고 간괘는 곤괘를 따르므로 묶어놓은 비단의 상이 있다. 이 효가 움직이면 손괘(☴)가 되니 또 묶는 뜻이 있다. 음은 본래 궁핍하고 인색하기 때문에 작은 상이 있다. 리괘의 창[離戈]으로 깎으니, 이 때문에 작은 것이다.

## 채종식(蔡鍾植) 「주역전의동귀해(周易傳義同歸解)」

賁六五, 賁于丘園, 束帛戔戔. 傳謂獲賁於外比之賢, 受其裁制, 如束帛而戔戔, 本義謂敦本尚實, 得賁之道, 兩說大不相同也. 然六五以艮體陰柔得中, 質有餘而文不足者也, 故朱子就其質上解之, 謂以儉約爲賁, 示人尚質之義也. 程子就其文上解之, 謂以受裁爲賁, 示人濟文之義也. 然則以質而言者, 賁之本也, 以文而言者, 賁之末也, 本末無二致也.

비괘의 육오에서 "언덕과 동산에서 꾸미니, 묶어놓은 비단이 재단되어 있는 듯하다"고 하였다. 『정전』에서는 "밖으로 가까운 어진 이에게서 꾸밈을 받고, 그 재제를 받아 묶어놓은 비단이 재단되어 있듯이 한다"고 하였는데, 『본의』에서는 "근본을 돈독하게 하고 실질을 숭상하여 꾸밈의 도를 얻었다"고 하였으니, 두 설명이 크게 다르다. 그러나 육오는 간괘의 몸체로 부드러운 음이 가운데를 얻어 실질은 남음이 있고 꾸밈은 부족한 자이므로 주자는 그 실질에 나아가 풀이하였으니, 검약으로 꾸밈을 삼는다고 말한 것은 사람들에게 실질을 숭상하는 뜻을 보인 것이다. 정자는 그 꾸밈에 나아가 해석하였으니, 제재를 받는 것으로 꾸밈을 삼는다고 말한 것은 사람들에게 꾸밈을 구제하는 뜻을 보인 것이다. 그렇다면 실질로 말한 것은 꾸밈의 근본이고 꾸밈으로 말한 것은 꾸밈의 말단이니, 근본과 말단은 본래 두 가지 이치가 아니다.

## 박문호(朴文鎬) 「경설(經說)・주역(周易)」

丘園, 程子取近義爲多, 故分作兩物釋之, 頗爲費力. 若作一事, 只取其高義, 似亦通. 蓋自五視上, 則上爲高矣. 近, 謂近於城也, 城必有丘, 故有城必有丘矣. 丘園者, 質厚之物, 故敦本尚實, 有此象.

언덕과 동산은 정자는 가까운 뜻으로 취한 것이 많으므로 두 가지 물건으로 나누어 해석하였으니, 자못 힘을 낭비하였다. 만약 한 가지 일로 하여 다만 그 높은 뜻을 취하였더라도 또한 통한다. 대체로 오효로부터 상효를 보면 상효는 높음이 된다. "가깝다"는 근(近)은 성(城)에 가까움을 말하니, 성에는 반드시 언덕이 있으므로 성이 있으면 반드시 언덕이 있다. 언덕과 동산은 실질이 두터운 물건이므로 근본을 돈독하게 하고 실상을 숭상하는데 이러한 상이 있다.

## 이병헌(李炳憲) 『역경금문고통론(易經今文考通論)』

虞曰, 艮爲山, 五, 半山, 故稱丘, 木果曰園.
우번이 말하였다: 간괘는 산이 되는데 오효는 산허리이기 때문에 언덕이라고 말하였고, 나무의 과실을 동산이라고 한다.

馬曰, 戔戔, 委積貌.
마융이 말하였다: 잔잔(戔戔)은 쌓이는 모습이다.

荀曰, 山林之間, 賁飾丘陵以爲園, 國隱士之象也. 五爲王位, 勤賢之主, 尊道之君也, 故曰賁于丘園. 束〈十端爲束〉帛戔戔, 居臣失正, 故吝, 能以中和飾上成功, 故終吉而有喜也. 玆其爲文王君臣乎.
순상이 말하였다: 산림 사이에 구릉을 꾸며 동산을 삼았으니, 나라의 숨은 선비의 상이다. 오효는 왕의 자리가 되고 어진 이를 찾아가 보는 주인이니, 도를 높이는 임금이므로 "언덕과 동산에서 꾸민다"고 하였다. "묶어놓은〈열단이 묶음이 된다.〉 비단이 재단되어 있는 듯하다"는 것은 거처한 신하가 바름을 잃었으므로 인색하나 중화(中和)로써 위를 꾸며 공을 이룰 수 있으므로 마침내 길하여 기쁨이 있다. 이것이 그 문왕의 임금과 신하됨이다.

象曰, 六五之吉, 有喜也.

육오의 길함은 기쁨이 있는 것이다.

## ║中國大全║

傳

能從人, 以成賁之功, 享其吉美, 是有喜也.

남을 따라 꾸미는 공을 이룰 수 있어 그 길함과 아름다움을 누리니 기쁨이 있다.

## ║韓國大全║

### 김상악(金相岳) 『산천역설(山天易說)』

始雖有儉約之吝, 終必獲賁飾之喜, 如疾之有瘳也, 與无妄之五損兌之四, 同辭.

처음엔 비록 검약한 인색함이 있으나 마침내 반드시 꾸미는 기쁨을 얻으니, 병이 낫는 것과 같고, 무망괘(无妄卦䷘) 오효와 손괘(損卦䷨), 태괘(兌卦䷹) 사효의 질병[疾]과 말이 같다.

### 서유신(徐有臣) 『역의의언(易義擬言)』

得上九爲喜也.

상구를 얻어 기쁨이 된다.

## 심대윤(沈大允) 『주역상의점법(周易象義占法)』

賁之對困, 兌爲裁制, 互巽离爲交麗, 有爻爻之象, 坎兌爲喜.

비괘(賁卦䷕)의 음양이 반대인 괘가 곤괘(困卦䷮)인데, 태괘(☱)가 재단함이 되고 호괘인 손괘(☴)와 리괘(☲)는 서로 걸림이 되니, 재단하는 상이 있으며, 감괘(☵)와 태괘는 기쁨이 된다.

## 오치기(吳致箕) 「주역경전증해(周易經傳增解)」

從賢人而成賁之功, 是以有喜, 乃吉之道也.

어진 사람을 따라서 꾸밈의 공을 이루니, 이 때문에 기쁨이 있어 이에 길한 도가 된다.

## 上九, 白賁, 无咎.

상구는 꾸밈을 희게 하면 허물이 없을 것이다.

# ‖中國大全‖

### 傳

上九, 賁之極也. 賁飾之極, 則失於華僞. 唯能質白其賁, 則无過失之咎. 白, 素也, 尚質素, 則不失其本眞, 所謂尚質素者, 非无飾也, 不使華沒實耳.

상구는 꾸밈의 극치이다. 꾸밈의 극치는 화려함과 거짓에서 잘못된다. 오직 그 꾸밈을 질박하고 희게 하면 잘못되는 허물이 없을 것이다. 흰 것은 바탕이니, 실질과 바탕을 숭상하면 그 근본과 참됨을 잃지 않으니, 이른바 실질과 바탕을 숭상하는 것은 꾸밈이 없는 것이 아니라 화려함이 실질을 없애지 않게 하는 것일 뿐이다.

### 本義

賁極反本, 復於无色, 善補過矣. 故其象占如此.

꾸밈이 극치에서 근본으로 돌아와 색이 없는 것으로 돌아가니 잘못을 잘 보완한다. 그러므로 그 상과 점이 이와 같다.

#### 小註

或問, 白賁无咎. 朱子曰, 賁飾之事, 太盛則有咎, 所以處太盛之終, 則歸於白賁, 勢當然也.

어떤 이가 물었다: 꾸밈을 희게 하면 허물이 없겠습니까?

주자가 답하였다: 꾸미는 일이 너무 성대하면 허물이 있기 때문에 너무 성대한 끝에서는

꾸밈을 희게 하는 것으로 돌아옴이 추세로는 당연합니다.

○ 問, 如本義說六五上九兩爻, 卻是賁極反本之意. 曰六五已有反本之漸, 故曰賁于丘園, 束帛戔戔. 至上九白賁, 則反本而復於无飾矣, 蓋皆賁極之象也. 白賁无咎, 据剛上文柔, 是不當說自然, 而卦之取象, 不恁地拘, 各自說一義.
물었다: 『본의』에서 설명한 육오와 상구 두 효는 꾸밈의 극치에서 근본으로 돌아가는 의미입니까?
답하였다: 육오는 이미 점차 근본으로 돌아감이 있기 때문에 "언덕과 동산에서 꾸미나 묶어놓은 비단이 작다"라고 하였습니다. "상구는 꾸밈을 희게 한다"에 와서는 근본으로 돌아와서 꾸밈이 없음으로 회복하는 것이니, 모두 꾸밈이 극치인 상입니다. 꾸밈을 희게 하여 허물을 없애는 것은 굳센 상구에 의거하여 부드러움을 문식하는 것이 자연스럽다고 하기에는 부당하지만, 괘에서 상을 취한 것은 그렇게 구애되지 않으니, 각기 스스로 하나의 뜻을 설명한 것입니다.

○ 雲峯胡氏曰, 初取上下之義, 賁其趾, 下象也. 上取始終之義, 文之極則反爲質, 白賁, 終象也. 賁上卦言白馬言束帛戔戔, 終言白賁, 雜卦曰賁无色也, 可謂一言以蔽之矣. 履禮也, 初素履往无咎, 賁文也, 終白賁无咎, 其反賁之文, 而爲履之素歟.
운봉호씨가 말하였다: 초구에서는 위와 아래의 뜻을 취했는데, 발을 꾸미는 것은 아래의 상이다. 상구에서는 처음과 끝의 뜻을 취했는데, 꾸밈의 극치는 돌아와서 질박하게 되니, 꾸밈을 희게 하는 것은 끝의 상이다. 비괘의 상괘에서 '백마'를 말하고 "묶어놓은 비단이 작다"고 하고 마침내 "꾸밈을 희게 한다"고 말했는데, 「잡괘전」에서 "꾸밈은 색이 없는 것이다"라고 한 것은 한마디로 요약했다고 할 수 있다. 리괘(履卦䷉)는 예의여서 처음에는 "평소의 본분대로니 가서 허물이 없다는 것"이고, 비괘(賁卦䷕)는 꾸밈이어서 끝에는 "꾸밈을 희게 하면 허물이 없다는 것"이니, 아마도 비괘의 꾸밈을 되돌려서 리괘의 평소의 본분대로 하는 것일 것이다.

## 韓國大全

### 권근(權近) 『주역천견록(周易淺見錄)』

賢者, 无位隱而止於山林之上, 白衣以自守, 素履而不變者也, 故爲白賁. 懷德抱道, 待聘而不往求, 何咎之有. 故能優游, 而自得其志也.

或曰, 得志, 猶孟子我得志之謂, 言得位而行其志也. 上九, 雖居无位之地, 終必應聘而起, 得位行道, 以得遂其兼善天下之志也. 故六五之象曰, 有喜, 六五得臣上九, 而喜也, 上九之象曰, 得志, 上九應六五之聘, 而得行其志, 亦通.

어진 자는 지위 없이 은둔하여 산림에 머물며 흰옷을 입고 스스로를 지키며 평소의 뜻을 실천하면서 변치 않는 사람이므로 '꾸밈을 희게 하는 것'이 된다. 덕과 도를 마음에 품고 초빙하기를 기다리지만 가서 구하지는 않으니, 무슨 허물이 있겠는가? 그러므로 여유롭게 자기의 의지대로 살아갈 수 있다.

어떤 이가 말하였다: "뜻을 얻는다"는 말은 『맹자』에서 "내가 뜻을 얻음"이라고 말하는 것과 같으니, 지위를 얻어 자기의 뜻을 실행한다는 말이다. 상구는 비록 지위가 없는 곳에 있지만 끝내는 반드시 초빙에 응해 일어나, 지위를 얻어 도를 행하여 천하를 아울러 선하게 하고자 하는 뜻을 이루게 된다. 그러므로 육오의 「상전」에서 "기쁨이 있다"고 한 것은 육오가 신하인 상구를 얻어 기쁜 것이고, 상구의 「상전」에서 "뜻을 얻었다"고 한 것은 상구가 육오의 초빙에 응하여 자신의 뜻을 행할 수 있다는 것과 역시 통한다.

### 조호익(曺好益) 『역상설(易象說)』

上九, 白賁.

상구는 꾸밈을 희게 한다.

上本柔, 白柔之色也. 剛上而文之, 故成賁. 賁極則變, 變剛爲柔, 復於本質, 故曰白賁.

맨 위는 본래 부드러우니, 희고 부드러운 색이다. 굳센 양이 올라가 꾸미므로 꾸밈을 이룬다. 꾸밈이 지극하면 변하니, 굳셈이 변하여 부드러움이 되어 본래의 바탕을 회복하므로 "꾸밈을 희게 한다"고 하였다.

### 송시열(宋時烈) 『역설(易說)』

互亦震, 綜爲震. 震錯巽, 巽爲白, 若六四之白馬也. 且上九居賁之極, 賁本無色, 故爻居上而得其素志, 是以謂之白賁也. 此無咎之占也.

호괘도 진괘(☳)이고, 뒤집어진 괘도 진괘가 된다. 진괘가 음양이 바뀌면 손괘(☴)가 되는데 손괘는 흰 것이 되니, 육사에서 백마라고 한 것과 같다. 또 상구는 비괘의 끝에 있으니 꾸밈은 본래 색이 없기 때문에 효가 맨 위에 있으나 평소의 생각을 얻으니, 이 때문에 "꾸밈을 희게 한다"고 하였다. 이는 허물이 없다는 점이다.

## 이익(李瀷) 『역경질서(易經疾書)』

雜卦云, 賁無色, 謂白, 質去彩也. 上九在事外, 無位之地, 必行其志者也, 故謂白賁.
何不曰賁如白如. 先言白者, 白爲勝, 凡正色不言如白賁, 去飾而存其質, 苟能克戒乎
此, 則免乎剝. 剝而不戒, 則無復.

「잡괘전」에서 "비는 색이 없는 것이다"고 말한 것은 흼을 말하니, 실질에서 채색을 제거한
것이다. 상구는 일 밖에 있어 지위가 없는 자리이니, 반드시 그 뜻을 행하는 자이므로 "꾸밈
을 희게 한다"고 말하였다. 어째서 "꾸민 것이 희다"고 말하지 않았는가? "희다"는 것을 먼저
말한 것은 흰색이 간색을 이기는 정색이기 때문이다. 정색에서 "꾸밈을 희게 한다"고 말하지
않는 것은 꾸밈을 제거하고 그 실질을 보존하는 것이니, 진실로 이것을 경계할 수 있다면
깎아냄을 면할 수 있다. 깎아내는데도 경계하지 못하면 회복함이 없다.

## 유정원(柳正源) 『역해참고(易解參攷)』

王氏曰, 處飾之終, 飾終反素, 故存其質素, 不勞文飾而无咎也.

왕씨가 말하였다: 꾸밈의 끝에 처하여 꾸밈이 다하여 바탕으로 돌아가므로 그 실질과 바탕
을 보존하여 꾸미려고 노력하지 않아 허물이 없다.

○ 漢上朱氏曰, 五色本於素, 五味本於淡, 五聲本於虛, 質者文之本也.

한상주씨가 말하였다: 다섯 가지 색이 흰 색에 근본하고, 다섯 가지 맛이 담백한 맛에 근본
하며, 다섯 가지 소리가 텅 빈 소리에 근본하니, 실질은 꾸밈의 근본이다.

○ 隆山李氏曰, 雜卦, 賁无色也, 其白賁之謂乎. 夫卦以賁飾爲義, 而初九舍車而徒,
以示素履於一步之初. 六五束帛戔戔, 而躬行素儉之禮於九重之上, 諸爻所以相賁,
大率皆淸修潔白, 而非浮靡之事, 至於上九白賁, 則凡世間之色, 无可觀矣. 大哉, 賁
无色也.

융산이씨가 말하였다: 「잡괘전」에서 "비는 색이 없는 것이다"고 하였으니, 그 꾸밈을 희게
함을 말한다. 괘가 꾸미는 것을 뜻으로 삼았으니, 초구에서 '수레를 버리고 걸어감'으로 첫
걸음에서 흰 신을 보였다. 육오의 묶어놓은 비단이 작지만 평소의 검소한 예를 구중궁궐에
서 몸소 행하면 여러 효가 이 때문에 서로 꾸미니, 대체로 모두 맑고 깨끗이 하여 경박한
일이 아니어서 상구의 '꾸밈을 희게 함'에 이르면 세간의 색은 볼만한 것이 없게 된다. 꾸밈
은 색이 없는 것이 크구나!

○ 平庵項氏曰, 離主飾, 艮主白.

평암항씨가 말하였다: 리괘(☲)는 꾸밈을 주관하고 간괘(☶)는 흼을 주관한다.

○ 方塘徐氏曰, 易上九三十二爻, 唯八艮體, 旡凶咎.

방당서씨가 말하였다: 『주역』에서 상구가 삼십이효인데, 여덟 개만이 간괘(☶)의 몸체이니, 흉함과 허물이 없다.

○ 盧陵龍氏曰, 上九居靜止之極, 此有道之賢, 遣去紛華, 泊然世外, 質素爲飾, 故爲旡咎.

여릉용씨가 말하였다: 상구는 고요하여 멈춤의 끝에 있으니, 이는 도가 있는 어진 이가 번성하고 화려한 것을 버리고 담박하게 세상에서 벗어나 실질과 바탕이 꾸밈이 되므로 허물이 없게 된다.

### 김상악(金相岳) 『산천역설(山天易說)』

以剛居上, 與三旡應, 比五不交, 不相文, 而復於旡色, 故无致飾之亨, 而得无咎也.

굳센 양으로 맨 위에 있고 삼효와 호응함이 없으며, 비(比)의 관계인 오효와 사귀지 않아 서로 꾸미지 않아서 색이 없는 데로 돌아가므로 꾸밈을 이루는 형통함이 없어 허물이 없음을 얻는다.

○ 文之極, 則反爲質, 故曰白賁. 孔子卜得賁, 而曰不吉, 子貢曰, 夫賁亦好矣, 何謂不吉乎. 子曰, 夫白而白, 黑而黑, 夫賁又何好乎. 此謂賁色之不純也, 而上九以白爲賁, 故无咎也.

꾸밈이 다하면 돌아와서 질박하게 되므로 "꾸밈을 희게 한다"고 하였다. 공자가 점을 쳐 비괘(賁卦)를 얻었는데 "길하지 않다"고 하자, 자공이 "비괘가 또한 좋은 것인데, 어째서 길하지 않다고 말합니까?"하니, 공자가 "흰 것은 희고 검은 것은 검은데, 꾸미니 또 어찌 좋겠는가?"라고 하였다. 이는 비괘(賁卦)의 색이 순수하지 못함을 말하는데, 상구에서 "희게 한다"는 것으로 꾸밈을 삼으므로 허물이 없다.

### 윤행임(尹行恁) 『신호수필(薪湖隨筆)・역(易)』

虎豹之鞟, 雖如犬羊之鞟, 繪事後素, 如白受采. 故賁之六爻歸, 重於上九之白賁, 蓋所以矯文勝之弊也. 若所謂君子, 則文質相當, 白賁之爲无咎, 卽與奢寧儉之意也, 故朱子於六五之外比, 以此爲喩矣.

호랑이와 표범의 가죽이 비록 개나 양의 가죽과 같으나, "그림을 그리는 것은 흰 바탕을 마련한 뒤의 일이다"[36]는 것은 희어야 채색을 받아들일 수 있는 것과 같다. 그러므로 비괘 여섯 효의 돌아감이 상구의 "꾸밈을 희게 한다"는 것을 중하게 여기니, 대체로 꾸밈이 이기는 폐단을 바로잡는 까닭이다. 만약 군자라면 꾸밈과 실질이 서로 대등하지만 꾸밈을 희게함이 허물이 없게 됨은 곧 사치하기 보다는 차라리 검소해야 한다는 뜻이므로 주자는 육오가 밖으로 비(比)의 관계에 있는 것에 대해 이것으로 비유하였다.

### 서유신(徐有臣) 『역의의언(易義擬言)』

白者, 質也. 賁者, 文也. 內卦爲質, 上卦爲文, 有質而有文, 故爲无咎也. 無其質而有其文者, 假飾於外, 羊質而虎皮也. 詩云, 素以爲絢, 素其質也.

'희다'는 것은 실질이다. '꾸밈'은 문채이다. 내괘는 실질이 되고 상괘는 꾸밈이 되니, 실질이 있고 꾸밈이 있으므로 허물이 없게 된다. 그 실질이 없으면서 꾸밈이 있는 것은 밖을 거짓으로 꾸밈이니, 양의 실질인데도 호랑이의 가죽으로 꾸민 것이다. 『시경』에서 "흰 비단으로 채색한다"고 한 것은 그 실질을 희게 함이다.

### 박문건(朴文健) 『주역연의(周易衍義)』

不見汙穢, 故有白賁之象. 以剛處高, 故无咎.

잡박함이 드러나지 않으므로 꾸밈을 희게 하는 상이 있다. 굳센 양으로 높은데 처하므로 허물이 없다.

〈問, 白賁. 曰, 上九, 陽之剛者也. 下不能逼上, 故爲白素之賁也.

물었다: '꾸밈을 희게 함'은 무슨 뜻입니까?

답하였다: 상구는 양으로 굳센 자입니다. 아랫사람이 윗사람을 핍박할 수 없으므로 바탕을 희게 하는 꾸밈이 됩니다.〉

### 이지연(李止淵) 『주역차의(周易箚疑)』

上九與九三之賁如, 不相應而相反, 則其賁可見, 其心可知. 賁飾之時, 不賁而在外者, 可謂得志, 象辭所以深許也.

상구는 구삼의 '꾸밈'과 서로 호응하지 않고 서로 반대되니, 그 꾸밈을 볼 수 있으며 그 마음

---

36) 『論語·八佾』.

을 알 수 있다. 꾸미는 때에 꾸미지 않고 밖에 있는 자는 뜻을 얻었다고 할 만하니, 「상전」에서 이 때문에 깊이 허락하였다.

## 김기례(金箕澧) 「역요선의강목(易要選義綱目)」

艮體篤寶, 處賁極, 而文變爲質, 繪事後素, 相反之理, 而質多則文, 文多則質, 理之常也.

간괘(☶)의 몸체는 도탑고 성실하며[篤寶] 비괘의 끝에 처하여 꾸밈이 변하여 실질이 되니, 화장은 바탕의 뒤여서 서로 반대되는 이치인데, 실질이 많으면 꾸미고 꾸밈이 많으면 실질로 돌아감은 이치의 항상됨이다.

○ 上自坎來, 本質水, 故曰白.

상(上)은 감괘(☵)로부터 왔으니, 본래의 실질이 물이므로 "희다"고 하였다.

○ 帛則多質少文, 故吉, 白則純質, 故无咎.

'비단'은 실질이 많고 꾸밈이 적으므로 길하며, '희게 함'은 실질을 순수하게 하므로 허물이 없다.

## 박종영(朴宗永) 「경지몽해(經旨蒙解)·주역(周易)」

傳曰, 上九, 賁之極也. 賁飾之極, 則失於華僞. 唯能賁白其賁, 則无過失之咎. 白, 素也, 尙賁素, 則不失其本眞, 非无飾也, 不使華沒實耳. 本義曰, 賁極反本, 復於无色, 善補過矣. 大凡人之行, 于世雖修飾其言行, 而常持賁素之心, 則其言行篤實輝光, 不期賁而自賁矣. 何可徒尙其文華, 以爲欺世而盜名也. 學者, 其觀於賁之象, 而取舍, 得其當, 則豈或有悔吝哉.

『정전』에서는 "상구는 꾸밈의 극치이다. 꾸밈의 극치는 화려함과 거짓됨에 잘못된다. 오직 그 꾸밈을 질박하고 희게 하면 잘못되는 허물이 없을 것이다. 흰 것은 바탕이니, 실질과 바탕을 숭상하면 그 근본과 참됨을 잃지 않으니, 이른바 실질과 바탕을 숭상하는 것은 꾸밈이 없는 것이 아니라 화려함이 실질을 없애지 않게 하는 것일 뿐이다"고 하였고, 『본의』에서는 "꾸밈이 극치에서 근본으로 돌아와 색이 없는 것으로 돌아가니, 잘못을 잘 보완한다"고 하였다. 대체로 사람의 행동이 세상에서 비록 그 언행을 수식하여 항상 평소의 마음을 꾸민다면 그 언행이 독실하고 빛이 나서 꾸미지 않더라도 저절로 꾸며진다. 어찌 한갓 그 꾸밈의 화려함만을 숭상하여 세상을 속이고 명예를 도둑질하는 것으로 삼겠는가? 배우는 자가 그 꾸밈의 상을 살펴 취하고 버려 그 합당한 것을 얻으면 어찌 혹시라도 후회와 인색함이 있겠는가?

## 심대윤(沈大允) 『주역상의점법(周易象義占法)』

賁之明夷䷣, 晦其明也. 上九以剛居柔, 而處賁之終, 以其質美, 而致文之極, 輝煌相射, 玲瓏相掩, 不辨其色, 又華美之極, 天然文章, 不見雕餙之痕, 皆明夷之義也. 故曰白賁. 明夷之對訟有巽, 曰白, 上九文餙之極, 變其質, 故取變對也. 文華之勝其質, 終必剝落夷晦, 故曰无咎, 而不曰吉也. 賁之時, 初先素而後繪也. 二始有餙也, 三質勝文也, 四文勝質也, 五文成章也, 六文彩凝而爲一色也. 夫文附於質, 名生於實, 无質而文, 无實而名, 鮮有終也. 尙文餙而无質實, 小人之道也, 故繼之以剝也. 凡天下之亂, 未有不始於文華之勝也.

비괘가 명이괘(明夷卦䷣)로 바뀌었으니, 밝음이 어두워진다. 상구는 굳센 양으로 부드러운 음의 자리에 있고 비괘의 끝에 처하여 그 실질이 아름다운 것으로 꾸밈의 끝을 이루니, 휘황함이 서로 비추고 영롱함이 서로 가리어 그 색을 분변하지 못하며, 또 화려하고 아름다움이 지극하여 본래의 문채가 꾸민 흔적이 없어서 모두 명이(明夷)의 뜻이다. 그러므로 "꾸밈을 희게 한다"고 하였다. 명이괘와 음양이 서로 바뀐 송괘(訟卦䷅)에 손괘(☴)가 있는데, "희다"고 말한 것은 상구의 꾸밈이 지극하여 그 실질이 변하므로 변한 상대되는 괘를 취한 것이다. 꾸밈의 화려함이 그 실질을 이기면 마침내 반드시 떨어져 어두우므로 "허물이 없다"고 하고 "길하다"고 하지 않았다. 꾸미는 때에는 초효는 먼저 희었는데 뒤에 꾸미는 것이다. 이효는 비로소 꾸밈이 있으며, 삼효는 실질이 꾸밈을 이기며, 사효는 꾸밈이 실질을 이기며 오효는 꾸밈이 문채를 이루며 육효는 꾸밈의 화려함이 응결하여 한 가지 색이 되는 것이다. 꾸밈은 실질에 붙고 이름은 실상에서 생겨나니, 실질이 없는 꾸밈이나 실상이 없는 이름은 끝이 있음이 드물다. 꾸밈을 숭상하고 실질이 없는 것은 소인의 도이므로 박괘(剝卦䷖)로 이었다. 대개 천하의 어지러움이 꾸밈의 화려함이 이기는데서 비롯하지 않는 것이 없다.

## 이진상(李震相) 『역학관규(易學管窺)』

處坎之上, 與三无應, 白賁之象. 爻陽而志陰, 且艮位近西, 故尙冒白色, 象言志得, 得其尙質之志也.

감괘의 위에 처하고 삼효와 호응이 없어 꾸밈을 희게 하는 상이다. 효는 양인데 뜻은 음이고, 또 간괘의 방위는 서쪽에 가깝기 때문에 흰 색을 숭상하여 무릅쓰니, 「상전」에서 "뜻을 얻는다"고 말한 것은 그 실질을 숭상하는 뜻을 얻음이다.

## 박문호(朴文鎬) 「경설(經說) · 주역(周易)」

本眞, 指質素也.

『정전』의 '근본과 참됨'은 실질과 바탕을 가리킨다.


## 이정규(李正奎) 「독역기(讀易記)」

上九曰, 白賁无咎, 奢侈之極, 反爲質素, 實反本之意也, 亦自然之勢也. 賁之極, 卽亨
之極, 而剝卽繼之, 可不懼哉.

"상구는 꾸밈을 희게 하면 허물이 없을 것이다"고 한 것은 사치가 지극하면 돌아가 실질과
바탕이 되니 실상 근본으로 돌아가는 뜻이며, 또한 저절로 그러한 형세이다. 꾸밈이 지극하
면 형통함이 지극하여 박괘(剝卦䷖)가 그것을 이으니, 두렵지 않겠는가?


## 이병헌(李炳憲) 『역경금문고통론(易經今文考通論)』

干曰, 白素也, 延山林之人, 采素士之言, 以餙其政, 故上得志也. 上九白賁, 志在二五,
其乃眷西顧之時乎.

간보가 말하였다: 백(白)은 흰 것이다. 산림의 어진 이를 이끌고 벼슬 없는 선비의 말을
채택하여 그 정사를 꾸미기 때문에 위에서 뜻을 얻는 것이다. 상구의 '꾸밈을 희게 함'은
뜻이 이효와 오효에 있으니, 그것이 이에 '서쪽 땅을 돌아보는 때'일 것이다.[37]


## 오치기(吳致箕) 「주역경전증해(周易經傳增解)」

上九, 无位而處乎上, 文明而止于外, 故尙其質素, 有白賁之象. 然剛不當位, 而下无
應, 與雖若有咎, 以其抱道而居丘園, 履素而无奢華, 爲六五之君所尊禮而相賁, 故言
无咎也.

상구는 지위가 없는데 맨 위에 처하고 문채가 밝으나 밖에 그치므로 그 실질과 바탕을 숭상하
니 꾸밈을 희게 하는 상이 있다. 그러나 굳센 양은 자리에 합당하지 않고 아래로 호응이
없어서 비록 허물이 있을 것 같으나 그 도를 싸고서 언덕과 동산에 있어 평소대로 하고 사치하
여 화려함이 없음으로 육오의 임금이 예로 높여 서로 꾸밈이 되므로 "허물이 없다"고 하였다.


○ 白, 謂質素也. 取象於對體, 反巽也.

"희다"는 것은 실질과 바탕을 말하는데 상대되는 괘의 몸체에서 상을 취하였으니, 손괘(☴)
로 돌아간다.


---

37) 『詩經 · 皇矣』.

象曰, 白賁, 无咎, 上得志也.

「상전」에서 말하였다: "꾸밈을 희게 하면 허물이 없음"은 위에서 뜻을 얻은 것이다.

傳

白賁无咎, 以其在上而得志也. 上九爲得志者, 在上而文柔, 成賁之功, 六五之君, 又受其賁. 故雖居无位之地, 而實尸賁之功, 爲得志也, 與他卦居極者異矣. 旣在上而得志, 處賁之極, 將有華僞失實之咎, 故戒以質素則无咎, 飾不可過也.

"꾸밈을 희게 하면 허물이 없을 것이다"는 위에 있으면서 뜻을 얻었기 때문이다. 상구가 뜻을 얻은 것은 위에 있으면서 부드러움을 꾸미며 꾸밈의 공을 이루고, 육오의 임금이 또 그 꾸밈을 받아들이기 때문이다. 그러므로 지위가 없는 처지에 있지만 실로 꾸미는 공을 주관하여 뜻을 얻었으니, 다른 괘의 끝에 있는 것과는 다르다. 이미 위에 있으면서 뜻을 얻고 꾸밈의 극치에 있어 꾸밈과 거짓으로 실질을 잃는 허물이 있을 수 있기 때문에 질박하게 평소대로 하면 허물이 없을 것이라고 경계하였으니, 꾸밈은 지나치게 해서는 안 된다.

小註

或問, 何謂得志. 朱子曰, 居卦之上, 在事之外, 不假文飾, 而有自然之文, 便是優游自得也.

어떤 이가 물었다: 무엇을 뜻을 얻었다고 말합니까?
주자가 답하였다: 괘의 맨 위에 있고 일의 밖에 있어 꾸밀 필요가 없고 자연스러운 꾸밈이 있으니, 유유자적하며 스스로 만족하는 것입니다.

○ 潘氏夢旂曰, 處賁之極, 文變爲素, 潔白自守, 其志得矣.
반몽기가 말하였다: 꾸밈의 극치에 있어 꾸밈이 변하여 소박하게 되니, 희디흰 것을 스스로 지키면 뜻을 얻을 것이다.

○ 進齋徐氏曰, 內三爻離體, 以文明爲賁. 初賁其趾, 二賁其須, 三濡如, 皆有所設飾也. 外三爻艮體, 以篤實爲賁. 四皤如, 五丘園, 上白賁, 皆尙質素, 无假外飾. 故曰賁无色也.

진재서씨가 말하였다: 내괘의 세 효는 리(離☲)의 몸체여서 문채의 밝음으로 꾸밈을 삼는다. 초효는 발을 꾸미고, 이효는 수염을 꾸미며, 삼효는 윤택하니, 모두 꾸민 것이 있기 때문이다. 외괘의 세 효는 실질을 독실하게 하는 것으로 꾸밈을 삼는다. 사효는 희고, 오효는 언덕과 동산이며, 상효는 꾸밈을 희게 하니, 모두 질박하게 평소대로 하는 것을 숭상해서 밖으로 꾸밀 필요가 없는 것이다. 그러므로 「잡괘전」에서 "꾸밈은 색이 없는 것이다"라고 하였다.

○ 建安丘氏曰, 賁之一卦, 以卦變言, 則柔來文剛, 剛上文柔而爲賁. 以二體言, 則下離上艮, 文明以止而爲賁. 以六爻言, 則三陽三陰, 相比相賁而爲賁. 然陰陽二物, 有應者, 以應而相賁. 无應者, 以比而相賁. 四與初應, 求賁於初, 故初賁趾, 而四翰如也. 二比三, 而賁乎三, 故二賁須, 而三濡如也. 五比上, 而賁乎上, 故五賁丘園, 而上白賁也. 初與四應而相賁者也, 二與三, 五與上, 比而相賁者也. 此賁六爻之大旨也.

건안구씨가 말하였다: 비(賁☲)라는 하나의 괘를 괘의 변화로 말하면, 부드러움이 와서 굳셈을 꾸며주고, 굳셈이 올라가서 부드러움을 꾸며주어서 비괘이다. 두 몸체로 말하면, 하괘가 리(離☲)이고 상괘가 간(艮☶)이니, 문채의 밝음으로 멈추어서 비괘이다. 여섯 효로 말하면, 세 양과 세 음이 서로 가까이 하고 서로 꾸며주어서 비괘이다. 그런데 음과 양 두 가지는 호응할 경우에는 호응하여 서로 꾸며주고, 호응하지 않을 경우에는 가까이 하여 서로 꾸며준다. 사효는 초효와 호응하여 초효에게 꾸밈을 구하기 때문에 초효는 발을 꾸미고 사효는 날아가는 듯이 달려간다. 이효는 삼효를 가까이 하여 삼효가 꾸며주기 때문에 이효는 수염을 꾸미고 삼효는 윤택하다. 오효는 상효를 가까이 하여 상효가 꾸며주기 때문에 오효는 언덕과 동산에서 꾸미고 상효는 꾸밈을 희게 한다. 초효와 사효는 호응하여 서로 꾸며주는 것이고, 이효와 삼효·오효와 상효는 가까이 하여 서로 꾸며주는 것이다. 이것이 비괘(賁卦☲) 여섯 효의 큰 뜻이다.

# ‖韓國大全‖

## 김상악(金相岳) 『산천역설(山天易說)』

剛上文柔, 反于无色, 乃其得志也. 來知德云, 文勝而反于質, 退居山林之地, 六五之君, 以束帛聘之, 豈不得志.

굳셈이 위로 올라가 부드러움을 꾸미며 색이 없는 데로 돌아가니, 이에 그 뜻을 얻음이다. 래지덕은 "꾸밈이 이겨 질박한데로 돌아감은 산림에 물러나 있는 땅이니, 육오의 임금이 묶어놓은 비단으로 초빙하니, 어찌 뜻을 얻지 못하겠는가?"라고 하였다.

## 서유신(徐有臣) 『역의의언(易義擬言)』

分剛上而文柔也.

굳셈이 위로 올라가서 부드러움을 꾸미는 것을 나누었다.

## 박문건(朴文健) 『주역연의(周易衍義)』

上得志, 言處上而自得其志也.

"위에서 뜻을 얻었다"는 것은 맨 위에 처하여 그 뜻을 스스로 얻었음을 말한다.

## 김기례(金箕澧) 「역요선의강목(易要選義綱目)」

上得志

위에서 뜻을 얻었다.

文極則失質, 反本而得質.

꾸밈이 지극하면 실질을 잃고, 근본으로 돌아가 실질을 얻는다.

贊曰, 賁飾之道, 剛柔以分. 燦然竝照, 天文人文. 時序變化, 禮樂芯芬. 賁不可極, 文勝則棼.

찬미하여 말한다: 꾸밈의 도는 굳셈과 부드러움으로 나뉘네. 찬연히 함께 비추는 건 하늘의 문채와 사람의 문채이네. 때와 차례에 따라 변화하니, 예악과 필분(芯芬)[38]이네. 꾸밈을 다 해서는 안 되니, 꾸밈이 이기면 어지럽게 되네.

**오치기(吳致箕) 「주역경전증해(周易經傳增解)」**

无位居上, 在事之外, 不假文餙, 而有自然之文, 優游得志也.

지위가 없고 맨 위에 있으며 일의 밖에 있으니, 거짓되게 꾸미지 않고 자연스런 꾸밈이 있어 한가롭게 뜻을 얻는 것이다.

---

38) 필분(苾芬): 고대 중국에서 제사에 사용하였던 향내 나는 풀로서 제물을 상징한다.

# 23

## 박괘
剝卦☷☶

## ║中國大全║

### 傳

剝, 序卦, 賁者飾也. 致飾然後, 亨則盡矣, 故受之以剝. 夫物至於文飾, 亨之極
也, 極則必反, 故賁終則剝也. 卦五陰而一陽, 陰始自下生, 漸長至於盛極, 群陰
消剝於陽, 故爲剝也. 以二體言之, 山附於地. 山高起地上, 而反附著於地, 頹剝
之象也.

박괘(剝卦䷖)는 「서괘전」에서 "비(賁)는 꾸미는 것이다. 꾸밈을 다한 뒤에 형통하면 다하기 때문에
박괘로 받았다"라고 하였다. 사물이 꾸밈에 이르면 형통함이 다하고, 다하면 반드시 되돌아가기 때문
에 비괘(賁卦䷕)가 끝나면 박괘이다. 괘가 음이 다섯이고 양이 하나이니, 음이 처음 아래에서 생겨
점점 성대한 극치까지 자라나 여러 음이 양을 사라지게 하기 때문에 박괘가 되었다. 두 몸체로 말하
면 산이 땅에 붙어 있다. 산이 땅위로 높이 솟아 있어야 하는데 도리어 땅에 붙어 있으니, 무너져
깎이는 상이다.

# 剝, 不利有攸往.

박은 가는 것이 이롭지 않다.

## ∥中國大全∥

### 傳

剝者, 群陰長盛, 消剝於陽之時, 衆小人剝喪於君子. 故君子不利有所往. 唯當
巽言晦迹, 隨時消息, 以免小人之害也.

박은 여러 음이 자라서 성대하여 양을 사라지게 하는 때이니, 여러 소인들이 군자를 해친다. 그러므
로 군자는 가는 것이 이롭지 않으니, 오직 말을 공손히 하고 자취를 숨기며 때에 따라 진퇴하여 소인
의 해침에서 벗어나야 한다.

### 本義

剝, 落也. 五陰在下而方生, 一陽在上而將盡, 陰盛長而陽消落, 九月之卦也. 陰盛陽
衰, 小人壯而君子病, 又內坤而外艮, 有順時而止之象. 故占得之者, 不可有所往也.

박은 추락하는 것이다. 다섯 음이 아래에서 한창 자라나고 하나의 양이 위에서 다하려고 해서 음은
성대해서 자라고 양은 소진해서 추락하니, 구월의 괘이다. 음이 성대하고 양이 쇠하는 것은 소인이
건장하고 군자가 병약한 것이며, 또 내괘는 곤[☷]이고 외괘는 간[☶]이니, 때를 따라서 그치는 상이
다. 그러므로 점에서 이 괘를 얻었을 경우에는 가서는 안 된다.

#### 小註

雲峯胡氏曰, 剝落之也. 五陰剝一陽, 欲落之以至於盡也. 否, 三陰三陽, 陰陽猶相等,
且曰不利君子貞. 剝五陰而一陽, 小人盛而君子孤, 如之何可有所往哉. 雖然陽無可盡
之理也, 一變而後利有攸往也.

운봉호씨가 말하였다: 박괘(剝卦䷖)는 추락하는 것으로 다섯 음이 하나의 양을 해쳐 추락시켜 없애고자 함이다. 비괘(否卦䷋)는 세 음에 세 양이어서 음과 양이 오히려 서로 균등한데도 "군자의 곧음이 이롭지 않다"[1]고 하였다. 박은 다섯 음에 하나의 양이어서 소인이 장성하고 군자가 외로운 것이니, 어떻게 가는 것이 있겠는가? 그렇지만 양이 다하는 이치는 없으니, 한 번 변한 다음에는 가는 것이 이롭다.

○ 臨川吳氏曰, 以卦體而言, 則陰長以至五, 僅存一陽. 再往則竝一陽消之矣, 故不宜有往. 以占者而言, 則小人極盛之時, 當順時而止, 不可以有所往也.
임천오씨가 말하였다: 괘의 몸체로 말하면, 음이 오효까지 성장하여 하나의 양이 겨우 남아있다. 한 번 더 나아가면 하나의 양마저 사라지기 때문에 가서는 안 된다. 점치는 자로 말하면, 소인이 극성한 때에는 때를 따라 멈추어야지 가서는 안 된다.

## ‖韓國大全‖

### 조호익(曺好益) 『역상설(易象說)』

愚謂, 往指陰往. 於剝言不利, 戒之也, 於復言利, 喜之也, 此扶陽抑陰之義也.
내가 살펴보았다: 왕(往)은 음이 가는 것을 가리킨다. 박괘에서 "이롭지 않다"고 말한 것은 경계한 것이고, 복괘(復卦䷗)에서 "이롭다"고 말한 것은 기뻐한 것이니, 이는 양을 돕고 음을 억누르는 뜻이다.

### 이익(李瀷) 『역경질서(易經疾書)』

賁, 飾也, 飾之過, 則文勝而必敗. 剝者, 未敗而阽危也. 凡天下危亡, 必由於賁飾之過, 宮室車馬衣服飲食之類, 皆其具也. 若警于賁, 不至於剝, 剝而不復則亡. 附者, 附益之也, 凡土之高者爲山, 平者爲地, 土性頹圮, 附益在下爲平地. 故山下之地, 莫非附益之土, 是土奚從而有哉. 莫非山下之頹剝來者, 此豈非山附於地乎. 在地爲附, 而在山則爲剝, 剝惟上九一陽爲主, 故以剝名卦. 然所剝者, 附積其下, 有厚下安宅之象. 不然山

---

1) 『周易·否卦』: 不利君子貞, 大往小來.

幾於孤立矣.

비(賁)는 꾸밈인데, 꾸밈이 지나치면 문채가 이겨서 반드시 무너지게 된다. 박(剝)은 아직 무너지지 않았으나 위태로운 것이다. 천하의 위험이 반드시 꾸밈이 지나침을 말미암으니, 궁실과 거마, 의복과 음식의 종류가 모두 그 도구이다. 만약 꾸미는데서 경계하면 깎임에는 이르지 않지만, 깎이고서 회복되지 못하면 없어진다. 부(附)는 보태고 더하는 것이며, 땅의 높은 것은 산이 되고 평평한 것은 평지가 되는데, 흙의 성질은 무너져 내리서 아래에 있는 것에 보태고 더하여 평지가 된다. 그러므로 산 아래의 땅은 보태고 더한 흙이 아닌 것이 없는데, 이 흙이 어디로부터 왔겠는가? 산이 아래로 무너져서 깎여 내려오지 않는 것이 없으니, 이것이 어찌 산이 땅에 붙어있는 것이 아니겠는가? 땅에 있어서는 붙어 있음이 되고 산에 있어서는 깎임이 되는데, 박(剝)은 유일한 양인 상구가 주인이 되므로 깎임[剝]으로 괘를 이름 지었다. 그러나 깎인 것이 그 아래에 붙어 쌓여서 아래를 두텁게 하고 집안을 편하게 하는 상이 있다. 그렇지 않다면 산은 외롭게 서있을 것이다.

余見廣野茫茫, 或因水川衝決, 尋引之下, 鮮有天成. 土脉莫非附益之土, 附此者許多, 則剝彼者亦許多, 可知彼山巒高低, 如人之筋肉骨節. 其始團結, 天圓之內, 必不若今之嶮巇崚嶒, 歷億萬斯年, 風雨剝削, 堅者立, 疏者圮. 水潦所集爲谷爲壑, 土之在山者, 日夜聚於平地, 豈非山附地之義乎. 然亦嘗驗之, 山之土石, 亦非死物, 滋長不息, 故所以無窮也.

내가 생각하기에 광야의 막막함은 혹 물줄기가 부딪치며 무너뜨려 아래로 끌어 내린 것이지, 하늘이 이뤄 놓은 대로 있는 것이 드물다. 지맥(地脈)은 보태고 더한 흙 아닌 것이 없어서 여기에 보탬이 많으면 저기를 깎아냄이 또한 많으니, 저 산 봉우리의 높고 낮음은 사람의 근육이나 관절과 같음을 알 수 있다. 그 처음에는 우주 안에서 둥글게 뭉쳤으니 반드시 지금처럼 험하고 가파르지는 않았을 것인데, 억만의 세월을 지나면서 바람과 비가 깎아내어 견고한 것은 서있고 무른 것은 무너지고, 물이 고여 모인 것은 골짜기와 계곡이 되었으니, 산에 있던 흙이 밤낮으로 평지에서 모임이 어찌 산이 땅에 붙는다는 뜻이 아니겠는가? 그러나 또한 일찍이 징험해보면 산의 흙과 돌이 또한 죽은 물건이 아니어서 불어나고 자라기를 쉬지 않으므로 다함이 없는 것이다.

剝, 惟一陽居上, 艮有門闕之象, 剝廬之廬, 以上九取義也. 凡取象總括六爻, 故復之義, 只繫初陽, 而諸爻皆言復, 剝之義, 只繫五陰, 而諸爻皆言剝, 比勘可見. 其在室廬之下者, 莫不有剝義, 則所剝不過人膚床足之類. 六三以下屬床, 以上屬人, 其義宜然. 以足蔑, 以辨蔑, 與以宮人寵相勘, 恐三字爲句. 蔑滅也, 故傳曰以滅下也, 滅下者, 足蔑也. 貞凶與他卦之貞凶, 必無異例, 謂雖貞亦凶. 當此之時, 非居貞可免, 君子處厄會時, 有遯晦之義, 而以陰居陽, 徒守溝瀆之諒, 取凶之道也. 四云剝床以膚, 膚指床上之人. 人無自剝其膚之理, 則初二亦人爲物剝者也. 以順處下, 未有所與, 而勢側不幸, 雖貞亦凶, 與初六之辭小別. 此卦上覆而下虛, 有宮廬之象, 處其中者人, 而人之所籍者, 床也. 床有辨有足, 足又最下. 卦義從下剝上, 則宜先以床足床辨爲喩也.

박괘(剝卦䷖)는 하나의 양효가 맨 위에 있으니 간괘(☶)의 문[門闕]이 있는 상이며, "집을 허문다"고 할 때의 집[廬]은 상구로 뜻을 취하였다. 상을 취함에는 여섯 효를 총괄하므로 복괘(復卦䷗)의 뜻은 초효인 양에 매달아 여러 효에서 모두 '회복함'을 말하였고, 박괘(剝卦)의 뜻은 다섯 음에 매달아 여러 효에서 모두 '깎음'을 말하였으니, 비교 검토해보면 알 수 있다. 집[室廬]의 아래에 있는 것은 깎이는 뜻이 있지 않은 것이 없으니, 깎이는 것은 사람의 살갗과 평상의 다리와 같은 부류에 불과하다. 육삼 이하는 평상에 속하고 그 이상은 사람에 속함은 그 뜻이 마땅히 그러하다. 초육의 '다리를 소멸함으로[以足蔑]'와 육이의 '평상을 소멸함으로[以辨蔑]'는 오효의 '궁인이 총애함[宮人寵]'과 서로 비교해보면 세 글자가 구절이 되는 듯하다. '멸(蔑)'은 소멸하는 것이므로 「상전」에서 "아래를 소멸하는 것이다"고 하였으니, '아래를 소멸하는 것'은 다리를 소멸하는 것이다. 육이의 "곧더라도 흉하다"는 다른 괘의 "곧더라도 흉하다"와 반드시 용례가 다름이 없으니, 비록 곧더라도 또한 흉함을 말한다. 이러한 때를 맞아서는 곧게 지내지 않아야 모면할 수 있으니, 군자가 재앙이 닥치는 때에 피하고 숨는 뜻이 있더라도, 음으로 양의 자리에 있으면서 한갓 물구덩이의 하찮은 신의만 지키는 것은 흉함을 얻는 도이다. 사효의 "평상을 살갗에서 깎는다"에서 '살갗[膚]'은 평상 위의 사람을 가리킨다. 사람은 스스로 제 살을 깎아내는 이치가 없으니, 초효와 이효도 사람이 다른 것에게 깎이게 된 것이다. 유순하게 아래에 있기에 함께 하는 것이 없고 형세가 불행하게 기울어 비록 곧더라도 흉하지만, 초육의 말과 조금 다른 것은 이 괘는 위에서 덮고 아래가 비어서 집[室廬]의 상이 있는데, 그 안에 있는 것이 사람이고 사람이 깔고 있는 것이 평상이기 때문이다. 평상에는 가로댄 나무도 있고 다리도 있으며, 다리는 또 맨 아래에 있다. 괘의 뜻이 아래로부터 위를 깎아냄이니, 마땅히 먼저 평상의 다리와 가로댄 나무로 비유를 삼아야 한다.


### 유정원(柳正源) 『역해참고(易解參攷)』

厚齋馮氏曰, 剝如剝棗之剝, 擊也. 蓋落之也, 非自落也.

후재풍씨가 말하였다: '박(剝)'은 "대추나무를 때려 털다[剝棗]"의 '때려 턺'과 같으니, 두드리는 것이다. 대개 떨어지는 것은 저절로 떨어지는 것이 아니다.


○ 雙湖胡氏曰, 不利有攸往, 戒陽也. 有挽留一陽意, 艮止之象也. 若一陽更往, 則剝而爲坤, 陽道盡矣, 如之何往哉.

쌍호호씨가 말하였다: "가는 것이 이롭지 않다"는 것은 양을 경계시킴이다. 한 양을 잡아당겨 머무르게 하려는 뜻이 있으니, 간괘의 그치는 상이다. 만약 한 양이 다시 가게 되면 깎여 곤괘가 되어 양의 도가 다할 것이니, 어찌 갈 수 있겠는가?

## 김상악(金相岳) 『산천역설(山天易說)』

一陽五陰, 陰盛而陽衰, 小人壯而君子病. 又內坤外艮, 有順時而止之象, 故不利有所往也.

양이 하나이고 음이 다섯이니, 음이 왕성하고 양이 쇠하며, 소인이 씩씩하고 군자가 병듦이다. 또 내괘는 곤괘(☷)이고 외괘는 간괘(☶)여서 때에 순응하여 그치는 상이 있으므로 가는 것이 이롭지 않다.

○ 凡言利往不利往, 皆在震艮之體, 震陽居初而方生, 艮陽居上而將盡. 故復曰利, 剝曰不利, 而下文又言消息盈虛. 或曰剝之陰陽, 皆不利往. 陰之剝陽, 陽之剝於陰, 必至俱傷, 而陰有剝牀之凶, 陽有得輿之喜, 陰之不利尤甚. 然象傳專言君子處剝之道, 則恐不可以陰之利不利爲辭. 所以易爲君子謀, 不爲小人謀也.

"감이 이롭다"거나 "감이 이롭지 않다"고 말하는 것에는 모두 진괘(☳)와 간괘(☶)의 몸체에 있는 것인데, 진괘는 양이 초효에 있어 막 생겨나고 간괘는 양이 상효에 있어 없어지려한다. 그러므로 복괘(復卦䷗)에서는 "이롭다"고 하고 박괘(剝卦䷖)에서는 "이롭지 않다"고 하였으며, 아래 글에서 또 "사라지고 자라나며 차고 빈다"고 말하였다. 어떤 이는 "박괘의 음과 양이 모두 감이 이롭지 않다. 음이 양을 깎아내고 양이 음에게 깎여지면 반드시 함께 상처나는데 이르지만 음은 평상을 깎아내는 흉함이 있고 양은 수레를 얻는 기쁨이 있으니, 음의 이롭지 않음이 더욱 심하다"고 하였다. 그러나 「단전」의 『정전』에서 '군자가 박에 대처하는 방법'이라고만 말한 것은 아마도 음의 이롭고 이롭지 않음으로 말을 삼은 것은 옳지 않기 때문인 듯하다. 그래서 『주역』이 군자를 위하여 도모하고 소인을 위하여 도모하지 않는다는 것이다.

## 서유신(徐有臣) 『역의의언(易義擬言)』

剝, 剝落也. 陰剝之而陽剝落也. 不利往者, 君子也.

박(剝)은 깎여 떨어짐이다. 음이 깎아내어 양이 깎여 떨어지는 것이다. 감이 이롭지 않은 것은 군자이다.

## 강엄(康儼) 『주역(周易)』

本義, 五陰在下而方生.

『본의』에서 말하였다: 다섯 음이 아래에서 한창 자라난다.

按, 生恐當作長. 不然以生息之義看.

내가 살펴보았다: 생(生)자는 아마도 "자라난다"는 장(長)으로 써야 할 듯하다. 그렇지 않으면 불어나는 뜻으로 보아야 한다.

## 박문건(朴文健) 『주역연의(周易衍義)』

進於極而見剝, 故有不利往之象也.

다함에 나아가면 깎이게 되므로 감이 이롭지 않은 상이 있다.

## 이지연(李止淵) 『주역차의(周易箚疑)』

如剝復二卦, 平易明白, 似无可疑處, 而賁之後, 繼之以剝, 正如周末文勝, 而至秦焚坑, 以愚黔首, 天下之事, 極賁則剝, 非但往事之可驗, 而抑其天理之固然也.

박괘(剝卦)나 복괘(復卦) 같은 두 괘는 평이하고 명백하여 의심할만한 곳이 없는 듯한데, 비괘(賁卦)의 뒤에 박괘로 이은 것은 바로 주나라 말기에 문채가 극성하고 진나라의 분서갱유에 이르러 백성[黔首]을 어리석게 만든 것과 같으니, 천하의 일이 지극히 꾸미면 깎이는 것은 다만 지나간 일에서 경험할 수 있는 것만이 아니고, 또한 천리가 진실로 그러한 것이다.

## 김기례(金箕澧) 「역요선의강목(易要選義綱目)」

九月卦.

구월괘이다.

○ 賁極則剝, 群陰剝陽, 如山著地.

꾸밈이 다하면 깎이니, 여러 음이 양을 깎아냄이 산이 땅에 붙은 것과 같다.

陰盛陽衰, 小人壯君子病, 君子順時而止, 不宜有行.

음이 성하고 양이 쇠퇴하며 소인이 장성하고 군자가 병약한 것이니, 군자는 때에 따라 그쳐서 마땅히 행함을 두지 말아야 한다.

○ 盡變則純坤, 故又有抑陰之微意.

변화를 다하면 순전한 곤괘(坤卦)이므로 또 음을 억누르는 은미한 뜻이 있다.

### 윤종섭(尹鍾燮) 『경(經)·역(易)』

剝取於牀, 一陽橫上, 群陰開張於下, 有牀之象. 聖人觀象係辭, 以類萬物, 辨其宜, 而當其名, 如剝之牀, 不出於說卦, 而取其肖似而名之. 不載卦辭, 而又出乎說卦者, 亦多焉, 易所以著象而取之, 非一例. 變易之謂易也, 或以正體反體, 或以互之變之, 或取全卦, 或取單爻, 如坤之牝馬, 小過之飛鳥, 頤之龜, 取全卦也. 非其象, 無以盡其辭, 辭也者, 各指其所之也.

깎임을 '평상[牀]'에서 취한 것은 한 양이 맨 위에 가로로 있고 여러 음이 아래에 펼쳐져 있어 평상의 상이 있기 때문이다. 성인은 상을 살펴 말을 달아서 만물을 분류하고 그 마땅함을 분변하여 그 이름에 마땅하게 하였으니, 박괘의 '평상[牀]'과 같은 것은 「설괘전」에 나오지 않지만 그 닮은 것을 취하여 이름을 지은 것이다. 괘사에 실리지도 않고 또 「설괘전」을 벗어나는 것도 또한 많으니, 『주역』에서 상을 드러내어 취한 것은 한 가지 예가 아니다. 변하여 바뀜[變易]을 역(易)이라 하니, 혹은 바른 몸체[正體]로 하고 반대의 몸체[反體]로 하며, 혹은 엇걸린 것으로 하고 변한 것으로 하며, 혹은 전체의 괘를 취하고, 혹은 하나의 효만을 취했으니, 곤괘(坤卦)의 '암말'과 소과괘(小過卦)의 '나는 새'와 이괘(頤卦)의 '거북'과 같은 것은 전체 괘를 취한 것이다. 그 상이 아니면 그 말을 다할 수 없으니, 말이라는 것은 그 가는 바를 가리킨다.

### 심대윤(沈大允) 『주역상의점법(周易象義占法)』

剝, 君子不可有爲也.

박괘이니, 군자가 훌륭한 일을 할 수 없다.

### 오치기(吳致箕) 「주역경전증해(周易經傳增解)」

剝者, 落也. 五陰自下而浸長, 一陽在上而將盡, 爲剝之象. 山着於地, 而頹其高, 地連於山, 而受其虧, 亦爲剝之象也. 以柔變剛, 小人道長, 故言不利有攸往, 即爲君子謀也. 不言亨貞, 卦義固然也.

박(剝)은 추락하는 것이다. 다섯 음이 아래로부터 점차 자라나고 한 양이 맨 위에 있어 장차 다하니, 깎이는 상이 된다. 산은 땅에 붙어있어서 그 높은 곳이 무너지고, 땅은 산에 이어져 있어서 그 이지러짐을 채우니, 또한 깎이는 상이 된다. 부드러운 음으로 굳센 양을 변화시켜 소인의 도가 자라나므로 "가는 것이 이롭지 않다"고 말했으니, 곧 군자를 위하여 도모한 것이다. '형통함'과 '곧음'을 말하지 않은 것은 괘의 뜻이 본래 그러하다.

### 이진상(李震相) 『역학관규(易學管窺)』

卦體.

괘의 몸체이다.

一陽在中, 則爲師爲比, 在下在上, 則爲剝爲復. 剝者, 陽消之極, 九月卦也. 老母居內, 而弱男居外, 陽猶未窮也.

한 양이 가운데 있으면 사괘(師卦䷆)가 되거나 비괘(比卦䷇)가 되며, 맨 아래나 맨 위에 있으면 박괘(剝卦䷖)가 되거나 복괘(復卦䷗)가 된다. 박괘는 양의 사라짐이 지극하니 구월괘이다. 늙은 어미가 안에 있고 나약한 남자가 밖에 있으니, 양이 오히려 아직 없어지지 않은 것이다.

### 이정규(李正奎) 「독역기(讀易記)」

剝之卦辭曰, 不利攸有往, 不惟卦象之順而止故也. 小人極盛, 剝滅君子, 而向所謂朋類徒與者, 今皆變爲小人, 惟一君子, 孤立於極處, 欲往而焉往, 往之而何所容, 往之則竝與一君子而滅之盡矣. 當此之時, 天下之事, 不可忍言也, 惟尙消息盈虛之理, 而與時偕行而已.

박괘의 괘사에서 "가는 것이 이롭지 않다"고 한 것은 괘의 상이 유순하여 그치기 때문만이 아니다. 소인이 매우 왕성하여 군자를 박멸해서 이전에 함께 했던 벗의 무리가 이제는 모두 변하여 소인이 되고, 오직 군자 한 사람만이 끝에 외롭게 서있기 때문이니, 가고자 하나 어디로 가겠으며, 간들 어디에서 받아들여지겠는가? 가면 한명의 군자와 함께 없어져서 다하게 될 것이다. 이러한 때를 맞으면 천하의 일은 차마 말할 수 없고, 오직 사라지고 자라나며 차고 비는 이치를 숭상하여 때에 따라 함께 행할 뿐이다.

象曰, 剝, 剝也. 柔變剛也,

「단전」에서 말하였다: '박(剝)'은 깎아냄이다. 부드러움이 굳셈을 변화시킨 것이니,

## 中國大全

**本義**

以卦體釋卦名義. 言柔進于陽, 變剛爲柔也.

괘의 몸체로 괘의 이름을 해석하였다. 부드러움이 양에게 다가가 굳셈을 변화시켜 부드럽게 함을 말한 것이다.

**小註**

建安丘氏曰, 自一柔變剛而爲姤, 再變遯, 三變否, 四變觀, 五變剝, 更進則盡變, 而卦爲純坤矣. 聖人於姤, 言柔遇剛者, 姤相邂逅之謂也, 此言柔變剛, 變則盡反其所爲, 君子悉爲小人, 天下之事, 有不忍言者. 故遇可爲也, 變不可爲也.

건안구씨가 말하였다: 한 번 부드러움이 굳셈을 변화시켜 구괘(姤卦䷫)가 되고, 두 번 변화시켜 돈괘(遯卦䷠)가 되고, 세 번 변화시켜 비괘(否卦䷋)가 되고, 네 번 변화시켜 관괘(觀卦䷓)가 되고, 다섯 번 변화시켜 박괘(剝卦䷖)가 되며, 다시 나아가면 변화를 다하여 순수한 곤괘(坤卦䷁)가 된다. 성인이 구괘(姤卦䷫)에서 "부드러움이 굳셈을 만났다"[2]고 한 것은 '구(姤)'가 서로 만나는 것을 말하기 때문이고, 여기에서 "부드러움이 굳셈을 변화시킨다"고 한 것은 변하면 그 행하던 것을 모두 되돌려서 군자가 모두 소인이 되기 때문이니, 천하의 일에 차마 말하지 못할 것이 있다. 그러므로 만남은 해도 되지만 변화시킴은 하면 안된다.

---

2) 『周易·姤卦』: 象曰 姤, 遇也, 柔遇剛也.

# ┃韓國大全┃

### 홍여하(洪汝河) 「책제(策題):문역(問易)・독서차기(讀書箚記)-주역(周易)」

剝象傳, 柔變剛也.

박괘의 「단전」에서 말하였다: 부드러움이 굳셈을 변화시킨다.

變者, 柔極而變剛也.

'변화시킴'은 부드러움이 지극하여 굳셈을 변화시키는 것이다.

### 김상악(金相岳) 『산천역설(山天易說)』

以卦體釋卦名義. 變者, 剛爲柔所變也. 姤則一陰始生於下, 故曰柔遇剛也, 剝則一陽將盡於上, 故曰柔變剛也.

괘의 몸체로 괘의 이름을 풀이하였다. '변화시킴'은 굳셈이 부드러움에게 변화되는 것이다. 구괘(姤卦☴)에서는 한 음이 아래에서 처음 생겨나므로 "부드러운 음이 굳센 양을 만난다"고 하였으며, 박괘에서는 한 양이 맨 위에서 사라지려하므로 "부드러움이 굳셈을 변화시킨다"고 하였다.

### 서유신(徐有臣) 『역의의언(易義擬言)』

剝, 謂剛者剝落也. 剛之剝落, 由於柔者剝之也.

박(剝)은 굳센 것이 깎여 떨어짐을 말한다. 굳셈이 깎여 떨어짐은 부드러운 것이 깎아냄을 말미암는다.

### 박문건(朴文健) 『주역연의(周易衍義)』

變, 消變也. 此以卦體釋卦名.

'변화시킴'은 사라져 변하는 것이다. 이는 괘의 몸체로 괘의 이름을 풀이하였다.

### 김기례(金箕澧) 「역요선의강목(易要選義綱目)」

柔變剛.

부드러움이 굳셈을 변화시킨다.

自姤二變三變四五變, 而變剛爲柔. 蓋一陰始五月, 而歷六七八月至九月, 則將極矣, 故曰五九月之禍.

구괘(姤卦䷫)로부터 이효가 변하고 삼효가 변하고 사효와 오효가 변하여 굳센 양을 변화시켜 부드러운 음이 된다. 하나의 음으로 오월(䷫)이 시작되고 유월·칠월·팔월을 지나 구월(䷖)에 이르면 다하게 되므로 "오효는 구월괘의 재앙이다"라고 하였다.

### 최세학(崔世鶴) 「주역단전괘변설(周易彖傳卦變說)」

剝, 坤之一體變也, 上一爻爲主, 而象以柔變剛言之. 乾上往居於上體之上, 而將以見剝, 故曰柔變剛也.

박괘(剝卦)는 곤괘(坤卦䷁)의 한 몸체가 변한 것으로 맨 위의 한 효가 주인이 되는데, 「단전」에서 '부드러움이 굳셈을 변화시킴'으로 말한 것은 건괘(乾卦)의 상효가 올라가서 상체(上體)의 맨 위에 있다가 장차 깎이게 되었기 때문에 "부드러움이 굳셈을 변화시킨다"고 하였다.

不利有攸往, 小人長也.

"가는 것이 이롭지 않음"은 소인이 자라나기 때문이다.

## 中國大全

### 傳

剝, 剝也, 謂剝落也. 柔變剛也, 柔長而剛變也. 夏至一陰生而漸長, 一陰長則一陽消. 至於建戌, 則極而成剝, 是陰柔變剛陽也. 陰, 小人之道, 方長盛, 而剝消於陽, 故君子不利有所往也.

"박(剝)은 깎아냄이다"는 깎아 떨어뜨림을 말한다. "부드러움이 굳셈을 변화시켰다"는 것은 부드러움이 자라서 굳셈이 변했다는 것이다. 하지에 하나의 음이 생겨 점점 자라니, 하나의 음이 자라면 하나의 양이 사라진다. 구월[戌]이 되면 끝까지 가서 박괘(剝卦䷖)가 되니, 부드러운 음이 굳센 양을 변화시킨 것이다. 음은 소인의 도인데, 한창 장성하여 양을 깎아서 없애기 때문에 군자가 가는 것은 이롭지 않다.

### 小註

建安丘氏曰, 剝之柔變剛, 言小人長, 則復之剛, 反爲君子長, 可知矣.

건안구씨가 말하였다: 박괘(剝卦䷖)의 부드러움이 굳셈을 변화시키는 것이 소인이 자라남을 말한다면, 복괘(復卦䷗)의 굳셈은 반대로 군자가 자라는 것이 됨을 알 수 있다.

○ 隆山陳氏曰, 夬象曰, 剛決柔, 而剝曰, 柔變剛, 何也. 曰, 此君子小人之辨也. 君子剛明果斷, 小人陰賊險很. 君子之去小人, 聲其罪, 與天下共棄之, 名正言順, 故曰決. 小人之欲去君子, 辭不順, 理不直, 必萋斐浸潤以侵蝕之, 使之日消月鑠而不自知, 故曰變. 一字之間, 君子小人之情狀, 皦然矣.

융산진씨가 말하였다: 쾌괘(夬卦䷪)의 단사에서 "굳셈이 부드러움을 결단한다"[3]고 했는데, 박괘에서는 "부드러움이 굳셈을 변화시켰다"고 한 것은 무엇 때문인가? 말하자면, 이것은

군자와 소인의 분별이다. 군자는 굳세고 밝아서 과감하게 결단하지만, 소인은 몰래 해치고 험하게 어긴다. 군자가 소인을 제거하고 그 죄를 성토함에는 천하와 함께 버려서 명분이 바르고 말이 이치에 맞으므로 "결단한다"고 하였다. 소인이 군자를 제거하려고 할 때는 말이 사리에 맞지 않고 이치가 곧지 않아서 반드시 화려하게 적시면서 차츰 파고 들어가 나날이 사라져도 스스로 알지 못하게 하므로 "변화시킨다"고 하였다. 한마디의 차이로 군자와 소인의 정황이 분명할 것이다.

## ‖韓國大全‖

### 유정원(柳正源) 『역해참고(易解參攷)』

剝也. 〈擧正, 剝落也. 脫落字.〉

깎아냄이다. 〈『주역거정』에서 말하였다: 박락(剝落)인데, 락(落)자가 탈락되었다.〉

不利.

이롭지 않다.

傳, 剛變. 〈案, 變一作剝.〉

『정전』에서 말하였다: 굳셈이 변했다. 〈내가 살펴보았다: "변했다[變]"는 어떤 판본에는 "깎였다[剝]"로 되어있다.〉

### 서유신(徐有臣) 『역의의언(易義擬言)』

小人道長, 故君子道憂也.

소인의 도가 자라나기 때문에 군자의 도는 근심스럽다.

### 심대윤(沈大允) 『주역상의점법(周易象義占法)』

象曰, 剝, 剝也. 柔變剛也. 不利有攸往, 小人長也.

---

3) 『周易·夬卦』: 象曰, 夬, 決也, 剛決柔也, 健而說, 決而和.

「단전」에서 말하였다: ‘박’은 깎아냄이다. 부드러움이 굳셈을 변화시킨 것이니, ‘가는 것이 이롭지 않음’은 소인이 자라나기 때문이다.

上變爲下, 山變爲地, 陰剝陽而變之也. 君子之德, 能以化小人而爲善, 小人之勢, 足以變君子而爲賤也.

위가 변하여 아래가 되고 산이 변하여 땅이 됨은 음이 양을 깎아내어 변화시킨 것이다. 군자의 덕은 소인을 변화시켜 선하게 할 수 있고, 소인의 형세는 군자를 변화시켜 천하게 할 수 있다.

### 이진상(李震相) 『역학관규(易學管窺)』

坤靜於下, 艮止於上, 豈能往乎. 往必亡矣. 剝盡則純坤, 故戒之.

곤괘(☷)가 아래에서 고요하고 간괘(☶)가 위에서 그치니, 어찌 갈 수 있겠는가? 가면 반드시 망한다. 박괘(剝卦)가 다하면 순전한 곤괘가 되므로 경계하였다.

順而止之, 觀象也, 君子尙消息盈虛, 天行也.

따라서 멈추는 것은 상을 보았기 때문이고, 군자가 사라지고 자라나며 차고 빔을 숭상하는 것은 하늘의 운행이기 때문이다.

## 中國大全

### 傳

君子, 當剝之時, 知不可有所往, 順時而止, 乃能觀剝之象也, 卦有順止之象. 乃處剝之道, 君子當觀而體之. 君子尙消息盈虛, 天行也, 君子存心消息盈虛之理, 而能順之, 乃合乎天行也. 理有消衰有息長, 有盈滿有虛損, 順之則吉, 逆之則凶. 君子隨時敦尙, 所以事天也.

군자가 깎이는 때를 맞아서 가서는 안 됨을 알아 때를 따라 멈춤은 박괘의 상을 볼 수 있기 때문이니, 박괘에는 따라서 멈추는 상이 있다. 바로 깎임에 대처하는 방법이니, 군자는 그것을 보고 체득해야 한다. 군자가 사라지고 자라나며 차고 빔을 숭상하는 것은 하늘의 운행이기 때문이니, 군자가 사라지고 자라나며 차고 비는 이치를 마음에 담아두고 따를 수 있다면 하늘의 운행에 합치될 것이다. 이치에는 사라짐도 있고 자라남도 있으며, 차는 것도 있고 비는 것도 있는데, 그것을 따르면 길하고 그것을 어기면 흉하다. 군자가 때에 따라 애써서 숭상하기에 하늘을 섬기는 것이다.

### 本義

以卦體卦德釋卦辭.

괘의 몸체와 괘의 덕으로 괘사를 해석하였다.

**小註**

建安丘氏曰, 剝言不利有攸往, 則曰順而止, 復言利有攸往, 則曰以順行. 於柔長而戒之使止者, 所以憂小人之進, 於剛長而勉之使行者, 所以喜君子之來. 觀聖人利不利之辭, 則知其爲君子發也.

건안구씨가 말하였다: 박괘에서 "가는 것이 이롭지 않다"고 하였으니, "따라서 멈춘다"고 하였고, 복괘에서 "가는 것이 이롭다"[4]고 하였으니, "따르는 것으로 행한다"[5]고 하였다. 부드러움이 자라남에 경계하여 멈추게 한 것은 소인이 나오는 것을 근심했기 때문이고, 굳셈이 자라남에 힘써서 행하게 한 것은 군자가 오는 것을 기뻐했기 때문이다. 성인이 이롭다고 하고 이롭지 않다고 한 말을 보면 군자를 위해 한 것임을 알겠다.

○ 雲峯胡氏曰, 凡卦畫, 皆象也, 皆當觀也. 於剝獨言之者, 爲處變君子言也. 消息盈虛四字, 皆爲陽言. 復者陽之息, 姤者陽之消, 乾者陽之盈, 坤者陽之虛. 剝五陰而一陽, 則陽之消而至於虛者也. 其變也大矣, 然亦天行也, 故剝曰天行, 復亦曰天行.

운봉호씨가 말하였다: 모든 괘의 획은 모두 상이니 모두 관찰해야 한다. 그런데 유독 박괘에서 말한 것은 변화에 대처하는 군자를 위해 한 말이다. 사라짐과 자라남과 참과 빔은 모두 양을 위해 한 말이다. 복괘(復卦)는 양이 자라는 것이고, 구괘(姤卦)는 양이 사라지는 것이며, 건괘(乾卦)는 양이 꽉 찬 것이고, 곤괘(坤卦)는 양이 텅 빈 것이다. 박괘는 음이 다섯에 양이 하나이니, 양이 사라져 텅 빔에 이르는 것이다. 그 변화가 크지만 또한 하늘의 운행이기 때문에 박괘에서 "하늘의 운행이다"라고 했고, 복괘에서도 "하늘의 운행이다"라고 했다.

○ 隆山李氏曰, 消息盈虛, 乃時運之使然, 君子尙之, 與時偕行. 雖處剝之時, 而不至於咨嗟戚憂, 而變其所守者, 知其後之必復, 而屛心寧耐以待之也. 不然心憤群陰之進, 盡力以抗之, 則必激起其蠆尾之毒, 甘受其摧剝糜爛之禍, 而不可救藥矣.

융산이씨가 말하였다: 사라지고 자라나며 차고 빔은 바로 시운이 그렇게 한 것이니, 군자는 그것을 숭상하여 때와 더불어 행한다. 비록 깎이는 때일지라도 탄식하고 근심하여 자신이 지킬 것을 변화시키지 않는 것은 뒤에 반드시 회복될 것을 알아 마음을 다잡아 느긋하게 인내하며 기다리기 때문이다. 그렇지 않고서 여러 음이 나오는 것에 분개하여 힘을 다해 대항한다면, 반드시 전갈꼬리와 같은 독을 격렬하게 일으킬 것이니, 꺾이고 문드러지는 재앙을 감수해야지 약을 찾아서는 안 된다.

---

4) 『周易・復卦』: 反復其道, 七日, 來復, 利有攸往.
5) 『周易・復卦』: 象曰, 復亨, 剛反, 動而以順行.

# ┃韓國大全┃

## 유정원(柳正源) 『역해참고(易解參攷)』

誠齋楊氏曰, 坤順艮止, 止亂以順, 止小人亦以順. 順而止之, 非逆而激之. 此君子治剝之道也.

성재양씨가 말하였다: 곤괘(☷)는 순함이고 간괘(☶)는 그침이니, 순함으로 어지러움을 그치게 하고 순함으로 또한 소인을 그치게 함이다. '따라서 멈춤'은 거슬러 부딪치는 것이 아니니, 이것이 군자가 깎임을 다스리는 도이다.

○ 潛齋胡氏曰, 君子尙之者, 以明剝不終剝而有復, 止不終止而有行也.

잠재호씨가 말하였다: 군자가 숭상하는 것은 깎임이 끝까지 깎이지는 않고 회복함이 있으며, 그침이 끝까지 그치지는 않고 행함이 있음에 밝기 때문이다.

○ 雙湖胡氏曰, 順而止之, 固止小人之進, 亦是止君子之去. 夫當剝亂之世, 一君子在上, 止而不去, 猶足爲世道之福也.

쌍호호씨가 말하였다: '따라서 멈춤'은 진실로 소인이 나아감을 그치게 하는 것이니, 또한 군자가 떠나감을 그치게 하는 것이다. 깎여 어지러운 세상을 맞아 한 군자가 위에 있어서 멈추어 떠나지 않음이 오히려 세도(世道)의 복이 될 수 있다.

小註, 隆山說不憤. 〈案, 不字疑衍.〉

소주(小註)에서 융산이 '그렇지 않고서 마음이 분노하면[不憤]'이라고 하였다. 〈내가 살펴보았다: '불(不)'자는 잘못 들어간 듯하다.〉

## 김상악(金相岳) 『산천역설(山天易說)』

不利有攸往, 小人長也. 順而止之, 觀象也, 君子尙消息盈虛, 天行也.

'가는 것이 이롭지 않음'은 소인이 자라나기 때문이다. 따라서 멈추는 것은 상을 보았기 때문이고, 군자가 사라지고 자라나며 차고 빔을 숭상하는 것은 하늘의 운행이기 때문이다.

以卦體卦德釋卦辭. 小人長, 則君子道消也. 順而止之, 所以處剝之道也, 故君子觀象而尙之. 消息者, 盈虛之方始, 盈虛者, 消息之已成也.

괘의 몸체와 괘의 덕으로 괘사를 풀이하였다. 소인이 자라나면 군자의 도가 사라진다. '따라서 멈추는 것'은 깎임에 대처하는 도(道)이기 때문에 군자가 상을 보아 숭상하는 것이다. '사라지고 자라남'은 차고 빔이 막 시작하는 것이고, '차고 빔'은 사라지고 자라남이 이루어진 것이다.

○ 消息盈虛, 惟豊剝言之. 剝則君子之道, 已消而虛, 故有息之幾, 豊則天下之勢, 已息而盈, 故有消之幾也.
'사라지고 자라나며 차고 빔'은 풍괘(豊卦䷶)와 박괘(剝卦䷖)에서만 말하였다. 박괘에서는 군자의 도가 이미 사라져서 비었으므로 자라나는 기미가 있으며, 풍괘에서는 천하의 형세가 이미 자라나서 찼으므로 사라지는 기미가 있다.

## 김규오(金奎五) 「독역기의(讀易記疑)」

象, 小註, 隆山說, 知其後之必復, 寧耐而待之. 如是則正是有所爲而爲者, 不可謂安土樂天也. 況久而不復, 則其心安保其不渝也.
「단전」 소주에서 융산은 "뒤에 반드시 회복될 것을 알아 느긋하게 인내하며 기다리는 것이다"고 말하였다. 이와 같다면 바로 해야 할 바가 있어서 하는 것이니, 내가 있는 곳을 편안히 여기고 천명을 즐기는 것이라고 말할 수 없다. 더구나 오래되어도 회복되지 못한다면 그 마음이 어찌 달라지지 않는다고 보장할 수 있겠는가?

## 서유신(徐有臣) 『역의의언(易義擬言)』

順而止之, 觀象也,
따라서 멈추는 것은 상을 보았기 때문이고,
順而止之者, 六五也, 觀象也者, 美六五也. 六五, 雖不能大觀, 中正而尙能貫魚以宮人寵, 有觀之象也.
"따라서 멈춘다"는 육오를 말하고, "상을 보았다"는 육오를 찬미한 것이다. 육오가 비록 크게 살필 수는 없지만, 중정하여 여전히 '물고기를 꿰어 궁인이 총애를 받듯이' 할 수 있으니 살피는 상이 있다.

君子尙消息盈虛, 天行也.
군자가 사라지고 자라나며 차고 빔을 숭상하는 것은 하늘의 운행이기 때문이다.
上九在上, 有君子尊尙之象, 故曰君子尙也. 雖君子之爲尙, 然其時則陽虛也. 陽道, 姤則消, 復則息, 夬則盈, 剝則虛, 不易之理也. 上九乃乾之餘, 故曰天行也.

상구는 맨 위에 있어 군자가 높이고 숭상하는 상이 있으므로 "군자가 숭상한다"고 하였다. 비록 군자의 숭상함이 되지만, 그 때에는 양(陽)이 비어 있다. 양의 도가 구괘(姤卦䷫)에서 사라지고 복괘(復卦䷗)에서 자라나며, 쾌괘(夬卦䷪)에서 차고 박괘(剝卦䷖)에서 비는 것은 바뀌지 않는 이치이다. 상구는 곧 건괘(乾卦)가 남아있는 것이므로 "하늘의 운행이다"라고 하였다.

### 박제가(朴齊家) 『주역(周易)』

彖傳, 順而止之, 觀象也.

「단전」에서 말하였다: 따라서 멈추는 것은 상을 보았기 때문이고,

雲峯胡氏曰, 凡卦畫, 皆象也, 皆當觀也, 於剝獨言之者, 爲處變君子言也.

운봉호씨가 말하였다: 모든 괘의 획은 모두 상이니 모두 관찰해야 한다. 그런데 유독 박괘에서 이렇게 말한 것은 변화에 대처하는 군자를 위해 한 말이다.

案, 似矣而終未攔破, 經必下一之字, 所以爲觀也. 若曰順而止, 則乃象也, 止之者, 從人而爲說者也. 此之字, 與君子以之以字同. 如文明以止人文也, 觀乎人文以化成天下, 何嘗不觀乎. 若曰文明以止之, 則不成文理. 此古人修辭之法, 非必此爲處變者.

내가 살펴보았다: '의(矣)'자가 있어야 할 듯한데 끝내 없애지 못한 경우에 경전에서 반드시 '지(之)'자를 쓴 것은 살핌이 되기 때문이다. 만약 "따라서 멈춘다[順而止]"고만 한다면 이는 곧 상이고, '멈추는 것[止之]'은 사람으로 부터 말한 것이다. 이 '지(之)'자는 '군자가 그것을 본받아[君子以]'의 '그것을 본받아[以]'와 같다. 예컨대, "문채가 밝아서 멈추니 인문이다. 인문을 살펴서 천하를 변화시켜 이룬다"[6]와 같은 것은 어느 것인들 일찍이 살피지 않았겠는가? 그렇다고 만약 '문명이지(文明以止)'에 '지(之)'자를 붙여서 '문명이지지(文明以止之)'라고 한다면 문장이 되지 않는다. 이는 옛사람이 문장을 쓰는 법인 것이지, 굳이 변화에 대처함이 되는 것은 아니다.

### 박문건(朴文健) 『주역연의(周易衍義)』

觀象, 觀剝剛, 柔之象也. 此亦以卦體釋卦辭, 而又以卦德申不利往之義也. 尙, 敦信

---

6) 『周易‧賁卦』: 文明以止人文也. 觀乎天文, 以察時變, 觀乎人文, 以化成天下.

也. 消則必虛, 息則必盈, 消於上者, 必息於下也, 終則有始之理也. 君子尙其道而不違者, 能知往不往之无間也. 此承上不往之義, 以明有可往之時也.

"상을 본다"는 것은 굳센 양을 깎아냄을 보는 것이니, 부드러운 음의 상이다. 이 또한 괘의 몸체로 괘사를 풀이하고, 또 괘의 덕으로 "가는 것이 이롭지 않다"는 뜻을 편 것이다. '숭상함'은 돈독하게 믿음이다. 사라지면 반드시 비고 자라나면 반드시 차며, 위에서 사라지는 것은 반드시 아래에서 자라나니, 끝에는 시작하는 이치가 있다. 군자가 그 도를 숭상하여 어기지 않는 것은 '가는 것'과 '가지 않는 것'의 차이가 없음을 알 수 있기 때문이다. 이는 위의 "가지 않는다"는 뜻을 이어서 갈만한 때가 있음을 밝힌 것이다.

〈問, 小人長也, 順而止. 曰, 小人長則有害, 順而止則不往也.

물었다: '소인이 자라남'과 '따라서 멈춘다'는 무슨 뜻입니까?

답하였다: 소인이 자라나면 해(害)가 있고, 따라서 멈추면 가지 않는 것입니다.〉

## 이지연(李止淵) 『주역차의(周易箚疑)』

象辭, 卽所謂居則觀其象者也.

「단전」은 이른바 "거처할 때는 그 상을 살핀다"[7]는 것이다.

## 김기례(金箕澧) 「역요선의강목(易要選義綱目)」

君子尙消息盈虛, 天行.

군자가 사라지고 자라나며 차고 빔을 숭상하는 것은 하늘의 운행이기 때문이다.

坤順艮止, 則順時而止. 不利有往, 卽君子體天而顯晦, 豈可力抗而遇蠆螫之毒哉. 順天而靜俟, 復之將回耳.

곤괘(坤卦☷)는 순하고 간괘(艮卦☶)는 그치니, 때에 순응하여 그침이다. '가는 것이 이롭지 않음'은 곧 군자가 하늘의 이치에 따라 드러내고 숨는 것이니, 어찌 힘을 다해 대항하여 전갈의 독을 만날 것인가? 하늘의 이치에 따라 조용히 기다리면 복괘가 장차 돌아올 뿐이다.

## 심대윤(沈大允) 『주역상의점법(周易象義占法)』

順而止之, 觀象也, 君子尙消息盈虛, 天行也.

---

7) 『周易·繫辭傳』.

따라서 멈추는 것은 상을 보았기 때문이고, 군자가 사라지고 자라나며 차고 빔을 숭상하는 것은 하늘의 운행이기 때문이다.

不曰順而止, 獨曰止之者, 言君子之於小人, 順而止之也. 觀象, 觀勢也. 當小人方長之時, 君子遽加逆折, 則小人恐懼謀慮, 繆結陰秘, 其鄒益合, 其勢愈盛, 終至於網打君子而後已. 譬如沃油以滅火, 火愈熾而油益煎也. 小人陰性, 假托仁義, 以求其欲, 旣得其欲, 則棄仁義而內相圖, 其亡可立而待也. 君子觀其勢, 而知其幾, 順其熘盛之時, 而制其氣衰之後. 故能保其身而成其功, 遠其害而享其利, 漢之周勃, 宋之王曾, 頗似之矣. 君子奉天時而行, 同其消息盈虛也, 天有理有時, 理者正也, 時者變也. 順理而逆時, 則名高而身殃, 逆理而順時, 則身全而名辱, 君子守正而順變, 故時中而兩全也.

"따라서 멈춘다[順而止]"고 하지 않고 유독 '멈추는 것[止之]'이라고 한 것은 군자가 소인에 대해 따라서 멈추는 것을 말한다. '상을 보았기 때문'은 형세를 본 것이다. 소인이 한참 자라나는 때를 맞아 군자가 갑자기 거슬러 꺾는다면, 소인은 두려워서 모의하고 은밀하게 맺어서 무리가 더욱 합하고 세력이 더욱 성하여 마침내 군자를 일망타진한 뒤에 그칠 것이다. 비유하자면 기름을 부어 불을 끄려는 것과 같아서 불은 더욱 세차고 기름은 더욱 들끓는다. 소인은 음의 성질이어서 인의(仁義)를 가탁하여 그 욕심을 채우고, 이미 욕심을 채우면 인의를 버리고 안으로 서로 도모하니, 그 망함을 서서도 기다릴 수 있다. 군자는 그 형세를 살피고 그 기미를 알아서 불꽃이 성한 때에는 그 때를 따르고 그 기운이 쇠한 뒤에 제재한다. 그러므로 그 몸을 보전하여 공을 이루고 해를 멀리하고 이로움을 누릴 수 있으니, 한나라의 주발(周勃)[8]과 송나라의 왕증(王曾)[9]과 같은 이가 자못 이와 비슷하다. 군자가 하늘의 때를 받들어 행함이 그 사라지고 자라나며 차고 빔과 같은데, 하늘에는 이치가 있고 때가 있으니, 이치는 바른 것이고 때는 변하는 것이다. 이치를 따라도 때에 어긋나면 명예는 높지만 몸에 재앙이 있고, 이치를 거스르고 때를 따르면 몸은 보존되어도 이름이 욕되니, 군자는

---

8) 주발(周勃): 중국 전한(前漢)의 명신. 시호는 무후공(武侯公). 쟝쑤 성 패현[江蘇省沛縣] 사람. 고조에 봉사하여 천하 평정의 공을 세우고, 강후(絳侯)에 봉하여졌다. 후에 여씨 일족(呂氏一族)이 난을 일으키자, 진평(陳平)과 더불어 여씨를 평정하고, 문제(文帝)를 세워서 한실(漢室)을 안정하게 하였다.

9) 왕증(王曾): 송나라 청주(靑州) 익도(益都) 사람. 자는 효선(孝先)이다. 진종(眞宗) 함평(咸平) 5년(1002) 진사제일(進士第一)로 합격하고, 이부시랑(吏部侍郎)에 올랐다가 참지정사(參知政事)를 두 번 역임했다. 진종이 천서(天書)를 만들고 옥청소응궁(玉淸昭應宮)을 크게 짓는 일에 대해 간언했다. 인종(仁宗)이 즉위하자 유태후(劉太后)가 청정(聽政)했는데, 중서시랑(中書侍郎)과 동중서문하평장사(同中書門下平章事)에 오르니 조정이 크게 의지했다. 태후의 친인척의 발호를 억제하다가 청주지주로 쫓겨났다. 경우(景祐) 원년(1034) 불려 추밀사(樞密使)가 되고, 다음 해 다시 재상(宰相)에 올라 기국공(沂國公)에 봉해졌다. 여이간(呂夷簡)과 불화하여 운주(鄆州)로 나갔다. 시호는 문정(文正)이다. 저서에 『왕문정공필록(王文正工筆錄)』이 있다.

바른 것을 지키고 변화에 순응하므로 때에 알맞아 둘 다 온전하다.

### 오치기(吳致箕) 「주역경전증해(周易經傳增解)」

此以卦體釋卦名義, 以卦體卦德釋卦辭也. 柔進而剝剛, 變剛爲柔, 小人之道方長, 故 君子不利有攸往, 而知其不可有往, 順時而止之, 乃所以觀剝之象, 而處之以道. 此卽 君子敦尙天理之有消息盈虛, 而能合乎其道者也. 餘見象解.

이는 괘의 몸체로 괘의 이름을 풀이하고, 괘의 몸체와 괘의 덕으로 괘사를 풀이하였다. 부드러운 음이 나아가 굳센 양을 깎아내고, 굳센 양을 변화시켜 부드러운 음이 되게 하여 소인의 도가 한창 자라나므로 군자가 가는 것이 이롭지 않은데, 갈 수 없음을 알아 때에 따라서 멈추는 것이 바로 깎이는 상을 보고 도로써 대처한 것이다. 이는 곧 군자가 천리에 사라지고 자라나며 차고 빔이 있음을 두텁게 숭상하여 그 도에 부합할 수 있는 것이다. 나머지는 「단전」의 해석을 보라.

### 이병헌(李炳憲) 『역경금문고통론(易經今文考通論)』

正義曰, 剝, 剝落也.

『주역정의』에서 말하였다: 박(剝)은 깎여 떨어지는 것이다.

虞曰, 陰消乾也.

우번이 말하였다: 음(陰)이 건(乾)을 사라지게 하는 것이다.

坤順艮止, 謂五消, 觀成剝, 故觀象也. 乾息爲盈, 坤消爲虛, 故君子尙消息盈虛, 天行也.

내가 살펴보았다: 곤괘(坤卦☷)는 따름이고 간괘(艮卦☶)는 그침이니 다섯 효가 사라짐을 이르고, 박괘(䷖)가 이루어짐을 보았으므로 "상을 보았다"는 것이다. 건괘가 자라남이 참이 되고 곤괘가 사라짐이 빔이 되므로 군자가 사라지고 자라나며 차고 빔을 숭상하는 것은 하늘의 운행이기 때문이다.

象曰, 山附於地, 剝, 上以, 厚下, 安宅.

「상전」에서 말하였다: 산이 땅에 붙어 있는 것이 박(剝)이니, 위에서 그것을 본받아 아래를 두텁게 하여 집을 편안하게 한다.

## 中國大全

**傳**

艮重於坤, 山附於地也. 山高起於地, 而反附著於地, 圮剝之象也. 上謂人君與居人上者, 觀剝之象, 而厚固其下, 以安其居也. 下者, 上之本, 未有基本固而能剝者也. 故上之剝, 必自下, 下剝則上危矣. 爲人上者, 知理之如是, 則安養人民, 以厚其本, 乃所以安其居也. 書曰民惟邦本, 本固邦寧.

간괘(艮卦☶)가 곤괘(坤卦☷)에 겹쳤으니, 산이 땅에 붙어있는 것이다. 산은 땅에서 높이 솟아 있어야 하는데, 도리어 땅에 붙어있으니 무너져 깎인 상이다. ‘위[上]’는 임금과 남들 위에 있는 자를 말하니, 박괘의 상을 보고 그 아래를 두텁고 견고하게 하여 거처를 편안히 한다. 아래는 위의 근본이니, 근본이 견고한데도 무너지는 경우는 없다. 그러므로 위가 깎이는 것은 반드시 아래에서 시작되니, 아래에서 깎이면 위가 위태롭다. 남들 위에 있는 자들이 이치가 이와 같음을 안다면 백성들을 편안히 길러 그 근본을 두텁게 하니, 바로 그 거처를 편하게 하는 것이다. 『서경』에서 “백성이 나라의 근본이니, 근본이 견고하면 나라가 편안하다”[10]라고 하였다.

**小註**

朱子曰, 厚下者, 乃所以安宅, 如山附於地, 唯其地厚, 所以山安其居而不搖. 人君厚下以得民, 則其位亦安而不搖, 猶所謂本固邦寧也.

주자가 말하였다: 아래를 두텁게 하는 것이 바로 집을 편안하게 하는 것이다. 산이 땅에 붙어있다면 그 땅을 두텁게 해야만 산이 거처를 편하게 하여 흔들리지 않을 것이다. 임금이

---

10) 『書經·五子之歌』: 民惟邦本, 本固邦寧.

아래를 두텁게 하여 백성을 얻으면 그 지위도 편안하여 흔들리지 않으니, 이른바 "근본이 견고하면 나라가 편안하다"는 것과 같다.

○ 雲峯胡氏曰, 不曰君子, 而曰上, 上指一陽, 下指五陰也, 陰陽之分明矣. 厚下, 坤地象, 安宅, 艮土象.
운봉호씨가 말하였다: '군자'라고 하지 않고 '위'라고 하였는데, 위는 하나의 양을 가리키고 아래는 다섯 음을 가리키니, 음과 양의 구분을 명확히 한 것이다. '아래를 두텁게 함'은 곤괘(☷)인 땅의 상이고, '집을 편안하게 함'은 간괘(☶)인 흙의 상이다.

○ 節齋蔡氏曰, 卦以下剝上取義, 乃小人剝君子也. 象以上厚下取義, 乃人君厚生民也. 下剝上者, 成剝之義, 上厚下者, 治剝之道也.
절재채씨가 말하였다: 괘(卦)에서는 아래에서 위를 깎아내는 것으로 뜻을 취했으니 바로 소인이 군자를 해치는 것이고, 상(象)에서는 위에서 아래를 두텁게 하는 것으로 뜻을 취했으니 바로 임금이 백성들 두텁게 하는 것이다. 아래에서 위를 깎아냄은 박괘(剝卦)가 이루어진 뜻이고, 위에서 아래를 두텁게 함은 깎임을 다스리는 도이다.

○ 厚齋馮氏曰, 以上下厚薄取象, 而不以陰陽消長爲義, 此聖人用卦之微權也.
후재풍씨가 말하였다: 위아래의 후하고 박한 것으로 상을 취하고, 음양의 없어지고 자라는 것으로 뜻을 삼지 않았으니, 이것은 성인이 괘를 사용하는 임기응변이다.

## ┃韓國大全┃

### 조호익(曹好益) 『역상설(易象說)』

象曰, 山附於地, 剝, 上以,
「상전」에서 말하였다: 산이 땅에 붙어 있는 것이 박(剝)이니, 위에서 그것을 본받아

雲峯曰, 不曰君子, 而曰上者, 上指一陽.
운봉이 말하였다: '군자'라고 하지 않고 '위'라고 하였는데, '위'는 한 양을 가리킨다.

愚謂, 大象凡曰先王曰天子曰君子, 皆泛指以易之人, 而卦中无其象. 此獨指卦中之陽, 恐非本意. 愚意以爲言先王則拘於古今之辨, 言君子則混於上下之別, 故獨稱上. 上者, 泛指在上之人也, 上而天子, 中而諸侯, 下而卿大夫, 凡臨民臨事者, 皆其上也.
내가 살펴보았다: 「대상전」에서 '선왕'이라고 하고 '천자'라고 하고 '군자'라고 한 것은 모두가 역의 일반인을 가리킨 것이지 괘에는 그러한 상이 없다. 그런데 여기서만 "괘 가운데의 양효를 가리킨다"고 한다면 아마도 본래의 뜻은 아닐 것이다. 내 생각에 '선왕'이라 한다면 옛날과 지금의 분별에 구애되고, '군자'라고 한다면 위아래의 구별을 혼동하므로 '위[上]'라고만 일컫은 것이다. '위'는 위에 있는 사람을 일반적으로 가리키니, 위로는 천자, 중간으로는 제후, 아래로는 경·대부가 모두 백성과 일에 임하는 자들로 모두 그 '위'인 것이다.

## 김도(金濤) 「주역천설(周易淺說)」

愚按, 程傳下所釋, 朱子胡氏蔡氏馮氏凡四條, 而皆得於大象之旨矣. 蓋陰陽消長, 自然之理也. 此長則彼消, 此消則彼長, 而剝之爲卦, 諸陽消剝已盡, 獨有上九一爻尙存, 則君子道消, 小人道極盛之時也. 大象則以厚下安宅取義, 其旨可見矣. 天下之理, 薄下而奉上, 則上危而不安, 損上而益下, 則上安而不危, 上安則下亦安, 上危則下必困. 下困而上危, 則天下未有不亡者矣, 可不懼哉. 大槪君子, 雖處於消剝之時, 而屛心寧耐, 以待陽復之日, 可也, 豈可憤群陰之竝進, 而盡力以抗之, 自取糜爛之禍哉. 嗚呼, 其可懼哉.
내가 살펴보았다: 『정전』 아래에 해석은 주자·호씨·채씨·풍씨 등 네 조목인데, 모두 「대상전」의 뜻에 맞는다. 음양의 사라지고 자라남은 저절로 그러한 이치이다. 이것이 자라면 저것이 사라지고 이것이 사라지면 저것이 자라나는데, 박괘는 여러 양이 사라지고 깎임이 이미 다하여 오직 상구 한 효만 여전히 남아 있으니, 군자의 도가 사라지고 소인의 도가 매우 왕성한 때이다. 「대상전」은 "아래를 두텁게 하여 집안을 편안하게 한다"는 것으로 뜻을 취했는데, 그 뜻을 알 수 있다. 천하의 이치는 아래를 얕게 하여 위를 받들면 위가 위태롭고 불안하며, 위를 덜어서 아래를 보태면 위가 편안하고 위태롭지 않으니, 위가 편안하면 아래도 편안하고 위가 위태로우면 아래도 반드시 어렵다. 아래가 어렵고 위가 위태로우면 천하에 망하지 않는 자가 없으니, 어찌 두렵지 않겠는가? 군자가 비록 사라지고 깎이는 때에 처하더라도 마음을 다잡아 느긋하게 인내하여 양이 회복될 날을 기다림이 옳을 것이니, 어찌 여러 음이 함께 나아감에 분노하여 힘을 다하여 막아서 스스로 문드러지는 화를 취하겠는가? 아! 그것이 두려운 것이다.

## 이만부(李萬敷) 「역통(易統)·역대상편람(易大象便覽)·잡서변(雜書辨)」

臣謹按, 施祿及下, 中庸所謂忠信重祿, 是也. 厚下安宅, 孟子所謂制民之産, 使足以仰事俯育, 是也. 蓋待臣則祿足以代其耕, 然後可以責其任, 待民則遂其生而安其宅, 然後可以事其上也.

신이 삼가 살펴보았습니다: 녹(祿)을 베풀어 아랫사람에게 미치는 것은 『중용』의 이른바 "충심으로 대하고 녹을 많이 준다"는 것이 그것입니다. '아래를 두텁게 하여 집을 편안하게 함'은 『맹자』의 이른바 "백성의 생업을 제정함이 우러러 부모를 섬길만하게 하고 아래로 자식을 기를만하게 한다"는 것이 그것입니다. 신하를 대접함은 녹(祿)이 농사짓는 것을 대신할만한 뒤에야 맡은 일을 책임질 수 있으며, 백성을 대함은 생계를 이루고 집안을 편안하게 한 뒤에야 윗사람을 섬길 수 있는 것입니다.

### 심조(沈潮) 「역상차론(易象箚論)」

象, 安宅.

「상전」에서 말하였다: 집안을 편안하게 한다.

艮爲門闕, 故稱宅.

간괘(☶)는 문[門闕]이 되므로 집이라고 일컬었다.

### 유정원(柳正源) 『역해참고(易解參攷)』

王氏曰, 厚下者, 牀不見剝也, 安宅者, 物不失處也. 厚下安宅, 治剝之道也.

왕씨가 말하였다: "아래를 두텁게 한다"는 평상이 깎이지 않게 함이며, "집을 편안하게 한다"는 물건이 있을 곳을 잃지 않음이다. '아래를 두텁게 하여 집을 편안하게 함'은 깎임을 다스리는 도이다.

○ 正義, 山勢高峻, 今附於地, 是剝落之象, 故云山附於地剝也. 剝之爲義, 從下而起, 故在上之人, 當須豊厚於下, 安物之居, 以防於剝也.

『주역정의』에서 말하였다: 산의 형세가 매우 높지만 지금 땅에 붙어있으니, 깎여서 떨어지는 상이므로 "산이 땅에 붙어 있는 것이 박(剝)이다"라고 하였다. 박괘의 뜻은 아래로부터 일어나므로 위에 있는 사람은 마땅히 아래를 풍족하고 두텁게 하여 사물의 거처를 편안하게 하여 깎임을 막아야 한다.

○ 涑水司馬氏曰, 基薄則牆頹, 下薄則上危. 故君子厚其下者, 所以自安其居也.

속수사마씨가 말하였다: 기초가 얇으면 담장이 무너지고, 아래가 얇으면 위가 위태롭다. 그러므로 군자가 그 아래를 두텁게 하는 것은 스스로 그 거처를 편안하게 하는 것이다.

○ 雙湖胡氏曰, 剝者, 崩頹之義. 五陰自下而上, 剝一陽, 將見艮剝爲坤, 則山剝爲地矣. 山附於地, 未可言剝. 然以五陰剝一陽言之, 則有山崩爲地之勢, 故名之曰剝. 爲人上者, 觀象而知所以厚下安宅, 則又善於用剝者.

쌍호호씨가 말하였다: 박(剝)은 붕괴된다는 뜻이다. 다섯 음이 아래로부터 올라가 한 양을 깎아냄이니, 장차 간괘(艮卦☶)가 깎여서 곤괘(坤卦☷)가 된다면 산이 깎여서 땅이 될 것이다. 산은 땅에 붙어있으니 깎인다고 말할 수 없지만, 다섯 음이 한 양을 깎아내는 것으로 말하면 산이 무너져 땅이 되는 형세가 있으므로 ‘박(剝)’이라고 이름한 것이다. 남의 위가 된 사람이 상을 살펴서 아래를 두텁게 하여 집안을 편안하게 할 줄 안다면, 또 깎임을 잘 쓰는 자일 것이다.

### 김상악(金相岳) 『산천역설(山天易說)』

上, 謂爲人上者也. 厚下, 坤之象, 安宅, 艮之象. 六十四卦之名, 惟剝不美, 蔑貞之凶, 非君子所安, 故曰上以. 然上九, 乃言君子, 則君子之道, 終不可无也.

‘위’는 남의 위가 된 자를 말한다. ‘아래를 두텁게 함’은 곤괘(☷)의 상이고, ‘집을 편안하게 함’은 간괘(☶)의 상이다. 육십사괘의 이름 가운데 박괘만 아름답지 못하니, 곧음을 업신여기는 흉함은 군자가 편안하게 여기는 것이 아니므로 ‘위에서 그것을 본받아’라고 하였다. 그러나 상구에서 곧 ‘군자’라고 말했으니, 군자의 도는 끝내 없어질 수 없다.

### 김규오(金奎五) 「독역기의(讀易記疑)」

大象, 傳, 坏剝之象.
「대상전」의 『정전』에서 말하였다: 무너져 깎인 상이다.

大象多就本卦卦辭之外, 發出他義, 而程子常欲合而一之, 故此亦云然. 然蔡馮諸說, 恐不可廢也.

「대상전」은 본래 괘의 괘사 밖에서 다른 뜻을 드러냄이 많은데, 정자는 항상 합해서 하나로 하려 했기 때문에 여기에서 또한 그렇게 말하였다. 그러나 채씨나 풍씨의 설명들을 폐기할 수 없을 듯하다.

### 서유신(徐有臣) 『역의의언(易義擬言)』

山與地相附, 分之則山地二名, 總之則土一物, 故曰山附於地也. 水之比地, 火之麗木, 尙亦二物而有間也. 泰山喬嶽, 矗然其巍, 風磨雨洗, 石泐土蝕, 日有所消剝, 而亘萬古不崩不騫者, 以其下附於厚地也. 諸家以爲山頹, 剝附於地, 按, 卦艮在坤上, 自如殊無山頹之象也. 觀乎山附地之象, 而厚其下, 以安其居, 故雖高而不危也, 厚下之道, 則在損上也. 厚下如地, 安宅如山, 艮門闕爲宅象.

'산과 땅이 서로 붙어 있음'은 나누면 산과 땅이라는 두 가지 이름이 되지만, 총괄하면 흙이라는 한 물건이 되기 때문에 "산이 땅에 붙어 있다"고 하였다. 물이 땅에 가깝고 불이 나무에 걸려 있더라도, 오히려 또한 두 가지 물건으로 차이가 있다. 태산은 높고 크며 우뚝 솟아 있어 바람이 깎아내고 비가 씻어내어 돌이 부서지고 흙이 깎여나가 날로 사라지고 깎임이 있더라도 오랜 세월을 이어 무너지지 않는 것은 그 아래가 두터운 땅에 붙어 있기 때문이다. 여러 학자들은 산이 무너지는 것을 깎여 땅에 붙는 것이라고 생각하지만, 내가 생각하기에는, 간괘(☶)가 곤괘(☷)의 위에 있는 괘이니, 그 자체로는 절대로 산이 무너지는 상이 없을 것 같다. 산이 땅에 붙어있는 상을 살펴서 그 아래를 두텁게 하여 그 거처를 편안하게 하므로 비록 높으나 위태롭지 않은 것이니, 아래를 두텁게 하는 도는 곧 위를 덜어내는 데 있다. 아래를 두텁게 함은 땅과 같고, 집을 편안하게 함은 산과 같으니, 간괘의 문이 집의 상이 된다.

## 강엄(康儼) 『주역(周易)』

按, 山附於地, 有圯剝之象, 然山地相附, 亦有不剝之象, 故上以之而厚下安宅, 蓋因其圯剝之象, 而取其不剝之象也. 如風行水上, 有渙散之象, 故爲渙, 然風水相受, 又有不渙之象, 故先王以之而享帝立廟, 蓋亦因其渙, 而象其不渙者也.

내가 살펴보았다: 산이 땅에 붙어 있어 무너져 깎이는 상이 있지만, 산과 땅이 서로 붙어서 또한 깎이지 않는 상이 있으므로 위에서 그것을 본받아 아래를 두텁게 하여 집을 편안하게 하니, 대체로 무너져 깎이는 상으로 인하여 그 깎이지 않는 상을 취하였다. 바람이 물위에 불어 흩어지는 상이 있으므로 환괘(渙卦)가 되지만, 바람과 물이 서로 수용하여 다시 흩어지지 않는 상이 있으므로 선왕이 그것을 본받아서 상제에게 제사지내고 종묘를 세움과 같으니, 대체로 또한 흩어짐으로 인하여 흩어지지 않음을 형상한 것이다.

## 박문건(朴文健) 『주역연의(周易衍義)』

山頹附地, 則山麓廣厚, 故上以之, 厚其民而安其居也.

산이 무너져 땅에 붙으면 산기슭이 넓어지고 두터워지므로 위에서 그것을 본받아 백성을 두텁게 하고 그 거처를 편안하게 하는 것이다.

〈問, 安宅. 曰, 安民之居也, 是卽剝上厚下之意也.

물었다: "집을 편안하게 한다"는 무슨 뜻입니까?

답하였다: 백성의 거처를 편안하게 함이니, 이는 위를 깎아내어 아래를 두텁게 한다는 뜻입니다.〉

## 이지연(李止淵) 『주역차의(周易箚疑)』

大象取義, 誠以天下无不可爲之時, 而无不可變之事也.

「대상전」이 취한 뜻은 진실로 천하에서 하지 못할 때가 없고, 변화할 수 없는 일이 없기 때문이다.

## 김기례(金箕澧) 「역요선의강목(易要選義綱目)」

上以, 厚下, 安宅.

위에서 그것을 본받아 아래를 두텁게 하여 집을 편안하게 한다.

上, 指一陽. 聖人扶陽之義, 舍五陰而取一陽, 謂之厚下, 下則五陰. 五陰不必待上厚而極, 則何必加厚. 但君子治人, 不以風俗之美惡有間, 齊魯之待蜀. 蓋聖人敦德允元, 蠻夷率服, 不出於厚下而何.

'위'는 위의 한 양을 가리킨다. 성인이 양을 돕는다는 뜻에서 다섯 음을 버리고 한 양을 취하여 "아래를 두텁게 한다"고 했으니, 아래는 다섯 음이다. 다섯 음이 반드시 위가 두텁게 함을 기다려서 지극해지는 것은 아닌데, 어째서 반드시 두텁게 함을 더해야 하는가? 다만 군자가 사람을 다스림에 풍속의 아름답고 아름답지 못함에 차이를 두지 않으니, 제(齊)나라와 노(魯)나라가 촉(蜀)나라를 상대함이다. 대체로 성인이 덕이 있는 이를 후대하고 어진 이를 믿어서 오랑캐도 따라와 복종함이, 아래를 두텁게 하는 것이 아니고 무엇이겠는가?

○ 安宅, 謂施仁而安民居.

'집을 편안하게 함'은 인을 베풀어서 백성의 거처를 편안히 함을 말한다.

## 심대윤(沈大允) 『주역상의점법(周易象義占法)』

山剝於上, 而附於地, 陽剝於上, 而鍾於泉, 皆所以厚其基也. 下民之勢, 足以變其上, 上以厚下安宅, 所以厚吾基也. 君子變於上, 則附於下, 修德以厚基, 謙斂其多, 而益人之寡, 剝厚其基, 以止人之勢. 厚下坤象, 安宅艮象.

산이 위에서 깎여 땅에 붙고, 양이 위에서 깎여 샘에 모이는 것이 모두 그 기초를 두텁게 하는 것이다. 아래 백성의 형세는 그 위를 변화시킬 수 있으니, 위에서 그것을 본받아 아래를 두텁게 하여 집을 편안하게 함이 나의 기초를 두텁게 하는 것이다. 군자가 위에서 변하면 아래에 붙이고 덕을 닦아 기초를 두텁게 해서 많은 것에서 덜고 거두어 적은 사람에게 보태주고, 기초가 두터운 것을 깎아내어 다른 사람의 세력을 그치게 한다. '아래를 두텁게 함'은 곤괘(☷)의 상이고, '집을 편안하게 함'은 간괘(☶)의 상이다.

## 오치기(吳致箕) 「주역경전증해(周易經傳增解)」

山高而下附於地, 地厚而上載其山, 故爲人上者, 觀其象, 而厚養其下, 以固其本, 靜而不搖, 以安其居也. 坤爲厚下之象, 艮爲安宅之象也.

산이 높지만 아래로 땅에 붙어 있고, 땅이 두텁지만 위로 산을 싣고 있으므로 윗사람이 된 자가 그 상을 살펴서 아래를 두텁게 길러서 근본을 견고하게 하며, 고요하게 요동하지 않아서 거처를 편안하게 한다. 곤괘는 아래를 두텁게 하는 상이 되고, 간괘는 집을 편안하게 하는 상이 된다.

## 이진상(李震相) 『역학관규(易學管窺)』

厚下坤象, 安宅艮象. 上以者, 陽在上也.

'아래를 두텁게 함'은 곤괘의 상이고 '집을 편안하게 함'은 간괘의 상이다. "위에서 그것을 본받는다"는 양이 위에 있기 때문이다.

## 박문호(朴文鎬) 「경설(經說)・주역(周易)」

剝, 剝, 上剝, 卦名也, 下剝, 剝義也, 程傳可考. 地厚則山自安, 其取象之義甚明, 故本義不復釋.

박(剝)은 깎아냄인데, 위가 깎여짐은 박괘의 이름이고, 아래가 깎음은 박괘의 뜻이니, 『정전』에서 살필 수 있다. 땅이 두터우면 산은 저절로 안정되니, 그 상을 취한 뜻이 매우 분명하므로 『본의』에서는 다시 해석하지 않았다.

## 이병헌(李炳憲) 『역경금문고통론(易經今文考通論)』

姚曰, 坤地至五, 艮不足稱山. 故附於地, 剝使之然. 陽極於上, 故特言上, 六十四卦唯此耳. 自此以後, 又無離象.

요씨가 말하였다: 곤괘인 땅이 오효까지 이르렀으니, 간괘를 산이라고 부를 수 없다. 그러므로 땅에 붙어 있는 것이니, 깎아내어 그렇게 만든 것이다. 양(陽)이 위에서 다하므로 특별히 '위'라고 하였으니, 육십사괘 가운데 박괘만 그렇다. 박괘부터는 다시는 떨어지는 상이 없다.

初六, 剝牀以足, 蔑貞, 凶.

정전 초육은 평상을 다리에서 깎는 것이니, 곧음을 업신여기는 것이다. 흉할 것이다.
본의 초육은 평상을 다리에서 깎는 것이니, 곧음을 업신여기면 흉할 것이다.

## ▌中國大全▐

### 傳

陰之剝陽, 自下而上. 以牀爲象者, 取身之所處也, 自下而剝, 漸至於身也. 剝牀以足, 剝牀之足也. 剝始自下, 故爲剝足. 陰自下進, 漸消蔑於貞正, 凶之道也. 蔑, 无也, 謂消亡於正道也. 陰剝陽, 柔變剛, 是邪侵正, 小人消君子, 其凶可知.

음이 양을 깎아냄은 아래에서 올라온다. 평상을 상으로 삼은 것은 몸이 있는 곳을 취했기 때문이니, 아래에서 깎아내면서 점점 몸으로 다가온다. 평상을 다리에서 깎아내는 것은 평상의 다리를 깎아내는 것이다. 깎아냄은 아래에서 시작하기 때문에 다리를 깎아냄이 된다. 음이 아래에서 나아가 점점 바름을 소멸하니 흉한 도이다. "업신여긴다"는 것은 없앤다는 것이니, 정도를 없앤다는 말이다. 음이 양을 깎아내고 부드러움이 굳셈을 변하게 하는 것은 사악함이 바름을 침범하고, 소인이 군자를 없애는 것이니 그 흉함을 알 수 있다.

### 本義

剝自下起, 滅正則凶, 故其占如此. 蔑, 滅也.

깎아냄이 아래에서 일어나 바름을 소멸하면 흉하기 때문에 그 점이 이와 같다. "업신여긴다"는 소멸한다는 것이다.

## 小註

節齋蔡氏曰, 牀者, 人之所安其體, 則上實下虛, 故取以象剝. 足在下, 又取以象初.
절재채씨가 말하였다: '평상'은 사람들이 몸을 편하게 하는 것인데, 위는 차있고 아래는 비어
있기 때문에 취해서 깎아냄을 상징했다. 발은 아래에 있기에 또한 취해서 초효를 상징했다.

○ 臨川吳氏曰, 五月姤之一陰始, 消一陽於下, 猶剝牀而先及其足也.
임천오씨가 말하였다: 오월은 구괘(姤卦☰)의 음 하나가 시작되어 아래에서 양 하나를 없애
니, 평상을 깎아냄에 먼저 다리에 미침과 같다.

○ 雲峯胡氏曰, 正道天地間, 不可一日无也, 方其剝之自下, 未至於滅貞也. 而曰蔑貞
則凶, 戒小人之辭也.
운봉호씨가 말하였다: 바른 도리는 천지에서 하루라도 없을 수 없으니, 아래에서 한창 깎아
내더라도 곧음을 소멸하지는 못한다. 그런데 "곧음을 업신여기면 흉할 것이다"라고 한 것은
소인을 경계하는 말이다.

○ 隆山李氏曰, 剝卦陰爻凡五, 六三舍群陰, 以應上九, 故无咎, 六五率群陰, 以受制
於陽, 故无不利. 若初六六二六四, 則居剝之世, 專以陰剝陽者. 故三爻皆因剝牀而凶.
聖人雖於陰類當長之時, 猶不許小人之害君子, 其戒昭然也.
융산이씨가 말하였다: 박괘(剝卦☷)는 음효가 모두 다섯인데, 육삼은 여러 음을 버리고 상
구와 호응했기 때문에 허물이 없고, 육오는 여러 음을 거느리고 양에게 제재받기 때문에
이롭지 않음이 없다. 초육·육이·육사는 깎이는 세태에 있으면서 오로지 음으로서 양을
깎아내는 것들이다. 그러므로 세 효가 모두 평상을 깎아냄으로 인하여 흉한 것이다. 성인은
음의 무리들이 자라는 때에도 오히려 소인이 군자를 해치는 것을 인정하지 않았으니, 그
경계가 분명하다.

# ‖韓國大全‖

## 조호익(曺好益) 『역상설(易象說)』

貞, 指陽. 卦本乾, 初始剝陽, 故曰蔑貞. 雙湖曰, 初之蔑貞, 其姤之時乎.

'곧음'은 양을 가리킨다. 괘가 본래 건괘(乾卦䷀)인데, 초효에서 처음 양을 깎아내므로 "곧음을 업신여긴다"고 하였다. 쌍호호씨는 "초효의 '곧음을 업신여긴다'는 구괘(姤卦䷫)의 때일 것이다"라고 하였다.

## 송시열(宋時烈) 『역설(易說)』

足者, 陽復則爲震, 震足也. 蔑似是從上作句, 言剝床以蔑足也. 然不敢强解. 貞凶者, 言貞則亦凶也. 小象以滅下云者, 以蔑足言耶. 貞凶, 以貞則凶看何如. 下二爻同.

'다리'는 양이 돌아오면 진괘(☳)가 되니, 진괘는 다리이기 때문이다. '멸(蔑)'은 앞 구절에 붙여야 하니, "평상을 깎아냄이 다리를 업신여기는 것으로써 한다"고 말한 것이다. 그러나 감히 억지로 해석할 수는 없다. '정흉(貞凶)'은 곧으면 또한 흉함을 말한다. 「소상전」에서 "아래를 소멸하는 것이다"라고 한 것은 다리를 업신여김으로 말한 것인가? '정흉'은 "곧으면 흉하다"로 보는 것이 어떠한가? 아래의 두 효도 같다.

## 이익(李瀷) 『역경질서(易經疾書)』

剝足則傾, 剝辨則陷, 六三下過於辨, 上不及膚, 則不過爲簟席之屬也. 其剝最輕, 簟席之屬, 不定其物, 故不言, 此於人亦無甚害, 故无咎.

다리를 깎아내면 기울고 가로댄 나무를 깎아내면 함몰되며, 육삼은 아래로는 가로댄 나무를 지나쳤으나 위로는 살갗에 미치지 못하였으니, 대나무자리[簟席]와 같은 부류에 불과하다. 그 깎아냄이 가장 가벼운 것이 대나무자리와 같은 부류이고, 그 물건이 아직 정해지지 않았으므로 말하지 않았는데, 이것이 사람에 있어서도 심각한 해가 없으므로 허물이 없다.

## 유정원(柳正源) 『역해참고(易解參攷)』

案, 牀之爲形, 剝卦之肖似也, 故每爻皆以牀取象. 初動則爲震足也, 以陰居下, 受制於陽. 貞, 正之道也, 而居下剝陽, 則正道蔑矣.

내가 살펴보았다: 평상의 모양이 박괘와 닮았기 때문에 효마다 모두 평상으로 상을 취하였다. 초효가 움직이면 진괘인 다리가 되는데, 음으로 아래에 있어 양에게 제약을 받는다. '곧음'은 바름의 도인데, 아래에 있으면서 양을 깎아내면 바른 도가 소멸될 것이다.

傳, 取身.

『정전』에서 말하였다: 몸(이 있는 곳)을 취했다[取身].

案, 取下一有自字.

내가 살펴보았다: '취(取)'자 아래에 어떤 본은 '자(自)'자가 있다.

## 김상악(金相岳) 『산천역설(山天易說)』

陰之剝陽, 自下而上, 以六居初, 剝牀而先及足之象. 剝足之勢, 蔑貞而凶矣.

음이 양을 깎아냄은 아래로부터 올라가니, 육(六)이 초효 자리에 있어 평상을 깎아냄에 먼저 다리에 미친 상이다. 다리를 깎아내는 형세가 곧음을 업신여겨 흉함이다.

○ 上實下虛, 有宅象廬象牀象. 郝解曰, 剝者, 殺牲解體之名, 故爻象爲牀, 牀者, 几案也, 因有膚魚果核陳設之象也. 足者, 牀之足. 陰陽之變, 皆自下而上, 姤則陰之始生, 故初曰羸豕孚蹢躅, 大壯與夬, 則陽之漸進, 故壯初曰壯于趾, 夬曰壯于前趾, 皆從足也. 貞指上九也, 以柔變剛, 乃蔑貞之凶也, 小人毒其正, 是也. 自姤至觀, 皆柔變剛之卦, 而惟剝曰蔑貞凶, 何也. 只是剝之一字, 包蔑貞之凶也. 故他爻不言貞與吉, 聖人所以命卦立象之義, 可見矣. 卦雖名剝, 陽剝則陰不自存, 故陰之得陽者爲善, 失陽者爲凶. 初以陰居下, 與上相遠, 二之與四, 爻位皆陰, 故三爻皆凶. 三與五, 陰爻而陽位, 與上爲承應, 故三无咎而五无不利. 上以陽處終而居柔, 故以君子小人分之, 而不言其吉, 所以不利有攸往也. 蓋剝之爲卦, 全體艮, 艮之德, 能終始萬物, 故初二之凶, 爲終萬物也, 中二爻之三无咎四凶, 爲終始之幾也, 五之貫魚宮寵上之碩果不食, 爲始萬物也. 以艮體三爻言之, 亦具終始之義.

위가 꽉 차고 아래가 비었으니 집의 상과 오두막의 상과 평상의 상이 있다. 학경(郝敬)의 『주역정해』에서는 "깎아냄은 살생하여 해체하는 이름이므로 효(爻)의 상이 평상이 된다"고 하였는데, 평상은 궤안(几案)이니 부어(膚魚)와 과핵(果核)을 진설하는 상이 있기 때문이다. 다리는 평상의 다리이다. 음양의 변화가 모두 아래로부터 올라가니, 구괘(姤卦䷫)는 음이 처음 생겨났으므로 초효에서 "여윈 돼지가 뛰고 뛰는 데 믿음을 둔다"고 하였고, 대장괘(大壯卦䷡)와 쾌괘(夬卦䷪)는 양이 점차 나아갔으므로 대장괘 초효에서 "발꿈치에 씩씩하다"고 하고, 쾌괘에서 "앞발꿈치에 씩씩하다"고 하였으니, 모두 다리를 따르는 것이다. 곧음은 상구를 가리키니, 부드러움으로 굳셈을 변화시킴은 곧음을 업신여기는 흉함이며, 소인이 그 바름에 해독을 끼치는 것이다. 구괘부터 관괘(觀卦䷓)까지가 모두 부드러움이 굳셈을 변화시키는 괘인데, 유독 박괘에서만 "곧음을 업신여기면 흉하다"고 한 것은 어째서인가? 다만 '깎음[剝]'이라는 말에는 곧음을 업신여기는 흉함이 포함되어 있기 때문이다. 그러므로 다른 효에서는 '곧음'과 '길함'을 말하지 않았으니, 성인이 괘를 명명하고 상을 세운 뜻을 알 수 있다. 괘를 비록 '박괘(剝卦)'라고 이름 지었으나, 양이 깎이면 음이 스스로 있을 수 없으므로 음이 양을 얻는 것이 선이 되고, 양을 잃는 것이 흉함이 된다. 초효는 음으로 아래에 있기에 상효와 서로 멀고, 이효는 사효와 함께 효의 자리가 모두 음이므로 세 효가 모두 흉하다. 삼효와 오효는 음효(陰爻)이지만 양의 자리면서 상효를 잇거나 호응하므로 삼효는 허물이 없고 오효는 이롭지 않음이 없다. 상효는 양으로 끝에 처하였으나 부드러운 음의 자리에 있으므로 군자와 소인으로 나누었으나 그 길함을 말하지 않았으니, 그래서 가는 것이 이롭지 않은 것이다. 대체로 박괘는 전체가 간괘(艮卦☶)인데, 간괘의 덕은 만물을 끝마치고 시작할 수 있으므로 초효와 이효의 흉함은 만물을 끝마침이 되며, 가운데 두 효에서 삼효의 허물없음과 사효의 흉함은 끝마치고 시작하는 기틀이 되며, 오효의 물고기를 꿰고 궁인이 총애를 받음과 상효의 큰 과일은 먹지 않음은 만물의 시작이 된다. 간괘 몸체의 세 효로 말하더라도 끝마치고 시작하는 뜻을 갖추었다.

## 서유신(徐有臣) 『역의의언(易義擬言)』

床, 方形而載物, 坤象也. 又乾初九剝則爲巽, 巽有牀象. 二三四變而皆有巽象, 至五則爲艮, 故五不稱床也. 以猶已也. 以足者, 已剝床足也. 蔑, 無也, 蔑貞, 猶言無正應也. 易中貞字, 多指正應而言也.

'평상'은 각진 모양으로 물건을 실으니, 곤괘(☷)의 상이다. 또 건괘(乾卦☰) 초구가 깎이면 손괘(☴)가 되는데, 손괘에는 평상의 상이 있다. 이효·삼효·사효가 변하면 모두 손괘의 상이 있고, 오효에 이르면 간괘(☶)가 되므로 오효는 평상이라고 말하지 않았다. '이(以)'는 "그친다"는 이(已)와 같다. "다리에서 그친다"는 것은 이미 평상의 다리를 깎아냄이다. '업신여김[蔑]'은 없는 것이니, '곧음을 업신여김'은 정응이 없다고 말함과 같다. 『주역』의 '곧음'은 대체로 정응을 가리켜서 말한 것이 많다.

## 박문건(朴文健) 『주역연의(周易衍義)』

進而見逼, 故有以足之象. 无貞, 則志不安於退藏也.

나아가서 핍박당하므로 다리에서 깎이는 상이 있다. 곧음이 없으면 뜻이 물러나 숨음을 편안해 하지 못한다.

〈問, 牀之取象. 曰, 剝之爻象, 上實下虛, 故取牀義也.

물었다: '평상'의 상을 취한 것은 어떻습니까?

답하였다: 박괘의 효의 상이 위는 꽉 차고 아래는 비었기 때문에 평상의 뜻을 취하였습니다.〉

〈○ 問, 蔑貞凶. 曰, 无柔道, 則致凶, 免凶之道, 莫如用貞而不進也.

물었다: "곧음을 업신여기면 흉하다"는 무슨 뜻입니까?

답하였다: 부드러운 도가 없으면 흉함을 이루니, 흉함을 면하는 도는 곧음을 써서 나아가지 않는 것 만한 것이 없습니다.〉

### 김기례(金箕澧) 「역요선의강목(易要選義綱目)」

姤之一陰有足象, 故曰足. 堅氷之漸, 始履於霜, 剝膚之漸, 先剝牀足, 牀拆則人將頹 矣. 邪其犯正.

구괘(姤卦䷫)의 한 음에 '다리'의 상이 있으므로 '다리'라고 하였다. 굳은 얼음이 이루어짐은 서리를 밟는데서 시작하고, 살갗을 깎아냄이 이루어짐은 평상의 다리를 깎아냄을 먼저 하 니, 평상이 부러지면 사람이 넘어지게 된다. 사특함이란 바름을 범하는 것이다.

### 박종영(朴宗永) 「경지몽해(經旨蒙解) · 주역(周易)」

程傳曰, 剝牀以足, 剝牀之足也

『정전』에서 말하였다: 평상을 다리에서 깎아낸다는 것은 평상의 다리를 깎아내는 것이다.

貞, 正也, 蔑, 无也, 謂消亡正道也.

'정(貞)'은 바름이고, '업신여김[蔑]'은 없애는 것이니, 정도(正道)를 사라져 없애는 것을 말 한다.

### 심대윤(沈大允) 『주역상의점법(周易象義占法)』

剝自君子視, 小人之剝乎已爲義也. 陽極則動, 陰極則靜, 小人得意則靜, 不得意則動, 當知足以靜, 不可无厭而動也. 剝之爻位, 居剛得意而靜也, 居柔動而未已也, 獨與他 卦異矣.

박괘는 군자의 입장에서 보면 소인이 자신을 깎아냄으로 뜻을 삼는다. 양은 지극하면 움직 이고 음은 지극하면 고요하며, 소인은 뜻을 얻으면 고요하고 뜻을 얻지 못하면 움직이니,

만족할 줄 알아 고요함이 마땅하고 만족함이 없어 움직임은 옳지 않다. 박괘의 효의 자리는 굳센 양의 자리에 있으면 뜻을 얻어 고요하고, 부드러운 음의 자리에 있으면 움직여서 그치지 않으니, 유독 다른 괘와 다르다.

剝之頤▤▤, 養之漸成也. 居剝之始而居剛, 陰謀得意而未有動之形. 剝牀以足, 言未及於牀而滅其所以立也. 艮爲牀, 震爲足, 蔑貞, 言似正而非, 以亂正也. 小人必先立小信小義, 以炫耀自售, 以奪君子之根基, 而君子不早覺悟, 反見以爲忠信, 而引進焉, 養之使成大. 凡小人不能自立, 必依托君子而後成也, 特言蔑貞以深警之也.

박괘가 이괘(頤卦▤▤)로 바뀌었으니, 기름이 점차 이루어지는 것이다. 박괘의 처음에 있으면서 굳센 양의 자리에 있으니, 음이 뜻을 얻고자 도모하나 아직 움직이는 형체가 없다. "평상을 다리에서 깎는다"는 것은 아직 평상에는 미치지 않았으나 그 설 수 있는 근거를 없앴음을 말한다. 간괘(☶)는 평상이 되고 진괘(☳)는 다리가 된다. "곧음을 업신여긴다"는 것은 바른 것 같지만 아니어서 바른 것을 어지럽힘을 말한다. 소인은 반드시 작은 믿음과 작은 의리를 먼저 세워서 현란하게 자신을 팔고 군자의 근본을 빼앗는데도, 군자가 일찍이 깨닫지 못하고 도리어 충성과 믿음이 있는 자로 여겨 이끌어 쓰고 길러서 크게 이루어줌이다. 대개 소인은 스스로 설 수 없어 반드시 군자에게 의탁한 뒤에 이루니, 특별히 "곧음을 업신여긴다"고 말하여 깊이 경계하였다.

### 오치기(吳致箕) 「주역경전증해(周易經傳增解)」

初六, 在剝之初, 陰柔在下, 有剝牀以足之象. 一陽在上, 正道孤危, 而剝足之勢, 自下始起, 將至蔑正, 然後乃已, 故言凶以戒, 當防微于始也.

초육은 박괘의 처음에 있고 부드러운 음이 아래에 있으니, 평상을 다리에서 깎아내는 상이 있다. 한 양이 위에 있어 정도가 외롭고 위태로운데, 다리를 깎아내는 형세가 아래로부터 일어나기 시작하여 장차 바름을 업신여긴 뒤에야 그칠 것이므로 흉하다고 말하여 경계하였으니, 마땅히 시작할 때의 미미함에서 막아야 한다.

○ 牀者, 人之所安, 故取喩, 而五陰列下, 一陽庇上, 有牀象, 有宮象, 有廬象. 故初二四言牀, 五言宮, 上言廬也. 初在下故言足, 而亦取爻變之震爲足也. 蔑者, 滅也, 貞, 謂正道而指陽也.

'평상'은 사람이 편안해 하는 것이므로 비유를 취하였는데, 다섯 음이 아래에 늘어서고 한 양이 위에서 덮으니, 평상의 상이 있고, 집의 상이 있고, 오두막의 상이 있다. 그러므로 초효와 이효, 사효에서 '평상'을 말했고, 오효에서 집[宮]을 말했으며, 상효에서 집[廬]을 말하였다. 초효는 아래에 있으므로 ‘다리’를 말했고, 또 효가 변한 진괘(☳)가 다리가 됨을 취하였다. “업신여긴다”는 것은 소멸함이고, ‘곧음’은 정도를 말하는 것으로 양을 가리킨다.

### 이진상(李震相) 『역학관규(易學管窺)』

變而之震, 震爲足. 牀以木爲之, 而安身之具. 艮爲身, 震爲木, 身在木上, 非牀乎. 上實下虛, 非牀乎.

변하면 진괘(☳)로 바뀌는데, 진괘는 다리가 된다. 평상은 나무로 만들고, 몸을 편안하게 하는 도구이다. 간괘(☶)는 몸이 되고 진괘(☳)는 나무가 되어 몸이 나무 위에 있으니 평상이 아니겠는가? 위가 꽉 차고 아래가 비었으니 평상이 아니겠는가?

### 박문호(朴文鎬) 「경설(經說)·주역(周易)」

足辨以床言, 而膚則以人言, 其取象有所齟齬. 故程子於初六註, 先言身之所處, 所以成之爲一串事.

‘다리’와 ‘가로댄 나무’는 평상으로 말함이고 ‘살갗’은 사람으로 말함이니, 그 상을 취함에 어긋남이 있다. 그러므로 정자가 초효의 주석에서 ‘몸이 있는 곳’임을 먼저 말하였으니, 그것을 한 가지 일로 하려 한 것이다.

### 이정규(李正奎) 「독역기(讀易記)」

初六之剝牀足, 六二之剝牀辨, 猶有可望, 故爻辭曰蔑貞則凶矣. 然至於六四剝膚, 則禍已旡可奈何, 故不言蔑貞, 而直曰凶. 嗚呼, 到此地頭, 雖有善者, 亦旡如之何矣.

초효에서 평상의 다리를 깎아내고, 육이에서 평상의 가로댄 나무를 깎아냄은 오히려 바랄만한 것이 있으므로 효사에서 “곧음을 업신여기면 흉하다”고 하였다. 그러나 육사의 살갗을 깎아냄에 이르면 화를 이미 어찌할 수 없으므로 “곧음을 업신여긴다”고 말하지 않고 직접 “흉하다”고 하였다. 아! 이러한 지경에 이르면 비록 선한 자가 있더라도 어찌할 수 없다.

象曰, 剝牀以足, 以滅下也.

「상전」에서 말하였다: "평상을 다리에서 깎음"은 아래를 소멸하는 것이다.

## 中國大全

**傳**

取牀足爲象者, 以陰侵沒陽於下也, 滅, 沒也. 侵滅正道, 自下而上也.

평상의 다리를 취하여 상을 삼은 것은 음이 아래에서 양을 침범하여 없애기 때문이니, "소멸한다[滅]"는 없앤다는 것이다. 바른 도리를 침범하여 소멸하기를 아래에서 위로 하는 것이다.

## 韓國大全

### 김상악(金相岳) 『산천역설(山天易說)』

滅, 卽蔑也. 初六剝乾初九者, 故乾曰陽在下也, 剝曰以滅下也. 又初變爲震, 艮得離之成數, 變而爲噬嗑, 初九曰屨校滅趾, 故此曰剝牀以足, 象曰以滅下也.

'소멸함[滅]'은 곧 '업신여김[蔑]'이다. 초육은 건괘(乾卦☰) 초구를 깎아내는 것이므로 건괘에서 "양이 아래에 있다"고 하고, 박괘에서는 "아래를 소멸하는 것이다"라고 하였다. 또 초효가 변하면 진괘(☳)가 되고, 간괘(☶)가 리괘(☲)의 성수(成數)를 얻어서 변하면 서합괘(噬嗑卦☲☳)가 되는데, 서합괘 초구에서 "형틀에 매어 발꿈치를 없앤다"고 하였으므로 박괘에서는 "평상을 다리에서 깎는다"고 하고, 「상전」에서는 "아래를 소멸하는 것이다"라고 하였다.

### 서유신(徐有臣) 『역의의언(易義擬言)』

減, 剝傷也. 自下進剝也.

'소멸함[滅]'은 깎아내어 상함이다. 아래로부터 나아가 깎아냄이다.


### 박문건(朴文健) 『주역연의(周易衍義)』

滅下, 言滅牀之足也.

'아래를 소멸함'은 평상의 다리를 소멸하는 것을 말한다.


### 오치기(吳致箕) 「주역경전증해(周易經傳增解)」

言侵滅正道, 自下而上也.

정도를 침범하여 소멸하기를 아래에서부터 올라감을 말한다.


### 이병헌(李炳憲) 『역경금문고통론(易經今文考通論)』

虞曰, 蔑无, 貞正也. 失位无應, 故蔑貞凶, 震在陰下, 象曰以滅下也.

우번이 말하였다: '업신여김[蔑]'은 없앰이고, '곧음[貞]'은 바름이다. 제자리를 잃고 호응이 없으므로 곧음을 업신여기면 흉하다. 진괘(☳)가 음의 아래에 있기에 「상전」에서 "아래를 소멸하는 것이다"라고 하였다.


按, 初二皆以牀取義, 在地取剝之象, 莫近於牀.

내가 살펴보았다: 초효와 이효에서 모두 평상으로 뜻을 취한 것은 땅에서 박괘의 상을 취한 것이 평상보다 비근한 것이 없기 때문이다.

六二, 剝牀以辨, 蔑貞, 凶.

정전 육이는 평상을 가로댄 나무에서 깎는 것이니, 곧음을 업신여기는 것이다. 흉할 것이다.
본의 육이는 평상을 가로댄 나무에서 깎는 것이니, 곧음을 업신여기면 흉할 것이다.

## ‖中國大全‖

### 傳

辨, 分隔上下者, 牀之幹也. 陰漸進而上, 剝至於辨, 愈蔑於正也, 凶益甚矣.

‘가로댄 나무[辨]’는 위아래를 나누는 것이니, 상의 받침나무이다. 음이 점점 올라와 깎아냄이 가로댄 나무에까지 이르면 바름을 더욱 업신여겨 흉함이 더욱 심하다.

### 本義

辨, 牀幹也, 進而上矣.

‘가로댄 나무[辨]’는 상의 받침나무이니, 나아가 올라온 것이다.

### 小註

或問, 初與二蔑貞凶, 是以陰蔑陽, 以小人蔑君子之正道, 凶之象也. 不知只是陽與君子當之, 則凶爲復, 陰與小人亦自爲凶. 朱子曰, 自古小人滅害君子, 終亦有凶. 但此爻象, 只說陽與君子之凶也.

어떤 이가 물었다: “초효와 이효가 곧음을 업신여기면 흉하다”는 것은 음이 양을 업신여기고 소인이 군자의 바른 도리를 업신여긴 것이니 흉한 상입니다. 그런데 양과 군자만이 이에 해당될 뿐이지만, 곧바로 흉함이 돌아오게 되어 음과 소인도 저절로 흉하게 되는지 모르겠습니다.

주자가 답하였다: 옛날부터 소인이 군자를 없애고 해치면 끝내 또한 흉합니다. 다만 이 효의 상에서는 양과 군자의 흉함을 설명했을 뿐입니다.

○ 孔氏曰, 辨, 謂牀身之下足之上, 分辨處也.

공씨가 말하였다: '가로댄 나무[辨]'는 평상의 몸 아래와 발의 위를 말하니, 나눠지는 곳이다.

○ 雲峯胡氏曰, 剝自下起, 剝牀以辨, 進及上矣. 然二陰爲遯, 猶未至於蔑貞. 辭與初同, 亦戒之也.

운봉호씨가 말하였다: 깎아냄이 아래에서 올라와 평상을 가로댄 나무에서 깎아내니, 위에까지 나아간 것이다. 그러나 음이 둘이어서 돈괘(遯卦䷠)가 되었으니, 여전히 아직 곧음을 업신여김에는 이르지 못하였다. 말이 초효와 같으니, 또한 경계하는 것이다.

## ▌韓國大全▐

### 송시열(宋時烈) 『역설(易說)』

辨者, 分辨上下, 程傳詳矣. 蔑者, 亦滅其辨之意, 似是從上看耶. 貞凶, 亦同上. 小象未與者, 上允應與也. 傳亦已言之. 蔑貞二字作句, 終是碍眼, 他無此例.

'가로댄 나무[辨]'는 위아래를 분변하는 것이니, 『정전』에 자세하다. '업신여김[蔑]'은 또한 그 가로댄 나무를 없앤다는 뜻이니, 위에서 본 것과 같지 않겠는가? "곧으면 흉하다"도 또한 위와 같다. 「소상전」의 "함께 하는 이들이 없다"는 위로 진실로 호응하여 함께 함이니, 『정전』에서 또한 이미 말하였다. '멸정(蔑貞)' 두 글자를 구절로 삼는 것은 끝내 거슬리니, 다른 곳에는 이러한 예가 없다.

### 유정원(柳正源) 『역해참고(易解參攷)』

正義, 初六蔑貞, 但小削而已, 六二蔑貞, 是削之甚極.

『주역정의』에서 말하였다: 초육의 '곧음을 업신여김[蔑貞]'은 단지 조금 깎아내는 것이고, 육이의 '곧음을 업신여김'은 아주 심하게 깎아낸 것이다.

○ 晁氏曰, 近膝之下, 屈則相近, 伸則相遠, 故謂辨.
조씨가 말하였다: 무릎의 아래와 가까워서 구부리면 서로 가까워지고 펴면 서로 멀어지기 때문에 "분변한다[辨]"고 하였다.

○ 胡氏曰, 初民之象, 故曰足, 四切近於君, 故曰膚. 膚足之間, 是上下分辨之際, 人臣之位也. 始剝於民, 又剝於臣.
호씨가 말하였다: 초효는 백성의 상이므로 '다리'라고 하였고, 사효는 임금에 매우 가까우므로 '살갗'이라고 하였다. 살갗과 다리의 사이는 위아래를 분변하는 곳으로 신하의 자리이니, 처음에 백성을 깎아내고 또 신하를 깎아냄이다.

### 김상악(金相岳) 『산천역설(山天易說)』

辨, 牀幹也, 牀之下足之上分辨處也. 以六居二, 剝牀而漸及辨之象. 蔑貞凶, 與初同.
'가로댄 나무'는 평상의 받침나무이니, 평상의 아래와 다리의 위를 분변하는 곳이다. 육(六)으로 이효의 자리에 있으니, 평상을 깎아 점차 가로댄 나무에 미치는 상이다. "곧음을 업신여기면 흉하다[蔑貞凶]"는 초효와 같다.

### 박제가(朴齊家) 『주역(周易)』

六二, 剝牀以辨,
육이는 평상을 가로댄 나무에서 깎는 것이니,

傳, 分隔上下者, 牀之幹也.
『정전』에서 말하였다: 위아래를 나누는 것이니, 상의 받침나무이다.

本義, 從之.
『본의』는 『정전』을 따랐다.

案, 辨, 謂物之罅縫有分界處, 如牀板之微圻處, 是也. 足從最下磨戛而言, 辨從木理有間而言.
내가 살펴보았다: '가로댄 나무'는 물건의 꿰맨 틈에 구분이 있는 곳을 말하니, 상판의 작은 틈과 같은 곳이 이것이다. '다리'는 맨 아래에서 닳고 부딪치는[磨戛] 것에서 말하였고, '가로댄 나무'는 나뭇결에 차이가 있는 것에서 말하였다.

## 서유신(徐有臣)『역의의언(易義擬言)』

以辨者, 已剝床幹也. 自足而進於辨, 益向深矣.

'가로댄 나무에서[以辨]'는 이미 평상의 받침나무를 깎아낸 것이다. 다리로부터 가로댄 나무까지 나아갔으니, 더욱 깊은 데로 향한 것이다.

## 박문건(朴文健)『주역연의(周易衍義)』

往而有害, 故有以辨之象. 辨, 牀上下之際也.

가서 해가 있으므로 가로댄 나무에서 깎이는 상이 있다. '가로댄 나무'는 평상의 위아래의 경계이다.

〈問, 辨義. 曰, 辨, 分限, 牀上下之際也. 與艮之九三艮其限之限, 義同也.

물었다: '가로댄 나무'는 무슨 뜻입니까?

답하였다: 가로댄 나무는 한계이니, 평상의 위아래의 경계입니다. 간괘(艮卦䷳)의 구삼에서 "그 허리에 그친다[艮其限]"고 할 때의 '허리[限]'와 뜻이 같습니다.〉

〈○ 問, 剝牀以足, 剝牀以辨. 曰, 初與二, 皆見疑於其上, 故因動以致災也. 曰, 牀之足與辨, 可以動乎. 曰, 此乃假設之辭也. 然兼取居之上下, 災之深淺而言也.

물었다: "평상을 다리에서 깎는다"와 "평상을 가로댄 나무에서 깎는다"는 무슨 뜻입니까?

답하였다: 초효와 이효는 모두 상효에게 의심을 받으므로 움직임으로 인하여 재앙을 이루게 됩니다.

물었다: 평상의 다리와 가로댄 나무가 어떻게 움직일 수 있습니까?

답하였다: 이것은 가설해서 한 말입니다. 그러나 거처의 위아래와 재앙의 깊고 얕음을 겸비하여 말한 것입니다.〉

## 김기례(金箕澧)「역요선의강목(易要選義綱目)」

六二, 剝牀以辨,

육이는 평상을 가로댄 나무에서 깎는 것이니,

辨, 俗所謂邊子, 牀之附足處.

'가로댄 나무[辨]'는 세속의 이른바 두르는 것이니, 평상의 다리에 덧붙인 것이다.

○ 正漸蔑矣, 君子幾而可遯.

바름이 점차 소멸되니, 군자가 살펴보고 피할 수 있다.


## 심대윤(沈大允) 『주역상의점법(周易象義占法)』

剝之蒙䷃, 雜而未辨也. 六二居柔, 始動于形迹, 而尙未顯. 然自恣假托正義者, 尙多未可辨也, 故曰以辨. 辨, 牀幹也, 坎象. 蓋牀之下障蔽者也, 未及於牀而進於足矣. 小人有善, 則張皇以求人之知, 有不善, 則厭然掩之而文餙焉, 故曰蔑貞.

박괘가 몽괘(蒙卦䷃)로 바뀌었으니, 뒤섞여 분변하지 못하는 것이다. 육이는 부드러운 음의 자리에 있으니, 막 움직여 자취를 나타내려 하지만 아직도 분명히 드러나지 않은 것이다. 그러나 멋대로 정의(正義)를 핑계[假託]삼는 것이어서 여전히 분변하지 못함이 많으므로 '가로댄 나무에서[以辨]'라고 하였다. '가로댄 나무'는 평상의 받침나무이니, 감괘(☵)의 상이다. 대개 평상의 아래를 막아서 가린 것이니, 평상에 이르지 못하고 다리로 나아간 것이다. 소인은 선이 있으면 장황하게 남이 알아주기를 구하고, 선하지 못함이 있으면 부끄러워 가리고 꾸미므로 "곧음을 업신여긴다"고 하였다.


## 오치기(吳致箕) 「주역경전증해(周易經傳增解)」

六二以柔居柔, 陰剝之勢, 稍上於牀足, 有剝牀以辨之象. 蔑貞之漸近者也, 故亦言凶.

육이는 부드러운 음으로 음의 자리에 있으면서 음의 깎아내는 형세가 평상의 다리보다 조금 올라왔으니, 평상을 가로댄 나무에서 깎아내는 상이 있다. '곧음을 업신여김'이 점점 가까워진 것이므로 또한 "흉하다"고 말하였다.

○ 辨者, 牀之幹也, 不曰幹, 而曰辨者, 以其在牀身之下牀足之上, 分辨上下處也.

'가로댄 나무[辨]'는 평상의 받침나무인데, '받침나무'라고 하지 않고 '가로댄 나무'라고 한 것은 그것이 평상의 몸체의 아래와 다리의 위에 있어서 위와 아래를 나누는 곳이기 때문이다.


## 이진상(李震相) 『역학관규(易學管窺)』

爻變成坎, 坎木爲堅, 有牀辨之象. 蔑貞, 陰盛之極, 蔑視孤陽也. 與初同占, 自絶於陽則一也.

효가 변하면 감괘(☵)가 되는데 감괘는 나무에서 단단함이 되니, '평상의 가로댄 나무'의 상이 있다. '곧음을 업신여김'은 음이 지극히 흥성하여 외로운 양을 멸시함이다. 초효와 점이 같으니, 스스로 양에서 단절됨이 동일하다.

## 이병헌(李炳憲) 『역경금문고통론(易經今文考通論)』

鄭曰, 足上稱辨, 謂近膝之下. 屈則相近, 伸則相遠, 故謂之辨, 辨, 分也.

정현이 말하였다: 다리의 위를 '변(辨)'이라고 하니, 무릎의 아래와 가까운 쪽을 말한다. 굽히면 서로 가까워지고, 펴면 서로 멀어지기 때문에 '변'이라고 하였으니, '변(辨)'은 분변함이다.

程傳曰, 辨, 牀之幹也. 陰進剝於辨, 愈蔑於正也.

『정전』에서 말하였다: '가로댄 나무[辨]'는 평상의 받침나무로, 음이 올라와 가로댄 나무를 깎아내니 바름을 더욱 업신여기는 것이다.

姚曰, 應稱與, 陰消五陽, 故未有與.

요씨가 말하였다: 호응은 함께 함을 말하는데, 음이 다섯 양을 사라지게 하므로 함께 하는 이들이 없는 것이다.

象曰, 剝牀以辨, 未有與也.

「상전」에서 말하였다: "평상을 가로댄 나무에서 깎음"은 함께 하는 이들이 없기 때문이다.

## 中國大全

### 傳

陰之侵剝於陽, 得以竝盛, 至於剝辨者, 以陽未有應與故也. 小人侵剝君子, 若君子有與, 則可以勝小人, 不能爲害矣. 唯其无與, 所以被蔑而凶. 當消剝之時, 而无徒與, 豈能自存也. 言未有與, 剝之未盛, 有與, 猶可勝也, 示人之意深矣.

음이 양을 침범하여 깎아냄이 더욱 성대해져 가로댄 나무를 깎아냄에 이른 것은 양에게 호응하여 함께 하는 이들이 없기 때문이다. 소인이 군자를 침범하여 깎아내더라도, 만약 군자가 함께 함이 있다면 소인을 이겨낼 수 있어서 해가 될 수 없을 것이다. 오직 함께 하는 이가 없기 때문에 업신여김을 당하고 흉한 것이다. 사라지고 깎이는 때에 함께 하는 무리가 없다면 어찌 자존할 수 있겠는가? "함께 하는 이들이 없기 때문이다"라고 말한 것은 깎아내는 것이 아직 성대하지 않을 때에는 함께 하는 이들이 있으면 아직 이길 수 있기 때문이니, 사람들에게 보여주는 뜻이 깊다.

### 本義

言未大盛.

아직 크게 성대하지 않음을 말하였다.

### 小註

雲峯胡氏曰, 程傳言陽未有與, 本義言陰未有與, 二陰猶未至於五陰之盛也.

운봉호씨가 말하였다: 『정전』에서는 "양에게 함께 하는 이들이 없다"고 하고, 『본의』에서는 "음에게 함께 하는 이들이 없다"고 하였으니, 두 번째 음효가 아직 다섯 번째 음효의 성대함에는 이르지 못한 것이다.

# 韓國大全

### 권근(權近) 『주역천견록(周易淺見錄)』

言六二雖在陰長之時, 上无應與, 其剝未深, 故言未有與, 所以抑陰也. 或曰, 六二居中, 以與上下五陰, 同剝一陽, 豈无與乎. 曰, 是固五陰同剝一陽, 可懼之時. 然无其應, 故聖人猶幸之, 以爲勢弱援寡, 未有所與之象. 六三應上九, 則又以爲舍邪類而從正之類, 无非所以扶陽而抑陰也.

육이가 비록 음이 자라나는 때에 있지만 위로 호응하는 짝이 없고 그 깎아냄이 아직 심하지 않으므로 "함께 하는 이들이 없다"고 하였으니, 음을 억제하려는 이유에서이다.

어떤 이가 물었다: 육이가 가운데 있으면서 위아래의 다섯 음과 함께 양 하나를 깎아내는데, 어째서 짝이 없다고 합니까?

답하였다: 이는 진실로 다섯 음이 함께 양 하나를 깎아냄이니, 두려워할 만한 상황입니다. 그러나 호응이 없으므로 성인이 오히려 다행스럽게 여기고, 세력이 약하고 응원하는 사람이 적어 함께 할 이가 없는 상으로 보았습니다. 육삼이 상구에 호응함을 또 사악한 무리를 버리고 바름을 따르는 부류로 여겼으니, 양을 북돋우고 음을 억제하려는 의도가 아닌 것이 없습니다.

### 유정원(柳正源) 『역해참고(易解參攷)』

建安丘氏曰, 與應也. 凡陰陽相應, 則爲有與. 困九四應初六, 言有與, 是也. 陰陽不應, 則爲无與, 井九二不應九五, 言无與, 是也. 咸六爻皆應, 則爲感應以相與, 艮六爻皆不應, 則謂之敵應, 不相與. 剝之未有與者, 是言當剝之時, 在上未有陽以應陰, 无以止陰之進也. 大凡小人爲害, 使其間 有一君子, 與之爲應, 以遏止之, 則其心猶有所顧忌, 而不敢肆, 使雖爲惡, 未至如是之甚也. 唯其未有與此, 剝道所以進長而不可救也. 聖人於此, 不謂之无與, 而謂之未有與, 蓋不忍陰邪之害正, 而猶冀有人以止之也, 其意深矣.

건안구씨가 말하였다: "함께 한다"는 호응함이다. 음과 양이 서로 호응하면 함께 함이 있게 되니, 곤괘(困卦䷮)의 구사가 초육과 호응하여 "함께 함이 있다"고 한 것이 이것이다. 음과 양이 호응하지 않으면 함께 함이 없게 되니, 정괘(井卦䷯)의 구이가 구오와 호응하지 않아 "함께 함이 없다"고 한 것이 이것이다. 함괘(咸卦䷞)의 여섯 효는 모두 호응하니 감응하여 서로 함께 하게 되고, 간괘(艮卦䷳)의 여섯 효가 모두 호응하지 않음을 적응(敵應)이라고 하니, 서로 함께 하지 않는 것이다. 박괘의 "함께 하는 이들이 없다"는 깎이는 때를 맞아 위에서 양이 음과 호응함이 있지 않아 음의 나아감을 그치게 할 수 없음을 말한다. 대체로 소인이 해를 끼치더라도, 만일 그 사이에 한 명의 군자가 있어서 더불어 호응하여 막아 그치

게 한다면, 그 마음이 오히려 돌아보고 꺼리어 감히 함부로 하지 않을 것이니, 설사 악을 행하더라도 이처럼 심한데 이르지는 않을 것이다. 오직 군자가 함께 하지 않기 때문에 박괘의 도가 자라나서 구제할 수 없는 것이다. 성인이 여기에서 "함께 하는 이가 없다"고 하지 않고, "아직 함께 하는 이가 없다"고 한 것은 사악한 음이 바름을 해치는 것을 차마 보지 못하여 저지할 사람이 있기를 기대하는 것이니, 그 뜻이 깊도다.

○ 案, 程傳言陽未有與, 本義言陰未有與, 而其實只是一義.
내가 살펴보았다: 『정전』에서는 "양에게 함께 하는 이들이 없다"고 했고, 『본의』에서는 "음에게 함께 하는 이들이 없다"고 했는데, 그 실상은 다만 한 가지 뜻이다.

## 김상악(金相岳) 『산천역설(山天易說)』

與者, 應與也. 二之中順, 若有與, 則必不至蔑貞而凶矣.
"함께 한다"는 것은 호응하여 함께 함이다. 이효는 알맞고 유순하니, 함께 하는 이가 있다면 반드시 곧음을 업신여겨서 흉한데 이르지는 않을 것이다.

○ 凡卦爻, 陽與陰, 陰與陽, 遠則爲應, 近則爲比, 而六二比與應皆陰, 故曰未有與也. 困之四, 則與初爲應, 曰有與也, 井之二, 則无應於上, 曰无與也.
괘의 효에서 양과 음, 음과 양은 멀면 호응하게 되고 가까우면 나란히 하는데, 육이는 나란히 하는 것과 호응이 모두 음이므로 "함께 하는 이들이 없다"고 하였다. 곤괘(困卦䷮)의 사효는 곧 초효와 호응이 되니 "함께 함이 있다"고 하였고, 정괘(井卦䷯)의 이효는 곧 위와 호응함이 없으니 "함께 함이 없다"고 하였다.

## 김규오(金奎五) 「독역기의(讀易記疑)」

六二, 象, 未有與也.
육이의 「상전」에서 말하였다: 함께 하는 이들이 없기 때문이다.

以傳則義意精緻, 但上句主陰, 下句主陽, 而間无轉語之意. 以義則陰之剝陽, 當憂其浸盛, 而不必言其无與也. 況初與二, 已是有與也, 疑未能決.
『정전』대로 한다면 의미와 뜻이 정밀하지만, 앞의 구절은 음을 주로 하고 뒤의 구절은 양을 주로 하여 사이에 말을 전달하는 뜻이 없다. 『본의』대로 한다면 음이 양을 깎아내어 마땅히 그 침범하여 성대해짐을 근심해야 하지만 반드시 그 '함께 함이 없음'을 말할 필요는 없다. 더욱이 초효와 이효는 이미 함께 함이 있는 것이니, 의심을 해결할 수 없다.

### 서유신(徐有臣)『역의의언(易義擬言)』

未有與, 釋蔑貞也. 初二俱無陽剛之正應, 故乃至於凶矣, 六三則有與, 故无咎也. 初六蔑貞, 不言未有與, 何也. 初二之象, 蓋欲互看也. 以滅下, 言於初而可互於二. 未有與, 言於二而可互於初, 語勢然也.

"함께 하는 이들이 없다"는 "곧음을 업신여긴다"를 풀이한 것이다. 초효와 이효는 모두 굳센 양인 정응(正應)이 없으므로 곧 흉함에 이르고, 육삼은 함께 함이 있으므로 허물이 없다. 초육은 "곧음을 업신여긴다"고 하고, "함께 하는 이들이 없다"고 하지 않은 것은 어째서인가? 초효와 이효의 상은 서로 참고해서 살펴보아야 한다. "아래를 소멸한다"는 초효에서 말했지만 이효에도 갈마들 수 있고, "함께 하는 이들이 없다"는 이효에서 말했지만 초효에도 갈마들 수 있으니, 말의 형세가 그러하다.

### 박문건(朴文健)『주역연의(周易衍義)』

未有與, 言五從上而害二也.

"함께 하는 이들이 없다"는 것은 오효가 상효를 따르고 이효를 해침을 말한다.

### 이항로(李恒老)「주역전의동이석의(周易傳義同異釋義)」

傳, 陰之侵剝於陽, 得以益盛, 至於剝辨者, 以陽未有應與故也. 小人侵剝君子, 若君子有與, 則可以勝小人, 不能爲害矣, 云云.

『정전』에서 말하였다: 음이 양을 침범하여 깎아냄이 더욱 성대해져 가로댄 나무를 깎아냄에 이른 것은 양에게 호응하여 함께 하는 이들이 없기 때문이다. 소인이 군자를 침범하고 깎아내더라도, 만약 군자가 함께 함이 있다면 소인을 이겨낼 수 있어서 해가 될 수 없을 것이다.

本義, 言未大盛.

『본의』에서 말하였다: 아직 크게 성대하지 않음을 말하였다.

按, 六二, 本以至中至正之爻, 居於坤順之體, 則宜无大段凶咎. 按他卦則可見, 坤之六二, 直方純德之卦也, 尙矣勿說, 否之六二, 有包承之吉, 萃之六二, 有引吉之象, 晉之六二, 有介福之吉, 豫之六二, 有介石之吉, 觀之六二, 有女貞之吉, 比之六二, 有內比之吉. 獨在此卦, 爲剝辨之材滅貞之凶者, 何也. 居剝故也, 承乘與應, 无陽故也.

내가 살펴보았다: 육이는 본래 지극히 중정(中正)한 효로써 곤괘(坤卦)의 유순한 몸체에 있으니, 대체로 흉한 허물이 없어야 한다. 다른 괘를 보더라도 알 수 있으니, 곤괘(䷁)의

육이는 곧고 방정하여 순전한 덕을 지닌 괘여서 더욱 말할 것이 없고, 비괘(否卦䷋)의 육이는 '포용하여 잇는 길함'이 있고, 취괘(萃卦䷬) 육이는 '당기면 길한' 상이 있으며, 진괘(晉卦䷢)의 육이는 '큰 복'의 길함이 있고, 예괘(豫卦䷏) 육이는 '절개가 돌과 같은' 길함이 있으며, 관괘(觀卦䷓) 육이는 '여자가 곧은' 길함이 있고, 비괘(比卦䷇) 육이는 '안으로 돕는' 길함이 있다. 유독 이 괘에서만 가로댄 나무를 깎아내는 재질로 곧음을 업신여기는 흉함이 되는 것은 어째서인가? 박괘에 있기 때문이니, 잇는 것과 타는 것과 호응하는 것에 양이 없기 때문이다.

### 심대윤(沈大允)『주역상의점법(周易象義占法)』

郡與尙未成, 故不敢自恣也. 未有與者, 言尙可以處之也.

무리가 아직도 이루어지지 않았으므로 감히 제멋대로 못한다. "함께 하는 이들이 없다"는 오히려 대처할 수 있음을 말한다.

### 오치기(吳致箕)「주역경전증해(周易經傳增解)」

若使陽剛有相與而應陰, 則可以勝陰剝之勢, 而以其旡與, 故剝牀之凶, 漸近而上也, 亦言二雖得中, 不若三之應陽也.

가령 굳센 양에게 서로 함께 하여 음과 호응하게 한다면 음이 깎아내는 형세를 이겨낼 수 있겠지만, 함께 함이 없기 때문에 평상을 깎아내는 흉함이 점차 가까이 올라온 것이니, 또한 이효가 알맞음을 얻었으나 삼효가 양에 호응하는 것만 못함을 말한 것이다.

### 이진상(李震相)『역학관규(易學管窺)』

未有與.

함께하는 이들이 없다.

牀必有辨而後, 牀體不傾, 君子必有與而後, 國事不傾. 今一陽孤寄於上, 而剝將及身, 故歎其旡與. 蓋小象中有與, 皆以柔助剛剛助柔爲言, 剝之六二承乘應, 皆陰也, 苟其有與, 則以柔順中正之體, 豈有蔑貞之匈. 惟其旡與, 所以爲匈. 若六五之承陽, 六三之應陽, 尙得旡咎. 若初六之不正, 六四之不中, 則其志其才, 不足與有爲者也.

평상은 반드시 가로댄 나무가 있은 뒤에 평상의 몸체가 기울지 않고, 군자는 반드시 함께 하는 이가 있은 뒤에 나라의 일이 잘못되지 않는다. 이제 한 양이 맨 위에 외롭게 붙어있어 깎임이 몸에 미치려 하므로 그 함께 하는 이가 없음을 탄식한 것이다. 「소상전」의 "함께 하는 이가 있다"는 모두 부드러운 음이 굳센 양을 돕거나 굳센 양이 부드러운 음을 돕는 것으로 말하였는데, 박괘의 육이는 잇는 것과 타는 것과 호응하는 것이 모두 음이다. 진실로 함께 하는 이가 있다면 유순하고 중정한 몸체이니, 어찌 곧음을 업신여기는 흉함이 있겠는 가? 오직 함께 하는 이가 없기에 흉하게 된 것이다. 만약 육오와 같이 양을 잇고 육삼과 같이 양에 호응한다면 오히려 허물이 없겠지만, 만약 초육과 같이 바르지 못하고 육사와 같이 알맞지 못하다면 그 뜻과 재주가 함께 훌륭한 일을 할 수 없을 것이다.

### 채종식(蔡鍾植) 「주역전의동귀해(周易傳義同歸解)」

剝六二[11], 象曰未有與也, 傳解作陽未有與也, 本義解作陰未有與也. 蓋程子之意, 則以爲剝之未盛, 事猶可爲, 君子若引進正類, 與之共濟, 則可以勝小人, 爲君子謀也. 朱子之意, 則以爲陰之未盛, 不至於蔑正, 小人若解去惡黨, 與之從正, 則庶不至於害君子, 所以爲小人謀也. 爲君子謀, 勉君子治剝之道也, 爲小人謀, 戒小人勿剝之利也. 然則爲小人謀, 亦其爲君子謀者也.

박괘 육이의 「상전」에서 "함께 하는 이들이 없다"고 한 것을, 『정전』에서는 "양에게 함께 하는 이들이 없다"로 해석하였고, 『본의』에서는 "음에게 함께 하는 이들이 없다"로 해석하였다. 정자의 뜻은, 깎아냄이 아직 왕성하지 않아 일을 오히려 할 수 있다고 여긴 것이다. 군자가 바른 무리들을 이끌어 나아가게 하여 함께 구제한다면 소인을 이길 수 있다고 함이니, 군자를 위하여 도모한 것이다. 주자의 뜻은, 음이 아직 왕성하지 않아 바름을 업신여김에 이르지 않았다고 여긴 것이다. 소인이 나쁜 무리를 해체하여 제거하고 그 무리와 함께 바름을 따른다면 아마도 군자를 해침에는 이르지 않는다고 함이니, 소인을 위하여 도모한 것이다. 군자를 위한 도모는 군자가 깎임을 다스리는 도에 힘쓰도록 하였고, 소인을 위한 도모는 소인이 깎아내지 말아야 이롭다고 경계한 것이다. 그렇다면 소인을 위하여 도모한 것이 또한 군자를 위하여 도모한 것이다.

### 박문호(朴文鎬) 「경설(經說)·주역(周易)」

未有與, 傳義俱未甚明, 不知所從.

"함께 하는 이들이 없다"는 『정전』과 『본의』가 모두 분명하지 않으니, 어느 것을 따라야 할지 모르겠다.

---

11) 二: 경학자료집성DB와 영인본에는 모두 '三'으로 되어 있으나, 문맥을 살펴 '二'로 바로잡았다.

# 六三, 剝之, 无咎.

육삼은 깎아내도 허물이 없다.

## ┃中國大全┃

### 傳

衆陰剝陽之時, 而三獨居剛應剛, 與上下之陰異矣. 志從於正, 在剝之時, 爲无咎者也. 三之爲, 可謂善矣, 不言吉, 何也. 曰方群陰剝陽, 衆小人害君子, 三雖從正, 其勢孤弱, 所應在无位之地, 於斯時也, 難乎免矣, 安得吉也. 其義爲无咎耳, 言其无咎, 所以勸也.

여러 음이 양을 깎아내는 때에 삼효만 굳센 자리에 있으면서 굳셈에 호응하니, 위아래의 다른 음들과 다르다. 뜻이 바름을 따르니, 깎아내는 때에도 허물이 없는 것이다. 삼효의 행위는 선하다고 할 수 있는데, 길하다고 하지 않은 것은 무엇 때문인가? 말하자면, 한창 여러 음이 양을 깎아내고 여러 소인이 군자를 해치고 있어서 삼효가 바름을 따를지라도 그 세력이 홀로 미약하며 호응하는 것이 지위가 없는 처지에 있기 때문이니, 이런 때에는 화를 모면하기도 어렵거늘 어떻게 길할 수 있겠는가? 그 뜻이 허물이 없을 뿐이니, 허물이 없다고 말한 것은 장려하는 것이다.

### 本義

衆陰方剝陽, 而已獨應之, 去其黨而從正, 无咎之道也. 占者如是, 則得无咎.

여러 음이 한창 양을 깎아내고 있는데, 자기만 혼자 상구와 호응하여 무리를 떠나 바름을 따르니 허물이 없는 도이다. 점치는 자가 이처럼 하면 허물이 없다.

### 小註

建安丘氏曰, 剝下五陰, 皆剝陽者. 而三處其中, 獨與上應, 不忍黨邪以害正, 是小人而知有君子也. 故在剝之時, 爲无咎.

건안구씨가 말하였다: 박괘(剝卦䷖)에서 아래의 다섯 음은 모두 양을 깎아내는 것들이다. 그런데 삼효가 그 가운데 있으면서 혼자 상구와 호응하고, 사악한 자들과 무리지어 차마 바름을 해치지 못하니, 바로 소인이면서 군자가 있음을 아는 것이다. 그러므로 깎아내는 때에도 허물이 없는 것이다.

○ 梅巖袁氏曰, 剝雖小人之事, 以近陽爲善, 以有應於陽次之. 近陽者, 六五是也, 故可以治剝, 有應者, 此爻是也, 故不爲剝.

매암원씨가 말하였다: '깎아냄[剝]'은 소인의 일이지만, 양에 가까운 것은 선(善)이 되고, 양에 호응하는 것은 다음이 된다. 양에 가까운 것은 육오가 이것이므로 깎아냄을 다스릴 수 있고, 호응하는 것은 육삼이 이것이므로 깎아냄을 하지 않는다.

○ 雲峯胡氏曰, 剝之三, 卽復之四. 復六四在五陰中, 獨與初應而不許以吉, 剝六三在五陰中, 獨與上應而許以无咎, 何也. 曰, 復, 君子之事, 明道不計功, 不以吉許之, 可也, 剝, 小人之事, 小人中獨知有君子, 不以无咎許之, 則无以開其補過之門也.

운봉호씨가 말하였다: 박괘(剝卦䷖)의 삼효는 곧 복괘(復卦䷗)의 사효이다. 복괘(復卦䷗)의 육사는 다섯 음 가운데 혼자 초구와 호응하는데 "길하다"고 하지 않았고,[12] 박괘(剝卦䷖)의 육삼은 다섯 음 가운데 혼자 상구와 호응하는데 "허물이 없다"고 한 것은 무엇 때문인가? 말하자면, 복괘는 군자의 일이어서 도를 밝힘에 공을 헤아리지 않으니 길하다고 하지 않아도 되고, 박괘는 소인의 일이어서 소인 중에 혼자 군자가 있음을 아는 것이니 허물이 없다고 하지 않으면 과실을 고치는 문을 열어줄 방법이 없다.

## ‖韓國大全‖

### 조호익(曺好益) 『역상설(易象說)』

剝之時, 應陽故无咎, 此扶陽之意.

깎아내는 때에 양에게 호응하므로 허물이 없으니, 이는 양을 북돋우는 뜻이다.

---

12) 『周易·復卦』: 六四, 中行, 獨復.

## 송시열(宋時烈) 『역설(易說)』

剝之无咎者, 三獨與上九爲應, 故雖處剝之時, 亦得以无咎也. 小象失上下者, 四五爻爲上, 初二爻爲下, 皆無陽應, 而惟上九爲正應, 故三爻往而應之, 此所以失於上下, 而得於正應也. 不然, 則失於上下者, 安得爲无咎乎.

"깎아내도 허물이 없다"는 삼효만이 상구와 호응하기 때문에 비록 깎아내는 때에 있더라도 허물이 없을 수 있다는 것이다. 「소상전」의 "위아래를 잃는다"는 사효와 오효는 위가 되고 초효와 이효는 아래가 되지만, 모두 양(陽)과 호응함이 없고 상구만이 정응이 되므로 삼효가 가서 호응하니, 그래서 위아래를 잃고서 정응을 얻는 것이다. 그렇지 않으면 위아래를 잃은 것이 어떻게 허물이 없을 수 있겠는가?

## 유정원(柳正源) 『역해참고(易解參攷)』

秦州楊氏曰, 復之六四, 中行獨復者, 以居四陰之中而不陷者也, 剝之六三, 剝之无咎者, 舍四陰之朋而應上也.

진주양씨가 말하였다: 복괘(復卦) 육사의 "가운데를 지나가지만 혼자서 돌아온다"는 네 음의 가운데 있으면서 빠지지 않기 때문이며, 박괘(剝卦) 육삼의 "깎아내도 허물이 없다"는 벗인 네 음효를 버리고 상효와 호응하기 때문이다.

## 김상악(金相岳) 『산천역설(山天易說)』

剝之, 謂居剝之時也. 陰過則陽剝, 而六三以陰居陽, 與上爲應, 去邪從正, 故得无咎也.

'깎아냄'은 깎아내는 때에 있음을 말한다. 음이 지나치면 양이 깎이는데, 육삼은 음으로 양의 자리에 있으면서 상효와 호응하여 사특함을 버리고 바름을 따르므로 허물이 없을 수 있다.

○ 此爻之義, 與復六四相似, 與夬九三相反. 復則應初之陽, 故曰中行獨復, 夬則援上之陰, 故曰獨行遇雨, 本爻則失於陰而從陽, 故曰剝之无咎. 三變爲重艮, 時止時行, 得艮之義, 故六爻中无咎與艮卦同.

이 효의 뜻은 복괘(復卦) 육사와 서로 비슷하고, 쾌괘(夬卦) 구삼과는 서로 반대된다. 복괘에서는 초효의 양에 호응하므로 "가운데를 지나가지만 혼자서 돌아온다"고 했고, 쾌괘에서는 상효의 음을 구원하므로 "홀로 가면 비를 만난다"고 하였는데, 본 효에서는 음을 잃고 양을 따르므로 "깎아내도 허물이 없다"고 하였다. 삼효가 변하면 거듭된 간괘(艮卦䷳)가 되는데, 때로 그치고 때로 행하여 간괘의 뜻을 얻었으므로 여섯 효 가운데 허물이 없음이 간괘와 같다.

### 서유신(徐有臣) 『역의의언(易義擬言)』

六三居群陰剝剛之中, 不與近比之陰, 而獨應於上九之剛陽, 故雖見剝亦无咎也.

육삼은 여러 음이 굳센 양을 깎아내는 가운데 있으나, 가깝고 나란히 하는 음과 함께 하지 않고 홀로 상구의 굳센 양과 호응하므로 비록 깎아내도 허물이 없다.

### 박제가(朴齊家) 『주역(周易)』

六三, 剝之,

육삼은 깎아내도,

剝牀之上面而落之矣. 但不及膚, 故爲无咎. 更不言牀, 只曰剝之者, 無牀之象.

평상의 윗면을 깎아내어 떨어뜨림이다. 다만 살갗에는 이르지 않았으므로 허물이 없게 된다. 다시 '평상'을 말하지 않고 단지 "깎아낸다"고만 한 것은 평상의 상이 없기 때문이다.

### 윤행임(尹行恁) 『이문강의(摛文講義)・역(易)』

六三剝之无咎之剝字, 亦陰剝陽之謂耶. 以貫魚碩果之義例之, 則剝牀之牀, 當取類於陰耶, 亦將取類於陽耶. 牀之爲物, 下虛上實, 亦有剝卦之象, 則爻辭之云云, 亦有見於此耶.

육삼의 "깎아내도 허물이 없다"의 '깎아냄'은 또한 음이 양을 '깎아냄'을 말하는 것인가? "물고기를 꿴다"나 '큰 과일'의 뜻으로 볼 때에 "평상을 깎아낸다"의 '평상[牀]'은 음에서 부류를 취해야 하는가? 또한 양에서 부류를 취해야 하는가? 평상이란 물건이 아래는 비고 위는 꽉 차서 또한 박괘의 상이 있으니, 효사에서 언급한 것들을 또한 여기에서 볼 수 있는가?

臣行恁對, 剝之无咎之剝字, 卽剝之之時也, 三獨居剛, 與上爲應, 故雖在剝之之時而无咎. 剝牀之剝, 卽陰剝陽之謂, 而牀之體, 下虛上實, 而陰之剝陽, 自五月姤卦, 至九月而成剝, 則自下而至上也, 故必取象於牀矣. 自古小人之害君子, 自微而至大, 由淺而入深. 丁謂之嫌萊公, 在於過言, 而竟作崖州之貶客, 安石之怨韓富, 起於新法, 而終媒元祐之黨籍. 此坤卦所謂履霜堅氷至者, 而剝牀之足, 而至於辨膚者也, 可不愼哉.

신(臣) 행임이 답합니다: "깎아내도 허물이 없다"의 '깎아냄'은 곧 깎아내는 때이니, 삼효가 홀로 굳센 양의 자리에 있고 상효와 호응하므로 비록 깎아내는 때에 있더라도 허물이 없다는 것입니다. "평상을 깎아낸다"의 '깎아냄'은 곧 음이 양을 깎아냄을 말하는데, 평상의 몸체가 아래는 비고 위는 꽉 찼으며, 음이 양을 깎아냄도 오월의 구괘(姤卦☴)로부터 구월에 이르러 박괘가 되면 아래로부터 위로 이르게 되므로 반드시 평상에서 상을 취한 것입니다. 예로부터 소인이 군자를 해침이 미미한 것에서 큰 것에 이르고, 얕은 곳에서 깊게 들어갑니다. 정위(丁謂)13)가 내공(萊公)14)을 싫어한 것이 지나친 말에 있었는데 결국 애주(崖州:지금의 해남도)의 폄객(貶客)이 되었으며, 왕안석(王安石)이 한부(韓富)를 원망한 것이 신법에서 기인하는데 끝내 원우(元祐)15)의 당적이 되는 역할을 하였습니다. 이는 곤괘(坤卦)의 이른바 "서리를 밟으면 굳은 얼음이 이른다"는 것이며, 평상의 다리를 깎아내어 가로댄 나무와 살갗에 이른 것이니, 삼가지 않을 수 있겠습니까?

### 박문건(朴文健) 『주역연의(周易衍義)』

失類逼上, 故有剝之之象, 後於剛, 故无咎.

무리를 잃고 상효를 핍박하므로 깎아내는 상이 있고, 굳센 양보다 뒤에 있으므로 허물이 없다.

〈問, 剝之无咎. 曰, 上下四陰, 盡爲上九之所有, 故起而剝上也. 雖然柔後於剛, 下後於上, 故所以无咎.

물었다: "깎아내도 허물이 없다"는 무슨 뜻입니까?

답하였다: 위아래의 네 음이 모두 상구의 소유가 되므로 일어나 상효를 깎아냅니다. 비록 그렇더라도 부드러운 음이 굳센 양의 뒤에 있고, 아래의 것이 위의 것보다 뒤에 있으므로 허물이 없는 것입니다.〉

### 이지연(李止淵) 『주역차의(周易箚疑)』

六三內剛, 與內外俱柔者, 有間也.

육삼은 안으로 굳세니, 안팎으로 모두 부드러운 것과는 차이가 있다.

### 김기례(金箕澧) 「역요선의강목(易要選義綱目)」

剝, 至三漸危, 而曰无咎, 三以剛位應上九, 則群陰之中, 有一片陽氣, 往補一陽, 蓋小人中, 獨知有君子者也. 特以无咎許之, 猶未離其類也, 故只曰无咎, 不曰吉.

박괘(剝卦䷖)는 삼효에 이르러 점차 위태하거늘 "허물이 없다"고 한 것은 삼효가 굳센 양의 자리에서 상구와 호응하여 여러 음효 중에 한 조각 양기(陽氣)가 있고 가서 한 양을 돕기

---

13) 정위(丁謂): 정위는 북송(北宋)의 간신으로, 자는 공언(公言)이다. 호는 손정(孫丁)인데, 구준이 승상에 오르자 정위가 매우 미워했다.

14) 내공(萊公): 북송 태종 때 재상인 구준(寇准)으로 내공은 그의 봉호이며, 자는 평중(平仲)이다.

15) 원우(元祐): 북송(北宋) 철종(哲宗) 조후(趙煦)의 첫 번째 연호로 1086~1094년의 9년간 사용되었다. 원우 연간은 신·구법당간의 당쟁(党爭)이 발생하였고 원우(元祐)라는 말은 구당(旧党) 및 그 구성원을 지칭하기도 한다.

때문이니, 대개 소인 가운데 홀로 군자가 있음을 아는 자이다. 특별히 "허물이 없다"고 한 것은 아직도 소인의 무리를 떠나지 못했으므로 "허물이 없다"고만 하고, "길하다"고는 하지 않았다.

### 허전(許傳) 「역고(易考)」

人能於群小害正之時, 獨守其剛而從正, 如剝之三, 則可以无咎矣.

사람이, 여러 소인이 바름을 해치는 때에, 홀로 그 굳셈을 지켜서 바름을 따르기를 박괘의 삼효와 같이 할 수 있다면 허물이 없을 것이다.

### 심대윤(沈大允) 『주역상의점법(周易象義占法)』

剝之艮☶. 居剛而處坤順之極, 獨應乎上, 其意已足, 而媚俀於上, 不復進動. 與其朋類, 有携貳之志, 得志則自相猜疑, 小人之本態, 而君子之幸也. 三之志, 易厭而媚于上, 故曰无咎.

박괘가 간괘(艮卦☶)로 바뀌었다. 굳센 양의 자리에 있고 유순한 곤괘(坤卦)의 끝에 머무르며 홀로 상효와 호응하니, 그 뜻이 이미 만족하여 상효에게 아첨하고 다시 나아가 움직이지 않는다. 그 벗의 무리와는 둘로 달라지는 마음이 있어서 그 뜻을 얻게 되면 저절로 서로 시기하고 의심하니, 소인 본래의 태도이지만 군자에게는 다행함이다. 삼효의 뜻이 쉽게 싫증을 내고 상효에 아첨하므로 "허물이 없다"고 하였다.

### 오치기(吳致箕) 「주역경전증해(周易經傳增解)」

六三, 以柔居剛, 在剝之時, 不與衆陰剝陽, 而獨爲正應于上九, 卽去其類而從正者也. 雖失志于私黨, 而見取於正類, 故能免其凶而爲无咎.

육삼은 부드러운 음으로 굳센 양의 자리에 있고 깎이는 때에 있지만, 여러 음과 함께 양을 깎아내지 않고 홀로 상구에게 정응이 되니, 곧 그 무리를 버리고 바른 무리를 따르는 자이다. 비록 사사로운 무리에게 뜻을 잃었지만 바른 무리에게 받아들여지므로 그 흉함을 면하여 허물이 없을 수 있다.

○ 之, 語辭也. 陰以近陽者爲最善, 應陽者次之. 故六五以近陽而爲无不利. 此爻以應陽而爲无咎也. 許其无咎, 以開小人補過之門也.

'박지무구(剝之无咎)'의 '지(之)'자는 어조사이다. 음(陰)은 양(陽)을 가까이 하는 것이 최선이고, 양과 호응하는 것이 그 다음이다. 그러므로 육오는 양을 가까이 하여 이롭지 않음이 없게 되고, 이 효는 양과 호응하여 허물이 없게 된다. 그 허물이 없음을 말하여 소인이 허물을 고칠 수 있는 문을 열어주었다.


## 이진상(李震相) 『역학관규(易學管窺)』

爻變成艮, 與上同體, 故不言牀. 且已之人身臥處矣.
효가 변하여 간괘(艮卦䷳)가 되면, 상체와 몸체가 같으므로 '평상'이라고 하지 않았다. 또 자신의 몸이 누운 곳이다.


## 이정규(李正奎) 「독역기(讀易記)」

六三雖是陰類, 粗有陽性, 而應於陽, 故无咎, 六五近陽, 而貫魚以宮人寵, 故无不利. 爲陰類者, 觀此象, 則可知向陽背陰之爲吉道也, 凡有血氣者, 何不觀於此乎.
육삼이 비록 음의 무리이지만 조금은 양의 성질이 있어 양과 호응하므로 허물이 없고, 육오는 양을 가까이 하여 물고기를 꿰어 궁인이 총애를 받듯이 하므로 이롭지 않음이 없다. 음의 무리인 자들도 이 상을 보면 양을 향하고 음을 등짐이 길한 도(道)임을 알 수 있으니, 무릇 혈기가 있는 자가 어찌 이것을 살피지 못하겠는가?


## 이병헌(李炳憲) 『역경금문고통론(易經今文考通論)』

荀曰, 衆皆剝陽, 三獨應上, 无剝害意, 是以无咎.
순상이 말하였다: 음의 무리가 모두 양을 깎아내는데, 삼효만이 홀로 상효와 호응하여 깎아내고 해치려는 뜻이 없으니, 이 때문에 허물이 없다.

王曰, 上下各有二陰, 而三獨應於陽, 則失上下也.
왕필이 말하였다: 위아래에 각각 두 음이 있고 삼효만이 홀로 양에게 호응하니, 위아래를 잃는다.

姚曰, 剝上反三也. 〈謂上失位反下.〉
요신이 말하였다: 상효를 깎아내어 삼효의 자리로 돌이킴이다. 〈상효가 지위를 잃고 아래로 돌아감을 말한다.〉

按, 剝无咎, 恐是無所歸咎之意, 故象曰失上下也.
내가 살펴보았다: 깎아내도 허물이 없음은 아마도 허물을 돌릴 곳이 없다는 뜻이므로 「상전」에서 "위아래를 잃는다"고 하였다.

象曰, 剝之, 无咎, 失上下也.

「상전」에서 말하였다: "깎아내도 허물이 없음"은 위아래를 잃기 때문이다.

## ‖中國大全‖

### 傳

三居剝而无咎者, 其所處與上下諸陰不同, 是與其同類相失, 於處剝之道, 爲无咎. 如東漢之呂强, 是也.

삼효가 깎아내는 처지에 있어도 허물이 없는 것은 머무는 곳이 위아래의 여러 음과 같지 않기 때문이니, 바로 같은 무리와 서로 잃어서 깎아냄을 대처하는 도에 허물이 없는 것이다. 동한(東漢)의 여강(呂强)16)이 여기에 해당한다.

### 本義

上下, 謂四陰.

위아래는 네 음을 말한다.

### 小註

雲峯胡氏曰, 六三居四陰中, 而獨與一陽, 所失者陰, 是其失乃所以爲得也.

운봉호씨가 말하였다: 육삼이 네 음의 가운데에 있으면서 혼자 하나의 양과 함께 하여 잃는 것이 음이니, 이것은 잃음이 바로 얻음이 된 것이다.

---

16) 여강(呂强): 환관으로 영제(靈帝) 때 준례대로 후(侯)에 봉해졌으나 굳이 사양하고, 황건적이 일어나자 임금 측근의 탐관오리를 제거하고 금고(禁錮)에 처한 당인(當人)들의 사면을 청하였다. 뒤에 동료 환관들의 모함을 받아 잡혀오자 자살하였다.

# ‖韓國大全‖

유정원(柳正源)『역해참고(易解參攷)』

王氏曰, 三上下各有二陰, 而三獨應於陽, 則失上下也.

왕씨가 말하였다: 삼효는 위아래에 각각 두 개의 음이 있는데, 삼효만 홀로 양에 호응하니 위아래를 잃는 것이다.

○ 朱子曰, 夬之九三, 雖應上六, 然曰君子夬夬, 則非不決小人也. 但聖人以壯于頄爲戒耳. 剝之六三, 雖處群陰之中, 然象以失上下明之, 而程傳又以呂强當其事, 則其心迹亦不相違矣. 蓋心迹无可判之理, 程書言之詳矣. 吾徒所宜深考也.

주자가 말하였다: 쾌괘(夬卦䷪)의 구삼이 비록 상육에 호응하지만, "군자가 결단할 때에 결단한다"고 하였으니, 소인을 결단하지 않는 것이 아니다. 다만 성인이 "광대뼈에 씩씩하다"는 것으로 경계하였을 뿐이다. 박괘의 육삼이 비록 여러 음 가운데 처하였으나 「상전」에서 "위아래를 잃는다"고 밝혔고, 『정전』에서 또 여강(呂强)이 그 일에 해당한다고 하였으니, 그 마음과 행적은 서로 어긋나지 않는다. 대개 마음과 행적이 갈라질 리가 없음은 『이정유서』에서 자세히 말했으니, 우리들이 마땅히 깊게 살펴야 한다.

○ 案, 二程遺書釋氏之說, 只於迹上考之, 其設敎如是, 則其心果何如. 固難爲取其心, 不取其迹, 有是心則有是迹. 王通言心迹之判, 便是亂說, 故不若且於迹上斷定. 伊川雖論釋氏, 而君子小人, 亦當考其迹, 而推其心也, 今於六三之剝, 可知矣. 如呂强者, 身處小人之中, 其迹近於小人, 而考其心則君子也.

내가 살펴보았다: 『이정유서』의 부처에 대한 설명은 단지 행적에서 살펴본 것이니, 그 가르침을 베푼 것이 이와 같다면 그 마음은 과연 어떠했겠는가? 진실로 그 마음을 취하고서 그 행적을 취하지 않기는 어려우니, 이러한 마음이 있으면 곧 이러한 행적이 있다. 왕통(王通)[17]이 마음과 행적이 갈라진다고 말한 것은 곧 설명하기 어려운 것이므로 일단 행적에서 단정한 것만 못하다. 이천이 비록 부처를 논하였으나, 군자와 소인에 대해서는 또한 행적을 고찰하여 그 마음을 유추하여야 하니, 지금 육삼의 깎아냄에서 알 수 있다. 여강과 같은 자는, 몸은 소인의 무리에 처해 있고 그 행적도 소인에 가깝지만, 그 마음을 고찰해본다면 군자이다.

---

17) 왕통(王通): 중국 수나라의 사상가. 당나라 왕발(王勃)의 조부이다. 어려서부터 시 ·서 ·예 ·역(易)에 통달, 스스로 유자(儒者)임을 자부하고 강학에 힘을 쏟았다. 『문중자(文中子)』 10권을 세상에 남겼다.

### 김상악(金相岳) 『산천역설(山天易說)』

凡物有失, 則必有得. 三居四陰之中, 獨與一陽爲應, 其所失者, 乃陰柔小人, 所得者, 乃陽剛君子也. 或曰, 凡一陽五陰之卦, 以陽爲主, 一陰五陽之卦, 以陰爲主. 故比大有象傳皆曰, 上下應之. 剝則一陽居上, 而不言五陰之應, 故失上下在六三. 雖然, 大象曰上以厚下, 以陽爲主之意, 可見也.

물건을 잃는 것이 있으면 반드시 얻는 것이 있다. 삼효는 네 음의 가운데 있으면서 홀로 한 양과 호응하니, 그 잃는 것이 바로 유약한 음의 소인이며, 얻는 것은 바로 굳센 양의 군자이다.

어떤 이가 말하였다: 양이 하나이고 음이 다섯인 괘는 양을 주인으로 삼고, 음이 하나이고 양이 다섯인 괘는 음을 주인으로 삼는다. 그러므로 비괘(比卦䷇)와 대유괘(大有卦䷍)의 「단전」에서 모두 "위아래가 호응한다"고 하였다. 박괘는 하나의 양이 맨 위에 있어서 다섯 음과 호응함을 말하지 않았기 때문에 육삼에서 "위아래를 잃는 것이다"라고 하였다. 비록 그렇더라도 「대상전」에서 "위에서 그것을 본받아 아래를 두텁게 한다"고 하였으니, 양을 주인으로 삼는 뜻을 볼 수 있다.


### 서유신(徐有臣) 『역의의언(易義擬言)』

捨群陰, 而應於陽也.

여러 음을 버리고 양과 호응하는 것이다.


### 박문건(朴文健) 『주역연의(周易衍義)』

上下, 謂四陰也.

'위아래'는 네 음을 말한다.


### 김기례(金箕澧) 「역요선의강목(易要選義綱目)」

失上下.

위아래를 잃기 때문이다.


以陰應陽, 可謂喪朋.

음으로 양과 호응하니, 벗을 잃는다고 말할 만하다.

심대윤(沈大允)『주역상의점법(周易象義占法)』

失上下之同類也.

위아래의 같은 무리를 잃음이다.


오치기(吳致箕)「주역경전증해(周易經傳增解)」

獨與上九一陽相應, 而失上下群陰之黨也.

홀로 상구의 한 양과 서로 호응하고, 위아래의 여러 음의 무리를 잃음이다.

## 六四, 剝牀以膚, 凶.

육사는 평상을 살갗에서 깎는 것이니 흉하다.

## ‖中國大全‖

### 傳

始剝於牀足, 漸至於膚, 膚, 身之外也. 將滅其身矣, 其凶可知. 陰長已盛, 陽剝已甚, 貞道已消, 故更不言蔑貞, 直言凶也.

평상의 다리에서 깎아내기 시작하여 점점 살갗까지 왔으니, 살갗은 몸의 거죽이다. 앞으로 몸이 없어질 것이니 그 흉함을 알만하다. 음의 자라남이 이미 성대하고, 양의 깎임이 이미 심하여 곧은 도리가 이미 사라졌으므로 다시 "곧음을 업신여긴다"라고 하지 않고, 바로 "흉하다"고 하였다.

### 本義

陰禍切身, 故不復言蔑貞, 而直言凶也.

음의 재앙이 몸에 절실하기 때문에 다시 "곧음을 업신여긴다"고 하지 않고, 바로 "흉하다"고 하였다.

#### 小註

白雲郭氏曰, 六四上體, 居牀之上, 則膚矣.

백운곽씨가 말하였다: 육사는 위에 있는 몸체여서 평상의 위에 있으니 살갗이다.

○ 臨川吳氏曰, 初爲牀足, 二爲牀辨, 三爲牀上人所卧處, 四人之身也, 非牀也. 非牀而曰剝牀以膚, 言剝牀而上及於人之肌膚也.

임천오씨가 말하였다: 초구는 평상의 다리이고, 이효는 평상의 가로댄 나무이며, 삼효는 평

상 위에 사람이 누워있는 곳이고, 사효는 사람의 몸이지 평상이 아니다. 평상이 아닌데 "평상을 살갗에서 깎아낸다"고 한 것은 평상을 깎아내어 위로 사람의 살과 피부에 까지 왔다는 말이다.

○ 建安丘氏曰, 剝道已成, 故直言凶, 而不言蔑貞也.

건안구씨가 말하였다: 깎아내는 도가 이미 이루어졌기 때문에 바로 "흉하다"고 하고, "곧음을 업신여긴다"고 하지 않았다.

○ 雲峯胡氏曰, 本義曰蔑貞則凶, 蓋猶許其不蔑貞, 則猶未至於凶也. 剝而及膚, 小人豈不欲蔑貞哉. 然正道終不可得而蔑, 故不言蔑貞, 而直言凶, 亦豈獨君子之凶哉.

운봉호씨가 말하였다: 『본의』에서 "곧음을 업신여기면 흉하다"고 한 것은 아직은 곧음을 업신여기지는 않았다고 인정함이니, 아직까지는 흉함에 이르지 않은 것이다. 그런데 깎아내어 살갗까지 다가왔으면, 소인이 어찌 곧음을 업신여기려 하지 않았겠는가? 그러나 바른 도리는 끝내 업신여길 수 없기 때문에 곧음을 업신여긴다고 하지 않고, 곧바로 "흉하다"고 하였으니, 또 어찌 군자만 흉하겠는가?

## ‖韓國大全‖

### 송시열(宋時烈) 『역설(易說)』

膚者, 身之淺肉也. 言剝之災, 近於身之皮肉也, 小象詳言之. 蓋陰爻自下而剝, 初則滅牀足, 二則滅牀辨, 三則雖剝而上有應與, 故无咎, 四則剝膚, 六則剝極而至於剝廬. 獨六五以柔道處君位, 有無不利之占, 詳見下.

'살갗'은 몸의 얕은 살이다. 깎아냄의 재앙이 몸의 살가죽에 가까움을 말하니, 「소상전」에서 자세히 말하였다. 음효는 아래로부터 깎아내니, 초효는 평상의 다리를 소멸하고, 이효는 평상의 가로댄 나무를 소멸하고, 삼효는 비록 깎아내더라도 위에 호응하여 함께 함이 있으므로 허물이 없고, 사효는 살갗을 깎아내고, 상육은 깎아냄이 다하여 집을 허무는 데까지 이른 것이다. 육오만이 부드러운 음의 도로 임금의 자리에 처하여 이롭지 않음이 없다는 점이 있으니, 자세한 것은 아래에 보인다.

## 이익(李瀷) 『역경질서(易經疾書)』

上艮之陽, 有宮廬庇人之象, 故五人四膚. 人在宮廬必坐, 坐必以臀膚者, 臀膚與夬姤
之辭相照, 膚何以不言蔑, 切近而非蔑, 蔑則必死. 凡人膚之最厚者惟臀, 醫家所謂大
肉也.

상체인 간괘(☶)의 양에는 집이 사람을 비호하는 상이 있으므로 오효가 사람이고 사효가
살갗이다. 사람은 집에 있을 때에 반드시 앉고, 앉을 때에 반드시 궁둥이 살로 하기 마련이
며, 궁둥이 살은 쾌괘(夬卦☱)와 구괘(姤卦☴)의 말과 서로 대조되는데, 살갗에는 어째서
'소멸함[蔑]'을 말하지 않았단 말인가? 재앙에 아주 가깝지만 없애는 것이 아니니, 없애면
반드시 죽는다. 사람의 살갗 가운데 가장 두꺼운 부분이 오직 궁둥이니, 의학[醫家]에서 말
하는 대육(大肉)[18]이다.

## 심조(沈潮) 「역상차론(易象箚論)」

六四, 膚.

육사의 살갗.

人身中, 骨陽而膚陰者, 以陰居陰, 故稱膚.

사람 몸에서 뼈는 양이고 살갗은 음인 것인데, 음으로 음의 자리에 있으므로 '살갗'이라고
했다.

## 유정원(柳正源) 『역해참고(易解參攷)』

王氏曰, 初二剝牀, 民所以安, 未剝其身也. 至四剝道浸長, 牀旣剝盡, 以及人身, 小人
遂盛, 物將失身, 豈唯削正. 靡所不凶.

왕필이 말하였다: 초효와 이효에서 평상을 깎는데도, 백성이 편안한 까닭은 아직 그 몸이
깎이지 않았기 때문이다. 사효에 이르러 깎아내는 도가 점점 자라나면 평상이 이미 깎여서
사람의 몸에 이르며, 소인이 왕성함을 이루어 만물이 자신을 잃게 될 것이니, 어찌 바름만을
깎아낼 뿐이겠는가? 흉하지 않은 것이 없다.

○ 莆田張氏曰, 艮爲膚, 噬嗑六二噬膚, 互艮體.

보전장씨가 말하였다: 간괘(☶)가 살갗이 되니, 서합괘(噬嗑卦☲)[☳] 육이의 "살을 깨문다"는

---

18) 대육(大肉): 인체의 허벅다리, 팔, 엉덩이 등에 있는 비교적 비대한 근육을 말한다.

호괘가 간괘의 몸체(☶)이기 때문이다.

○ 厚齋馮氏曰, 一陽與四, 同爲艮體, 初剝及艮陽之膚也.
후재풍씨가 말하였다: 하나의 양과 사효는 모두 간괘(☶)의 몸체가 되니, 초효의 깎아냄이 간괘 양효의 살갖에 미친 것이다.

傳, 身之外.
『정전』에서 말하였다: 몸의 거죽이다.
案, 外卽身之皮膚.
내가 살펴보았다: 거죽은 곧 몸의 피부이다.

### 김상악(金相岳) 『산천역설(山天易說)』

居牀之上, 卽人之膚也. 剝牀而及于膚, 則陰禍切身, 故不復言蔑貞, 而曰凶.
평상의 위에 있는 것이 곧 사람의 살갖이다. 평상을 깎아내어 살갖에 이르면, 음의 재앙이 몸에 절실하므로 다시 "곧음을 업신여긴다"고 하지 않고, "흉하다"고 하였다.

○ 此有剝膚之象, 故姤三夬四, 皆言无膚.
여기에 살갖을 깎아내는 상이 있으므로 구괘(姤卦)의 삼효와 쾌괘(夬卦)의 사효에서 모두 "살이 없다"고 하였다.

### 서유신(徐有臣) 『역의의언(易義擬言)』

初爲牀足, 二爲牀幹, 三爲牀面, 四爲牀上之人, 自足而剝傷, 已及於人之肥膚也.
초효는 평상의 다리가 되고, 이효는 평상의 가로댄 나무가 되고, 삼효는 평상의 평평한 면이 되고, 사효는 평상 위의 사람이 되니, 다리로부터 깎아내어 상함이 이미 사람의 살갖[肥膚]에 미친 것이다.

### 강엄(康儼) 『주역(周易)』

本義, 陰禍 [止] 直言凶.
『본의』에서 말하였다: 음의 재앙이 … 바로 흉하다고 하였다.

按, 本義所釋似是. 謂剝牀以膚, 已是蔑貞, 故不復言蔑貞, 而雲峯則曰剝而及膚, 小人豈不欲蔑貞哉. 其意似若剝牀之後, 又有蔑貞者然, 或本義如此耶.

내가 살펴보았다: 『본의』에서 해석한 것이 옳은 듯하다. "평상을 살갗에서 깎는다"고 했으면, 이미 곧음을 업신여긴 것이므로 다시 "곧음을 업신여긴다"고 말하지 않았는데, 운봉은 "깎아내어 살갗까지 다가왔으면, 소인이 어찌 곧음을 업신여기려 하지 않았겠는가?"라고 하였으니, 그 뜻이 평상을 깎아낸 뒤에 또 곧음을 업신여기는 것이 있어서 그런 것 같다. 혹은 『본의』가 이와 같은 것인가?

### 박문건(朴文健) 『주역연의(周易衍義)』

肆暴見陵, 故有以膚之象, 膚, 肌也. 用剛故致凶.

방자하고 난폭하여 능멸을 당하므로 '부(膚)'에서 깎이는 상이 있으니, '부(膚)'는 '살갗[肌]'이다. 굳셈을 쓰므로 흉함에 이른 것이다.

### 이지연(李止淵) 『주역차의(周易箚疑)』

剝牀以膚, 正如李世勣對高宗之問武后事, 其於唐室爲灾之切近者也.

'평상을 살갗에서 깎음'은 바로 이세적[19]이 무후에 대한 고종의 물음에 대답한 것과 같으니, 그것은 당나라 왕실에 아주 절실하고 가까운 재앙이 되는 것이다.

### 김기례(金箕澧) 「역요선의강목(易要選義綱目)」

剝牀而及人身, 則不必言蔑正與否, 而直曰凶.

평상을 깎아내어 사람 몸에 미쳤다면, 굳이 바름을 업신여기는지는 말할 필요가 없어서 직접 "흉하다"고 하였다.

### 심대윤(沈大允) 『주역상의점법(周易象義占法)』

剝之晉䷢, 進也. 居柔以進動未已. 离爲膚, 已及身矣. 勢將至於犯上, 有无君心也.

박괘가 진괘(晉卦䷢)로 바뀌었으니, 나아감이다. 부드러운 음의 자리에 있으니, 나아가 움직여서 그치지 않는다. 리괘(☲)가 살갗이 되니, 이미 몸에 미친 것이다. 형세가 윗사람을 범함에 이를 것이니, 임금을 없애려는 마음이 있다.

---

19) 이세적(李世勣): 당나라의 고구려 침공군의 실질적 총사령관. 후에 이적이라 개명하였으며 영국공(英國公)이라고도 함.

## 오치기(吳致箕) 「주역경전증해(周易經傳增解)」

六四, 以柔居柔, 陰剝之勢, 已過于牀足牀辨, 乃居牀身之上, 而人之膚在牀上矣. 剝牀之禍, 及其肌膚, 則比諸足辨, 太切近, 故不言蔑貞, 而直言凶也.

육사는 부드러운 음으로 부드러운 음의 자리에 있어서 음의 깎아내는 형세가 이미 평상의 다리와 가로댄 나무를 지나서 평상의 위에 있으니, 사람의 살갗이 평상 위에 있는 것이다. 평상을 깎아내는 재앙이 살갗에 미치면, 다리나 가로댄 나무에 비하여 매우 가깝기 때문에 "곧음을 업신여긴다"고 하지 않고, 직접 "흉하다"고 하였다.

○ 膚取於陰柔, 而艮爲身之象, 故言膚也.
살갗은 음의 부드러움에서 취하였고 간괘(☶)가 몸의 상이 되므로 '살갗'을 말했다.

## 이진상(李震相) 『역학관규(易學管窺)』

下與初應, 而牀旣闕足, 不能安身. 故身在牀上, 膚以受傷, 膚艮體之陰.
아래로 초효와 호응하는데, 평상이 이미 다리를 잃어서 몸을 편히 할 수 없다. 그러므로 몸은 평상 위에 있으나 살갗이 이 때문에 상처를 입었으니, 살갗은 간괘(☶) 몸체의 음효이다.

## 이병헌(李炳憲) 『역경금문고통론(易經今文考通論)』

虞曰, 辨上稱膚.
우번이 말하였다: 가로댄 나무 위를 살갗이라고 말한다.

鄭曰, 切近, 切急也.
정현이 말하였다: '절근(切近)'은 절실하고 긴급함이다.

釋文曰, 膚, 京作簠, 謂祭器.
『석문』에서 말하였다: '살갗'을 경방(京房)은 '보(簠)'라고 하였는데, 제기(祭器)를 말한다.

胡銓〈南宋人.〉曰, 易於剝坎, 取象簠簋, 以精意寓焉.
호전(胡銓)[20]〈남송 때 사람이다.〉이 말하였다: 『주역』은 박괘(剝卦)와 감괘(坎卦)에서 보·궤(簠簋)에서 상을 취하여 정밀한 뜻을 붙였다.

---

20) 호전(胡銓): 송나라 노릉 사람이다. 고종 때 추밀원편수관으로 상소를 올려 당시 대신(大臣)으로서 금(金)과의 화의를 주장하던 왕륜·진회·손근 3인의 목을 벨 것을 청하였다. 조선에서는 그를 적과의 화의를 주장하는 간신을 처벌하기를 주창한 강직한 사람의 표본으로 삼았다.

象曰, 剝牀以膚, 切近災也.

「상전」에서 말하였다: "평상을 살갗에서 깎음"은 재앙에 아주 가까운 것이다.

## ║中國大全║

### 傳

五爲君位, 剝己及四, 在人則剝其膚矣. 剝及其膚, 身垂於亡矣, 切近於災禍也.

오효는 임금의 자리인데 깎아냄이 이미 사효까지 왔으니, 사람에게서 그 살갗을 깎아내는 것이다. 깎아냄이 살갗에 미쳤으면 몸에 망조가 드리운 것이니, 재앙에 아주 가까운 것이다.

### 小註

龜山楊氏曰, 剝牀以足以辨, 剝其所安而已. 六四, 則剝及膚矣, 其爲災也, 不切近乎.

구산양씨가 말하였다: 평상을 다리와 가로댄 나무에서 깎아내는 것은 편안해 하는 곳을 깎아내는 것일 뿐이다. 육사라면 깎아냄이 살갗에 미침이니, 그 재앙이 아주 가깝지 않겠는가?

## ║韓國大全║

### 김상악(金相岳) 『산천역설(山天易說)』

言及身之災, 切而近也.

몸에 미치는 재앙이 절실하고 가까움을 말하였다.

○ 柔之變剛, 猶五行之相克, 故與復上六, 皆言災.

부드러운 음이 굳센 양을 변화시킴은 오행의 상극(相剋)과 같으므로 복괘(復卦䷗)의 상육과 같은 곳에서 모두 '재앙'을 말하였다.

## 김규오(金奎五) 「독역기의(讀易記疑)」

象切近災, 傳切近於災禍, 剝及肌膚, 何但曰近於禍而已. 義作切身, 似謂切近之災也.

「소상전」의 "재앙에 아주 가깝다"를 『정전』에서는 "재앙[災禍]에 아주 가까워 깎아냄이 살갗에 미쳤다"고 하였는데, 어찌 다만 "재앙[禍]에 가깝다"고 할 뿐이겠는가? 『본의』의 "몸에 절실하다"는 아주 가까운 재앙을 말한 것 같다.

## 서유신(徐有臣) 『역의의언(易義擬言)』

剝床有漸次進剝之象, 三爲床而切近於人身也.

평상을 깎아냄에는 점차 나아가 깎아내는 상이 있으니, 삼효는 평상이 되고 사람 몸에 아주 가깝다.

## 박문건(朴文健) 『주역연의(周易衍義)』

〈問, 切近災. 曰, 六四, 陰之盛者也. 恃剛暴下, 故失爲上之道, 而至於剝膚, 是切近於災禍也.

물었다: "재앙에 아주 가깝다"는 무슨 뜻입니까?

답하였다: 육사는 음이 왕성한 자입니다. 굳센 양을 믿고서 아랫사람에게 사납기 때문에 윗사람이 되는 도를 잃고 살갗을 깎임에 이르렀으니, 이는 재앙에 아주 가까운 것입니다.〉

## 김기례(金箕澧) 「역요선의강목(易要選義綱目)」

切[21]近災.

재앙에 아주 가까운 것이다.

剝至四, 切近五, 五雖陰爻, 其實君位, 聖人之深憂至於此.

깎임이 사효에 이르면 오효에 아주 가까운데, 오효가 비록 음효이지만 실상은 임금의 자리이니 성인의 깊은 근심이 여기에 이른 것이다.

## 오치기(吳致箕) 「주역경전증해(周易經傳增解)」

言禍及身膚而切近也.

화(禍)가 몸의 살갗에 미쳐 아주 가까움을 말한다.

---

21) 切: 경학자료집성DB와 영인본에는 모두 '功'으로 되어 있으나, 문맥을 살펴 '切'로 바로잡았다.

六五, 貫魚, 以宮人寵, 無不利.

정전 육오는 물고기를 꿰어 궁인이 총애 받듯이 하면 이롭지 않음이 없다.
본의 육오는 물고기를 꿰어 궁인이 총애 받듯이 하니 이롭지 않음이 없다.

## 中國大全

### 傳

剝及君位, 剝之極也, 其凶可知. 故更不言剝, 而別設義, 以開小人遷善之門. 五, 群陰之主也, 魚陰物, 故以爲象. 五能使群陰, 順序如貫魚然, 反獲寵愛於在上之陽, 如宮人, 則無所不利也. 宮人, 宮中之人, 妻妾侍使也, 以陰言, 且取獲寵愛之義. 以一陽在上, 衆陰有順從之道, 故發此義.

깎아냄이 임금의 자리까지 미쳤으면 깎아냄의 궁극이니 그 흉함을 알 수 있다. 그러므로 다시 깎아냄을 말하지 않고 별도로 의미를 세워서 소인이 선(善)으로 옮겨가는 문을 열어주었다. 오효는 여러 음의 주인이고, ‘물고기’는 음에 속하는 것이므로 그것을 상으로 삼았다. 오효가 여러 음을 순서대로 물고기를 꿰듯이 하여 도리어 위에 있는 양에게 총애 받기를 궁인처럼 한다면, 이롭지 않음이 없을 것이다. ‘궁인’은 궁중의 사람으로 처첩과 하인이기에 음(陰)으로 말하였고, 또 총애를 얻는다는 뜻을 취하였다. 하나의 양이 위에 있어서 여러 음이 순종하는 도리가 있기 때문에 이런 의미를 펼쳤다.

### 本義

魚, 陰物, 宮人, 陰之美, 而受制於陽者也. 五爲衆陰之長, 當率其類, 受制於陽, 故有此象, 而占者如是, 則无不利也.

물고기는 음에 속하는 것이고, 궁인은 아름다운 음이지만 양에게 제재를 받는 것들이다. 오효는 여러 음의 우두머리로 무리를 이끌어 양에게 제재를 받아야 하기 때문에 이런 상이 있다. 점치는 자가 이처럼 하면 이롭지 않음이 없다.

### 小註

進齋徐氏曰, 六五, 以柔居中, 爲群陰之長, 總率群陰順序, 以聽於陽, 有后妃以宮人備數, 進御於君之象.

진재서씨가 말하였다: 육오는 부드러운 음이 가운데 있으면서 여러 음의 우두머리가 되어 여러 음을 순서대로 거느려서 양을 따르니, 후비가 궁인의 숫자를 채워 임금에게 나아가 시중을 드는 상이 있다.

○ 平菴項氏曰, 六五君位, 五爲王后, 與君同處, 四爲夫人, 佐后者也. 三爲九嬪, 以主九御, 下卦之長也. 二爲世婦, 初爲御妻.

평암항씨가 말하였다: 육오는 임금의 자리이니, 오효는 왕후가 되어 임금과 함께 거처하며, 사효는 부인이 되어 왕후를 돕는 자이다. 삼효는 아홉의 아내[嬪]가 되어서 아홉의 여자 관리[婦官]를 주관하니, 하괘의 우두머리이다. 이효는 후궁[世婦]이 되고, 초효는 궁녀[御妻]가 된다.

○ 臨川吳氏曰, 宮人衆妾也, 以之者后也, 后爲宮人之主. 五統群陰, 如后統衆妾, 衆陰戴陽, 如后以衆妾進御於主, 而獲寵愛之象. 陰長消陽, 至五極矣, 不可以再長也. 一陽在上, 非可剝者, 故取群陰順承一陽爲義. 六三應上九, 而寧失群陰之心, 六五比上九, 而率群陰以求一陽之寵, 一陽之功大矣. 天道之不可一日无陽, 世道之不可一日无君子者, 此也.

임천오씨가 말하였다: 궁인은 여러 첩이고, 그들을 부리는 자가 왕후이니, 왕후가 궁인의 주인이 된다. 오효가 여러 음을 거느리는 것이 왕후가 여러 첩을 거느리는 것과 같고, 여러 음이 양을 받드는 것이 왕후가 여러 첩과 함께 임금에게 나아가 시중들어 총애를 얻는 상과 같다. 음이 자라나 양을 없앰은 오효에서 지극하니, 더 자라서는 안 된다. 하나의 양이 위에 있어 깎아낼 수 있는 것이 아니기 때문에 여러 음이 하나의 양을 받드는 것을 취하여 뜻을 삼았다. 육삼은 상구와 호응하여 마침내 여러 음의 마음을 잃었고, 육오는 상구와 가까이 하여 여러 음을 거느려서 한 양의 총애를 구하니, 한 양의 공이 크다. 하늘의 도에 하루라도 양이 없을 수 없고, 세상의 도에 하루라도 군자가 없을 수 없는 것은 이 때문이다.

○ 雲峯胡氏曰, 剝五不取君位, 如坤遯明夷歸妹旅, 皆非君所處也. 剝而至於五, 是爲剝之極, 故五不取剝義, 別設爲貫魚宮寵之象, 所以開小人改過遷善之門也. 五爲群陰之尊, 能率其類, 受制於陽, 无不利矣. 剝牀自足而辨而膚, 陰以次而剝陽也. 后以宮人備數, 進御於君, 望前先卑, 望後先尊, 亦以次而承陽. 聖人至是, 則戒之曰, 與其以次

剝陽而至於凶, 孰若以次承陽之爲利哉. 象曰, 不利有攸往, 爲君子戒也, 此曰无不利,
爲小人勉也.

운봉호씨가 말하였다: 박괘(剝卦䷖)의 오효에서는 임금의 자리를 취하지 않았으니, 곤괘(坤
卦䷁)·돈괘(遯卦䷠)·명이괘(明夷卦䷣)·귀매괘(歸妹卦䷵)·려괘(旅卦䷠)가 모두 임금
이 있는 곳이 아닌 것과 같다. 박괘에서 오효에 이르면, 이는 깎아냄의 궁극이므로 오효에서
는 깎아낸다는 의미를 취하지 않고, 별도로 물고기를 꿰어 궁인이 총애 받듯이 하는 상을
펼쳤으니, 소인들이 잘못을 고쳐 선으로 옮겨가는 문을 열어주려는 것이다. 오효는 여러
음 중에서 높은 것이니, 그 무리를 통솔하여 양의 제재를 받을 수 있다면 이롭지 않음이
없다. 평상을 다리에서 가로댄 나무와 살갗까지 깎아냄은 음이 차례로 양을 깎아낸 것이다.
왕후가 궁인의 숫자를 채워 임금에게 나아가 시중을 들 때, 보름 이전에는 낮은 궁인을 앞세
우고, 보름 이후에는 높은 궁인을 앞세우는 것도 차례대로 양을 계승하는 것이다. 성인이
여기에서 "차례대로 양을 깎아내어 흉하게 되는 것이 어찌 차례대로 양을 계승하여 이롭게
되는 것과 같겠는가"라고 경계하였다. 「단전」에서 "가는 것이 이롭지 않다"고 한 것은 군자를
위하여 경계한 것이고, 여기서 "이롭지 않음이 없다"고 한 것은 소인을 위해 장려한 것이다.

○ 建安丘氏曰, 遯剝皆陰長之卦, 遯陰長而猶微可制也, 在遯之九三, 言陽制陰之道.
故曰畜臣妾吉, 剝陰長而已極, 不可制矣, 故不復言陽之制陰, 而言陰之從陽. 是以六
五曰, 貫魚以宮人寵. 畜陰之權在陽, 則告陽以制陰之道, 剝陽之權在陰, 則敎陰以從
陽之道, 聖人於陰長之卦, 其委曲爲君子謀者, 如此.

건안구씨가 말하였다: 돈괘(遯卦䷠)와 박괘(剝卦䷖)는 모두 음이 자라는 괘인데, 돈괘(遯
卦䷠)는 음이 자라나도 여전히 미약하여 다스릴 수 있기에 돈괘의 구삼에서는 양이 음을
다스리는 도를 말하였다. 그러므로 "신첩을 기름에는 길하다"[22]고 하였는데, 박괘(剝卦䷖)
는 음이 자라서 이미 다스릴 수 없이 지극하므로 다시 양이 음을 다스리는 것을 말하지
않고, 음이 양을 따르는 것을 말하였다. 이 때문에 육오에서 "물고기를 꿰어 궁인이 총애
받듯이 한다"고 하였다. 음을 기르는 권한은 양에게 있기에 양에게 음을 다스리는 도를 알려
주었고, 양을 깎아내는 권한이 음에게 있기에 음에게 양을 따르는 도를 가르쳤으니, 성인이
음이 자라는 괘에서 군자를 위해 자세히 도모한 것이 이와 같다.

---

22) 『周易·遯卦』: 九三, 係遯, 有疾, 厲, 畜臣妾, 吉.

# ┃韓國大全┃

### 조호익(曺好益) 『역상설(易象說)』

六五, 貫魚, 以宮人寵,

육오는 물고기를 꿰어 궁인이 총애 받듯이 하니,

寵, 陽悅陰象.

'총애[寵]'는 양이 음을 기쁘게 하는 상이다.

○ 愚謂, 剝消陽之卦, 而尙幸有一陽之在上, 故下五爻, 皆因此取義. 以全體言, 則上實下虛, 有牀之象, 以二體言, 則下體牀也, 上體人也. 故初牀之足, 二牀之幹, 三身及牀之際, 而不言所剝者, 危之也, 四其肌膚, 五其心腹也, 剝及於心腹, 則身且亡矣. 聖人憂之, 故別取受制於陽之義, 此扶陽抑陰之義也.

내가 살펴보았다: 박괘는 양을 소멸시키는 괘인데, 오히려 다행히 한 양이 맨 위에 있으므로 아래의 다섯 효가 모두 이것으로 인하여 뜻을 취했다. 괘 전체로 말하면 위는 꽉 차고 아래는 비었으니 평상의 상이 있고, 두 몸체로 말하면 하체는 평상이고 상체는 사람이다. 그러므로 초효는 평상의 다리이고, 이효는 평상의 받침나무이며, 삼효는 몸이 평상에 닿는 때인데 깎임을 말하지 않은 것은 위태롭게 하기 때문이며, 사효는 그 살갗이고, 오효는 그 심복(心腹)이니, 깎아냄이 심복에 이르면 몸이 또 없어진다. 성인이 그것을 걱정하므로 별도로 양에게 제재되는 뜻을 취하였으니, 이는 양을 북돋우고 음을 억누르려는 뜻이다.

### 김장생(金長生) 『주역(周易)』

剝, 六五, 貫魚,

박괘 육오는 물고기를 꿰어

貫魚之貫, 貫衆妾之意也, 貫, 后妃之所爲也. 魚卽衆妾也.

"물고기를 꿴다"고 할 때의 "꿴다[貫]"는 여러 잉첩을 꿴다는 뜻이니, 꿰은 후비가 하는 것이다. '물고기'는 곧 여러 잉첩이다.

## 송시열(宋時烈)『역설(易說)』

一陽貫於衆陰, 其象如貫魚, 魚陰物故也. 且此爻變, 則爲巽魚象, 來云, 巽爲宮人. 此
爻變而綜, 則爲兌, 兌虞氏云爲刑人, 說卦云爲妾, 蓋其取象如此. 若專以一陽貫群陰
言, 則何不於上九言之耶. 然五旣君位, 變巽亦以五爻言, 言五當君位, 能順貫魚之序.
又以巽之宮人寵之, 則陽位陰爻, 以乘變剛之, 所以无不利也.

한 양이 여러 음을 꿴 것은 그 상이 물고기를 꿴 것과 같으니, 물고기가 음에 속하는 물건이
기 때문이다. 또 이 효가 변하면 손괘(☴)인 물고기의 상이 되는데, 래지덕은 "손괘는 궁인
이 된다"고 하였다. 이 효가 변하여 거꾸로 되면 태괘(☱)가 되는데, 태괘를 우번은 "형인(刑
人)이 된다"고 하였고, 「설괘전」에서는 "잉첩이 된다"고 하였으니, 대체로 그 상을 취한 것
이 이와 같다. 만약 전적으로 한 양이 여러 음을 꿴 것으로만 말했다면, 어째서 상구에서
말하지 않은 것인가? 그러나 오효가 이미 임금의 자리이고, 손괘로 변함도 또한 오효로 말했
기 때문이니, 오효가 임금의 자리에 마땅하여 물고기를 꿰는 차례를 따를 수 있음을 말한다.
또 손괘의 궁인으로 총애한다면, 양(陽) 자리의 음효가 변화를 타고 굳세진 것이니, 그래서
이롭지 않음이 없는 것이다.

## 석지형(石之珩)『오위귀감(五位龜鑑)』

臣謹按, 剝之六五, 不取君位, 而謂其爲長於衆陰, 類諸宮妾, 而欲其受制於一陽. 蓋艮
爲閹寺, 坤爲衆陰, 衆陰之萃, 无如宮闈, 而閹寺實掌出入, 故取宮人之象也. 謂之貫魚
者, 取陰物之有序者言之. 以卦爻配諸宮中之序, 則五爲后位, 四爲夫人, 三爲九嬪, 二
爲世婦, 初爲御妻, 而后皆統而治之, 承寵於君. 斯爲貫魚以寵之義, 而所謂寵者, 以宮
人之寵, 寵之而已, 則見其无預於外事也. 聖人於剝之君位, 特發此義, 其言外之戒, 至
爲深切. 人主不可不知也, 伏願殿下深省焉.

신이 삼가 살펴보았습니다: 박괘의 육오에서 임금의 지위를 취하지 않고 여러 음 가운데
우두머리가 된다고 한 것은, 여러 궁첩(宮妾)을 무리지어서 한 양에게 제재 받고자 하기
때문입니다. 대체로 간괘(☶)는 내시[閹寺]가 되고 곤괘(☷)는 여러 음이 되는데, 여러 음의
모인 것이 궁궐만한 것이 없고 내시가 실로 출입을 관장하므로 궁인의 상을 취했습니다.
"물고기를 꿴다"고 한 것은 음의 물건 가운데 차례가 있는 것을 취하여 말한 것입니다. 괘의
효로 여러 궁중의 차례에 짝하면, 오효는 황후의 자리가 되고, 사효는 부인(夫人)이 되고,
삼효는 아홉의 빈(嬪)이 되고, 이효는 후궁[世婦]이 되고, 초효는 궁녀[御妻]가 되는데, 황후
가 모두 통솔하여 다스려서 임금에게 총애를 받습니다. 이것이 물고기를 꿰어 총애를 받는
다는 뜻이 되는데, 이른바 '총애[寵]'는 궁인에 대한 총애로 총애할 뿐이니 바깥일에 간여함
이 없음을 알 수 있습니다. 성인이 박괘의 임금 자리에서 특별히 이 뜻을 펼쳤으니, 그 말

밖에 숨은 경계가 매우 깊고 절실합니다. 임금께서는 알지 않을 수 없으니, 엎드려 바라건대 임금께서는 깊이 살피시기 바랍니다.


## 이익(李瀷) 『역경질서(易經疾書)』

貫魚者, 相續而進也, 必古語如此, 非以魚取象也. 從初至四皆剝, 未有止於五之理, 貫魚則謂連續以剝也. 如此者必凶, 不必更著, 與上剝廬同例也. 宮人, 卽居宮廬之內者也. 寵與蔑相勘, 則寵是容護之義, 與貫魚爲兩下說. 又與上君子小人相照, 貫魚而不止, 則終必剝廬, 以宮人寵, 則反有得輿之利, 上九亦兩下說, 可以爲證. 無不利者, 與貫魚相反, 貫魚則不利矣. 傳云, 終無尤矣, 此謂疑若有尤而免於不利也. 不利與尤, 相帖, 爻義未詳, 只緣文爲解.

"물고기를 꿴다"는 것은 서로 이어져 나감으로, 반드시 옛말이 이와 같은 것이지 물고기로 상을 취한 것은 아니다. 초효부터 사효까지가 모두 깎아냄이어서 오효에서 그칠 리가 없으니, "물고기를 꿴다"는 연속하여 깎아냄을 말한다. 이와 같은 것이 반드시 흉함은 다시 드러낼 필요가 없으니, 상효의 "집을 허문다"와 같은 사례이다. '궁인'은 곧 집 안에 있는 사람이다. '총애'와 '업신여김'을 서로 비교해보면 총애는 너그럽게 감싼다는 뜻이니, "물고기를 꿴다"는 것과는 따로 설명한 것이 된다. 더욱이 상효의 군자・소인과 서로 대조해보면, 물고기를 꿰고서 멈추지 않는다면 끝내는 반드시 집을 허물지만, 궁인으로 총애를 받는다면 도리어 수레를 얻는 이로움이 있으니, 상구가 또한 둘로 설명한 것으로 증명할 수 있다. "이롭지 않음이 없다"는 "물고기를 꿴다"와 서로 반대되니, 물고기를 꿰는 이롭지 못함이다. 「상전」에서 "끝내 허물이 없는 것이다"고 하였는데, 이는 아마도 허물이 있는 것 같지만 이롭지 않음은 모면하였음을 말한다. '이롭지 않음'과 '허물'은 함께 보면 효의 뜻이 자세하지 않으니, 단지 문장에 따라서 해석해야 한다.


## 심조(沈潮) 「역상차론(易象箚論)」

六五, 貫魚, 以宮人寵.
육오는 물고기를 꿰어 궁인이 총애 받듯이 하니,


魚者, 外柔而骨梗, 如陰在陽位也. 位則陽而陽則長, 便是貫串象也. 五爲君位, 艮爲門闕, 而門闕之內, 群陰居焉, 宮女之象也. 陰在陽爻則內含章美, 美女之象也. 寵字, 冠頭者, 上戴陽爻, 如人之戴冠也, 從龍者, 龍乃在天之物, 而五爲天位也.

물고기는 밖은 부드럽고 뼈는 단단하니, 음이 양의 자리에 있는 것과 같다. 자리가 양의 자리이고 양효가 왔다면 우두머리이니, 바로 꿰뚫는 상이다. 오효는 임금의 지위가 되고, 간괘(☶)는 대궐의 문이 되어 대궐의 문 안에 여러 음이 있으니, 궁녀의 상이다. 음이 양효의 자리에 있으면 안으로 아름다움을 머금으니, 아름다운 여인의 상이다. '총(寵)'자에서 머리에 갓을 쓴 것은 위로 양효를 이고 있는 것이 사람이 관을 쓰고 있는 것과 같기 때문이며, 용(龍)자를 따른 것은 용이 하늘에 있는 물건이고 오효가 하늘의 자리가 되기 때문이다.

### 유정원(柳正源) 『역해참고(易解參攷)』

王氏曰, 處剝之時, 居得尊位, 爲剝之主者也. 剝之爲害, 小人得寵, 以消君子者也. 若能施寵小人, 似宮人而已, 不害於正, 則所寵雖衆, 終无尤也. 貫魚, 謂此衆陰也. 駢頭, 似貫魚也.

왕씨가 말하였다: 깎이는 때에 있으면서 높은 지위에 머무르고 있으니, 박괘의 주인이 되는 자이다. 깎아냄이 해가 됨은 소인이 총애를 얻어서 군자를 소멸하기 때문이다. 만약 소인에게 총애를 베푸는 것을 궁인과 같이 하여 바름에 해롭지 않을 수 있다면, 총애 받는 이가 많더라도 끝내 허물이 없다. '물고기를 꿰'은 이러한 여러 음을 말하고, '머리를 나란히 함'은 물고기를 꿰는 것과 같다.

傳, 別設. 〈案, 一无別字.〉
『정전』에서 말하였다: 별도로 세웠다. 〈내가 살펴보았다: 어떤 본에는 별(別)자가 없다.〉
小註, 平庵說.
소주에서 평암이 말하였다.
〈周禮註, 王之內以三三屬, 后有三夫人, 九嬪, 各屬三妃, 二十七世婦, 各屬九嬪, 八十一御妻, 各屬二十七世婦.
『주례』의 주석에서 말하였다: 왕의 내궁(內宮)은 셋 셋씩 무리를 이루니, 황후에게는 세 부인(夫人)이 있고, 아홉의 빈(嬪)은 각각 세 부인[妃]에게 속하며, 이십칠 후궁[世婦]은 각각 아홉의 빈에게 속하고, 팔십일 궁녀[御妻]는 각각 이십칠 후궁에게 속한다.〉

雲峯說, 朢前 [至] 先尊
운봉이 말하였다: 보름 이전에는 … 높은 궁인을 앞세운다.
〈周禮, 九嬪以時御敍于王所, 註群妃侍御之法, 月與后妃其象也, 卑者宜先, 尊者宜後. 女御八十一人, 當九夕, 世婦二十七人, 當三夕, 九嬪九人, 當一夕, 三夫人, 當一夕, 后當一夕, 十五日徧, 自望後反之. 月初卑者爲始, 月朢後尊者爲先, 所謂三五而盈, 三五而缺也.

『주례』의 "구빈(九賓)이 때에 맞추어 차례대로 왕의 침소에서 시중든다"에 대한 주석에 여러 비(妃)가 시중드는 방법은 달[月]과 후비가 그 상이니, 낮은 궁인을 앞세워야 하고 높은 궁인을 뒤에 세워야 한다. 궁녀[女御] 팔십일 인이 아홉 밤[九夕]을 담당하고, 후궁[世婦] 이십칠 인이 세 밤[三夕]을 담당하고, 구빈(九賓) 아홉 사람이 하룻 밤[一夕]을 담당하고, 세 부인(夫人)이 하룻 밤[一夕]을 담당하고, 황후가 하룻 밤[一夕]을 담당하니, 십오일에 두루 미치고는 보름 뒤로부터는 반대로 한다. 달의 초순에는 낮은 궁인이 먼저 하고, 달의 보름 뒤에는 높은 궁인이 먼저 하니, 이른바 삼오(三五)에 차고 삼오(三五)에 이지러진다는 것이다.〉

### 김상악(金相岳) 『산천역설(山天易說)』

魚陰物, 宮人衆妾也. 卦以上爲主, 故五爲小君之位. 艮體比坤, 爲衆陰之長, 承上九之陽, 故有貫魚以宮人寵. 反受制于陽也, 處剝而能如是, 无不利也. 或曰以宮人寵, 六五之君, 處待衆陰, 如宮人之寵.

'물고기'는 음의 물건이고, '궁인'은 여러 잉첩이다. 괘가 상효를 주인으로 삼기 때문에 오효는 소군(小君)의 지위가 된다. 간괘(☶)의 몸체가 곤괘(☷)를 가까이하여 여러 음의 우두머리가 되어서 상구의 양을 받들기 때문에 '물고기를 꿰어 궁인이 총애를 받듯이 함'이 있다. 도리어 양에게 제재를 받는 것인데, 깎이는 처지에 이와 같을 수 있다면 이롭지 않음이 없을 것이다. 어떤 이는 "궁인이 총애를 받듯이 함은 육오의 임금이 여러 음에 대한 대우를 궁인을 총애함과 같이 하는 것이다"라고 하였다.

○ 艮納丙, 魚出丙穴, 又魚陰物, 見姤九二. 一陽在上, 而五陰騈首於下, 故曰貫魚. 坤之衆婦, 居艮門闕之內, 宮人之象. 姤與遯, 陽消未極, 而其制陰之權, 猶在乎上, 故姤九二曰, 包有魚无咎, 遯九三曰, 畜臣妾吉. 觀與剝, 陰長已盛, 而其從陽之戒, 獨在乎近, 故觀六四曰, 利用賓于王, 剝六五曰, 以宮人寵无不利.

간괘(艮卦)는 납갑(納甲)[23]으로 병(丙)이니 물고기는 병혈(丙穴)[24]에서 나오고, 또 물고기는 음의 물건이니 구괘(姤卦䷫)의 구이에 나온다. 한 양이 위에 있고 다섯 음이 아래에서

---

[23] 납갑(納甲): 8괘를 천간(天干)에 나눠 배당한 것으로, 한대 역학자 경방(京房)이 고안하였다. 『경씨역전』에 따르면 건괘(乾卦)와 곤괘(坤卦) 두 괘는 내·외괘가 각기 천간을 받아들이지만, 나머지 6개 괘는 각기 하나의 천간을 받아들인다. 즉, 건괘(乾卦)의 경우 내괘는 갑(甲), 외괘는 임(壬)을 받고, 곤괘(坤卦)의 내괘는 을(乙), 외괘는 계(癸)를 받는다. 진괘(震卦)는 경(庚), 감괘(坎卦)는 무(戊), 간괘(艮卦)는 병(丙), 손괘(巽卦)는 신(辛), 리괘(離卦)는 기(己), 태괘(兌卦)는 정(丁)을 받아들인다.

[24] 병혈(丙穴): 입구가 병방(丙方, 남쪽)으로 향한 물속의 구멍을 말한다.

머리를 나란히 하므로 "물고기를 꿴다"고 하였다. 곤괘(☷)인 여러 부인이 간괘(☶)인 궁궐의 문 안에 있으니, 궁인의 상이다. 구괘와 돈괘(遯卦☰)는 양의 사라짐이 아직 다하지 않아서 음을 제재하는 권한이 여전히 위에 있으므로 구괘의 구이에서는 "꾸러미에 물고기가 있으니, 허물이 없다"고 하였고, 돈괘의 구삼에서는 "신첩을 기름에는 길하다"고 하였다. 관괘(觀卦☰)와 박괘는 음의 자라남이 이미 왕성하여 양을 따르게 경계시킴이 오직 가까운데 있으므로 관괘의 육사에서는 "왕에게 손님이 되는 것이 이롭다"고 하였고, 박괘의 오효에서는 "궁인이 총애 받듯이 하니 이롭지 않음이 없다"고 하였다.

### 김규오(金奎五) 「독역기의(讀易記疑)」

六五, 以宮人寵.

육오는 궁인이 총애 받듯이 한다.

義當率其類, 率是以字之釋. 然則以是左右之之以也.

『본의』에서 "그 무리를 이끈다"고 하였으니, 솔(率)은 '이궁인총(以宮人寵)'의 '이(以)'자에 대한 해석이다. 그렇다면 '이(以)'는 "좌지우지한다"의 '이(以)'자이다.

○ 義解釋落以字, 象解音與釋. 六二義解, 亦落凶字吐, 大抵義解多不致詳, 可疑.

『본의』의 풀이는 '이(以)'자를 누락하였고, 「상전」의 풀이도 음과 해석이 모두 누락되었다. 육이에 대한 『본의』의 해석도 흉(凶)자의 토를 누락하였으니, 대체로 『본의』의 풀이는 상세하지 못한 것이 많으니, 의심스럽다.

○ 爻辭无不利, 象終无尤, 无尤視无不利, 大故低了. 又終而无尤, 則其初之不能无尤, 可知. 大抵聖人於消長之際, 多引小人以遷改, 而其辭微婉, 故夫子從而稍著其本意耳. 傳所謂別設義者, 或以此耶.

효사의 "이롭지 않음이 없다"와 「상전」의 "끝내 허물이 없다"에서 '허물이 없음'은 '이롭지 않음이 없음'에 비해 크게 낮다. 또 끝에 가서 허물이 없다면 그 처음에도 허물이 없을 수 없음을 알 수 있다. 대체로 성인은 음양이 사라지고 자라나는 즈음에 소인을 이끌어 개과천선(改過遷善)하게 함이 많은데, 그 말이 은미하고 완곡하므로 공자가 말에 따라서 그 본래의 뜻을 좀 더 드러냈다. 『정전』에서 말한 "별도로 의미를 세웠다"는 혹 이 때문일 것이다.

## 서유신(徐有臣) 『역의의언(易義擬言)』

貫魚者, 非一魚之謂也, 宮人者, 畜群陰之謂也. 寵之者, 六五之君也. 宮妾數四, 恩寵均一, 宜無怨恨, 故无不利也. 貫魚之象, 惟坤及此爻當有之, 而坤之五尙有上六, 獨此爻乃有爲群陰之長之象, 又艮有畜止象也. 群陰爲宮人, 而不爲小人, 自有止剝之象. 此所謂順而止之也. 群陰在五爲宮人象, 在上九爲輿載象, 易之取象, 不可爲典要也.

"물고기를 꿴다"는 것은 물고기 한 마리를 말하는 것이 아니고, '궁인'이란 여러 음이 쌓였음을 말한다. 총애하는 것은 육오의 임금이다. 궁첩의 수가 넷이지만, 은총이 균일하여 마땅히 원한이 없으므로 이롭지 않음이 없다. 물고기를 꿰는 상은 곤괘(坤卦) 및 본 효에 마땅히 있어야 하는데 곤괘의 오효에는 여전히 상육이 있고, 오직 이 효만 여러 음의 우두머리가 되는 상이 있으며 또 간괘(☶)에 막아 그치는 상이 있다. 여러 음은 궁인이 되지만 소인은 되지 않으니, 스스로 깎아냄을 그치게 하는 상이 있어서이다. 이것이 이른바 순하여 그친다는 것이다. 여러 음은 오효에서는 궁인의 상이 되고, 상구에서는 수레가 싣는 상이 되니, 『주역』에서 상을 취하는 법은 일정한 법칙을 삼을 수 없다.

## 윤행임(尹行恁) 『신호수필(薪湖隨筆)·역(易)』

貫魚, 順序也. 嬪御以順從陽, 江沱樛木之所詠也, 所以順序者, 文王也.

'물고기를 꿴'은 차례에 따르는 것이다. 아홉의 빈(賓)과 궁녀[女御]가 순종함으로 양을 좇는 것은 『시경』의 「강타(江沱)」와 「규목(樛木)」에서 읊은 바이니, 차례를 따른 까닭은 문왕 때문이다.

## 강엄(康儼) 『주역(周易)』

按, 此爻辭專爲小人發. 然君子遇之, 則當奈何. 曰, 姤之九二曰包有魚, 言包裹初陰, 使不得進也. 遯之九三曰畜臣妾, 言畜養小人, 使之感化也. 君子遇此爻, 若能包容群小, 如魚之在貫, 而皆入統率, 又必待之如宮人, 而懷之以寵, 使之漸麼, 而自化則有膠[25]合乎此爻之象, 而无不利矣. 若是則君子之待小人, 无乃失之太柔乎. 曰, 夬[26]五陽凌一陰, 其勢易, 故九五曰夬夬,[27] 而猶曰莧陸, 則見其決之猶難也. 況此卦是五陰剝一陽, 乃群小滿朝, 而一君子獨立之時. 君子於此, 欲以剛果制之, 則未必動小人之

---

25) 膠: 경학자료집성DB와 영인본에는 모두 '□'로 되어 있으나, 문맥을 살펴 '膠'로 바로잡았다.
26) 夬: 경학자료집성DB와 영인본에는 모두 '支'로 되어 있으나, 문맥을 살펴 '夬'로 바로잡았다.
27) 夬夬: 경학자료집성DB와 영인본에는 모두 '支支'로 되어 있으나, 문맥을 살펴 '夬夬'로 바로잡았다.

一毛, 而禍已及於其身矣. 具必如此爻之象, 然後內不失已, 外不速禍, 而又有化惡爲善之效矣.

내가 살펴보았다: 여기의 효사는 전적으로 소인을 위하여 말하였다. 그러나 군자가 그것을 만나면 마땅히 어찌해야 하겠는가? 구괘(姤卦)의 구이에서 "꾸러미에 고기가 있다"고 한 것은 초효의 음을 감싸서 나아가지 못하게 함을 말하며, 돈괘(遯卦)의 구삼에서 "신첩을 기른다"고 한 것은 소인을 길러 감화시키는 것을 말한다. 군자가 이 효를 만남에 만약 여러 소인을 포용하기를 물고기가 꿰어 있는 것처럼 할 수 있어서 모두 통솔하는 데로 들어가고, 또 반드시 대접하기를 궁인처럼 하여 총애로 품어서 점차 지휘하여 절로 교화되게 한다면, 이 효의 상에 굳게 합함이 있어 이롭지 않음이 없을 것이다. 이와 같다면 군자가 소인을 대함에 지나치게 유약하게 하는 잘못이 아니겠는가? 쾌괘(夬卦)는 다섯 양이 한 음을 업신여기다가 형세가 바뀌므로 구오에서 "결단하고 결단한다"고 하였지만 오히려 '비름나물'이라고 하였으니, 그 결단함이 여전히 어려움이 나타난다. 더욱이 이 효는 다섯 음이 한 양을 깎아냄이니, 바로 여러 음이 조정에 가득 찼는데 군자 혼자 외롭게 서있는 때이다. 군자가 여기에서 굳세고 과단성 있게 제재하고자 한다면, 반드시 소인의 털끝 하나도 움직이지 못하고 화가 자신의 몸에 미치게 될 것이다. 반드시 이 효와 같은 상을 갖춘 뒤에야 안으로는 자신을 잃지 않고, 밖으로는 화를 급박하지 않게 하여 또 악을 변화시켜 선이 되게 하는 효험이 있을 것이다.

## 박문건(朴文健) 『주역연의(周易衍義)』

統下四陰, 故有貫魚之象. 魚, 陰物也, 寵, 寵遇也. 以宮人寵, 勉辭也.

아래의 네 음을 통솔하므로 '물고기를 꿰는' 상이 있다. '물고기'는 음의 물건이고, '총애'는 총애하여 특별히 대우함이다. '궁인이 총애 받듯이 함'은 권면하는 말이다.

〈問, 貫魚以宮人寵无不利. 曰, 六五統下四陰之美, 不无逼上之嫌也. 若率其類, 而顧於上, 則是以宮人之寵, 遇其上也. 如是則終必无尤也. 蓋五統諸陰, 而進順於上者, 如后率諸宮, 而進御於王, 故取此義也.

물었다: "물고기를 꿰어 궁인이 총애 받듯이 한다면 이롭지 않음이 없다"는 무슨 뜻입니까? 답하였다: 육오가 아래의 아름다운 네 음을 거느리기에 상효를 핍박한다는 혐의가 없지 않지만, 만약 그 무리를 이끌고 상효에게 돌아간다면 이는 궁인의 총애받음으로 그 상효를 만나는 것입니다. 이와 같다면 끝내 허물이 없을 것입니다. 오효가 여러 음을 거느리고서 상효에게 나아가 순종하는 것은 황후가 여러 궁인을 거느리고 임금에게 나아가 시중드는 것과 같으므로 이 뜻을 취하였습니다.〉

### 이지연(李止淵)『주역차의(周易箚疑)』

剝一卦爲重體之艮, 一陽止於上, 此非在下五陰之所可剝者, 況有六五之中德, 中德之人, 本无犯上之事.

박괘는 거듭된 몸체가 간괘(☶)가 되어 한 양이 맨 위에서 그쳤으니, 이는 아래에 있는 다섯 음이 깎아낼 수 있는 것이 아니다. 하물며 육오의 알맞은 덕이 있으니, 알맞은 덕을 가진 사람은 본래 윗사람을 범하는 일이 없다.

### 김기례(金箕澧)「역요선의강목(易要選義綱目)」

剝至五, 小人之用事極矣, 別喩小人遷善之道.

깎아냄이 오효에 이르러 소인의 일에 쓰임이 다하였기에, 따로 소인에게 착하게 되는 도를 깨우친 것이다.

○ 陰居君位, 則當以后妃之禮率宮妾, 獲寵於上陽, 則无不利.

음이 임금의 자리에 있으면 마땅히 후비의 예(禮)로 궁첩을 이끌어야 하고, 상효의 양에게 총애를 얻으면 이롭지 않음이 없다.

○ 以陰統陰, 故雖善, 不曰吉, 而曰无不利.

음으로 음을 거느리므로 비록 선하더라도 '길하다'고 하지 않고 "이롭지 않음이 없다"고 하였다.

○ 蓋聖人回邪入正之意功矣.

대개 성인이 사악함을 고쳐 바름에 돌아가게 하는 뜻이 절실하다.

○ 魚, 陰物, 貫, 指連陰.

'물고기'는 음의 물건이고, '꿴다'는 음을 연결함을 가리킨다.

### 윤종섭(尹鍾燮)『경(經)・역(易)』

貫魚以宮人寵.

물고기를 꿰어 궁인이 총애를 받듯이 한다.

五以陰居尊, 有后妃之象, 群陰連進, 爲貫魚. 卦自姤而進, 有巽體. 巽爲魚而震爲龍. 四以下近后, 爲宮人而寵於五也.

오효는 음으로 높은 자리에 있으니 후비(后妃)의 상이 있고, 여러 음이 이어서 나아가 '물고기를 꿰는 것'이 된다. 괘가 구괘(姤卦)로부터 나아가서 손괘의 몸체가 있는데, 손괘(☴)는 물고기가 되고, 음양이 바뀐 진괘(☳)는 용이 된다. 사효 이하는 후비에 가까워 궁인이 되어 오효에게 총애를 받는다.

### 허전(許傳)「역고(易考)」

五率群陰, 如貫魚之有序, 受制於陽, 如宮人之獲寵於君, 則無不利也.

오효가 여러 음을 이끌기를 물고기를 순서대로 꿰는 듯이 하고, 양에게 제재를 받기를 궁인이 임금에게 총애를 얻듯이 한다면 이롭지 않음이 없다.

### 심대윤(沈大允)『주역상의점법(周易象義占法)』

剝之觀☶☷, 觀仰也. 六五居剛得意, 爲衆陰之長, 爲所觀仰, 而巽順于上九, 故曰貫魚以宮人寵. 巽繩艮取爲貫, 坤一變爲艮, 再變爲坎, 坎爲魚, 五陰皆在艮下, 故曰魚. 六五變其剝志而從上, 故取變也. 兌爲宮, 坤爲人, 以言貫魚之率其類則取變, 以言從上則取下卦之對, 大畜有兌艮, 爲寵小人. 率其朋類媚巽, 事上而无異意者, 君子之利也. 剝之世, 不論君位與中正也. 夫陽不得陰之助, 不成歲功, 君子不藉小人之力, 不能以有爲. 陰不得意而動, 則剝乎陽, 小人得意而靜, 則反爲君之子用矣. 山在地上, 地動則剝山, 地靜則山峙, 地恃山爲高, 山恃地爲基, 動則交相害, 靜則交相利也.

박괘가 관괘(觀卦☶☷)로 바뀌었으니, 우러러 봄이다. 육오는 굳센 양의 자리에 있어 뜻을 얻었기에 여러 음의 우두머리가 되고 우러러 보는 바가 되어서 상구에게 공손하므로 "물고기를 꿰어 궁인이 총애 받듯이 한다"고 하였다. 손괘(☴)의 먹줄과 간괘(☶)의 취함이 꿰는 것이 되며, 곤괘(☷)가 한 번 변하여 간괘가 되고 두 번 변하여 감괘(☵)가 되면 감괘는 물고기가 되고, 다섯 음이 모두 간괘의 아래에 있으므로 '물고기'라고 하였다. 육오는 그 깎아내는 뜻을 변화시켜 상효를 따르므로 변한 괘에서 취하였다. 태괘(☱)는 궁(宮)이 되고 곤괘(☷)는 사람이 되는데, 물고기를 꿰듯 그 무리를 이끌음을 말한다면 변한 괘에서 취하고, 상효를 따름을 말한다면 하괘의 반대괘에서 취했으니, 대축괘(大畜卦☶)에는 태괘와 간괘가 있어 소인을 총애함이 된다. 그 같은 무리를 이끌어 아첨하고 공손하며 윗사람을 섬기면서 다른 뜻이 없는 것이 군자의 이로움이다. 깎아내는 때에는 임금의 자리와 중정함을 논하지 않는다. 양은 음의 도움을 얻지 못하면 한 해의 공을 이루지 못하고, 군자는 소인의 힘을 빌리지 않으면 훌륭한 일을 할 수 없으며, 음이 뜻을 얻지 못하고 움직이면 양을 깎아내고, 소인이 뜻을 얻어 고요하면 도리어 군자의 쓰임이 된다. 산이 땅위에 있어 땅이 움직이면 산을 깎아내고, 땅이 고요하면 산이 우뚝 솟으며, 땅은 산이 높게 됨을 믿고 산은 땅이 기초가 됨을 믿으니, 움직이면 서로 해가 되고, 고요하면 서로 이롭게 된다.

### 오치기(吳致箕) 「주역경전증해(周易經傳增解)」

六五, 以柔居剛而得中, 爲群陰之長, 承上九之陽而切比. 乃以其類順序以進, 受制於陽, 有貫魚以宮人寵之象, 卽小人之聽命於君子者也. 尤善於六三之從陽者, 故言无攸不利也.

육오는 부드러운 음으로 굳센 양의 자리에 있고 알맞음을 얻어 여러 음의 우두머리가 되고, 상구의 양을 받들어 아주 가까이 한다. 이에 그 무리로써 순서대로 나아가 양에게 제재를 받아 물고기를 꿰어 궁인이 총애를 받듯이 하는 상이 있으니, 곧 소인이 군자에게 명령을 듣는 것이다. 육삼이 양을 따르는 것보다 더욱 좋은 것이기 때문에 "이롭지 않은 바가 없다"고 하였다.

○ 魚陰物, 故取喩, 而爻變之巽, 爲魚之象. 貫魚有鱗次, 而五陰列兩旁之象, 亦以巽爲繩, 故言貫也. 五爲君位, 而君之所居曰宮也. 以柔居尊, 故以后妃取喩, 言統領宮人, 以次上進, 如貫魚之象, 而獲其寵也. 五爲剝之極, 而其辭如此者, 聖人所以開小人遷善之門, 意甚厚矣.

물고기는 음의 물건이므로 비유를 취하였는데, 효가 변한 손괘(☴)가 물고기의 상이 된다. 물고기를 꿰에는 비늘의 순서가 있으니 다섯 음이 양쪽 곁으로 열거하는 상이며, 또한 손괘로 먹줄을 삼았기 때문에 "꿴다"고 하였다. 오효는 임금의 자리가 되고, 임금이 머무는 곳을 '궁(宮)'이라고 한다. 음으로 높은 자리에 있기 때문에 후비(后妃)로 비유를 삼았는데, 궁인을 거느리고 순서에 따라 위로 나아가게 함이 물고기를 꿰는 상과 같아 그 총애를 얻음을 말한다. 오효는 깎아냄의 끝이 되는데 그 말이 이와 같은 것은, 성인이 소인에게 선으로 옮기는 문을 열어 주고자 한 것이니, 뜻이 매우 깊다.

### 이진상(李震相) 『역학관규(易學管窺)』

艮六五所臨之卦, 例无匈占, 而此爻變而之巽, 巽有魚象, 姤之包魚, 是也. 巽爲繩爲陰木, 又可以貫魚者也. 艮爲闕, 五四皆人位, 故曰宮人, 巽又長女也. 蓋五爲群陰之主, 消剝一陽, 有尤之甚, 宜乎匈矣, 此言无不利, 傳謂別設義以開遷善之門, 然其實, 則六五自有是德, 艮體篤厚, 有尙賢之義. 故蠱六五曰承以德, 頤六五曰順以從上, 損六五曰自上佑. 至如賁之有喜, 蒙之順巽, 莫非從上之吉德, 則至於剝而何獨不然乎. 若本无是象, 而聖人別設一義, 則□□其開物成務, 成天下之亹亹者乎. 定軒說亦如此.

간괘(艮卦)는 육오가 임한 괘로 사례에 흉한 점이 없는데, 이 효가 변하여 손괘(☴)가 되었고, 손괘에는 물고기의 상이 있으니 구괘의 '꾸러미의 물고기'가 이것이다. 손괘는 먹줄이 되고 음의 나무가 되니, 또한 물고기를 꿸 수 있는 것이다. 간괘는 대궐이 되고, 오효와 사효는 모두 사람의 자리이므로 '궁인'이라고 하였는데, 손괘는 또 맏딸이다. 오효는 여러 음의 주인이 되어 한 양을 사라지게 깎아냄이 아주 심함이 있어서 흉함이 마땅하지만, 여기서는 "이롭지 않음이 없다"고 하였다. 『정전』에서 "별도로 의미를 세워서 선으로 옮기는 문을 열어주었다"고 하였지만, 그 실상은 육오에게 스스로 이러한 덕이 있고, 간괘의 몸체가 돈독하고 두터워 어진 이를 숭상하는 뜻이 있다. 그러므로 고괘(蠱卦☶)의 육오에서는 "덕으로 받들다"고 하였고, 이괘(頤卦☶)의 육오에서는 "순조롭게 상구를 따르기 때문이다"라고 하였으며, 손괘(損卦☶)의 육오에서는 "위로부터 돕는다"고 하였다. 비괘(賁卦)의 "기쁨이 있다"거나 몽괘(蒙卦)의 '순종하고 공손함'과 같은 것이 상효를 따르는 길한 덕 아닌 것이 없는데, 박괘에 있어서는 어찌하여 유독 그렇지 않은 것인가? 만약 본래 이러한 상이 없는데 성인이 별도로 뜻을 가설하였다면, 어찌 그 '만물을 열고 일을 이루어 천하의 부지런히 애씀을 이루는 것'[28]이겠는가? 정헌(定軒)[29]의 설명이 또한 이와 같다.

## 이병헌(李炳憲) 『역경금문고통론(易經今文考通論)』

程傳曰, 五群陰之主, 魚陰物. 五能使群陰順序如貫魚然, 反獲寵愛於在上之陽, 如宮人, 則无所不利也.

『정전』에서 말하였다: 오효는 여러 음의 주인이고 물고기는 음의 물건이다. 오효가 여러 음을 순서대로 물고기를 꿰듯이 하여 도리어 위에 있는 양에게 총애 받기를 궁인처럼 한다면 이롭지 않음이 없다.

鄭乾鑿度注云, 陽衰之時, 若能執柔順, 以奉承君子, 若魚之序, 然後能寵无不利也.

정강성의 『주역건착도』 주에 말하였다: 양이 쇠퇴하는 때에는 유순함을 잡고서 군자를 받들기를 물고기를 순서대로 함과 같이 한 뒤에야 총애하여 이롭지 않음이 없을 것이다.

---

28) 『周易·繫辭傳』.

29) 정헌(定軒: 1799~1870): 본관은 여주(驪州), 자는 숙여(淑汝)이다. 농재(聾齋) 이언괄(李彦适)의 후손으로, 이름은 종상(鍾祥)이다. 1831년(순조 31) 진사시에 급제하여 장릉참봉을 거쳐 돈녕부주부·한성부관관 등을 역임하였다. 1862년 민란으로 어지럽던 개령(開寧:김천시) 지역에 현감으로 파견되어 민심을 잘 수습하였으며, 이후 강원도사에 임명되었다. 1866년(고종 3) 경상도 소모사(召募使), 이듬해 가리포첨사(加里浦僉使)에 제수되었고 세상을 떠난 후 도헌(都憲) 겸 제주(祭酒)에 증직되었다. 저서에 『정헌문집(定軒文集)』이 있다.

象曰, 以宮人寵, 終无尤也.

「상전」에서 말하였다: "궁인이 총애 받듯이 함"은 끝내 허물이 없는 것이다.

## ‖中國大全‖

### 傳

群陰消剝於陽, 以至於極, 六五若能長率群陰, 駢首順序, 反獲寵愛於陽, 則終无過尤也. 於剝之將終, 復發此義, 聖人勸遷善之意, 深切之至也.

여러 음이 양을 사라지게 깎아내어 궁극에 이르렀으니, 육오가 여러 음을 우두머리처럼 거느려서 머리를 나란히 하고 순서대로 하여 도리어 양에게 총애를 받는다면, 끝내 허물이 없을 것이다. 깎아 냄을 마치려 함에 이 뜻을 다시 말하였으니, 성인이 선으로 옮기려고 장려한 뜻이 지극히 깊고 간절하다.

### 小註

平菴項氏曰, 剝之五陰, 但用於午未申酉戌之月, 亦在天道未爲不利也. 若用於陽月, 以侵發生之事, 則爲厲氣耳. 此爻別明後宮之義, 而象釋之曰, 終无尤者, 以見小人但以此寵之, 則終無害也.

평암항씨가 말하였다: 박괘(剝卦䷖)의 다섯 음을 '오·육·칠·팔·귀午·未·申·酉·戌'월에만 사용할 뿐이면, 또한 천도에 이롭지 않음이 없다. 만약 양월(陽月)에 사용하여 펼쳐 나오는 일을 침범한다면 사나운 기운이 될 뿐이다. 여기의 효에서 별도로 후궁의 뜻을 밝히고, 「상전」에서 "끝내 허물이 없다"라고 해석하였으니, 소인이 이렇게 해서 총애를 받을 뿐이라면 끝내 해로움이 없음을 알겠다.

○ 雙湖胡氏曰, 易以天道明人事. 卦至九月, 五陰旣長, 謂觀九五不剝, 爲陰不可也. 特聖人繫爻, 不言陰剝陽, 但言處剝之道, 此便是扶陽抑陰, 挽囬世道之意. 雖然, 亦卦爻本有此象, 聖人因而發之, 陰陽消長, 固有自然之勢, 人事之盡, 自有轉移之妙也.

쌍호호씨가 말하였다: 『주역』은 하늘의 도로 사람의 일을 밝힌다. 괘가 구월에 이르러 다섯 음이 이미 성장했는데도 "관괘(觀卦▦)의 구오(九五)가 깎이지 않았다"고 하니 음이 될 수 없기 때문이다. 특별히 성인이 효를 설명하면서 음이 양을 깎아냄을 말하지 않고, 단지 깎임에 대처하는 도를 말하였으니, 이는 양을 북돋우고 음을 억눌러 세상의 도리를 만회하려는 의도이다. 비록 그렇지만 또한 괘효에 본래 이런 상이 있어서 성인이 그것을 근거로 말하였으니, 음과 양이 사라지고 자라남에는 진실로 자연스러운 추세가 있으며, 사람의 일을 극진함에도 자연스럽게 옮겨가는 묘함이 있다.

## ▌韓國大全▐

### 김상악(金相岳) 『산천역설(山天易說)』

未離乎剝, 雖不得吉, 陰從于陽, 終无尤也.
깎아냄에서 아직 벗어나지 않아서 비록 길함을 얻지 못하였으나, 음이 양을 따르니 끝내 허물이 없다.

### 서유신(徐有臣) 『역의의언(易義擬言)』

宮人, 不當剝害君子, 故曰終无尤, 終指上九也.
궁인이 당연히 군자를 깎아내고 해치지 않기 때문에 "끝내 허물이 없다"고 했으니, '끝내[終]'는 상구를 가리킨다.

### 오치기(吳致箕) 「주역경전증해(周易經傳增解)」

率其類而聽命於陽, 終能遷善而无尤也.
그 무리를 이끌고서 양에게 명을 들으니, 끝내 선으로 옮겨서 허물이 없을 수 있다.

# 上九, 碩果不食, 君子得輿, 小人剝廬.

상구는 큰 열매가 먹히지 않은 것이니, 군자는 수레를 얻고 소인은 집을 허물 것이다.

## ║中國大全║

### 傳

諸陽消剝已盡, 獨有上九一爻尙存, 如碩大之果不見食, 將見復生之理. 上九亦變則純陰矣, 然陽无可盡之理, 變於上, 則生於下, 无間可容息也. 聖人發明此理, 以見陽與君子之道不可亡也. 或曰, 剝盡則爲純坤, 豈復有陽乎. 曰, 以卦配月, 則坤當十月. 以氣消息言, 則陽剝爲坤, 陽來爲復, 陽未嘗盡也. 剝盡於上, 則復生於下矣, 故十月謂之陽月, 恐疑其无陽也. 陰亦然, 聖人不言耳. 陰道盛極之時, 其亂可知, 亂極則自當思治. 故衆心願載於君子, 君子得輿也, 詩匪風下泉, 所以居變風之終也. 理旣如是, 在卦, 亦衆陰宗陽, 爲共載之象. 小人剝廬, 若小人則當剝之極, 剝其廬矣, 无所容其身也. 更不論爻之陰陽, 但言小人處剝極則及其廬矣, 廬, 取在上之象. 或曰, 陰陽之消, 必待盡而後, 復生於下, 此在上, 便有復生之義, 何也, 夬之上六, 何以言終有凶. 曰, 上九居剝之極, 止有一陽. 陽无可盡之理, 故明其有復生之義, 見君子之道不可亡也. 夬者, 陽消陰, 陰, 小人之道也, 故但言其消亡耳. 何用更言卻有復生之理乎.

여러 양이 사라지고 깎임이 이미 다하고 단지 상구 한 효만 남아 있으니, 큰 열매가 먹히지 않아서 다시 생겨나는 이치를 보는 것과 같다. 상구마저 변하면 순수한 음이 되지만 양이 다하는 이치는 없으니, 위에서 변하면 아래에서 생겨나 사라질 틈이 없다. 성인이 이 이치를 드러내 밝혀 양과 군자의 도가 없을 수 없음을 드러냈다. 어떤 이가 "깎아냄이 다하면 순수한 곤괘(坤卦)인데 어찌 다시 양이 있습니까?"라고 물었다. 답하기를, "괘를 달[月]에 배치하면 곤괘는 시월에 해당합니다. 기운의 사라짐과 자라남으로 말하면, 양이 깎여서 곤괘(坤卦䷁)가 되면 양이 와서 복괘(復卦䷗)가 되니, 양이 다한 적이 없습니다. 깎아냄이 위에서 다하면 아래에서 다시 생기므로 시월을 양월이라고 하니, 양이 없을 거라고 의심하기 때문인 듯합니다. 음도 그렇지만 성인이 말하지 않았을 뿐입니다"라고 하였다. 음의 도가 지극히 성대할 때는 혼란함을 알만하기에 혼란이 극에 달하면 당연히 다스릴 것을 생각한다. 그러므로 사람들이 속으로 군자를 추대하기를 원하니, 군자가 수레를 얻는 것이며, 『시경』의 「비풍(匪風)」과 「하천(下泉)」이 그래서 변풍(變風)의 끝에 있는 것이다. 이치가 이미 이와 같고 괘에서도 여러 음이 양을 높이니, 함께 추대하는 상이 된다. "소인이 집을 허물 것이다"는 만약 소인이라면 깎아냄이 다할 때에 그 집을 허물어 그 몸을 용납할 곳이 없다는 것이다. 다시 효의 음양을 논하지 않고, 단지 소인은 깎아냄이 다할 때에 그 집에까지 미친다고 함이니, 집은 위에 있는 상을 취한 것이다. 어떤 이가 "음양이 사라짐이 반드시 다하기를 기다린 뒤에야 다시 아래에서 생겨나는데, 여기에는 상효에 다시 생겨나는 뜻이 있는 것은 무엇 때문이며, 쾌괘(夬卦☱)의 상육에서는 어째서 '마침내 흉하다'[30]고 하였습니까?"라고 물었다. 답하기를, "상구는 깎아냄의 끝에 있어 하나의 양이 있을 뿐입니다. 그런데 양은 다하는 이치가 없기 때문에 다시 생긴다는 뜻이 있음을 밝혀서 군자의 도가 없을 수 없음을 드러냈습니다. 쾌괘(夬卦☱)는 양이 음을 사라지게 함인데, 음은 소인의 도이기 때문에 그것이 없어지는 것만 말했을 뿐입니다. 어찌 다시 생겨나는 이치가 있음을 재론할 필요가 있겠습니까?"라고 하였다.

### 小註

或問, 十月何以謂之陽月. 程子曰, 十月謂之陽月者, 陽盡恐疑於无陽也, 故謂之陽月也. 然何時无陽. 如日有夜光之類, 蓋陰陽之氣, 有常存而不移者, 有消長而无窮者.

어떤 이가 물었다: 시월을 무엇 때문에 양월이라고 합니까?

정자가 답하였다: 시월을 양월이라고 한 것은 양이 다하여 양이 없다고 의심할까 염려했기 때문에 양월이라고 하였습니다. 그러나 어느 때인들 양이 없겠습니까? 해에도 야광이 있음과 같은 부류이니, 대체로 음양의 기운은 상존하여 옮겨가지 않는 경우도 있고, 사라지고 자라나서 다함이 없는 경우도 있습니다.

○ 或問, 伊川云, 陽无可盡之理, 剝於上則生於下, 无間可容息也. 變於上, 則生於下矣, 乃剝復相因之理, 畢竟須經由坤, 坤卦純陰无陽. 如此則陽有斷滅也, 何以能生於復. 朱子曰, 凡陰陽之生, 一爻當一月, 須是滿三十日, 方滿得那腔子, 做得一畫成. 今坤卦非是無陽, 陽始生甚微, 未滿那腔子, 做一畫未成, 非是坤卦純陰便无陽也. 然此亦不是甚深奧事. 但伊川當時解不曾分曉道與人, 故令人做一件大事看.

어떤 이가 물었다: 이천은 "양은 다하는 이치가 없으니, 위에서 깎이면 아래에서 생겨나 사라질 틈이 없다"고 하였습니다. 위에서 변하면 아래에서 생겨나는 것은 바로 박괘(剝卦☶)와 복괘(復卦☳)가 서로 말미암는 이치이니, 끝내는 반드시 곤괘(坤卦☷)를 경유하고, 곤괘는 순수한 음이어서 양이 없습니다. 이와 같다면 양은 끊어져 사라졌는데, 어떻게 복괘에서

---

30) 『周易·夬卦』: 上六, 无號, 終有凶.

다시 생겨납니까?

주자가 답하였다: 음과 양이 생겨남에 한 효는 한 달에 해당하니, 반드시 삼십일이 꽉 차야 빈 것을 채워 하나의 획이 이루어질 수 있습니다. 지금 곤괘(坤卦䷁)는 양이 없는 것이 아니라 양이 아주 미미하게 처음 나와 아직 빈 것을 채우지 못하여 획을 이루지 못한 것이니, 곤괘의 순수한 음에 양이 없는 것이 아닙니다. 그러나 이것도 아주 심오한 일은 아닙니다. 다만 이천이 당시에 사람들에게 말해준 것이 분명하지 못했기 때문에 사람들이 하나의 큰 일로 간주했던 것입니다.

○ 自觀至剝, 三十日剝方盡, 自剝至坤, 三十日方成坤. 三十日陽漸長, 至冬至方是一陽, 第二陽方從此生. 陰剝每日剝三十分之一, 一月方剝得盡, 陽長每日長三十分之一, 一月方長得成一陽. 陰剝時, 一日十二刻, 亦每刻中漸漸剝, 全一日方剝得三十分之一, 陽長之漸, 亦如此. 問, 十月何以爲陽月. 曰, 剝盡爲坤, 復則一陽生也. 復之一陽不是頓然便生, 乃是自坤卦中積來. 且一月三十日, 以復之一陽分作三十分, 從小雪後, 便一日生一分. 上面趲得一分, 下面便生一分, 到十一月半, 一陽始成也, 以此便見得天地無休息處.

관괘(觀卦䷓)에서 박괘(剝卦䷖)까지는 삼십일이면 깎아냄이 막 다하고, 박괘(剝卦䷖)부터 곤괘(坤卦䷁)까지는 삼십일이면 곤괘가 막 이루어진다. 삼십일 동안 양이 점점 자라서 동지가 되면 이제 양이 하나인 것이니, 두 번째 양은 여기에서 나온다. 음의 깎아냄이 매일 삼십분의 일씩 깎아내어 한 달이면 깎아냄이 다할 수 있고, 양의 자라남이 매일 삼십분의 일씩 자라서 한 달이면 하나의 양을 이룰 수 있다. 음이 깎아낼 때는 하루 십이 시각에도 시각마다 점점 깎아내어 하루가 되면 깎아냄이 삼십분의 일을 얻고, 양이 점차로 자라남도 이와 같다. 물었다: 시월을 어째서 양월이라고 합니까?

답하였다: 박괘(剝卦䷖)가 다해 곤괘(坤卦䷁)가 되고, 복괘(復卦䷗)에서 하나의 양이 나오는데, 복괘의 한 양은 갑자기 생겨난 것이 아니라, 바로 곤괘에서 쌓여서 온 것입니다. 또한 달 삼십일을 복괘의 한 양으로 삼십분하여 나누면, 소설 이후에 곧 하루에 일분씩 나옵니다. 위로 일분씩 흩어지면 아래로 다시 일분씩 나와서 시월 중반이 되면 하나의 양이 비로소 이루어지니, 이것으로 천지가 쉬지 않음을 알 수 있습니다.

○ 雙峯饒氏曰, 十月雖當純坤之月, 而其序介乎剝復二卦之間. 以言乎前半月, 則有剝而未盡之陽, 小雪以前, 以言乎後半月, 則有復而方生之陽, 小雪以後. 剝之陽方盡於上, 而復之陽已生於下矣, 是烏得爲无陽乎. 知十月之非无陽, 則四月之非无陰亦可知矣, 此陰陽消息之理, 至精至微. 自程傳始發之, 然所言者其理耳, 而未有以驗其氣數之必然也. 朱子又從而推明之曰, 是當以一爻分三十分, 陰陽日進退一分, 剝之陽剝於九月之霜降, 而盡於十月之小雪, 復之陽則生於小雪, 而成於十一月之冬至, 夬之陰決於三月之穀雨, 而盡於四月之小滿, 姤之陰, 則生於小滿, 而成於五月之夏至. 於是理與數合, 然後知陰陽絶續之際, 果無一息之間斷, 而程子之言爲益信矣.

쌍봉요씨가 말하였다: 시월은 당연히 순수한 곤괘(坤卦)의 달인데, 그 순서가 박괘(剝卦䷖)와 복괘(復卦䷗) 사이에 끼어 있다. 앞의 반달을 말하면 깎아내지만 다하지 않은 양이 있으니, 소설(小雪) 이전이고, 뒤의 반달을 말하면 돌아와서 막 나오려는 양이 있으니, 소설 이후이다. 박괘(剝卦䷖)의 양이 위에서 다하자마자 복괘(復卦䷗)의 양이 이미 아래에서 나오니, 어찌 양이 없는 것이겠는가? 시월에 양이 없는 것이 아님을 알면 사월에 음이 없는 것이 아님도 알 수 있으니, 이렇게 음과 양이 사라지고 자라나는 이치는 지극히 정교하고 오묘하다. 정자가 이것을 처음 밝혔지만 말한 것이 이치뿐이어서 그 기수(氣數)가 반드시 그러함을 검증하지는 못했다. 주자가 또 정자를 따라서 "이것은 한 효를 삼십분으로 나눈 것이니, 음과 양은 하루에 일분씩 나아가고 물러난다. 박괘(剝卦䷖)의 양은 구월의 상강(霜降)에 깎여 시월의 소설(小雪)에 다하고, 복괘(復卦䷗)의 양은 소설에 나와 십일월의 동지에 이루어지며, 쾌괘(䷪)의 음은 삼월의 곡우(穀雨)부터 열려서 사월의 소만(小滿)에 다하고, 구괘(姤卦䷫)의 음은 소만부터 나와 오월의 하지에 이루어진다"고 미루어 밝혔다. 여기서 이치와 기수가 합쳐진 다음에야, 음과 양이 끊어지고 이어지는 사이가 과연 조금도 중단됨이 없음을 알아서 정자의 말을 더욱 믿게 될 것이다.

○ 建安丘氏曰, 剝, 爛也, 復, 反也. 剝之上九變, 則爲復之初九, 自最高而最下, 自剝爛而復生, 故有碩果不食之象. 木脫僵立, 幾无一毫生意者, 此純坤之象也, 而生意已在其根矣, 此自坤而復也. 木末猶有碩大之果, 不爲人所食, 則亦剝爛墜而已矣. 墜則生之所起, 果中有核實也, 核中有仁, 仁也. 仁則生矣, 此自剝而復也. 陽無可盡之理, 故剝卽爲復, 不必六自坤而復也.

건안구씨가 말하였다: 박(剝)은 문드러지는 것이고, 복(復)은 되돌아오는 것이다. 박괘(剝卦䷖)의 상구가 변하면 복괘(復卦䷗)의 초구가 되니, 가장 높은 곳으로부터 가장 내려오고 가장 깎여 문드러졌다가 다시 나오는 것이므로 큰 열매가 먹히지 않는 상이 있다. 헐벗은 나무처럼 꼿꼿이 서서 거의 한 터럭의 생의(生意)도 없는 것이 순수한 곤괘(坤卦)의 상이지만 생의는 벌써 뿌리에 있으니, 이것이 곤괘로부터 돌아오는 것이다. 나무 끝에 큰 열매가 있어도 사람들에게 먹히지 못한다면 또한 깎여서 문드러지고 떨어질 뿐이다. 떨어지면 곧 생기가 나오는 것은 열매 속에 씨앗이 있기 때문인데, 씨앗에 씨눈[仁]이 있음이 인(仁)이다. 인하면 나올 것이니, 이것이 박괘(剝卦䷖)로부터 돌아오는 것이다. 양은 다하는 이치가 없기 때문에 박괘(剝卦䷖)가 바로 복괘(復卦䷗)가 되니, 반드시 상육이 곤괘(坤卦䷁)에서 돌아오는 것은 아니다.

**本義**

一陽在上, 剝未盡而能復生, 君子在上, 則爲衆陰所載, 小人居之, 則剝極於上, 自失所覆, 而无復碩果得輿之象矣. 取象旣明, 而君子小人, 其占不同, 聖人之情, 益可見矣.

하나의 양이 위에 있어서 깎임이 다하지 않고 다시 나올 수 있는데, 군자가 위에 있으면 여러 음이 추대하는 것이 되고, 소인이 있으면 깎아냄이 위에서 다하여 스스로 덮어주는 것을 잃어 다시 큰 열매와 수레를 얻는 상이 없다. 상을 취함이 이미 분명하고 군자와 소인은 그 점이 같지 않으니, 성인의 심정을 더욱 알 수 있다.

**小註**

朱子曰, 上九, 一陽在上, 如碩大之果, 人不及食而獨留. 如君子在上, 而小人皆載於下, 則是君子之得輿也. 然小人雖載君子, 而乃欲自下而剝之, 則是自剝其廬耳. 蓋唯君子乃能覆蓋小人, 小人必賴君子, 以保其身. 今小人欲剝君子, 則君子亡, 而小人亦无所容其身, 如自剝其廬也. 且看自古小人欲害君子, 到害得盡後, 國破家亡, 其小人曾有存活得者否. 故聖人於象曰, 君子得輿, 民所載也, 小人剝廬, 終不可用也. 若人占得此爻, 則爲君子之所爲者, 必吉, 而爲小人之所爲者, 必凶矣. 其象如此, 而理在其中矣.

주자가 말하였다: 상구는 하나의 양이 위에 있음이니, 큰 열매를 사람들이 따먹지 못해 그것만 남아있는 것과 같다. 군자가 위에 있어 소인들이 모두 아래에서 추대함이 군자가 수레를 얻은 것이다. 그러나 소인은 군자를 추대하더라도 아래에서 깎아내고자 하니, 스스로 그 집을 허물 것이다. 군자만이 소인을 덮어줄 수 있으니, 소인은 반드시 군자에게 의지하여 자신을 보호해야 한다. 그런데 이제 소인이 군자를 깎아내고자 한다면, 군자가 망하여 소인도 그 몸을 둘 곳이 없으니, 스스로 그 집을 허무는 것과 같다. 또 살펴보건대, 옛날부터 소인이 군자를 해치려 하여 끝까지 해친 뒤에는 나라가 무너지고 집안이 없어졌으니, 소인이 일찍이 살아남은 적이 있었겠는가? 그러므로 성인이 「상전」에서 "군자가 수레를 얻는 것은 백성들이 추대하는 것이고, 소인이 집을 허무는 것은 끝내 쓸 수 없는 것이다"라고 하였다. 사람들이 점을 쳐서 이 효를 얻으면 군자가 하는 바를 행하는 자는 반드시 길하고, 소인이 하는 바를 행하는 자는 반드시 흉하다. 상이 이와 같고 이치는 그 가운데 있다.

○ 小人剝廬, 是說陰到這裏時, 把他這些陽都剝了, 此是自剝其廬舍, 无安身己處. 衆小人託這一君子爲芘覆, 若更剝了, 是自剝其廬舍, 便不成剝了.

"소인은 집을 허물 것이다"는 음이 이 때에 양을 모두 깎아낸다고 말한 것이니, 이는 스스로 그 집을 허물어 자신을 편안하게 할 곳이 없애는 것이다. 여러 소인들은 한 명의 군자가 덮어주는 것에 의탁하는데, 다시 깎아낸다면 스스로 그 집을 허무는 것이니, 깎아냄을 이루지 못할 것이다.

○ 臨川吳氏曰, 下五陽皆已剝, 獨存一陽在上, 如木之果實皆已落, 獨一碩大之果, 不爲人所食, 而猶在木末. 君子謂一陽, 坤爲輿, 五陰承載上九之一陽, 如人之在車上. 君子筮得此爻, 則其象爲得輿, 而占亦如之. 小人謂上九變爲柔也. 一陽上覆五陰, 有廬之象. 奇變爲偶, 則如廬之破壞, 穿漏其上, 而无以蓋覆其下, 故小人筮得此爻, 則其象爲剝廬, 而占亦如之也.

임천오씨가 말하였다: 아래의 다섯 양이 모두 이미 깎여나가 위에 하나의 양만 남아 있으니, 나무의 열매가 모두 이미 떨어지고 오직 하나의 큰 열매가 남았는데 사람들이 따먹지 못해 여전히 나무 끝에 있는 것과 같다. 군자는 하나의 양을 말하고, 곤은 수레이니, 다섯 음이 상구라는 하나의 양을 받들어 추대하는 것이 사람이 수레 위에 있는 것과 같다. 군자가 점쳐서 이 효를 얻으면 그 상이 수레를 얻음이 되고 점도 그와 같다. 소인은 상구가 변하여 부드럽게 된 것이다. 하나의 양이 위에서 다섯 음을 덮어주니 집의 상이 있다. 기수[─]가 변하여 우수[--]가 되면 집이 파괴되어 위로 구멍이 새는 것과 같아서 그 아래를 덮어줄 방법이 없다. 그러므로 소인이 점을 쳐서 이 효를 얻으면 그 상이 집을 허무는 것이 되고 점도 그와 같다.

○ 雲峯胡氏曰, 艮爲果蓏, 艮上陽下陰, 果陽而蓏陰. 乾爲木果. 衆陽皆變, 而上獨存, 有碩果不食象. 果中有仁, 天地生生之心存焉, 此一陽也. 在坤之月, 則剝之盡, 而復生在此, 則剝未盡而能復生. 指陽之性言也, 故有取於碩果不食之象. 碩果專以象言, 得輿剝廬, 兼象占而言. 小人剝廬, 亦戒辭也. 牀, 上之藉下以安者也, 廬, 下之藉上以安者也. 始而剝牀, 欲上失所安, 今而剝廬, 自失所安矣. 自古小人欲害君子, 亦豈小人之利哉.

운봉호씨가 말하였다: 간괘(☶)는 나무열매와 채소열매가 되며, 간괘는 위가 양이고 아래가 음인데, 나무열매는 양이고 채소 열매는 음이다. 건괘는 나무 열매이다. 여러 양이 모두 변했어도 위만 홀로 남았으니, 큰 열매가 먹히지 않은 상이 있다. 열매 속에는 씨눈이 있어 천지의 낳고 낳는 마음이 보존되어 있으니, 이것이 하나의 양이다. 곤괘의 달[月]에 있다면 박괘(剝卦䷖)가 다하고 복괘(復卦䷗)가 여기에서 나오니, 박괘가 아직 다하지 않았어도 복괘가 나올 수 있다. 양의 특성을 가리켜서 말했기 때문에 큰 열매가 먹히지 않은 상을 취하였다. 큰 열매는 오로지 상으로 말했고, 수레를 얻고 집을 허무는 것은 상과 점을 겸하여 말했다. "소인이 집을 허물 것이다"는 또한 경계하는 말이다. 평상은 위에서 아래에 깔아 편안하게 하는 것이고, 집은 아래에서 위를 의지하여 편안하게 하는 것이다. 처음에 평상을 깎아냄은 위가 편안한 바를 잃게 함이고, 지금 집을 허무는 것은 스스로 편안한 것을 버리는

것이다. 예로부터 소인이 군자를 해치려고 하였지만, 또한 어찌 소인에게 이롭겠는가?

## ‖韓國大全‖

### 조호익(曺好益) 『역상설(易象說)』

上九, 碩果不食,

상구는 큰 열매가 먹히지 않은 것이니,

碩果不食, 頤口下缺, 有不食象.

"큰 열매가 먹히지 않는다"는 이괘(頤卦▤▤)의 입 아래 부분이 없어졌으므로(▤▤) 먹히지 않는 상이 있다.

### 송시열(宋時烈) 『역설(易說)』

艮爲果蓏, 故曰果, 碩者, 大也. 陽無終盡, 而反生於下, 則爲離象, 故曰不食, 言上之陽不消食, 而將下爲初陽也. 君子少人, 對待而言, 坤爲大輿, 言此陽爻之君子, 將下得坤輿, 而於若陰爻小人, 則終必剝廬而已. 艮爲廬, 見上文.[31]

간괘는 덩굴열매[果蓏]가 되므로 '열매'라고 하였고, '석(碩)'은 크다는 뜻이다. 양은 끝내 다함이 없고 다시 아래에서 생겨나면 곧 리괘(☲)의 상이 되므로 "먹히지 않는다"고 하였으니, 맨 위의 양이 먹히지 않고 아래에서 초효의 양이 되려함을 말한다. 군자와 소인은 상대하여 말하였고, 곤괘(☷)는 큰 수레가 되니, 이 양효의 군자가 아래에서 곤괘인 수레를 얻게 되고, 음효의 소인과 같은 경우에는 끝내 반드시 집을 허물 뿐임을 말한다. 간괘가 집이 됨은 윗글에 나온다.

### 강석경(姜碩慶) 『역의문답(易疑問答)』

剝上九之勢, 可謂殆哉. 岌岌乎而爻辭以爲碩果不食, 君子得輿者, 果是可信之占乎.

---

31) 文: 경학자료집성DB와 영인본에는 모두 '大'로 되어 있으나, 문맥을 살펴 '文'으로 바로잡았다.

曰, 此特聖人慰君子戒小人之辭, 其實則豈其然哉. 消息之理, 陰與陽同, 而夬之上六
无號終有凶, 聖人之情, 可見於斯矣. 臨之象曰剛浸而長, 蓋喜剛長而樂言也, 遯之象
則只云浸而長而不言柔, 蓋惡柔長而諱言也, 觀其言而知其意, 方可謂知易矣.

박괘 상구의 형세는 위태롭다고 할 만하다. 매우 위태한대 효사에서 "큰 열매가 먹히지 않는
것이니, 군자가 수레를 얻는다"고 여겼으니, 과연 믿을 만한 점인가? 말하자면, 이는 특별히
성인이 군자를 위로하고 소인을 경계한 말이지, 그 실상이 어찌 그러하겠는가? 사라지고
자라나는 이치는 음과 양이 같지만, 쾌괘(夬卦䷪)의 상육에서 "호소할 데가 없으니, 끝내
흉함이 있다"고 하였으니, 성인의 정(情)을 여기에서 볼 수 있다. 림괘(臨卦䷒)의 단전에서
"굳센 양이 젖어들어 자란다"고 한 것은 대개 굳센 양이 자라남을 기뻐하여 말을 즐겁게
한 것이고, 돈괘(遯卦䷠)의 단전에서 "점점 자라난다"고만 하고 부드러운 음을 말하지 않은
것은 대개 부드러운 음이 자라나는 것을 싫어하여 말함을 꺼렸기 때문이니, 그 말을 살펴서
그 뜻을 알아야만『주역』을 안다고 할 수 있다.


### 이현익(李顯益)「주역설(周易說)」

語類曰, 舊見二十家叔懷, 字公立, 說, 廬如周禮桼無廬之廬. 音盧, 蓋戟柄也. 謂小人
自剝削其戟柄, 僅留其鐵而已, 果何所用. 如此說, 方見得小象小人剝廬終不可用一
句, 意亦自好.

『주자어류』에서 말하였다: 옛적에 스무 번째 집안 아저씨며 자(字)가 공립(公立)인 주회(朱
懷)의 설을 보니, "'려(廬)'는『주례・고공기』에 나오는 '진무려(秦無廬)'의 려(廬)와 같다.
음은 '로(盧)'이니, 대체로 창의 자루이다. 소인이 스스로 그 창의 자루를 깎아내어 겨우 쇠
부분만 남아있음을 말하니, 과연 어디에 쓰이겠는가?"라고 하였다. 이와 같이 설명해야「소
상전」의 "소인이 집을 허묾은 끝내 쓸 수 없는 것이다"라는 한 구절이, 뜻이 또한 절로 좋음
을 알 수 있다.

此與本義不同, 當參看. 魚與宮人, 只是陰之象, 則雖以五爲之長, 故曰貫之以之, 而其
實五亦爲魚與宮人, 本義之旨似如此. 然則進齋徐氏平菴項氏臨川吳氏雲峯胡氏說,
皆未然.

이는『본의』와 같지 않으니, 마땅히 참고해 보아야 한다. '물고기'와 '궁인'이 다만 음의 상일
뿐이라면, 비록 오효를 우두머리로 삼기 때문에 "그것을 꿴다"고 하고 "그것으로써 한다"고
할 수 있더라도, 실상은 오효도 물고기와 궁인이 되니『본의』의 뜻이 이와 같은 듯하다.
그렇다면 진재서씨, 평암항씨, 임천오씨, 운봉호씨의 설명은 모두 그렇지 않다.

### 이익(李瀷) 『역경질서(易經疾書)』

上艮有果蓏之象, 在卦之終, 則已碩矣. 只言碩, 則猶未至熟, 熟則自落, 落則在卦爲純坤. 不食者, 明其猶未至黃熟也. 君子小人, 與貫魚宮人寵相照, 卽兩下說也. 天地之道, 往復不息, 剝未有終窮之理, 故自五以後, 已開回復之路. 貫魚而不止, 必至於剝廬, 彼不言不利, 此不言凶, 亦其利也. 宮人寵而益篤, 則亦必有得輿之吉. 象傳云, 小人長也, 剝廬之謂也. 又云君子尙消息盈虛, 得輿之象也. 坤有大輿之象, 下卦及互皆坤. 得輿, 則示將行之義也, 與剝廬而無所居相反, 易中言不食者二, 皆未及施用之義.

상괘인 간괘에는 덩굴열매[果蓏]의 상이 있는데, 괘의 끝에 있으니 이미 커졌을 것이다. "크다"고만 했으니 아직 익지는 않았고, 익으면 저절로 떨어지는데, 떨어지면 괘에 있어서는 순전한 곤괘(坤卦)가 된다. "먹히지 않는다"는 그것이 아직도 노랗게 익지 않았음을 밝히는 것이다. 군자와 소인은 물고기를 꿰어 궁인이 총애를 받듯이 함과 서로 대조되니, 바로 두 가지로 설명한 것이다. 천지의 도는 왕복하여 쉬지 않고, 깎아냄에는 끝내 다하는 이치가 있지 않으므로 오효부터 뒤로는 이미 회복하는 길을 열어놓았다. 물고기를 꿰고서 그치지 않으면 반드시 집을 허무는 데 이르니, 육오에서 "이롭지 않다"고 말하지 않고 상구에서 "흉하다"고 말하지 않은 것이 또한 그 이로움이다. 궁인이 총애를 받듯이 하고 더욱 돈독하게 하면 또한 반드시 수레를 얻는 길함이 있을 것이다. 「단전」에서 "소인이 자라난다"고 한 것은 '집을 허물음'을 말한다. 또 "군자가 사라지고 자라나며 차고 빔을 숭상한다"고 한 것은 수레를 얻는 상이다. 곤괘에는 큰 수레의 상이 있는데, 하괘 및 호괘가 모두 곤괘이다. 수레를 얻음은 행하려는 뜻을 보임이니, 집을 허물어 거처할 곳이 없다는 것과 서로 반대된다. 『주역』에서 "먹히지 않는다"고 말한 것이 둘인데, 모두 베풀어 쓰는 데는 이르지 못했다는 뜻이다.

### 유정원(柳正源) 『역해참고(易解參攷)』

正義, 若君子而居此位, 能覆蔭於下, 使得全安, 是君子居之, 則得車輿也. 若小人居之, 下无庇蔭, 在下之人, 被剝徹廬舍也.

『주역정의』에서 말하였다: 만약 군자가 이러한 지위에 있다면, 아랫사람을 덮어 보호하여 안전하게 할 수 있으니, 군자가 그 자리에 있어서 수레를 얻는 것이다. 만약 소인이 그 자리에 있으면 아래로 보호함이 없으니, 아래에 있는 사람이 집을 허물어 없애게 된다.

○ 漢上朱氏曰, 坤爲輿爲衆, 艮爲舍廬象.
한상주씨가 말하였다: 곤괘(☷)는 수레가 되고 무리가 되며, 간괘(☶)는 집의 상이 된다.

○ 朱子曰, 舊見二十家叔 〈懷, 字[32]公立.〉 說, 廬如周禮㮚朹廬之廬, 音纑, 蓋戟柄也. 謂小人自剝削其戟柄, 僅留其鐵而已, 果何所用. 如此說, 方見得小象小人剝廬終不可用一句意亦自好.

주자가 말하였다: 옛적에 스무 번째 집안 아저씨〈회(懷)이며, 字는 공립이다.〉의 설을 보니, "'려(廬)'는 『주례·고공기』에 나오는 '진무려(秦無廬)'의 려(廬)와 같다. 음은 '로(廬)'이니, 대체로 창의 자루이다. 소인이 스스로 그 창의 자루를 깎아내어 겨우 쇠 부분만이 남아있음을 말하니, 과연 어디에 쓰이겠는가?"라고 하였다. 이와 같이 설명해야 「소상전」의 "소인이 집을 허묾은 끝내 쓸 수 없는 것이다"라는 한 구절이, 뜻이 또한 절로 좋음을 알 수 있다.

○ 厚齋馮氏曰, 陽爲大, 故稱碩果.

후재풍씨가 말하였다: 양이 '큼'이 되므로 '큰 열매'라고 하였다.

○ 節齋蔡氏曰, 君子謂剛, 輿在下載上謂衆柔. 主剛言, 則一剛在上, 乘衆陰, 君子得輿象, 小人衆柔. 廬在上庇下謂剛. 主柔言, 則衆柔上進剝剛, 小人剝廬象.

절재채씨가 말하였다: 군자는 '굳센 양을 말하고, 수레는 아래에 있으면서 위로 실으니 여러 음을 말한다. 굳센 양을 위주로 말하면, 하나의 굳센 양이 맨 위에 있으면서 여러 음을 탄 것이 군자가 수레를 얻는 상이니, 소인은 여러 음이다. 집은 위에 있으면서 아래를 보호하니, 굳센 양을 말한다. 부드러운 음을 위주로 말하면, 여러 부드러운 음이 위로 나아가 굳센 양을 깎아냄이 소인이 집을 허무는 상이다.

傳, 陽月 〈詩杕杜篇, 日月陽止.〉 陰亦 [至] 不言.

『정전』에서 말하였다: 양월이라고 하니,〈『시경·체두』에서 말하였다: 세월은 흘러 양월(陽月)이 되었다.〉음도 … 말하지 않았다.

西山蔡氏曰, 陰不可以抗陽, 此固然之理也, 而伊川乃謂陰亦然. 聖人不言, 元定不敢以爲然也.

서산채씨가 말하였다: 음이 양에게 항거할 수 없음은 참으로 그러한 이치인데, 이천은 이에 "음도 그러하다"고 하였다. 성인이 말하지 않았으니, 나는 감히 그렇다고 여기지 못한다.

○ 問, 陰亦然, 今以夬乾姤推之, 亦可見矣. 但所謂聖人不言者何如. 朱子曰, 這便是一箇參贊裁成之道. 蓋抑陰而進陽, 長善而消惡, 用君子而退小人, 這便可見此理自然

---

32) 字: 경학자료집성DB에는 '好'로 되어 있으나, 영인본을 참조하여 '字'로 바로잡았다.

恁地. 雖堯舜之世, 豈无小人. 但有聖人壓在上面, 不容他出而有爲耳, 豈能使之无耶.

물었다: "음도 그러하다"는 이제 쾌괘(夬卦䷪)·건괘(乾卦䷀)·구괘(姤卦䷫)로 유추해보면 또한 알 수 있습니다. 다만 "성인이 말하지 않았다"고 한 것은 무엇 때문입니까?

주자가 답하였다: 이는 천지에 참여하여 화육을 도와 마름질하여 이루는[參贊裁成] 도입니다. 음을 억제하여 양을 나가게 하며, 선을 길러서 악을 사라지게 하며, 군자를 써서 소인을 물러나게 하니, 여기에서 이 이치가 자연히 그러함을 알 수 있습니다. 비록 요·순의 세상일지라도 어찌 소인이 없겠습니까? 다만 성인이 위에서 눌러 소인이 나와 일하는 것을 용납하지 않은 것이니, 어찌 없게 할 수 있겠습니까?

○ 案, 一陰一陽, 造化之本也. 陰不可偏无, 陽不能獨成, 而聖人作易, 必欲扶陽而抑陰, 何也. 曰, 大傳曰立天之道曰陰與陽, 立地之道曰柔與剛, 立人之道曰仁與義, 此以二者之不能相无, 而不可偏主者言也. 至以消長之際淑慝之辨分言之, 則陽主生爲舒, 而其類爲君子, 陰主殺爲慘, 而其類爲小人. 聖人之意, 每以長善而消惡, 進君子而退小人, 未嘗不三致意焉, 此所以參天地贊化育之功也.

내가 살펴보았다: 한 번 음이 되고 한 번 양이 되는 것은 조화의 근본이다. 음은 홀로 없을 수 없고 양은 홀로 이룰 수 없는데, 성인이 『주역』을 지음에 반드시 양을 북돋우고 음을 억누르고자 함은 어째서인가? 말하자면, 「설괘전」에 "하늘의 도를 세우는 것을 음과 양이라 하고, 땅의 도를 세우는 것을 유와 강이라 하고, 사람의 도를 세우는 것을 인과 의라 한다"고 하였으니, 이것은 두 가지가 서로 없을 수 없어서 한쪽을 주인으로 할 수 없다는 측면에서 말한 것이다. 사라지고 자라나는 즈음과 착하고 사특한 분별로 나누어 말하면, 양은 생겨남을 주로 하여 펼침이 되니 그 부류가 군자가 되고, 음은 죽임을 주로 하여 참혹함이 되니 그 부류가 소인이 된다. 성인의 뜻은, 매번 선을 길러서 악을 사라지게 하며 군자를 나아가게 하여 소인을 물리침에 일찍이 삼세번 뜻을 다하지 않음이 없었으니, 이것이 천지에 참여하여 화육을 돕는 공(功)인 것이다.

## 김상악(金相岳) 『산천역설(山天易說)』

以九之陽居艮之終, 剝未盡而能復生, 故有碩果不食之象. 君子得輿者, 乘坤於下, 一陽爲衆陰所載也. 小人剝廬者, 艮盡於上, 衆陰失 ‧ 陽所覆也, 其吉凶, 可見於象中矣.

구(九)인 양이 간괘(☶)의 끝에 있어서 깎아냄이 아직 다하지 않고 다시 생겨날 수 있으므로 큰 열매가 먹히지 않는 상이 있다. "군자가 수레를 얻는다"는 아래에서 곤괘(☷)를 타는 것으로 한 양이 여러 음에게 추대됨이며, "소인이 집을 허문다"는 위에서 간괘(☶)가 다하는 것으로 여러 음이 한 양이 덮어주는 바를 잃음이니, 그 길하고 흉함을 상에서 알 수 있을 것이다.

○ 碩, 大也. 以陽之大居坤之上, 卽所謂以大終也. 果者, 乾之象. 艮得乾上爻, 而爲果蓏, 分上下之剛柔也, 故剝之果在上, 姤之瓜, 指初也. 艮伏兌, 兌口有食之象, 而艮陽塞兌上口, 故曰不食. 蓋剝爲九月之卦, 草木搖落已盡, 而碩果猶在枝上, 不見食於人也. 旣不食, 則必剝落朽爛, 而其中之核, 又復生仁, 猶一陽盡於上, 而復生于下也. 艮所以終萬物始萬物者, 此也. 輿, 所以載物者, 坤之象也. 始雖剝牀, 終得其輿, 則君子之道, 終不可亡也. 剝牀不已, 至於剝廬, 則小人反被其害, 終何用哉. 君子得輿, 故大壯之四曰壯于大輿之輹, 小人剝廬, 故師之上曰開國承家, 小人勿用.

'석(碩)'은 큼이다. 양의 큼으로 곤괘(☷)의 위에 있으니, 곧 큰 것으로 마친다는 것이다. '열매'는 건괘(☰)의 상이다. 간괘(☶)가 건괘의 상효를 얻어 덩굴열매[果蓏]가 되고, 위아래로 굳센 양과 부드러운 음을 나누므로 박괘(剝卦䷖)의 '열매'는 위에 있고, 구괘(姤卦䷫)의 오이는 초효를 가리킨다. 간괘(☶)에는 태괘(☱)가 잠복하고, 태괘인 입에는 먹는다는 상이 있는데, 간괘의 양이 태괘의 위의 입을 막으므로 "먹히지 않는다"고 하였다. 박괘는 구월의 괘가 되니, 초목이 흔들려 이미 다 떨어지고 '큰 열매'만 아직도 가지 위에 매달려 사람들에게 먹히지 않고 있다. 이미 먹히지 않았다면 반드시 떨어져 문드러지겠지만, 그 가운데의 씨에서 또 다시 씨핵[仁]이 나온다. 한 양이 위에서 다하자 다시 아래에서 나오는 것과 같으니, 간괘가 "만물을 마치고 만물을 시작한다"[33]는 것이 이것이다. '수레'는 물건을 싣는 것이니, 곤괘의 상이다. 처음엔 비록 평상을 깎아내지만 끝내는 그 수레를 얻으니, 군자의 도는 끝내 없어질 수 없다. 평상을 깎아냄이 그치지 않아 집을 허무는 데 이르면 소인이 도리어 그 해를 입으니, 끝내 어디에 쓰겠는가? 군자가 수레를 얻기 때문에 대장괘(大壯卦䷡) 사효에서 "큰 수레의 바퀴살이 장성하다"고 하였고, 소인이 집을 허물기 때문에 사괘(師卦䷆)의 상효에서 "나라를 열고 가문을 이음에 소인을 쓰지 말아야 한다"고 했다.

### 김규오(金奎五) 「독역기의(讀易記疑)」

上九碩, 大也, 大, 謂陽也.
상구의 '석(碩)'은 큼이니, 큼은 양(陽)을 말한다.

○ 小註, 日有夜光之類.
소주에서 말하였다: 해에도 야광의 부류가 있다.
月受日光而明, 故以證陽之常存. 然其例似與剝復之說, 不甚襯貼.
달은 해의 빛을 받아 밝으므로 양이 항상 존재함을 증명한 것이다. 그러나 그 예가 박괘와

---

33) 『周易·說卦傳』.

복괘의 설명과 유사하지만 꼭 맞지는 않는 것 같다.

○ 小雪換節之時, 前一刻是剝陽方盡之氣, 後一刻是復陽方萌之氣. 所謂坤復之間爲未發者, 恐可以此時當之矣.
소설(小雪)은 절기가 바뀌는 때이니, 앞의 일각(一刻)은 양을 깎아냄이 막 다하는 기운이고, 뒤의 일각은 양을 회복함이 막 싹트는 기운이다. 이른바 곤괘(坤卦)와 복괘(復卦)의 사이는 아직 드러나지 않음이 된다는 것은 아마도 이 때에 해당하는 듯하다.

○ 象終不可用也, 似謂小人不可用碩果之占, 如師之小人勿用云爾, 未知如何.
「상전」의 "끝내 쓸 수 없다"는 '소인이 큰 열매의 점을 쓸 수 없다'고 한 것 같은데, 사괘(師卦)에서 "소인을 쓰지 말아야 한다"고 한 것에 비쳐보면, 어떤지 모르겠다.

### 서유신(徐有臣) 『역의의언(易義擬言)』

碩, 陽之大也, 果, 乾爲木果也. 乾六陽剝其五, 存其一碩大之果, 尙有不盡食者, 是爲復之種子也. 一陽在於衆陰之上, 有得輿之象, 又有剝廬之象焉. 輿坤象, 衆陰載上九也, 廬艮象, 上九庇衆陰也. 上九之君子, 爲衆民之所輿載, 而在下之衆小人, 方且剝之, 是自撤其所庇之廬也. 從古小人剝害君子, 君子去而國隨以亡, 小人豈能獨存乎. 此自剝其廬也.
석(碩)은 양의 큼이고, '열매'는 건괘(☰)가 나무의 열매가 된다. 건괘(☰)의 여섯 양에서 다섯 개가 깎이고 하나의 큰 열매만이 남아 여전히 다 먹히지 않은 것이 있으니, 이것이 회복되는 종자가 된다. 한 양이 여러 음의 위에 있으니, 수레를 얻는 상이 있고, 또 집을 허무는 상이 있다. '수레'는 곤괘(☷)의 상으로 여러 음이 상구를 받드는 것이고, '집'은 간괘(☶)의 상으로 상구가 여러 음을 덮어 줌이다. 상구의 군자가 여러 백성들이 수레로 태우는 바가 되었는데, 아래에 있는 여러 소인들이 한창 또 깎아내니, 덮어주는 집을 스스로 철거하는 것이다. 예로부터 소인이 군자를 박해하여 군자가 떠나가서 나라가 드디어 망하게 되면 소인이 어찌 홀로 있을 수 있겠는가? 이것이 스스로 그 집을 허무는 것이다.

### 윤행임(尹行恁) 『신호수필(薪湖隨筆)·역(易)』

地上有山, 山上有木, 木上有果, 一團生意藹然. 亂極思治, 故承之以七日之復. 復則爲泰, 周之宣王, 漢之光武, 其碩果乎.
땅 위에 산이 있고, 산 위에 나무가 있으며, 나무 위에 열매가 있으니, 한 덩어리의 생의(生

意)가 왕성한 것이다. 어지러움이 극에 달하면 다스려지기를 생각하므로 복괘에서 '칠일에 와야 회복함'으로 이었다. 회복하면 태평해지니 주(周)나라의 선왕(宣王)과 한(漢)나라의 광무(光武)가 그 큰 열매일 것이다.

## 강엄(康儼) 『주역(周易)』

按, 夬之上六曰无號終有凶, 喜一陰之必亡也, 剝之上九曰碩果不食, 幸一陽之猶存也. 噫, 福善禍淫, 天之道也, 好善惡惡, 人之情也, 聖人體天道而通人情者也. 是以於陽則引翼扶持, 猶恐其不盛, 於陰則排擯抑黜, 猶恐其不衰. 此聖人之作易, 所以合天人之理, 而爲開物成務之道者也.

내가 살펴보았다: 쾌괘(夬卦䷪)의 상육에서 "호소할 곳이 없으니, 마침내 흉함이 있다"고 한 것은 한 음이 반드시 없어짐을 기뻐한 것이며, 박괘의 상구에서 "큰 열매가 먹히지 않는다"고 한 것은 한 양이 아직 남은 것을 다행으로 여긴 것이다. 아! 착함에 복을 주고 음란함에 재앙을 내리는 것은 하늘의 도이며, 선을 좋아하고 악을 미워하는 것은 사람의 정감인데, 성인은 천도(天道)를 체득하고 인정(人情)에 달통한 자이다. 이 때문에 양에 대해서는 이끌어 돕고 북돋아서 오히려 성대하지 못할까 두려워하며, 음에 대해서는 배척하고 억눌러 쫓아내어 오히려 없어지지 않을까 두려워하였다. 이는 성인이 역을 지음에 하늘과 사람의 이치를 합하여 사물을 열어 일을 이루게 되는 까닭이다.

## 박문건(朴文健) 『주역연의(周易衍義)』

以陽處高, 故有碩果之象, 能鎭五陰, 故下不能食也.

양으로 높은 곳에 처하므로 '큰 열매'의 상이 있으며, 다섯 음을 누를 수 있으므로 아랫사람이 먹을 수 없다.

〈問, 碩果之取象. 曰, 一陽巍然特出, 而不爲群陰之所剝, 又有碩果之象. 圓而在上者, 果也. 問, 輿廬之取義. 曰, 爲陰所載, 故有輿象, 能履諸陰, 故有廬象也.

물었다: '큰 열매'에서 취한 상은 어떻습니까?

답하였다: 한 양이 높이 나와서 여러 음에게 깎이지 않게 되니, 또 큰 열매의 상이 있습니다. 둥글고 위에 있는 것이 열매입니다.

물었다: 수레와 집이 취한 뜻은 어떻습니까?

답하였다: 음에게 실리므로 수레의 상이 있고, 여러 음을 덮을 수 있으므로 집의 상이 있습니다.〉

### 이지연(李止淵) 『주역차의(周易箚疑)』

廬者, 依庇之所, 君子者, 小人之廬也. 牀者, 履藉之物, 小人者, 君子之牀也.

'집'이란 의지하여 보호받는 곳이니, '군자'는 소인의 집이다. '평상'은 깔고 앉는 물건이니, '소인'은 군자의 평상이다.

### 김기례(金箕澧) 「역요선의강목(易要選義綱目)」

上九, 碩果不食.

상구는 큰 열매가 먹히지 않는 것이다.

艮爲果蓏, 一陽在上, 得保乾之圜.

간괘(☶)는 덩굴 열매[果蓏]가 되니, 한 양이 위에 있어 하늘을 둘러싸는 원이 된다.

○ 陽無可盡, 如碩[34]果墜地, 而仁存故, 復生果水, 則是爲不食之理.

양은 다할 수 없음은 큰 열매가 땅에 떨어져도 씨핵[仁]이 있기 때문에 다시 열매[果水]가 나오는 것과 같으니, 이것이 먹히지 않는 이치가 된다.

君子得輿, 小人剝廬.

군자는 수레를 얻고 소인은 집을 허물 것이다.

坤爲輿, 言衆陰載上陽.

곤괘(☷)가 수레가 되니, 여러 음이 상효의 양을 싣는 것을 말한다.

○ 艮有門廬象.

간괘(☶)에는 문과 집의 상이 있다.

○ 君子爲民承載, 故曰得輿. 小人盡害君子, 則國隨亡家以滅, 故曰剝廬.

군자가 백성에게 추대되므로 "수레를 얻는다"고 하였다. 소인이 군자를 다 해치면 나라가 따라서 망하고 집안이 없어지므로 "집을 허문다"고 하였다.

贊曰, 消息盈虛, 理剝自然. 君子順時, 尤有逆天. 厚下安宅, 以俟不慁. 得輿剝廬, 善惡攸緣.

찬미하여 말한다: 사라지고 자라나며 차고 비어 깎아냄을 다스림은 저절로 그러하네. 군자

---

34) 碩: 경학자료집성DB와 영인본에는 모두 '硯'으로 되어 있으나, 문맥을 살펴 '碩'으로 바로잡았다.

는 때에 따라서 하늘에 거스름이 없다네. 아래를 두텁게 하고 집을 편안하게 하여서 잘못을 저지르지 않으리. 수레를 얻음과 집을 허무는 것은 선악이 매인 바이지.

### 윤종섭(尹鍾燮)『경(經)·역(易)』

碩果不食, 陽无可盡剝於上, 而又將有復生之理, 如碩大之果, 人所不食, 落而回生. 然在君子, 則得群陰之望, 取象於坤而謂輿, 在小人, 則剝其一陽而失其庇, 取於艮而謂廬.

"큰 열매가 먹히지 않는다"는 양이 위에서 다 깎일 수 없고 또 다시 나오는 이치가 있기 때문이니, 큰 열매가 사람에게 먹히지 않고 떨어져서 다시 생겨남과 같다. 그러나 군자에 있어서는 여러 음의 기대를 받기에 곤괘(☷)에서 상을 취하여 '수레'라고 하였고, 소인에 있어서는 한 양을 깎아내어 그 보호막을 상실하기에 간괘(☶)에서 취하여 '집'이라고 하였다.

### 이항로(李恒老)「주역전의동이석의(周易傳義同異釋義)」

傳, 小人剝廬, 若小人則當剝之極, 剝其廬矣, 无所容其身也.

『정전』에서 말하였다: "소인이 집을 허물 것이다"는 만약 소인이라면 깎아냄이 다할 때에 그 집을 허물어 그 몸을 용납할 곳이 없다는 것이다.

本義, 小人居之, 則剝極於上, 而自失所覆而无復碩果得輿之象矣.

『본의』에서 말하였다: 소인이 있으면 깎아냄이 위에서 다하여 스스로 덮어주는 것을 잃어 다시 큰 열미와 수레를 얻는 상이 없다.

按, 君子小人居剝一也, 而此有得輿之吉, 彼有剝廬之凶, 何也. 曰, 此以道言, 彼以物言也. 一陰一陽之謂道, 道无一息間斷, 剝之終, 卽復之始也. 故曰始終无端. 局陰局陽之謂物, 剝終於此, 更无復始之理, 是以君子之道, 窮則獨善其身, 達則兼善天下, 无所往而不通, 小人之事, 生則與氣俱行, 死則與形俱盡, 无所稱而可繼也, 此依於道, 而彼依於形故也. 然以小人之剝君子爲自失其廬者, 何謂也. 曰, 道也者, 天地之所依附而行者也, 國家之所楨幹而立者也, 人物之所庇覆而活者也. 君子有道者也, 小人之所忌憚在此, 所矜式在此, 所慊懅在此. 然小人陰闇忌克, 必欲剝害君子, 而不知无此君子, 則自失其覆, 而无所容其身也. 古无聖人君子者, 人之類滅久矣. 當堯之時, 洪水橫流, 汎濫於天下, 獸蹄鳥跡, 交於中國, 向无禹稷者出而治之, 則人其魚久矣. 戰國之時, 邪說橫流, 亂臣賊子, 接跡於世, 向无孔孟作而闢之, 則人爲禽獸久矣. 五季之末, 道喪言湮, 老佛之說, 充拓于世, 向无程朱起而明之, 則人而夷狄久矣. 崇禎之末, 天下腥羶, 向旡我東先輩出死力闢之廓之, 人不知尊周久矣. 夫義理, 旡壯麗輪渙之可觀, 旡結構間架之可指, 故不知者, 以爲有之旡所加, 旡之旡所損也, 殊不知一日旡此, 則旡以禦風雨而庇寒熱也, 安有所謂君子小人者耶. 噫, 其不思也甚矣.

내가 살펴보았다: 군자와 소인이 깎이고 있는 것은 같지만, 군자는 수레를 얻는 길함이 있고 소인은 집을 허무는 흉함이 있는 것은 어째서인가? 말하자면, 군자는 도로써 말했고, 소인은 물건으로 말했기 때문이다. 한번 음이 되고 한번 양이 되는 것을 일러 도라고 하는데, 도는 한순간도 쉼이 없으니, 박괘(剝卦䷖)의 끝이 곧 복괘(復卦䷗)의 시작이다. 그러므로 "시작하고 끝냄에 단서가 없다"고 하였다. 음에 막히고 양에 막힌 것을 일러 물건이라 하는데, 여기에서 깎여 다하면 다시 회복하여 시작하는 이치가 없다. 이 때문에 군자의 도는 궁핍하면 그 몸을 홀로 선하게 하고, 통달하면 천하 사람을 함께 선하게 하여 가서 통하지 않는 곳이 없고, 소인의 일은 태어나면 기운과 함께 행하고, 죽으면 형체와 함께 없어져 칭송하여 계승할 만 한 것이 없으니, 군자는 도에 의거하고 소인은 형체에 의거하기 때문이다. 그렇다면 소인이 군자를 깎아내는 것을 스스로 그 집을 잃는 것으로 여긴 것은 무엇을 말하는가? 말하자면, 도(道)는 천지가 의지하여 행하는 것이며, 국가가 근본으로 삼아 설 수 있는 것이며, 인물이 보호받아 살 수 있는 것이다. 군자는 도를 지닌 자이니, 소인이 시기하여 꺼리는 바도 여기에 있고, 본받아 따라야 할 바도 여기에 있으며, 덮여서 보호받는 바도 여기에 있다. 그러나 소인은 속으로 시기하여 반드시 군자를 박해하고자 하니, 이러한 군자가 없으면 스스로 그 보호해 주는 것을 잃어 그 몸을 용납할 곳이 없음을 알지 못하는 것이다. 옛날에 성인과 군자가 없었다면 사람의 무리가 없어진지 오래일 것이다. 요임금의 때에 홍수가 횡류(橫流)하여 천하에 범람하고 금수의 발자국이 중국에 교차함에[35] 가령 우임금과 후직이 나와 다스림이 없었다면 인류는 물고기가 된지 오래일 것이다. 전국의 때에 사설(邪說)이 횡류하여 난신(亂臣)과 적자(賊子)가 세상에 난무함에 가령 공자와 맹자가 일어나 개벽함이 없었다면 인류는 금수가 된지 오래일 것이다. 오계(五季)[36]의 말에 도가 상실되고 말이 인멸하여 노·불의 설이 세상에 널리 퍼짐에 가령 정자와 주자가 일어나 밝힘이 없었다면 인류가 이적(夷狄)이 된지 오래일 것이다. 숭정(崇禎)의 말에 천하에 비린내가 진동함에 가령 우리 동방의 선배들이 나와서 힘을 다해 열고 확장함이 없었다면 사람이 주나라의 대의를 존중해야 함[尊周]을 알지 못함이 오래일 것이다. 의리는 볼만한 장엄함이나 우렁참도 없고, 가리킬 만 한 짜임새도 없다. 그러므로 지혜롭지 못한 자는, 있어도 보태는 것이 없고 없어도 손해 보는 것이 없다고 여기지만, 하루라도 이것이 없으면 바람과 비를 막고 추위와

---

35) 『孟子·滕文公』.

36) 오계(五季): 다섯 왕조가 자주 갈린 계세(季世)라는 뜻이다. 중국의 후오대(後五代)를 이르는 말로 곧 당말(唐末)의 후량(後梁)·후당(後唐)·후진(後晉)·후한(後漢)·후주(後周)의 문란한 시대를 이른다.

더위로부터 보호해줄 수 없음을 결코 알지 못하니, 어찌 이른바 군자와 소인이라는 것이 있겠는가? 아! 생각하지 못함이 심하구나.

### 박종영(朴宗永) 「경지몽해(經旨蒙解)·주역(周易)」

傳曰, 諸陽消剝已盡, 獨有上九一爻尙存, 如碩大之果不見食, 將見復生之理. 上九亦變, 則純陰矣, 然陽無可盡之理, 變於上則生於下, 无間可容息也. 陰道盛極之時, 其亂可知, 亂極則自當思治. 故衆心願載於君子, 匪風下泉, 所以居變風之終也. 小人剝廬, 若小人則當剝之極, 剝其廬, 无所容其身矣.

『정전』에서 말하였다: 여러 양이 사라지고 깎임이 이미 다하여 단지 상구 한 효만 남아 있으니, 큰 열매가 먹히지 않아서 다시 생겨나는 이치를 보는 것과 같다. 상구마저 변하면 순수한 음이 되지만 양이 다하는 이치는 없으니, 위에서 변하면 아래에서 생겨나 사라질 틈이 없다. 음의 도가 지극히 성대할 때는 혼란함을 알만하기에 혼란이 극에 달하면 당연히 다스릴 것을 생각한다. 그러므로 사람들이 속으로 군자를 추대하기를 원하니, 『시경』의 「비풍(匪風)」과 「하천(下泉)」이 그래서 변풍(變風)의 끝에 있는 것이다. "소인이 집을 허물 것이다"는 만약 소인이라면 깎아냄이 다할 때에 그 집을 허물어 그 몸을 용납할 곳이 없다는 것이다.

### 심대윤(沈大允) 『주역상의집법(周易象義占法)』

剝之坤䷖䷁, 剝之勢順而无難也. 上九, 以剛悍之才居柔而處剝之窮, 其欲无厭而爲群陰所宗, 至於犯上者也. 艮變坤, 有化家爲國之象, 其凶不可復言矣. 陽剝于上, 而鍾于泉, 故曰碩果不食, 言將復生也. 坤再變爲坎, 坎艮爲碩, 坎食艮果, 小人之亢極, 將覆君子之資也, 凡勳業必待暴亂而立, 故曰君子得輿. 艮得坤輿, 一陽居上及艮變坤有其象. 小人而處君上之位, 以臨天下, 天人之所不與也, 故曰小人剝廬. 下卦之對大畜有离, 离坤爲小人, 艮爲廬. 下民叛之, 故取下卦之對也. 王莽簒漢, 光武再昌, 當此占矣.

박괘가 곤괘(䷁)로 바뀌었으니, 깎아내는 형세가 유순하여 어려움이 없는 것이다. 상구는 굳세고 사나운 재질로 부드러운 음의 자리에 있으면서 박괘의 끝에 처하니, 하고자 함에 싫증냄이 없고 여러 음의 우두머리[宗]가 되어 윗사람을 범하는데 이른 것이다. 간괘(☶)가 곤괘(☷)로 변함에 집을 변화시켜 나라를 만드는 상이 있으니, 그 흉함을 다시 말할 필요가 없다. 양이 위에서 깎여 아래에 다시 모이므로 "큰 열매가 먹히지 않는다"고 하였으니, 다시 생기려 함을 말한다. 곤괘가 다시 변하면 감괘(☵)가 되는데, 감괘와 간괘는 '큼'이 되며, 감괘는 먹음이고 간괘는 열매이다. 소인이 끝까지 다함은 군자의 도움을 배반하려 함이며, 모든 공훈과 업적은 반드시 사납고 어지러움을 기다린 뒤에 세워지므로 "군자가 수레를 얻는다"고 하였다. 간괘가 곤괘인 수레를 얻는 것이니, 한 양이 맨 위에 있는 것과 간괘가 곤괘로 변함에 그 상이 있다. 소인이면서 임금의 위에 처하여 천하에 군림하니, 하늘과 사람이 함께 하지 않는 것이므로 "소인이 집을 허문다"고 하였다. 하괘(☷)의 음양이 바뀐 대축괘(大畜卦䷙)에 리괘(☲)가 있는데, 리괘와 곤괘가 소인이 되고 간괘는 집이 된다. 백성이 배반하므로 하괘의 음양이 바뀐 괘에서 취하였다. 왕망이 한나라를 찬탈하고 광무가 다시 건국한 것이 이 점(占)에 해당한다.

### 오치기(吳致箕) 「주역경전증해(周易經傳增解)」

上九, 在剝極之時, 一陽獨存, 有碩果不食之象, 而若陽剝消盡, 則爲純陰. 然陽无可盡之理, 故旣剝于上, 復生于下, 則君子道長, 衆皆承載, 有得輿之象矣. 至若小人, 上无一陽之庇, 則衆陰將有剝廬之患, 无所安身, 而終不可用, 故戒小人如此.

상구는, 깎아냄이 지극한 때에 한 양이 홀로 남아 있어 큰 열매가 먹히지 않는 상이 있지만, 만약 양이 깎여 다 없어지게 되면 순전한 음이 된다. 그러나 양은 다하는 이치가 없으므로 이미 위에서 깎이더라도 아래에서 다시 생겨나니, 군자의 도가 자라나 여러 사람들이 모두 추대하여 수레를 얻는 상이 있다. 소인으로 말하면 위로 한 양이라도 덮어줌이 없으니, 여러 음이 집을 허무는 근심이 있고 몸을 편안히 할 바가 없어서 끝내 쓸 수 없으므로 소인을 이와 같이 경계한 것이다.

○ 碩, 大也. 字從石從頁, 取艮爲石. 而一陽在首也, 艮爲果之象, 而諸陽皆消, 一陽在上, 卽碩果, 獨在枝上之象也. 對體之兌, 爲口食之象, 而艮以止之, 故言不食也. 碩果不食, 而爛墜于地, 則其核終必復生其仁, 故言此象也. 輿取於變坤.

석(碩)은 큼이다. 글자가 '석(石)'자와 '혈(頁)'자에서 왔는데, 간괘(☶)가 돌이 됨에서 취하였다. 그리고 한 양이 머리에 있는 것은 간괘가 과실되는 상이니, 여러 양이 모두 없어지고 한 양이 위에 있음은 곧 '큰 열매'가 홀로 가지 위에 있는 상이다. 몸체가 반대되는 태괘(☱)가 입으로 먹는 상이 되고, 간괘로 그치게 하므로 "먹히지 않는다"고 말하였다. 큰 열매가 먹히지 않고 문드러져 땅에 떨어지면 그 씨가 마침내 다시 그 씨핵[仁]을 생겨나게 하므로 이러한 상을 말하였다. '수레'는 효가 변한 곤괘(☷)에서 취하였다.

### 이진상(李震相) 『역학관규(易學管窺)』

艮爲果蓏, 碩果象. 坤爲衆爲輿, 艮爲舍廬, 故有輿廬之象. 不食伏兌故也. 〈定軒李丈曰, 陽之於剝, 猶陰之於夬, 而夬上六則直著其凶, 剝上九則有得輿之吉象者, 亦非聖人之故爲扶抑也. 考之於易, 五陰一陽, 无凶占一也, 艮上所臨, 无凶占二也. 夬上六卽

兌上六, 而兌六本是不吉之爻, 故値其消亡, 而其匈尤速, 剝上九卽艮上九, 而艮上卽
是尙賢之爻, 故雖値道消, 而猶能卽吉, 兩爻吉匈, □自有來處.)

간괘(☶)는 덩굴열매[果蓏]가 되니, 큰 열매의 상이다. 곤괘(☷)는 무리가 되고 수레가 되며
간괘는 집이 되므로 집을 일으키는[興廬] 상이 있다. '먹히지 않음'은 간괘에 잠복한 태괘
(☱) 때문이다. 〈이정헌[37]이 말하였다: 양이 박괘(剝卦)에 대한 것은 음이 쾌괘(夬卦)에
대한 것과 같은데, 쾌괘의 상육에는 곧바로 그 흉함을 드러내고, 박괘의 상구에는 수레를
얻는 길한 상이 있는 것은, 또한 성인이 일부러 양을 북돋우고 음을 억누른 것이 아니다.
『주역』을 고찰해 보면, 음이 다섯에 양이 하나인 괘에 흉한 점이 없는 것이 하나이고, 간괘
가 상효에 임한 것에 흉한 점이 없는 것이 둘이다. 쾌괘(夬卦☱)의 상육은 곧 태괘(☱)의
상육이며 태괘의 육(六)은 본래 길하지 못한 효이므로 사라지고 없어짐을 만나면 흉함이
더욱 빠르고, 박괘(剝卦☶)의 상구는 곧 간괘(☶)의 상구이며 간괘의 상효는 곧 어진 이를
숭상하는 효이므로 비록 도가 사라짐을 만나더라도 오히려 길할 수 있으니, 두 효의 길함과
흉함은 저절로 유래한 곳이 있다.〉

## 이정규(李正奎) 「독역기(讀易記)」

上九爻辭曰, 碩果不食, 君子得輿, 小人剝廬. 羣小雖盛, 旡能自覆者, 惟一君子, 而若
剝之盡, 則渠亦自破其廬也. 自破其廬而不亡者有之乎. 自古小人之徒, 剝滅君子, 而
亡人之國, 終亦亡其家, 亡其身者, 何限而何不鑑於此乎, 嗚呼.

상구의 효사에서 "큰 열매가 먹히지 않는 것이니, 군자가 수레를 얻고 소인은 집을 허물
것이다"고 하였다. 여러 소인은 성대해도 스스로 덮을 수 없는 자이고, 오직 한 군자만이
해낼 뿐이지만, 깎아냄이 다할 때는 그도 스스로 그 집을 부수게 된다. 스스로 그 집을 부수
고서 망하지 않는 자가 있겠는가? 예로부터 소인의 무리가 군자를 깎아내 없애기에 나라를
망하게 하고 끝내 또 집안을 망하게 하고 그 몸을 망하게 한 것이니, 어찌 경계만 하고 거울
삼지 않겠는가? 아 슬프다.

## 이용구(李容九) 「역주해선(易註解選)」

亂極思治, 詩匪風下泉, 所以居變風之終也.

어지러움이 지극하면 다스림을 생각하니, 『시경』의 「비풍(匪風)」과 「하천(下泉)」이 그래
서 「변풍(變風)」의 끝에 있는 것이다.

---

37) 이장(李丈): 이종상(李鍾祥: 1799~1870)이다. 조선 후기의 문신·학자로 본관은 여주(驪州)이며, 호는 정헌
(定軒)이다. 저서로 『정헌문집』 18권과 『역학여작(易學蠡酌)』 2권이 있다.

象曰, 君子得輿, 民所載也, 小人剝廬, 終不可用也.

「상전」에서 말하였다: "군자가 수레를 얻음"은 백성들이 추대하는 것이고, "소인이 집을 허묾"은 끝내 쓸 수 없는 것이다.

## 中國大全

### 傳

正道消剝旣極, 則人復思治, 故陽剛君子爲民所承載也. 若小人處剝之極, 則小人之窮耳, 終不可用也. 非謂九爲小人, 但言剝極之時, 小人如是也.

바른 도가 깎여 사라짐이 이미 지극하면 사람들은 다시 다스려짐을 생각하기 때문에 굳센 양의 군자를 백성들이 받들어 추대하는 것이다. 만약 소인이 깎아냄의 끝에 있다면, 소인의 궁색함일 뿐이니 끝내 쓸 수 없다. 구(九)가 소인이라는 말이 아니라, 단지 깎아냄이 다할 때에는 소인이 이와 같다는 말이다.

### 小註

建安丘氏曰, 剝者, 言一陽在五陰之上, 而爲陰所剝也, 故卦以上九爲主, 其曰碩果不食, 幸一陽之存也. 在下五陰爻, 則有與乎陽者, 吉, 無與乎陽者, 凶. 六三應陽, 則无咎, 六五承陽, 則无不利, 以其有與乎陽也. 餘三陰无陽可與, 則皆謂之凶. 然初六六二去陽遠, 而剝未盡, 故初蔑貞凶, 二亦蔑貞凶也. 至六四, 則已廹乎陽, 而剝極矣, 故不言蔑貞, 而直言凶也.

건안구씨가 말하였다: 깎아낸다는 것은 하나의 양이 다섯 음의 위에 있어 음에게 깎여짐을 말한다. 그러므로 괘에서는 상구를 주인을 삼아 "큰 열매가 먹히지 않는 것이다"라고 했으니, 다행히 하나의 양이 남아 있는 것이다. 아래에 있는 다섯 음효는 양과 함께 하는 것은 길하고, 함께 하지 않는 것은 흉하다. 육삼은 양과 호응하여 허물이 없고, 육오는 양을 받들어 이롭지 않음이 없으니, 그것들이 양과 함께 했기 때문이다. 나머지 세 음효는 함께 할 양이 없으니, 모두 흉하다고 하였다. 그러나 초육과 육이는 양과 멀리 떨어져있어 깎아냄이

극진하지 않기 때문에 초효는 곧음을 업신여기면 흉한 것이고, 이효도 곧음을 업신여기면 흉한 것이다. 육사는 이미 양에게 들이닥쳐 깎아냄을 지극하기 때문에 곧음을 업신여긴다고 하지 않고, 바로 흉하다고 하였다.

○ 雙湖胡氏曰, 下四陰爻, 雖因已成之卦繫辭, 其實各原其初剝陽言之, 蓋卦本純乾也. 初之蔑貞其姤之時乎, 二之蔑貞其遯之時乎, 但以剝陽爲蔑貞, 不以位論矣. 三之无咎, 其否之時乎, 四之凶, 其觀之時乎, 五之以宮人寵, 正當剝之時也. 聖人旣於觀四, 別取觀國之光義, 而於剝五, 又取率群陰以受制於陽爲利焉, 至上九直象之以不食之碩果, 其扶陽抑陰之意, 每如此夫.

쌍호호씨가 말하였다: 아래의 네 음효는 비록 이미 이루어진 괘를 근거로 효사를 달았지만, 실은 각기 초효가 양을 깎아내는 것을 의거하여 말했으니, 괘는 본래 순수한 건괘(乾卦☰)이다. 초효에서 곧음을 업신여김은 구괘(姤卦☴)의 때이고, 이효에서 곧음을 업신여김은 돈괘(遯卦☶)의 때인데, 다만 '양을 깎아냄'을 '곧음을 업신여김'으로 여긴 것이지 자리로 논한 것이 아니다. 삼효의 허물없음은 비괘(否卦☷)의 때이고, 사효의 흉함은 관괘(觀卦☴)의 때이며, 오효의 궁인이 총애 받듯이 함은 바로 박괘(剝卦☶)의 때에 해당된다. 성인이 이미 관괘(觀卦☴)의 사효에서 "나라의 빛남을 본다"는 의미를 별도로 취했으며, 박괘(剝卦☶)의 오효에서 또 여러 음을 거느리고 양에게 제재 받는 것을 이로움으로 간주하는 입장을 취하고, 상구에서 '먹히지 않는 큰 열매'로 바로 상징하였으니, 양을 북돋우고 음을 억제하는 의미가 언제나 이와 같다.

## ┃韓國大全┃

### 김상악(金相岳) 『산천역설(山天易說)』

民所載者, 陽剛君子, 爲民所承載也. 若逐剝已盡, 則國破家亡, 而小人无安身之所, 終不可用也.

"백성들이 추대한다"는 굳센 양의 군자가 백성들에게 받들어 추대되는 것이다. 만약 깎아냄이 이미 다하였다면 나라가 깨지고 집안이 없어져 소인이 몸을 편안하게 둘 곳이 없으니, 끝내 쓸 수 없다.

## 서유신(徐有臣) 『역의의언(易義擬言)』

小人剝廬之時, 雖得輿之君子, 終無所用其力也.

소인이 집을 허무는 때에는 비록 수레를 얻은 군자라도 끝내 그 힘을 쓸 곳이 없다.

## 박문건(朴文健) 『주역연의(周易衍義)』

終不可用, 言終不能剝廬也.

"끝내 쓸 수 없다"는 끝내 집을 허물 수 없음을 말한다.

## 박종영(朴宗永) 「경지몽해(經旨蒙解)・주역(周易)」

傳曰, 正道消剝旣極, 則人復思治, 故陽剛君子爲民所承載也. 若小人處剝之極, 則小人之窮耳, 終不可用也.

『정전』에서 말하였다: 바른 도가 깎여 사라짐이 이미 지극하면 사람들은 다시 다스려짐을 생각하기 때문에 굳센 양의 군자를 백성들이 받들어 추대하는 것이다. 만약 소인이 깎아냄의 끝에 있다면 소인의 궁색함일 뿐이니, 끝내 쓸 수 없다.

蓋自古小人欲害君子, 君子信心直行, 守正不疑, 故每見欺於小人, 而罹其害患. 小人奸回諂佞, 無所不爲, 猶不得肆, 其奸凶者, 畏君子耳. 是以娼疾之如仇讎, 必欲陷害. 乃已及夫害得盡, 後隨而國破家亡, 渠亦淪胥以敗, 不能存活, 是乃自剝其廬也. 此所謂開國承家, 小人勿用, 必亂邦也者, 正指此耳, 噫, 愚意可以推類者. 君子小人, 卽天理人欲之分也. 君子循天理, 故所行無一不善, 而天理雖或爲人欲所蔽, 終不熄滅, 依舊常存, 如君子之得輿願載也. 小人循人欲, 故凡其所爲無一不出於私邪, 其欲陷害君子, 如人欲之害天理. 天理常存不滅, 而人欲終得危禍, 如小人之自剝其廬也. 相爲消長, 雖一時之事, 而至於悠久无彊, 長而不消, 乃天理也. 然則人欲雖或暫蔽, 安能奪其本然之天性哉. 是以小人得志用權, 沈酣富貴, 若無可以動搖者, 及乎身陷大戾, 然後始乃惕然畏懼, 慨然悔悟. 然而無及矣. 若早觀剝卦上九之象, 而有得焉, 則寧或至是也. 嗟嗟小人宜知戒哉.

예로부터 소인은 군자를 해치려고 하는데, 군자는 믿는 마음으로 곧게 행하여 바름을 지켜 의심하지 않으므로 매번 소인에게 속게 되고 해를 당한다. 소인이 간교하고 아첨하여 하지 못하는 바가 없는데도 여전히 방자하지 못한 것은, 그 간흉한 자가 군자를 두려워하기 때문이다. 이 때문에 시기하고 질투하기를 원수와 같이 하여 반드시 모함하여 빠뜨리고자 한다. 이윽고 해치기를 다하게 되면 뒤따라 나라가 깨지고 집안이 망하며, 그도 또한 위험에 휩쓸려 패망하여 삶을 보존할 수 없으니, 바로 스스로 그 집을 허무는 것이다. 이것이 이른바

"나라를 열고 가문을 이음에 소인을 쓰지 말라"[38]는 것이니, 반드시 나라를 어지럽힌다는 것이 바로 이것을 가리킴은, 아! 내 생각으로도 유추할 수 있다. 군자와 소인은 곧 천리와 인욕으로 구분된다. 군자는 천리를 따르기 때문에 행하는 바가 하나라도 선(善)하지 않음이 없으니, 천리가 간혹 인욕에 가려지더라도 끝내는 없어지지 않고 옛것에 의지하여 항상 보존함이 군자가 수레를 얻어 싣고자 함과 같다. 소인은 인욕을 따르기 때문에 하는 바가 하나라도 사욕(私欲)에서 나오지 않음이 없으니, 욕심으로 군자를 모함하여 빠뜨림이 인욕이 천리를 해침과 같다. 천리는 항상 존재하여 없어지지 않는데 인욕으로 끝내 위태로운 화를 얻으니, 소인이 스스로 그 집을 허무는 것과 같다. 서로 사라지고 자라남이 비록 한 때의 일이지만, 유구하여 끝이 없고 길게 사라지지 않음에 이르는 것이 천리이다. 그렇다면 인욕이 비록 잠시 가리더라도 어찌 그 본연한 천성을 뺏을 수 있겠는가? 이 때문에 소인이 뜻을 얻고 권력을 부려 부귀에 심취함은 동요할 만한 것이 없을 것 같은데, 몸이 크게 어긋남에 빠진 연후에야 비로소 척연(惕然)히 두려워하고 개연(慨然)히 뉘우쳐 깨닫게 된다. 그렇지만 미침은 없을 것이다. 만약 일찍 박괘 상구의 상을 살펴 얻는 것이 있다면, 어찌 이러한 데에 이르겠는가? 아아! 소인을 경계해야 함을 마땅히 알아야 한다.

### 심대윤(沈大允)『주역상의점법(周易象義占法)』

剝之時, 初有謀而无跡也, 二有跡而未彰也, 三得勢也, 四无厭也, 五納寵也, 六犯上也. 陰陽有盈虛消長, 天之大氣數也. 剝復泰否, 代序迭次. 陽氣盈而陰氣消, 則理順而世治, 君子福而小人殃, 陽氣虛而陰氣長, 則理逆而世亂, 君子禍而小人幸. 夫陽氣伸而呼, 則萬物皆昌, 縮而吸, 則陰氣生而萬物皆悴. 陽氣, 天地之元氣也, 陰氣, 客氣也, 非對陽而竝立者也. 因陽氣之縮而吸焉而生, 伸而呼焉而滅者也, 陽氣常存而陰氣常滅. 然陽氣之伸縮呼吸, 其遲速之數, 不差焉, 故陰氣已滅而復生, 終不可遂斷, 而能敵耦於陽氣者也. 君子, 陽之物也, 小人, 陰之物也. 草木, 陽所生也, 霜雪, 陰所凝也. 艸木, 歲寒則凋零, 而尙有根實, 寒消而復榮矣. 霜雪, 暫凝於冬, 春至而无迹矣. 君子譬則草木也. 小人譬則霜雪也. 故君子可窮而不可亡, 小人不可窮而可亡. 在易剝之坤, 曰碩果不食, 君子得輿, 小人剝廬, 夬之乾曰无號終有凶, 不曰小人得馬, 君子小人之係乎氣數, 而爲其盛衰存亡者, 如此矣. 夫天道福善禍淫, 而有數存焉, 故君子不恒福, 小人或免於禍. 然及其終也, 則未有君子而不福, 小人而不亡者也. 曰君子者, 何至善而盡性者也, 曰小人者, 何過不及偏倚違於中庸者也. 中庸者, 善之大, 利之至, 民所歸, 神所福也. 故有爲正而得禍者矣, 未有爲善而得殃者也, 有爲邪而得幸者矣, 未有

---

38)『周易·師卦』: 上六, 大君有命, 開國承家, 小人勿用.

爲不善而得福者也. 何謂正, 曰, 當於常理而不知時義者也. 何謂善, 曰, 時中而盡其性之利也. 仁義者利也, 私欲者害也, 君子不逆理而求福, 不逆時以取禍.

박괘의 때에, 초효는 도모함이 있으나 자취가 없고, 이효는 자취는 있으나 드러나지 않고, 삼효는 형세를 얻고, 사효는 싫어함이 없으며, 오효는 총애를 얻고, 육효는 윗사람을 범한다. 음과 양에 차고 비며 사라지고 자라남이 있음은 하늘의 큰 기수(氣數)이다. 박괘(剝卦)와 복괘(復卦), 태괘(泰卦䷊)와 비괘(否卦䷋)는 순서를 교차한다. 양의 기운이 차서 음의 기운이 사라지면 이치에 순하여 세상이 다스려지고 군자가 복을 받고 소인이 재앙을 입으며, 양의 기운이 비어 음의 기운이 자라나면 이치를 거슬러서 세상이 어지럽고 군자가 화를 당하고 소인이 요행을 얻는다. 양의 기운이 펴져 불어 나오면 만물이 모두 흥성하고, 위축되어 움츠리면 음의 기운이 생겨나 만물이 시든다. 양의 기운은 천지의 원기(元氣)이고 음의 기운은 객기(客氣)이니, 양에 상대하여 함께 맞서는 것이 아니다. 양의 기운이 위축되어 움츠리기에 생겨나고, 펴서 불어 나오기에 없어지는 것이니, 양의 기운은 항상 있으나 음의 기운은 항상 없어진다. 그러나 양의 기운이 펴고 위축되며 불어 나오고 움츠림은 그 더디고 빠른 기수에 차이가 없으므로 음의 기운이 사라졌다가도 다시 생겨나니, 끝내 끊어질 수 없어서 양의 기운에 대적하여 짝하는 것이다. 군자는 양의 물건이고 소인은 음의 물건이다. 초목은 양이 낳은 것이고, 서리와 눈은 음이 응결된 것이다. 초목은 한겨울이면 시들지만, 여전히 뿌리와 열매가 있어서 추위가 사라지면 다시 꽃피운다. 서리와 눈은 겨울에 점차 응결하지만 봄이 이르면 자취가 없어진다. 군자는 비유하면 초목과 같고, 소인은 비유하면 서리나 눈과 같으므로 군자는 궁핍할 수 있으나 없어질 수는 없고, 소인은 궁핍할 수는 없지만 없어질 수는 있다. 박괘(剝卦䷖)가 바뀌어 곤괘(坤卦䷁)가 됨에 있어서 "큰 열매가 먹히지 않으니 군자가 수레를 얻고 소인이 집을 허문다"고 하였으며, 쾌괘(夬卦䷪)가 건괘(乾卦䷀)로 바뀜에 "호소할 데가 없어 끝내 흉함이 있다"고 하고, "소인이 말을 얻는다"고 하지 않았으니, 군자와 소인이 기수(氣數)에 매여 있으나, 그 성하고 쇠하며 있고 없게 된 것이 이와 같다. 천도가 선함에 복을 주고 음란함에 화를 주지만 기수가 있으므로 군자가 항상 복을 받는 것은 아니고, 소인이 화(禍)를 면하기도 한다. 그러나 그 끝에 이르면 군자이면서 복을 받지 않음이 없고, 소인이면서 망하지 않는 자가 없다. '군자'라고 말한 것이 어찌 지극히 선하여 본성을 다한 자이겠으며, '소인'이라고 말한 것이 어찌 중용(中庸)에 지나치거나 미치지 못하고 치우치거나 어긋난 자이겠는가? 중용이란 선함이 큰 것이고 이로움이 지극한 것이니, 백성들이 귀의할 바이고 귀신이 복을 주는 바이다. 그러므로 바름을 행하고도 화를 얻는 자는 있지만 선을 행하고서 재앙을 얻는 자는 없으며, 사특한 짓을 행하고도 요행을 얻는 자가 있지만 불선(不善)을 행하고서 복을 얻는 자는 없다. 무엇을 바름이라고 하는가? 말하자면, 항상된 이치에는 마땅하지만 때의 알맞음을 알지 못하는 것이다. 무엇을 선이라고 하는가? 말하자면, 때에 알맞아 그 본성을 다하는 이로움이다. 인의(仁義)는 이로움이고 사욕(私欲)은 해로움이니, 군자는 이치를 거슬러서 복을 구하지 않고, 때를 거슬러서 화를 취하지 않는다.

### 오치기(吳致箕) 「주역경전증해(周易經傳增解)」

復生於下而得輿, 則君子道長, 而爲衆民所載矣. 剝盡於上而失廬, 則小人道窮, 而終不可用以庇身矣.

아래에서 다시 생겨나 수레를 얻으면, 군자의 도가 자라나서 여러 백성들에게 추대될 것이다. 위에서 다 깎여서 집을 잃으면, 소인의 도가 궁핍하여 끝내 써서 몸을 보호할 수 없을 것이다.

### 박문호(朴文鎬) 「경설(經說)・주역(周易)」[39]

在上者, 復生, 此有近於釋家輪回之說, 故或者所以致疑也.

위에 있는 것이 다시 생겨나는 이것은 석가의 윤회설(輪回說)과 비슷한 것이 있으므로 어떤 이가 의심하는 것이다.

不可用此用字, 與上載字, 不爲韻, 當以叶韻讀之.

"끝내 쓸 수 없는 것이다"의 "쓴다[用]"는 앞의 "싣는다[載]"와 음운(音韻)이 맞지 않으니, 마땅히 협운(叶韻)[40]으로 읽어야 한다.

### 이병헌(李炳憲) 『역경금문고통론(易經今文考通論)』

姚曰, 碩, 大也. 艮爲果, 乾陽聚於上, 故碩果. 食讀爲日月食之食, 陰食陽也. 艮以之止, 故不食.

요신이 말하였다: 석(碩)은 '큼'이다. 간괘(☶)는 열매가 되는데, 건괘(☰)의 양을 상효에서 취하였으므로 '큰 열매'이다. "먹힌다[食]"는 "해와 달이 먹힌다"의 "먹힌다[食]"이니, 음이 양을 먹는 것이다. 간괘는 그것을 본받아서 그치므로 먹히지 않는 것이다.

程傳曰, 諸陽消剝已盡, 獨有上九一爻尙存, 如碩大之果不見食. 剝極思治, 故陽剛君子爲民所承載也. 若小人處剝之極, 則終不可用也.

---

39) 경학자료집성DB에서는 박괘 '육삼'에 해당하는 것으로 분류했으나, 내용에 따라 이 자리로 옮겼다.

40) 협운(叶韻): 어떤 음운의 글자가 때로 다른 음운과 통용되는 일을 뜻한다.

『정전』에서 말하였다: 여러 양이 사라지고 깎임이 이미 다하고 단지 상구 한 효만 남아 있으니, 큰 열매가 먹히지 않는 것과 같다. 깎아냄이 다하면 다스려짐을 생각하기 때문에 굳센 양의 군자를 백성들이 받들어 추대하는 것이다. 만약 소인이 깎아냄의 끝에 있다면 끝내 쓸 수 없을 것이다.

# 한국주역대전 5 고괘·림괘·관괘·서합괘·비괘·박괘

초판 인쇄   2017년 8월 10일
초판 발행   2017년 8월 30일

엮 은 이 | 한국주역대전 편찬실
펴 낸 이 | 하운근
펴 낸 곳 | 學古房

주       소 | 경기도 고양시 덕양구 통일로 140 삼송테크노밸리 A동 B224
전       화 | (02)353-9908   편집부(02)356-9903
팩       스 | (02)6959-8234
홈페이지 | http://hakgobang.co.kr
전자우편 | hakgobang@naver.com, hakgobang@chol.com
등록번호 | 제311-1994-000001호

ISBN     978-89-6071-685-8  94140
         978-89-6071-680-3  (전14권)


값 : 1,250,000원 (전14책)

이 도서의 국립중앙도서관 출판예정도서목록(CIP)은 서지정보유통지원시스템 홈페이지
(http://seoji.nl.go.kr)와 국가자료공동목록시스템(http://www.nl.go.kr/kolisnet)에서 이용하
실 수 있습니다. (CIP제어번호 : CIP2017021784)

■ 파본은 교환해 드립니다.